LES SYSTÈMES
d'INFORMATION
de GESTION 3e ÉDITION

GÉRER L'ENTREPRISE NUMÉRIQUE

LES SYSTÈMES
d'INFORMATION
de GESTION 3e ÉDITION

GÉRER L'ENTREPRISE NUMÉRIQUE

KENNETH C. LAUDON
NEW YORK UNIVERSITY

JANE P. LAUDON
AZIMUT INFORMATION SYSTEMS

ADAPTATION FRANÇAISE
FRANÇOIS BERGERON
LIN GINGRAS

E RPi éducation ▸ innovation ▸ passion

1611, boul. Crémazie Est, 10e étage, Montréal (Québec) H2M 2P2
TÉLÉPHONE : 514 334-2690   TÉLÉCOPIEUR : 514 334-4720   ▸ **erpi.com**
information@pearsonerpi.com

DÉVELOPPEMENT DE PRODUITS
MICHELINE LAURIN

SUPERVISION ÉDITORIALE
CHRISTIANE DESJARDINS

TRADUCTION
LYNA LEPAGE, JOSÉE OUELLET-SIMARD ET JOHANNE TREMBLAY

RÉVISION LINGUISTIQUE
BÉRENGÈRE ROUDIL ET CLAIRE-MARIE CLOZEL

CORRECTION D'ÉPREUVES
CLAIRE ST-ONGE

INDEX
FRANÇOIS MORIN

RECHERCHE ICONOGRAPHIQUE
YASMINE MAZANI

DIRECTION ARTISTIQUE
HÉLÈNE COUSINEAU

SUPERVISION DE LA PRODUCTION
MURIEL NORMAND

CONCEPTION GRAPHIQUE DE L'INTÉRIEUR ET DE LA COUVERTURE
MARTIN TREMBLAY

ÉDITION ÉLECTRONIQUE
INFOGRAPHIE GL

Dans cet ouvrage, le générique masculin est utilisé sans aucune discrimination et uniquement pour alléger le texte.

Dépôt légal – Bibliothèque et Archives nationales du Québec, 2010
Dépôt légal – Bibliothèque et Archives Canada, 2010

Imprimé au Canada
ISBN 978-2-7613-2710-7

6789   MI   18 17 16 15
20508 ABCD   SM9

Nous avons rédigé le présent ouvrage à l'intention des étudiants des écoles de gestion désireux d'examiner dans le détail la façon dont les entreprises mettent à profit les technologies de l'information (TI) et les systèmes d'information pour atteindre leurs objectifs. Les systèmes d'information sont des outils essentiels pour les dirigeants d'entreprise qui désirent parvenir à l'excellence opérationnelle, développer de nouveaux produits et services, améliorer la prise de décision et doter l'organisation d'un avantage concurrentiel.

Pour obtenir les résultats financiers qu'elles visent, les entreprises ont besoin d'employés qui savent tirer parti des TI et des systèmes d'information. Quel que soit votre bagage en comptabilité, en finance, en gestion du personnel ou de l'exploitation, en marketing ou en systèmes d'information, les connaissances et les renseignements que vous puiserez dans cet ouvrage vous seront utiles tout au long de votre carrière.

Nous n'avons négligé aucun effort pour nous assurer de l'actualité et de la pertinence des études de cas et des exemples que nous avons utilisés. En effet, aucune des études de cas et des données que renferme cet ouvrage n'est antérieure à 2008. Notre travail repose en grande partie sur les documents de recherche et les publications spécialisées.

Qu'y a-t-il de neuf en matière de SIG?

Les SIG comportent une foule de nouveautés. Les nouvelles technologies servant à la gestion et à l'organisation des activités de l'entreprise ouvrent des perspectives d'affaires insoupçonnées. En fait, c'est l'évolution incessante des technologies, des méthodes de gestion et des processus d'entreprise (évolution qui sera décrite dans le chapitre 1) qui fait des SIG le champ d'études le plus captivant dans les écoles de gestion.

Un afflux constant d'innovations dans le domaine des TI transforme l'univers traditionnel des affaires. À titre d'exemple, mentionnons l'émergence de la nimbo-informatique (ou informatique dans les nuages), le développement de plateformes mobiles de services numériques, le réseautage social, tous des outils que les gestionnaires utilisent pour atteindre les objectifs de l'entreprise. La plupart de ces innovations datent des toutes dernières années. Elles permettent à des entrepreneurs et à des entreprises dynamiques de créer de nouveaux produits et services, d'élaborer de nouveaux modèles d'affaires et de transformer leur gestion quotidienne. Dans ce processus, des entreprises établies de longue date, voire des secteurs d'activité entiers, disparaissent, tandis que d'autres voient le jour.

Ainsi, l'éclosion des magasins de musique en ligne – favorisée par la demande de millions de consommateurs qui préfèrent la baladodiffusion sur iPod ou MP3 – a transformé à jamais le modèle d'affaires de la distribution de la musique, qui consistait jusque-là à vendre des supports matériels comme des disques ou des CD. La location de vidéo en ligne impose le même type de transformation au modèle de distribution des films, qui est d'abord passé par les salles de cinéma, puis par la location de DVD. Les nouvelles connexions à haute vitesse mises à la disposition des ménages ont soutenu les changements sur ces deux marchés.

De son côté, le commerce électronique est en plein essor : il a généré au-delà de 250 milliards de dollars de chiffre d'affaires en 2008, et sa croissance annuelle est de 15 %. La façon dont les entreprises conçoivent, produisent et livrent leurs produits et services est en mutation. Le commerce électronique s'est réinventé, bouleversant le secteur traditionnel du marketing et de la publicité et mettant en péril la survie des grandes entreprises de médias et de contenu. Le nouveau visage du commerce électronique au XXIe siècle passe par les sites de réseautage social comme MySpace, Facebook, YouTube, PhotoBucket et Second Life, qui vendent des services. Lorsqu'on parle de commerce électronique, on pense généralement à la vente de produits matériels; cette image traditionnelle est encore très présente et cette forme de vente au détail est celle qui connaît la croissance la plus rapide. Cependant, un tout nouveau courant d'affaires, qui consiste dans la vente de services plutôt que de biens, se développe en parallèle. Ce nouveau modèle de commerce électronique repose sur les TI et les systèmes d'information.

La gestion des entreprises a également changé. Grâce aux nouveaux téléphones mobiles, aux réseaux sans fil Wi-Fi à haute vitesse et à la connexion sans fil des ordinateurs portables, un supérieur peut, en quelques secondes, joindre un vendeur en déplacement, lui poser des questions et surveiller ses activités. Les gestionnaires peuvent être en communication directe et continue avec leurs employés lorsqu'ils voyagent. Grâce au fait que les entreprises se dotent de systèmes d'information qui permettent de constituer des réservoirs de données considérables, les gestionnaires peuvent accéder presque instantanément aux informations cruciales dont ils ont besoin pour prendre rapidement des décisions éclairées. Outre leurs usages publics sur le Web, les sites wiki et les blogues deviennent aussi pour l'entreprise des outils précieux de communication, de collaboration et de partage d'information.

La 3ᵉ édition: une solution intégrée d'enseignement des SIG

Depuis ses débuts, le manuel *Les systèmes d'informations de gestion* a contribué à définir le contenu du cours d'introduction aux SIG partout dans le monde. Il continue aujourd'hui de faire autorité et demeure à la fine pointe de l'actualité. Nous l'avons amélioré afin d'en faire un outil plus interactif, mais il est également plus facile à utiliser, plus souple et mieux adaptable aux besoins particuliers des différents collèges ou universités et des enseignants.

Le manuel offre un programme d'apprentissage complet. Il se compose de 15 chapitres contenant des exercices pratiques qui traitent des principaux sujets liés aux SIG en s'appuyant sur un cadre conceptuel intégré pour en décrire et en analyser les notions fondamentales. Ce cadre conceptuel présente les systèmes d'information comme étant constitués d'éléments de gestion, d'organisation et de technologie, notions consolidées dans les études de cas et les exercices. Le guide visuel qui suit cet avant-propos présente le contenu et l'organisation des chapitres.

Principales caractéristiques du manuel

L'apprentissage et l'interactivité

Pour apprendre les systèmes d'information, rien ne vaut la pratique! Nous proposons différents types de projets concrets permettant aux étudiants de travailler sur des scénarios et des données réels et d'apprendre par la pratique en quoi consistent les SIG. Ces exercices stimulent l'intérêt des étudiants pour ce fascinant sujet.

Les études de cas et les exemples concrets

Cette nouvelle édition aide les étudiants à voir le lien direct entre les systèmes d'information et les résultats de l'entreprise. Elle décrit les principaux objectifs commerciaux qui déterminent les technologies et les systèmes d'information à utiliser dans les entreprises, partout dans le monde: excellence opérationnelle, nouveaux produits et services, connaissance approfondie de la clientèle et des fournisseurs, prise de décision améliorée, avantage concurrentiel et survie de l'organisation. Les exemples et les études de cas intégrés au manuel montrent aux étudiants comment des entreprises se servent des systèmes d'information pour atteindre ces objectifs.

Tout au long du manuel, nous utilisons des exemples et des cas récents d'entreprises ou d'organismes d'État pour illustrer les notions essentielles abordées dans chaque chapitre. Les études de cas décrivent la situation de sociétés et d'organismes réputés que les étudiants connaissent bien, comme Google, Facebook, Coca-Cola, Wal-Mart, eBay, la NBA, Procter & Gamble et JetBlue.

La mondialisation

La présente édition accorde encore plus d'importance à la mondialisation que les précédentes et apporte de nombreux exemples d'entreprises multinationales. Elle indique comment utiliser les systèmes d'information dans un environnement économique mondial à travers les thèmes suivants: la mondialisation (chapitre 1), la collaboration au sein de groupes de travail internationaux (chapitre 2), la localisation des logiciels (chapitre 15), les menaces à la sécurité à l'échelle mondiale (chapitre 8), les chaînes logistiques mondiales (chapitre 9), les marchés mondiaux (chapitre 10) et l'impartition à l'étranger (chapitre 11).

Les processus d'affaires

Sans l'utilisation de processus d'affaires appropriés, les investissements en systèmes d'information ne donnent pas les résultats escomptés et ne permettent pas à l'entreprise d'obtenir un rendement optimal. Pour utiliser correctement les systèmes d'information, il faut presque toujours modifier les processus de base de l'entreprise et le comportement de ses gestionnaires. Dès les premiers chapitres, nous mettons l'accent sur les processus d'affaires et, tout au long du texte, nous offrons de nombreux exemples de la façon dont les systèmes d'information permettent d'implanter de nouveaux processus plus efficaces et de nouveaux modèles d'affaires.

Les sujets de pointe

La présente édition traite des sujets de pointe suivants:

- Nimbo-informatique (ou informatique dans les nuages)
- Web 2.0 et Web 3.0
- Systèmes et outils de collaboration
- Logiciel-service
- Mondialisation
- Monde virtuel
- Gadgets logiciels
- Forage du Web et forage de texte
- Communications unifiées
- Gestion unifiée des menaces

- Accord sur les niveaux de service
- Localisation de logiciel
- Virtualisation
- Sites de réseautage social
- Impartition à l'étranger
- Impartition
- Blogue
- Wiki
- Processeur multicœur
- RSS

Un soutien en ligne

L'ouvrage *Les systèmes d'information de gestion* est enrichi de matériel complémentaire en ligne destiné aux enseignants. Ceux-ci trouveront à l'adresse www.erpi.com/laudon.cw des présentations PowerPoint pour chacun des chapitres ainsi que des ressources supplémentaires. Les présentations PowerPoint ont été préparées sous la direction de Jacques Lavallée, vice-doyen aux projets spéciaux et aux affaires étudiantes et professeur titulaire, et d'Olivier Caya, professeur, et réalisées par Danielle Perras, chargée de cours, tous trois à la Faculté d'administration de l'Université Sherbrooke.

Kenneth C. Laudon
Jane P. Laudon
François Bergeron
Lin Gingras

Chaque chapitre contient les éléments suivants :

- Une série d'**objectifs d'apprentissage** exprimés sous la forme de questions, de façon à focaliser l'attention des étudiants sur les points essentiels.

▶ OBJECTIFS D'APPRENTISSAGE

Après avoir étudié ce chapitre, vous pourrez répondre aux questions suivantes :

1. Que sont les processus d'affaires ? Comment se rattachent-ils aux systèmes d'information ?
2. Comment les cadres des différents paliers hiérarchiques utilisent-ils les systèmes d'information ?
3. Comment les applications d'entreprise, les systèmes de collaboration et de communication et les intranets améliorent-ils la performance de l'organisation ?
4. Quelle est la différence entre les affaires électroniques, le commerce électronique et le cybergouvernement ?
5. Quel est le rôle de la fonction des systèmes d'information dans l'entreprise ?

TATA PREND UNE DÉCISION HISTORIQUE EN ADOPTANT LA FABRICATION NUMÉRIQUE POUR LA NANO

Le 10 janvier 2008, la société indienne Tata Motors dévoilait son nouveau véhicule, la Nano. Un événement mémorable, car son prix de vente de l'ordre de 2500 $ US fait de la Nano la voiture la plus économique jamais fabriquée. Elle rappelle en cela le Modèle T de Ford, voiture à la portée de millions de gens pour lesquels ce luxe était jusque-là inaccessible.

Tata Motors a mis le projet Nano en route en 2003 en chargeant une équipe de créer une voiture dont le prix ne devrait pas excéder 2500 $ US environ, et ce, sans faire de compromis au chapitre de la sécurité, de l'esthétique ou de la valeur pour le client. La tâche était herculéenne. Tata a pourtant réussi cet exploit en utilisant des systèmes de fabrication numérique qui lui ont permis de raccourcir considérablement le temps nécessaire à la conception et à la mise en marché. La capacité d'élaborer et de fabriquer de nouveaux produits présentant de multiples variantes dans un très court laps de temps est en effet un avantage concurrentiel clé dans l'industrie automobile.

- Une **étude de cas introductive** décrivant la situation réelle d'une organisation, qui permet de définir le thème du chapitre et d'en apprécier l'importance.

- Un **schéma d'analyse du cas** qui illustre graphiquement la façon dont les éléments relatifs à la gestion, à l'organisation et à la technologie se conjuguent pour créer un système d'information correspondant aux enjeux présentés dans l'étude de cas.

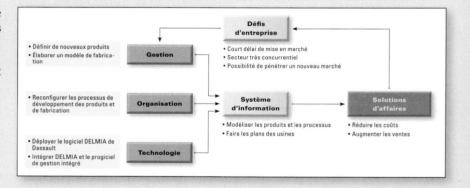

Projets concrets en SIG

Décisions de gestion

1. Votre entreprise fournit des carreaux de céramique pour plancher à Home Depot, Rona et d'autres magasins spécialisés dans la rénovation résidentielle. On vous a demandé d'utiliser

Améliorer le processus décisionnel

Rechercher des ressources étrangères dans les bases de données en ligne

Compétences en logiciels : savoir consulter des bases de données en ligne
Compétences en affaires : savoir rechercher des services pour des activités à l'étranger

Atteindre l'excellence opérationnelle

Évaluer des services de gestion de la chaîne logistique

Compétences en logiciels : savoir utiliser un navigateur Web et un logiciel de présentation
Compétences en affaires : savoir évaluer des services de gestion de la chaîne logistique

- Une section de **Projets concrets en SIG**, à la fin, comprenant de nouveaux exercices de **Décisions de gestion**, qui apprennent aux étudiants comment appliquer les notions traitées en analysant des situations tirées de la pratique réelle des affaires pour prendre des décisions.

Cette section peut aussi comprendre un ou des exercices de perfectionnement des compétences dans l'utilisation d'Internet à des fins de gestion. Il peut s'agir d'accéder à l'information, de faire des recherches et d'exécuter des calculs et des analyses en ligne.

SESSION INTERACTIVE : LA GESTION

LES RÉUNIONS VIRTUELLES : LA GESTION AVISÉE

Pour bon nombre d'entreprises, y compris les banques, les bureaux d'avocats, de comptables, de services technologiques et de conseillers en gestion, les déplacements sont monnaie courante. Les dépenses en voyages d'affaires ont régulièrement augmenté au cours des dernières années, principalement en raison de la hausse des coûts de l'énergie. Dans leurs efforts pour réduire ce type de frais, de nombreuses sociétés grandes et petites recourent au~~~~~ conférence e~~~~

D'après ~~~ 2008 par la ~~~ tiative et le ~~~ des voyages ~~~ remplacés p~~~ nions virtue~~~

mis par un réseau ou par Internet. La technologie avait auparavant la réputation d'offrir un mauvais rendu, en raison de sa piètre performance audio et vidéo habituellement liée à la rapidité avec laquelle les données étaient transmises. De plus, son coût était si élevé que seules les entreprises les plus fortunées pouvaient se l'offrir. Pour la plupart des sociétés, la visioconférence ne constituait qu'un pâle substitut aux réunions en~~~

La technologie haut de gamme en matière de visioconférence est connue sous l'appellation de « téléprésence ». L'objectif est que les utilisateurs aient l'impression de se trouver dans un lieu différent de celui où ils sont en réalité. Les produits de téléprésence proposent les services de visioconférence de la plus haute qualité qu'on puisse trouver sur le marché aujourd'hui. Une poignée d'entreprises seulement, dont Cisco, HP et Polycom, les proposent. Le prix des salles de téléprésence munies de~~~

SESSION INTERACTIVE : LA TECHNOLOGIE

UPS RIVALISE AVEC LA CONCURRENCE MONDIALE GRÂCE À LA TECHNOLOGIE DE L'INFORMATION

United Parcel Service (UPS) a démarré ses activités en 1907, dans un minuscule bureau aménagé dans un sous-sol. Jim Casey et Claude Ryan, deux adolescents de Seattle munis de deux vélos et d'un téléphone, se sont engagés à offrir « le meilleur service aux tarifs les plus bas ». Cela fait maintenant plus de 90 ans que UPS emploie avec succès cette formule, qui lui a permis de devenir la société de distribution de colis par voies terrestre et a~~~ du monde. S~~~ elle compte ~~~ 93 000 véhic~~~ se situant au~~~

au centre de distribution le plus proche de la destination ultime. Les répartiteurs de ce centre de distribution téléchargent les données de l'étiquette et utilisent un logiciel spécial pour déterminer le trajet de livraison le plus efficient pour chaque chauffeur, étant donné la circulation, les conditions climatiques et les différents arrêts du parcours. UPS estime qu'elle épargne à ses camions de livraison 45 millions de kilomètres de~~~

Information Acquisition Device, pour « appareil de collecte de données de livraison »), qui donne accès aux renseignements de livraison grâce à l'un des réseaux sans fil qu'utilisent les téléphones cellulaires. Dès que le chauffeur ouvre une session, son itinéraire de la journée se télécharge sur l'appareil. De plus, le DIAD saisit automatiquement les signatures des clients accompagnées des informations relatives à la collecte et à la livraison. Puis il transmet les renseignements de suivi des colis au réseau informatique d'UPS aux fins de stockage et de traitement. Cela permet une consultation partout dans le monde et fournit une preuve de livraison aux~~~

SESSION INTERACTIVE : LES ORGANISATIONS

LA RESTAURATION RAPIDE : LES SYSTÈMES D'INFORMATION PEUVENT-ILS AIDER JOHNNY'S LUNCH À RÉALISER UNE PERCÉE NATIONALE ?

C'est en 1936 que Johnny Colera a commencé à vendre des hot-dogs dans son casse-croûte de Jamestown, dans l'État de New York. Grâce à sa fameuse sauce chili et à ses talents de gestionnaire, son restaurant, Johnny's Lunch, a connu un énorme succès et est même devenu une institution dans sa localité. Johnny's Lunch propose de bons aliments à prix modique, un service de qualité supérieure et un~~~ sert des hot~~~ frites, des ~~~ des laits fo~~~ plus inusité~~~ maison.

ture était plus favorable. La société espère qu'une alimentation réconfortante et bon marché aura du succès même si l'économie ralentit en 2008 et au-delà.

La direction vise un nombre de restaurants situé entre 30 et 50 d'ici la fin de 2008, et son but est d'atteindre 3000 établissements dans le pays d'ici 5 ans. Comme il n'existe que 3300 restaurants

La technologie analytique de Map-Info, appelée Smart Site Solutions, a aidé Johnny's Lunch à utiliser cette information pour repérer les marchés potentiels et déterminer le degré optimal d'établissements à installer dans chacun pour maximiser les ventes. L'application a permis de subdiviser le pays en plusieurs secteurs de marché en indiquant pour chacun le degré de concurrence, les données démographiques et les caractéristiques de l'emplacement des franchises éventuelles. Les conseillers de Pitney Bowes ont déterminé lesquels parmi 72 « regroupements », ou types de voisinages, constituaient des cibles optimales selon divers

Questions

1. Décrivez le modèle d'affaires et la stratégie de Johnny's Lunch. Quelles difficultés l'entreprise devra-t-elle surmonter pour mettre en œuvre son projet d'expansion ?
2. Quels systèmes la société a-t-elle utilisés ou prévu utiliser pour surmonter ces difficultés ? De quels types de systèmes s'agit-il ? En quoi chacun d'eux aidera-t-il Johnny's Lunch à surmonter ces difficultés ?
3. Quels autres types de systèmes décrits dans ce chapitre pourraient aider Johnny's Lunch dans son projet d'expansion ?
4. Croyez-vous que le projet d'expansion nationale de Johnny's Lunch peut réussir ? Oui ou non ? Pourquoi ?

Ateliers

Visitez le site Web de Johnny's Lunch (www.johnnyslunch.com) puis répondez aux questions suivantes :

1. Quel est le public cible de ce site Web ? Quel en est l'objectif ? Est-il facile à utiliser ? Si oui, dans quelle mesure ? Est-il utile pour attirer les clients ? Si oui, jusqu'à quel point ? Avec quelle efficacité appuie-t-il la stratégie d'affaires de la société ?
2. Combien d'emplacements de franchises sont décrits sur le site Web ? Où sont-ils situés ? Que vous apprennent ces renseignements sur la stratégie d'expansion de la société ?

• Des **sessions interactives**, qui peuvent porter sur la les organisations, sur la gestion ou sur la technologie. Il s'agit de courtes études de cas suivies de **questions** et d'**ateliers**, qui peuvent être utilisées pour des discussions en classe ou sur babillard en ligne, ou pour des travaux écrits. Elles auront pour effet de stimuler l'intérêt des étudiants et de rendre l'apprentissage plus dynamique. Les ateliers proposent aux étudiants des activités pratiques sur le Web qui les encouragent à se renseigner plus avant sur les sociétés et sur les enjeux qui apparaissent dans les études de cas.

▷ RÉSUMÉ

1. Que sont les processus d'affaires? Comment se rattachent-ils aux systèmes d'information?

Un processus d'affaires est un ensemble d'activités ayant un lien logique entre elles, qui détermine comment les tâches précises d'une entreprise sont exécutées et qui représente la façon exclusive dont une organisation coordonne le travail, l'information et les connaissances. Les cadres doivent porter une attention particulière aux processus d'affaires: l'efficacité avec laquelle l'organisation peut exercer ses activités en dépend parce qu'ils peuvent lui donner un avantage stratégique. À chacune des principales fonctions de l'entreprise sont attachés des processus d'affaires précis, mais d'autres sont interfonctionnels. Les systèmes d'information automatisent en partie les processus d'affaires et peuvent aider les organisations à les reconfigurer et à les rationaliser.

l'entreprise à gérer ses relations avec les fournisseurs, de manière à optimiser la planification, l'approvisionnement, la fabrication et la livraison des produits et services. La gestion de la relation client fait appel aux systèmes d'information pour coordonner tous les processus d'entreprise entourant les interactions de la société avec ses clients, de façon à optimiser à la fois les revenus de l'entreprise et la satisfaction de la clientèle. Les systèmes de gestion des connaissances permettent aux entreprises d'optimiser la création, le partage et la diffusion des connaissances. Les emplois dans lesquels l'interaction est la principale activité créatrice de valeur bénéficient des systèmes de collaboration et de communication. Les intranets et les extranets utilisent la technologie et les normes d'Internet pour rassembler l'information provenant de systèmes disparates et la présenter à l'utilisateur

- Un **résumé** arrimé aux objectifs d'apprentissage.

- Les **mots clés** apparaissent en gras dans le texte. Ils sont repris dans une liste à la fin des chapitres – liste que les étudiants peuvent utiliser pour réviser les notions traitées –, puis regroupés dans un glossaire à la fin de l'ouvrage, où l'équivalent anglais de chacun est précisé.

MOTS CLÉS

Agence de souscription, p. 310	Marché électronique, p. 305
Approvisionnement, p. 316	Micropaiement, p. 319
Asymétrie de l'information, p. 305	Personnalisation, p. 303
Baladodiffusion, p. 309	Place de marché électronique, p. 316
Bandeau publicitaire, p. 309	Place de marché indépendante, p. 317
Blogosphère, p. 314	Portail mobile, p. 319
Centre d'appels, p. 315	Portefeuille numérique, p. 319
Chèque électronique, p. 319	Prix d'entrée, p. 303
Commerce électronique de détail (B2C), p. 310	Produit numérique, p. 306
Commerce électronique interconsommateurs (C2C), p. 310	Réseau industriel privé, p. 316

QUESTIONS DE RÉVISION

1. Que sont les processus d'affaires? Comment se rattachent-ils aux systèmes d'information?

- Définissez les processus d'affaires et décrivez leurs relations avec la performance de l'entreprise.
- Décrivez la relation entre les systèmes d'information et les processus d'affaires.

- Définissez les systèmes de gestion de la chaîne logistique et décrivez-en les avantages pour l'entreprise.
- Définissez les systèmes de gestion de la relation client et décrivez-en les avantages pour l'entreprise.
- Décrivez le rôle des systèmes de gestion des connaissances au sein de l'entreprise.

- Des **questions de révision** permettant aux étudiants de s'assurer qu'ils maîtrisent la matière du chapitre, également arrimées aux objectifs d'apprentissage.

- Des **sujets de discussion** liés aux grands thèmes abordés dans le chapitre.

SUJETS DE DISCUSSION

1. De quelle manière Internet change-t-il les relations qu'une entreprise entretient avec ses clients et avec ses fournisseurs?

2. Bien qu'Internet ne les condamne pas forcément à la désuétude, les entreprises traditionnelles devront modifier leurs modèles d'affaires. Êtes-vous d'accord avec cette affirmation? Pourquoi?

TRAVAIL D'ÉQUIPE: CRÉER UN SITE WEB POUR LE TRAVAIL D'ÉQUIPE

Formez une équipe avec trois ou quatre autres étudiants, puis utilisez les outils de Google Sites pour créer le site Web de votre équipe. Vous devrez créer un compte Google et indiquer les collaborateurs (membres de votre équipe) qui auront accès au site et participeront à sa création. Désignez votre professeur comme réviseur du site, de sorte qu'il puisse évaluer votre travail. Donnez un nom à votre site, choisissez-en le thème et apportez toutes les modifications que vous souhaitez aux couleurs et aux polices de caractères.

Ajoutez les attributs nécessaires pour les annonces de projet ainsi qu'un référentiel pour les documents de l'équipe, les sources, les illustrations, les présentations électroniques et les pages Web intéressantes. Vous pouvez ajouter d'autres attributs, si vous le désirez. Utilisez Google Documents pour créer le calendrier de votre équipe. Une fois cet exercice terminé, vous pourrez utiliser votre site Web et le calendrier pour vos prochains travaux d'équipe.

- Un **travail d'équipe** visant à développer les aptitudes à la collaboration et à la présentation d'exposés, dans lequel les étudiants se voient offrir la possibilité d'utiliser des outils de collaboration informatiques gratuits, tels Google Sites et Google Documents. Dans le premier de ces projets (chapitre 1), les étudiants sont appelés à créer un site de collaboration Google.

YouTube, Internet et l'avenir du cinéma

Internet a transformé le secteur économique de la musique. Les ventes de CD chez les marchands de musique au détail ont décliné, alors que les ventes de chansons téléchargées sur les iPod et autres lecteurs portables par l'intermédiaire d'Internet enregistrent une hausse vertigineuse. Et le secteur de la musique continue d'être aux prises avec les téléchargements gratuits de chansons auxquels se livrent illégalement des millions de personnes. Le même sort est-il réservé au cinéma ?

La multiplication des accès à haut débit à Internet, des ordinateurs personnels (de plus en plus puissants et munis de lecteurs et de graveurs de DVD), des appareils vidéo portables et des services de partage de fichiers a rendu le téléchargement de contenu vidéo plus rapide et plus facile que jamais. Actuellement, le nombre des téléchargements gratuits – et souvent illégaux – de vidéos est quatre fois supérieur au téléchargement payant. Mais Internet offre également aux studios de cinéma et de télévision de nouvelles possibilités de distribution et de vente dont ils s'efforcent de profiter.

Au début de 2006, les principaux studios de cinéma ont réussi à conclure des accords avec des sites comme Cinema-Now et Movielink – acquise depuis par Blockbuster – pour la vente de films par téléchargement. Auparavant, ces sites proposaient de télécharger des films en location, le client disposant de 24 heures pour les regarder, conformément au modèle de « vidéo à la demande ». Warner Brothers a également élargi ses activités en établissant des relations avec les services de téléchargement de vidéos Guba.com et BitTorrent. Les studios essayaient de profiter de la vague créée par le succès du magasin de musique iTunes, un succès qui démontrait que les consommateurs étaient tout à fait disposés à payer le téléchargement électronique légal de matériel protégé par un droit d'auteur. En pénétrant sur le marché de la vente par téléchargement, ils espé-

raient du même coup prévenir le piratage dans leur secteur et échapper au sort de l'industrie de la musique.

Une question demeurait toutefois: les studios pouvaient-ils reproduire le succès d'iTunes? Leurs barèmes de prix initiaux n'avaient certainement pas le même attrait que ceux d'Apple: 0,99 $ la chanson ou 9,99 $ le CD. Le service Movielink a fixé le prix des nouveaux films entre 20 et 30 $, les plus anciens étant soldés à 10 $. Les studios estimaient que les clients seraient disposés à payer davantage pour pouvoir télécharger immédiatement un film plutôt que de devoir se le procurer dans un magasin «en dur» comme Best Buy ou sur un site en ligne comme Amazon.com, qui vendent les nouveaux DVD à moins de 15 $.

Toutefois, même si les clients étaient disposés à payer un léger supplément, ils en obtenaient moins pour leur argent. En effet, la plupart des films téléchargés ne comprenaient pas les suppléments, courants sur les DVD. En outre, ils étaient programmés pour être visionnés sur un écran d'ordinateur, et leur transfert sur un écran de télé exigeait des manipulations trop complexes pour la plupart des consommateurs. Ni Movielink ni CinemaNow n'offraient de films sous une forme qui aurait permis de les graver sur DVD et de les visionner sur un lecteur DVD ordinaire.

Au moment même où les studios tentaient une incursion dans la distribution en ligne, de nouvelles difficultés surgissaient. YouTube, dont les activités avaient commencé en février 2005, est rapidement devenu le site Web de par-

cybercaméras et des films d'étudiants en cinéma. Pour dissuader ses utilisateurs d'afficher des clips illégaux, YouTube a limité la longueur des vidéos diffusées à 10 minutes et accepté de retirer des vidéos à la demande du détenteur des droits d'auteur, mais la bataille était perdue d'avance. Les clips de films et de spectacles populaires étaient souvent affichés par de multiples utilisateurs et réapparaissaient aussi vite qu'ils étaient retirés. Et il s'est avéré que les utilisateurs étaient prêts à voir un film de 2 heures par tranches de 10 minutes si on pouvait y accéder gratuitement.

Il est difficile d'évaluer quelle est la quantité de vidéos tirées de films hollywoodiens qui est diffusée sur YouTube sans l'autorisation des studios. Selon les chercheurs et les gestionnaires de médias, la proportion se situerait entre 30 et 70 %. Lors d'une poursuite en justice en 2008, Viacom a affirmé que plus de 150 000 clips non autorisés extraits de certaines de ses émissions de télévision protégées par le droit d'auteur avaient été diffusés sur YouTube, auquel le conglomérat réclame d'ailleurs 1 milliard de dollars de dommages.

Lorsque Google a fait l'acquisition de YouTube en 2006, au prix de 1,65 milliard de dollars, le site a pris un poids considérable dans l'univers des médias. Avec 100 millions de visionnements de vidéos par jour, YouTube est devenu l'un des sites les plus visités sur le Web à l'échelle mondiale. Les grands studios de production n'allaient pas rester inactifs et laisser quelqu'un d'autre tirer profit de films dont la réalisation leur

comme YouTube. Il était logique pour le secteur du cinéma de suivre la voie empruntée auparavant par celui de la musique: profiter des avantages de la diffusion numérique comme nouvelle source de revenu plutôt que de chercher à éradiquer les téléchargements illégaux.

Au début de 2007, YouTube a exprimé son intention d'explorer un modèle de partage des revenus avec les créateurs de contenu et a mis au point une technologie de filtrage et d'empreinte numérique appelée Video ID pour concrétiser ce projet. Video ID permet aux détenteurs de droits d'auteur de comparer les empreintes numériques de leurs vidéos avec le matériel diffusé sur YouTube et de signaler le matériel constituant une infraction. Avec cette technologie, le site peut non seulement repérer les vidéos déjà en ligne, mais aussi en éliminer un grand nombre d'avance.

YouTube ne retire pas tout le matériel en infraction. L'entreprise a plutôt conclu avec CBS, Universal Music, Lionsgate, Electronic Arts et d'autres leaders du domaine des médias un accord en vertu duquel le détenteur du droit d'auteur d'une vidéo présentée sur YouTube peut la revendiquer comme lui appartenant et diffuser ses propres messages publicitaires conjointement. YouTube et les propriétaires des droits d'auteur partagent les revenus – qui sont encore assez modestes, puisque ces

simplement à cause de leur médiocrité.

Pour toutes les parties en lice – studios, sites de partage de vidéos, sociétés de location –, les partenariats et le partage des revenus semblent être le meilleur moyen de maximiser les flux de revenus que permettent les nouvelles technologies.

Pour le secteur du cinéma, le développement de la distribution de films en ligne est arrivé alors que l'industrie traversait une période difficile. En 2008, les ventes de DVD ont enregistré pour la première fois une baisse brutale par rapport à l'année précédente, passant de 16,5 à 15,9 milliards de dollars. Or, la distribution de films en ligne assure aux studios de cinéma une certaine réduction de leurs coûts, à commencer par le fait qu'ils n'ont plus à assumer eux-mêmes la distribution des produits et la gestion des invendus. Et surtout, cela peut leur permettre de tirer profit d'une activité qui autrement s'effectuerait dans l'illégalité.

Les studios continuent de rechercher d'autres partenaires pour la distribution numérique de leurs films. Les six plus importants ont conclu une entente avec Wal-Mart qui permet au géant des magasins de discompte de vendre des téléchargements de films sur son site Web, rejoignant ainsi iTunes, CinemaNow, Amazon et les autres entreprises qui avaient déjà conclu des ententes de cette nature. Tous les intervenants axe-

QUESTIONS

1. À quelles forces concurrentielles le secteur du cinéma a-t-il dû faire face ? Quels problèmes ces forces ont-elles créés ? Quels changements les studios de cinéma et de télévision ont-ils été amenés à faire pour résoudre ces problèmes ?

2. Décrivez l'incidence de la technologie perturbatrice sur les sociétés dont il est question dans ce cas.

3. Comment les studios de cinéma ont-ils réagi à l'endroit de YouTube ? Quel était le but de leur riposte ? Que peuvent apprendre les studios de cinéma de la réaction du secteur de la musique à la diffusion numérique en ligne et à la violation des droits d'auteur ?

4. Les sociétés de production cinématographique devraient-elles continuer de faire appel à YouTube pour faire la promotion de leurs films ? Oui ou non ? Pourquoi ?

5. Visitez le site YouTube.com et cherchez des vidéos provenant de vos émissions de télé ou de vos films favoris. Que trouvez-vous sur ce site ? Des messages publicitaires sont-ils associés à ces vidéos ? Pensez-vous que ce type de publicité soit efficace ? Oui ou non ? Pourquoi ?

• Enfin, pour clore le chapitre, une **étude de cas** dans laquelle les étudiants doivent mettre en application les notions acquises en répondant aux **questions**.

• Le professeur a en outre accès à du matériel complémentaire en ligne, à l'adresse www.erpi.com/laudon.cw. Les présentations PowerPoint qui s'y trouvent ont été préparées par Olivier caya, Jacques Lavallée et Danielle perras.

SOMMAIRE

CHAPITRE 6

Les fondements de l'intelligence d'affaires : les bases de données et la gestion de l'information

CHAPITRE 7

Les télécommunications, Internet et la technologie sans fil

CHAPITRE 8

La sécurité des systèmes d'information 235

PARTIE 3

Les applications clés de systèmes pour l'entreprise à l'ère numérique 267

CHAPITRE 9

Les applications d'entreprise au service de l'excellence opérationnelle et d'une relation client étroite 269

CHAPITRE 10

Le commerce électronique : les marchés et les produits numériques 297

CHAPITRE 11

La gestion des connaissances et de la collaboration 329

CHAPITRE 12

Pour une meilleure prise de décision 359

CHAPITRE 15

La gestion des systèmes mondiaux 445

PARTIE **1** 2 3 4

Les organisations, la gestion et l'entreprise en réseau

Chapitre 1
Les systèmes d'information dans l'entreprise mondiale contemporaine

Chapitre 2
Les affaires électroniques mondiales : comment les entreprises utilisent
les systèmes d'information

Chapitre 3
Les systèmes d'information, les organisations et la stratégie

Chapitre 4
Les aspects éthiques et sociaux des systèmes d'information de gestion

La première partie de ce manuel présente les principaux thèmes qui
seront développés par la suite en abordant une série de questions importantes. Qu'est-ce qu'un système d'information et quels en sont les éléments
de gestion, d'organisation et de technologie ? Pourquoi les systèmes
d'information sont-ils si essentiels aux entreprises de nos jours ? En quoi
les systèmes d'information contribuent-ils à rendre les entreprises plus
concurrentielles ? Quels enjeux éthiques et sociaux comporte la généralisation de l'usage des systèmes d'information ?

Les systèmes d'information dans l'entreprise mondiale contemporaine

 O B J E C T I F S   D ' A P P R E N T I S S A G E

Après avoir étudié ce chapitre, vous pourrez répondre aux questions suivantes :

1. En quoi les systèmes d'information transforment-ils les affaires et quel est leur lien avec la mondialisation ?

2. Pourquoi les systèmes d'information sont-ils essentiels pour l'exploitation et la gestion des entreprises de nos jours ?

3. Qu'est-ce qu'un système d'information exactement ? Quel en est le fonctionnement ? Quels en sont les éléments de gestion, d'organisation et de technologie ?

4. En quoi consistent les actifs complémentaires ? Pourquoi sont-ils essentiels à l'organisation, pour retirer une véritable valeur des systèmes d'information ?

5. Dans quelles disciplines étudie-t-on les systèmes d'information ? Comment chacune d'elles contribue-t-elle à la compréhension des systèmes d'information ? Qu'est-ce que la perspective socio-technique ?

SOMMAIRE

LES ÉQUIPES DE LA NBA MARQUENT AVEC BRIO GRÂCE À LA TECHNOLOGIE DE L'INFORMATION

Le basketball est un sport extrêmement rapide qui exige une bonne dose d'énergie. Mais c'est aussi une affaire de grande envergure. Les équipes professionnelles appartenant à la NBA (National Basketball Association) versent à chacun de leurs joueurs environ 5 millions de dollars américains (USD) par an. En contrepartie, elles attendent beaucoup d'eux et sont constamment à l'affût de méthodes permettant d'améliorer leurs performances. Au cours d'une saison de 82 matchs, chaque élément d'information qu'un entraîneur peut relever au sujet d'une faiblesse dans l'offensive de l'adversaire ou dans le tir de l'un de ses joueurs se traduit par un plus grand nombre de points marqués et de victoires, et au final de plus gros revenus pour l'équipe.

Les statistiques traditionnelles sur les matchs de basketball ne permettaient pas de saisir tous les détails de chaque jeu et n'étaient pas faciles à relier aux enregistrements vidéo. Par conséquent, les décisions relatives aux changements de tactiques ou aux façons de tirer profit des faiblesses de l'adversaire se fondaient essentiellement sur l'intuition et l'instinct. Les entraîneurs avaient du mal à répondre à des questions comme : « Quels types de jeux nous pénalisent ? » Aujourd'hui, les entraîneurs et les gérants du basketball professionnel recueillent des informations auprès d'entreprises et apprennent à prendre des décisions à partir de données concrètes.

La société Synergy Sports Technology a imaginé une façon de colliger et d'organiser des données statistiques très pointues et de les relier aux clips vidéo correspondants. Elle emploie plus de 30 personnes pour associer l'enregistrement vidéo de chaque jeu aux données statistiques concernant les joueurs qui ont le ballon, le type de jeu en cause et le résultat. Chaque match fait l'objet d'un découpage et d'un étiquetage par jeux, selon des centaines de catégories descriptives. Les données obtenues sont associées à des enregistrements vidéo à haute définition.

Grâce à un index, les entraîneurs peuvent repérer le clip vidéo précis qui les intéresse et le visionner sur un site Web protégé. Ils ont la possibilité soit de regarder l'enregistrement en continu sur le site, soit de le télécharger sur un ordinateur portable ou même un iPod. Dans une équipe de la NBA, chaque joueur a reçu un iPod pour pouvoir visionner les enregistrements et ainsi mieux se préparer au prochain match.

Par exemple, si les Mavericks de Dallas viennent de perdre contre les Suns de Phoenix en accordant trop de points en contre-attaque, l'entraîneur peut recourir aux services de Synergy

pour revoir les contre-attaques des Suns durant le match. Il peut également s'intéresser aux situations de transition de son équipe durant la saison et comparer le match aux précédents. Propriétaire des Mavericks de Dallas, Mark Cuban déclare à ce sujet : « Le système nous permet d'examiner chaque jeu sous tous les angles et de le relier aux statistiques. Ainsi, nous pouvons vérifier le déroulement de chaque manœuvre offensive, faire le suivi de notre taux de réussite et observer les comportements des autres équipes. »

Le service de Synergy aide les entraîneurs à analyser les forces et les faiblesses de leurs joueurs. Par exemple, il a permis d'enregistrer chaque mouvement de Dirk Nowitzki, des Mavericks, depuis qu'il a joint les rangs de la NBA en 1998. Grâce aux images, il est possible d'observer la qualité de ses avancées gauches ou droites dans les matchs disputés à domicile ou à l'extérieur. Ce service permet même de décortiquer les matchs et les performances du joueur en éléments de plus en plus petits. En cliquant sur une statistique donnée, l'utilisateur obtient les clips vidéo, tirés des trois saisons précédentes, des 20, 50 voire 2000 jeux durant lesquels Nowitzki a fait le mouvement en question.

Jusqu'à présent, 14 équipes de la NBA font appel aux services de Synergy, qu'ils utilisent pour le recrutement de joueurs prometteurs au secondaire et à l'échelle internationale. Si rien ne saurait remplacer le recrutement sur place, le service de Synergy n'en a pas moins réduit les frais de déplacement astronomiques des équipes de la NBA.

Sources: Scot Petersen, «Dunking the Data», *eWeek*, 16 juin 2008; Randall Stross, «Technology to Dissect Every Dunk and Drive», *The New York Times*, 29 avril 2007; www.nba.com, consulté le 26 octobre 2009.

Les défis que doivent relever les équipes de la NBA illustrent les raisons pour lesquelles les systèmes d'information sont essentiels de nos jours. Comme d'autres entreprises, celle du basketball professionnel est en butte aux pressions des coûts élevés, en particulier celles des salaires des membres des équipes et des frais de déplacement pour la recherche de nouveaux talents. Les équipes s'efforcent d'accroître leurs revenus en améliorant la performance de leurs employés, en particulier celle des joueurs.

Le schéma d'introduction attire l'attention sur les points importants que soulèvent le cas de la NBA et ce chapitre. Faute de données précises sur les jeux, la direction de la NBA n'était pas en mesure de prendre de décisions éclairées quant aux méthodes pour améliorer la performance des équipes et des différents joueurs. Elle s'appuyait sur les «meilleures estimations possibles» établies à partir des enregistrements vidéo des matchs. Le nouveau système d'information pour lequel elle a opté lui a permis de se doter d'une information de meilleure qualité.

Le système d'information repose sur les services offerts par Synergy Sports Technology. Le personnel de cette entreprise subdivise chaque match en une série de jeux qu'il classe selon les joueurs, la nature du jeu et le résultat. Il étiquette les données en fonction de leur lien avec les vidéos qu'elles décrivent, pour faciliter le repérage des vidéos. Les entraîneurs et la direction de la NBA peuvent ainsi analyser les données et voir quels mouvements offensifs et défensifs sont les plus efficaces pour chaque joueur. Les membres des équipes eux-mêmes peuvent utiliser leur iPod pour télécharger les vidéos qui les aideront à préparer leurs matchs. Cette solution novatrice permet aux dirigeants des équipes de tirer profit des données statistiques objectives sur les joueurs, les matchs et les résultats pour améliorer leurs décisions quant aux comportements que doivent adopter ou éviter les joueurs pour rivaliser le plus efficacement possible avec leurs adversaires.

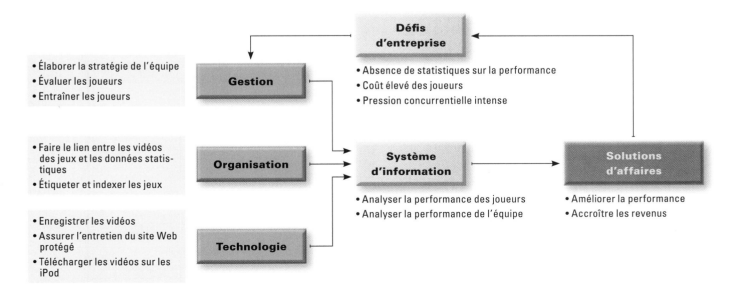

1.1 LE RÔLE DES SYSTÈMES D'INFORMATION DANS L'ENTREPRISE CONTEMPORAINE

Les affaires ne se mènent plus de manière traditionnelle de nos jours. En 2008, les entreprises des États-Unis ont consacré environ 840 milliards de dollars à l'acquisition du matériel, des logiciels et de l'équipement de télécommunication que requièrent les systèmes d'information. Elles ont également dépensé 900 milliards de dollars en services de consultation et de gestion, en grande partie dans le but de reconfigurer leurs activités de manière à bénéficier des nouvelles technologies. La figure 1-1 montre qu'entre 1980 et 2007, les investissements des entreprises du secteur privé dans la technologie de l'information, pour l'acquisition de matériel, de logiciels et d'équipements de communication, sont passés de 32 % à 51 % de l'ensemble des capitaux investis.

En qualité de gestionnaires, vous travaillerez essentiellement pour des entreprises qui utilisent abondamment les systèmes d'information et investissent beaucoup dans la technologie de l'information. Vous souhaiterez sans aucun doute savoir comment investir judicieusement. Si vous faites des choix éclairés, votre entreprise pourra surclasser ses concurrents. Si vos choix laissent à désirer, vous gaspillerez de précieux capitaux. Ce manuel a pour but de vous aider à prendre de sages décisions en matière de technologie de l'information et de systèmes d'information.

Comment les systèmes d'information transforment-ils l'entreprise ?

Chaque jour, en observant la façon dont les gens gèrent leurs affaires, vous constatez les résultats des investissements massifs dans la technologie de l'information. En 2008, le nombre d'ouvertures de comptes de téléphonie cellulaire était supérieur au nombre d'installations de lignes téléphoniques. Les téléphones cellulaires, les terminaux de poche (BlackBerry), les téléphones multimédias (iPhone), les courriels et les visioconférences sont désormais des outils de gestion essentiels. Aux États-Unis, 58 % des adultes ont déjà utilisé un téléphone cellulaire ou un terminal mobile de poche à des fins autres que la communication vocale, c'est-à-dire pour la communication par messages SMS, l'envoi de courrier électronique, la photographie, la recherche de cartes géographiques ou d'indications routières, ou l'enregistrement vidéo (Horrigan, 2008).

En juin 2008, à l'échelle de la planète, plus de 80 millions d'entreprises avaient déjà enregistré des sites Internet pointcom (dont 60 millions aux États-Unis seulement) (Verisign, 2008). Aujourd'hui, 138 millions d'Américains magasinent en ligne et 117 millions d'entre eux font des achats en ligne ; chaque jour, 34 millions recherchent un produit ou un service sur le Web.

En 2007, FedEx a acheminé plus de 100 millions de colis aux États-Unis, la plupart du temps en moins de 24 heures. United Parcel Service (UPS) s'est quant à elle chargée de 3,7 milliards de colis partout dans le monde. Les entreprises se sont efforcées de suivre l'évolution rapide de la demande et d'y répondre, de réduire le plus possible leurs stocks et d'atteindre des degrés élevés d'efficience fonctionnelle. Quelle que soit leur taille, elles ont accéléré la cadence des chaînes logistiques en adoptant la méthode d'approvisionnement juste-à-temps pour réduire leurs charges indirectes et accéder plus rapidement au marché.

Tandis que les journaux continuent de voir leur lectorat s'éroder, plus de 64 millions de personnes reçoivent leurs nouvelles en ligne. Environ 67 millions d'Américains lisent maintenant des blogues et 21 millions rédigent le leur. C'est une explosion de nouveaux rédacteurs et de nouvelles formes de rétroaction de la clientèle qui n'existaient pas il y a cinq ans

---

> **FIGURE 1-1** **LES INVESTISSEMENTS DANS LA TECHNOLOGIE DE L'INFORMATION**

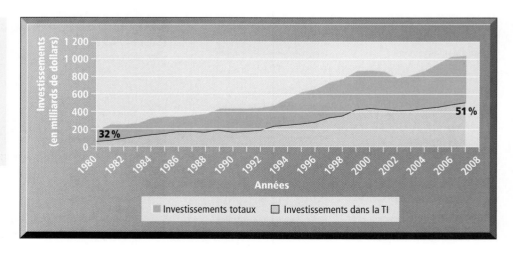

Les investissements dans la technologie de l'information, pour l'acquisition de matériel, de logiciels et d'équipements de communication, sont passés de 32 % à 51 % de l'ensemble des capitaux investis, entre 1980 et 2007.

Source : D'après les données du U.S. Department of Commerce, Bureau of Economic Analysis, *National Income and Product Accounts*, 2008.

(Pew, 2008). Les sites de réseautage social comme MySpace et Facebook attirent respectivement plus de 70 millions et plus de 30 millions de visiteurs par mois. Les entreprises se mettent à utiliser ces ressources pour maintenir le contact avec leurs employés, leurs clients et les gestionnaires à l'échelle planétaire.

Le commerce électronique et la publicité sur Internet sont en plein essor. Les revenus de la publicité en ligne enregistrés par Google ont dépassé les 16,5 milliards de dollars en 2007. Avec une croissance de plus de 25 % par an, le chiffre d'affaires de ce marché atteignait plus de 28 milliards de dollars en 2008.

Les nouvelles lois fédérales des États-Unis en matière de sécurité et de comptabilité exigent de nombreuses entreprises qu'elles conservent leurs courriels pendant 5 ans, et les lois existantes en matière de travail et de santé obligent les entreprises à conserver jusqu'à 60 ans les données relatives aux produits chimiques auxquels sont exposés les employés, ce qui favorise la croissance de l'information électronique. On évalue aujourd'hui cette croissance à 5 exaoctets par an, soit l'équivalent de 37 000 bibliothèques du Congrès.

Qu'y a-t-il de nouveau en matière de systèmes d'information de gestion?

Les systèmes d'information de gestion connaissent de grands changements. Ce qui en fait le sujet le plus passionnant du domaine des sciences de l'administration et des affaires, c'est justement l'évolution continue de la technologie, de l'usage qu'en font les gestionnaires et de son incidence sur le succès des entreprises. On se défait des anciens systèmes avec créativité, pour les remplacer par des tout nouveaux. De nouvelles industries voient le jour, tandis que d'autres déclinent. Les entreprises prospères sont celles qui apprennent à utiliser les nouvelles technologies. Le tableau 1-1 résume les principaux nouveaux thèmes concernant l'utilisation des systèmes d'information de gestion. Comme ces thèmes se retrouveront dans tous les chapitres du manuel, il serait intéressant de prendre dès maintenant quelques minutes pour en discuter avec le professeur et les autres étudiants. Peut-être souhaiterez-vous même en compléter la liste.

Dans le domaine de la technologie, on observe trois changements interreliés: (1) l'émergence de la plateforme numérique mobile (BlackBerry, iPhone et miniportables avec possibilité d'accès au Web); (2) la multiplication des logiciels en ligne offerts comme services; (3) l'essor de la nimbo-informatique (ou informatique dans les nuages ou informatique dématérialisée), avec l'augmentation des divers logiciels d'affaires sur Internet. Bien entendu, ces changements dépendent des autres technologies de base décrites dans le tableau 1-1, notamment les micropuces à la puissance accrue et à la faible consommation d'énergie.

YouTube, les iPhone, les BlackBerry et Facebook ne sont pas seulement des gadgets et n'ont pas pour unique but de divertir. Ce sont de nouvelles plateformes informatiques en

émergence, reposant sur un éventail de nouvelles technologies matérielles et logicielles et sur des investissements d'affaires. Outre le fait que leurs attributs respectifs sont très populaires, elles constituent pour les entreprises qui les adoptent des outils pour améliorer la gestion et obtenir des avantages concurrentiels. Elles représentent la « plateforme mobile en émergence ».

Les gestionnaires utilisent couramment les technologies du « Web 2.0 », comme le réseautage social, les outils de collaboration et les sites wiki, afin d'accélérer et d'améliorer la prise de décision. Ils sont des millions à compter en grande partie sur la plateforme numérique mobile pour coordonner le travail des fournisseurs, satisfaire les clients et gérer les employés. Pour un grand nombre d'entre eux si ce n'est la totalité, une journée de travail sans téléphone cellulaire ou sans accès à Internet est impensable.

À mesure que le comportement des gestionnaires change, l'organisation, la coordination et l'évaluation du travail évoluent également. En assurant la communication entre les employés qui travaillent au sein d'équipes et dans le cadre de projets, le réseau social devient le lieu où s'accomplit le travail, où s'exécutent les plans et où s'exercent les fonctions des gestionnaires. Les espaces de collaboration sont là où les employés se rencontrent, même lorsque des continents et des fuseaux horaires les séparent. La puissance de la nimbo-informatique et l'essor de la plateforme numérique mobile font en sorte que les organisations peuvent davantage compter sur le télétravail et la prise de décision décentralisée. La décentralisation est de rigueur. Cette plateforme numérique mobile permet aux entreprises de recourir davantage à l'impartition et de s'en remettre aux marchés (plutôt qu'aux employés) pour créer de la valeur. Elle permet également aux entreprises de collaborer avec les fournisseurs et avec les clients, pour créer de nouveaux produits ou accroître l'efficacité des processus existants.

Toutes ces transformations des systèmes d'information contribuent à l'éclosion d'une nouvelle économie mondiale dynamique. En fait, sans elles, l'économie mondiale ne saurait prospérer.

Les défis et les possibilités de la mondialisation: un monde aplani

En 1492, Christophe Colomb prouvait ce que les astronomes affirmaient depuis longtemps: la Terre est ronde et il est possible de naviguer en sécurité sur les mers. Comme ont permis de le montrer ses voyages, le monde était alors habité de peuples parlant des langues différentes, vivant dans un isolement quasi total et présentant d'énormes disparités de développement économique et scientifique. Le commerce mondial qui s'est développé par la suite a rapproché ces peuples et ces cultures. La « révolution industrielle » a touché le monde entier, stimulée par l'expansion du commerce entre les nations.

En 2005, le journaliste Thomas Friedman déclarait, dans un ouvrage qui a fait autorité, qu'Internet et les communications internationales avaient « aplani » la Terre en réduisant

TABLEAU 1-1   DU NOUVEAU EN MATIÈRE DE SIG

CHANGEMENTS	CONSÉQUENCES POUR L'ENTREPRISE
TECHNOLOGIE	
Naissance de la nimbo-informatique, domaine d'innovation majeur dans le secteur des affaires	Un ensemble flexible d'ordinateurs connectés à Internet commencent à s'acquitter de tâches auparavant exécutées par des ordinateurs d'entreprises.
Apparition de dispositifs de traitement informatique et de stockage de données plus puissants et à faible consommation énergétique	Les nouvelles puces PC d'Intel consomment 50 % moins d'énergie, génèrent 30 % moins de chaleur et sont 20 % plus rapides que les modèles précédents. Elles concentrent plus de 400 millions de transistors sur un processeur bicœur.
Croissance du logiciel-service	Les principales applications commerciales sont maintenant livrées en ligne, comme des services Internet plutôt que sous forme de trousses logicielles ou de systèmes personnalisés.
Émergence et croissance des miniportables sur le marché des PC, faisant souvent appel aux logiciels libres	Les ordinateurs ultraportables, petits, légers, bon marché, économes et ciblant le Web, fonctionnent avec Linux, Google Docs, les outils libres, la mémoire flash ainsi que les applications, le stockage et les communications faisant appel à Internet.
Émergence d'une plateforme numérique mobile rivalisant avec le PC à titre de système pour les affaires	Après avoir offert le logiciel de son iPhone aux développeurs, Apple ouvre une boutique d'applications sur iTunes, où les utilisateurs peuvent télécharger des centaines d'applications pour la collaboration, les services géodépendants et la communication entre collègues.
GESTION	
Adoption de la collaboration en ligne et des logiciels de réseautage personnel par les gestionnaires, pour améliorer la coordination, la collaboration et le partage du savoir	Plus de 100 millions de décideurs dans les entreprises du monde entier utilisent Google Apps, Google Sites, SharePoint de Microsoft Office et Lotus Connections d'IBM pour les blogues, la gestion de projets, les réunions en ligne, la communication des profils d'intérêt, le partage de signets et la constitution de communautés virtuelles.
Augmentation de la puissance des applications d'intelligence d'affaires	Des tableaux de bord analytiques et interactifs à la puissance accrue procurent aux gestionnaires de l'information sur la performance en temps réel, pour une meilleure efficacité du contrôle de gestion et du processus décisionnel.
Adoption par les gestionnaires des millions d'appareils mobiles, tels que les téléphones intelligents et les dispositifs Internet mobiles, pour accélérer le processus décisionnel et améliorer la performance	La plateforme mobile en émergence améliore considérablement l'exactitude, la rapidité et la richesse de la prise de décision, ainsi que la rapidité de la réponse aux clients.
Prolifération des réunions virtuelles	Les gestionnaires adoptent les technologies de téléprésence, de visioconférence et de conférence Web pour réduire les temps et les coûts de déplacement et pour améliorer la collaboration et la prise de décision.
ORGANISATIONS	
Élargissement de l'adoption par les entreprises des applications du Web 2.0	Les services Web permettent aux employés d'interagir au sein de communautés en ligne, au moyen de blogues, de courriels wiki et de services de messagerie instantanée. Facebook et MySpace créent de nouvelles possibilités de collaboration entre les entreprises, les clients et les fournisseurs.
Croissance de la popularité du télétravail	Internet, les ordinateurs portables sans fil, les iPhone et les BlackBerry permettent à un nombre croissant de personnes de travailler à l'extérieur du bureau traditionnel. Aux États-Unis, 55 % des entreprises proposent une forme quelconque de programme de télétravail à leurs employés.
Impartition de la production	Les entreprises apprennent à utiliser les nouvelles technologies pour confier le travail de production à des entreprises situées dans des pays aux salaires peu élevés.
Cocréation de valeur pour l'entreprise	Les sources de valeur pour l'entreprise changent, passant des produits aux solutions et aux expériences, et des sources internes aux réseaux de fournisseurs et à la collaboration avec les clients. Les chaînes logistiques et la conception de produits se mondialisent et font davantage appel à la collaboration. Les interactions avec les clients aident les entreprises à définir de nouveaux produits et services.

considérablement les avantages économiques et culturels des pays développés. Les États-Unis, le Canada et les pays européens luttaient pour leur survie économique et rivalisaient sur le plan des emplois, des marchés, des ressources et même des idées, en s'appuyant sur des populations motivées et hautement scolarisées de pays moins développés où les salaires étaient bas (Friedman, 2006). Cette « mondialisation » présente à la fois des défis et des possibilités.

Un pourcentage croissant de l'économie des pays fortement industrialisés dépend des importations et des exportations. En 2009, plus de 33 % de l'activité économique des États-Unis provenait du commerce extérieur, tant des importations que des exportations. Au Canada, en Europe et en Asie, cette proportion dépasse 50 %. Un grand nombre des entreprises du palmarès Fortune 500 tirent la moitié de leur chiffre d'affaires de leurs établissements étrangers. Ainsi, en 2006, plus de la moitié des revenus d'Intel provenaient des ventes de microprocesseurs à l'étranger. Jouets contre puces : 80 % des jouets vendus aux États-Unis sont fabriqués en Chine, alors qu'environ 90 % des ordinateurs personnels fabriqués en Chine contiennent des puces Intel ou Advanced Micro Design (AMD) fabriquées aux États-Unis.

Ce ne sont pas seulement les biens qui circulent au-delà des frontières. Ce sont aussi les emplois, parmi lesquels des postes des échelons supérieurs assortis de salaires élevés et exigeant un diplôme universitaire. Au cours de la dernière décennie, les États-Unis ont dû renoncer à plusieurs millions d'emplois dans le secteur de la fabrication, au profit de producteurs installés dans des pays où les salaires sont bas. La fabrication représente maintenant une très petite partie de l'emploi aux États-Unis (moins de 12 %). Au cours d'une année normale, environ 300 000 emplois dans les services se déplacent vers les pays à bas salaire. Il s'agit en grande partie de postes liés aux systèmes d'information et exigeant une moins grande qualification professionnelle, mais également de postes en architecture, en finance, en centres d'appels, en consultation, en génie et même en radiologie.

L'aspect positif, c'est que l'économie des États-Unis crée plus de 3,5 millions d'emplois par an. De plus, les emplois dans le domaine des systèmes d'information et dans les autres domaines du secteur des services énumérés ci-dessus ont augmenté en nombre, en salaire, en productivité et en qualité de travail. L'impartition a, en réalité, accéléré le développement de nouveaux systèmes aux États-Unis et partout dans le monde.

L'enjeu pour vous, qui étudiez en gestion, tient à la nécessité de devenir compétents, grâce à des programmes d'études et à l'expérience professionnelle, qu'il est impossible de trouver par impartition. L'enjeu pour votre entreprise est d'éviter les marchés des biens et des services qui peuvent être produits à l'étranger à meilleur compte. Comme les défis, les possibilités sont immenses. Dans ce manuel foisonnent les exemples de sociétés et de personnes qui ont utilisé les systèmes d'information, avec succès ou difficulté, pour s'adapter au nouvel environnement mondial.

Qu'est-ce que la mondialisation et les systèmes d'information de gestion ont en commun ? Tout ! L'émergence d'Internet dans un **système de communication** international développé a radicalement réduit les coûts de fonctionnement et de transaction à l'échelle mondiale. La communication entre une usine de Shanghai et un centre de distribution de Sherbrooke, au Québec, est maintenant instantanée et pratiquement gratuite. Les clients peuvent désormais faire leurs achats sur le marché mondial et obtenir de l'information fiable sur les prix et la qualité 24 heures sur 24. Les entreprises qui produisent des biens et des services à l'échelle mondiale réalisent des économies extraordinaires en trouvant des fournisseurs peu chers et en exploitant des installations de production dans d'autres pays. Les entreprises de service Internet, comme Google et eBay, peuvent reproduire leur modèle d'affaires et offrir leurs services dans de nombreux pays, sans devoir reconfigurer l'infrastructure de leurs systèmes d'information, dont les coûts fixes sont élevés. La moitié du chiffre d'affaires d'eBay provenait en 2009 de l'extérieur des États-Unis. Bref, les systèmes d'information permettent la concrétisation de la mondialisation.

L'émergence de l'entreprise numérique

Les changements que nous venons de décrire, associés à un renouvellement tout aussi important de l'organisation, sont à l'origine de l'apparition de l'entreprise complètement numérique. On peut définir l'entreprise numérique selon plusieurs dimensions. Une **entreprise numérique** est une organisation dans laquelle la plupart des *relations importantes* avec les clients, les fournisseurs et les employés se font sous forme numérique. Les *principaux processus d'affaires* reposent sur des réseaux numériques reliant les différents secteurs de l'organisation ou plusieurs organisations.

Les **processus d'affaires** correspondent aux suites logiques de tâches et de comportements, que les organisations établissent au fil du temps pour produire des résultats particuliers, et à la manière unique dont les entreprises organisent et coordonnent leurs activités. Il s'agit notamment de la conception d'un produit, de l'exécution d'une commande, de la création d'un programme de commercialisation ou de l'embauche d'un employé. La manière dont les organisations réalisent ces processus peut devenir une force face à la concurrence. (Le chapitre 2 aborde ce sujet plus en détail.)

L'entreprise numérique gère par ailleurs ses *actifs clés* – propriété intellectuelle, compétences distinctives, actifs financiers et humains – à l'aide de moyens numériques. Toute l'information nécessaire à la prise de grandes décisions doit être disponible partout et à tout moment.

Les entreprises numériques perçoivent les différents environnements et y réagissent beaucoup plus rapidement que les entreprises traditionnelles, ce qui leur donne une plus grande flexibilité pour traverser les périodes difficiles. Elles offrent d'extraordinaires possibilités d'organisation et de gestion globales et appliquent couramment le *service sans interruption* et l'*espace continu*. Dans le premier cas, elles exercent leurs activités en continu, 24 heures sur 24 et 7 jours sur 7, plutôt que suivant une plage horaire bien définie constituant la « journée de travail », de 9 heures à 17 heures. Dans le second cas, elles organisent le travail dans un atelier mondial, de même qu'à l'intérieur des frontières nationales. Le travail est physiquement exécuté à l'endroit du monde où il est le mieux accompli.

Quelques entreprises, telles que Cisco Systems et Dell, sont en voie de devenir des entreprises complètement numériques, car elles utilisent Internet pour la gestion de tous les aspects de leurs affaires. Mais, dans la plupart des cas, l'entreprise complètement numérique est plus une vision qu'une réalité. Cependant, les organisations s'orientent vers une intégration numérique avec leurs fournisseurs, leurs clients et leurs employés. Plusieurs d'entre elles remplacent les rencontres en personne par des réunions virtuelles, recourant aux technologies de la visioconférence et de la conférence Web. La session interactive sur la gestion fournit plus de détails à ce sujet.

SESSION INTERACTIVE : LA GESTION

LES RÉUNIONS VIRTUELLES : LA GESTION AVISÉE

Pour bon nombre d'entreprises, y compris les banques, les bureaux d'avocats, de comptables, de services technologiques et de conseillers en gestion, les déplacements sont monnaie courante. Les dépenses en voyages d'affaires ont régulièrement augmenté au cours des dernières années, principalement en raison de la hausse des coûts de l'énergie. Dans leurs efforts pour réduire ce type de frais, de nombreuses sociétés, grandes et petites, recourent aux technologies de la visioconférence et de la conférence Web.

D'après un rapport produit en juin 2008 par la Global eSustainability Initiative et le Climate Group, jusqu'à 20 % des voyages d'affaires pourraient être remplacés par la technologie des réunions virtuelles.

La **visioconférence** permet aux participants situés dans deux ou plusieurs lieux différents de communiquer par l'intermédiaire de transmissions vidéo et audio bidirectionnelles simultanées. La principale caractéristique est la compression numérique des flux de données audio et vidéo au moyen d'un dispositif appelé « codec ». Les flux de données sont ensuite divisés en paquets et transmis par un réseau ou par Internet. La technologie avait auparavant la réputation d'offrir un mauvais rendu, en raison de sa piètre performance audio et vidéo habituellement liée à la rapidité avec laquelle les données étaient transmises. De plus, son coût était si élevé que seules les entreprises les plus fortunées pouvaient se l'offrir. Pour la plupart des sociétés, la visioconférence ne constituait qu'un pâle substitut aux réunions en personne.

Toutefois, les améliorations importantes apportées à la visioconférence et aux technologies connexes ont ravivé l'intérêt pour ce mode de travail. La visioconférence croît maintenant au rythme annuel de 30 %. Selon ses adeptes, elle n'a pas pour unique avantage de réduire les coûts. Elle favorise aussi l'efficacité des réunions, car il est plus facile de rencontrer associés, fournisseurs, responsables de filiales et collègues du bureau ou de partout dans le monde à une fréquence qui ne serait pas envisageable avec les déplacements. La technologie de la visioconférence permet également de mettre en contact des personnes qu'il serait strictement impossible de réunir sans elle.

La technologie haut de gamme en matière de visioconférence est connue sous l'appellation de « téléprésence ». L'objectif est que les utilisateurs aient l'impression de se trouver dans un lieu différent de celui où ils sont en réalité. Les produits de téléprésence proposent les services de visioconférence de la plus haute qualité qu'on puisse trouver sur le marché aujourd'hui. Une poignée d'entreprises seulement, dont Cisco, HP et Polycom, les proposent. Le prix des salles de téléprésence munies de l'équipement complet peut atteindre 500 000 $.

Les sociétés pouvant s'offrir cette technologie affirment qu'elles réalisent d'importantes économies. La firme de conseillers en technologie Accenture, par exemple, dit avoir ainsi éliminé les dépenses que nécessitaient 240 voyages internationaux et 120 vols nationaux en un seul mois. La capacité de communiquer avec les clients et les partenaires se trouve aussi considérablement accrue. Selon d'autres voyageurs d'affaires, cette technologie permet de multiplier par 10 le nombre des clients et des partenaires qu'on peut joindre pour une fraction du prix que cela coûtait auparavant par personne. Cisco possède plus de 200 salles de téléprésence et estime qu'elle économise 100 millions de dollars en frais de déplacement chaque année.

Les produits de visioconférence étaient jusqu'à présent hors de portée pour les petites entreprises. Mais Life-Size a lancé une gamme à prix raisonnables, démarrant à 5000 $. Les évaluations des produits de LifeSize révèlent que, lorsque la quantité de mouvements est grande dans un cadre, l'image à l'écran devient floue et se déforme légèrement. Cependant, dans l'ensemble, les produits sont faciles à utiliser et permettront à maintes sociétés de taille modeste d'accéder à la visioconférence de qualité.

Il existe même quelques produits de visioconférence Internet gratuits, comme Skype et ooVoo. Leur qualité est inférieure à celle des produits traditionnels. De plus, ils sont exclusifs, c'est-à-dire qu'ils ne peuvent mettre en communication que des personnes utilisant le même système. Or, la plupart des produits de visioconférence et de téléprésence permettent l'interaction de personnes utilisant divers dispositifs. Les systèmes haut de gamme présentent des propriétés comme les conférences à multiples participants, le courriel vidéo avec stockage illimité, la gratuité des communications interurbaines et un relevé détaillé des appels.

Les entreprises de toutes tailles découvrent les ressources de réunions virtuelles faisant appel au Web, comme WebEx, Microsoft Office Live Meeting et Adobe Acrobat Connect, particulièrement utiles pour la formation des employés et les argumentaires de vente. Ces produits permettent le partage de documents et d'exposés, en combinaison avec l'audioconférence et la vidéo en direct par webcaméra. Cornerstone Information Systems, entreprise de logiciels de gestion située à Bloomington, en Indiana, et comptant 60 employés, a réduit de 60 % ses frais de déplacement et de 30 % le temps moyen de conclusion d'une vente, grâce à la présentation de nombreuses démonstrations de produits en ligne.

Avant d'adopter la visioconférence ou la téléprésence, toute entreprise doit s'assurer qu'elle a vraiment besoin de cette technologie, que l'investissement sera rentable. Il faut d'abord déterminer la façon dont les employés organisent les réunions, la façon dont ils communiquent et les technologies qu'ils utilisent, la fréquence des déplacements et les capacités du réseau dont ils disposent. Dans nombre d'occasions, les rencontres en personne demeurent préférables et les visites chez les clients restent essentielles pour l'entretien des relations et la conclusion des ventes.

Tout indique que la visioconférence aura d'autres répercussions sur le monde des affaires. Un plus grand nombre d'employés pourront travailler sans trop s'éloigner de leur domicile, et ainsi mieux équilibrer leur vie professionnelle et leur vie personnelle. Les bureaux et les sièges sociaux traditionnels pourraient diminuer en taille, voire disparaître. Enfin, les pigistes, les sous-traitants et les travailleurs d'autres pays représenteront une part plus importante de l'économie mondiale.

Sources: Steve Lohr, « As Travel Costs Rise, More Meetings Go Virtual », *The New York Times*, 22 juillet 2008; Karen D. Schwartz, « Videoconferencing on a Budget », *eWeek*, 29 mai 2008; Jim Rapoza, « Video-conferencing Redux », *eWeek*, 21 juillet 2008; Mike Fratto, « High-Def Conferencing at a Low Price », *Information Week*, 14 juillet 2008; Marianne Kolbasuk McGee, « Looking into the Work-Trend Crystal Ball », *Information Week*, 24 juin 2008; Eric Krapf, « What's Video Good for ? », *Information Week*, 1er juillet 2008.

Questions

1. Selon les prévisions d'une société de conseil, la visioconférence et la conférence Web entraîneront la disparition des voyages d'affaires. Êtes-vous d'accord avec cette affirmation ? Pourquoi ?

2. En quoi la visioconférence se distingue-t-elle de la téléprésence ?

3. Comment la visioconférence est-elle source de valeur pour l'entreprise ? Selon vous, témoigne-t-elle d'une gestion avisée ? Justifiez votre réponse.

4. Si vous étiez responsable d'une petite entreprise, choisiriez-vous de mettre en place un système de visioconférence ? Quels facteurs prendriez-vous en considération dans votre décision ?

Ateliers

Explorez le site WebEx (www.webex.com) et notez les ressources qu'il offre aux petites et aux grandes entreprises. Répondez ensuite aux questions suivantes :

1. Énumérez et décrivez les ressources de WebEx qui s'adressent aux petites et moyennes entreprises et aux grandes entreprises.

2. Comparez les ressources vidéo de WebEx aux ressources de visioconférence décrites dans le cas.

3. Décrivez les étapes de préparation que vous suivriez pour une conférence Web, par opposition à une conférence en personne.

Les objectifs d'affaires stratégiques des systèmes d'information

Qu'est-ce qui fait que les systèmes d'information sont essentiels de nos jours? Pourquoi les entreprises investissent-elles autant dans les technologies de l'information? Aux États-Unis, plus de 23 millions de cadres et 113 millions d'employés s'appuient sur les systèmes d'information pour travailler. Ces systèmes sont essentiels pour la direction quotidienne d'une entreprise et pour l'atteinte des objectifs stratégiques.

Des pans entiers de l'économie sont pratiquement inconcevables sans investissements substantiels dans les systèmes d'information. Les entreprises de commerce électronique comme Amazon, eBay et Google n'existeraient tout simplement pas. Les industries de services actuelles – les services financiers, les assurances et les services immobiliers, mais aussi les services personnels comme les services de voyages, les services médicaux et les services d'éducation – ne pourraient pas fonctionner sans systèmes d'information. De même, les entreprises de commerce de détail, comme Wal-Mart et Sears, et les entreprises de fabrication, comme General Motors et Bombardier, ont besoin des systèmes d'information pour survivre et prospérer. Comme les bureaux, les téléphones, les classeurs et les hauts édifices munis d'ascenseurs ont, à une époque, servi d'assises à l'entreprise du XXᵉ siècle, la technologie de l'information constitue une assise pour l'entreprise du XXIᵉ siècle.

L'interdépendance entre la capacité d'une entreprise à utiliser la technologie de l'information et sa capacité à mettre en œuvre ses stratégies et à atteindre ses buts s'accentue (figure 1-2). Ce qu'une entreprise souhaiterait pouvoir faire dans cinq ans dépend souvent de ce que ses systèmes seront en mesure d'accomplir. Accroître la part de marché, accéder au rang de fabricant de produits de qualité supérieure ou de produits à faible coût, concevoir de nouveaux produits et augmenter la productivité des employés sont autant d'objectifs qui dépendent de plus en plus de la nature et de la qualité des systèmes d'information que possède l'organisation. Plus vous saisirez cette relation, plus vous serez un gestionnaire compétent.

Plus précisément, les entreprises investissent d'importantes sommes dans les systèmes d'information pour atteindre six objectifs stratégiques: l'excellence opérationnelle; la conception de nouveaux produits, services et modèles d'affaires; la proximité avec les clients et les fournisseurs; l'amélioration du processus décisionnel; l'avantage concurrentiel; la survie.

L'excellence opérationnelle

Les entreprises cherchent continuellement à améliorer l'efficience de leurs opérations, pour accroître leur rentabilité. Les systèmes d'information et les technologies de l'information figurent parmi les outils les plus importants dont disposent les gestionnaires pour atteindre des degrés supérieurs d'efficience et de productivité, en particulier en combinaison avec une adaptation des méthodes et des comportements.

FIGURE 1-2

L'INTERDÉPENDANCE ENTRE LES ORGANISATIONS ET LES SYSTÈMES D'INFORMATION

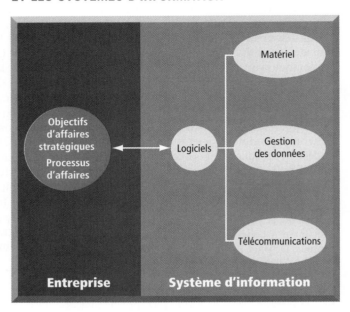

Les systèmes contemporains se caractérisent par une interdépendance croissante des systèmes d'information et des capacités de l'entreprise. Les changements de stratégies, de règles et de processus d'affaires vont de plus en plus souvent de pair avec des changements de matériel, de logiciels, de bases de données et de télécommunications. Dans bien des cas, ce que l'organisation souhaiterait pouvoir accomplir dépend de ce que ses systèmes lui permettront de faire.

L'exemple de Wal-Mart, le plus gros détaillant du monde, illustre bien le pouvoir des systèmes d'information associés à des pratiques d'affaires éclairées et à une direction innovatrice dans la recherche d'une efficience opérationnelle de calibre mondial. En 2007, l'entreprise a réalisé un chiffre d'affaires de près de 379 milliards de dollars – soit près du dixième des ventes au détail des États-Unis – en grande partie grâce à son système RetailLink, qui assure le lien numérique entre les fournisseurs et chacun des magasins. Dès qu'un client achète un article, le fournisseur responsable du suivi de l'article sait qu'il doit le remplacer dans les rayons. Wal-Mart est le magasin de détail le plus efficient de l'industrie, avec des ventes de plus de 28 $ au pied carré. Son concurrent le plus proche, Target, affiche 23 $ de ventes au pied carré, et les autres entreprises de vente au détail, moins de 12 $ de ventes au pied carré.

La conception de nouveaux produits, services et modèles d'affaires

Les systèmes d'information et les technologies de l'information sont très utiles pour les entreprises qui veulent créer de nouveaux produits et de nouveaux services, ainsi que des modèles d'affaires complètement nouveaux. Le **modèle d'affaires** décrit la façon dont l'entreprise fabrique un produit ou assure la prestation d'un service, livre et vend le produit ou le service dans le but de créer de la richesse.

L'industrie de la musique est aujourd'hui fort différente de ce qu'elle était en 2000. Apple a transformé un ancien modèle d'affaires offrant de la musique sur des disques de vinyle, des cassettes et des CD en un nouveau modèle de distribution légale en ligne, reposant sur sa propre plate-forme technologique, l'iPod. Elle a prospéré grâce à l'apport d'innovations continu à l'iPod, notamment les modifications de l'iPod lui-même, le service de musique iTunes et l'iPhone.

Les liens étroits avec les clients et les fournisseurs

Lorsqu'une entreprise les connaît véritablement et les sert bien, les clients réagissent généralement en continuant à acheter, ce qui augmente le chiffre d'affaires et les profits. Il en est de même pour les fournisseurs : plus une entreprise les fidélise, plus ils l'approvisionnent en intrants essentiels, ce qui fait baisser les coûts. Comment connaître véritablement les clients et les fournisseurs ? C'est une question centrale pour les entreprises comptant des millions de clients, hors ligne et en ligne.

L'hôtel Mandarin Oriental de Manhattan et d'autres hôtels haut de gamme illustrent bien la façon dont les entreprises peuvent utiliser les systèmes d'information et les technologies de l'information pour assurer des liens étroits avec les clients. Ils se servent en effet des ordinateurs pour consigner les préférences de leurs clients : température de la chambre, heure d'arrivée, numéros de téléphone fréquemment composés et émissions de télévision. Ils gardent ces données en mémoire dans une énorme base de données. Les différentes chambres étant reliées à un serveur central, il est possible d'effectuer des vérifications ou des contrôles à distance. Ainsi, lorsqu'un client arrive dans un établissement, le système modifie automatiquement les paramètres d'ambiance de la chambre, par exemple en diminuant l'intensité de l'éclairage, en fixant une température donnée ou en choisissant une musique appropriée, en fonction du profil numérisé du client. Les hôtels analysent également les données relatives à leurs clients pour déterminer lesquels sont les meilleurs et pour élaborer des campagnes de marketing personnalisées à partir de leurs préférences.

L'exemple de JC Penney illustre les avantages que procurent les systèmes d'information sur le plan des liens étroits avec les fournisseurs. Dès la vente d'une chemise dans un magasin Penney aux États-Unis, les données correspondantes apparaissent sur les ordinateurs de TAL Apparel, géant de la fabrication en sous-traitance situé à Hong Kong, et qui confectionne une chemise sur huit vendues aux États-Unis. TAL traite les données recueillies au moyen d'un modèle informatique qu'elle a élaboré, puis détermine combien de chemises elle doit confectionner en remplacement, dans quels modèles, quelles couleurs et quelles tailles. Elle envoie ensuite les chemises à chacun des magasins Penney, court-

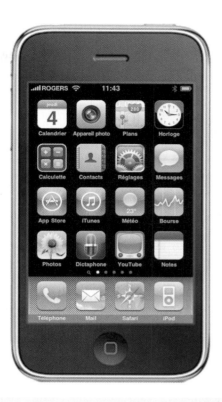

Avec son étonnant écran tactile multipoint, son navigateur Internet, sa fonction d'appareil photo numérique et son lecteur de musique, l'iPhone d'Apple fixe de nouvelles normes pour les téléphones mobiles. D'autres produits d'Apple ont transformé l'industrie de la musique et du divertissement.

circuitant totalement les entrepôts du détaillant. En d'autres termes, le stock de chemises de Penney avoisine le zéro, comme les coûts d'entreposage.

L'amélioration du processus décisionnel

De nombreux gestionnaires exercent leurs activités dans un brouillard informationnel, ne disposant jamais véritablement de la bonne information au bon moment pour prendre une décision éclairée. Ils s'appuient plutôt sur des prévisions, leurs meilleures estimations et la chance. Le résultat est la fabrication de produits ou la prestation de services en quantité insuffisante ou excédentaire, une mauvaise affectation des ressources et de longs temps de réponse. Cette piètre performance entraîne des coûts élevés et la perte de clients. Au cours de la dernière décennie, les systèmes d'information et les technologies de l'information ont permis aux gestionnaires d'utiliser des données sur le marché en temps réel pour la prise de décision.

Figurant parmi les sociétés de téléphonie les plus importantes aux États-Unis, Verizon utilise, par exemple, un tableau de bord numérique Web pour ses gestionnaires. Ce dernier fournit de l'information précise, en temps réel, sur les réclamations des clients, la performance du réseau dans chaque localité desservie et les interruptions de service ou les dommages causés par les conditions climatiques. Les gestionnaires peuvent ainsi immédiatement affecter les ressources de réparation aux régions qui en ont besoin, informer les clients de leurs interventions et rétablir le service rapidement.

L'avantage concurrentiel

Lorsqu'elles ont atteint un ou plusieurs des objectifs d'affaires dont nous venons de parler – excellence opérationnelle, conception de nouveaux produits, services et modèles d'affaires, liens étroits avec les clients et les fournisseurs et amélioration du processus décisionnel –, les entreprises ont toutes les chances d'avoir déjà acquis un avantage concurrentiel. Faire mieux que les concurrents, proposer des prix moins élevés pour de meilleurs produits et répondre aux clients et aux fournisseurs en temps réel sont autant d'éléments qui contribuent à porter les ventes et les profits vers des sommets que les concurrents ne sauraient atteindre.

Aucune entreprise n'illustre mieux tous les attributs menant à un avantage concurrentiel que Toyota Motor. Elle est devenue le plus grand fabricant d'automobiles du monde grâce à son degré élevé d'efficience et de qualité. Les concurrents s'efforcent de maintenir la cadence. Le légendaire modèle Toyota est centré sur une organisation du travail visant à éliminer le gaspillage, à réaliser des améliorations continues et à optimiser la valeur pour le client. Les systèmes d'information aident Toyota à mettre en œuvre son système de production et à fabriquer des véhicules correspondant à ce que les clients ont commandé.

La survie

Les entreprises investissent également dans les systèmes d'information et les technologies de l'information parce qu'ils sont indispensables pour faire des affaires. C'est parfois l'évolution du secteur d'activité qui fixe «l'indispensable». Ainsi, en 1977, la Citibank a proposé les premiers guichets automatiques dans la région de New York, pour attirer les clients avec des services supérieurs; les concurrents se sont alors empressés d'offrir la même chose à leurs clients pour ne pas être en reste. Aujourd'hui, presque toutes les banques des États-Unis possèdent des guichets automatiques régionaux et se relient aux réseaux de guichets nationaux et internationaux du type de CIRRUS. Offrir des services de guichet automatique aux clients est désormais indispensable pour survivre sur ce marché.

De nombreuses lois et de nombreux règlements obligent les sociétés et leurs employés à conserver leurs documents, y compris les documents numériques. Ainsi, la loi américaine sur le contrôle des substances toxiques (*Toxic Substances Control Act*, 1976), qui régit l'exposition des travailleurs à plus de 75 000 produits chimiques toxiques, exige des entreprises qu'elles conservent les registres relatifs à l'exposition des employés pendant 30 ans. La loi Sarbanes-Oxley (*Sarbanes-Oxley Act*, 2002), qui avait pour but d'améliorer la responsabilité organisationnelle des sociétés ouvertes et de leurs vérificateurs, exige des cabinets d'expertise comptable chargés de vérifier les comptes de ces sociétés qu'ils conservent leurs dossiers de vérification avec tous les courriels pendant cinq ans. De nombreux autres éléments des lois intervenant dans les domaines des soins de santé, des services financiers, de l'éducation et de la protection de la vie privée, tant aux États-Unis qu'au Canada, imposent aux entreprises des règles de conservation et de communication de l'information. Pour pouvoir s'y conformer, les entreprises se tournent vers les systèmes d'information et les technologies de l'information.

1.2 PERSPECTIVES SUR LES SYSTÈMES D'INFORMATION

Jusqu'à maintenant, nous avons utilisé les expressions «systèmes d'information» et «technologies de l'information» de manière informelle, sans les définir. La **technologie de l'information (TI)** est l'ensemble des technologies matérielles et logicielles dont une entreprise a besoin pour atteindre ses objectifs. Elle regroupe non seulement les ordinateurs, les lecteurs de disques et les terminaux mobiles de poche, mais également les logiciels, comme les systèmes d'exploitation Windows ou Linux, la suite bureautique Microsoft Office et les milliers de programmes informatiques qu'on trouve généralement dans une grande entreprise. Les «systèmes d'information» étant plus complexes, la meilleure façon de les comprendre est de les examiner à la fois dans une perspective technologique et dans une perspective d'affaires.

Qu'est-ce qu'un système d'information?

Techniquement, on peut définir un **système d'information** comme un ensemble de composantes interreliées qui recueillent (ou récupèrent) de l'information, la traitent, la stockent et la diffusent afin d'aider à la prise de décision, au contrôle et à la coordination au sein d'une organisation. De plus, le système d'information peut aider les gestionnaires et les employés à analyser des problèmes, à étudier des sujets complexes et à créer de nouveaux produits.

Les systèmes d'information contiennent des informations sur des personnes, des endroits et des choses qui ont de l'importance au sein de l'organisation ou dans son environnement. Par **information**, nous entendons les données qui sont présentées sous une forme compréhensible et utile pour les êtres humains. Les **données**, au contraire, sont des faits à l'état brut représentant des événements qui ont lieu dans les organisations ou dans leur environnement physique. Elles n'ont pas encore été organisées de façon à ce que les gens puissent les comprendre et les utiliser.

Voici un bref exemple illustrant la différence entre information et données. Les caisses des supermarchés enregistrent des millions de données, telles que les numéros d'identification des produits et le coût des articles vendus. Lorsqu'elles

FIGURE 1-3   LES DONNÉES ET L'INFORMATION

331 Détergent à vaisselle Brite 1,29
863 Café Black Hill 4,69
173 Miaou pour chat 0,70
331 Détergent à vaisselle Brite 1,29
663 Jambon de pays 3,29
524 Moutarde Fiery 1,49
113 Racinette 0,85
331 Détergent à vaisselle Brite 1,29

Système d'information

Secteur de vente : Nord-Ouest
Magasin : Supermarché n° 122

N° D'ARTICLE	DESCRIPTION	QUANTITÉ VENDUE
331	Détergent à vaisselle Brite	7156

VENTES POUR L'ANNÉE
9 231,24 $

Lorsqu'elles sont traitées et organisées, les données brutes provenant des caisses de supermarchés deviennent des informations compréhensibles, telles que la quantité totale de bouteilles de détergent à vaisselle vendues ou le montant total des ventes de détergent à vaisselle pour un magasin ou un territoire de vente donné.

Données

Information

sont additionnées et analysées, ces données deviennent des informations compréhensibles, telles que le nombre de bouteilles de détergent à vaisselle vendues dans un magasin en particulier, les marques de détergent à vaisselle qui se sont vendues le plus rapidement dans tel magasin ou tel territoire, la somme d'argent dépensée pour une marque donnée de détergent à vaisselle dans tel magasin ou tel territoire (figure 1-3).

Dans un système d'information, trois activités produisent l'information dont l'organisation a besoin pour prendre des décisions, contrôler les activités d'exploitation, analyser les problèmes et créer de nouveaux produits ou services. Il s'agit de l'entrée, du traitement et de la sortie (figure 1-4). L'**entrée** est le processus pendant lequel on saisit les données brutes provenant de l'organisation ou de son environnement. Le **traitement** est le processus pendant lequel on transforme ces données brutes de façon à leur donner un sens. La **sortie** est le processus de diffusion de l'information traitée vers les utilisateurs qui en ont besoin pour certaines activités. Un système d'information se fonde également sur la **rétroaction**, c'est-à-dire sur le processus de transmission des informations de sortie aux membres appropriés de l'organisation pour les aider à évaluer l'étape d'entrée ou à la corriger.

Dans le système dont disposent les équipes de la NBA pour analyser les mouvements de basketball, les données brutes d'entrée se classent en deux catégories. La première regroupe toutes les données relatives aux jeux que saisit le personnel de Synergy Sports Technology : le nom du joueur, l'équipe, la date et le lieu du match, le type de jeu, les autres joueurs participants et le résultat. La seconde consiste en enregistrements vidéo des jeux et des matchs, captés sous forme d'éléments de données numériques pour le stockage, la consultation et la manipulation par l'ordinateur.

Les ordinateurs serveurs de Synergy Sports Technology stockent les données et traitent celles de la première catégorie de manière à les associer à celles de la seconde. La sortie consiste en vidéos et en statistiques au sujet de joueurs, d'équipes et de jeux précis. Le système fournit de l'information utile, comme le nombre de jeux défensifs efficaces contre un joueur en particulier et leur nature, les types de jeux offensifs les plus fructueux contre une équipe donnée, ou des comparaisons entre des joueurs et la performance de l'équipe dans les matchs à domicile ou à l'extérieur.

Bien qu'un **système d'information informatisé (SII)** se fonde sur la technologie informatique pour traiter des données brutes et les transformer en informations compréhensibles et utiles, il faut bien distinguer, d'une part, les ordinateurs et les logiciels et, d'autre part, le système d'information. Les ordinateurs et les logiciels constituent le fondement technique du système d'information moderne, le matériel et les outils. Les ordinateurs fournissent le matériel nécessaire pour le stockage et le traitement de l'information. Les logiciels sont des ensembles d'instructions d'exploitation qui orientent et contrôlent le traitement informatique. Il est important de bien connaître le fonctionnement des ordinateurs et des logiciels pour pouvoir concevoir des solutions aux problèmes organisationnels. Cependant, les ordinateurs ne représentent qu'une petite partie du système d'information.

Établissons une analogie avec une maison. On construit une maison avec des marteaux, des clous et du bois, mais ces éléments ne sont pas suffisants. L'architecture, la conception, le cadre, l'aménagement paysager et toutes les décisions qui les sous-tendent font aussi partie de la maison et sont des éléments essentiels pour une construction réussie. Les ordinateurs et les logiciels représentent le marteau, les clous et le

FIGURE **1-4** LES FONCTIONS D'UN SYSTÈME D'INFORMATION

Un système d'information contient de l'information sur une organisation et son environnement. Trois activités de base, l'entrée, le traitement et la sortie, produisent l'information dont l'organisation a besoin. La rétroaction que reçoivent les utilisateurs sur l'activité de l'organisation dont ils sont responsables leur permet d'évaluer l'entrée et de l'améliorer. Les différents acteurs faisant partie de l'environnement de l'organisation, tels que les clients, les fournisseurs, les concurrents, les actionnaires et les organismes de réglementation, interagissent avec l'organisation et ses systèmes d'information.

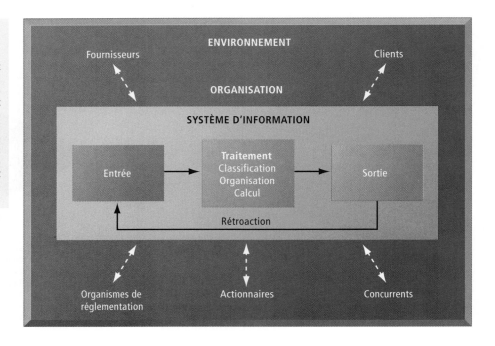

bois du système d'information informatisé. À eux seuls, ils ne peuvent fournir l'information dont l'entreprise a besoin. Pour comprendre le système d'information, il faut comprendre les problèmes qu'il doit résoudre, ses éléments architecturaux et conceptuels, ainsi que les processus organisationnels qui mènent aux solutions.

Les dimensions des systèmes d'information

Pour bien comprendre les systèmes d'information, il faut les envisager dans la perspective plus large de l'organisation, de la gestion et de la technologie de l'information (figure 1-5) et comprendre comment ils fournissent des solutions aux difficultés et aux problèmes de l'environnement des affaires. Cette perspective plus large supposant la compréhension des dimensions de gestion, d'organisation et de technologie, nous la désignerons sous l'appellation de **connaissance des systèmes d'information**. La **connaissance informatique**, quant à elle, est centrée avant tout sur la connaissance de la technologie de l'information.

La discipline des systèmes d'information de gestion (SIG) a pour but d'inculquer cette connaissance plus large des systèmes d'information. Elle traite des questions comportementales ainsi que des questions techniques entourant la mise sur pied des systèmes d'information, leur utilisation par les gestionnaires et les employés de l'entreprise, et les conséquences de cette utilisation.

Examinons maintenant chacune des dimensions des systèmes d'information: les organisations, la gestion et la technologie de l'information.

FIGURE **1-5**

UN SYSTÈME D'INFORMATION N'EST PAS SIMPLEMENT UN ORDINATEUR

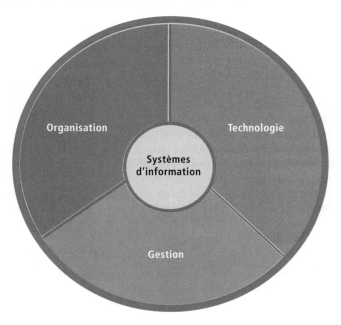

Pour utiliser les systèmes d'information avec efficacité, il faut comprendre l'organisation, la gestion et la technologie de l'information qui les sous-tendent. Les systèmes d'information engendrent de la valeur et constituent, pour les entreprises, des réponses aux défis que leur lance l'environnement sur les plans de l'organisation et de la gestion.

Les organisations

Les systèmes d'information font partie intégrante des organisations. En effet, pour certaines entreprises, comme les agences d'évaluation du crédit, il n'y aurait pas d'activité s'il n'y avait pas de système. Les éléments clés d'une organisation sont le personnel, la structure, les processus opérationnels, la politique et la culture. Nous présentons ces éléments organisationnels dans ce chapitre et les décrivons plus en détail aux chapitres 2 et 3.

Les organisations comportent divers paliers et différentes spécialités. Leur structure révèle une division nette du travail. Une organisation coordonne le travail de ses employés en s'appuyant sur une hiérarchie structurée qui a la forme d'une pyramide. Aux paliers supérieurs se trouvent les gestionnaires, les cadres professionnels et les techniciens; aux paliers inférieurs, le personnel opérationnel.

Les **cadres supérieurs** prennent des décisions stratégiques à long terme concernant les produits et les services et ils veillent à la performance financière de l'entreprise. Les **cadres intermédiaires** sont responsables de l'exécution des programmes et des plans de la direction. Les **cadres opérationnels** assument la responsabilité du suivi des activités quotidiennes. Les **travailleurs de la connaissance**, comme les ingénieurs, les scientifiques ou les architectes, conçoivent des produits ou des services et créent de nouvelles connaissances, tandis que les **travailleurs du traitement de données**, comme les secrétaires ou les préposés, se chargent du travail de bureau à tous les échelons de l'organisation. Enfin, les **travailleurs de la production ou des services** s'occupent concrètement de la fabrication des produits et de la prestation des services (figure 1-6).

Les experts sont employés et formés pour jouer différents rôles. Les principales **fonctions de l'entreprise**, ou grandes tâches spécialisées qu'elle accomplit, sont les ventes et le marketing, la fabrication et la production, les finances et la comptabilité, la gestion des ressources humaines (tableau 1-2). Le chapitre 2 fournit plus de détails sur ces fonctions et les façons dont les systèmes d'information les soutiennent.

L'organisation coordonne le travail par l'intermédiaire de sa hiérarchie et de ses processus d'affaires, lesquels sont constitués de tâches et de comportements reliés logiquement pour l'accomplissement des tâches. La conception d'un produit, l'exécution d'une commande et l'embauche d'un employé sont des exemples de processus d'affaires.

Dans la plupart des organisations, les processus d'affaires comportent des règles formelles qui ont été élaborées sur une longue période et qui dictent la manière d'accomplir les tâches. Ces règles guident les employés dans l'exécution d'une variété de tâches, allant de la préparation d'une facture à la réponse à la réclamation d'un client. Certaines sont formelles et écrites; d'autres, au contraire, sont des pratiques informelles et non écrites, comme l'exigence selon laquelle il faut rappeler un collègue ou un client. Les systèmes d'information automatisent de nombreux processus d'affaires. Ils comprennent une série de processus formels, notamment la manière de rembourser un client ou de lui faire une facture.

FIGURE 1-6

LES ÉCHELONS DE L'ENTREPRISE

Les entreprises sont des hiérarchies comprenant trois principaux échelons: les cadres supérieurs, les cadres intermédiaires et les cadres opérationnels. Les systèmes d'information servent chacun d'eux. Les scientifiques et les travailleurs de la connaissance exercent souvent leurs fonctions de concert avec les cadres intermédiaires.

TABLEAU 1-2

LES PRINCIPALES FONCTIONS DE L'ENTREPRISE

FONCTIONS	OBJECTIFS
Ventes et marketing	Vente des produits et des services de l'entreprise
Fabrication et production	Fabrication et livraison des produits; création et prestation des services
Finances et comptabilité	Gestion des éléments d'actifs financiers de l'organisation; tenue des documents comptables
Ressources humaines	Recrutement, perfectionnement et maintien de la main-d'œuvre de l'organisation; suivi des dossiers des employés

Chaque organisation possède une **culture** unique, c'est-à-dire un ensemble fondamental de postulats, de valeurs et de manières de faire les choses qui est accepté par la plupart des membres du personnel. Vous en avez un exemple avec la culture de votre université. Les hypothèses sur lesquelles repose le fonctionnement d'une université sont notamment les suivantes : les professeurs en savent plus que leurs étudiants ; les étudiants sont à l'université pour apprendre ; les cours sont donnés selon un horaire fixe.

Cette culture de l'organisation se retrouve toujours en partie dans ses systèmes d'information. Par exemple, le souci de la qualité du service à la clientèle constitue un aspect de la culture d'UPS qui est géré par le système de suivi des colis, décrit un peu plus loin.

Les différents paliers et différentes spécialités au sein d'une organisation correspondent à divers intérêts et points de vue qui entrent souvent en conflit. Le conflit est à la base de la politique organisationnelle. Les systèmes d'information découlent de cette combinaison de perspectives divergentes, de conflits, de compromis et d'ententes qui font naturellement partie de toute organisation. Au chapitre 3, nous décrivons en détail ces caractéristiques des organisations et leur rôle dans le développement des systèmes d'information.

La gestion

Le travail des gestionnaires consiste à saisir la signification des nombreuses situations auxquelles doit faire face l'entreprise, à prendre des décisions et à établir des plans d'action pour la résolution des problèmes qui surgissent. Les gestionnaires perçoivent les défis de leur environnement. Ils élaborent une stratégie organisationnelle pour les relever. Puis ils répartissent les ressources humaines et financières pour coordonner le travail et obtenir le succès. Dans ce processus, ils doivent exercer un leadership responsable. Les systèmes d'information de gestion que nous décrivons dans ce manuel reflètent leurs espoirs et leurs rêves, ainsi que les réalités qu'ils doivent affronter.

Cependant, les gestionnaires doivent faire plus que simplement gérer ce qui existe déjà. Ils doivent également créer de nouveaux produits et services, et même parfois repenser l'organisation. Leur travail de création, guidé par de nouvelles connaissances et informations, constitue un aspect important de leur mission. Or la technologie de l'information peut jouer un rôle essentiel pour les aider dans cette tâche. Au chapitre 12, nous développons le processus de prise de décision.

La technologie

La technologie de l'information est l'un des nombreux outils dont disposent les gestionnaires pour s'adapter aux changements. Le **matériel informatique** est l'équipement physique utilisé pour l'exécution des activités d'entrée, de traitement et de sortie, dans un système d'information. Il se compose d'ordinateurs de diverses tailles et formes (y compris les terminaux mobiles de poche), de dispositifs d'entrée, de sortie et de stockage ainsi que de supports de télécommunication permettant de relier les ordinateurs.

Le **logiciel** comporte les instructions préprogrammées et détaillées qui commandent et coordonnent les composantes matérielles d'un système d'information. Au chapitre 5, nous décrivons les plateformes logicielles et matérielles que les entreprises utilisent actuellement.

La **technologie de la gestion des données** correspond au logiciel commandant l'organisation des données sur des supports physiques de stockage. Ce logiciel sert à créer et à manipuler des listes, des fichiers et des bases de données destinés au stockage de données et à associer des informations pour la production de rapports. Vous trouverez plus de renseignements sur l'organisation des données et sur les méthodes d'accès aux supports de stockage au chapitre 6.

La **technologie des réseaux et des télécommunications**, qui comprend des dispositifs physiques et des logiciels, relie les différentes composantes du matériel informatique et transfère les données d'un emplacement physique à l'autre. Il est possible de relier en réseaux les ordinateurs et le matériel de communication pour partager des données, des images, du son ou même des vidéos. Un **réseau** relie deux ou plusieurs ordinateurs afin qu'ils puissent partager des données ou des ressources, comme une imprimante.

Internet est le plus grand réseau du monde et le plus utilisé. Il s'agit d'un « réseau de réseaux » international reposant sur des normes universelles (chapitre 7) et reliant plus de 1,4 milliard d'usagers situés dans plus de 230 pays.

Internet a créé une nouvelle plateforme technologique « universelle » grâce à laquelle il est possible de concevoir et de réaliser différents types de produits, de services, de stratégies et de modèles d'affaires. Cette plateforme technologique sert à des usages internes, puisqu'elle fournit la connectivité nécessaire pour relier différents systèmes et réseaux au sein d'une entreprise. Les réseaux internes fondés sur la technologie Internet s'appellent des **intranets**. Les intranets accessibles à des utilisateurs extérieurs à l'entreprise et dûment autorisés s'appellent des **extranets**. Les entreprises utilisent ces derniers pour coordonner leurs activités avec celles d'autres entreprises dans le but d'effectuer des achats, de travailler en collaboration à la conception de produits ou de se livrer à d'autres activités interorganisationnelles. Pour la plupart des entreprises d'aujourd'hui, Internet est à la fois une obligation et un avantage concurrentiel.

Le **Web (World Wide Web)** est un service fourni par Internet et utilisant des normes connues à l'échelle mondiale concernant le stockage, la récupération, la mise en forme et l'affichage de l'information dans un format de page sur Internet. Les pages Web peuvent contenir du texte, des graphiques, des animations, du son et des images vidéo, et elles sont reliées à d'autres pages Web. En cliquant sur les mots surlignés ou les boutons d'une page Web, on peut accéder à des pages connexes fournissant des informations supplémentaires, ainsi qu'à d'autres sites Web. Le Web peut servir de base à de nouveaux types de systèmes d'information, comme le système Web de suivi des colis d'UPS décrit dans la session interactive sur la technologie.

Toutes ces technologies, avec les personnes requises pour les faire fonctionner et les gérer, sont des ressources qui se partagent au sein de l'organisation et qui constituent l'**infrastructure de la technologie de l'information (TI)**. L'infrastructure de la TI fournit la base, ou la *plateforme*, sur

UPS RIVALISE AVEC LA CONCURRENCE MONDIALE GRÂCE À LA TECHNOLOGIE DE L'INFORMATION

United Parcel Service (UPS) a démarré ses activités en 1907, dans un minuscule bureau aménagé dans un sous-sol. Jim Casey et Claude Ryan, deux adolescents de Seattle munis de deux vélos et d'un téléphone, se sont engagés à offrir « le meilleur service aux tarifs les plus bas ». Cela fait maintenant plus de 90 ans que UPS emploie avec succès cette formule, qui lui a permis de devenir la société de distribution de colis par voies terrestre et aérienne la plus importante du monde. Son envergure est planétaire : elle compte plus de 425 000 employés, 93 000 véhicules et une ligne aérienne se situant au neuvième rang mondial.

Aujourd'hui, UPS livre plus de 15 millions de colis et de documents chaque jour aux États-Unis et dans plus de 200 pays et territoires. Si l'entreprise a su conserver sa position de chef de file sur le marché des services de livraison de petits colis, malgré l'âpre concurrence de FedEx et d'Airborne Express, c'est grâce à d'importants investissements dans une technologie de l'information de pointe. UPS consacre plus de 1 milliard de dollars chaque année au maintien d'une qualité supérieure de service à la clientèle, à la maîtrise des coûts et à la rationalisation de l'ensemble de ses activités.

Chaque processus de traitement de colis commence par l'apposition d'une étiquette avec code à barres contenant l'information précise sur l'expéditeur, la destination et le moment de livraison requis. Les clients peuvent télécharger et imprimer leurs propres étiquettes grâce à un logiciel spécial fourni par UPS ou à l'aide du site Web de l'entreprise. Avant même la collecte du colis, l'information que renferme l'étiquette « intelligente » est transmise à l'un des centres informatiques à Mahwah, au New Jersey, ou à Alpharetta, en Géorgie, puis envoyée au centre de distribution le plus proche de la destination ultime. Les répartiteurs de ce centre de distribution téléchargent les données de l'étiquette et utilisent un logiciel spécial pour déterminer le trajet de livraison le plus efficient pour chaque chauffeur, étant donné la circulation, les conditions climatiques et les différents arrêts du parcours. UPS estime qu'elle épargne à ses camions de livraison 45 millions de kilomètres de route par an et réduit leur consommation de carburant de 11 millions de litres par an, grâce à cette technologie.

Le premier outil dont se munit chaque jour tout chauffeur d'UPS est l'ordinateur de poche DIAD (Delivery Information Acquisition Device, pour « appareil de collecte de données de livraison »), qui donne accès aux renseignements de livraison grâce à l'un des réseaux sans fil qu'utilisent les téléphones cellulaires. Dès que le chauffeur ouvre une session, son itinéraire de la journée se télécharge sur l'appareil. De plus, le DIAD saisit automatiquement les signatures des clients accompagnées des informations relatives à la collecte et à la livraison. Puis il transmet les renseignements de suivi des colis au réseau informatique d'UPS aux fins de stockage et de traitement. Cela permet une consultation partout dans le monde et fournit une preuve de livraison aux clients ou une source d'informations pour répondre aux demandes. Le délai habituel séparant le moment où le chauffeur appuie sur la touche du DIAD confirmant la livraison et la disponibilité de l'information sur le Web est inférieur à 60 secondes.

À l'aide d'un ordinateur de poche appelé DIAD (Delivery Information Acquisition Device, « appareil de collecte de données de livraison »), les livreurs d'UPS enregistrent automatiquement les signatures des clients ainsi que les informations relatives à la cueillette, à la livraison et à la fiche de temps. Les systèmes d'information d'UPS utilisent ces données pour suivre les colis durant leur transport.

Grâce à son système automatisé de repérage des colis, UPS peut suivre et même rediriger les colis durant le processus de livraison. À divers points du parcours entre l'expéditeur et le destinataire, des lecteurs optiques lisent l'étiquette du colis et transmettent les données relatives à la progression du colis à l'ordinateur central. Les représentants du service à la clientèle sont ainsi en mesure de localiser tout colis à partir des ordinateurs de bureau reliés aux ordinateurs centraux et de répondre immédiatement aux demandes de renseignements. Les clients ont également accès à cette information sur le site Web de la société, qu'ils peuvent consulter à l'aide de leurs propres ordinateurs ou d'appareils sans fil comme les téléphones cellulaires.

Toute personne ayant un colis à expédier peut accéder au site Web d'UPS pour suivre sa progression, vérifier les itinéraires de livraison, calculer les tarifs d'expédition, déterminer la durée des trajets, imprimer des étiquettes et programmer une collecte. Les données recueillies sur le site Web sont transmises à l'ordinateur central et reviennent vers le client après traitement. UPS fournit également aux clients comme Cisco Systems des outils permettant d'intégrer les fonctions comme le suivi et le calcul des coûts à leur propre site Web, de manière à pouvoir suivre leurs colis sans passer par le site d'UPS.

UPS met aujourd'hui ses décennies d'expérience dans la gestion de son propre réseau mondial de livraison pour gérer la logistique et les activités de la chaîne d'approvisionnement d'autres sociétés. Elle a en effet créé une division de gestion de la chaîne logistique (Supply Chain Solutions) qui offre un assortiment complet de services standardisés aux sociétés membres, et ce, pour une fraction de ce que l'implantation de leurs propres systèmes et de leur propre infrastructure leur coûterait. Ces services englobent la conception et la gestion de la chaîne logistique, les opérations de transit, le courtage en douane, les services postaux, le transport intermodal et les services financiers, en plus des services logistiques.

Hired Hand Technologies, fabricant d'équipement agricole et horticole situé à Bremen, en Alabama, a recours aux services de fret d'UPS non seulement pour le suivi de ses colis, mais également pour l'établissement de ses plans de fabrication hebdomadaires. En 20 secondes, UPS lui fournit de l'information, mise à jour chaque minute, au sujet du moment où les pièces doivent arriver.

Sources: United Parcel Service, « Powering Up the Supply Chain », *UPS Compass*, hiver 2008 et « LTL's High-Tech Infusion », *UPS Compass*, printemps 2007; Claudia Deutsch, « Still Brown, but Going High Tech », *The New York Times*, 12 juillet 2007; www.ups.com, consulté le 12 octobre 2009.

Questions

1. Dans le système de suivi des colis d'UPS, quels sont les éléments d'entrée, de traitement et de sortie?
2. Quelles technologies utilise UPS? Comment se rattachent-elles à la stratégie d'affaires de l'entreprise?
3. Quels problèmes les systèmes d'information d'UPS résolvent-ils? Que se passerait-il si UPS était privée de ces systèmes?

Ateliers

Explorez le site Web d'UPS (www.ups.com/content/ca/fr/index.jsx) et répondez aux questions suivantes:

1. Quel type d'information et de services le site Web fournit-il aux particuliers, aux petites entreprises et aux grandes entreprises? Dressez la liste des services et décrivez l'un d'entre eux en quelques paragraphes, comme le service UPS Trade Direct ou UPS World Ease. Expliquez en quoi ce service vous serait utile à vous ou à votre entreprise.
2. Expliquez comment le site Web aide UPS à atteindre en partie ou en totalité les objectifs stratégiques de l'entreprise que nous avons décrits précédemment. Si ce site Web n'existait pas, quelles seraient les conséquences pour les affaires d'UPS?

laquelle l'entreprise peut construire ses systèmes d'information spécifiques. Chaque organisation doit concevoir et gérer avec soin son infrastructure de la TI de manière à obtenir l'ensemble des services de technologie qui lui sont nécessaires pour effectuer le travail qu'elle souhaite accomplir. Les chapitres 5 à 8 de ce manuel portent sur les principaux éléments technologiques de l'infrastructure de la TI et montrent comment ils interagissent pour créer la plateforme technologique de l'organisation.

Dans la session interactive sur la technologie, on décrit certaines des applications types qu'on utilise dans les systèmes d'information informatisés d'aujourd'hui. UPS investit énormément dans la technologie des systèmes d'information pour augmenter l'efficacité de ses processus et améliorer l'orientation clients. Elle utilise un éventail de technologies: des lecteurs de codes à barres, des réseaux sans fil, des ordinateurs centraux, des ordinateurs portables, Internet et plusieurs outils logiciels pour le suivi des colis, le calcul des frais, la gestion des comptes clients et de la logistique.

Déterminons, dans le système de suivi des colis d'UPS, les divers éléments d'organisation, de gestion et de technologie. La composante organisationnelle constitue le point d'ancrage du système de suivi des colis dans les fonctions de ventes et de production de la société UPS (le principal produit est un service : la livraison de colis). Elle définit les procédures qui permettent de repérer les colis à l'aide des données concernant l'expéditeur et le destinataire, de faire les inventaires, d'assurer le suivi des colis en cours d'acheminement et de produire des rapports sur la situation des colis, pour les clients et les représentants du service à la clientèle.

Le système doit également fournir des informations aux gestionnaires et aux employés. Pour travailler de manière efficace et rentable, les livreurs d'UPS doivent apprendre les procédures de collecte et de livraison, ainsi que la façon d'utiliser le système de suivi des colis. Les clients d'UPS doivent apprendre comment utiliser le logiciel maison de suivi des colis ou le site Web de l'entreprise.

La direction d'UPS doit surveiller la qualité des services et les coûts et promouvoir la stratégie de l'entreprise consistant à combiner des coûts peu élevés et un service de qualité supérieure. Elle a décidé de recourir à l'automatisation pour faciliter l'expédition des colis et vérifier l'état des livraisons. Cela lui a permis de réduire ses coûts de livraison et d'accroître ses ventes.

La technologie qui soutient le système de suivi des colis d'UPS se compose d'ordinateurs de poche, de lecteurs de codes à barres, de réseaux de communication câblés et sans fil, d'ordinateurs personnels, d'un ordinateur central, d'outils de stockage pour les données sur la livraison des colis, d'un logiciel maison de suivi des colis et d'un logiciel d'accès au Web. Grâce à son système d'information, l'entreprise peut relever le défi consistant à fournir un service de grande qualité à bas prix, dans un contexte de concurrence grandissante.

Plus que de la simple technologie : les systèmes d'information dans le contexte des affaires

Les gestionnaires et les entreprises investissent dans les systèmes d'information et la technologie de l'information parce qu'ils leur apportent une valeur économique réelle. La décision de mettre en place ou de conserver un système d'information suppose que les rendements sur le capital investi seront supérieurs à ceux des investissements dans les édifices, la machinerie ou les autres actifs. Cette supériorité des rendements se traduira par une augmentation de la productivité, par une augmentation des revenus (et ainsi de la valeur en Bourse) ou peut-être par un meilleur positionnement stratégique à long terme sur certains marchés (qui engendrera des revenus supérieurs dans l'avenir).

Comme nous pouvons le constater, dans le contexte des affaires et de l'entreprise, un système d'information constitue un instrument important de production de valeur. Les

systèmes d'information permettent à l'entreprise d'augmenter ses revenus ou de diminuer ses coûts, en fournissant de l'information qui aide les gestionnaires à prendre de meilleures décisions ou qui améliore le déroulement des processus d'affaires. Par exemple, le système d'information servant à analyser les données des caisses d'un supermarché, illustré à la figure 1-3, peut aider les gestionnaires à augmenter la rentabilité de l'entreprise en leur permettant de prendre de meilleures décisions quant aux produits à garder en stock et à la publicité à faire en magasin.

Chaque entreprise a une chaîne de valeur de l'information semblable à celle de la figure 1-7 : les données brutes sont systématiquement recueillies puis transformées à travers diverses étapes qui leur ajoutent de la valeur. L'entreprise détermine la valeur d'un système d'information et prend la décision ou non d'investir dans un nouveau système, en évaluant dans quelle mesure celui-ci va favoriser la qualité des décisions de gestion, l'efficacité des processus d'affaires et une plus grande rentabilité. Bien que d'autres raisons appuient la mise en place d'un système d'information, la première, pour l'entreprise, consiste en l'assurance d'une augmentation de sa valeur.

Dans le contexte des affaires, les systèmes d'information font partie d'une série d'activités créatrices de valeur visant l'acquisition, la transformation et la distribution des renseignements que peuvent utiliser les gestionnaires pour améliorer la qualité des décisions et la performance organisationnelle et, au final, accroître la rentabilité de l'entreprise.

Il faut prêter attention à la nature organisationnelle et de gestion des systèmes d'information. Un système d'information constitue une solution d'organisation et de gestion, fondée sur la technologie de l'information, à un problème posé par l'environnement. Dans ce manuel, chaque chapitre commence par une courte étude de cas qui illustre cette idée. De plus, un schéma d'introduction représente la relation entre un environnement changeant et les décisions d'organisation et de gestion qui se prennent pour utiliser la technologie de l'information en réponse aux problèmes. Ce schéma d'introduction peut servir de point de départ à l'analyse de tout système d'information ou de tout problème que soulève un système d'information.

Examinez le schéma d'introduction de ce chapitre. Il indique en quoi le système de la NBA a résolu le problème de gestion que présentaient les pressions concurrentielles intenses des sports professionnels, le coût élevé des joueurs professionnels de basketball et les données fragmentaires sur la performance des équipes et des joueurs. Ce système procure à la NBA une solution qui exploite les capacités de l'informatique : il traite les données vidéo numériques et établit un lien entre ces données et les données relatives aux équipes et aux joueurs. Il aide les entraîneurs et les cadres de la NBA à prendre de meilleures décisions au sujet de la façon optimale d'utiliser les talents des joueurs dans les manœuvres tant offensives que défensives. Le schéma montre également comment les éléments de gestion, de technologie et d'organisation interagissent pour créer le système.

FIGURE 1-7 LA CHAÎNE DE VALEUR DE L'INFORMATION

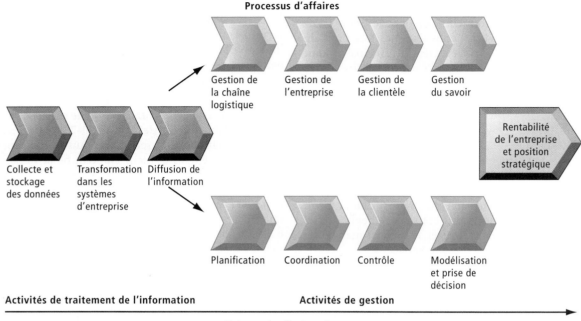

Dans le contexte des affaires, les systèmes d'information font partie d'une série d'activités créatrices de valeur visant l'acquisition, la transformation et la distribution de l'information que peuvent utiliser les gestionnaires pour améliorer la prise de décision et la performance organisationnelle et, au final, accroître la rentabilité de l'entreprise.

Les actifs complémentaires : le capital organisationnel et le modèle d'affaires approprié

Une connaissance des dimensions d'organisation et de gestion des systèmes d'information peut nous aider à comprendre pourquoi certaines entreprises tirent de meilleurs résultats de leurs systèmes d'information que d'autres. Les études sur les rendements des investissements dans la technologie de l'information mettent en évidence d'énormes variations d'une entreprise à l'autre (figure 1-8). Certaines entreprises investissent beaucoup et ont d'excellents rendements (quadrant 2) ; d'autres investissent tout autant, mais obtiennent de faibles rendements (quadrant 4). D'autres encore investissent peu et ont de très bons rendements (quadrant 1), ou investissent peu et obtiennent peu (quadrant 3). Cela signifie que des investissements dans la technologie de l'information ne sont pas en eux-mêmes des garanties de bons rendements. Qu'est-ce qui explique ces différences entre les entreprises ?

La réponse réside dans le concept d'actifs complémentaires. Les investissements limités à la technologie de l'information ne suffisent pas à rendre les organisations et les gestionnaires plus efficaces ; ils doivent être soutenus par des valeurs et des structures favorables ainsi que par des modèles de comportements et des actifs complémentaires. Les entre-

prises doivent modifier leur façon de faire des affaires avant de pouvoir véritablement récolter les avantages des nouvelles technologies de l'information.

Certaines entreprises ne parviennent pas à adopter le modèle d'affaires correspondant à la nouvelle technologie, ou cherchent à conserver un ancien modèle qui va à l'encontre de la nouvelle technologie. Les maisons de disques, par exemple, ont refusé de troquer leur modèle d'affaires traditionnel fondé sur la distribution dans les magasins de musique contre un nouveau modèle de distribution en ligne. Résultat : le marché de la musique en ligne est désormais dominé non par des maisons de disques, mais par une entreprise du secteur de la technologie, Apple.

Les **actifs complémentaires** sont les actifs supplémentaires nécessaires pour tirer de la valeur d'un investissement primaire (Teece, 1998). Par exemple, pour tirer de la valeur des automobiles, il a fallu faire des investissements complémentaires importants dans les autoroutes, les routes, les stations-service, les ateliers de réparations et dans des structures juridiques ayant pour mission d'établir des normes et des mécanismes de réglementation.

Des recherches récentes sur les investissements dans la technologie de l'information montrent que les entreprises qui complètent leurs investissements dans la TI par des actifs tels que de nouveaux modèles d'affaires, de nouveaux

FIGURE 1-8

LES VARIATIONS DE RENDEMENTS DES INVESTISSEMENTS DANS LA TECHNOLOGIE DE L'INFORMATION

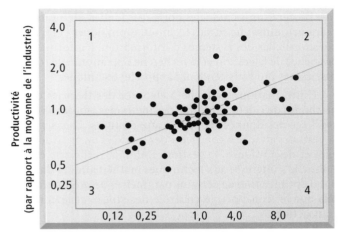

Capital investi dans la TI
(par rapport à la moyenne de l'industrie)

Bien que, en moyenne, les investissements dans la technologie de l'information produisent beaucoup plus de rendements que les autres types d'investissements, il existe une grande diversité entre les entreprises sur ce plan.

Source: D'après Erik Brynjolfsson et Lorin M. Hitt, «Beyond Computation: Information Technology, Organizational Transformation, and Business Performance», *Journal of Economic Perspectives*, vol. 14, n° 4, 2000.

TABLEAU 1-3

LES ACTIFS NÉCESSAIRES POUR OPTIMISER LES RENDEMENTS DES INVESTISSEMENTS DANS LA TI

Actifs organisationnels	Culture organisationnelle qui valorise l'efficience et l'efficacité
	Modèle d'affaires approprié
	Processus d'affaires efficaces
	Autorité décentralisée
	Répartition des droits de prise de décision
	Forte équipe de développement des systèmes d'information
Actifs de gestion	Fort soutien de la haute direction à la TI et aux changements
	Incitations à l'innovation en gestion
	Travail d'équipe et environnements de travail coopératifs
	Programmes de formation visant l'amélioration des compétences décisionnelles des gestionnaires
	Culture de gestion valorisant la flexibilité et la prise de décision fondée sur les connaissances
Actifs sociaux	Internet et infrastructure de télécommunications
	Programmes de formation renforcés sur la TI, visant l'augmentation de la culture informatique de la main-d'œuvre
	Normes (tant pour le gouvernement que pour le secteur privé)
	Lois et règlements visant l'instauration de marchés justes et stables
	Présence d'entreprises de technologies et de services dans des marchés voisins, pour aider à la mise en place de la TI

processus d'affaires, un comportement de gestion, une culture organisationnelle et de la formation en tirent un grand bénéfice. Au contraire, les entreprises qui ne font pas ces investissements complémentaires obtiennent peu ou pas de rendement de leurs investissements dans la TI (Brynjolfsson, 2005; Brynjolfsson et Hitt, 2000; Davern et Kauffman, 2000). Ces investissements dans l'organisation et la gestion sont aussi appelés **capital organisationnel et capital de gestion**.

Le tableau 1-3 présente la liste des principaux actifs complémentaires dont une entreprise a besoin pour tirer de la valeur de ses investissements dans la technologie de l'information. Certains sont tangibles, comme les immeubles, les machines et les outils. Cependant, la valeur des investissements dans la technologie de l'information dépend en grande partie des actifs complémentaires dans la gestion et l'organisation.

Au nombre des principaux actifs complémentaires organisationnels, citons une culture qui valorise l'efficience et l'efficacité, un modèle d'affaires approprié, des processus efficaces, une autorité décentralisée, une répartition des droits de prise de décision et une solide équipe de développement des systèmes d'information.

Du côté des actifs de gestion figurent un très bon soutien de la haute direction aux changements, des systèmes d'incitation pour suivre et récompenser l'innovation individuelle, un encouragement au travail d'équipe et un environnement de travail favorisant la coopération, des programmes de formation visant l'amélioration des compétences décisionnelles des gestionnaires et une culture de gestion valorisant la flexibilité et la prise de décision fondée sur les connaissances.

Enfin, les principaux investissements sociaux (qui ne sont pas faits par l'entreprise, mais par la société dans son ensemble, par les autres entreprises, par les gouvernements et par d'autres acteurs clés du marché) comprennent Internet et les infrastructures de télécommunication des programmes de formation renforcés sur la technologie de l'information visant l'amélioration des connaissances informatiques de la main-d'œuvre, des normes (tant pour les gouvernements que pour le secteur privé), des lois et des règlements visant l'instauration de marchés justes et stables, ainsi que la présence d'entreprises de technologies et de services dans les marchés voisins, pour aider à la mise en place de la TI.

Tout au long de ce manuel, nous mettons l'accent sur un cadre d'analyse qui tient compte à la fois de la technologie, de la gestion, des actifs organisationnels et des interactions entre les trois. Sans doute le thème le plus important de cet ouvrage est-il, comme le reflètent les études de cas et les exercices, la nécessité pour les gestionnaires de prendre en compte l'ensemble des dimensions organisationnelles et des dimensions de gestion des systèmes d'information pour comprendre les problèmes et obtenir des rendements supérieurs à la moyenne. Comme vous le constaterez, les entreprises qui considèrent ces dimensions de la TI sont, d'habitude, largement récompensées pour leurs efforts.

1.3 LES APPROCHES CONTEMPORAINES DES SYSTÈMES D'INFORMATION

L'étude des systèmes d'information est un champ multidisciplinaire. En effet, aucune théorie ni perspective n'est à elle seule meilleure que l'autre. La figure 1-9 illustre les principales disciplines qui sont concernées par les problèmes, les questions et les solutions liés aux systèmes d'information. En général, on peut distinguer les approches techniques et les approches comportementales. Les systèmes d'information sont des systèmes sociotechniques. S'ils se composent de machines, de dispositifs et de matériel « lourd », ils nécessitent des investissements sociaux, organisationnels et intellectuels considérables pour fonctionner correctement.

L'approche technique

L'approche technique de l'étude des systèmes d'information met l'accent sur les modèles normatifs fondés sur les mathématiques, ainsi que sur les techniques physiques et les capacités formelles des systèmes d'information. L'informatique, la science de la gestion et la recherche opérationnelle sont les disciplines qui sous-tendent l'approche technique.

L'informatique s'attache à élaborer des théories et des méthodes de calcul, ainsi que des méthodes efficaces pour le stockage des données et l'accès aux données. La science de la gestion s'attache à concevoir des modèles de prise de décision et de pratiques de gestion. Enfin, la recherche opérationnelle s'intéresse aux techniques mathématiques dans un but d'optimisation de certains paramètres des organisations, tels que le transport, le contrôle des stocks et le coût des transactions.

L'approche comportementale

Une partie importante de l'étude des systèmes d'information porte sur les questions comportementales que soulèvent la conception et l'entretien à long terme des systèmes d'information. Il est impossible d'explorer efficacement des sujets comme l'intégration stratégique de l'entreprise, la conception, la mise en application, l'utilisation et la gestion en adoptant uniquement une approche technique. Des disciplines issues des sciences du comportement apportent des notions et des méthodes importantes.

Par exemple, les sociologues étudient les systèmes d'information en se concentrant sur la manière dont les groupes

FIGURE 1-9 LES APPROCHES CONTEMPORAINES DES SYSTÈMES D'INFORMATION

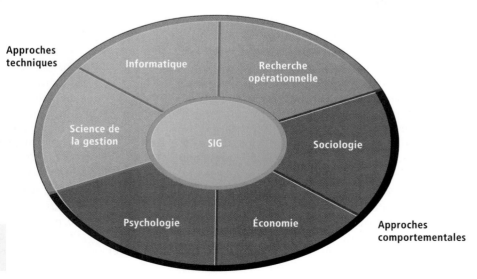

L'étude des systèmes d'information porte sur des questions et des problèmes issus des disciplines techniques et comportementales.

et les organisations en structurent la conception et sur la façon dont ils influent sur les personnes, les groupes et les organisations. Les psychologues analysent les systèmes d'information en s'intéressant à la manière dont les personnes qui prennent les décisions perçoivent et utilisent l'information formelle. Les économistes, enfin, étudient les systèmes d'information en cherchant à comprendre comment ils modifient les structures de contrôle et de coût au sein des entreprises et des marchés.

Il ne faut pas croire que l'approche comportementale ignore la technologie. Bien au contraire, la technologie des systèmes d'information soulève souvent des problèmes ou des questions relevant des sciences du comportement. Cependant, l'approche comportementale ne met généralement pas l'accent sur les solutions techniques; elle se concentre plutôt sur des changements dans l'attitude, la gestion et la politique, ainsi que sur les comportements.

L'approche prônée par les auteurs: les systèmes sociotechniques

Tout au long de ce manuel, vous lirez une histoire passionnante mettant en scène quatre principaux acteurs: les fournisseurs de matériel informatique et de logiciels (les technologues); les entreprises faisant des investissements et cherchant à obtenir des rendements de la technologie; les gestionnaires et les employés visant à générer de la valeur (et d'autres objectifs); les contextes juridique, social et culturel contemporains (l'environnement où évolue l'entreprise). Ensemble, ces acteurs constituent ce que nous appelons les *systèmes d'information de gestion*.

L'étude des systèmes d'information de gestion (SIG) a débuté dans les années 1970, au moment où s'est fait sentir le besoin d'analyser les systèmes d'information informatisés utilisés dans les entreprises et les organismes publics. Elle combine les théories de l'informatique, de la science de la gestion et de la recherche opérationnelle et adopte une orientation pratique visant l'élaboration de solutions aux problèmes du monde réel et la gestion des ressources de technologie de l'information. Elle tient compte également des questions comportementales que soulèvent la conception, l'utilisation et le rôle des systèmes d'information, questions qui relèvent typiquement de la sociologie, de l'économie et de la psychologie.

Notre expérience d'universitaires et de praticiens nous permet d'affirmer qu'aucune des diverses perspectives ne peut saisir à elle seule efficacement la réalité des systèmes d'information. Les réussites et les problèmes liés aux systèmes sont rarement d'ordre uniquement technique ou uniquement social. Le meilleur conseil que nous puissions donner aux étudiants, c'est de s'attacher à comprendre toutes les perspectives. En effet, ce qui rend l'étude des systèmes d'information stimulante et intéressante, c'est la diversité des approches qu'il faut comprendre et accepter.

La perspective que nous adoptons dans ce manuel pourrait être qualifiée de **perspective sociotechnique**. Dans cette perspective, on obtient un rendement organisationnel optimal par l'utilisation conjointe optimale des systèmes sociaux et des systèmes techniques dans la production.

Se placer dans une perspective sociotechnique permet d'éviter d'appréhender les systèmes d'information d'un point de vue purement technique. Par exemple, le fait que les coûts de la technologie de l'information diminuent et que sa puissance augmente ne se traduit pas nécessairement ou simplement par l'amélioration de la productivité ou l'augmentation des profits. De plus, ce n'est pas parce qu'une entreprise a récemment mis en place un système intégré de rapports financiers qu'elle l'utilisera ou encore qu'elle l'utilisera *efficacement*. De même, implanter de nouveaux processus d'affaires ne garantit pas que les employés seront plus productifs, en l'absence d'investissements dans de nouveaux systèmes d'information favorisant l'utilisation des processus en question.

Dans ce manuel, nous voulons attirer l'attention sur la nécessité d'optimiser la performance de l'entreprise dans son ensemble. Il faut s'attacher à la fois aux composantes techniques et aux composantes sociales. Autrement dit, il faut modifier la technologie et la repenser de façon à ce qu'elle réponde aux besoins de l'organisation et des individus. Parfois, il faudra peut-être « désoptimiser » la technologie pour atteindre cet objectif. Par exemple, les utilisateurs de téléphones mobiles adaptent les appareils à leurs besoins; en conséquence, les fabricants cherchent rapidement à modifier cette technologie pour se conformer aux attentes. Pour permettre à la technologie de fonctionner et de se développer, il faut également modifier la structure des organisations et l'attitude de leurs membres au moyen de formations, d'apprentissages et de changements planifiés. La figure 1-10 illustre ce processus d'adaptation mutuelle dans un système sociotechnique.

FIGURE 1-10

LES SYSTÈMES D'INFORMATION DANS UNE PERSPECTIVE SOCIOTECHNIQUE

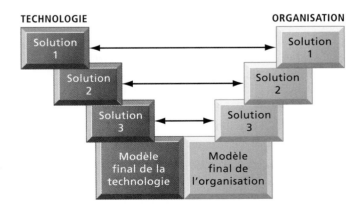

Dans la perspective sociotechnique, la performance d'un système est optimisée lorsque la technologie et l'organisation arrivent à s'ajuster l'une à l'autre jusqu'à atteindre un équilibre satisfaisant.

Projets concrets en **SIG**

Décisions de gestion

1. L'entreprise Snyder's of Hanover, qui vend plus de 78 millions de sacs de bretzels, de croustilles et de collations bio chaque année, demandait à ses services financiers d'utiliser des tableurs et des processus manuels pour une grande partie de ses opérations de collecte de données et de production de rapports. L'analyste financière consacrait toute la dernière semaine de chaque mois à réunir les tableurs des responsables de plus de 50 services dans le monde. Elle les compilait puis saisissait de nouveau toutes les données dans un autre tableur qui allait constituer l'état des résultats mensuel de la société. Si un service devait mettre à jour ses données après avoir remis son tableur au bureau principal, elle devait renvoyer le tableur et attendre que le service en question lui remette la version révisée pour pouvoir reporter les données mises à jour dans le document général. Évaluez l'incidence de ce mode de fonctionnement sur la performance de l'entreprise et sur la prise de décisions de gestion.

2. L'entreprise Dollar General exploite des magasins de discompte offrant un assortiment d'articles vendus 1 $ pour la plupart : articles ménagers, produits d'entretien, vêtements, produits de santé et de beauté, aliments préemballés. Son modèle d'affaires implique que les coûts restent aussi bas que possible. Bien qu'elle utilise des systèmes d'information (dont un système « point de vente » pour le suivi des ventes en caisse), la société les déploie avec beaucoup de parcimonie pour maintenir les dépenses au minimum. Elle ne possède pas de méthode automatisée pour le suivi des stocks de chaque magasin. Les cadres savent approximativement combien de caisses d'un produit donné le magasin est censé recevoir au moment d'une livraison, mais aucun appareil ne permet de relever par lecture optique l'information relative aux caisses ou de vérifier le nombre d'articles dans les caisses. Les pertes de marchandises attribuables au vol ou à d'autres incidents ont augmenté, représentant maintenant plus de 3 % du total des ventes. Quelles décisions les cadres de l'entreprise doivent-ils prendre avant d'investir dans un nouveau système d'information qui résoudrait les problèmes ?

Atteindre l'excellence opérationnelle

Utiliser des outils Internet pour prévoir des coûts d'expédition

Compétences en logiciels : savoir utiliser un logiciel sur Internet
Compétences en affaires : savoir établir un budget d'expédition

Vous êtes expéditionnaire dans une petite entreprise qui imprime, relie et expédie des livres d'édition populaire pour un éditeur de moyenne importance. Vos installations de production sont établies à Québec, au Québec (code postal G1K 7P2). Les entrepôts de vos clients se trouvent à Irving, au Texas (75015), à Charlotte, en Caroline du Nord (28201), à Sioux Falls, dans le Dakota du Sud (57117), et à Portland, en Oregon (97202). Les installations de production fonctionnent 250 jours par an. Deux formats de cartons sont prévus pour les envois de livres :

- Hauteur : 23 cm ; longueur : 33 cm ; largeur : 43 cm ; poids : 20 kg
- Hauteur : 25,5 cm ; longueur : 15,25 cm ; largeur : 30,5 cm ; poids : 7,25 kg

Chaque jour, la société expédie à chacun des entrepôts environ quatre cartons de 20 kg et huit de 7,25 kg.

Votre tâche consiste à choisir le meilleur expéditeur. Comparez trois entreprises, comme FedEx (www.fedex.com), UPS (www.ups.com) et les services postaux. Tenez compte non seulement des coûts, mais également de facteurs comme la rapidité de livraison, les heures de collecte, les points de collecte, la possibilité de suivi des colis et la facilité d'utilisation du site Web. Quel expéditeur avez-vous choisi ? Expliquez pourquoi.

1. En quoi les systèmes d'information transforment-ils les affaires et quel est leur lien avec la mondialisation?

Les courriels, les visioconférences et les téléphones cellulaires sont devenus des outils essentiels pour l'exploitation des entreprises. Les systèmes d'information servent d'assise aux chaînes logistiques dynamiques. Internet permet à de nombreuses entreprises d'acheter, de vendre, de faire la publicité de leurs produits et services et de solliciter en ligne les commentaires des clients. Les organisations s'efforcent de devenir plus concurrentielles et plus efficientes en faisant usage des outils numériques dans leurs principaux processus d'affaires et en devenant peu à peu des sociétés numériques. Internet a favorisé la mondialisation en réduisant considérablement les coûts de production, d'achat et de vente des produits et services à l'échelle mondiale. De nouvelles tendances se dessinent en matière de systèmes d'information: émergence de la plateforme numérique mobile, croissance du logiciel-service en ligne et naissance de la nimbo-informatique, notamment.

2. Pourquoi les systèmes d'information sont-ils essentiels pour l'exploitation et la gestion des entreprises de nos jours?

De nos jours, les systèmes d'information servent d'assise à l'exploitation des entreprises. Dans maintes industries, il est difficile de survivre et d'atteindre les objectifs stratégiques sans recourir abondamment à la technologie de l'information. Les organisations d'aujourd'hui utilisent les systèmes d'information pour atteindre six objectifs essentiels: l'excellence opérationnelle; la conception de nouveaux produits, services et modèles d'affaires; la proximité avec les clients et les fournisseurs; l'amélioration du processus décisionnel; l'avantage concurrentiel; la survie.

3. Qu'est-ce qu'un système d'information exactement? Quel en est le fonctionnement? Quels en sont les éléments de gestion, d'organisation et de technologie?

Du point de vue technique, un système d'information recueille, emmagasine et diffuse l'information provenant de l'environnement de l'organisation et de ses activités internes, dans le but de soutenir les fonctions organisationnelles et la prise de décision, la communication, la coordination, le contrôle, l'analyse et la visualisation. Il transforme les données brutes en information utile au moyen de trois activités de base: l'entrée, le traitement et la sortie.

Dans un contexte d'affaires, un système d'information fournit une solution à un problème ou à un défi auquel une entreprise doit faire face. Il comporte des éléments de gestion, d'organisation et de technologie. La dimension *gestion* des systèmes d'information fait notamment intervenir le leadership, la stratégie et le comportement des cadres. La dimension *technologie* consiste dans le matériel, les logiciels, la technologie de gestion des données et la technologie de réseautage ou de télécommunications (y compris Internet). La dimension *organisation* des systèmes d'information a trait, par exemple, à la hiérarchie de l'organisation, à ses spécialités fonctionnelles, à ses processus d'affaires, à sa culture et aux groupes d'intérêts politiques.

4. En quoi consistent les actifs complémentaires? Pourquoi sont-ils essentiels à l'organisation, pour retirer une véritable valeur des systèmes d'information?

Pour tirer une véritable valeur des systèmes d'information, les organisations doivent accompagner leurs investissements dans la technologie d'investissements complémentaires appropriés dans l'organisation et la gestion. Ces actifs complémentaires comprennent: de nouveaux modèles et processus d'affaires, une culture organisationnelle et une attitude favorable des cadres, ainsi que des normes, des règles et des lois appropriées en matière de technologie. Les investissements dans la nouvelle technologie de l'information ont peu de chances de produire des rendements élevés si les entreprises n'apportent pas les changements aux modes de gestion et de fonctionnement qui s'imposent pour soutenir la technologie.

5. Dans quelles disciplines étudie-t-on les systèmes d'information? Comment chacune d'elles contribue-t-elle à la compréhension des systèmes d'information? Qu'est-ce que la perspective sociotechnique?

L'étude des systèmes d'information porte sur des questions et des connaissances provenant, d'une part, des disciplines techniques et, d'autre part, des sciences du comportement. Les disciplines contribuant à l'approche technique et orientées sur les structures et les capacités des systèmes sont l'informatique, la science de la gestion et la recherche opérationnelle. Les disciplines contribuant à l'approche comportementale et axées sur la conception, la mise en œuvre et la gestion des systèmes ainsi que sur leurs conséquences pour l'entreprise sont la psychologie, la sociologie et l'économie. Selon la perspective sociotechnique, les systèmes présentent des caractéristiques tant techniques que sociales, et les solutions résultent d'une utilisation conjointe optimale de ces caractéristiques.

MOTS CLÉS

Actif complémentaire, p. 22
Cadre intermédiaire, p. 17
Cadre opérationnel, p. 17
Cadre supérieur, p. 17
Capital organisationnel et capital de gestion, p. 23
Connaissance des systèmes d'information, p. 16
Connaissance informatique, p. 16
Culture, p. 17
Données, p. 14
Entrée, p. 15
Entreprise numérique, p. 9
Extranet, p. 18
Fonction de l'entreprise, p. 17
Information, p. 14
Infrastructure de la technologie de l'information (TI), p. 18
Internet, p. 18
Intranet, p. 18
Logiciel, p. 18
Matériel informatique, p. 18

Modèle d'affaires, p. 13
Perspective sociotechnique, p. 25
Processus d'affaires, p. 9
Réseau, p. 18
Rétroaction, p. 15
Sortie, p. 15
Système de communication, p. 9
Système d'information, p. 14
Système d'information informatisé (SII), p. 15
Technologie de la gestion des données, p. 18
Technologie de l'information (TI), p. 14
Technologie des réseaux et des télécommunications, p. 18
Traitement, p. 15
Travailleur de la connaissance, p. 17
Travailleur de la production ou des services, p. 17
Travailleur du traitement de données, p. 17
Visioconférence, p. 10
Web (World Wide Web), p. 18

QUESTIONS DE RÉVISION

1. **En quoi les systèmes d'information transforment-ils les affaires et quel est leur lien avec la mondialisation ?**
   - Expliquez en quoi les systèmes d'information ont changé le mode de fonctionnement des entreprises de même que leurs produits et services.
   - Indiquez trois grandes tendances récentes en matière de systèmes d'information.
   - Décrivez les caractéristiques de l'entreprise numérique.
   - Décrivez les défis et les possibilités de la mondialisation, dans le contexte de l'« aplanissement » des marchés mondiaux.

2. **Pourquoi les systèmes d'information sont-ils essentiels pour l'exploitation et la gestion des entreprises de nos jours ?**
   - Énumérez et décrivez les six raisons pour lesquelles les systèmes d'information revêtent une telle importance dans les affaires aujourd'hui.

3. **Qu'est-ce qu'un système d'information exactement ? Quel en est le fonctionnement ? Quels en sont les éléments de gestion, d'organisation et de technologie ?**
   - Définissez le système d'information et décrivez les tâches qu'il accomplit.
   - Décrivez les éléments d'organisation, de gestion et de technologie que comportent les systèmes d'information.

   - Expliquez la différence entre les données et l'information et la différence entre la connaissance des systèmes d'information et la connaissance informatique.
   - Expliquez la façon dont Internet et le Web se rattachent aux autres éléments technologiques des systèmes d'information.

4. **En quoi consistent les actifs complémentaires ? Pourquoi sont-ils essentiels pour l'organisation, pour retirer une véritable valeur des systèmes d'information ?**
   - Définissez les actifs complémentaires et décrivez leur lien avec la technologie de l'information.
   - Décrivez les différentes catégories d'actifs complémentaires – actifs sociaux, actifs de gestion et actifs organisationnels – qui sont nécessaires à l'optimisation du rendement des capitaux investis dans la technologie de l'information.

5. **Dans quelles disciplines étudie-t-on les systèmes d'information ? Comment chacune d'elles contribue-t-elle à la compréhension des systèmes d'information ? Qu'est-ce que la perspective sociotechnique ?**
   - Énumérez et décrivez les différentes disciplines qui contribuent à l'approche technique des systèmes d'information.
   - Énumérez et décrivez les différentes disciplines qui contribuent à l'approche comportementale des systèmes d'information.
   - Décrivez la perspective sociotechnique.

1. Les systèmes d'information sont trop importants pour qu'on les laisse entre les mains des seuls informaticiens. Êtes-vous d'accord avec cette affirmation? Oui ou non? Pourquoi?

2. Si vous deviez concevoir des sites Web pour les équipes de la LNH, quels problèmes auriez-vous à résoudre en matière de gestion, d'organisation et de technologie?

TRAVAIL D'ÉQUIPE: CRÉER UN SITE WEB POUR LE TRAVAIL D'ÉQUIPE

Formez une équipe avec trois ou quatre autres étudiants, puis utilisez les outils de Google Sites pour créer le site Web de votre équipe. Vous devrez créer un compte Google et indiquer les collaborateurs (membres de votre équipe) qui auront accès au site et participeront à sa création. Désignez votre professeur comme réviseur du site, de sorte qu'il puisse évaluer votre travail. Donnez un nom à votre site, choisissez-en le thème et apportez toutes les modifications que vous souhaitez aux couleurs et aux polices de caractères.

Ajoutez les attributs nécessaires pour les annonces de projet ainsi qu'un référentiel pour les documents de l'équipe, les sources, les illustrations, les présentations électroniques et les pages Web intéressantes. Vous pouvez ajouter d'autres attributs, si vous le désirez. Utilisez Google Documents pour créer le calendrier de votre équipe. Une fois cet exercice terminé, vous pourrez utiliser votre site Web et le calendrier pour vos prochains travaux d'équipe.

ÉTUDE DE CAS

Second Life est-il prêt pour les affaires?

Second Life est le monde virtuel tridimensionnel en ligne qu'a créé Philip Rosedale, ancien chef de la technologie de RealNetworks, avec sa société Linden Lab, fondée à San Francisco en 1999. Ce sont les utilisateurs, appelés *résidents*, qui construisent le monde virtuel, lequel leur appartient. Plus de 14 millions de personnes sont inscrites à titre de résidents de Second Life, ou de la Grille, comme on l'appelle aussi. En juillet 2008, les statistiques d'utilisation du site Web www.secondlife.com montraient que près de 1,1 million de résidents avaient ouvert une session au cours des 60 jours précédents. Second Life fonctionne sur Internet à l'aide d'un logiciel spécial que les utilisateurs téléchargent sur leurs ordinateurs de bureau.

Second Life n'est pas un jeu. Les résidents interagissent au sein d'un réseau social à trois dimensions. Ils peuvent explorer, socialiser, collaborer, créer, participer à des activités et acheter des produits et services. Sur le site Web, on affirme que le monde qui est proposé ressemble à un « jeu de rôle en ligne massivement multijoueur » (*massively multiplayer online role playing game*, MMORPG), mais s'en distingue par le fait qu'il permet une créativité quasi illimitée et qu'il reconnaît aux utilisateurs la propriété de ce qu'ils créent. Lorsqu'ils ouvrent une session, les résidents entrent dans la peau d'un personnage numérique ou *avatar*. Chaque utilisateur peut personnaliser son avatar, en modifier l'apparence, la tenue vestimentaire et même la forme en le faisant passer de l'état d'humain à celui d'humanoïde ou à un autre totalement différent.

Second Life a sa propre économie virtuelle et sa propre devise, le dollar Linden ou L$. Il renferme un marché ouvert pour les produits et les services qui y sont créés. Les résidents peuvent se procurer des dollars Linden sur ce marché ou sur le marché des changes en troquant des devises du monde réel contre des dollars Linden. Le dollar Linden a une valeur dans le monde réel; elle est fixée par le cours du marché, suivi et négocié sur le marché exclusif LindeX. Un très modeste pourcentage de résidents tirent un profit non négligeable de leurs activités dans l'économie de Second Life. Celle qui se fait appeler Anshe Chung dans la Grille a accumulé suffisamment de biens immobiliers virtuels pour pouvoir les vendre à un prix en dollars Liden équivalant à 1 million de dollars US. Mais les cas de résidents dont les profits couvrent simplement leurs frais de participation sont plus fréquents. Selon les statistiques publiées par Second Life, 389 108 résidents ont dépensé de l'argent dans la Grille en juin 2008.

L'abonnement de base à Second Life est gratuit et inclut la plupart des privilèges de l'abonnement payant, mais pas le droit de posséder des terrains. Les résidents qui ouvrent un compte Premium peuvent devenir propriétaires de terrains de la Grille. Les terrains les plus vastes, ou couvrant des régions entières, mesurent 65 536 m² (environ 16 acres) et sont assortis de frais d'occupation mensuels de 195 $ US.

Les résidents créent du contenu dans la Grille à l'aide des outils fournis. Le logiciel de Second Life propose, par exemple, un outil de modélisation en trois dimensions qui permet de créer des édifices, des paysages, des véhicules, des meubles et tout ce qu'il est possible d'imaginer. Une bibliothèque d'animations et de sons permet d'afficher un langage corporel. La communication de base s'effectue au moyen de la frappe, comme dans une messagerie instantanée ou dans une session de clavardage.

Les utilisateurs peuvent également concevoir et télécharger dans Second Life leurs propres sons, graphiques et animations. Le monde de Second Life possède son propre langage de script, le langage Linden, qui permet aux utilisateurs d'améliorer les objets du monde virtuel au moyen de scriplets.

Bien que le concept de monde virtuel tridimensionnel n'en soit encore qu'à ses balbutiements, les entreprises, les universités et même les gouvernements s'y sont déjà aventurés pour voir ce que cela pouvait leur apporter. Ils espèrent que Second Life constituera une pépinière de nouvelles industries et un instrument de transformation des affaires, du commerce, du marketing et de l'apprentissage, comme le Web à la fin du xxe et au début du xxie siècle.

Les secteurs de la publicité et des médias ont été les premiers adeptes. Ils ont ouvert des bureaux virtuels pour favoriser les communications internes et se positionner à l'avant-scène de l'univers numérique, afin de recruter des experts de la technique. Pour une agence de publicité, une présence dans Second Life peut convaincre des clients potentiels qu'on est à la fine pointe de la technologie et qu'on peut donc promouvoir des produits auprès de consommateurs qui le sont aussi.

Crayon, une agence de marketing pour les nouveaux médias, a fait l'acquisition dans la Grille d'une île appelée Crayonville, sur laquelle elle a installé son bureau principal. Dans le monde réel, elle compte des employés répartis dans des bureaux situés des deux côtés de l'Atlantique. Ainsi, Crayonville dans le monde virtuel lui offre un nouveau lieu où réunir les gens, même si les employés sont représentés par des avatars. L'agence ouvre sa salle de conférence au public, à moins que ne l'interdise la nature confidentielle des renseignements sur un client. Les employés communiquent au moyen de messages texte et du service de téléphonie par Internet Skype.

Des chaînes de télévision et de médias comme CNN et la BBC ont eu recours à Second Life pour attirer des spectateurs qui avaient troqué la télévision contre Internet, ou pour offrir à leurs spectateurs un nouveau mode d'interaction avec leur chaîne.

Quels atouts de Second Life peuvent inciter des sociétés comme IBM à investir 10 millions de dollars dans l'exploration des possibilités de l'entreprise virtuelle ? Tout d'abord, Second Life comporte des éléments qui peuvent soutenir les fonctions de gestion importantes que sont le service à la clientèle, le développement de produits, la formation et le marketing : un espace tridimensionnel dans lequel l'utilisateur peut interagir avec un contenu visuel et auditif ; un contenu personnalisé qui peut se modifier et s'animer ; une présence persistante qui reste intacte jusqu'à la prochaine visite, même après fermeture de la session ; une communauté au sein de laquelle les personnes partageant des vues similaires peuvent se réunir pour se livrer à des activités correspondant à leurs champs d'intérêt réciproques.

Les employés d'IBM utilisent leurs avatars pour assister à des réunions dans des salles virtuelles où ils peuvent visionner des diapositives PowerPoint tout en lisant le texte de la réunion ou de la conférence, ou tout en écoutant en conférence téléphonique. Les participants virtuels peuvent utiliser la messagerie instantanée pour adresser leurs questions aux autres avatars ou au conférencier et pour recevoir les réponses de leurs interlocuteurs. Lynne Hamilton, qui donne des cours de perfectionnement professionnel pour le Service des ressources humaines d'IBM, utilise Second Life pour guider les nouveaux employés en Chine et au Brésil : un avatar prononce un exposé puis répond aux questions que posent les nouveaux employés.

Sears, American Apparel, Dell et Toyota ont établi leur présence dans le monde de Second Life. Leurs attentes étaient modestes, mais ils pensaient que leur présence virtuelle pouvait rehausser leur image de marque et leur fournir de l'information sur la façon dont les gens agissent dans ce contexte en ligne. Toutefois, au moment de la rédaction de ce texte, leurs magasins virtuels étaient à peu près vides ou avaient fermé leurs portes. L'aspect social de l'expérience du magasinage n'est pas encore intégré.

Bien qu'il soit trop tôt pour tirer un rendement d'un investissement dans Second Life, certaines entreprises ont immédiatement mesuré la valeur d'un contenu créé par l'utilisateur, la valeur de l'investissement et de la participation de l'utilisateur ainsi que les économies que permettait l'exploitation de tout cela pour les nouvelles occasions d'affaires. Le prototypage est rapide et économique dans un monde virtuel. Concepteur immobilier du Wisconsin, Crescendo Design utilise les outils de modélisation tridimensionnelle de Second Life pour fournir à ses clients une vue intérieure de leurs maisons, avant la construction. Les clients peuvent suggérer des changements qui seraient difficiles à effectuer sur des plans traditionnels. De plus, le concepteur évite des erreurs dont la correction est onéreuse dans la réalité.

Les établissements d'enseignement supérieur ont créé des « campus » virtuels où étudiants et professeurs peuvent se rencontrer pour faire leurs travaux en temps réel ou pour tenir des discussions ponctuelles concernant leurs cours. Second Life se prête particulièrement bien à l'apprentissage en ligne. L'INSEAD, école de gestion internationale donnant des cours en mode réel en France et à Singapour, construit actuellement un campus virtuel comprenant des salles de classe, des laboratoires de recherche et des salons pour que les étudiants puissent rencontrer les professeurs, des employeurs potentiels et d'autres étudiants. Sa présence dans Second Life l'aidera à réduire ses frais de déplacement et d'occupation de locaux et lui permettra de réunir étudiants et professeurs de toutes provenances. Les étudiants pourront télécharger des documents, travailler en équipe et se rencontrer entre anciens, en ligne. La Stockholm School of Economics et Duke Corporate Education tentent aussi l'expérience de Second Life.

Des sociétés comme Hewlett-Packard et le cabinet international de conseillers en gestion Bain and Company rencontrent des candidats à l'embauche dans Second Life. Les demandeurs d'emploi créent un avatar qui les représente et communiquent avec les cadres supérieurs d'employeurs potentiels en échangeant des messages texte instantanés. Certains candidats et employeurs ont dit éprouver des difficultés à concevoir et à contrôler les mouvements de leur avatar. De plus, les sociétés doivent quand même interroger les candidats retenus en personne, pour la sélection ultime. Les sociétés participantes ont néanmoins jugé efficace le recours à Second Life pour réduire le bassin de candidats et diminuer les frais de recrutement.

Sur le plan de la popularité, Second Life se place loin derrière les réseaux sociaux comme MySpace, Facebook et YouTube, qui sont accessibles avec un simple navigateur Web et n'exigent pas de logiciel supplémentaire. L'utilisateur disposé à prendre les mesures nécessaires pour télécharger et installer le Viewer de Second Life risque de se rendre compte que son ordinateur ne satisfait pas aux exigences minimales ou recommandées de Second Life. Ce dernier facteur est particulièrement important pour les entreprises qui pourraient devoir reconfigurer les systèmes d'un grand nombre d'employés pour leur donner accès à la Grille.

Sources : Dave Greenfield, «Doing Business in the Virtual World», *eWeek*, 10 mars 2008; David Talbot, «The Fleecing of the Avatars», *Technology Review*, janvier-février 2008; Don Clark, «Virtual World Gets Another Life», *The Wall Street Journal*, 3 avril 2008; Andrew Baxter, «Second Life for Classrooms», *Financial Times*, 29 février 2008; Kamales Lardi-Nadarajan, «Synthetic Worlds», *CIO Insight*, mars 2008; Alice LaPlante, «Second Life Opens for Business», *Information Week*, 26 février 2007; Anjali Athavaley, «A Job Interview You Don't Have to Show Up For», *The Wall Street Journal*, 20 juin 2007; Linda Zimmer, «How Viable is Virtual Commerce?», *Optimize Magazine*, janvier 2007; Mitch Wagner, «What Happens in Second Life, Stays in SL», *Information Week*, 29 janvier 2007.

QUESTIONS

1. Comment le monde de Second Life peut-il offrir de la valeur aux entreprises qui utilisent ses services?

2. Quels types d'entreprises sont les plus susceptibles de bénéficier d'une présence dans Second Life? Pourquoi?

3. Compte tenu de ce que vous avez appris au sujet de Second Life, comment pourriez-vous, à titre personnel, créer une petite entreprise émergente dans la Grille? Quels produits vendriez-vous? Pourquoi serait-ce un bon choix de produits? En termes simples, quel serait votre plan d'affaires? Pourquoi ce plan serait-il efficace?

4. Visitez eBay sur le Web et voyez quels articles de Second Life sont soumis aux enchères. Comment évalueriez-vous l'activité qui entoure ces articles? Êtes-vous surpris de ce que vous observez? Pourquoi?

5. Quels obstacles le monde de Second Life doit-il surmonter pour devenir un outil de gestion populaire? Les obstacles à surmonter pour devenir un outil d'enseignement populaire sont-ils plus ou moins nombreux? À quoi attribuez-vous la différence?

6. Aimeriez-vous interviewer des candidats à un poste par l'intermédiaire de Second Life? Oui ou non? Pourquoi?

7. Le monde de Second Life préfigure-t-il la façon dont nous ferons des affaires dans l'avenir ou s'agit-il d'une expérience de modèle d'affaires pour les entreprises? Justifiez votre réponse.

Les affaires électroniques mondiales : comment les entreprises utilisent les systèmes d'information

► O B J E C T I F S   D ' A P P R E N T I S S A G E

Après avoir étudié ce chapitre, vous pourrez répondre aux questions suivantes :

1. Que sont les processus d'affaires ? Comment se rattachent-ils aux systèmes d'information ?

2. Comment les cadres des différents paliers hiérarchiques utilisent-ils les systèmes d'information ?

3. Comment les applications d'entreprise, les systèmes de collaboration et de communication et les intranets améliorent-ils la performance de l'organisation ?

4. Quelle est la différence entre les affaires électroniques, le commerce électronique et le cybergouvernement ?

5. Quel est le rôle de la fonction des systèmes d'information dans l'entreprise ?

S O M M A I R E

TATA PREND UNE DÉCISION HISTORIQUE EN ADOPTANT LA FABRICATION NUMÉRIQUE POUR LA NANO

Le 10 janvier 2008, la société indienne Tata Motors dévoilait son nouveau véhicule, la Nano. Un événement mémorable, car son prix de vente de l'ordre de 2500 $ US fait de la Nano la voiture la plus économique jamais fabriquée. Elle rappelle en cela le Modèle T de Ford, voiture à la portée de millions de gens pour lesquels ce luxe était jusque-là inaccessible.

Tata Motors a mis le projet Nano en route en 2003 en chargeant une équipe de créer une voiture dont le prix ne devrait pas excéder 2500 $ US environ, et ce, sans faire de compromis au chapitre de la sécurité, de l'esthétique ou de la valeur pour le client. La tâche était herculéenne. Tata a pourtant réussi cet exploit en utilisant des systèmes de fabrication numérique qui lui ont permis de raccourcir considérablement le temps nécessaire à la conception et à la mise en marché. La capacité d'élaborer et de fabriquer de nouveaux produits présentant de multiples variantes dans un très court laps de temps est en effet un avantage concurrentiel clé dans l'industrie automobile.

Il y a quelques années à peine, il aurait été impossible pour Tata Motors de concevoir et de fabriquer la Nano à un tel prix. Ses processus de fabrication étaient dépassés. La mise au point et la mise à jour des processus, l'installation et l'entretien des usines aussi bien que la conception des produits, tout était fait manuellement, ce qui allongeait le temps nécessaire au choix des outils appropriés à chaque activité. Même les programmes des robots des chaînes de montage étaient élaborés manuellement, un processus qui entraînait des risques d'erreur et qui requérait beaucoup de temps. Ces lenteurs avaient plusieurs conséquences négatives : les données utilisées pour planifier la fabrication d'un véhicule perdaient de leur pertinence avec le temps, et il était difficile pour l'entreprise de modifier sa gamme de produits, d'en fabriquer un nouveau sur une chaîne de fabrication existante ou d'envisager le montage de deux produits différents sur la même chaîne.

Tout cela a changé en juillet 2005, lorsque Tata Motors est passée à la fabrication numérique avec le système DELMIA (Digital Enterprise Lean Manufacturing Interactive Application) de Dassault Systems. En automatisant les processus de conception des produits et de planification des méthodes, la fabrication numérique permet à Tata de mettre au point ses processus de fabrication, de concevoir l'aménagement de ses usines et de simuler ensuite les répercussions de ces plans – y compris l'incidence des nouvelles techniques de fabrication et des changements de produits sur les chaînes de fabrication existantes. Elle fournit au progiciel de gestion intégré SAP de Tata des données qui lui permettent d'établir le coût d'un produit,

d'un assemblage ou d'un sous-ensemble. La fabrication numérique permet également de simuler les mouvements des employés qui travaillent dans l'atelier pour que les planificateurs puissent concevoir des processus de travail plus efficaces. Les sociétés qui l'utilisent peuvent modéliser les produits et les activités de fabrication et y apporter des modifications sur ordinateur, ce qui limite le recours à des prototypes onéreux qu'il faut reconstruire chaque fois que le plan est modifié.

T.N. Umamaheshwaran, qui a dirigé le programme de fabrication numérique de Tata Motors, explique : « Il serait impossible d'imaginer ce qui se passerait dans une nouvelle usine si nous ne disposions pas des outils de fabrication numérique. Deux ans avant de poser la première pierre, nous amorçons déjà le travail. Nous ne savons pas encore où se trouvera l'usine, mais nous savons ce qu'il faudra pour fabriquer 750 voitures par jour. »

Avec la fabrication numérique, Tata Motors a réduit d'au moins six mois le délai de lancement des nouvelles voitures. Elle peut maintenant rapidement repérer les surcharges de travail et adapter les chaînes de montage à la fabrication de multiples variantes du produit. La capacité de simuler les installations et les processus a diminué les coûts de réusinage. La durée de la planification de la fabrication et des installations a diminué de 30 % et le coût de la planification de la fabrication, de 20 %. Dans certains cas, le temps nécessaire à la conception d'un processus du début à la fin a été écourté de plus de 50 %.

Sources : Gunjan Trivedi, «Driving Down Cost», *CIO Asia*, février 2008 ; Richard Chang, «Nano's Price is Under Pressure», *New York Times*, 10 août 2008 ; www.tatapeoplecar.com, consulté le 3 octobre 2009.

L'expérience de Tata Motors démontre à quel point les sociétés dépendent aujourd'hui des systèmes d'information pour exercer leurs activités et pour innover, croître et prospérer. Elle permet également d'apprécier combien ces systèmes peuvent influer sur la capacité de l'entreprise d'innover, d'agir et d'améliorer son rendement global.

Le schéma d'introduction attire l'attention sur les points importants que soulève le cas de Tata Motors et qui sont traités dans ce chapitre. La direction s'est aperçue qu'il était possible d'utiliser les systèmes d'information pour améliorer les performances de l'entreprise et réduire les coûts radicalement. L'entreprise faisait face à un problème, mais aussi à une belle occasion de progresser. Elle appartient en effet à un secteur industriel où la concurrence est féroce et où les consommateurs s'attendent à ce que les fabricants proposent très rapidement de nouveaux modèles assortis de nombreuses variantes. Par ailleurs, son utilisation excessive de processus manuels ralentissait ses activités. La direction de Tata jugeait également qu'il était possible de pénétrer un nouveau marché, celui des consommateurs de l'Inde et des autres pays en voie de développement qui désiraient acquérir une voiture, mais qui ne pouvaient se le permettre. La direction a donc décidé de concevoir et de développer un véhicule destiné à ce marché et de convertir l'ensemble de sa production automobile à la fabrication numérique.

Mais la technologie à elle seule ne suffisait pas : la société devait revoir bon nombre de ses processus de fabrication pour effectuer cette conversion. Cela fait, le logiciel DELMIA de Dassault s'est révélé extrêmement précieux pour modéliser les plans, les usines et les processus de production, ainsi que pour transmettre l'information entre les processus. Les systèmes de fabrication numérique ont accru la souplesse et l'efficacité tout en réduisant les coûts de production et ont permis à la société d'être considérée comme pionnière dans la fabrication d'automobiles à prix modique telle la Nano.

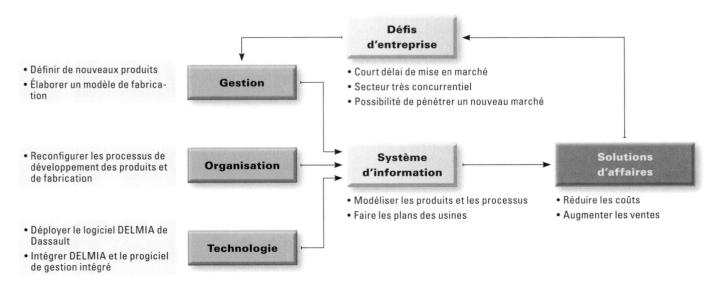

2.1 LES PROCESSUS D'AFFAIRES ET LES SYSTÈMES D'INFORMATION

Pour être en mesure d'exercer leurs activités, les entreprises doivent pouvoir coordonner différents éléments d'information au sujet des fournisseurs, des clients, des employés, des factures et des paiements et, bien entendu, de leurs produits et services. Et, pour fonctionner avec efficacité et améliorer leur rendement global, elles doivent structurer les tâches dans le cadre desquelles est utilisée cette information. Les systèmes d'information permettent aux entreprises de gérer toutes ces données, de prendre des décisions plus judicieuses et de parfaire l'exécution de leurs processus d'affaires.

Les processus d'affaires

Les processus d'affaires, que nous avons brièvement abordés au chapitre 1, ont trait à la manière dont le travail est structuré, coordonné et orienté pour la fabrication d'un produit ou la prestation d'un service créateur de valeur. Concrètement, ils consistent en flux de matières, d'information et de connaissances constituant des ensembles d'activités. Mais ils traduisent aussi les méthodes exclusives qu'utilisent les organisations pour coordonner le travail, les données et les connaissances, ainsi que les procédés qu'adopte la direction pour coordonner le travail.

Dans une large mesure, les performances d'une entreprise dépendent de l'efficacité avec laquelle ses processus d'affaires sont conçus et coordonnés. Ceux-ci peuvent lui procurer un avantage concurrentiel s'ils lui permettent d'innover ou d'accomplir ses activités mieux que ses rivales, mais peuvent également représenter un boulet s'ils reposent sur des méthodes de travail dépassées qui entravent la rapidité de réaction et l'efficacité de l'organisation. Le cas présenté en introduction de ce chapitre sur les processus de développement et de fabrication des produits de Tata Motors illustre clairement ces observations.

Toute entreprise peut être envisagée comme un ensemble de processus d'affaires dont certains font partie de processus plus importants qui les englobent. (Dans le cas présenté en introduction de ce chapitre, par exemple, la conception d'un nouveau modèle de voiture, la fabrication des composants et le montage du produit fini sont autant d'éléments du processus de production global.) De nombreux processus d'affaires sont liés à un domaine fonctionnel précis. Par exemple, le service des ventes et du marketing est chargé de délimiter le bassin de clientèle, et celui des ressources humaines, d'embaucher les employés. Le tableau 2-1 décrit des processus d'affaires types pour chacun des domaines fonctionnels d'une entreprise.

Les autres processus d'affaires font intervenir de nombreux domaines fonctionnels différents et exigent une coordination interservices. Prenons, par exemple, le processus d'affaires, en apparence simple, qui consiste à exécuter la commande d'un client (figure 2-1). Au départ, le service des ventes reçoit un bon de commande. Il le transmet à la comp-

[TABLEAU 2-1]

DES EXEMPLES DE PROCESSUS D'AFFAIRES FONCTIONNELS

DOMAINE FONCTIONNEL	PROCESSUS D'AFFAIRES
Fabrication et production	Assemblage du produit Vérification de la qualité Nomenclature du produit
Ventes et marketing	Recherche des clients Promotion du produit auprès des clients Vente du produit
Finances et comptabilité	Paiement des créanciers Création des états financiers Gestion des comptes de caisse
Ressources humaines	Embauche des employés Évaluation du rendement des employés Inscription des employés aux régimes d'avantages sociaux

tabilité, qui s'assure que le client est en mesure de payer les marchandises en procédant soit à une vérification du crédit, soit à une demande de paiement immédiat avant l'expédition. Cela fait, le service de la production doit prélever les produits dans les stocks ou les fabriquer, puis il faut les expédier (ce qui peut exiger le recours aux services logistiques d'entreprises comme UPS ou FedEx). Le service de la comptabilité émet alors une facture et on envoie au client un avis indiquant que le produit a été expédié. Le service des ventes doit, pour sa part, être avisé de l'expédition de façon à pouvoir se préparer à assurer le service après-vente en répondant aux demandes du client ou en traitant les réclamations au titre de la garantie.

Ce qui paraissait au départ un processus simple, l'exécution d'une commande, est en réalité une série complexe de processus d'affaires qui exigent une coordination étroite du travail des principaux groupes fonctionnels de l'entreprise. Il faut en outre, pour que toutes les étapes du processus se déroulent efficacement et dans l'ordre requis, qu'une grande quantité d'informations circulent rapidement, tant à l'intérieur de l'entreprise – et avec ses partenaires commerciaux comme les entreprises de livraison – qu'avec ses clients. Les systèmes d'information informatisés permettent d'atteindre cet objectif.

Comment la technologie de l'information améliore les processus d'affaires

En quoi les systèmes d'information améliorent-ils concrètement les processus d'affaires ? Les systèmes d'information automatisent bon nombre d'étapes des processus d'affaires

FIGURE 2-1 LE PROCESSUS D'EXÉCUTION D'UNE COMMANDE

Exécuter la commande d'un client engendre une suite complexe d'étapes qui exigent une coordination minutieuse des services des ventes, de la comptabilité et de la fabrication.

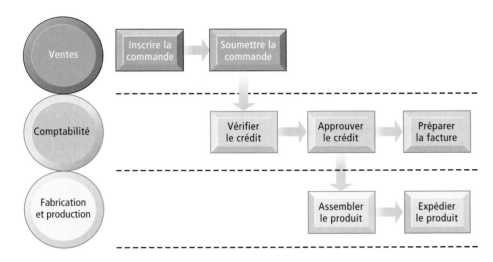

auparavant exécutées manuellement, comme la vérification du crédit d'un client ou la production d'une facture et d'un bordereau d'expédition. Aujourd'hui cependant, la technologie de l'information peut accomplir beaucoup plus. En fait, elle modifie la manière dont les données circulent en permettant à beaucoup plus de gens d'accéder à l'information et de la transmettre, en remplaçant le déroulement séquentiel des tâches par une exécution en parallèle et en supprimant les délais touchant la prise de décision. Elle peut même transformer la façon dont fonctionnent les choses et permettre l'émergence de nouveaux modèles d'affaires. La commande d'un livre en ligne chez Amazon.com ou le téléchargement d'une pièce musicale sur iTunes sont des processus entièrement nouveaux, basés sur de nouveaux modèles d'affaires qui seraient inconcevables sans la technologie de l'information.

C'est pourquoi il est si capital que vous prêtiez attention aux processus d'affaires, que ce soit dans vos cours sur les systèmes d'information ou plus tard, dans le cadre de vos activités professionnelles. En analysant les processus d'affaires, il vous sera possible de parvenir à une compréhension très précise de la façon dont une entreprise fonctionne véritablement, et même de commencer à comprendre comment modifier l'entreprise pour en accroître l'efficacité. Tout au long du présent manuel, nous examinerons les processus d'affaires dans le but de saisir comment on pourrait les modifier ou les remplacer à l'aide de la technologie de l'information pour en augmenter l'efficacité, favoriser l'innovation et améliorer le service à la clientèle.

2.2 LES DIFFÉRENTS TYPES DE SYSTÈMES D'INFORMATION

Nous savons maintenant ce que sont les processus d'affaires. Le moment est donc venu d'examiner quel appui les systèmes d'information peuvent leur apporter. Comme une organisa-

tion peut avoir des centaines, voire des milliers de processus d'affaires différents, qu'elle regroupe généralement des champs d'intérêt, des spécialités et des échelons différents, la nature des systèmes d'information varie. Aucun système ne saurait à lui seul combler tous les besoins d'une entreprise en ce qui a trait à l'information.

En général, une entreprise possède des systèmes pour appuyer les processus de chacune de ses fonctions principales : ventes et marketing, production, finances et comptabilité, gestion des ressources humaines. Mais les systèmes fonctionnant indépendamment les uns des autres sont désormais chose du passé, car il leur est difficile de mettre en commun l'information nécessaire aux processus d'affaires interfonctionnels. On les remplace donc de plus en plus par des systèmes interfonctionnels à grande échelle qui regroupent les activités de processus d'affaires et d'unités organisationnelles connexes. Nous décrivons ces applications interfonctionnelles à la section 2.3.

Une entreprise type compte également des systèmes répondant aux besoins décisionnels de chacun des principaux groupes de gestion décrits plus tôt. Les cadres opérationnels, les cadres intermédiaires et les cadres supérieurs utilisent respectivement un type particulier de systèmes à l'appui des décisions qu'ils doivent prendre pour diriger l'entreprise. Examinons ces systèmes et la nature des décisions qu'ils aident à prendre.

Les systèmes de traitement des transactions

Les cadres opérationnels ont besoin de systèmes qui assurent le suivi des activités et des transactions élémentaires de l'organisation, comme les ventes, les encaissements, les dépôts en espèces, les salaires, les décisions relatives au crédit et la circulation des matériaux dans une usine. Les **systèmes** de traitement des transactions (STT) fournissent ce type d'information. Il s'agit de systèmes informatisés qui exécutent et enregistrent les transactions quotidiennes courantes nécessaires au déroulement des activités de l'organisation, comme l'enregistrement des bons de commande, les réservations d'hôtel, le calcul de la paie, la tenue des dossiers du personnel et la livraison.

Le but principal des systèmes à cet échelon est de répondre aux questions courantes et de suivre le flux des transactions dans toute l'organisation. Combien y a-t-il de pièces en stock? Qu'est-il advenu du règlement de M. Lapointe? Pour permettre de répondre à ce genre de questions, l'information doit généralement être facilement accessible, à jour et exacte.

Sur le plan opérationnel, les tâches, les ressources et les objectifs sont prédéterminés et fortement structurés. Ainsi, un superviseur de palier inférieur qui doit prendre la décision d'accorder ou non un crédit à un client disposera de critères prédéterminés : la seule chose à faire est de déterminer si le client répond aux critères.

La figure 2-2 illustre un STT servant au traitement des salaires. Un système de paie effectue le suivi des sommes payées aux employés. La carte de pointage d'un employé, qui porte son nom, son numéro d'assurance sociale et le nombre d'heures travaillées par semaine, représente une seule transaction pour ce système. Dès qu'elle y est enregistrée, le fichier du système (ou la base de données, où l'organisation conserve en permanence les informations relatives aux employés) est automatiquement mis à jour (chapitre 6). Il est possible de regrouper les données du système de différentes façons pour créer les rapports dont la direction et les organismes gouvernementaux ont besoin et envoyer leur chèque de paie aux employés.

Les gestionnaires ont besoin des STT pour suivre l'état des opérations internes et les relations de l'entreprise avec son environnement, mais ce sont également des sources d'information importantes pour d'autres types de systèmes. Par exemple, le système de paie illustré à la figure 2-2 et d'autres STT comptables fournissent des données au système de grand livre de l'entreprise, qui prend en charge la mise à jour des revenus et des charges de l'entreprise, ainsi que de la production de rapports comme les états des résultats et les bilans. Le STT fournit également aux systèmes de gestion des ressources humaines des données historiques sur les cotisations versées relativement à l'assurance, à la caisse de retraite et pour d'autres avantages sociaux, et transmet des renseignements sur les salaires à des autorités gouvernementales, comme le ministère du Revenu.

Les systèmes de traitement des transactions sont souvent si essentiels à une entreprise que leur défaillance, ne serait-ce que pendant quelques heures, peut la mener à sa perte et même menacer la survie d'autres entreprises qui s'y rattachent. Imaginez ce qui se passerait chez UPS si le système de suivi des colis cessait de fonctionner! Et que feraient les lignes aériennes sans leurs systèmes informatisés de réservations? (Voir l'étude de cas sur JetBlue qui clôt ce chapitre.)

Les systèmes d'information de gestion et les systèmes d'aide à la décision

Les cadres intermédiaires ont besoin de systèmes qui les aident dans leurs activités de suivi, de contrôle, de prise de décision et d'administration. La principale question à laquelle ces systèmes contribuent à répondre est la suivante : les choses fonctionnent-elles correctement?

Au chapitre 1, nous définissons les systèmes d'information de gestion comme des systèmes d'information utilisés dans le domaine des affaires et de la gestion, mais l'expression **système d'information de gestion (SIG)** désigne également une catégorie particulière de systèmes d'information destinés aux cadres intermédiaires. Les SIG leur fournissent des rapports sur les performances actuelles de l'organisation qui permettent de suivre et de contrôler les activités et de prévoir les performances à venir.

Les SIG résument les activités de base de l'entreprise et en rendent compte en s'appuyant sur les données fournies par les systèmes de traitement des transactions. Ils compilent les données transactionnelles de base transmises par les STT et les présentent généralement sous forme de rapports produits à intervalles réguliers. De nos jours, bon nombre de ces rapports sont diffusés en ligne. La figure 2-3 indique comment un SIG classique transforme les données recueillies des tran-

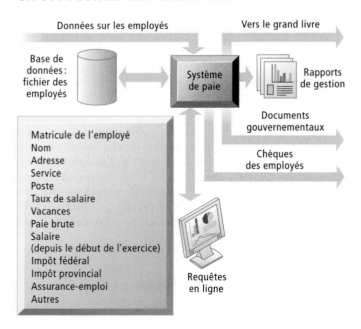

FIGURE 2-2

UN STT POUR LE TRAITEMENT DES SALAIRES

Un STT utilisé pour le traitement des salaires enregistre les données nécessaires à la transaction (provenant par exemple de la carte de pointage) et produit notamment des rapports destinés aux gestionnaires et les chèques des employés.

FIGURE 2-3

COMMENT LES SYSTÈMES D'INFORMATION DE GESTION OBTIENNENT LEURS DONNÉES DES STT DES ORGANISATIONS

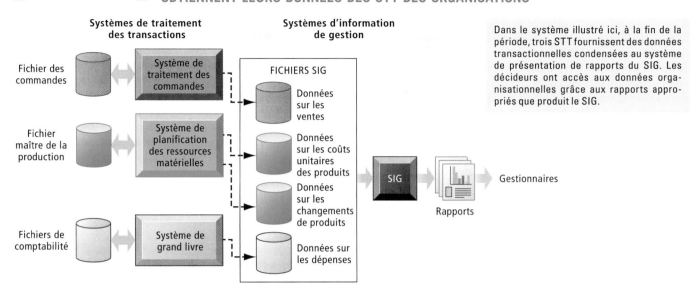

Dans le système illustré ici, à la fin de la période, trois STT fournissent des données transactionnelles condensées au système de présentation de rapports du SIG. Les décideurs ont accès aux données organisationnelles grâce aux rapports appropriés que produit le SIG.

sactions relatives aux stocks, à la production et à la comptabilité en fichiers SIG servant à la production de rapports. La figure 2-4 montre un modèle de rapport provenant de ce système.

En général, les gestionnaires se servent des SIG pour suivre les résultats hebdomadaires, mensuels et annuels, mais certains SIG leur permettent aussi d'accéder aux données journalières ou horaires. Les SIG fournissent généralement des réponses à des questions courantes prédéfinies auxquelles correspond une procédure de réponse préétablie. Par exemple, les rapports d'un SIG pourraient présenter le nombre total de kilogrammes de salade verte qu'a utilisés au cours du trimestre une chaîne de restauration rapide ou, comme l'illustre la figure 2-4, comparer aux objectifs fixés le chiffre des ventes annuelles totales d'un produit donné. Ces systèmes ont généralement peu de flexibilité et de capacité analytique. La plupart utilisent des procédures simples, comme des sommaires et des comparaisons, plutôt que des modèles mathématiques ou des techniques statistiques sophistiquées.

Les **systèmes d'aide à la décision (SAD)** facilitent la tâche des cadres intermédiaires appelés à prendre des décisions qui sortent de l'ordinaire. Ils sont centrés sur des problèmes singuliers qui évoluent rapidement, problèmes pour lesquels la façon de parvenir à une solution n'est pas toujours entièrement prédéfinie. Ils visent à répondre à des questions comme celles-ci : si nous doublons les ventes au mois de décembre, quelle sera l'incidence sur les programmes de production ? Quelles répercussions aurait un retard de six mois du programme de l'usine sur le rendement du capital investi ?

Bien que les SAD fassent appel à de l'information interne provenant des STT et des SIG, ils en recueillent aussi auprès de sources externes, comme le cours des actions ou les prix de produits concurrents. Ces systèmes peuvent employer

FIGURE 2-4

UN ÉCHANTILLON DE RAPPORT SIG

La société Produits de consommation
Ventes par produit et par région : 2010

CODE-PRODUIT	DESCRIPTION DU PRODUIT	RÉGION DE VENTES	VENTES RÉELLES	VENTES PRÉVUES	RÉEL/PRÉVU
4469	Nettoyeur de tapis	Saint-Laurent	406 670	480 000	0,85
		Grands-Lacs	377 811	375 000	1,01
		Prairies	486 700	460 000	1,06
		Ouest	400 344	440 000	0,91
	TOTAL		1 671 525	1 755 000	0,95
5674	Désodorisant pour la maison	Saint-Laurent	367 670	390 000	0,94
		Grands-Lacs	560 811	470 000	1,19
		Prairies	471 100	420 000	1,12
		Ouest	456 344	490 000	0,93
	TOTAL		1 855 925	1 770 000	1,05

Ce rapport est un résumé des données de ventes annuelles que pourrait produire le SIG de la figure 2-3.

divers modèles pour analyser les données ou en compiler de grandes quantités sous une forme qui permettra aux décideurs eux-mêmes de les analyser. Les utilisateurs peuvent interagir avec eux au moyen d'une interface conviviale.

Un exemple intéressant de SAD – petit mais puissant – est celui qu'utilise pour modéliser ses voyages une filiale d'une grande société métallurgique étatsunienne qui se consacre essentiellement au transport des cargaisons en vrac de charbon, de pétrole, de minerais et de produits finis pour la société mère. L'entreprise possède un certain nombre de navires, en affrète d'autres et présente des soumissions sur le marché libre pour le transport de diverses marchandises. Son système de modélisation calcule les détails techniques et financiers se rapportant à chaque voyag. Les détails financiers comprennent les coûts relatifs au bateau et à la durée du voyage (carburant, main-d'œuvre, capital), les frais de transport des différents types de cargaisons et les droits de port. Les détails techniques comprennent une multitude de facteurs tels que la capacité du navire, sa vitesse, les distances entre les ports, la consommation de carburant et d'eau et la structure de chargement (emplacement de la cargaison pour divers ports).

Le système est en mesure de répondre à des questions comme celles-ci : Étant donné le calendrier de livraison et les frais de port offerts, quel navire devrait-on utiliser et quel tarif facturer dans le but de maximiser les profits ? Quelle vitesse tel navire doit-il idéalement adopter pour maximiser les profits et respecter l'horaire de livraison ? Quelle est la structure de chargement optimale pour un navire provenant de la Malaisie et se dirigeant vers la côte ouest des États-Unis ? La figure 2-5 illustre le SAD de cette société, qui fonctionne sur un puissant **ordinateur** personnel et offre un système de menus facilitant l'entrée de données ou l'obtention d'information par les utilisateurs.

Ce système de modélisation de voyages s'appuie beaucoup sur des modèles analytiques. Plutôt que d'avoir recours à des modèles préétablis, d'autres types de SAD soutiennent plutôt la prise de décision en extrayant les informations

utiles de quantités massives de données. Ainsi, l'entreprise Intrawest, premier exploitant de stations de ski en Amérique du Nord, recueille et stocke de grandes quantités de données sur ses clients au moyen de son site Web, de son centre d'appels, des réservations d'hébergement, des écoles de ski et des magasins de location d'équipement. Elle utilise un logiciel qui se consacre spécifiquement à l'analyse de ces données afin de déterminer la valeur et la fidélité de chaque client, ainsi que les revenus qu'il pourrait générer, de manière que les gestionnaires puissent prendre les meilleures décisions possibles au moment de cibler leurs programmes de marketing. Le système répartit les clients en sept catégories fondées sur les besoins, les attitudes et les comportements, allant de la catégorie « experts passionnés » à la catégorie « familles en vacances soucieuses de leur budget ». Ensuite, l'entreprise envoie par courriel des vidéoclips ayant pour but d'inciter chaque catégorie de clients à visiter plus souvent ses centres de villégiature.

On appelle parfois les SAD « systèmes d'intelligence d'affaires », parce qu'ils visent à permettre aux utilisateurs de prendre de meilleures décisions d'affaires. Vous en apprendrez davantage à ce sujet aux chapitres 6 et 12.

Un autre exemple de système d'aide à la décision est évoqué dans la session interactive sur la technologie. Air Canada a intégré le logiciel Maintenix à son programme d'entretien d'aéronefs afin de mieux programmer et de mieux organiser les travaux d'entretien de ses appareils. Déterminez les applications d'aide à la décision décrites dans la présentation de ce cas ainsi que le type de décisions qu'elles aident à prendre.

Les systèmes d'information pour dirigeants

Les cadres supérieurs ont besoin de systèmes qui tiennent compte des enjeux stratégiques et des tendances à long terme, tant au sein des entreprises que dans leur environnement. Ils s'intéressent à des questions comme les suivantes : Quels seront les taux d'emploi dans cinq ans ? Quelles sont les tendances à long terme des coûts dans leur secteur d'activité, et où l'entreprise se situe-t-elle à cet égard ? Quels produits faudra-t-il fabriquer dans cinq ans ? Quelles nouvelles acquisitions pourraient protéger l'entreprise des fluctuations cycliques des affaires ?

Les **systèmes d'information pour dirigeants (SID)** aident les cadres supérieurs à prendre ces décisions. Ce sont des décisions non routinières, qui demandent du jugement, une évaluation et des connaissances parce qu'il n'existe pas de procédé convenu pour parvenir à une solution. Les SID présentent des graphiques et des données provenant de différentes sources par l'intermédiaire d'une interface facile à utiliser. L'information est souvent communiquée grâce à un **portail** qui utilise une interface Web pour présenter de manière intégrée un contenu personnalisé. Vous en apprendrez davantage sur d'autres applications des portails aux chapitres 10 et 11.

UN SAD DE MODÉLISATION DE VOYAGES

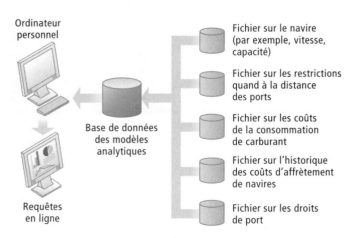

Ordinateur personnel

Fichier sur le navire (par exemple, vitesse, capacité)

Fichier sur les restrictions quand à la distance des ports

Fichier sur les coûts de la consommation de carburant

Base de données des modèles analytiques

Fichier sur l'historique des coûts d'affrètement de navires

Requêtes en ligne

Fichier sur les droits de port

Ce SAD fonctionne sur un puissant ordinateur personnel. Les gestionnaires qui doivent préparer des soumissions pour les contrats de livraison l'utilisent quotidiennement.

AIR CANADA DÉCOLLE AVEC MAINTENIX

Air Canada est le principal transporteur aérien du Canada. Il s'agit du plus gros fournisseur de services passagers réguliers sur le marché canadien, le marché transfrontalier Canada-États-Unis et le marché international au départ et à destination du Canada. Air Canada accueille plus de 33 millions de passagers chaque année et offre des vols directs pour plus de 170 destinations sur 5 continents, mais ses systèmes d'information laissaient à désirer. Lorsqu'ils travaillaient sur les avions, les techniciens utilisaient plusieurs progiciels installés au fil des 15 années précédentes, qui ne pouvaient interagir ni entre eux ni avec les systèmes de gestion des finances et des stocks. L'inefficacité de ces systèmes coûtait à Air Canada des sommes qui auraient pu être plus utilement consacrées à l'entretien de ses appareils plutôt qu'au maintien de stocks excédentaires, sans parler du temps de travail des techniciens.

Air Canada s'est alors tournée vers la société Mxi Technologies pour qu'elle l'aide à résoudre ces problèmes. Mxi est renommée dans l'industrie du transport aérien pour son progiciel Maintenix, qui offre des logiciels d'entretien, de réparation et d'exploitation destinés aux sociétés d'aviation désireuses d'améliorer leur productivité. Certains avantages de Maintenix intéressaient plus particulièrement Air Canada : meilleure visibilité des données relatives à l'ensemble de la flotte aérienne, décisions plus rapides, soutien de son modèle d'affaires existant et efficacité opérationnelle accrue.

Maintenix offre une plateforme système accessible par l'intermédiaire du Web et facile à déployer dans toutes les escales du monde. Selon Mxi, Maintenix diminue la quantité de tâches répétitives et le temps de recherche d'informations manquantes ou incomplètes en permettant aux divisions de l'entretien, du génie et des finances de mettre facilement leurs données en commun. Maintenix peut alimenter en données le logiciel existant de planification des ressources et de gestion financière de l'entreprise (section 2.3) et Air Canada prévoit de le relier à ses applications PeopleSoft. Le déploiement sans fil accroît en outre l'efficacité de Maintenix car, dans le domaine de l'aviation, les techniciens, l'équipement et les pièces sont constamment en mouvement.

Le progiciel Maintenix est formé de six **modules** autonomes reliés entre eux, que les sociétés aériennes peuvent choisir d'utiliser ou non – en totalité ou en partie. Ces six modules sont l'ingénierie d'entretien, l'entretien en ligne, l'entretien lourd, l'entretien en atelier, la gestion du matériel et les finances. Air Canada a choisi de mettre en œuvre dans leur intégralité les modules d'ingénierie d'entretien, d'entretien en ligne et de gestion du matériel, mais de ne mettre en œuvre que partiellement les modules d'entretien lourd, d'entretien en atelier et de finances, car ces tâches sont assurées par un entrepreneur tiers qui participe aussi à l'entretien de ses appareils.

Le module d'ingénierie d'entretien est le fondement du système Maintenix. Il sert à établir la hiérarchie de la configuration, les règles et le programme d'entretien dont dépendent tous les autres modules. Grâce à lui, la société aérienne peut établir une « configuration logique » qui décrit les composants des aéronefs, les relations des pièces entre elles et les règles de compatibilité.

L'entretien en ligne suppose qu'on réussisse à répondre à une liste de travaux d'entretien en constante évolution au moyen des ressources limitées disponibles aux diverses étapes d'un programme de vol sans cesse sujet à change-ment. Le module englobe des applications de planification de l'entretien en ligne conçues pour programmer les travaux d'entretien et les distribuer en fonction des capacités des installations de chaque aéroport et des escales prévues. Par exemple, le module d'entretien en ligne permet à Air Canada de s'assurer que des techniciens compétents seront disponibles avant de programmer l'entretien.

Le module de gestion du matériel s'occupe du processus logistique complexe qui consiste à assurer la disponibilité des pièces sans créer d'excès de stocks. Maintenix fait en sorte qu'il n'y ait en stock qu'une quantité minimale de chaque pièce sans que les techniciens risquent pour autant d'en manquer. Ce délicat équilibre est crucial si on veut maximiser les revenus et augmenter l'efficacité opérationnelle. Maintenix permet de gérer les stocks sans fil et en temps réel, automatise les activités de routine et s'intègre parfaitement aux systèmes de gestion des stocks existants d'une société aérienne.

Le système offre aussi un avantage primordial : toute l'information fournie par les divers modules de Maintenix est réunie au même endroit. Il s'ensuit que la programmation est plus rapide et qu'on évite les écueils des systèmes d'information dont la structure est déficiente, comme la programmation de travaux d'entretien lors d'une escale où les ressources appropriées ne sont pas disponibles.

Voici un exemple de la façon dont Maintenix pourrait accroître l'efficacité d'Air Canada. Supposons qu'un technicien d'Air Canada réclame au service logistique une pièce nécessaire à l'entretien. Maintenix traite automatiquement la demande : si la pièce requise est disponible, le système la réserve immédiatement et le technicien est aussitôt informé qu'il peut venir la prendre. Parallèlement, le technicien peut aisément suivre le cheminement de sa demande de pièce et est prévenu lorsqu'elle est prête. Si un changement quelconque survient et que la pièce n'est plus disponible, Maintenix en avertit le technicien. Les techniciens peuvent ainsi consacrer leur temps aux travaux d'entretien plutôt que de s'occuper de détails qui sont désormais automatisés et supervisés par Maintenix, et la productivité et la rentabilité s'en trouvent augmentées. La mise en œuvre du système devrait être terminée en 2010.

Sources : Greg Meckbach, « Air Canada to Overhaul Maintenance Software », *ComputerWorld Canada*, 18 avril 2008; « Air Canada Selects Maintenix for Fleetwide Implementation », Reuters, 15 avril 2008; Maintenix Overview », www.mxi.com, consulté le 4 octobre 2009.

Questions

1. Quels problèmes la société Air Canada espère-t-elle que Maintenix résoudra ?
2. Comment Maintenix améliore-t-il l'efficacité opérationnelle et la prise de décision ?
3. Donnez un exemple de trois types de décisions que le système Maintenix peut aider à prendre. Quelle information les modules de Maintenix fournissent-ils à l'appui de chacune de ces décisions ?

Ateliers

Visitez le site Web de Mxi Technologies (www.mxi.com) et examinez les modules de Maintenix relatifs à l'entretien lourd, à l'entretien en atelier et aux finances. Répondez ensuite aux questions suivantes.

1. Comment une société aérienne peut-elle tirer profit de la mise en œuvre de ces modules ?
2. Donnez un exemple de décision que chacun de ces modules peut aider à prendre.

Les SID intègrent des données sur des événements externes tels que de nouvelles lois fiscales ou l'arrivée de nouveaux concurrents, mais ils tirent aussi des résumés des données des SIG et des SAD. Ils filtrent les données essentielles, les compriment, en font le suivi et fournissent les plus importantes aux cadres supérieurs. Par exemple, le PDG de Leiner Health Products, premier fabricant de vitamines et de suppléments de marque maison aux États-Unis, dispose d'un SID qui affiche sur son ordinateur, minute par minute, le rendement financier de l'entreprise en se servant d'indicateurs comme le fonds de roulement, les comptes clients, les comptes créditeurs, les rentrées de fonds et les stocks. L'information est présentée sous la forme d'un tableau de bord numérique qui affiche sur un seul écran des graphiques et des diagrammes des principaux **indicateurs** de performance nécessaires à la gestion de l'entreprise. Les **tableaux de bord numériques** sont un atout de plus en plus prisé des SID.

La figure 2-6 est un modèle de SID. Le système est constitué de postes de travail dotés de menus, de graphiques interactifs et de capacités de communication qu'on peut utiliser pour accéder aux données passées et aux données de la concurrence provenant des systèmes internes de l'entreprise et de bases de données externes, comme Dow Jones Factiva ou les sondages Gallup. Le chapitre 12 contient davantage de détails sur les applications de pointe des SAD et des SID.

La session interactive sur les organisations donne des exemples concrets de plusieurs systèmes de ce type utilisés par une entreprise qui souhaite passer du statut de restaurant

---

FIGURE 2-6   UN MODÈLE DE SYSTÈME D'INFORMATION POUR DIRIGEANTS

Ce système regroupe des données provenant de diverses sources internes et externes et les présente aux cadres supérieurs dans un format convivial.

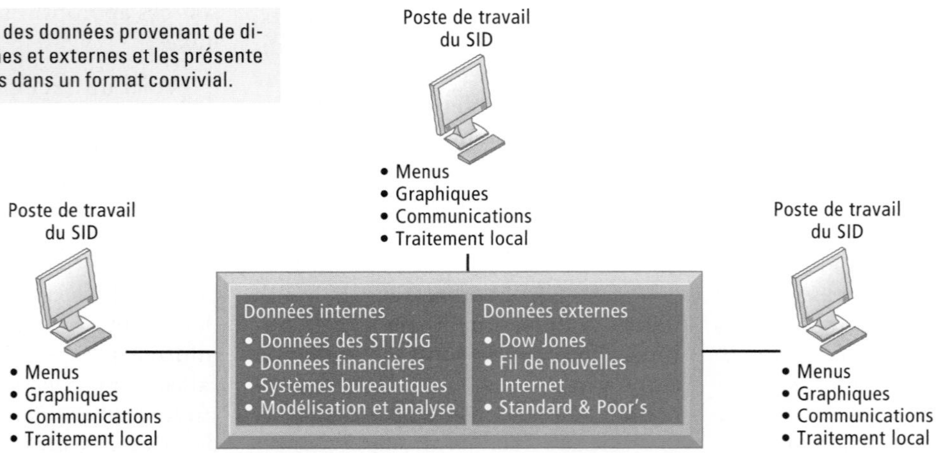

Poste de travail du SID
- Menus
- Graphiques
- Communications
- Traitement local

Poste de travail du SID
- Menus
- Graphiques
- Communications
- Traitement local

Poste de travail du SID
- Menus
- Graphiques
- Communications
- Traitement local

Données internes
- Données des STT/SIG
- Données financières
- Systèmes bureautiques
- Modélisation et analyse

Données externes
- Dow Jones
- Fil de nouvelles Internet
- Standard & Poor's

LA RESTAURATION RAPIDE : LES SYSTÈMES D'INFORMATION PEUVENT-ILS AIDER JOHNNY'S LUNCH À RÉALISER UNE PERCÉE NATIONALE ?

C'est en 1936 que Johnny Colera a commencé à vendre des hot-dogs dans son casse-croûte de Jamestown, dans l'État de New York. Grâce à sa fameuse sauce chili et à ses talents de gestionnaire, son restaurant, Johnny's Lunch, a connu un énorme succès et est même devenu une institution dans sa localité. Johnny's Lunch propose de bons aliments à prix modique, un service de qualité supérieure et une atmosphère unique. On y sert des hot-dogs, des hamburgers, des frites, des rondelles d'oignon frites et des laits fouettés, ainsi que des plats plus inusités, comme le pouding au riz maison.

L'entreprise voudrait maintenant devenir un chef de file national de la restauration rapide, à l'instar de McDonald's. Elle est actuellement dirigée par deux des petits-enfants de Johnny Colera, Anthony et John Calamunci, ainsi que par une équipe récemment constituée de cadres possédant de l'expérience dans le secteur de la restauration rapide.

Le projet de faire de cette entreprise aux origines modestes une société d'envergure nationale se heurte à de nombreuses difficultés, dont l'une est de préserver le cachet de « petite ville » propre au restaurant malgré la prolifération des franchises partout au pays. Atteindre cet objectif demandera des efforts coordonnés.

Johnny's Lunch fait face à un autre enjeu : maintenir la croissance en dépit des contrecoups d'une économie affaiblie. Les analystes prévoient en effet que le ralentissement économique menacera le potentiel de croissance de la restauration rapide : on estime que la croissance annuelle de ce secteur va passer à 2 ou 3 %, une performance très inférieure à celle qu'il a connue lorsque la conjoncture était plus favorable. La société espère qu'une alimentation réconfortante et bon marché aura du succès même si l'économie ralentit en 2008 et au-delà.

La direction vise un nombre de restaurants situé entre 30 et 50 d'ici la fin de 2008, et son but est d'atteindre 3000 établissements dans le pays d'ici 5 ans. Comme il n'existe que 3300 restaurants de hot-dogs aux États-Unis, et que les chaînes les plus importantes comme Nathan's Famous et Wienerschnitzel ne possèdent que 180 et 250 établissements respectivement, Johnny's Lunch et les analystes du secteur pensent qu'une telle croissance est possible.

Johnny's Lunch espère surmonter ces difficultés à l'aide de ressources technologiques de pointe, notamment une technique perfectionnée de cartographie pour la recherche d'emplacements, des systèmes d'encaissement à la fine pointe du progrès, et des systèmes de gestion des stocks qui garantissent la fraîcheur et réduisent les coûts.

L'application MapInfo de Pitney Bowes a permis à Johnny's d'adopter une approche scientifique dans le choix de l'emplacement des nouveaux restaurants. Le groupe d'analyse prévisionnelle de MapInfo a interviewé 800 personnes qui fréquentaient le restaurant d'origine, à Jamestown, afin de tracer le profil des clients. La moitié d'entre eux sont des familles, la majorité sont âgés de 16 à 24 ans ou de plus de 60 ans et appartiennent à l'ensemble de la classe moyenne. Les entrevues ont également permis de déterminer comment se distribuent les clients qui fréquentent Johnny's quand ils sont au travail, à leur domicile, pendant qu'ils magasinent ou dans d'autres circonstances.

La technologie analytique de Map-Info, appelée Smart Site Solutions, a aidé Johnny's Lunch à utiliser cette information pour repérer les marchés potentiels et déterminer le nombre optimal d'établissements à installer dans chacun pour maximiser les ventes. L'application a permis de subdiviser le pays en plusieurs secteurs de marché en indiquant pour chacun le degré de concurrence, les données démographiques et les caractéristiques de l'emplacement des franchises éventuelles. Les conseillers de Pitney Bowes ont déterminé lesquels parmi 72 « regroupements », ou types de voisinages, constituaient des cibles optimales selon divers points de vue. En utilisant ces données dans le cadre du modèle Smart Site Solutions, Johnny's Lunch a pu cerner quelque 4500 zones commerciales optimales dans tout le pays. La haute direction pense que ces zones sont celles dans lesquelles des franchises Johnny's Lunch ont le plus de chances de succès.

En utilisant des données comme la taille du secteur commercial, la distance minimale entre les établissements, le profil de la clientèle et d'autres indicateurs, Smart Site Solution a créé un modèle grâce auquel il est possible de prédire le succès potentiel des différents emplacements, même sans disposer de beaucoup de renseignements sur les ventes passées. Les emplacements visés incluent des centres commerciaux linéaires offrant des locaux dont la superficie se situe entre 130 et 170 mètres carrés plutôt que des établissements indépendants dont l'aménagement est, en général, plus onéreux. La société espère également que ses franchises seront situées à proximité de marques nationales bien connues, ce qui donnerait à Johnny's Lunch une crédibilité immédiate auprès des clients.

Un autre domaine dans lequel Johnny's Lunch utilise une technologie de pointe pour stimuler sa croissance est celui du système d'encaissement aux points de vente. Son système saisit les données relatives aux opérations de vente sur les lieux mêmes où les marchandises ou les services sont achetés ou vendus grâce à des caisses enregistreuses électroniques ou des numériseurs à main. Les dirigeants de la société ont décidé qu'au fur et à mesure que Johnny's Lunch se développerait, les franchisés utiliseraient le système d'encaissement MICROS 3700 POS de MICROS Systems. Un système d'encaissement efficace aide à suivre les stocks, à contrôler le gaspillage et à respecter la réglementation gouvernementale (par exemple, si le temps de préparation des aliments est trop long, si un caissier annule trop de transactions ou si les lois du travail sont transgressées d'une façon quelconque, le système alertera les employés). Le système MICROS fait tout cela et offre plusieurs autres avanta-

ges. Ainsi, le personnel de Johnny's Lunch a été impressionné de constater combien il était facile à comprendre et à utiliser. De plus, la société MICROS continuera de pouvoir répondre aux besoins de l'entreprise partout aux États-Unis, et les franchisés ne devraient pas avoir de difficulté à maîtriser le système. Celui-ci permet également de suivre certaines données utiles sur les habitudes des consommateurs, notamment sur la quantité de nourriture consommée dans le restaurant par rapport à celle qui y est achetée pour être consommée à l'extérieur.

Jusqu'à récemment, la société n'utilisait pour sa gestion que des ordinateurs portatifs et deux systèmes d'encaissement aux points de vente. Johnny's Lunch emploie actuellement un seul serveur personnalisé de Dell Direct, mais elle

prévoit en acquérir d'autres dans un proche avenir: un pour les données de marketing et un pour constituer en réseau les systèmes d'encaissement aux points de vente de tous les établissements, dans le cadre d'un remaniement complet des TI. Johnny's Lunch prévoit également améliorer son site Web en y incorporant un portail qui permettra aux exploitants de franchises de passer des commandes et de télécharger l'information pertinente.

Sources: « Hot Dog: Franchising with Technology », Baselinemag.com, 30 avril 2008, dernière consultation le 16 novembre 2009; Nora Parker, « Johnny's Lunch Plans Franchise Expansion with LI », *Directions Magazine*, 8 octobre 2007; Karen E. Klein, « Finding the Perfect Location », *Businessweek*, mars 2008; www.johnnyslunch.com, consulté le 2 octobre 2009.

Questions

1. Décrivez le modèle d'affaires et la stratégie de Johnny's Lunch. Quelles difficultés l'entreprise devra-t-elle surmonter pour mettre en œuvre son projet d'expansion?
2. Quels systèmes la société a-t-elle utilisés ou prévu utiliser pour surmonter ces difficultés? De quels types de systèmes s'agit-il? En quoi chacun d'eux aidera-t-il Johnny's Lunch à surmonter ces difficultés?
3. Quels autres types de systèmes décrits dans ce chapitre pourraient aider Johnny's Lunch dans son projet d'expansion?
4. Croyez-vous que le projet d'expansion nationale de Johnny's Lunch peut réussir? Oui ou non? Pourquoi?

Ateliers

Visitez le site Web de Johnny's Lunch (www.johnnyslunch.com) puis répondez aux questions suivantes:

1. Quel est le public cible de ce site Web? Quel en est l'objectif? Est-il facile à utiliser? Si oui, dans quelle mesure? Est-il utile pour attirer les clients? Si oui, jusqu'à quel point? Avec quelle efficacité appuie-t-il la stratégie d'affaires de la société?
2. Combien d'emplacements de franchises sont décrits sur le site Web? Où sont-ils situés? Que vous apprennent ces renseignements sur la stratégie d'expansion de la société?

de quartier prospère à celui de chaîne nationale de restauration rapide. Notez les types de systèmes qu'illustre ce cas et le rôle qu'ils jouent dans l'amélioration de l'exploitation et de la prise de décision.

2.3 DES SYSTÈMES D'ENTREPRISE INTÉGRÉS

En passant en revue les différents types de systèmes que nous venons de décrire, il se peut que vous vous demandiez comment une entreprise peut gérer toute l'information qu'ils

produisent. Faire en sorte que tous les systèmes d'une entreprise fonctionnent en harmonie est en effet un enjeu de taille, qu'on peut résoudre de diverses façons.

Les applications d'entreprise

Une de ces solutions consiste à mettre en œuvre des **applications d'entreprise**, soit des systèmes qui couvrent l'ensemble des domaines fonctionnels, qui sont axés sur l'exécution des processus d'affaires dans toute l'entreprise et qui englobent tous les échelons de direction. Les applications d'entreprise aident les organisations à devenir plus souples et plus productives en coordonnant mieux leurs processus d'affaires et en formant des groupes de processus intégrés pour favoriser une gestion efficiente des ressources et du service à la clientèle.

Il existe quatre applications d'entreprise essentielles : les systèmes d'entreprise, les systèmes de gestion de la chaîne logistique, les systèmes de gestion de la relation client et les systèmes de gestion des connaissances. Chacune intègre un ensemble de fonctions et de processus d'affaires dans le but d'améliorer le rendement de l'organisation dans son ensemble. La figure 2-7 montre que l'architecture de ces applications comprend des processus couvrant l'organisation tout entière et peut même, dans certains cas, s'étendre au-delà pour englober les clients, les fournisseurs et les autres partenaires importants.

Les systèmes d'entreprise

En général, les grandes organisations possèdent plusieurs types de systèmes d'information, arrimés à des fonctions, à des échelons organisationnels et à des processus d'affaires différents, entre lesquels l'échange d'informations n'est pas automatique. La fragmentation des données dans des centaines de systèmes séparés peut avoir des répercussions négatives sur l'efficacité de l'organisation et le rendement des affaires. Il se peut ainsi qu'au moment de passer une commande, le personnel de vente ne sache pas si les articles commandés sont en stock, ou que les services de fabrication aient de la difficulté à accéder aux données relatives aux ventes pour planifier la production.

Les **systèmes d'entreprise**, aussi appelés *progiciels de gestion intégrés (PGI)* ou *progiciels de gestion intégrée des ressources*, résolvent ce problème en recueillant les données relatives à différents processus d'affaires dans les secteurs de la production, des finances et de la comptabilité, des ventes et du marketing ou des ressources humaines, et en les stockant dans un référentiel central unique. L'information qui était auparavant fragmentée dans différents systèmes peut ainsi être facilement partagée dans toute l'entreprise, ce qui permet aux différentes parties de celle-ci de collaborer plus étroitement (figure 2-8).

Lorsqu'un client passe une commande, par exemple, les données sont acheminées automatiquement aux autres segments de l'entreprise concernés. L'opération déclenche le prélèvement des produits commandés et la programmation de la livraison par l'entrepôt, lequel informe l'usine pour être réapprovisionné si des produits sont épuisés. Le service de la comptabilité est avisé de faire parvenir une facture au client, et les représentants du service à la clientèle suivent le cheminement de la commande à travers toutes les étapes pour pouvoir renseigner le client au besoin. Une meilleure coordination entre ces différents segments de l'entreprise réduit les coûts tout en augmentant la satisfaction de la clientèle.

Air Liquide, chef de file mondial des fournisseurs de gaz à usage industriel et médical, exploite plus de 500 installations de production dans le monde, dont 250 en Europe. Au fil des ans, la société a mis en place une grande variété de systèmes pour servir ses établissements. Les acquisitions de nouvelles filiales ont encore ajouté au nombre de systèmes dont la société devait assurer l'entretien, si bien qu'à un moment donné, elle s'est retrouvée avec 800 applications en fonction sur l'ensemble du territoire européen. Cet amalgame de systèmes locaux non coordonnés rendait difficile l'expédition de produits au-delà des frontières nationales, même si les normes de sécurité de l'Union européenne l'autorisaient. La mise en œuvre du progiciel de gestion intégré mySAP a permis à la société de centraliser les processus

FIGURE 2-7   L'ARCHITECTURE D'UNE APPLICATION D'ENTREPRISE

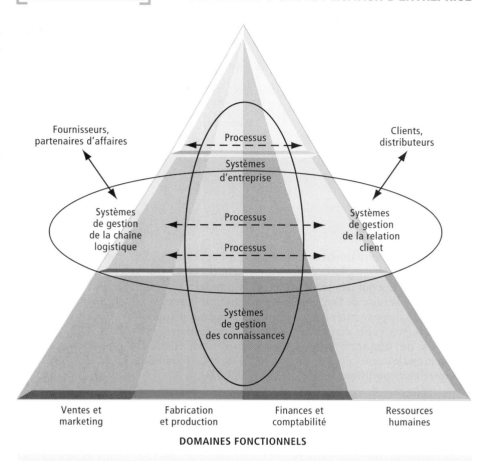

DOMAINES FONCTIONNELS

Les applications d'entreprise automatisent des processus qui s'étendent à de multiples fonctions et à plusieurs échelons organisationnels, et parfois même au-delà des frontières de l'organisation.

FIGURE 2-8 **LES SYSTÈMES D'ENTREPRISE**

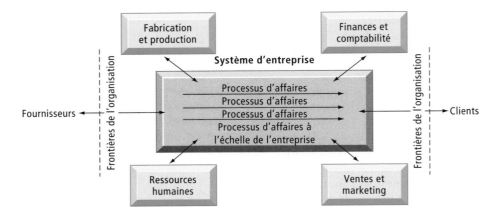

Les systèmes d'entreprise intègrent les principaux processus d'affaires dans un système unique qui permet à l'information de circuler librement dans toute l'organisation. Ils concernent surtout les processus internes, mais ils peuvent aussi comprendre les transactions avec les clients et les fournisseurs.

d'affaires qui étaient auparavant exécutés à l'échelon local ou national et de remplacer l'enchevêtrement de vieux systèmes dont elle avait hérité en mettant un progiciel intégré centralisé au service de l'ensemble des activités de la société. Air Liquide dispose maintenant d'un jeu commun d'applications, de processus d'affaires cohérents et de fichiers permanents de données, tout en accordant aux filiales internationales une certaine latitude afin qu'elles puissent s'adapter aux conditions locales (SAP AG, 2007).

Les systèmes de gestion de la chaîne logistique

Les **systèmes de gestion de la chaîne logistique (GCL)** aident les entreprises à gérer leurs relations avec les fournisseurs en leur permettant – ainsi qu'aux acheteurs, aux distributeurs et aux entreprises de services logistiques – de partager l'information au sujet des commandes, de la production, des stocks, de la livraison des produits et de la prestation des services, pour être en mesure de prendre de meilleures décisions quant à la façon d'organiser et de programmer l'approvision-

nement, la production et la distribution. L'objectif ultime des entreprises est que le nombre approprié de produits soit acheminé de la source d'approvisionnement au point de consommation dans un minimum de temps et au moindre coût.

Les systèmes de gestion de la chaîne logistique font partie des **systèmes interorganisations**, puisqu'ils automatisent la circulation de l'information au-delà des frontières de l'entreprise. Vous trouverez dans ce manuel d'autres exemples de tels systèmes, qui permettent aux entreprises d'établir des liaisons électroniques avec leurs clients et d'externaliser leur travail vers d'autres entreprises.

La figure 2-9 illustre les systèmes de gestion de la chaîne logistique utilisés par Haworth, un des principaux concepteurs et fabricants de mobilier de bureau dans le monde. Les 15 établissements de fabrication nord-américains de Haworth sont établis en Caroline du Nord, en Arkansas, au Michigan, au Mississippi, au Texas, en Ontario, en Alberta et au Québec. Ces installations approvisionnent des centres de distribution au Michigan, en Pennsylvanie, en Géorgie et en Arkansas.

FIGURE 2-9 **LES SYSTÈMES DE GESTION DE LA CHAÎNE LOGISTIQUE UTILISÉS CHEZ HAWORTH**

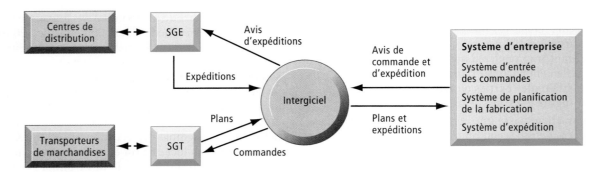

Les commandes des clients, les avis et les programmes d'expédition ainsi que les autres renseignements relatifs à la chaîne logistique circulent entre le système de gestion de l'entreposage (SGE) de Haworth, son système de gestion du transport (SGT) et le système d'entreprise.

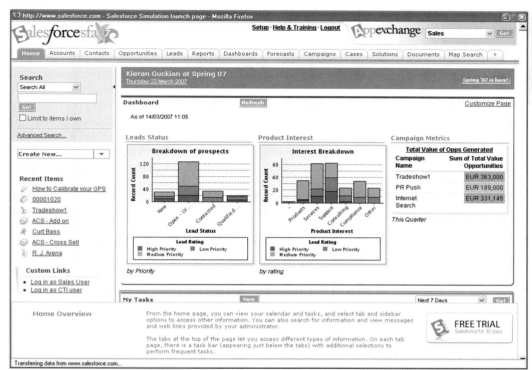

Cet écran illustre les fonctions de Salesforce.com, fournisseur leader sur le marché des logiciels de GRC. Les systèmes de GRC regroupent l'information issue des fonctions des ventes, du marketing et du service à la clientèle.

Le système de gestion du transport (SGT) de Haworth permet d'examiner les commandes des clients, les programmes de fabrication, les tarifs, ainsi que la disponibilité des services de transport et les frais d'expédition afin d'établir des programmes de livraison optimaux au coût le plus bas. Ces programmes sont créés chaque jour et mis à jour à intervalles de 15 minutes. Le SGT fonctionne de concert avec le système de gestion de l'entreposage (SGE) de Haworth, qui assure le suivi et le contrôle de la circulation des produits finis entre les centres de distribution de Haworth et ses clients. Suivant les programmes d'expédition du SGT, le SGE dirige la circulation des marchandises selon l'espace, l'équipement, les stocks et le personnel disponibles à chaque moment. Haworth utilise un intergiciel spécial pour lier le SGT et le SGE aux systèmes d'enregistrement des commandes, de planification de la fabrication, d'expédition, pour faire passer les commandes des clients ainsi que les programmes et les avis d'expédition d'une application à l'autre.

Les systèmes de gestion de la relation client

Les **systèmes de gestion de la relation client (GRC)** aident les entreprises à gérer les relations qu'elles entretiennent avec leurs clients. Ils fournissent l'information nécessaire à la coordination de tous les processus d'affaires qui se rattachent aux clients dans les fonctions des ventes, du marketing et du service à la clientèle afin d'optimiser les revenus et la satisfaction des clients tout en fidélisant la clientèle. Cette information aide les entreprises à repérer, à attirer et à fidéliser les clients les plus rentables, à offrir un meilleur service à la clientèle et à augmenter les ventes.

Les systèmes de GRC intègrent les données relatives aux clients transmises par de multiples canaux de communication : téléphone, courrier électronique, appareils sans fil, magasins de détail ou site Web. La connaissance approfondie et précise des clients et de leurs préférences aide les entreprises à accroître l'efficacité de leurs campagnes de marketing et à offrir un service à la clientèle et un service après-vente de qualité supérieure.

À titre d'exemple, Saab U.S.A., qui importe des véhicules et les distribue à ses concessionnaires aux États-Unis, a utilisé les applications de GRC destinées aux concessionnaires automobiles d'Oracle-Siebel Systems pour intégrer des données qui étaient auparavant réparties entre les systèmes appuyant son réseau de concessionnaires, un centre de service à la clientèle et un centre de gestion des clients potentiels. Les systèmes de GRC permettent à Saab d'obtenir une image complète de sa relation avec chaque client, y compris les problèmes de service antérieurs et toutes les communications marketing qu'il a reçues. Ils lui fournissent des informations détaillées permettant de mesurer les ventes réalisées auprès de catégories particulières de clients potentiels, de façon à pouvoir cibler ces catégories et les diriger vers les vendeurs appropriés chez les concessionnaires appropriés. Depuis que les applications de GRC ont été mises en œuvre, le taux de suivi des clients potentiels de Saab est passé de 38 à 50 % et la satisfaction de la clientèle, de 69 à 75 %.

Les systèmes de gestion des connaissances

La valeur des produits et services d'une entreprise repose non seulement sur ses ressources physiques, mais aussi sur des actifs incorporels comme les connaissances. Certaines entreprises réussissent mieux que d'autres parce qu'elles possèdent de meilleures connaissances sur la façon de créer, de produire et de livrer des produits et des services. Leurs connaissances sont exclusives, difficiles à imiter et peuvent, à long terme, se transformer en avantage stratégique. Les **systèmes de gestion des connaissances (SGC)** permettent aux organisations de mieux gérer les processus de collecte et d'application des connaissances et des compétences. Ces systèmes recueillent toutes les connaissances et expériences de l'entreprise et les mettent à disposition des utilisateurs à l'endroit et au moment où elles sont nécessaires pour soutenir les processus d'affaires et les décisions de gestion. Ils relient aussi l'entreprise à des sources de connaissances externes.

Les SGC appuient les processus d'acquisition, de conservation, de distribution et d'utilisation des connaissances, ainsi que la création de nouvelles connaissances et leur intégration dans l'organisation. Ils comprennent des systèmes de gestion et de distribution à l'échelle de l'entreprise, des documents, des graphiques et nombre d'autres outils de connaissance numériques; des systèmes permettant de créer des répertoires d'employés possédant des connaissances dans des domaines particuliers; des systèmes de bureautique pour faire circuler la connaissance et l'information; des systèmes de travail favorisant l'éclosion du savoir.

D'autres applications de gestion des connaissances font appel à des techniques «intelligentes» permettant de codifier les connaissances qui doivent être utilisées par d'autres membres de l'organisation et à des outils de découverte de connaissances qui permettent de repérer les relations importantes et les structures répétitives dans de vastes ensembles d'informations.

Nous examinons de plus près les systèmes d'entreprise et les systèmes de gestion de la chaîne logistique et de la relation client au chapitre 9 et nous traitons des applications de gestion des connaissances au chapitre 11.

Les intranets et les extranets

Les applications d'entreprise entraînent de profondes modifications dans la façon dont l'entreprise exerce ses activités, et leur mise en œuvre est souvent onéreuse. Afin de coordonner leurs activités, de nombreux services et employés différents doivent changer leur mode de fonctionnement et la façon dont ils utilisent l'information. Les sociétés qui ne disposent pas des ressources nécessaires pour investir dans les applications d'entreprise peuvent néanmoins assurer une certaine intégration des données en recourant aux intranets et aux extranets, sujet effleuré au chapitre 1.

Les intranets et les extranets sont, en fait, davantage des plateformes technologiques que des applications précises, mais ils méritent que nous les prenions en considération, car ils constituent l'un des outils dont disposent les organisations pour accroître l'intégration des données et accélérer la circulation de l'information, tant au sein de l'entreprise qu'auprès de ses clients et de ses fournisseurs. Les intranets sont des réseaux internes créés à partir des mêmes outils et selon les mêmes normes de communication qu'Internet; ils servent à la diffusion interne de l'information aux employés et jouent le rôle de référentiels des politiques, des programmes et des données de l'entreprise. Les extranets sont des intranets auxquels ont accès certains utilisateurs autorisés à l'extérieur de l'organisation. Nous décrivons plus en détail la technologie des intranets et des extranets au chapitre 7.

Un intranet est habituellement centré sur un portail qui offre un point d'accès unique aux documents et à l'information provenant de plusieurs systèmes différents à l'aide d'une interface Web. Il est possible de personnaliser ces portails de façon qu'ils répondent aux besoins en information de groupes et d'utilisateurs particuliers au sein de l'entreprise. Ils peuvent également offrir des services de courrier électronique, des outils de collaboration et des outils de consultation des systèmes et des documents internes de l'entreprise.

À titre d'exemple, l'intranet de Swiss relatif aux ventes offre aux vendeurs de l'entreprise des listes de clients potentiels, des tarifs, des statistiques, des listes de pratiques exemplaires, l'accès à des programmes d'encouragement, des groupes de discussion et des espaces de collaboration professionnelle. Il comporte également une fonction de vente de tickets à prix réduit, sous la forme d'un bulletin indiquant les sièges d'avion inoccupés partout dans le monde, que les vendeurs peuvent tenter de remplir en s'associant à leurs collègues et à des agents de voyage.

Les sociétés peuvent relier leurs intranets aux systèmes transactionnels internes, ce qui permet aux employés d'accomplir des tâches essentielles à l'exploitation de l'entreprise, comme la vérification de l'état des commandes ou l'octroi de crédit aux clients. L'intranet de Swiss, quant à lui, est rattaché à son système de réservation.

Les extranets accélèrent la circulation de l'information entre l'entreprise, ses fournisseurs et ses clients. Swiss utilise un extranet pour transmettre électroniquement aux agents de voyage des données sur ses tarifs à partir de son intranet. De son côté, GUESS Jeans permet aux magasins acheteurs de commander de la marchandise électroniquement au moyen d'ApparelBuy.com, que les acheteurs peuvent utiliser pour suivre leurs commandes durant l'exécution ou la livraison.

Les systèmes de collaboration et de communication: les emplois en «interaction» dans une économie mondiale

Compte tenu de la quantité de systèmes et d'informations, on peut se demander comment il est possible d'en faire un tout cohérent. Comment les gens qui travaillent dans les entreprises parviennent-ils à réunir ces éléments, à travailler en direction de buts communs et à coordonner les plans et les mesures? Les systèmes d'information ne peuvent prendre de décisions, ni embaucher ou congédier des employés, signer des contrats, conclure des ententes ou ajuster le prix des marchandises en fonction du marché.

Le nombre de personnes qui s'acquittent de ces tâches dans une entreprise va croissant. Dans un récent rapport, la société de conseil McKinsey affirmait qu'aux États-Unis, 41 % de la main-d'œuvre occupe des postes dans lesquels l'interaction (entretiens, courrier électronique, présentation et persuasion) est la principale activité créatrice de valeur. Les emplois de production tenus par des cols bleus ne constituent plus que 15 % de la main-d'œuvre et les emplois transactionnels (remplir des formulaires, préparer des rapports ou recevoir des paiements), 25 %. De plus, les emplois « d'interaction » sont ceux qui enregistrent la croissance la plus rapide : 70 % des nouveaux emplois créés depuis 1998 sont de ce type.

Avec la mondialisation, les entreprises ont désormais des équipes qui, partout dans le monde et dans tous les fuseaux horaires, se penchent sur les mêmes problèmes, de sorte que le besoin d'interactions et de communications constantes s'est considérablement accru. Le travail ininterrompu, 24 heures sur 24, n'est pas un problème réservé aux centres d'appels : il touche un groupe beaucoup plus vaste de cadres et d'employés que par le passé.

Les emplois comme ceux de représentant, de directeur du marketing, d'analyste boursier, d'avocat-conseil, de stratège commercial ou de directeur de l'exploitation exigent de leurs titulaires qu'ils partagent leurs informations et interagissent en permanence. Voici quelques décisions d'affaires exigeant des connaissances basées sur la collaboration et l'interaction :

- Quel prix devrions-nous demander pour ce service ?
- Quel type de rabais devrions-nous accorder à ce client, qui songe à se tourner vers un concurrent ?
- Devrions-nous signer un contrat de trois ans avec un fournisseur ou serait-il plus prudent d'opter pour un contrat d'un an ?
- Devrions-nous conclure une entente spéciale avec notre distributeur le plus important ou les traiter tous sur un pied d'égalité ?
- Devrions-nous afficher notre liste de prix sur notre site Web, à la vue de nos concurrents ?
- Dans quel domaine pourrions-nous développer de nouvelles branches d'activité ?

En général, il n'est pas possible de trouver de réponses à ces questions dans des systèmes d'information structurés comme ceux que nous avons décrits jusqu'ici dans ce chapitre. Il est vrai qu'ils aident les cadres et les employés en mettant à leur disposition des données essentielles, mais ce qu'il manque pour finaliser la décision est une interaction personnelle avec d'autres employés, cadres, fournisseurs et clients ainsi que des systèmes qui leur permettent de communiquer, de collaborer et de partager des idées.

Nous allons examiner brièvement certaines des solutions offertes par les systèmes d'information d'entreprise : environnements de collaboration faisant appel à Internet, courrier électronique et messagerie instantanée, communications par téléphone cellulaire et autres appareils mobiles,

réseautage social, wikis et mondes virtuels. Ces solutions sont explorées plus en détail dans les chapitres 7, 10 et 11.

Autrefois, ces systèmes de collaboration et de communication n'étaient pas considérés comme un élément essentiel dans le domaine des systèmes d'information, pas même pour les gestionnaires de TI. Mais les choses ont changé et notre vision des systèmes d'information s'est élargie pour englober ces outils de gestion indispensables.

Les environnements de collaboration faisant appel à Internet

Les équipes d'employés qui travaillent ensemble depuis différents endroits de la planète ont besoin d'outils pour appuyer leur collaboration. Ceux-ci leur fournissent un espace de stockage pour leurs documents, un espace distinct de celui du courrier électronique de l'entreprise pour leurs communications, des calendriers de travail collectifs et un environnement audiovisuel dans lequel ils peuvent se rencontrer en « vis-à-vis » dans le cadre d'une visioconférence (voir la session interactive sur la gestion du chapitre 1). Des produits comme Lotus Sametime d'IBM et les systèmes de cyberconférence comme WebEx, Microsoft Office Live Meeting et Adobe Acrobat Connect sont particulièrement utiles à cet égard.

Le courrier électronique et la messagerie instantanée

On estime à 210 milliards le nombre de messages électroniques légitimes envoyés chaque jour dans le monde – dont 80 milliards en provenance des États-Unis. Une personne sur six sur la planète se sert du courrier électronique. Chaque jour, quelque 12 milliards de messages instantanés sont expédiés, dont 8 milliards en provenance de réseaux d'affaires. Le courrier électronique et la messagerie instantanée ont été adoptés par les sociétés comme des outils de communication et de collaboration essentiels aux emplois d'interaction.

Les téléphones cellulaires et les téléphones intelligents

Nous décrivons, au chapitre 1, les nouvelles plateformes mobiles qui ont émergé pour coordonner les activités de l'entreprise et en assurer l'exploitation, notamment les téléphones cellulaires et les téléphones intelligents, comme le iPhone et le BlackBerry. Plus de 12 millions d'abonnés du BlackBerry utilisent ces appareils sans fil fabriqués par Research in Motion pour le courrier électronique et la messagerie électronique textuelle, la messagerie instantanée, le téléphone et les connexions sans fil à Internet. Des 300 millions d'abonnés à des téléphones cellulaires aux États-Unis, 100 millions sont des entreprises (Telecommunications Industry Association, 2008). Les téléphones cellulaires sont aujourd'hui un élément de base de l'infrastructure des télécommunications d'une entreprise au service des professionnels et autres employés dont le principal travail est d'échanger les uns avec les autres, de s'entretenir avec les clients et les fournisseurs et de discuter avec leurs supérieurs. Les téléphones cellulaires, les iPhone et les BlackBerry sont des outils numériques, et on peut emmagasiner les données issues de ces communications dans de vastes systèmes d'entreprise pour pouvoir les analyser ultérieurement ou les utiliser en cas de poursuites judiciaires.

Le réseautage social

Nous avons tous visité des sites de réseautage social comme MySpace et Facebook, qui proposent des outils permettant aux gens de partager des champs d'intérêt et d'interagir. Les sites de réseautage social comme LinkedIn.com fournissent des services de réseautage aux professionnels des affaires, tandis que d'autres sites destinés à des créneaux particuliers ont émergé pour les avocats, les médecins, les ingénieurs et même les dentistes. IBM a intégré un composant Connections dans son logiciel de collaboration Lotus pour y ajouter des éléments de réseautage social permettant aux utilisateurs d'établir des profils ou des blogues, de signaler (« taguer ») les documents qui les intéressent et d'utiliser les forums en ligne pour communiquer avec leurs collègues sur leurs centres d'intérêt et leurs projets. Les outils de réseautage social sont en train de devenir dans l'entreprise un outil de partage des idées et de collaboration entre les postes d'interaction.

Les wikis

Les wikis sont une catégorie de sites Web qui permettent aux utilisateurs de contribuer à la rédaction et à la correction de textes et de graphiques sans qu'il leur soit nécessaire de connaître les techniques d'élaboration et de programmation des pages Web. Le plus connu est Wikipédia, l'un des plus importants projets au monde dans le domaine de la collaboration à la rédaction de documentation. Ce site sans but lucratif repose sur le travail de collaborateurs bénévoles, n'accepte aucune publicité et compte 35 millions d'utilisateurs aux États-Unis seulement. Il s'agit aujourd'hui de l'encyclopédie en ligne la plus populaire au monde, avec plus de 20 % du marché de la documentation en ligne.

Les wikis sont des outils parfaits pour stocker et partager les connaissances de l'entreprise. Le fournisseur de logiciels d'entreprise SAP a installé un wiki, qui sert de source d'information aux personnes extérieures à l'entreprise, comme les clients et les concepteurs de logiciels qui créent des programmes interagissant avec le logiciel SAP. Auparavant, ces personnes pouvaient interagir sur les forums en ligne de SAP, mais ce n'était pas très efficace, car les gens avaient tendance à répéter sans cesse les mêmes questions.

Chez Intel Corporation, les employés ont bâti leur propre wiki interne en 2006. Depuis, le site a subi environ 100 000 révisions et a été consulté à plus de 27 millions de reprises par les employés d'Intel. La recherche la plus courante est celle du sens d'acronymes comme EASE (*Employee Access Support Environment*) ou POR (*Plan of Record*). Parmi les autres ressources populaires figure une page au sujet des processus de génie logiciel dans l'entreprise. Les wikis sont appelés à devenir des référentiels d'importance primordiale pour les connaissances non structurées de l'entreprise, notamment

parce qu'ils sont beaucoup moins coûteux que les systèmes de gestion des connaissances structurés et qu'ils peuvent être beaucoup plus évolutifs et à jour.

Les mondes virtuels

L'étude de cas qui clôt le chapitre 1 contient une description détaillée de Second Life, un **monde virtuel** tridimensionnel en ligne dans lequel 14 millions de « résidents » ont élu domicile en créant leurs propres représentations graphiques connues sous le nom d'avatars. Des organisations comme IBM et l'INSEAD, une école de commerce internationale ayant des campus en France et à Singapour, utilisent ces mondes virtuels pour tenir des réunions en ligne, des séances de formation et des « salons ». Les personnes réelles représentées par des avatars se rencontrent, interagissent et échangent des idées dans ces lieux virtuels. La communication revêt la forme de messages textuels semblables aux messages instantanés.

Les affaires électroniques, le commerce électronique et le cybergouvernement

Les systèmes et les technologies que nous venons de décrire transforment les relations des entreprises avec leurs clients, leurs employés, leurs fournisseurs et leurs partenaires logistiques en relations numériques faisant appel à des réseaux et à Internet. Les opérations commerciales qui passent par les réseaux numériques d'une manière ou d'une autre sont aujourd'hui si nombreuses qu'il est fréquemment question d'affaires électroniques et de commerce électronique dans ce manuel. Le terme **affaires électroniques** fait référence à l'utilisation d'Internet et d'autres technologies numériques dans tous les processus d'entreprise, notamment pour la gestion interne et la coordination avec les fournisseurs et autres partenaires commerciaux. Les affaires électroniques englobent également le **commerce électronique**, soit l'achat et la vente de produits et de services sur Internet, ainsi que les activités qui sous-tendent ces transactions commerciales, comme la publicité, le marketing, les relations clients, la sécurité, la livraison et le paiement.

Les technologies associées aux affaires électroniques ont aussi influé sur le secteur public. Toutes les instances administratives utilisent la technologie Internet pour livrer de l'information et des services aux citoyens, aux employés et aux entreprises avec lesquels elles interagissent. Le **cybergouvernement** est l'utilisation d'Internet et des technologies de réseautage pour convertir au numérique les relations de l'administration et des organismes du secteur public avec les citoyens, les entreprises et les autres branches de l'administration. En plus d'améliorer la prestation des services publics, il peut en améliorer l'efficacité et donner plus de pouvoir d'action aux citoyens en leur facilitant l'accès à l'information et en leur donnant la possibilité de développer un réseau relationnel. Par exemple, les citoyens de certaines provinces canadiennes et États américains peuvent renouveler leur permis de conduire ou produire une demande de prestations d'assurance-emploi en ligne, et le réseau Internet est devenu un puissant outil de mobilisation rapide, que ce soit pour des actions politiques ou des collectes de fonds.

2.4 LA FONCTION DES SYSTÈMES D'INFORMATION AU SEIN DE L'ENTREPRISE

Nous avons vu que, de nos jours, les entreprises ont besoin de systèmes d'information pour exercer leurs activités et qu'elles utilisent de nombreux types de systèmes différents. Mais qui est responsable de l'exploitation de ces systèmes? Qui doit s'assurer que le matériel, les logiciels et les autres technologies utilisées fonctionnent de manière appropriée et sont à jour? Les utilisateurs finaux gèrent leurs systèmes en fonction de leurs activités, mais la gestion technologique nécessite la création d'une fonction spéciale de gestion des systèmes d'information.

Dans toutes les entreprises, sauf les plus petites, le **service des systèmes d'information** est l'unité organisationnelle officiellement chargée des services liés à la technologie de l'information. Il a la responsabilité du bon fonctionnement du matériel, des logiciels, du stockage des données et des réseaux qui constituent l'infrastructure des TI de l'entreprise, que nous décrivons en détail au chapitre 5.

Le service des systèmes d'information

Le service des systèmes d'information comprend des spécialistes tels que des programmeurs, des analystes de systèmes, des directeurs de projet et des gestionnaires de systèmes d'information. Les **programmeurs** sont des techniciens hautement qualifiés qui rédigent les instructions logicielles des ordinateurs. Les **analystes de systèmes** constituent le principal lien entre les groupes de spécialistes des systèmes d'information et le reste de l'organisation. Ils ont pour tâche de traduire les problèmes et les exigences des affaires en besoins d'information et en systèmes d'information. Les **gestionnaires des systèmes d'information** sont les chefs des équipes de programmeurs et d'analystes, les directeurs de projet, les gestionnaires des installations physiques, les gestionnaires des télécommunications et les spécialistes des bases de données. S'ajoutent à ce service les superviseurs du personnel chargé des opérations informatiques et de la saisie des données. De plus, des spécialistes de l'extérieur – fournisseurs de matériel, fabricants d'ordinateurs, entreprises de logiciels et consultants – participent souvent aux activités quotidiennes et à la planification à long terme des systèmes d'information.

Dans bon nombre d'entreprises, le service des systèmes d'information est dirigé par un **chef de l'information (CI)** membre de la haute direction, qui supervise l'utilisation des technologies de l'information au sein de l'entreprise. De nos jours, les chefs de l'information sont censés posséder un solide bagage en gestion ainsi que de l'expérience dans le domaine des systèmes d'information, et on s'attend à ce qu'ils jouent un rôle prépondérant dans l'intégration de la technologie à la stratégie d'affaires de l'entreprise. Les grandes entreprises comptent aussi désormais des postes de chef de la sécurité, de chef de la gestion des connaissances et de chef de la protection des renseignements personnels, dont les titulaires travaillent tous en étroite collaboration avec le chef de l'information.

Le **chef de la sécurité** est responsable de la sécurité des systèmes d'information et de l'application de la politique organisationnelle en matière de sécurité de l'information (chapitre 8). (On appelle parfois le titulaire de ce poste « chef de la sécurité des systèmes d'information » lorsqu'on distingue la sécurité des systèmes d'information de la sécurité physique.) Le chef de la sécurité a pour mission de former et d'entraîner les utilisateurs et les spécialistes des systèmes d'information en matière de sécurité, d'informer la direction des menaces contre la sécurité ainsi que des pannes et de mettre à jour les outils et les mesures choisis pour assurer la sécurité.

La sécurité des systèmes d'information et la nécessité de protéger les renseignements personnels ont acquis une telle importance que les sociétés qui colligent de grandes quantités de données personnelles ont créé des postes de **chef de la protection des renseignements personnels**. Les titulaires de ces postes doivent s'assurer que la société se conforme aux lois existantes en la matière.

Le **chef de la gestion des connaissances** est, quant à lui, responsable des programmes de gestion des connaissances de l'entreprise. Il aide à concevoir des programmes et des systèmes visant à trouver de nouvelles sources de connaissances ou à faire une meilleure utilisation des connaissances existantes dans les processus organisationnels et de gestion.

On appelle **utilisateurs finaux** les représentants des services (à l'extérieur du groupe des systèmes d'information) auxquels les applications sont destinées. Ils jouent un rôle de plus en plus important dans la conception et l'élaboration des systèmes d'information.

Dans les premières années de l'informatique, le groupe des systèmes d'information était essentiellement composé de programmeurs qui effectuaient des tâches techniques hautement spécialisées mais limitées. Aujourd'hui, une proportion de plus en plus grande du personnel est constituée d'analystes de systèmes et de spécialistes des réseaux, et le service des systèmes d'information agit comme un puissant agent de changement dans l'organisation. Il propose de nouvelles stratégies d'affaires et de nouveaux produits et services fondés sur l'information et s'occupe à la fois du développement de la technologie et de la planification des changements.

Autrefois, il était courant que les entreprises mettent au point leurs propres logiciels et gèrent seules leurs installations informatiques. Aujourd'hui, une grande partie d'entre elles se tournent vers des fournisseurs extérieurs pour obtenir les services qu'elles obtenaient ainsi (chapitres 5 et 13) et confient au groupe des systèmes d'information les relations avec ces fournisseurs.

La structure de la fonction des systèmes d'information

Il existe de nombreux types d'entreprises et de multiples façons de structurer la fonction des systèmes d'information au sein de ces entreprises (figure 2-10). Une entreprise de taille très modeste n'aura pas de groupe qui en soit officiellement responsable : elle pourra confier à un employé la tâche de veiller au bon fonctionnement de ses réseaux et de ses applications ou avoir recours à des consultants pour assurer ces services. Mais les sociétés de plus grande envergure ont un service des systèmes d'information distinct, dont la structure peut varier en fonction de la nature et des champs d'intérêt de l'entreprise.

L'entreprise se dote parfois d'une structure décentralisée dans laquelle chaque secteur fonctionnel a son propre service et sa propre direction des systèmes d'information, relevant en général d'un cadre supérieur ou du chef de l'information. En d'autres termes, le service du marketing a son propre groupe des systèmes d'information, comme le service de production et chacune des autres fonctions de l'entreprise. Le travail du chef de l'information consiste à examiner les investissements et les décisions touchant la technologie de l'information dans les différents domaines fonctionnels. Cette structure a l'avantage que les systèmes créés répondent directement aux besoins des domaines fonctionnels. Mais, la centralisation étant faible et chaque groupe procédant à ses propres acquisitions technologiques, l'organisation court le risque que les systèmes mis sur pied soient incompatibles, ce qui augmentera les coûts.

Dans un autre type de structure, la fonction des systèmes d'information constitue un service distinct, semblable à celui des autres domaines fonctionnels, doté d'un important effectif, d'un groupe de cadres intermédiaires et de cadres supérieurs, qui revendique sa part des ressources de l'entreprise. Cette structure est celle que privilégient bon nombre de grandes entreprises. Le service central des systèmes d'information prend les décisions technologiques pour l'ensemble de l'entreprise, ce qui accroît les chances de compatibilité des systèmes et de cohérence des plans de développement des systèmes à long terme.

Enfin, les très grandes entreprises, celles qui figurent au palmarès du magazine *Fortune*, comptent de multiples divisions et gèrent plusieurs gammes de produits. Elles peuvent donc permettre à chaque division (comme celle des produits de consommation ou des produits chimiques et additifs) d'avoir son propre groupe de systèmes d'information. Mais tous les groupes relèvent du chef de l'information et d'un groupe central qui établit les normes qui s'appliquent à toute l'entreprise, centralise les achats et élabore des plans à long terme pour assurer une évolution coordonnée de la plateforme informatique de l'entreprise. Ce modèle conjugue une certaine indépendance des divisions et une certaine centralisation.

La gouvernance des TI

Jusqu'à quel point la fonction des systèmes d'information doit-elle être centralisée ? Quel pouvoir convient-il d'accorder aux fonctions de gestion des systèmes d'information et de gestion des affaires en ce qui a trait au choix des systèmes à mettre en place et à la façon de les utiliser ? Chaque organisation aura sa propre panoplie de réponses. La question de savoir comment le service des systèmes d'information doit être structuré s'inscrit plus largement dans les enjeux de **gouvernance des TI**. On appelle gouvernance des TI la stratégie et les politiques d'utilisation de la technologie de l'information au sein d'une organisation. Elle établit qui doit prendre les décisions et trace un cadre de référence en matière de responsabilité organisationnelle, de façon que l'utilisation des technologies de l'information serve les stratégies et les objectifs de l'organisation. Quelles décisions doivent être prises pour garantir que la gestion et l'utilisation des technologies de l'information sont efficaces et les investissements en TI, rentables ? De qui devraient relever ces décisions ? Comment doivent-elles être prises et contrôlées ? Telles sont les questions auxquelles les entreprises qui se sont dotées d'une gouvernance des TI de qualité supérieure auront sans nul doute réfléchi (Weill et Ross, 2004).

FIGURE **2-10** LA STRUCTURE DE LA FONCTION DES SYSTÈMES D'INFORMATION

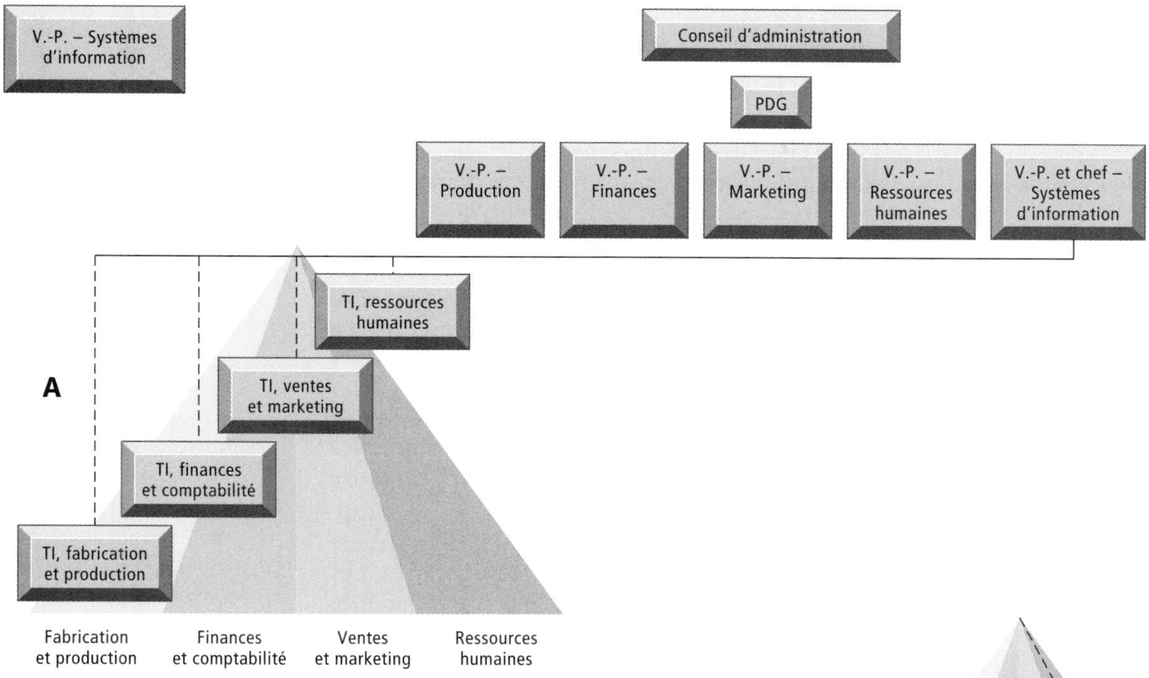

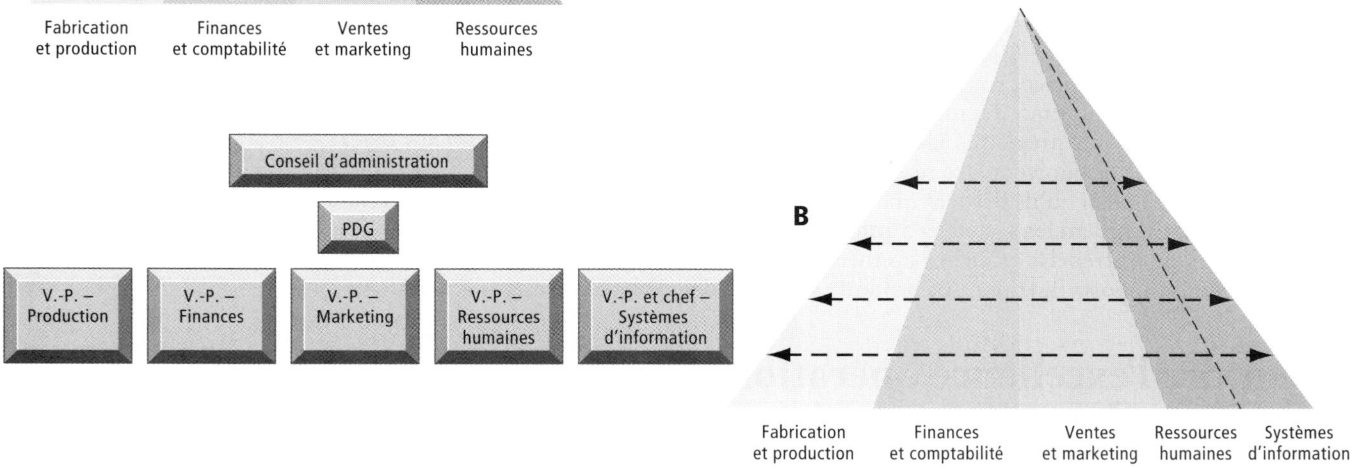

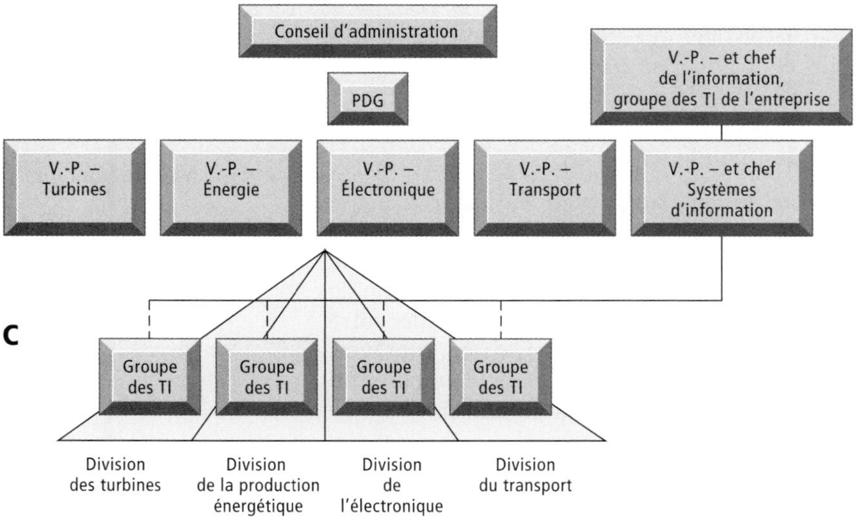

Il existe différentes façons de structurer les systèmes d'information dans une entreprise: au sein de chaque domaine fonctionnel (A), à titre de service distinct relevant d'un contrôle central (B), ou sous un contrôle centralisé, mais avec des représentants dans chacune des multiples divisions d'une grande société (C).]

Projets concrets en **SIG**

Décisions de gestion

1. Don's Lumber, sur la rive du fleuve Hudson, est l'un des plus anciens parcs de bois d'œuvre vendu au détail de l'État de New York. L'entreprise offre un vaste choix de matériaux pour les revêtements de sol, les terrasses, les moulures, les fenêtres, les parements et les couvertures. Les prix du bois et des autres matériaux de construction changent constamment. Lorsqu'un client s'enquiert du prix d'un revêtement de sol préfini, les représentants consultent manuellement un barème de prix avant de communiquer avec le fournisseur pour connaître le prix le plus récent. À son tour, celui-ci consulte manuellement une fiche de prix mise à jour quotidiennement. Il arrive souvent que le fournisseur doive rappeler les représentants de Don's parce qu'il n'avait pas en main, sur le moment, les informations sur les prix les plus récents. Évaluez l'incidence de cette situation sur l'entreprise, expliquez comment ce processus pourrait être amélioré grâce à la technologie de l'information et déterminez les décisions qui devraient être prises pour mettre une solution en œuvre. Qui devrait prendre ces décisions ?

2. Henry's Hardware est une entreprise familiale de Sacramento, en Californie. La superficie de l'établissement est limitée et le loyer a doublé au cours des cinq dernières années. Les propriétaires, Henry et Kathleen Nelson, sont contraints d'utiliser chaque mètre carré de superficie de manière aussi rentable que possible. Les Nelson n'ont jamais tenu de registre détaillé de leurs stocks ou de leurs ventes. Dès qu'un lot de marchandises arrive, les articles sont immédiatement placés sur les rayons pour être vendus. Les factures des fournisseurs ne sont conservées que pour des raisons fiscales. Lorsqu'un article est vendu, le numéro qu'il porte et son prix sont enregistrés à la caisse. Les Nelson usent de leur jugement pour déterminer les articles qui doivent être réapprovisionnés. Il arrive toutefois assez souvent qu'il leur en manque un et qu'ils perdent une vente. Quelle est l'incidence de cette situation sur l'entreprise ? Comment les systèmes d'information pourraient-ils aider Henry et Kathleen à exploiter leur entreprise ? Quelles données ces systèmes devraient-ils leur permettre de saisir ? Quels rapports devraient-ils produire ? Quelles décisions pourraient-ils améliorer ?

Atteindre l'excellence opérationnelle

Utiliser un logiciel Internet pour planifier efficacement les itinéraires de transport

Dans cet exercice, vous utiliserez le même outil logiciel en ligne que celui qu'emploient les entreprises pour tracer leurs itinéraires de transport et choisir le meilleur. Le site Web MapQuest (www.mapquest.com) offre des solutions interactives pour la planification de déplacements. Le logiciel de ce site Web peut calculer la distance entre deux points et fournir des indications routières précises pour atteindre n'importe quelle destination.

Vous venez de commencer à travailler au poste de répartiteur pour Transport Longue Distance, un nouveau service de camionnage et de livraison de Montréal, Québec. Votre premier mandat est de planifier une livraison de matériel et de mobilier de bureau en partance de Montréal (à l'angle de l'avenue Papineau et du boulevard Henri-Bourassa Est) à destination de Halifax en Nouvelle-Écosse (à l'angle de la rue Barrington et de la rue South). Pour guider votre camionneur, il vous faut connaître le meilleur parcours entre les deux villes. Utilisez MapQuest pour déterminer l'itinéraire le plus court, puis celui qui exige le moins de temps. Comparez les résultats. Quel itinéraire l'entreprise Transport Longue Distance devrait-elle choisir ?

1. Que sont les processus d'affaires ? Comment se rattachent-ils aux systèmes d'information ?

Un processus d'affaires est un ensemble d'activités ayant un lien logique entre elles, qui détermine comment les tâches précises d'une entreprise sont exécutées et qui représente la façon exclusive dont une organisation coordonne le travail, l'information et les connaissances. Les cadres doivent porter une attention particulière aux processus d'affaires : l'efficacité avec laquelle l'organisation peut exercer ses activités en dépend parce qu'ils peuvent lui donner un avantage stratégique. À chacune des principales fonctions de l'entreprise sont attachés des processus d'affaires précis, mais d'autres sont interfonctionnels. Les systèmes d'information automatisent en partie les processus d'affaires et peuvent aider les organisations à les reconfigurer et à les rationaliser.

2. Comment les cadres de différents paliers hiérarchiques utilisent-ils les systèmes d'information ?

Les systèmes dont se servent les cadres opérationnels sont les systèmes de traitement des transactions (STT), comme le système de paye ou le système de traitement des commandes, qui permettent de suivre le flux des transactions de routine nécessaires à la gestion de l'entreprise. Les cadres intermédiaires utilisent les systèmes d'information de gestion (SIG) et les systèmes d'aide à la décision (SAD). La plupart des rapports produits par les SIG compilent de l'information provenant des STT et ne sont pas hautement analytiques. Les SAD aident à prendre des décisions de gestion particulières, dont le contexte évolue rapidement, à l'aide de modèles analytiques perfectionnés et de capacités avancées d'analyse des données. Les systèmes d'information pour dirigeants (SID) assistent les cadres supérieurs en leur fournissant, souvent sous forme de graphiques et de tableaux et par l'intermédiaire de portails, des données provenant de nombreuses sources d'information internes et externes.

3. Comment les applications d'entreprise, les systèmes de collaboration et de communication et les intranets améliorent-ils la performance de l'organisation ?

Les applications d'entreprise (systèmes d'entreprise, systèmes de gestion de la chaîne logistique, systèmes de gestion de la relation client et systèmes de gestion des connaissances) sont conçues pour coordonner de multiples fonctions et processus d'affaires. Elles intègrent les principaux processus d'affaires internes d'une entreprise au sein d'un système logiciel unique afin d'en améliorer la coordination et l'efficacité et de faciliter la prise de décision. Les systèmes de gestion de la chaîne logistique aident

l'entreprise à gérer ses relations avec les fournisseurs, de manière à optimiser la planification, l'approvisionnement, la fabrication et la livraison des produits et services. La gestion de la relation client fait appel aux systèmes d'information pour coordonner tous les processus d'entreprise entourant les interactions de la société avec ses clients, de façon à optimiser à la fois les revenus de l'entreprise et la satisfaction de la clientèle. Les systèmes de gestion des connaissances permettent aux entreprises d'optimiser la création, le partage et la diffusion des connaissances. Les emplois dans lesquels l'interaction est la principale activité créatrice de valeur bénéficient des systèmes de collaboration et de communication. Les intranets et les extranets utilisent la technologie et les normes d'Internet pour rassembler l'information provenant de systèmes disparates et la présenter à l'utilisateur sous la forme d'une page Web. Les extranets permettent à des personnes extérieures d'accéder à certaines parties des intranets privés de l'entreprise.

4. Quelle est la différence entre les affaires électroniques, le commerce électronique et le cybergouvernement ?

On appelle affaires électroniques l'utilisation de la technologie numérique et d'Internet pour exécuter les processus d'affaires d'une entreprise. La notion englobe les processus d'affaires internes et les processus de coordination avec les fournisseurs et autres entités externes. Le commerce électronique est la portion des affaires électroniques qui consiste dans l'achat et la vente de produits et de services sur Internet, y compris les activités de soutien, comme le marketing et le service à la clientèle. Le cybergouvernement est l'utilisation d'Internet et des technologies de réseautage pour convertir au numérique les relations entre l'administration et les organismes du secteur public avec les citoyens, les entreprises et les autres branches de l'administration.

5. Quel est le rôle de la fonction des systèmes d'information dans l'entreprise ?

Le service des systèmes d'information est l'unité organisationnelle officiellement chargée des services liés à la technologie de l'information. Il est responsable du bon fonctionnement du matériel, des logiciels, du stockage des données et des réseaux qui constituent l'infrastructure des TI de l'entreprise. Le service regroupe des spécialistes, comme les programmeurs, les analystes de systèmes, les chefs de projet et les gestionnaires des systèmes d'information, et il est souvent dirigé par un chef de l'information.

MOTS CLÉS

QUESTIONS DE RÉVISION

1. Que sont les processus d'affaires? Comment se rattachent-ils aux systèmes d'information?
- Définissez les processus d'affaires et décrivez leurs relations avec la performance de l'entreprise.
- Décrivez la relation entre les systèmes d'information et les processus d'affaires.

2. Comment les cadres des différents paliers hiérarchiques utilisent-ils les systèmes d'information?
- Décrivez les caractéristiques des STT et le rôle qu'ils jouent dans une entreprise.
- Décrivez les caractéristiques des SIG et expliquez en quoi ils diffèrent des STT et des SAD.
- Décrivez les caractéristiques des SAD et expliquez en quoi ils diffèrent des SID.
- Décrivez la relation entre les STT, les SIG, les SAD et les SID.

3. Comment les applications d'entreprise, les systèmes de collaboration et de communication et les intranets améliorent-ils la performance de l'organisation?
- Expliquez en quoi les applications d'entreprise améliorent la performance organisationnelle.
- Définissez les systèmes d'entreprise et montrez en quoi ils modifient le mode de fonctionnement d'une organisation.

- Définissez les systèmes de gestion de la chaîne logistique et décrivez-en les avantages pour l'entreprise.
- Définissez les systèmes de gestion de la relation client et décrivez-en les avantages pour l'entreprise.
- Décrivez le rôle des systèmes de gestion des connaissances au sein de l'entreprise.
- Énumérez et décrivez les divers types de systèmes de collaboration et de communication.
- Expliquez comment les intranets et les extranets aident les entreprises à intégrer les données et les processus d'affaires.

4. Quelle est la différence entre les affaires électroniques, le commerce électronique et le cybergouvernement?
- Indiquez ce qui distingue les affaires électroniques et le commerce électronique.
- Définissez et décrivez le cybergouvernement.

5. Quel est le rôle de la fonction des systèmes d'information dans l'entreprise?
- Montrez comment les systèmes d'information soutiennent l'entreprise.
- Comparez les rôles que jouent les programmeurs, les analystes de systèmes, les gestionnaires des systèmes d'information, le chef de l'information, le chef de la sécurité et le chef de la gestion des connaissances.

SUJETS DE DISCUSSION

1. Comment les systèmes d'information pourraient-ils être utilisés à l'appui du processus d'exécution des commandes illustré à la figure 2-1? Quels sont les éléments d'information les plus importants qu'ils devraient recueillir? Expliquez votre réponse.

2. En affaires, l'adoption d'une application d'entreprise est une décision à la fois stratégique et technologique. Oui ou non? Pourquoi? Qui devrait prendre cette décision?

Avec une équipe de trois ou quatre autres étudiants de votre groupe, trouvez la description d'un gestionnaire d'entreprise en consultant une revue d'affaires (*Les Affaires*, *Business-Week*, *Forbes*, *Fortune*, *The Wall Street Journal*, etc.) ou en cherchant sur le Web. Recueillez de l'information sur son travail et sur le rôle qu'il joue au sein de l'entreprise. Déterminez à quel échelon organisationnel il travaille et quelle est sa fonction. Dressez une liste des différents types de décisions qu'il est appelé à prendre et du type d'information dont il a besoin pour prendre chacune d'entre elles. Indiquez comment les systèmes d'information pourraient lui fournir cette information. Dans la mesure du possible, utilisez Google Sites pour afficher des liens vers des pages Web, pour communiquer entre membres de l'équipe et vous répartir les tâches, pour confronter vos idées et pour travailler ensemble sur les documents du projet. Essayez d'utiliser Google Documents pour mettre au point une présentation de vos résultats destinée à la classe.

ÉTUDE DE CAS

JetBlue entre dans une zone de turbulences

En février 2000, JetBlue a commencé à voler quotidiennement à destination de Fort Lauderdale, en Floride, et de Buffalo, dans l'État de New York, en s'engageant à offrir aux clients un service hors pair à un prix abordable. La société aérienne s'était dotée de nouveaux appareils Airbus A320, avec sièges en cuir munis d'un écran de télé personnel, et son tarif moyen était de 99 $ par passager, aller simple.

Si JetBlue était en mesure d'offrir ces vols relativement luxueux, c'était grâce aux systèmes d'information qu'elle utilisait pour automatiser ses principaux processus, comme la vente des billets (principalement en ligne) et la manutention des bagages (dont des étiquettes électroniques facilitent le suivi). La société s'enorgueillissait de ces « processus sans papier ».

L'investissement de JetBlue dans la technologie de l'information lui permettait de réaliser un profit grâce à des coûts d'exploitation inférieurs de 70 % à ceux de ses concurrents de plus grande envergure. La société remplissait d'autre part un pourcentage plus élevé de ses sièges, recrutait des travailleurs non syndiqués et avait acquis une cote d'estime suffisante pour parvenir à un taux de fidélisation de la clientèle impressionnant (50 %).

Au départ, la société JetBlue n'utilisait qu'un seul type d'appareils, l'Airbus A320, qu'elle se procurait auprès d'un unique fournisseur. Aussi pouvait-elle standardiser les opérations aériennes et les procédures d'entretien de manière à réaliser de considérables économies. Et le directeur des systèmes d'information, Jeff Cohen, appliquait la même stratégie simplificatrice aux systèmes d'information.

Jeff Cohen s'est appuyé presque exclusivement sur les produits logiciels de Microsoft pour concevoir le vaste réseau des systèmes d'information de JetBlue. (Le système de réservation et les systèmes de gestion des appareils, des équipages et de la programmation sont confiés à un sous-traitant.) En ne faisant appel qu'à un seul fournisseur, l'entreprise bénéficiait d'un cadre technologique qui permettait de garder un effectif modeste et de privilégier le développement de systèmes maison plutôt que la sous-traitance et le recours à des consultants. Cette stratégie avait pour avantage de stabiliser et de cibler les dépenses en technologie. JetBlue ne consacrait ainsi que 1,5 % de ses revenus à la technologie de l'information, contre 5 % chez ses concurrents.

La stratégie de JetBlue au chapitre de la technologie contribuait à procurer aux passagers une expérience de vol agréable. En qualité de président et directeur de l'exploitation, Dave Barger avait coutume de dire : « On dit parfois que les avions sont propulsés par le carburant, mais les nôtres le sont par notre infrastructure de TI. » La société JetBlue se trouvait régulièrement en tête des sondages sur la satisfaction de la clientèle réalisés par J.D. Power and Associates et elle se targuait d'avoir appris à travailler avec frugalité et intelligence.

La question primordiale était de savoir si JetBlue serait en mesure de maintenir sa stratégie et son succès au fil de sa croissance. À la fin de 2006, l'entreprise assurait 500 vols par jour dans 50 villes différentes et son chiffre d'affaires annuel s'élevait à 2,4 milliards de dollars. Par surcroît, elle s'était engagée pour 2007 à faire l'acquisition d'un nouvel appareil toutes les cinq semaines, au coût de 52 millions de dollars chacun. Mais, malgré cette effervescence, JetBlue demeurait fidèle à sa formule éprouvée et ses clients lui étaient fidèles.

Le réveil a eu lieu le 14 février 2007, quand une violente tempête de verglas a frappé la région de New York et déclenché une suite d'événements qui ont mis en péril la réputation de JetBlue et ses relations avec la clientèle. La société a alors pris la décision fatidique de ne rien changer à son programme, croyant que ces terribles conditions météorologiques allaient s'améliorer. En général, elle évitait d'annuler des vols, car les passagers préféraient habituellement arriver en retard que de camper dans un aéroport ou de devoir prendre une chambre d'hôtel. Si son pari avait réussi, elle aurait préservé ses rentrées de fonds et fait le bonheur des clients dont le vol était prévu ce jour-là. La plupart des autres sociétés aériennes ont commencé à annuler leurs vols dès le début de la journée, estimant que c'était plus prudent, même si cela pouvait contrarier les passagers et leur faire subir des pertes.

Cette décision était la bonne. Neuf appareils de JetBlue ont quitté leur poste de stationnement à l'aéroport international John F. Kennedy et sont restés en rade sur le tarmac pendant au moins six heures. Les avions ont littéralement été congelés sur place ou se trouvaient dans l'incapacité d'avancer en raison de la glace qui recouvrait les voies d'accès, tout comme l'équipement destiné au déglaçage ou au déplacement des appareils. Dans certains cas, les passagers ont été confinés à l'intérieur des avions, parfois pendant plus de 10 heures. L'approvisionnement en nourriture et en eau s'épuisait peu à peu et les toilettes commençaient à refouler. JetBlue s'est trouvée submergée par une double crise dans ses relations publiques et ses relations avec ses clients.

Persuadée que les avions allaient être en mesure de décoller tôt ou tard, la société a trop attendu avant de demander de l'aide pour ses passagers immobilisés. Entre-temps, à cause des conditions météorologiques et des retards ou des annulations d'autres vols, les clients assaillaient son système de réservation, qui était submergé par cette offensive. Par ailleurs, bon nombre de pilotes et d'équipages de la société étaient eux aussi immobilisés, si bien qu'il leur était impossible de prendre la relève des équipages en poste. Or, bien qu'ils ne se soient rendus nulle part, ceux-ci avaient travaillé plus que le maximum d'heures autorisé sans prendre de repos. Et JetBlue ne disposait pas d'un système qui aurait permis aux équipages qui avaient

pu se reposer de communiquer avec l'entreprise pour recevoir une nouvelle affectation.

L'accumulation d'appareils et d'équipages déplacés ou fatigués a forcé JetBlue à annuler encore plus de vols le jour suivant, un jeudi. Et les annulations se sont poursuivies jour après jour pendant près d'une semaine, les vacances du President's Day laissant peu de possibilités de report. Le sixième jour, JetBlue a dû annuler 139 de ses 600 vols touchant 11 autres aéroports.

Le rétablissement final de la situation n'a guère réconforté les voyageurs qui étaient coincés à l'aéroport depuis des jours et n'avaient pu profiter des réservations qu'ils avaient faites pour leurs vacances en famille. Au total, plus de 1100 vols ont été annulés et JetBlue a perdu 30 millions de dollars. Or, le secteur de l'aviation se caractérise par de faibles marges de profit et des coûts fixes élevés, si bien que lorsque les revenus cessent de rentrer, ne serait-ce que pendant quatre jours, cela peut avoir des conséquences désastreuses sur la stabilité financière d'un transporteur.

Tout au long de la débâcle, le PDG de JetBlue, David G. Neeleman, est « monté au créneau » en reconnaissant la responsabilité de la société et en présentant ses excuses. Ses paroles ont d'ailleurs été abondamment citées. Par exemple : « Nous apprécions nos clients et nous sommes horrifiés de ce qui se passe. Nous ne nous en excuserons jamais assez. »

David Neeleman a également admis devant la presse que la gestion de Jet-Blue n'était pas suffisamment solide et que son système de communications était inadéquat. Le service chargé de l'affectation des pilotes et des équipages aux différents vols était trop restreint. Certains chefs de cabine sont restés trois jours sans pouvoir entrer en contact avec quelqu'un qui leur dise quoi faire. Compte tenu de l'interruption des communications, il était impossible de joindre les milliers de pilotes et d'agents de bord qui n'étaient pas à leur poste pour leur dire où aller.

JetBlue avait grossi trop vite, et son infrastructure et ses systèmes de TI bon marché n'étaient plus en mesure de

soutenir cette croissance. Jusque-là, la société avait réussi à économiser grâce à la rationalisation des systèmes d'information et à l'allégement du personnel. Dans des circonstances normales, cet effectif allégé suffisait à l'exécution de toutes les opérations et les systèmes informatiques fonctionnaient bien en deçà de leur capacité. La tempête de verglas a toutefois mis en évidence la fragilité de l'infrastructure : l'exécution de tâches comme le changement des réservations des passagers, la manutention des bagages et la localisation des membres d'équipage s'est alors révélée impossible.

Bien que David Neeleman ait affirmé en conférence téléphonique que les systèmes informatiques de JetBlue n'étaient pas à blâmer pour cette déconfiture, les critiques de l'entreprise ont souligné que la société ne disposait pas des systèmes appropriés pour assurer le suivi des équipages au repos et des bagages égarés. Par ailleurs, son système de réservation ne pouvait pas prendre une expansion suffisante pour répondre à un volume élevé d'appels. C'est l'entreprise Navitaire, dont le siège social se trouve à Minneapolis, qui héberge le système de réservation de JetBlue ainsi que d'une douzaine d'autres sociétés aériennes à prix réduit. Le système de Navitaire a été configuré pour servir jusqu'à 650 agents simultanément, ce qui est plus que suffisant dans des circonstances normales, et durant la crise de la Saint-Valentin, elle a réussi à faire en sorte qu'il puisse en accueillir jusqu'à 950, mais cela n'a pas suffi.

De plus, JetBlue n'a pu recruter suffisamment d'employés compétents pour assurer le service téléphonique. La société emploie environ 1500 agents de réservation dont la plupart travaillent chez eux et sont reliés au système de réservation Navitaire Open Skies au moyen d'un système de communication vocale passant par Internet. De nombreux détenteurs de billets étaient dans l'impossibilité de connaître l'état de leur vol parce que les lignes téléphoniques étaient surchargées. Certains de ceux qui téléphonaient entendaient un message qui les orientait vers le site Web de JetBlue, mais celui-ci a également cessé de répondre, incapable de gérer l'affluence, de sorte que de nombreux passagers n'avaient plus aucun moyen de savoir s'ils devaient ou non se rendre à l'aéroport.

JetBlue ne possédait pas de système informatisé pour enregistrer les bagages et retrouver les bagages égarés. La société disposait bien d'un système lui permettant de conserver des renseignements comme le nombre de valises enregistrées par un passager et les numéros d'identification des étiquettes, mais celui-ci ne pouvait enregistrer ni les bagages non récupérés ni l'endroit où ils se trouvaient. Un agent de JetBlue n'avait aucun moyen de vérifier sur son ordinateur si une valise perdue se trouvait dans le monceau de bagages non réclamés de l'aéroport où l'avion était immobilisé. Jusque-là, la direction de JetBlue n'avait pas estimé un tel système nécessaire puisqu'il suffisait au personnel de l'aéroport de consulter les listes de passagers pour savoir à qui appartenaient les bagages abandonnés. Mais avec la multiplication des annulations de vols, le processus est devenu ingérable.

JetBlue utilise plusieurs applications fournies par le sous-traitant Sabre Airline Solutions de Southlake, au Texas, pour gérer, programmer et suivre les appareils et les équipages, ainsi que pour élaborer des plans de vol. L'application FliteTrac de Sabre possède une interface avec le système de réservation Navitaire, ce qui permet aux gestionnaires de disposer d'informations sur l'état des vols, le carburant, les listes de passagers et les heures d'arrivée. L'application CrewTrac de Sabre surveille les affectations des équipages et permet aux pilotes et aux chefs de cabine d'accéder à leurs horaires par l'intermédiaire d'un portail Web sécurisé. JetBlue utilise une application Navitaire appelée Sky-Solver pour déterminer comment redéployer les appareils et les équipages en cas d'interruption d'un vol. À la Saint-Valentin, la société a cependant pu constater que SkySolver était incapable de transférer rapidement l'information aux applications Sabre de JetBlue. Et même si ces systèmes avaient bien fonctionné de concert, JetBlue aurait probablement été dans l'impossibilité de localiser tous ses équipages pour les réaffecter, puisqu'elle ne disposait d'aucun

système lui permettant d'assurer le suivi des équipages au repos et que la surcharge des lignes téléphoniques les empêchait de téléphoner au siège social pour indiquer leurs coordonnées et leurs disponibilités.

À la suite de cette expérience mortifiante, JetBlue a réagi sur plusieurs plans. Au chapitre de la technologie, la société a déployé un nouveau logiciel qui achemine des messages enregistrés aux pilotes et aux chefs de cabine pour leur demander d'indiquer leurs disponibilités. Lorsque les employés répondent à l'appel, l'information qu'ils fournissent est entrée dans un système qui stocke les données pour consultation et analyse. Du côté de la dotation en personnel, David Neeleman a promis de former 100 des employés des bureaux de la société afin qu'ils puissent servir de réserve aux services dont les ressources ont été surexploitées pendant la tempête.

JetBlue a aussi essayé de remédier aux problèmes concernant ses relations avec la clientèle et son image en élaborant une Déclaration des droits des clients spécifiant les normes s'appliquant au traitement de la clientèle et au comportement de la société elle-même. En vertu de celle-ci, JetBlue s'expose à des pénalités si elle ne parvient pas à offrir un service d'une qualité appropriée et s'engage à dédommager les clients victimes de ces manquements. Elle fixe par ailleurs à cinq heures le temps maximum de retenue des passagers dans un avion en retard. La société a aussi modifié ses principes de fonctionnement de manière à mieux s'adapter aux rigueurs de la météo.

Ces changements ont été mis à l'épreuve un mois seulement après l'incident qui les avait motivés. Aux prises avec une autre tempête de neige et de verglas dans le nord-est des États-Unis le 16 mars 2007, JetBlue a annulé 215 vols, soit environ le tiers de son programme quotidien. En annulant tôt, la direction espérait faire en sorte que ses équipages soient accessibles et disponibles au moment opportun et que les postes de stationnement sur le tarmac soient libres d'accès au cas où des appareils déjà en vol auraient à rebrousser chemin.

Après cet hiver difficile, il ne restait plus à JetBlue qu'à espérer que ses

clients fassent preuve de magnanimité et qu'elle puisse récupérer ses pertes. David Neeleman a souligné que sur les 30 millions de clients annuels de JetBlue, seuls 10 000 environ ont été touchés par l'interruption de service causée par les conditions météo, mais le 10 mai 2007, le conseil d'administration de Jet-Blue l'a relevé de ses fonctions de PDG pour lui confier un rôle de président sans pouvoir exécutif.

Dans son rapport annuel de 2008, JetBlue reconnaissait que la performance et la fiabilité de ses systèmes automatisés sont essentielles à sa capacité d'exercer ses activités et de rivaliser efficacement avec la concurrence et que son site Web et son système de réservation devaient être en mesure de faire face à un nombre élevé de demandes et de donner les renseignements importants sur les vols. Le rapport recommandait de remplacer ou d'améliorer les systèmes pour éviter que les activités ne soient touchées et soulignait que la société avait déjà mis en œuvre des mesures de sécurité, des procédures de contrôle du changement et des plans antisinistres. Mais les rapporteurs concluaient qu'ils ne pouvaient toutefois nous garantir que ces mesures suffiraient à empêcher les interruptions de service.

Comme toutes les autres sociétés aériennes, JetBlue a récemment été aux prises avec la flambée des coûts du carburant et la baisse de la demande provoquée par le ralentissement économique, une situation qui rogne ses marges de profit. La société a donc décidé de retarder la mise en œuvre des plans d'expansion de sa flotte aérienne, revu à la baisse le nombre de sièges mis en vente pour contrôler les coûts et augmenté ses tarifs. Mais, lorsque la conjoncture économique s'améliorera et que JetBlue pourra reprendre son expansion, une question demeurera : ses systèmes seront-ils à la mesure de la tâche ? Selon Liz Roche, associée dirigeante de Customers Incorporated, une société de recherche et de conseil en matière de gestion de la relation client, « JetBlue a démontré qu'elle en est encore à l'adolescence dans le transport aérien : il lui reste encore beaucoup à apprendre et elle a besoin de mûrir. »

Sources: Maurna Desmond, «JetBlue's Growth Plans in Holding Pattern», *Forbes*, 28 mai 2008; Micheline Maynard, «High Fuel Costs Are Squeezing Low Air Fares», *New York Times*, 20 juin 2008; Paulo Prada, «Low-Fare Airlines Discount Growth Patterns», *Wall Street Journal*, 19 juin 2008; JetBlue Airlines Corporation, «Form 10-K Annual Report», 21 février 2008; Doug Bartholomew et Mel Duvall, «What Really Happened at JetBlue», *Baseline Magazine*, 1er avril 2007; Susan Carey et Darren Everson, «Lessons on the Fly: JetBlue's New Tactics», *Wall Street Journal*, 27 février 2007; Eric Chabrow, «JetBlue's Management Meltdown», *CIO Insight*, 20 février 2007; Jeff Bailey, «Chief 'Mortified' by JetBlue Crisis», *New York Times*, 19 février 2007 et «Long Delays Hurt Image of JetBlue», *New York Times*, 17 février 2007; Susan Carey et Paula Prada, «Course Change: Why JetBlue Shuffled Top Rank», *Wall Street Journal*, 11 mai 2007; Coreen Bailor, «JetBlue's Service Flies South», *Customer Relationship Management*, mai 2007; Thomas Hoffman, «Out-of-the-Box Airline Carries Over Offbeat Approach to IT», *Computerworld*, 11 mars 2003.

QUESTIONS

1. Quels types de systèmes d'information et de fonctions organisationnelles sont décrits dans le cas ci-dessus?

2. Quel est le modèle d'affaires de JetBlue? Comment ses systèmes d'information le soutiennent-ils?

3. Quel problème a connu JetBlue dans ce cas? De quels facteurs liés à la gestion, à l'organisation et à la technologie découlait-il?

4. Selon ce que vous avez appris dans le chapitre 2, quels types de systèmes et de fonctions organisationnelles étaient en cause dans le problème de JetBlue?

5. Évaluez la réaction de JetBlue à cette crise. Quelles solutions la ligne aérienne a-t-elle essayées? Comment ont-elles été mises en œuvre? Croyez-vous que JetBlue a trouvé les solutions appropriées et les a mises en œuvre correctement? Quelles autres solutions aurait-elle pu tenter, selon vous?

6. Dans quelle mesure JetBlue est-elle prête à affronter l'avenir? Les problèmes décrits dans le cas ci-dessus risquent-ils de resurgir? Lesquels des processus d'affaires de JetBlue sont le plus exposés aux défaillances? Quelle sera l'utilité de la Déclaration des droits des clients?

Les systèmes d'information, les organisations et la stratégie

▶ OBJECTIFS D'APPRENTISSAGE

Après avoir étudié ce chapitre, vous pourrez répondre aux questions suivantes :

1. Quelles caractéristiques des organisations les gestionnaires doivent-ils connaître pour bâtir des systèmes d'information et les utiliser efficacement ? Quelle incidence ont les systèmes d'information sur les organisations ?

2. Comment le modèle des forces concurrentielles de Porter aide-t-il les entreprises à élaborer des stratégies concurrentielles reposant sur les systèmes d'information ?

3. En quoi les modèles de la chaîne de valeur et du réseau de valeur aident-ils les entreprises à cerner les possibilités d'application stratégique des systèmes d'information ?

4. En quoi les systèmes d'information aident-ils les entreprises à utiliser la synergie, leurs compétences fondamentales et les stratégies fondées sur le réseautage pour se doter d'un avantage concurrentiel ?

5. Quels problèmes sont associés aux systèmes d'information stratégiques et comment peut-on les résoudre ?

SOMMAIRE

EBAY PEAUFINE SA STRATÉGIE

Qui pense « eBay » pense « vente aux enchères sur Internet ». L'entreprise a été l'une des premières à prospérer dans ce domaine et s'est transformée en un gigantesque marché électronique accueillant plus de 532 000 vitrines virtuelles et présent partout dans le monde. En 2007, les places de marché d'eBay ont généré plus de 77 milliards de dollars de revenus. Des centaines de milliers de personnes subviennent à leurs besoins en vendant des produits sur eBay, et des millions d'autres l'utilisent pour arrondir leur revenu. EBay peut aujourd'hui se vanter d'avoir 83 millions d'utilisateurs en activité.

EBay tire l'essentiel de ses revenus des commissions et des honoraires associés à ses activités de vente. Une partie de ses revenus provient de la publicité directe sur le site et une autre, de fournisseurs de services en direct comme PayPal, dont l'intervention accroît la facilité et la rapidité avec laquelle peuvent être exécutées les opérations sur le site.

Encore récemment, la stratégie de croissance d'eBay était axée sur son expansion géographique et l'élargissement de son rayon d'action, ainsi que sur ses efforts permanents pour augmenter la variété et l'attrait des produits offerts sur ses sites. EBay a conçu ou acquis de nouveaux produits et services englobant toutes les activités que les gens réalisent sur Internet. Elle s'est créé un portefeuille diversifié de sociétés ayant accès à chacun des filons lucratifs d'Internet : magasinage, communication, recherche et divertissement.

PayPal, dont les services permettent à des particuliers d'échanger de l'argent par l'intermédiaire d'Internet, lui procure un revenu supplémentaire basé sur le volume des transactions. EBay fait le pari que PayPal, qui tire déjà 40 % de son chiffre d'affaires de paiements qui ne sont pas associés à eBay, va devenir le mode de règlement standard des transactions en ligne.

En 2005, eBay a fait l'acquisition de Shopping.com, un site de comparaison des prix en ligne, et de Skype Technologies, qui offre un service de communication vocale sur Internet gratuit ou à faible coût. Les marchés qu'eBay avait auparavant du mal à pénétrer, comme l'immobilier, le voyage, les ventes d'autos neuves et les pièces de collection de grande valeur, exigent davantage de communications entre acheteurs et vendeurs que celles que le site offrait jusque-là, d'où l'intérêt des communications vocales offertes par Skype.

EBay a également fait l'acquisition du site Web de revente de billets StubHub, d'une participation de 25 % dans le site des petites annonces Craigslist et de ProStores (anciennement Kurant), dont la technologie aide ses utilisateurs à créer des boutiques en ligne. Selon certains analystes, bien que bon nombre des acquisitions d'eBay semblent porter fruit, elles n'ont pas donné les effets de synergie prévus, et la stratégie de diversification de l'entreprise l'a détournée de son activité principale, les ventes aux enchères.

Mais les activités d'eBay sur le marché des enchères évoluent elles aussi. L'entreprise vend de nombreux articles à prix fixe, des ventes qui représentent déjà 40 % du chiffre d'affaires que génère la place de marché et qui croissent beaucoup plus rapidement que les enchères en ligne. Amazon.com et d'autres rivales attirent davantage d'acheteurs avec des produits à prix fixe. Pour se tourner vers ce modèle, eBay a conclu avec le géant de la vente au détail sur le Web, Buy.com, une entente visant la vente de millions de DVD, de livres, de produits électroniques et autres articles sur eBay à des tarifs inférieurs à ceux qui seraient facturés à des vendeurs individuels. En août 2008, eBay a réduit ses droits d'inscription pour tous les vendeurs offrant des articles à prix fixe dans le cadre de sa formule « Achat immédiat ».

Les petits vendeurs ont poussé les hauts cris, mais eBay soutient que le fait d'héberger des détaillants fiables qui vendent à prix fixe rend le magasinage plus accessible aux clients et plus prévisible. « Nous remettons en question certaines des

hypothèses fondamentales que nous avions formulées au sujet de nos activités commerciales »,
fait observer Stephanie Tilenius, directrice générale d'eBay pour l'Amérique du Nord. « Plutôt
que de nous attacher à être une entreprise de vente aux enchères, nous cherchons à réunir tout
ce qu'il faut pour créer la meilleure place de marché qui soit. » Le fait d'attirer des vendeurs
de grande envergure sur son site aura-t-il pour conséquence d'affaiblir la marque et l'image
de marché aux puces dynamique d'eBay et sa réputation ou lui permettra-t-il de s'implanter
dans le segment du commerce électronique qui connaît la croissance la plus rapide ? Le monde
du commerce électronique est aux aguets.

Sources : Laurie J. Flynn, « EBay Is Planning to Emphasize Fixed-Price Sales Format Over its Auction Model », *New York Times*,
20 août 2008 ; Brad Stone, « Buy.com Deal with EBay Angers Sellers », *New York Times*, 14 juillet 2008 ; « Profit Climbs for EBay,
but Auction Growth Is Slowing », *New York Times*, 17 juillet 2008 ; « EBay's Leader Moves Swiftly on a Revamping », *New York
Times*, 24 janvier 2008 ; Catherine Holahan, « EBay's Changing Identity », *Business Week*, 23 avril 2007 ; Associated Press, « EBay
Rethinks its Ways as it Enters Middle Age », consulté par l'intermédiaire de CNN.com, 18 juin 2007.

Le cas d'eBay montre comment les systèmes d'information peuvent aider les entreprises à rivaliser avec la concurrence et souligne l'interdépendance des processus d'affaires, des systèmes
d'information et de l'environnement de l'organisation. Il montre aussi combien il peut être difficile
de conserver un avantage concurrentiel.

Le schéma d'introduction met en évidence un certain nombre de points importants soulevés
par le cas d'eBay et traités dans ce chapitre. EBay a su tirer profit des possibilités qu'Internet
mettait à sa portée. Elle a agi en pionnière en lançant des enchères en ligne permettant à des
particuliers de vendre à d'autres particuliers, stratégie qui a fait d'elle l'un des premiers – et des plus
importants – détaillants présents sur Internet, où son nom demeure encore aujourd'hui synonyme
de vente aux enchères.

Cependant, eBay exerce ses activités dans un environnement qui évolue à vive allure et où les
clients peuvent aisément se tourner vers d'autres détaillants en ligne si leurs prix sont plus avantageux et leur service plus pratique. Si bien que, avec le temps, sa stratégie initiale s'est avérée
insuffisante pour assurer le maintien et la croissance de sa rentabilité. Sa part de marché a commencé
à s'effriter au profit de celle d'Amazon et d'autres détaillants en ligne offrant des avantages pratiques,
comme celui qui consiste à proposer des produits à prix fixe et à assurer un meilleur service. EBay a
donc dû ajuster continuellement sa stratégie et ses processus d'affaires pour demeurer concurrentielle.
Elle a réorienté sa stratégie en procédant à l'acquisition d'autres sociétés Internet, puis en réduisant
l'importance accordée jusque-là aux enchères en ligne au profit des ventes à prix fixe réalisées par
de grandes sociétés, comme Buy.com. Aujourd'hui eBay est devenue une vaste plateforme commerciale très diversifiée, qui permet à tout un éventail d'entreprises différentes de s'engager dans
le commerce électronique.

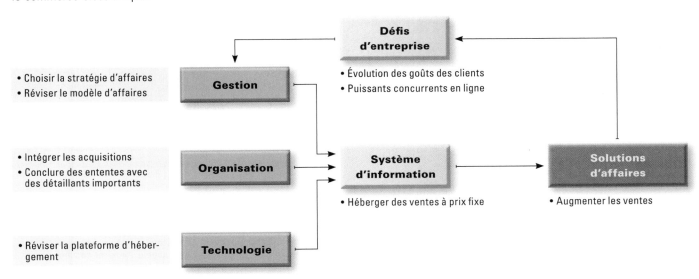

3.1 LES ORGANISATIONS ET LES SYSTÈMES D'INFORMATION

Les systèmes d'information et les organisations s'influencent les uns les autres. Au départ, les gestionnaires mettent en place des systèmes d'information pour servir les organisations, mais en retour celles-ci doivent prendre conscience de l'influence que les systèmes d'information exercent sur elles, et y être ouvertes si elles veulent pouvoir tirer profit des nouvelles technologies.

L'interaction entre la technologie de l'information et les organisations est très complexe et passe par de nombreux facteurs médiateurs, dont la structure de l'organisation, les processus d'affaires, les politiques, la culture, l'environnement et les décisions de gestion (figure 3-1). En tant que gestionnaire, vous devrez comprendre comment les systèmes d'information peuvent changer les relations de travail et les relations sociales dans votre entreprise. Vous ne pourrez réussir à concevoir de nouveaux systèmes ou à comprendre ceux qui existent si vous ne comprenez pas la façon dont vous faites des affaires.

Vous ferez partie de ceux qui décident quels systèmes seront construits, ce qu'ils feront et de quelle manière ils seront installés, et il est possible que vous ne puissiez pas prévoir toutes les conséquences de vos décisions. Certains des changements qui se produisent dans les entreprises à la suite de nouveaux investissements dans la technologie de l'information (TI) ne sont pas prévisibles et les résultats ne correspondent pas toujours aux attentes. Qui aurait pu imaginer il y a 10 ans que le courrier électronique et la messagerie instantanée prédomineraient dans le domaine des communications d'entreprise et que plus de 200 courriels inonderaient quotidiennement la boîte de réception de certains gestionnaires?

Qu'est-ce qu'une organisation?

Une **organisation** est une structure sociale stable et formelle qui extrait des ressources de son environnement et les traite pour produire des extrants. Cette définition technique met l'accent sur trois éléments de l'organisation. Le capital et le travail sont les principaux facteurs de production provenant de l'environnement, et l'organisation (l'entreprise) les transforme en produits et en services dans le cadre de sa fonction de production. Puis les produits et les services sont consommés par l'environnement en échange de la fourniture d'intrants (figure 3-2).

Une organisation est plus stable qu'un groupe informel (comme un groupe d'amis qui se rencontrent tous les vendredis pour manger ensemble) pour ce qui est de sa longévité et de ses routines. Les organisations sont des structures juridiques formelles qui possèdent un ensemble de règles et de procédures internes et doivent respecter les lois. Ce sont aussi des structures sociales, parce qu'elles sont formées d'une succession d'événements sociaux, tout comme une machine est une structure mécanique correspondant à un agencement particulier de valves, de cames, d'arbres et d'autres pièces.

Bien que cette définition soit à la fois riche et simple, elle ne donne pas une idée très précise des organisations du monde réel et ne permet pas d'en prédire l'évolution. En ce sens, la définition comportementale – selon laquelle l'organisation

FIGURE 3-1

LA RELATION BIDIRECTIONNELLE ENTRE LES ORGANISATIONS ET LA TECHNOLOGIE DE L'INFORMATION

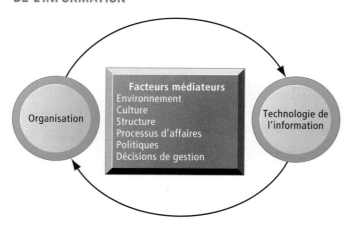

De nombreux facteurs modifient la relation bidirectionnelle complexe entre les organisations et la technologie de l'information : les décisions qui sont prises – ou non – par les gestionnaires, la culture organisationnelle, la structure, les politiques, les processus d'affaires et l'environnement.

FIGURE 3-2

LA DÉFINITION MICROÉCONOMIQUE DE L'ORGANISATION

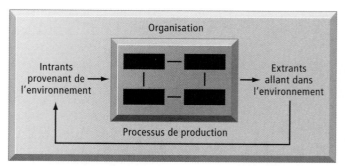

Selon la définition microéconomique de l'organisation, le capital et le travail (les principaux facteurs de production fournis par l'environnement) sont transformés par l'entreprise, au cours du processus de production, en produits et services (extrants allant dans l'environnement). Ces produits et ces services sont consommés par l'environnement qui, en retour, fournit du capital et du travail supplémentaires comme intrants.

FIGURE 3-3

LA DÉFINITION COMPORTEMENTALE DE L'ORGANISATION

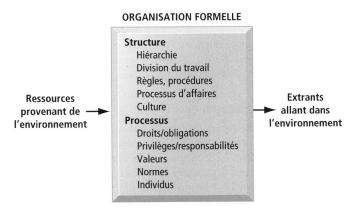

La définition comportementale de l'organisation insiste surtout sur les relations, les valeurs et les structures qui ont cours au sein du groupe.

est un ensemble de droits, de privilèges, d'obligations et de responsabilités au sein duquel un équilibre délicat s'établit pour un temps à travers les conflits et leur résolution – semble plus réaliste (figure 3-3).

Si on examine les organisations dans une perspective comportementale, on constate que les employés suivent des méthodes de travail, s'attachent aux relations qu'ils ont nouées au travail et s'arrangent avec leurs subordonnés et leurs supérieurs pour décider de la méthode et de la quantité de travail, ainsi que des conditions dans lesquelles il doit être fait. La plupart de ces arrangements et sentiments ne figurent dans aucun manuel de règlements.

Quel est le lien entre ces définitions des organisations et la technologie des systèmes d'information? Si on considère les organisations dans une perspective technique, on est porté à se concentrer sur la façon dont les intrants se combinent pour produire des extrants quand des changements technologiques ont lieu dans l'entreprise. On conçoit l'entreprise comme quelque chose de très malléable, où le capital et le travail se substituent très facilement l'un à l'autre. Mais selon la définition comportementale, plus réaliste, la construction de nouveaux systèmes d'information ou la reconstruction des anciens est beaucoup plus complexe et met en jeu bien plus qu'un simple réagencement technique des machines ou de la main-d'œuvre: certains systèmes d'information influent sur l'équilibre entre droits, privilèges, obligations, responsabilités et sentiments qui s'était établi au fil des années.

La modification de ces éléments peut prendre beaucoup de temps, avoir des effets très perturbateurs et exiger qu'on fasse appel à des ressources supplémentaires pour soutenir la formation et l'apprentissage. Le temps nécessaire pour qu'un nouveau système d'information fonctionne effectivement peut ainsi être beaucoup plus long que prévu, tout simple-

ment parce qu'une fois le système installé, il faut du temps aux employés et aux gestionnaires pour apprendre à s'en servir.

Les changements technologiques supposent des changements quant à la propriété de l'information et à son contrôle, ainsi qu'aux droits d'accès et de mise à jour. Il faut aussi savoir quelle est la personne qui doit prendre les décisions, au sujet de qui, de quand et de comment. Cette vision plus complexe oblige à analyser la façon dont le travail est conçu et dont les procédures sont utilisées pour obtenir les résultats voulus.

Les définitions technique et comportementale de l'organisation ne sont pas contradictoires mais complémentaires. La définition technique nous révèle comment, sur des marchés concurrentiels, des milliers d'entreprises combinent capital, travail et technologie de l'information. La définition comportementale, quant à elle, nous transporte à l'intérieur d'une entreprise particulière pour voir comment la technologie touche son fonctionnement interne. À la section 3.2, nous montrons comment chacune de ces définitions peut nous aider à expliquer le lien qui existe entre les systèmes d'information et les organisations.

Les caractéristiques des organisations

Toutes les organisations modernes ont certaines caractéristiques en commun, à commencer par la spécialisation et une division nettement définie du travail. Dans toutes les organisations, les spécialistes occupent un rang précis dans une hiérarchie au sein de laquelle chacun relève de quelqu'un d'autre et où son autorité est limitée à des tâches précises régies par des règles et des procédures. Ces règles engendrent un processus de prise de décision impartial et universel: tous les membres sont traités de la même manière. Les organisations tentent d'engager leurs employés et de les promouvoir en vertu de leurs qualifications techniques et de leur professionnalisme (et non en fonction de relations personnelles). Toute l'organisation est au service de l'efficacité: elle doit accroître au maximum ses extrants en utilisant une quantité limitée d'intrants. Parmi les autres caractéristiques que présentent les organisations figurent leurs processus d'affaires, leur culture organisationnelle, leurs politiques organisationnelles, leur environnement, leur structure, leurs buts, leur clientèle, leurs actionnaires et leur style de leadership. Toutes ces caractéristiques influent sur la nature des systèmes d'information qu'elles utilisent.

Les routines et les processus d'affaires

Toutes les organisations, notamment les entreprises, deviennent très efficaces avec le temps parce que les personnes qui y travaillent mettent au point des **routines** pour produire les biens et les services. Ces routines, qu'on appelle aussi *procédures standard d'opération*, sont des règles, des procédures et des pratiques qui ont été mises au point pour faire face à presque toutes les situations. Au fur et à mesure que les employés les acquièrent, ils deviennent de plus en plus productifs et efficaces, et l'entreprise peut réduire ses coûts en

FIGURE 3-4

LES ROUTINES, LES PROCESSUS D'AFFAIRES ET LES ENTREPRISES

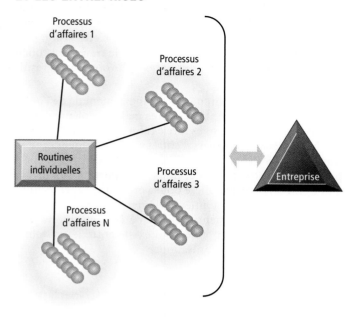

Toutes les organisations comprennent des routines et des comportements individuels qui, réunis, forment un processus d'affaires. Un ensemble de processus d'affaires constitue une entreprise. Pour que les applications d'un nouveau système d'information se traduisent par une élévation du rendement organisationnel, il faut que les routines individuelles et les processus d'affaires évoluent.

proportion. Par exemple, lorsque vous allez chez le médecin, la réceptionniste a une routine bien au point pour recueillir les renseignements de base vous concernant, les infirmières ont leurs propres routines pour vous préparer à la rencontre avec le médecin, et le médecin lui-même applique un ensemble de procédures bien rodées pour établir son diagnostic. Les « processus d'affaires », décrits aux chapitres 1 et 2, sont un ensemble de routines, et l'entreprise elle-même, un ensemble de processus d'affaires (figure 3-4).

Les politiques organisationnelles

Au sein des organisations, les gens occupent différents postes correspondant à diverses spécialités, préoccupations et perspectives. Il est donc naturel qu'ils aient des points de vue différents sur la manière dont les ressources, la rémunération et les sanctions doivent être gérées. Dans toutes les organisations, ces différences, qui ont de l'importance tant pour la direction que pour les employés, se traduisent par des luttes politiques pour les ressources et par des rivalités et des conflits. La résistance politique est l'une des grandes difficultés qu'on affronte lorsqu'on veut faire des changements organisationnels, en particulier quand il s'agit de concevoir de nouveaux systèmes d'information. Presque

tous les investissements dans des systèmes d'information importants qui engendrent des changements importants dans la stratégie, les objectifs, les processus d'affaires et les procédures acquièrent une signification politique, et les gestionnaires qui savent comment gérer cet aspect des choses réussiront mieux que les autres à mettre en place de nouveaux systèmes d'information. Tout au long de ce manuel, vous trouverez de nombreux exemples montrant comment des luttes politiques internes peuvent ruiner les meilleurs plans de mise en place de systèmes d'information.

La culture organisationnelle

Presque toutes les organisations fonctionnent sur la base de postulats inattaquables quant à leurs objectifs et à leurs produits que personne (à l'intérieur de l'entreprise) ne remet en question. La culture organisationnelle englobe cet ensemble de postulats portant sur les produits qui devraient être fabriqués, la façon de les fabriquer, le lieu où le faire et la clientèle visée. En général, ces postulats « culturels » sont considérés comme allant de soi et on les conteste rarement, que ce soit en public ou en privé. Les processus d'affaires, les méthodes que l'entreprise utilise concrètement pour produire de la valeur, sont généralement ancrés dans la culture organisationnelle.

Vous pouvez constater l'effet de la culture organisationnelle dans votre université ou dans votre collège. Voici quelques postulats immuables sur lesquels se fonde la vie universitaire : les professeurs ont plus de connaissances que les étudiants, les étudiants fréquentent l'université pour apprendre et les cours respectent un horaire régulier. La culture organisationnelle est une puissante force de cohésion qui limite les conflits politiques et qui promeut la compréhension mutuelle ainsi que les ententes sur les procédures et les pratiques communes. Si nous partageons tous les mêmes postulats culturels de base, il est vraisemblable que nous nous entendrons sur d'autres questions.

En même temps, la culture organisationnelle est une puissante force de résistance au changement, surtout technologique. Dans la plupart des organisations, on fera tout ce qui est possible pour éviter d'avoir à modifier les postulats de base. Tout progrès technique qui menace les postulats culturels acceptés par tous se heurte en général à une forte résistance. Il arrive toutefois que, pour avancer, une entreprise n'ait pas d'autre choix que d'adopter une nouvelle technologie qui s'oppose radicalement à la culture organisationnelle existante. Dans ce cas, la technologie en question restera souvent sous-utilisée jusqu'à ce que la culture ait réussi à s'ajuster.

Les organisations et leur environnement

Les organisations fonctionnent dans un environnement dans lequel elles puisent leurs ressources et auquel elles fournissent des produits et des services. Les échanges entre les organisations et leur environnement sont réciproques. D'un côté, les organisations sont ouvertes au milieu social et physique qui les entoure et en dépendent : sans ressources financières et humaines (des gens qui veulent travailler de manière fiable et continue pour un salaire établi ou le revenu que leur procurent des clients), les organisations ne pourraient exister. Elles doivent aussi respecter les exigences législatives et administratives et réagir aux actions de leurs clients et concurrents.

Les clients occupent une place importante dans l'environnement. Il en est de même du savoir et de la technologie produits par d'autres acteurs de l'environnement, qui sont achetés par l'organisation sous la forme d'une main-d'œuvre ayant un degré élevé d'instruction ou de connaissances pures (comme les bases de données ou d'autres flux d'information). D'un autre côté, les organisations peuvent modifier leur environnement. Par exemple, certaines organisations forment des alliances visant à influer sur le processus politique et la plupart font de la publicité pour pousser les consommateurs à adopter leurs produits.

La figure 3-5 montre le rôle que jouent les systèmes d'information pour aider les entreprises à percevoir les changements qui se produisent dans leur environnement et à influer sur celui-ci. Les systèmes d'information sont des outils clés pour l'*étude de l'environnement*, car ils aident les gestionnaires à détecter les changements extérieurs qui pourraient exiger une réaction de la part de l'organisation.

En général, les environnements évoluent beaucoup plus rapidement que les organisations. Les nouvelles technologies, les nouveaux produits et l'évolution constante des goûts et des valeurs des consommateurs (qui se traduisent souvent par de nouveaux règlements administratifs) exercent des pressions sur la culture, les politiques et les employés des organisations, dont la plupart sont incapables de s'adapter à une évolution rapide. L'inertie inhérente aux procédures d'exploitation normalisées, les conflits politiques causés par les changements et les menaces qui pèsent sur les valeurs culturelles empêchent les organisations de faire des changements importants. Il n'est donc pas étonnant que seules 10 % des 500 entreprises placées au premier rang par le magazine *Fortune* en 1919 existent encore aujourd'hui.

Les technologies perturbatrices: se faire porter par la vague. Il faut être très attentif à l'incidence de la technologie sur les organisations en raison de son pouvoir perturbateur. Il arrive, en effet, qu'une nouvelle technologie déclenche un véritable « tsunami », qui détruit tout sur son passage. Certaines sociétés réussissent à créer de tels tsunamis et à se faire porter par la vague pour augmenter leurs profits, d'autres apprennent rapidement à nager avec le courant, mais il y en a aussi qui disparaissent parce que leurs produits, leurs services et leurs modèles d'affaires sont désuets. Elles peuvent être très efficaces dans ce qu'elles font, mais ce n'est tout simplement plus nécessaire! Il existe aussi des circonstances dans lesquelles la technologie ne présente aucun avantage pour l'entreprise, le consommateur récoltant tous les fruits de l'innovation (les entreprises ne réussissant pas à retirer leur part de profit). L'histoire regorge d'exemples de telles **technologies perturbatrices**. Le tableau 3-1 en donne quelques exemples, soit passés soit prévisibles à court terme.

Les technologies perturbatrices sont sournoises. Même les entreprises qui les créent peuvent ne pas bénéficier de l'avantage généralement réservé au premier utilisateur si elles ne disposent pas des ressources nécessaires à leur exploitation concrète ou si l'occasion leur échappe. Beaucoup de gens considèrent que l'Altair 8800 de MITS a été le premier ordinateur personnel, mais ses inventeurs n'ont pas réussi à tirer profit du fait qu'ils étaient les premiers. D'autres entreprises, comme IBM et Microsoft, ont rapidement « sauté dans le train en marche » et récolté les fruits de leur invention. Les guichets automatiques ont révolutionné les services bancaires aux consommateurs, mais leur inventeur, la Citibank, a été rapidement imité par les autres banques; finalement, les guichets bancaires s'étant généralisés, ce sont surtout les consommateurs qui en ont bénéficié. Google n'a pas été le premier moteur de recherche, mais l'entreprise a emboîté le pas de façon innovatrice et a réussi à conserver ses droits sur le nouvel algorithme de recherche puissant, PageRank, qu'elle a mis au point. Jusqu'à maintenant, elle est parvenue à maintenir sa position de chef de file, alors que le marché de la plupart des autres moteurs de recherche s'est peu à peu amenuisé.

La structure organisationnelle

Les organisations ont toutes une structure ou une forme. La classification de Mintzberg, présentée au tableau 3-2, en distingue cinq types.

Le genre de systèmes d'information qu'on trouve dans une entreprise – et la nature des problèmes liés à ces systèmes –

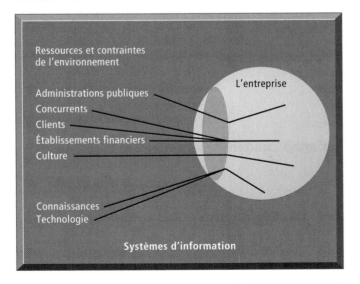

Leur environnement détermine ce que les organisations peuvent faire, mais les organisations peuvent en retour influer sur celui-ci et décider de le changer. La technologie de l'information aide grandement les organisations à percevoir les changements qui se produisent dans leur environnement et à y réagir.

TABLEAU 3-1 LES TECHNOLOGIES PERTURBATRICES : GAGNANTS ET PERDANTS

TECHNOLOGIES	DESCRIPTION	GAGNANTS ET PERDANTS
Puces de microprocesseurs (1971)	Des milliers, puis des millions de transistors sur une puce de silicium	Les entreprises de micro-ordinateurs (Intel, Texas Instruments) en bénéficient, tandis que les fabricants de transistors (GE) déclinent.
Ordinateurs personnels (1975)	Petits ordinateurs de bureau peu coûteux tout en étant parfaitement fonctionnels	Les fabricants d'ordinateurs personnels (HP, Apple, IBM) et de puces (Intel) prospèrent, tandis que les fabricants d'ordinateurs centraux (IBM) et de mini-ordinateurs (DEC) perdent du terrain.
Logiciel de traitement de texte pour ordinateur personnel (1979)	Logiciel économique d'édition et de mise en forme du texte, de capacité limitée mais fonctionnel, pour les ordinateurs personnels	Les fabricants d'ordinateurs personnels et de logiciels (Microsoft, HP, Apple) prospèrent, tandis que l'industrie des machines à écrire disparaît.
Web (1989)	Base de données mondiale contenant des « pages » et des fichiers numérisés, auxquels il est possible d'accéder instantanément	Les propriétaires de contenu et de nouvelles en ligne bénéficient de la technologie, alors que les éditeurs traditionnels (journaux, magazines et diffuseurs télé) perdent du terrain.
Services de musique en ligne (1998)	Musique pouvant être téléchargée sur le Web avec une fidélité acceptable	Les propriétaires de collections musicales en ligne (MP3.com, iTunes), les fournisseurs de services de télécommunication qui possèdent un réseau fédérateur Internet (ATT, Bell) et les fournisseurs locaux de services en ligne bénéficient de la technologie, alors que les producteurs de disques et les détaillants de musique (Tower Records) y perdent.
Algorithme PageRank	Méthode de classement des pages Web en fonction de leur popularité en complément des recherches par mots clés sur le Web	Google en est le principal bénéficiaire (le brevet lui appartient), tandis que les moteurs de recherche par mots clés traditionnels (Alta Vista) y perdent.
Logiciels-services sur le Web	Utilisation d'Internet pour assurer l'accès à distance à des logiciels en ligne	Les sociétés de logiciels-services (Salesforce.com) en bénéficient, tandis que celles qui vendent des logiciels traditionnels « en boîte » (Microsoft, SAP, Oracle) y perdent.

est souvent le reflet du type d'organisation. Par exemple, dans une bureaucratie professionnelle comme celle d'un hôpital, il n'est pas rare de trouver des systèmes parallèles pour la tenue des dossiers des patients, le premier étant exploité par l'administration, le deuxième par les médecins et un troisième par les autres intervenants, comme les infirmières et les travailleurs sociaux. Il arrive souvent que, dans certaines entreprises de petite taille, on trouve des systèmes mal conçus, édifiés à la hâte et qui s'avèrent vite dépassés. Enfin, dans les grandes entreprises comportant de nombreuses divisions, ayant des bureaux et des usines dans des centaines d'endroits, on trouve souvent non pas un, mais plusieurs systèmes d'information, chaque division ou installation possédant son propre ensemble de systèmes.

Les autres caractéristiques des organisations

Les buts poursuivis et les moyens utilisés pour les atteindre diffèrent d'une entreprise à l'autre. Certaines organisations (comme les prisons) ont des buts coercitifs et d'autres (comme les entreprises), des buts utilitaires ou encore normatifs (universités, groupes religieux). En outre, les organisations sont au service de groupes différents : certaines servent d'abord leurs membres, d'autres leurs clients, leurs actionnaires ou le public. La nature du leadership diffère aussi grandement d'une organisation à l'autre : certaines organisations sont plus démocratiques ou autoritaires que d'autres. Les organisations diffèrent encore par les tâches qu'elles exécutent et la technologie qu'elles utilisent. L'acti-

TABLEAU 3-2 **LES STRUCTURES ORGANISATIONNELLES**

TYPE D'ORGANISATION	DESCRIPTION	EXEMPLES
Structure entrepreneuriale	Petite entreprise récemment créée dans un environnement qui évolue rapidement. Elle est dotée d'une structure simple et gérée par un entrepreneur qui en est le président-directeur général.	Petite entreprise en phase de démarrage
Bureaucratie mécaniste	Imposante bureaucratie s'inscrivant dans un environnement qui évolue lentement et fabriquant des produits standard. Elle est dirigée par une équipe de direction centralisée et fonctionne selon un processus décisionnel centralisé.	Entreprise de fabrication de taille moyenne
Bureaucratie multidivisionnelle	Combinaison de plusieurs bureaucraties mécanistes fabriquant chacune des produits ou services différents, et toutes dirigées à partir du même siège social.	Entreprises du groupe «Fortune 500», comme General Motors
Bureaucratie professionnelle	Organisation fondée sur la connaissance, dont les produits et les services dépendent de l'expérience et du savoir de professionnels. Elle est dirigée par des directeurs ou des chefs de service et l'autorité centrale y est faible.	Bureaux d'avocats, établissements scolaires, hôpitaux
Structure ad hoc	Structure d'intervention qui doit réagir dans un environnement qui évolue rapidement. Elle est formée de larges groupes de spécialistes organisés en équipes multidisciplinaires dont le mandat est de courte durée. L'administration centrale est faible.	Sociétés d'experts-conseils

vité de certaines consiste principalement à effectuer des tâches routinières pouvant être réduites à des règles formelles et requérant peu de jugement (comme la fabrication de pièces d'auto), alors que d'autres (comme les sociétés d'experts-conseils) effectuent avant tout des tâches non routinières.

3.2 LES EFFETS DES SYSTÈMES D'INFORMATION SUR LES ORGANISATIONS ET LES ENTREPRISES

Les systèmes d'information sont devenus des outils interactifs complets et reliés à Internet, qui participent étroitement, à tout instant, aux opérations et aux décisions des grandes organisations. Au cours de la dernière décennie, les systèmes d'information ont modifié en profondeur l'économie des entreprises et augmenté considérablement les possibilités d'organisation du travail. Certaines théories et certains concepts empruntés à l'économie et à la sociologie permettent de mieux comprendre ces changements.

Les effets économiques

Du point de vue économique, la TI modifie les coûts relatifs à la fois au capital et à l'information. On peut considérer la technologie des systèmes d'information comme un facteur de production qui peut remplacer le capital et la main-d'œuvre traditionnels. Au fur et à mesure que ses coûts chutent, elle remplace la main-d'œuvre, dont les coûts ont toujours été en constante augmentation. Par conséquent, la TI devrait entraîner une diminution du nombre de cadres intermédiaires et d'employés de bureau en faisant le travail à leur place.

La diminution des coûts de la TI lui permet aussi de remplacer d'autres types d'immobilisations, comme les bâtiments et la machinerie, qui restent relativement coûteuses. On peut donc s'attendre à ce qu'avec le temps, les investissements en TI augmentent, son coût relatif diminuant par rapport aux autres formes d'investissement en capital.

La TI influe aussi de manière évidente sur le coût et la qualité de l'information et en transforme l'économie. Elle permet aux entreprises de réduire leur taille, puisqu'elle peut faire diminuer les coûts de transaction, c'est-à-dire les coûts de l'achat, sur le marché, de biens ou de services que l'entreprise ne peut fabriquer elle-même. D'après la **théorie des coûts de transaction**, les entreprises et les particuliers cherchent à économiser sur les coûts de transaction autant que sur les coûts de production. Le recours aux marchés coûte cher (Coase, 1937; Williamson, 1985) à cause de la nécessité de trouver les fournisseurs et de communiquer avec eux, mais aussi parce qu'il faut voir à ce que les contrats soient respectés, acheter des assurances, se renseigner sur les produits, etc. Dans le passé, les entreprises tentaient de réduire leurs coûts de transaction en ayant recours à l'intégration verticale, en grossissant, en engageant plus d'employés ou en rachetant leurs propres fournisseurs et distributeurs, comme l'ont fait, par exemple, General Motors et Ford.

La TI, en particulier l'utilisation de réseaux, peut aider les entreprises à réduire les coûts associés à leur présence sur le marché (coûts de transaction) de sorte qu'il devienne avantageux pour elles de faire affaire avec des fournisseurs extérieurs plutôt que d'utiliser leurs ressources internes.

En se servant de liens informatiques pour communiquer avec ses fournisseurs, la société Chrysler peut ainsi faire des économies en se procurant plus de 70 % de ses pièces chez des fournisseurs extérieurs. Et des entreprises telles que Cisco Systems et Dell Computer peuvent externaliser leur production en la confiant à des fabricants tels que Flextronics, plutôt que de fabriquer elles-mêmes leurs produits.

Comme le montre la figure 3-6, au fur et à mesure que les coûts de transaction diminuent, la taille de l'entreprise (le nombre d'employés) diminue également, car il lui devient plus facile et moins coûteux d'acheter des biens et des services sur le marché que de les produire elle-même. La taille de l'entreprise peut ainsi rester constante ou diminuer, même si ses revenus augmentent. Par exemple, lorsque Eastman Chemical s'est séparée de Kodak, en 1994, elle avait des revenus de 3,3 milliards de dollars et comptait 24 000 employés à temps plein. Or, en 2007, elle affichait un chiffre d'affaires de 6,8 milliards de dollars avec 11 000 employés seulement.

La TI peut également contribuer à réduire les coûts de gestion interne. Selon la **théorie de l'agence**, l'entreprise est plutôt un lieu où se négocient des contrats entre parties ayant des intérêts divergents qu'une entité unifiée cherchant à maximiser ses profits (Jensen et Meckling, 1976). Un com-mettant (le propriétaire) retient les services d'« agents » (les employés) pour effectuer, en son nom, une certaine quantité de travail. Cependant, il lui faut constamment superviser ces agents, qui, autrement, pourraient agir en fonction de leurs intérêts personnels plutôt que de ceux des propriétaires. Au fur et à mesure qu'une entreprise prend de l'expansion et de l'envergure, les coûts d'agence ou de coordination augmentent, car les propriétaires doivent consacrer de plus en plus d'efforts à la supervision et à la direction des employés.

En réduisant les coûts liés à l'acquisition et à l'analyse de l'information, la TI permet aux organisations d'abaisser leurs coûts d'agence, car il devient alors plus facile pour les gestionnaires de superviser un plus grand nombre d'employés. Comme le montre la figure 3-7, en faisant diminuer les frais de gestion, la TI augmente les revenus des entreprises tout en réduisant le nombre de cadres intermédiaires et d'employés de bureau. Certains exemples des chapitres précédents nous ont montré que la TI augmentait la puissance et l'envergure des petites entreprises en leur permettant d'effectuer des activités de coordination, comme le traitement des commandes ou le contrôle des stocks, avec un nombre restreint d'employés de bureau et de gestionnaires.

Comme la TI réduit à la fois les coûts de transaction et les coûts d'agence, on peut s'attendre à ce qu'à l'avenir, la taille des entreprises diminue avec l'augmentation des capitaux investis en TI. Les entreprises devraient alors compter moins de gestionnaires et le revenu par employé devrait augmenter.

FIGURE 3-6

LES EFFETS DE LA TI SUR L'ORGANISATION : LA THÉORIE DES COÛTS DE TRANSACTION

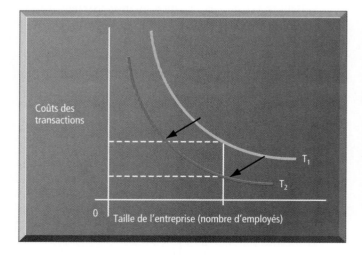

Autrefois, les entreprises prenaient de l'expansion pour réduire leurs coûts de transaction. Mais la TI permet à une entreprise d'abaisser ses coûts et, donc, d'augmenter ses revenus sans avoir à prendre de l'expansion, voire en diminuant de taille.

FIGURE 3-7

LES EFFETS DE LA TI SUR L'ORGANISATION : LA THÉORIE DES COÛTS D'AGENCE

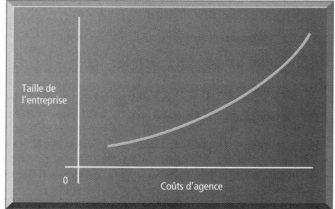

Autrefois, lorsqu'une entreprise prenait de l'expansion et devenait plus complexe, ses coûts d'agence tendaient à augmenter. Mais la TI permet aux gestionnaires de superviser un plus grand nombre d'employés, ce qui fait baisser les frais de gestion (frais d'agence). Les entreprises peuvent réduire leur encadrement sans diminuer leurs revenus pour autant parce que cet encadrement devient plus efficace.

Les effets sur l'organisation et sur les comportements

Les théories fondées sur la sociologie des organisations complexes fournissent aussi certaines explications concernant la manière dont les entreprises changent après la mise en place de nouvelles applications de TI et sur les raisons de ces changements.

L'aplanissement de la hiérarchie

Les grandes organisations bureaucratiques, généralement mises en place avant l'ère de l'informatique, sont souvent inefficaces, lentes à adopter les changements et moins concurrentielles que les nouvelles. Certaines d'entre elles ont diminué de taille, réduisant leurs effectifs et le nombre de paliers hiérarchiques.

Les chercheurs qui étudient les comportements ont élaboré une théorie expliquant que la technologie de l'information permet d'aplanir les hiérarchies en élargissant la distribution de l'information, ce qui confère plus d'autorité aux employés des paliers inférieurs et améliore l'efficacité de la gestion (figure 3-8). La TI abaisse ainsi la frontière de la prise de décision, les employés des échelons inférieurs disposant de l'information nécessaire pour prendre des décisions sans supervision. (Une autre raison de ce mouvement est la hausse du degré de scolarité qui permet aux employés de prendre des décisions plus éclairées.) Et comme les gestionnaires reçoivent en temps voulu des informations beaucoup plus précises, ils peuvent prendre leurs décisions beaucoup plus rapidement, si bien qu'ils peuvent être moins nombreux. Les coûts de gestion diminuent par rapport aux revenus, et la hiérarchie devient beaucoup plus efficace.

Ces changements ont aussi élargi la portée du contrôle des gestionnaires, ce qui permet aux cadres supérieurs de diriger un plus grand nombre d'employés sur de plus grandes distances. De nombreuses entreprises ont ainsi pu éliminer des milliers de postes de cadres intermédiaires.

Les organisations postindustrielles

Les théories de la société postindustrielle, qui se fondent plus sur l'histoire et sur la sociologie que sur l'économie, appuient également l'idée que la TI devrait aplanir les hiérarchies. Dans les sociétés postindustrielles, l'autorité dépend plus des connaissances et des compétences que du poste occupé. C'est pourquoi la hiérarchie s'aplanit, les professionnels tendant à s'autogérer, et la prise de décision se décentralisant au fur et à mesure que les connaissances et l'information sont plus largement diffusées au sein des organisations (Drucker, 1988).

La TI peut conduire à la création d'organisations fondées sur des équipes de professionnels travaillant en réseau et se réunissant – en personne ou par voie électronique – pour de courtes périodes en vue d'accomplir des tâches précises (par exemple, concevoir une nouvelle automobile). Une fois la tâche accomplie, ils se joignent à d'autres équipes de travail. Le service international de conseillers Accenture en est un exemple. Bon nombre de ses 186 000 employés se déplacent

FIGURE 3-8

L'APLANISSEMENT DE LA HIÉRARCHIE DANS LES ORGANISATIONS

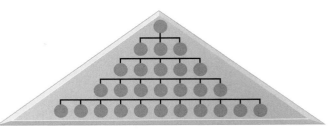

Une organisation hiérarchique traditionnelle comportant plusieurs paliers de gestion

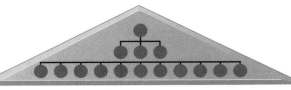

Une organisation « aplanie » grâce à l'élimination de certains paliers de gestion

Les systèmes d'information permettent de réduire le nombre de paliers hiérarchiques d'une organisation en fournissant aux gestionnaires les renseignements nécessaires pour superviser un plus grand nombre d'employés et en conférant plus d'autorité décisionnelle aux employés des paliers inférieurs.

d'un endroit à l'autre pour travailler à des projets directement chez les clients, et ce, dans 49 pays différents.

Qui doit s'assurer que les équipes autogérées travaillent dans la bonne direction? Qui choisit qui travaille dans une équipe et pendant combien de temps? Comment les gestionnaires peuvent-ils évaluer le rendement d'une personne qui passe constamment d'une équipe à l'autre? Comment les employés peuvent-ils savoir comment leur carrière va évoluer? De nouvelles approches sont nécessaires pour évaluer les employés, organiser leur travail et les informer. De plus, toutes les entreprises ne sont pas en mesure de rendre le travail virtuel efficace.

La résistance au changement

Les systèmes d'information en viennent forcément à dépendre de la politique organisationnelle, car ils influent sur l'accès à une ressource clé: l'information. Ils peuvent également modifier les tâches qu'effectuent les employés, le moment et l'endroit où ils les exécutent ainsi que la façon dont ils les accomplissent. Quantité de nouveaux systèmes d'information exigent l'adoption de routines qui peuvent paraître pénibles aux personnes concernées, car ils demandent un surcroît de formation et d'efforts pour lesquels elles ne sont pas toujours rémunérées. Comme ces nouveaux systèmes peuvent modifier la structure, la culture, les politiques et le travail de l'organisation, leur implantation provoque souvent une forte résistance.

FIGURE 3-9

LA RÉSISTANCE ORGANISATIONNELLE ET L'ADAPTATION MUTUELLE DE LA TECHNOLOGIE ET DE L'ORGANISATION

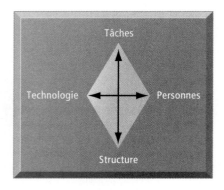

La mise en place des systèmes d'information a des conséquences sur l'aménagement des tâches, sur les structures et sur les personnes. D'après le modèle illustré ci-dessus, il faut, pour faire des changements, modifier simultanément les quatre éléments.

Source : Leavitt, 1965.

Il existe différentes façons de représenter la résistance organisationnelle. Leavitt (1965) a utilisé la forme du losange pour illustrer la relation d'adaptation mutuelle entre la technologie et l'organisation (figure 3-9). Dans ce modèle, les changements technologiques sont absorbés, déviés et ruinés par l'aménagement des tâches, par les structures et par les personnes en cause, et la seule façon de les concrétiser consiste à modifier simultanément la technologie, les tâches, la structure et les personnes. D'autres auteurs suggèrent de «débloquer» l'organisation avant de lancer une innovation, de la mettre en œuvre rapidement et de «rebloquer» l'organisation (institutionnaliser le changement) ensuite (Alter et Ginzberg, 1978; Kolb, 1970).

Compte tenu de la force de la résistance organisationnelle au changement, il est fréquent que les investissements dans la TI s'embourbent et n'améliorent pas la productivité. De fait, les recherches portant sur les échecs encourus dans la mise en œuvre de projets montrent que la principale raison pour laquelle les projets de grande envergure ne parviennent pas à atteindre leurs objectifs n'est pas d'ordre technologique, mais découle plutôt de la résistance organisationnelle et politique au changement. (Cette question est traitée en détail au chapitre 14.) Lorsqu'un gestionnaire veut investir en TI, il doit donc non seulement posséder des connaissances techniques, mais aussi être capable de travailler avec les employés et les organisations.

Internet et les organisations

Internet, et surtout le Web, a des effets importants sur les relations de nombreuses entreprises avec des entités externes, et même sur l'organisation de leurs processus internes. Internet améliore non seulement l'accès à l'information et aux connaissances, mais aussi leur stockage et leur diffusion au sein des organisations. Pour l'essentiel, Internet permet de réduire considérablement les coûts de transaction et d'agence de la plupart des organisations. Par exemple, les entreprises de courtage et les banques peuvent maintenant envoyer leurs manuels de procédures internes à des employés qui travaillent dans des établissements éloignés en les affichant sur leur site Web, ce qui leur permet d'économiser des millions de dollars de frais de distribution. Une équipe de vente internationale peut obtenir presque instantanément les mises à jour des prix et des produits sur le Web, ou des consignes de la direction par courrier électronique. Les fournisseurs de certains grands détaillants peuvent accéder directement à leurs sites Web internes pour connaître instantanément l'état des ventes et organiser le réapprovisionnement.

De plus en plus d'entreprises modifient certains de leurs processus d'affaires clés en s'appuyant sur la technologie d'Internet, dont ils font une composante essentielle de leur infrastructure de TI. Si on se fie aux réseaux existants, il en découlera une simplification des processus d'affaires, une diminution du nombre d'employés et un aplanissement des structures hiérarchiques.

Les conséquences pour la conception et la compréhension des systèmes d'information

Pour produire de réels bénéfices, les systèmes d'information doivent être basés sur une bonne connaissance de l'organisation qui les utilisera. L'expérience montre que les principaux facteurs organisationnels dont il faut tenir compte dans la planification d'un nouveau système sont :

- l'environnement dans lequel l'organisation doit fonctionner ;
- la structure de l'organisation : hiérarchie, spécialisation, routines et processus d'affaires ;
- la culture et les politiques de l'organisation ;
- le type d'organisation et son style de leadership ;
- les principaux groupes d'intérêts touchés par le système et l'attitude des employés qui vont l'utiliser ;
- le type de tâches, de décisions et de processus d'affaires que doit soutenir le système.

Lorsque vous lirez la session interactive sur la gestion, rappelez-vous ce que vous venez d'apprendre au sujet de la relation entre la technologie de l'information et les organisations. Quelles sont les caractéristiques organisationnelles qui expliquent pourquoi certaines nouvelles technologies n'ont pas été aussi utiles qu'on l'avait espéré pour aider les soldats au cours des combats ? En quoi la compréhension de cette relation a-t-elle amélioré l'efficacité du système TIGR (Tactical Ground Reporting) ?

LA TECHNOLOGIE PEUT-ELLE SAUVER LA VIE DES SOLDATS EN IRAK ?

Il est peu de domaines dans lesquels la nécessité de systèmes d'information efficaces est plus évidente que celui de la guerre. La déficience des communications et l'inefficacité des systèmes n'y ont pas pour seule conséquence des pertes financières, elles mettent les soldats en danger et accroissent le risque qu'ils soient blessés ou tués. Bien que l'armée des États-Unis ait réalisé d'énormes progrès technologiques au cours des récentes années, bon nombre de ces nouvelles technologies n'ont pas pour autant permis d'améliorer la sécurité et l'exactitude des informations dans les zones de combat. Certaines des difficultés de la lutte anti-insurrectionnelle en Irak illustrent ces lacunes.

Au moment où elle s'est engagée dans la guerre en Irak, l'armée des États-Unis jouissait de nombreux avantages technologiques, parmi lesquels une capacité de transmission de données 42 fois plus rapide que pendant la guerre du Golfe, une pléthore de technologies de détection (de mouvement et de chaleur, par exemple) et d'écoute électronique ainsi qu'un système perfectionné de repérage de véhicules par satellite, le Blue Force Tracker, qui permet de localiser les unités et de leur envoyer des courriels. La technologie dont disposaient les forces ennemies n'avait rien de comparable.

Mais, malgré ces avantages appréciables sur le plan de la collecte de l'information, les méthodes utilisées par les militaires pour la transmettre présentaient de graves lacunes. Bien souvent, les renseignements relatifs aux mouvements ennemis et à l'importance de leurs troupes ne parvenaient pas aux officiers qui se trouvaient sur le terrain malgré la profusion de technologies disponibles.

Pourquoi cela ? D'abord, la technologie elle-même était souvent moins efficace qu'on l'avait promis. Les unités se trouvaient fréquemment hors de portée des relais de communication à haute capacité, et les communications mobiles étaient entravées par la lenteur des débits de réception, des bogues logiciels et des blocages pouvant parfois durer jusqu'à 10 ou 12 heures consécutives. De plus, pour transmettre des données, les unités devaient rester stationnaires pendant l'envoi et la réception, ce qui les rendait vulnérables aux attaques.

L'organisation des forces militaires et de la chaîne de commandement a aussi joué un rôle dans cette situation. Des experts militaires soulignent que le type de réseautage utilisé pendant la guerre d'Irak était inadéquat parce qu'il se greffait à des processus de commandement et de contrôle vétustes, conçus pour diriger les forces à très vaste échelle contre des troupes conventionnelles. L'information saisie par les capteurs remontait d'abord la chaîne de commandement, ensuite les dirigeants l'interprétaient et prenaient les décisions, puis leurs ordres et les données pertinentes redescendaient la chaîne. Il y avait donc des délais et des lacunes dans la transmission de l'information aux officiers qui se trouvaient en première ligne.

Cette stratégie ne convenait pas aux conditions de la guerre en Irak. La guerre d'Irak et l'occupation subséquente consistaient principalement en opérations contre de petits groupes armés. Or, les insurgés communiquent horizontalement, sans structure hiérarchique, ce qui leur permet de faire circuler l'information avec rapidité et efficacité. Ils déterminent leur prochain mouvement en échangeant des informations entre combattants de même palier plutôt que de dépendre d'informations qui remontent et redescendent de longues chaînes de commandement. Les opérations comme celles de la guerre d'Irak sont mieux adaptées à une forme d'organisation militaire décentralisée, dans laquelle de petites équipes de soldats organisées en réseau sur la ligne de front peuvent échanger librement de l'information entre elles. Les soldats engagés dans la bataille collectent les données, se les communiquent, prennent des décisions et lancent des frappes contre l'ennemi. Cette même stratégie a été utilisée à très bon escient par les forces armées américaines en Afghanistan.

Pour lutter plus efficacement contre l'ennemi en Irak, l'armée des États-Unis a finalement décidé d'utiliser une stratégie similaire. L'une des plus prometteuses des nouvelles technologies horizontales est le système TIGR (Tactical Ground Reporting), une application élaborée par la Defense Advanced Research Projects Agency (DARPA) et actuellement utilisée en Irak.

On peut décrire le système TIGR comme un croisement entre Google Maps et Wikipédia, grâce auquel les soldats peuvent accéder à de l'information sur les personnes, les lieux et les activités, et la diffuser. L'application est axée sur des cartes que les chefs de patrouille peuvent examiner et réviser. Des icônes et des listes cliquables affichent les principaux lieux clés et l'information qui y est associée, comme les photos et les antécédents des leaders locaux, des vidéos des endroits dangereux ou sûrs et les rapports des patrouilles précédentes. L'application peut s'adapter à tout un éventail de médias : enregistrements vocaux, photos numériques et information fournie par un **système de positionnement GPS**. Selon la DARPA, elle permet d'enregistrer et de surveiller efficacement des personnes, des lieux et des activités insurrectionnelles.

Les deux principaux enjeux associés au déploiement du système TIGR ont été de mettre au point une méthode permettant de synchroniser les copies d'un même jeu de données situées dans de nombreuses zones différentes alors qu'un chef de patrouille de retour sur les lieux pouvait modifier n'importe laquelle d'entre elles, et de communiquer aux soldats une variété de données multimédias sans surcharger le système. La mise en place d'un réseau qui répartit minutieusement la bande passante a aidé à résoudre ce problème.

Le site Web de la DARPA décrit ainsi les trois principaux avantages du TIGR : le système favorise la connaissance des lieux grâce à la collecte et à l'organisation des données essentielles sur les infrastructures, les points d'intérêt et le terrain ; les cartes servent à la fois d'interface standard et d'aide à la navigation, et les officiers de patrouille peuvent enregistrer des événements aussi particuliers que des rencontres avec les leaders locaux. Le TIGR est adapté aux infrastructures dynamiques des environnements de combat et permet aux utilisateurs de mettre aisément les données à jour. Enfin, il facilite le processus de rotation des unités. Le système peut être utilisé pour mettre rapidement les nouvelles unités au courant des principales données historiques et contextuelles à mesure qu'elles se succèdent dans une zone donnée, une opération qui exigeait auparavant des fichiers Power-Point, des tableurs et plusieurs volumes de données.

Les officiers de patrouille qui ont utilisé le système en font l'éloge et pensent qu'il peut sauver des vies. Les conséquences en ce qui a trait aux dispositifs explosifs improvisés sont énormes, car les patrouilles peuvent vérifier quels secteurs ont déjà été touchés par ces dispositifs pour prévenir les unités qui vont suivre, de façon qu'elles évitent les endroits concernés. Le TIGR devrait aider les États-Unis à transformer progressivement leurs forces armées en un organe au sein duquel l'information est diffusée horizontalement et qui peut efficacement combattre les groupes d'insurgés grâce à un nouveau mode d'intervention.

Sources : David Talbot, « A Technology Surges », *Technology Review*, mars-avril 2008 ; Walter Pincus, « How Defense Research Is Making Troops More Effective in Wartime », *Washington Post*, 12 mai 2008 ; « Advanced Soldier Censor Information System and Technology (ASSIST) », DARPA, consulté le 14 novembre 2009 ; David Talbot, « How Technology Failed in Irak », *Technology Review*, novembre 2004.

Questions

1. Quelles caractéristiques organisationnelles expliquent la performance des systèmes d'information au cours de la guerre d'Irak ?
2. À quelles difficultés liées aux systèmes d'information les forces militaires des États-Unis ont-elles dû faire face en Irak ? Quels facteurs liés à la gestion, à l'organisation et à la technologie y ont contribué ?
3. Décrivez le TIGR et expliquez pourquoi il a été si utile aux patrouilles étatsuniennes en Irak.
4. En quoi le TIGR est-il un exemple de technologie horizontale ?
5. Quelle sera l'utilité du TIGR dans les campagnes militaires futures ? Expliquez votre réponse.

Ateliers

Visitez le site Web de la DARPA (www.darpa.gov), puis répondez aux questions suivantes :

1. Qu'est-ce que la DARPA ? Quel rôle joue-t-elle dans la mise au point des systèmes militaires des États-Unis ?
2. Choisissez cinq programmes différents de la DARPA et rédigez une brève description de la façon dont chacun d'eux est susceptible d'améliorer les capacités des forces armées des États-Unis. Si ces projets sont menés à terme, quelle sera leur incidence sur les opérations militaires à venir ?

3.3 L'UTILISATION DES SYSTÈMES D'INFORMATION POUR ACQUÉRIR UN AVANTAGE CONCURRENTIEL

Dans presque tous les secteurs d'activité, on trouve des entreprises qui réussissent mieux que d'autres. Il existe presque toujours une entreprise qui se démarque. Dans l'industrie automobile, c'est Toyota. Parmi les entreprises spécialisées dans la vente en ligne, c'est Amazon, et dans la vente au détail hors ligne, Wal-Mart, le plus gros détaillant de la planète. Dans la musique en ligne, c'est iTunes d'Apple qu'on considère comme la figure de proue, avec plus de 75 % du marché du téléchargement de musique, et dans le secteur connexe des lecteurs de musique numérique, c'est iPod. Google domine enfin la recherche en ligne.

On dit des entreprises qui s'en tirent mieux que d'autres qu'elles bénéficient d'un avantage concurrentiel : soit elles ont accès à des ressources spéciales dont les autres ne disposent pas, soit elles sont en mesure d'utiliser avec plus d'efficience des ressources qui sont à la portée de tous –

généralement parce qu'elles possèdent plus de connaissances et d'information. Quoi qu'il en soit, elles réussissent mieux en ce qui a trait à la croissance de leur revenu, à leur rentabilité ou à la croissance de leur productivité (efficacité), autant d'éléments qui, à long terme, se traduisent par une valeur en Bourse plus élevée que celle de leurs concurrents.

Mais pourquoi certaines entreprises réussissent-elles mieux que d'autres et comment acquièrent-elles cet avantage concurrentiel? Comment analyser une entreprise et en distinguer les avantages stratégiques? Comment doter sa propre entreprise d'un avantage stratégique? Et comment les systèmes d'information contribuent-ils à conférer des avantages stratégiques à une entreprise? L'une des réponses à ces questions est le modèle des forces concurrentielles de Michael Porter.

Le modèle des forces concurrentielles de Porter

Le modèle le plus utilisé pour comprendre comment une entreprise acquiert un avantage concurrentiel est sans doute le **modèle des forces concurrentielles** de Porter (figure 3-10), qui trace un portrait d'ensemble de l'entreprise, de ses concurrents et de son environnement. Un peu plus haut dans le présent chapitre, nous avons souligné l'importance de l'environnement d'une entreprise et sa dépendance par rapport à celui-ci. L'objectif du modèle de Porter est précisément de décrire les relations d'une entreprise avec son environnement commercial global. Dans ce modèle, le sort

LE MODÈLE DES FORCES CONCURRENTIELLES DE PORTER

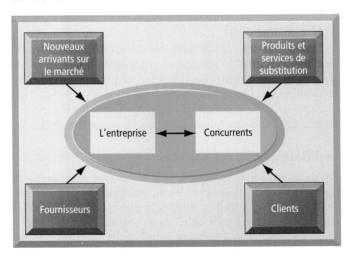

Dans le modèle des forces concurrentielles de Porter, les stratégies d'une entreprise et sa position sont déterminées non seulement par sa lutte contre ses concurrents au sens classique du terme, mais aussi par quatre autres forces de son environnement commercial : les nouveaux arrivants sur le marché, les produits et services de substitution, les clients et les fournisseurs.

de l'entreprise dépend de cinq forces concurrentes : les concurrents classiques, les nouveaux arrivants, les produits et services de substitution, les clients et les fournisseurs.

Les concurrents classiques

Toutes les entreprises partagent leur espace de marché avec des concurrents qui ne cessent d'imaginer de nouveaux modes de production plus efficaces en lançant de nouveaux produits et services, et qui s'efforcent d'attirer des clients en développant leurs marques et en imposant à leurs clients des « frais de substitution » au cas où ils envisageraient de se tourner vers d'autres entreprises.

Les nouveaux arrivants

Dans une économie libre, qui se caractérise par la mobilité de la main-d'œuvre et des ressources financières, de nouvelles entreprises arrivent constamment sur le marché. Dans certains secteurs d'activité, les barrières à l'entrée sont réduites à leur plus simple expression, tandis que d'autres sont très difficiles à pénétrer. Il est ainsi relativement facile d'ouvrir une pizzéria et pratiquement n'importe quel petit commerce de détail, mais il est beaucoup plus onéreux et difficile d'entrer dans le secteur des puces d'ordinateur, où les coûts d'immobilisation sont très élevés et qui exige une grande expertise et des connaissances poussées qu'il est difficile d'acquérir.

Les nouvelles entreprises peuvent avoir plusieurs avantages : elles ne sont pas captives d'usines et de matériel dépassés, elles embauchent souvent des travailleurs plus jeunes dont les salaires sont moins élevés et qui peuvent être plus innovateurs, elles ne sont pas tributaires de vieilles marques désuètes et elles sont plus « voraces » (plus motivées) que les occupants traditionnels du secteur. Mais ces avantages ont leur contrepartie : elles doivent compter sur des sources de financement externes pour se doter de nouvelles usines et de nouveau matériel parfois onéreux, leur main-d'œuvre est moins expérimentée et la notoriété de leurs marques est faible.

Les produits et services de substitution

Dans presque tous les secteurs d'activité, il existe des produits de substitution sur lesquels les clients d'une entreprise peuvent se rabattre si ses prix augmentent trop. Les nouvelles technologies en créent constamment de nouveaux. Il existe même des substituts aux produits pétroliers : l'éthanol peut remplacer l'essence dans les voitures ; l'huile végétale se substituer au diesel dans les camions ; on peut utiliser le vent plutôt que l'énergie solaire, le charbon ou l'énergie hydraulique pour la production industrielle d'énergie électrique. De la même façon, les services téléphoniques sur Internet peuvent remplacer les services téléphoniques classiques, et les lignes téléphoniques à fibre optique, les lignes de câblodistribution. Et, bien entendu, un service de musique Internet qui permet de télécharger de la musique sur iPod peut remplacer les magasins qui vendent des CD. Plus il existera de produits et de services de substitution dans votre secteur d'activité, moins vous serez en mesure de contrôler les prix et plus vos marges bénéficiaires seront minces.

Les clients

La rentabilité d'une entreprise dépend dans une large mesure de sa capacité à attirer et à fidéliser des clients (tout en empêchant ses concurrents d'en faire autant) de même qu'à fixer des prix élevés. Le pouvoir des clients croît s'ils peuvent aisément passer aux produits et services d'un concurrent, ou forcer une entreprise et ses concurrents à rivaliser sur le plan des prix seulement, sur un marché transparent dans lequel la **différenciation des produits** est faible et où tous les prix sont connus instantanément (comme sur Internet). Par exemple, sur le marché en ligne des manuels scolaires d'occasion, les étudiants (les clients) peuvent trouver de multiples fournisseurs pour à peu près n'importe quel manuel scolaire d'usage courant. Dans ce contexte, les clients en ligne ont un pouvoir extraordinaire sur les entreprises qui offrent des manuels d'occasion.

Les fournisseurs

Le pouvoir des fournisseurs sur le marché peut avoir une incidence appréciable sur les profits de l'entreprise, en particulier si elle ne peut pas hausser ses prix aussi rapidement qu'eux. Plus une entreprise a de fournisseurs différents, plus elle peut exercer un contrôle sur eux en ce qui a trait au prix, à la qualité et aux calendriers de livraison. Les fabricants d'ordinateurs portatifs, par exemple, ont presque toujours plusieurs fournisseurs concurrents pour des composants clés comme les claviers, les disques durs et les écrans.

L'utilisation de stratégies reposant sur les systèmes d'information pour faire face aux forces concurrentielles

Comment doit réagir une entreprise soumise à toutes ces forces concurrentielles? Et comment peut-elle utiliser les systèmes d'information pour les contrer? Comment empêcher l'apparition de substituts et l'arrivée de nouveaux venus sur le marché? Il existe pour cela quatre stratégies de base, qui reposent le plus souvent sur l'utilisation des technologies et des systèmes d'information: la domination par les coûts, la différenciation des produits, le ciblage d'un créneau de marché et le resserrement des liens avec les clients et les fournisseurs.

La domination par les coûts

On peut utiliser les systèmes d'information pour réduire le plus possible les coûts et les prix. L'exemple classique est celui de Wal-Mart. En maintenant ses prix bas et ses étagères toujours remplies grâce à un système de réapprovisionnement des stocks devenu légendaire, la société Wal-Mart s'est haussée au rang de principal détaillant des États-Unis. Son système de réapprovisionnement continu des stocks expédie directement les commandes de nouvelles marchandises aux fournisseurs dès que les clients paient leurs achats à la caisse. Le code à barres de chaque article qui passe à la caisse est automatiquement enregistré, et un rapport de transaction est envoyé directement à un ordinateur central situé au siège social de Wal-Mart. Cet ordinateur collecte les commandes

Avec le système de réapprovisionnement continu des stocks de Wal-Mart, les données enregistrées aux caisses transmettent directement les commandes de réapprovisionnement aux fournisseurs. Ce système permet à Wal-Mart de maintenir ses frais d'exploitation au plus bas tout en adaptant très précisément son assortiment aux demandes des consommateurs.

de tous les magasins Wal-Mart et les transmet aux fournisseurs, qui peuvent également accéder aux données sur les ventes et sur les stocks au moyen du Web.

Comme le système permet de renouveler les stocks à la vitesse de l'éclair, Wal-Mart économise ce que lui coûterait l'immobilisation de stocks importants dans ses entrepôts. Elle peut alors ajuster ses achats en fonction des demandes de ses clients. Certains de ses concurrents, comme Sears, dépensent 24,9 % de leurs recettes en frais généraux. En utilisant des systèmes qui lui permettent de maintenir ses frais d'exploitation au plus bas, Wal-Mart n'y consacre pour sa part que 16,6 % de ses recettes. (Dans le secteur de la vente au détail, les frais généraux s'élèvent en moyenne à 20,7 % du chiffre d'affaires.)

Le système de réapprovisionnement continu des stocks de Wal-Mart constitue aussi un exemple de **système efficace de réponse au client**, qui relie directement le comportement des consommateurs aux chaînes de distribution, de production et d'approvisionnement. Le système de fabrication sur commande de Dell, décrit un peu plus loin, en est un autre exemple.

La différenciation des produits

On peut utiliser les systèmes d'information pour créer de nouveaux produits et services ou pour rendre l'utilisation des produits et services existants plus pratique pour les clients. Par exemple, Google lance continuellement sur son site Web de nouveaux services de recherche exclusifs, comme Google Maps. En 2003, grâce à l'acquisition du **système de paiement électronique** PayPal, eBay a grandement facilité le paiement des vendeurs par leurs clients et élargi l'utilisation de son marché d'enchères. Apple a créé le lecteur de musique portatif numérique iPod ainsi qu'un service exclusif de musique en ligne par l'intermédiaire duquel on peut acheter des chansons pour 0,99 $, puis a poursuivi ses innovations en lançant un lecteur vidéo iPod et un téléphone intelligent **multimédia**.

Les fabricants et les détaillants utilisent les systèmes d'information pour créer des produits et des services conçus pour répondre aux exigences particulières de leurs divers clients. Dell vend directement à ses clients des produits spécialement assemblés pour eux. Les particuliers, les entreprises et les organismes gouvernementaux peuvent lui acheter directement des ordinateurs personnalisés possédant exactement les caractéristiques et les composants dont ils ont besoin. Il leur suffit d'en passer la commande en utilisant un numéro de téléphone sans frais ou en accédant au site Web de Dell. Lorsque le service de contrôle de la production reçoit une commande, il demande à l'usine d'assemblage de monter l'ordinateur conformément aux directives du client à l'aide de composants provenant d'un entrepôt situé sur place.

Les clients de Lands' End peuvent utiliser le site Web de l'entreprise pour commander des chemises, des jeans, des pantalons habillés et des pantalons sport taillés à leurs mesures et selon leurs spécifications. Le client indique ses mensurations sur un formulaire apparaissant sur le site Web, qui le transmet par l'intermédiaire d'un réseau à un ordinateur qui élabore un patron électronique à sa taille. Chaque patron est ensuite transmis électroniquement à une usine de fabrication où il sert à piloter l'appareil qui coupe le tissu. Ce mode de fonctionnement n'entraîne pratiquement aucun coût supplémentaire de production, car il ne demande pas plus d'entreposage, sans compter qu'il n'y a plus d'excédents de production ni de stocks. De plus, le coût pour le client n'est que légèrement supérieur à celui d'un vêtement de série. Chez Lands' End, 14 % des chemises et des pantalons vendus sont maintenant fabriqués sur mesure. On appelle **personnalisation en série** cette capacité d'offrir des produits ou services taillés sur mesure en utilisant les mêmes ressources que pour la fabrication en série.

Le tableau 3-3 présente une liste d'entreprises qui ont développé des produits ou des services basés sur la TI dont l'imitation par d'autres entreprises s'est révélée longue et difficile.

Le ciblage d'un créneau de marché

On peut utiliser les systèmes d'information pour se concentrer sur un segment de marché bien délimité et le servir mieux que ses concurrents. Les systèmes d'information soutiennent cette stratégie en produisant et en analysant les données nécessaires pour adapter avec précision les techniques de vente et de marketing à cette clientèle. Ils permettent d'analyser de près les comportements d'achat des clients, leurs goûts et leurs préférences, de façon à lancer des campagnes de publicité et de marketing s'adressant à des marchés de plus en plus nettement délimités.

Ces données proviennent de tout un éventail de sources : opérations par cartes de crédit, données démographiques, données provenant des lecteurs optiques utilisés à la caisse des supermarchés et des magasins de détail, données sur les internautes qui naviguent sur les sites Web. Des outils logiciels perfectionnés peuvent tracer des profils à partir de ces vastes ensembles de données et en dériver des règles pour guider la prise de décision. C'est grâce à l'analyse de telles données que le marketing personnalisé peut créer des

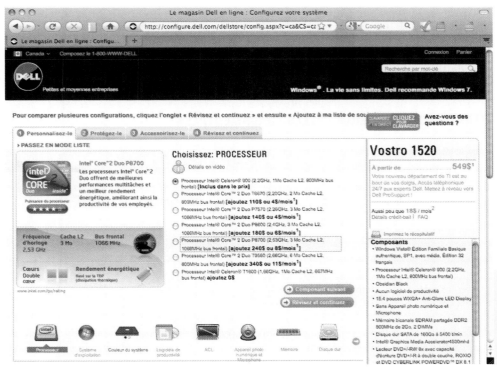

Sur le site Web de Dell, les clients peuvent choisir les options qui les intéressent et commander un ordinateur fabriqué sur mesure selon leurs spécifications. Le système de montage sur commande de Dell constitue un important avantage concurrentiel.

TABLEAU 3-3

LES NOUVEAUX PRODUITS ET SERVICES BASÉS SUR LA TI ET PROCURANT UN AVANTAGE CONCURRENTIEL

Amazon: commande en un clic
Amazon possède un brevet de «commande en un clic» pour lequel elle accorde des licences d'exploitation à d'autres détaillants.

Musique en ligne: iPod et iTunes d'Apple
Un lecteur portatif intégré soutenu par une bibliothèque en ligne contenant plus de 6 millions de titres.

Bâtons de golf personnalisés: Ping
Les clients peuvent choisir parmi plus d'un million de bâtons de golf différents; un système de fabrication à la commande leur permet de recevoir leurs bâtons personnalisés en 48 heures.

Paiement de factures en ligne: CheckFree.com
63 millions de ménages payaient leurs factures en ligne en 2008 aux É.U.

Paiement en ligne entre particuliers: PayPal.com
Le système permet le virement d'argent entre comptes bancaires personnels et entre un compte bancaire et un compte de carte de crédit.

(GRC) offrent les capacités analytiques nécessaires à la réalisation de ce type d'analyse approfondie des données (chapitres 2 et 9).

La session interactive sur les organisations décrit la façon dont AutoNation exploite les données relatives à ses clients pour déterminer quels modèles et quelles options sont les plus susceptibles de les intéresser, et elle utilise ensuite cette information pour décider quels véhicules elle doit tenir en stock. Malheureusement, l'entreprise n'a pas réussi à convaincre les fabricants automobiles d'utiliser les résultats de ses recherches pour organiser leur production. Ce que vous avez appris au sujet de la relation entre les systèmes d'information et les organisations peut vous aider à comprendre pourquoi.

Le resserrement des liens avec les clients et les fournisseurs

Une entreprise peut utiliser les systèmes d'information pour resserrer ses liens avec ses clients et ses fournisseurs. La société Chrysler s'en sert pour permettre à ses fournisseurs d'accéder directement aux calendriers de production et même de décider comment et quand expédier leurs fournitures dans ses usines, une latitude qui leur permet de disposer d'un délai supplémentaire pour produire la marchandise. Du côté des clients, Amazon.com assure un suivi des préférences des utilisateurs en matière d'achats de livres et de CD, de façon à pouvoir leur recommander les titres achetés par d'autres. Le renforcement des liens avec les clients et les fournisseurs accroît les **frais de substitution** (c'est-à-dire le coût du passage d'un produit à un produit concurrent) et assure la fidélité des clients à l'égard de l'entreprise.

Le tableau 3-4 résume les stratégies concurrentielles que nous venons de décrire. Certaines sociétés se concentrent sur l'une d'entre elles, mais beaucoup en adoptent plusieurs simultanément. Ainsi, Dell s'efforce de mettre l'accent à la fois sur l'abaissement de ses coûts et sur sa capacité de personnaliser ses ordinateurs.

messages fondés sur les préférences individuelles des clients. Le système OnQ des hôtels Hilton analyse, par exemple, les données détaillées réunies sur les clients de tous ses établissements pour déterminer les préférences et la rentabilité de chacun. Hilton utilise cette information pour offrir à ses clients les plus rentables des privilèges supplémentaires, comme la possibilité de garder leur chambre un peu plus tard. Les systèmes actuels de gestion de la relation client

TABLEAU 3-4 — QUATRE STRATÉGIES CONCURRENTIELLES FONDAMENTALES

STRATÉGIE	DESCRIPTION	EXEMPLE
Domination par les coûts	Utiliser les systèmes d'information pour fabriquer des produits et offrir des services à un prix inférieur à celui des concurrents, tout en améliorant la qualité et le service	Wal-Mart
Différenciation des produits	Utiliser les systèmes d'information pour différencier les produits et faciliter la création de nouveaux produits et services	Google, eBay, Apple, Lands' End
Ciblage d'un créneau du marché	Utiliser les systèmes d'information pour concrétiser une stratégie axée sur un seul créneau du marché, c'est-à-dire se spécialiser	Hôtels Hilton, Harrah's
Resserrement des liens avec les clients et les fournisseurs	Utiliser les systèmes d'information pour établir des liens solides avec les clients et les fournisseurs et les fidéliser	Chrysler, Amazon.com

SESSION INTERACTIVE : LES ORGANISATIONS

DETROIT EST-ELLE EN MESURE DE FABRIQUER LES VOITURES QUE LES CLIENTS VEULENT ?

Avec son slogan « Toujours à mon goût », Burger King laisse le client choisir le hamburger qui lui convient. Mais il est peu probable que le concessionnaire automobile de votre localité ait tout à fait le même souci de répondre aux besoins de ses clients. En général, un client qui veut acheter une voiture entre chez le concessionnaire en connaissant la somme qu'il est disposé à payer et les caractéristiques que devrait posséder la voiture pour ce prix.

De nombreux concessionnaires peuvent commander un véhicule personnalisé pour un client, mais cela retarde habituellement la transaction de six à huit semaines. Si le client veut acheter sa voiture immédiatement, il devra donc choisir parmi les voitures que le fabricant a déjà configurées, dont il a fixé le prix et qu'il a expédiées. Ainsi, malgré les mesures incitatives et les rabais offerts par les fabricants pour inciter les clients à acheter, les concessionnaires ont souvent une pléthore de nouvelles voitures qui restent entreposées sur leur terrain pendant des mois sans que personne ne veuille les acheter. Ce gonflement des stocks et le faible taux de rotation leur nuisent, parce qu'ils doivent emprunter pour payer les véhicules que leur expédient les fabricants.

AutoNation, la plus importante chaîne de concessionnaires automobiles aux États-Unis, ne fait pas exception. Avec près de 18 milliards de dollars de chiffre d'affaires annuel, AutoNation est le plus important vendeur d'automobiles des États-Unis. La société regroupe 244 concessionnaires établis dans 16 États et vend 4 % de toutes les nouvelles voitures achetées dans le pays. Elle a cependant, elle aussi, des excédents de stocks qu'il ne lui est pas facile de vendre.

La flambée du prix de l'essence et le ralentissement de l'économie des États-Unis ont même aggravé le problème. Les terrains des concessionnaires regorgent de camionnettes et de VUS gourmands en essence qu'ils ne parviennent pas à vendre. Les fabricants automobiles de Detroit ont encore perdu des parts de marché au profit des Japonais et des Coréens, spécialisés dans la production de petites voitures économes en carburant. Les fabricants automobiles des États-Unis s'efforcent de remodeler leur assortiment de voitures, mais il leur est impossible d'agir avec la rapidité voulue.

Pourquoi les fabricants automobiles n'ont-ils pas été en mesure de produire les modèles de voitures et d'offrir les options que recherchent véritablement les clients ? Pourquoi sont-ils incapables de produire davantage de petits véhicules à faible consommation d'essence ? L'une des explications est que leurs processus de fabrication ne permettent pas de changer rapidement de modèle et qu'ils ont été axés sur l'optimisation de l'efficacité des usines. Par ailleurs, il est devenu impératif pour les fabricants de maintenir leurs usines en activité, quelle que soit la demande, pour assumer les coûts croissants des régimes de soins de santé et de retraite des employés. De plus, les fabricants automobiles doivent payer aux travailleurs la majeure partie de leur salaire même s'ils ne travaillent pas, si bien qu'ils préfèrent les garder au travail. Et même si leur conception est plus avantageuse pour l'usine que pour les clients, la livraison des véhicules assure un flux de revenus constant aux fabricants puisqu'ils sont payés dès qu'ils les expédient aux concessionnaires. Enfin, les fabricants automobiles doivent prévoir leur gamme de modèles et en programmer la fabrication environ trois ans à l'avance et, selon les experts, il y a

trop d'usines aux États-Unis pour qu'elles puissent fonctionner en permanence.

Dans le passé, les concessionnaires étaient indépendants ou faisaient partie de petites chaînes qui vendaient une seule marque d'automobile et avaient peu de pouvoir de négociation : ils devaient accepter les livraisons des fabricants même si cela était préjudiciable à leurs affaires. Mais avec la croissance de chaînes comme AutoNation, ils ont acquis plus de pouvoir dans leurs relations avec les fabricants.

Pendant des années, le chef de la direction d'AutoNation, Michael J. Jackson, a fait pression sur les « trois grands » afin qu'ils réduisent la production et se concentrent sur la fabrication d'automobiles correspondant réellement à ce que recherchaient les clients. AutoNation a déjà de l'expérience dans l'exploitation des données sur les habitudes des acheteurs de voitures et les configurations de voitures les plus populaires, toutes marques confondues. Ce travail a commencé lorsque l'entreprise a décidé de faire un effort important pour regrouper les listes de clients de ses centaines de concessionnaires.

AutoNation utilise un logiciel d'analyse maison ainsi que les services de DME, une société de marketing spécialisée dans la création de campagnes de publipostage personnalisées. La chaîne a divisé ses clients en 62 groupes, qui reçoivent des publicités présentant un argumentaire et des services adaptés à leurs besoins, ce qui a permis d'augmenter significativement les revenus provenant des services. Ce faisant, le but d'AutoNation n'est pas de passer ses données au crible pour trouver des clients qui pourraient vouloir les produits qu'elle a déjà en stock, mais bien de leur offrir les produits et les services qu'ils recherchent réellement.

AutoNation essaie d'appliquer ces principes de « veille stratégique » à la fabrication automobile. En exploitant les renseignements qu'il possède sur ses clients, Michael J. Jackson peut non seulement déterminer les modèles les plus recherchés, mais aussi définir, parmi des milliers de variantes possibles, la configuration la plus populaire pour chaque véhicule. De cette façon, les fabricants peuvent se concentrer sur la fabrication de ces véhicules, et ce, dans les quantités indiquées par les données.

Les sociétés Ford, GM et Chrysler ont toutes manifesté leur appui aux efforts de M. Jackson pour intégrer les données relatives à la clientèle aux processus de fabrication automobiles, mais elles n'ont pas déployé les efforts nécessaires pour que la production réponde à la demande des consommateurs. Peut-être que le passage du prix de l'essence à plus de 1 $ le litre et la perspective d'une hausse vertigineuse des prix du pétrole ainsi que leurs restructurations récentes les inciteront à adopter des modèles de production axés sur la demande. En attendant, M. Jackson a encore beaucoup à faire pour que la fabrication automobile s'ajuste aux données sur le marché.

Sources: Jim Henry, « Can the Auto Industry Still Sell all its Cars? », *Business Week*, 16 juillet 2008; Neal E. Boudette et Norihiko Shirouzu, « Car Makers' Boom Years Now Look Like a Bubble », *Wall Street Journal*, 20 mai 2008; Sarah A. Webster, « Detroit 3 Losing Buyers to Rivals », *Detroit Free Press*, 15 juillet 2008; Neal E. Boudette, « Big Dealer to Detroit: Fix how you Make Cars », *Wall Street Journal*, 9 février 2007.

Questions

1. Pourquoi AutoNation a-t-elle des problèmes de stocks? Pourquoi ces problèmes concernent-ils aussi les fabricants automobiles comme GM, Ford et Chrysler? Quelle en est l'incidence sur les performances d'AutoNation et des fabricants automobiles?

2. De quelles données AutoNation a-t-elle besoin pour déterminer quelles voitures elle doit avoir en stock dans chacune des concessions? Comment peut-elle obtenir ces données?

3. Quelle est la solution d'AutoNation à ces problèmes et quels obstacles doit-elle surmonter pour la mettre à exécution? Quelle sera l'efficacité de cette solution?

Ateliers

Explorez le site Web d'AutoNation en examinant attentivement ses caractéristiques et ses capacités, puis répondez aux questions suivantes:

1. En quoi ce site aide-t-il AutoNation à tisser des liens plus étroits avec ses clients, actuels et potentiels?

2. Quelles sont les informations qu'AutoNation pourrait tirer de son site Web, qui l'aideraient à déterminer les marques et les modèles de voitures présentant le plus d'intérêt pour les acheteurs potentiels?

Les répercussions d'Internet sur l'avantage concurrentiel

Certains secteurs d'activité ont été pratiquement détruits par Internet, et le nombre de ceux qui ont été mis en danger est encore bien plus important. Mais Internet a également créé des marchés entièrement nouveaux et servi de base à des milliers de nouvelles entreprises. La première vague de commerce électronique a transformé le commerce des livres, de la musique et du tourisme aérien. Avec la seconde vague, huit secteurs d'activité font face à la perspective d'un bouleversement semblable: les services téléphoniques, le cinéma, la télévision, la bijouterie, l'immobilier, les services hôteliers, le paiement des factures et les logiciels. Le nombre de produits offerts par l'intermédiaire du commerce électronique augmente, en particulier dans le domaine des voyages, des centres d'information, du divertissement, du prêt-à-porter, des appareils ménagers et de l'ameublement.

Par exemple, les secteurs des encyclopédies imprimées et des agences de voyages ont été pratiquement décimés par la possibilité de trouver des produits de substitution sur Internet. De la même façon, Internet a eu d'importantes répercussions sur la vente au détail, la vente de musique et de livres, le courtage et les journaux. Mais, parallèlement, Internet permet chaque jour la naissance de nouveaux produits et services, de nouveaux modèles d'entreprise et de nouveaux secteurs d'activité, comme ça a été le cas pour eBay, Amazon, iTunes et Google. En ce sens, le réseau reconfigure des secteurs d'activité entiers, obligeant les entreprises à changer leur façon de faire des affaires.

À l'ère d'Internet, les forces concurrentielles sont toujours à l'œuvre, mais la rivalité est encore plus intense (Porter et Stern, 2001). La technologie d'Internet est fondée sur des standards universels à la disposition de n'importe quelle entreprise, si bien que des entreprises peuvent facilement rivaliser en s'appuyant uniquement sur le prix, et que de nouveaux concurrents peuvent tout aussi facilement pénétrer le marché. L'information étant disponible pour tous, Internet augmente le pouvoir de négociation des clients, qui peuvent rapidement trouver le fournisseur le moins cher sur le Web. Par conséquent, les profits ont beaucoup diminué. Certains secteurs économiques, comme ceux du voyage et des services financiers, ont été touchés plus que d'autres. Le tableau 3-5 résume certaines des répercussions négatives d'Internet sur les entreprises.

TABLEAU 3-5 — LES EFFETS D'INTERNET SUR LES FORCES CONCURRENTIELLES ET LA STRUCTURE DU SECTEUR ÉCONOMIQUE

FORCE CONCURRENTIELLE	EFFETS D'INTERNET
Produits ou services de substitution	Internet permet à de nouveaux substituts d'apparaître, avec de nouvelles approches axées sur les besoins et sur la performance.
Pouvoir de négociation des clients	La possibilité d'accéder à l'ensemble des prix et des renseignements sur les produits donne plus de pouvoir aux clients.
Pouvoir de négociation des fournisseurs	L'approvisionnement par l'intermédiaire d'Internet augmente le pouvoir de négociation sur les fournisseurs, mais ceux-ci peuvent aussi bénéficier de la réduction des barrières à l'entrée et de l'élimination des distributeurs et autres intermédiaires entre eux et leurs clients.
Menace des nouveaux arrivants	Internet diminue les barrières à l'entrée sur le marché, telles que la nécessité de disposer d'une force de vente, d'avoir accès à des canaux de distribution et de disposer d'actifs matériels, et fournit une technologie de gestion des processus d'affaires qui rend les autres tâches plus faciles à exécuter.
Rivalité entre les entreprises existantes et positionnement	En repoussant les frontières géographiques des marchés, Internet augmente le nombre de concurrents et réduit leurs différences. Le réseau rend aussi plus difficile le maintien des avantages opérationnels et pousse à faire concurrence sur les prix.

Cependant, contrairement au jugement quelque peu négatif de Porter, Internet crée aussi de nouvelles possibilités d'établir des marques et de se constituer de très larges bases de clientèle dont les membres sont prêts à payer un supplément pour la marque. Yahoo!, eBay, Amazon et Google en sont des exemples. En outre, comme c'est le cas de toutes les initiatives commerciales qui s'appuient sur la TI, certaines entreprises utilisent Internet plus habilement que d'autres, ce qui leur ouvre de nouvelles possibilités du point de vue stratégique.

Le modèle de la chaîne de valeur

Bien que le modèle de Porter soit très utile pour ce qui est de la détermination des forces concurrentielles et de l'élaboration de stratégies génériques, il ne précise pas vraiment comment s'y prendre et ne fournit pas de méthodologie permettant de concrétiser les avantages concurrentiels. Si on vise l'excellence opérationnelle, par où faut-il commencer ? C'est là que le modèle de la chaîne de valeur de l'entreprise est utile.

Le **modèle de la chaîne de valeur** met en relief les activités de l'entreprise où les stratégies concurrentielles sont le plus facilement applicables (Porter, 1985) et où les systèmes d'information ont le plus de chances d'avoir un effet stratégique. Il détermine où exactement l'entreprise peut utiliser la TI le plus efficacement possible pour obtenir un effet de levier et améliorer sa position concurrentielle. Il représente l'entreprise comme une série ou «chaîne» d'activités essentielles qui augmentent la valeur des produits et services de l'entreprise. Ces activités se divisent en activités principales et en activités de soutien (figure 3-11).

Les **activités principales** sont les plus directement liées à la production et à la distribution des produits et des services de l'entreprise, qui créent de la valeur pour le client. Elles englobent la logistique interne, les opérations, la logistique externe, les ventes et le marketing ainsi que les services. La logistique interne comprend la réception et l'entreposage des matériaux qui seront distribués au service de production. Les opérations transforment les intrants en produits finis. La logistique externe est l'entreposage et la distribution des produits, dont la promotion et la vente sont faites par les services de marketing et de vente. Enfin, les services comprennent l'entretien et la réparation des biens et des services de l'entreprise.

Les **activités de soutien,** qui rendent les activités principales possibles, comprennent l'infrastructure de l'organisation (administration et gestion), les ressources humaines (recrutement des employés, embauche et formation), la technologie (amélioration des produits et du processus de production) et l'approvisionnement (achat des intrants).

On peut maintenant se demander à chaque étape de la chaîne de valeur : «Comment utiliser les systèmes d'information pour améliorer l'efficacité opérationnelle de l'entreprise et resserrer ses liens avec les clients et les fournisseurs ?» L'exercice oblige à examiner de façon critique la manière dont on exécute les activités créatrices de valeur à chaque étape et dont les processus d'affaires pourraient être améliorés. On peut également commencer à se demander comment utiliser les systèmes d'information pour améliorer les relations de l'entreprise avec ses clients et ses fournisseurs. Même si ceux-ci n'appartiennent pas à la chaîne de valeur de l'entreprise au sens strict, ils y appartiennent au sens large et sont absolument indispensables à son succès. Les systèmes

FIGURE 3-11 LE MODÈLE DE LA CHAÎNE DE VALEUR

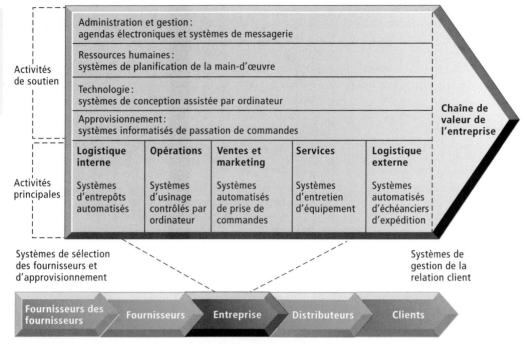

Cette figure montre comment l'utilisation de systèmes d'information pour les activités principales et les activités de soutien d'une entreprise et de ses partenaires peut augmenter la valeur des produits et des services de l'entreprise.

Activités de soutien

Administration et gestion : agendas électroniques et systèmes de messagerie

Ressources humaines : systèmes de planification de la main-d'œuvre

Technologie : systèmes de conception assistée par ordinateur

Approvisionnement : systèmes informatisés de passation de commandes

Activités principales

Logistique interne	Opérations	Ventes et marketing	Services	Logistique externe
Systèmes d'entrepôts automatisés	Systèmes d'usinage contrôlés par ordinateur	Systèmes automatisés de prise de commandes	Systèmes d'entretien d'équipement	Systèmes automatisés d'échéanciers d'expédition

Chaîne de valeur de l'entreprise

Systèmes de sélection des fournisseurs et d'approvisionnement

Systèmes de gestion de la relation client

Fournisseurs des fournisseurs → Fournisseurs → Entreprise → Distributeurs → Clients

Chaîne de valeur de l'industrie

de gestion de la chaîne logistique qui coordonnent le flux des ressources au sein de l'entreprise et les systèmes de gestion de la relation client qui coordonnent le travail des employés des services de vente et de soutien auprès des clients sont deux des applications des systèmes d'information que fait le plus souvent ressortir une analyse de la chaîne de valeur de l'entreprise. Nous en traitons en détail au chapitre 9.

Le modèle de la chaîne de valeur amène également l'entreprise à envisager l'étalonnage de ses processus d'affaires par rapport à ceux de ses concurrents ou d'autres entreprises de secteurs d'activité connexes, et à déterminer quelles sont les meilleures pratiques du secteur. L'**étalonnage** consiste à traduire l'efficacité des processus d'affaires par des normes strictes, puis à mesurer les performances de l'entreprise par rapport à ces normes. On établit généralement les **pratiques d'excellence** du secteur d'activité en consultant les entreprises, les organismes de recherche, les organismes gouvernementaux et les associations sectorielles pour savoir quelles sont les solutions ou les méthodes de résolution de problèmes qui, selon elles, permettent le mieux d'atteindre effectivement et avec constance les objectifs de l'organisation.

Une fois analysées les diverses étapes de la chaîne de valeur de l'entreprise, on peut déterminer quelles applications des systèmes d'information il serait possible d'utiliser. Puis, une fois établie la liste des applications possibles, on peut décider lesquelles mettre en place en premier lieu. En apportant à la chaîne de valeur d'une entreprise des améliorations auxquelles ses concurrents n'ont pas pensé, on lui permet d'amé-

liorer son exploitation, d'abaisser ses coûts, d'augmenter ses marges de profit et de resserrer ses liens avec ses clients et ses fournisseurs, la dotant ainsi d'un avantage concurrentiel. Même si ses concurrents apportent à leur chaîne de valeur des améliorations similaires, elle pourra au moins éviter de se retrouver en situation de désavantage concurrentiel – la pire des éventualités !

L'extension de la chaîne de valeur : le réseau de valeur

La figure 3-11 montre que la chaîne de valeur d'une entreprise est liée aux chaînes de valeur de ses fournisseurs, de ses distributeurs et de ses clients. Après tout, la performance de la majorité des entreprises dépend non seulement de ce qui se passe à l'interne, mais également de l'habileté avec laquelle elles coordonnent leurs activités avec celles de leurs fournisseurs directs et indirects, des entreprises de livraison (partenaires logistiques, comme FedEx ou UPS) et, bien sûr, de leurs clients.

Comment les entreprises peuvent-elles utiliser les systèmes d'information pour obtenir un avantage stratégique à l'échelle de leur secteur d'activité ? En travaillant avec d'autres entreprises, les membres d'un secteur peuvent exploiter la technologie de l'information pour élaborer des normes sectorielles d'échange d'information ou de transactions commerciales par voie électronique, ce qui force tous les participants à souscrire à des normes similaires. Ces efforts accroissent l'efficacité, ce qui rend la substitution de produits moins probable et peut augmenter les coûts d'entrée sur le marché, dissuadant ainsi de nouveaux venus de tenter leur chance. Les entreprises participantes peuvent aussi créer pour l'ensemble du secteur des consortiums, des symposiums et des réseaux de communication basés sur la TI afin de coordonner les activités relatives aux organismes gouvernementaux, à la concurrence étrangère et aux secteurs d'activité concurrents.

L'examen de la chaîne de valeur du secteur d'activité d'une entreprise incite à réfléchir à la façon d'utiliser les systèmes d'information pour établir des liens plus efficaces avec ses fournisseurs, ses partenaires stratégiques et ses clients. L'avantage stratégique réside dans la capacité de relier sa chaîne de valeur à celles des autres parties prenantes au processus. Par exemple, Amazon.com pourrait souhaiter mettre au point des systèmes qui :

- rendent plus faciles à ses fournisseurs l'exposition de marchandises et l'ouverture de magasins sur son site ;
- rendent plus facile à ses clients le règlement de leurs achats de marchandises ;
- permettent de coordonner l'expédition des marchandises aux clients ;
- permettent d'assurer le suivi des livraisons aux clients.

Grâce à la technologie d'Internet, il est maintenant possible de créer des chaînes de valeur hautement synchronisées pour l'ensemble d'un secteur économique qu'on appelle réseaux de valeur. Un **réseau de valeur** est un ensemble d'entreprises indépendantes qui utilisent la technologie de l'information pour coordonner leurs chaînes de valeur, afin de produire collectivement un produit ou un service destiné à un marché donné. Ce système est plus axé sur la clientèle et fonctionne de manière moins linéaire que la chaîne de valeur traditionnelle.

Comme le montre la figure 3-12, un réseau de valeur synchronise les processus d'affaires concernant les clients, les fournisseurs et les partenaires commerciaux de différentes entreprises d'un même secteur économique ou de secteurs connexes. Il est flexible et peut s'adapter aux changements touchant l'approvisionnement ou la demande. On peut y nouer ou dénouer des relations en fonction de l'évolution du marché. Les entreprises peuvent accélérer leur accès au marché et aux clients en tirant le maximum des relations de leur réseau de valeur, de façon à décider rapidement qui doit livrer les produits ou services, à quel prix et à quel endroit.

Les effets de synergie, les compétences fondamentales et les stratégies axées sur le réseautage

En général, une grande entreprise regroupe plusieurs types d'activités. Souvent, elle est organisée financièrement en un groupe d'unités stratégiques dont la performance a une influence

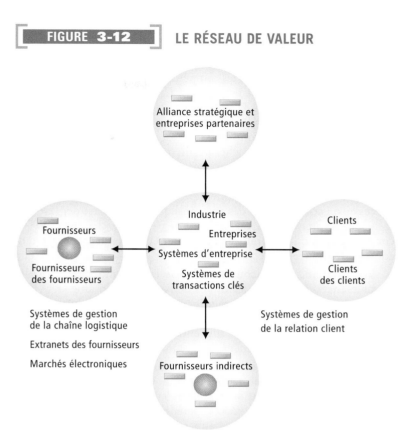

FIGURE 3-12 LE RÉSEAU DE VALEUR

Le réseau de valeur est un système en réseau qui permet de synchroniser les chaînes de valeur de partenaires d'affaires d'un même secteur économique pour qu'ils puissent réagir rapidement aux changements qui touchent l'approvisionnement ou la demande.

directe sur ses profits. Les systèmes d'information peuvent améliorer la performance globale de ces unités stratégiques en favorisant la synergie autour des compétences fondamentales.

Les synergies

Le principe de la synergie repose sur le fait que, lorsque les extrants de certaines unités stratégiques peuvent servir d'intrants dans d'autres, ou que deux organisations peuvent unir leurs marchés et leurs expertises, les relations ainsi créées diminuent les coûts et génèrent des profits. Tel était d'ailleurs la raison des récentes fusions qui ont eu lieu dans le domaine des banques et de la finance, comme celles de JP Morgan Chase et de la Bank of New York, ou de Bank of America et de Countrywide Financial Corporation.

Dans ces situations de synergie, l'une des utilisations de la technologie de l'information consiste à associer des opérations d'unités d'affaires disparates pour qu'elles puissent fonctionner comme un tout. Ainsi, sa fusion avec la Bank of New York a permis à la banque Morgan d'acquérir un important réseau de succursales de détail dans le nord-est des États-Unis. Les systèmes d'information aident les banques fusionnées à réduire leurs frais de vente au détail et à accroître le marketing croisé de leurs produits financiers.

L'amélioration des compétences fondamentales

Une autre façon d'utiliser les systèmes d'information pour en tirer un avantage concurrentiel est de réfléchir à la façon dont ils pourraient rehausser les compétences fondamentales (ou le « métier de base ») de l'entreprise. L'idée est que, pour accroître les performances de toutes les unités fonctionnelles, il faut les regrouper autour d'un noyau central de compétences. Une **compétence fondamentale** est une activité dans laquelle l'entreprise est un chef de file mondial : meilleur concepteur de pièces miniaturisées, meilleur service de livraison de colis ou meilleur fabricant de films minces. En général, la compétence fondamentale dépend de connaissances qu'on acquiert au fil des ans, ainsi que d'un service de recherche de premier plan ou au moins de personnes clés qui connaissent bien la littérature sur le sujet et se tiennent au courant des nouvelles découvertes.

Tout système qui encourage la mise en commun des connaissances des différentes unités de l'organisation améliore les compétences. Il encourage les employés à utiliser les compétences qu'ils possèdent ainsi qu'à en acquérir de nouvelles. Il peut également aider une entreprise à se servir de ces compétences pour se lancer sur des marchés connexes.

Par exemple, Procter & Gamble (P&G), un des chefs de file mondiaux dans la gestion de marques et l'innovation en matière de produits de consommation, fait appel à tout un ensemble de systèmes pour améliorer ses compétences fondamentales. L'entreprise utilise un intranet baptisé InnovationNet pour aider les gens qui s'attaquent à des problèmes similaires à mettre leurs idées et leurs compétences en commun. Ce système relie tous ceux qui travaillent à la recherche et au développement (RD), à l'ingénierie, à l'approvisionnement, au marketing, au contentieux et aux systèmes d'information partout dans le monde par l'intermédiaire d'un portail permettant d'accéder aux documents, aux rapports, aux diagrammes, aux vidéos ainsi qu'à d'autres données provenant de diverses sources. Il inclut un répertoire de spécialistes de divers sujets, qu'on peut consulter et qui contribuent à la résolution de problèmes et à la mise au point de produits. Il assure aussi le lien avec les chercheurs scientifiques et les entrepreneurs extérieurs qui cherchent de nouveaux produits novateurs partout dans le monde.

P&G vend plus de 300 produits de marque différents appartenant à des lignes distinctes : soins du foyer, soins pour bébés et pour la famille, santé et bien-être, hygiène personnelle et beauté, nutrition et soins des chats et des chiens, entre autres. L'entreprise utilise maintenant un logiciel de gestion du marketing personnalisé pour aider tous ces groupes à partager des idées et des données en vue des campagnes de promotion. Ce logiciel sous-tend entre autres la planification stratégique, la recherche, la publicité et le publipostage et il permet d'analyser l'incidence des projets de marketing sur l'entreprise.

Les stratégies fondées sur le réseautage

L'existence d'Internet et de la technologie de réseautage a inspiré des stratégies qui tirent profit de la possibilité pour les entreprises de créer des réseaux ou d'y adhérer. Les stratégies fondées sur le réseautage sont notamment l'utilisation de l'économie de réseau, du modèle de la société virtuelle et des écosystèmes d'affaires.

L'ÉCONOMIE DE RÉSEAU Les modèles d'entreprise basés sur un réseau peuvent aider les entreprises à profiter de l'**économie de réseau**. Dans l'économie traditionnelle, industrielle et agricole, le rendement de la production tend à diminuer : plus on utilise une ressource donnée pour la production, moins l'augmentation marginale des extrants est importante, jusqu'au moment où les intrants supplémentaires ne produisent plus aucun extrant. C'est la loi des rendements décroissants, qui est à la base de la plupart des économies modernes.

Or, dans certaines situations, cette loi ne s'applique pas. Par exemple, dans un réseau, les coûts marginaux liés à l'ajout d'un membre sont à peu près nuls, tandis que les avantages sociaux sont importants. Plus le nombre d'abonnés à un système téléphonique – ou à Internet – est élevé, plus cela profite à l'ensemble des participants puisque chacun peut interagir avec un plus grand nombre de personnes. Cela ne revient pas plus cher d'exploiter une chaîne de télévision ayant 1000 abonnés qu'une chaîne qui en a 10 millions : la valeur d'un groupe croît avec sa taille, alors que les coûts liés à l'ajout de membres sont négligeables.

Du point de vue de l'économie de réseau, la technologie de l'information a une utilité stratégique. Les entreprises peuvent se servir des sites Internet pour établir des communautés d'utilisateurs – des clients animés des mêmes idées qui veulent partager leurs expériences. Cet exercice favorise la fidélité et la satisfaction des clients et permet à l'entreprise de créer avec eux des liens exclusifs. EBay, le site géant d'enchères en ligne, et iVillage, une communauté virtuelle s'adressant aux femmes, en sont des exemples. Les deux entreprises reposent sur des réseaux de millions d'usagers et elles ont toutes deux utilisé le Web et les outils de communication Internet pour créer des communautés. Plus les gens offrent de produits sur eBay, plus le site a de valeur pour tout le monde, parce qu'il y a plus de produits inscrits et que l'intensification de la concurrence entre les vendeurs contribue à faire baisser les prix. L'économie de réseau offre également des avantages stratégiques aux vendeurs de logiciels de commerce électronique. La valeur de leurs logiciels et des produits complémentaires qui les accompagnent augmente en proportion du nombre d'utilisateurs, alors que l'augmentation du nombre de systèmes installés incite les utilisateurs à continuer d'utiliser le produit et à soutenir celui qui le vend.

LE MODÈLE DE L'ENTREPRISE VIRTUELLE Une autre des stratégies fondées sur le réseautage fait appel au modèle de l'entreprise virtuelle pour créer une entreprise concurrentielle. Une **entreprise** (ou organisation) **virtuelle** utilise des réseaux pour relier des personnes, des actifs et des idées de façon à pouvoir s'allier à d'autres entreprises dans le but de créer des produits et des services et de les distribuer sans être limitée par les frontières organisationnelles traditionnelles ni par son emplacement. Elle peut ainsi utiliser les capacités d'un partenaire sans lui être physiquement reliée. Le modèle de l'entreprise virtuelle est utile lorsqu'une société estime qu'il est plus économique d'acquérir des produits, des services ou des compétences auprès d'un vendeur externe ou qu'elle doit agir rapidement pour tirer parti des nouvelles occasions qu'offre le marché, mais qu'elle manque de temps et ne dispose pas des ressources nécessaires.

Les entreprises de prêt-à-porter comme GUESS, Ann Taylor, Levi Strauss et Reebok utilisent les services de Li & Fung, une société de Hong Kong, pour gérer la production et l'expédition de leurs vêtements. Li & Fung se charge de la mise au point des produits, de l'approvisionnement en matières premières, de la planification de la production, de l'assurance de la qualité et de l'expédition. La société ne possède ni tissus, ni usines, ni machines : elle confie le travail en sous-traitance à un réseau de plus de 7500 fournisseurs répartis dans 37 pays. Les clients lui passent leurs commandes sur son extranet privé et elle achemine ensuite des directives aux fournisseurs de matières premières concernés et aux usines où les vêtements sont fabriqués. L'extranet de Li & Fung suit tout le processus de production pour chaque commande.

Le mode de fonctionnement « virtuel » de Li & Fung lui donne la souplesse et l'adaptabilité nécessaires pour concevoir et fabriquer sans délai les produits commandés par ses clients de façon à suivre le rythme de la mode.

LES ÉCOSYSTÈMES D'AFFAIRES : LES ENTREPRISES PIVOTS ET LES ENTREPRISES DE CRÉNEAU L'influence d'Internet et l'apparition des entreprises numériques obligent à faire des corrections au modèle des forces concurrentielles. Le modèle traditionnel de Porter présuppose un environnement industriel relativement statique, des frontières industrielles assez bien définies et un ensemble assez stable de fournisseurs, de produits de substitution et de clients, l'ac-

cent étant mis sur les entreprises d'un même secteur économique dans un environnement de marché. Mais plutôt que d'être associées à un seul secteur, certaines entreprises actuelles ont de plus en plus conscience de faire partie d'un ensemble, d'un regroupement de secteurs qui produisent des produits et des services ayant un lien entre eux (figure 3-13). L'expression **écosystème d'affaires** désigne ces réseaux interdépendants (même si leurs liens sont flous) de fournisseurs, de distributeurs, d'impartiteurs, d'entreprises de transport et de fabricants de produits technologiques (Iansiti et Levien, 2004).

Le concept d'écosystème d'affaires s'appuie sur le principe du réseau de valeur décrit précédemment, la principale différence résidant dans le fait que la collaboration a lieu entre plusieurs secteurs économiques plutôt qu'entre plusieurs entreprises. Par exemple, Microsoft et Wal-Mart fournissent des plateformes composées de systèmes d'information, de technologies et de services que des milliers d'autres entreprises appartenant à différents secteurs économiques utilisent pour accroître leurs propres capacités. De son côté, Microsoft estime que plus de 40 000 entreprises utilisent sa plateforme Windows, d'abord pour fournir leurs propres produits, mais aussi pour soutenir les produits Microsoft, augmentant ainsi la valeur de la société Microsoft elle-même. Le système de gestion des commandes et des stocks de Wal-Mart est une plateforme qu'utilisent des milliers de fournisseurs pour avoir accès en temps réel aux demandes des clients, pour faire le suivi des expéditions et pour vérifier l'inventaire.

Ce qui caractérise les écosystèmes d'affaires, c'est que quelques entreprises pivots (parfois une seule) y créent des plateformes utilisées par les entreprises de créneau (ou de niche). Dans l'écosystème Microsoft, les entreprises pivots sont notamment Microsoft et des fournisseurs de technologie, comme IBM et Intel ; il y a aussi des milliers d'entreprises de créneau – fournisseurs d'applications logicielles, développeurs de logiciels,

FIGURE 3-13 **UN MODÈLE D'ÉCOSYSTÈME STRATÉGIQUE**

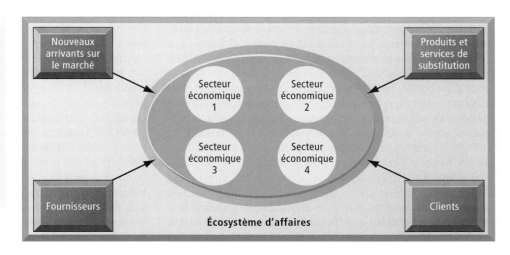

L'ère de l'entreprise numérique implique une vision plus dynamique des frontières séparant les secteurs économiques, les entreprises, les clients et les fournisseurs, car la concurrence s'exerce entre des ensembles de secteurs regroupés au sein d'écosystèmes d'affaires. Dans ce modèle, plusieurs secteurs économiques collaborent à la valeur des produits et des services qui sont offerts au client. La technologie de l'information joue ici un rôle important en permettant de tisser un réseau complexe d'interactions entre les entreprises participantes.

entreprises de services ou de réseautage et sociétés d'experts-conseils – qui toutes soutiennent les produits Microsoft et comptent sur eux.

La technologie de l'information joue un rôle important dans la mise en place des écosystèmes d'affaires. De toute évidence, de nombreuses entreprises s'appuient sur les systèmes d'information pour se donner un rôle de pivot en construisant des plateformes fondées sur la TI que d'autres peuvent utiliser. Par exemple, eBay a créé une plateforme destinée aux enchères et aux ventes en ligne dont plus de 500 000 petites entreprises se servent chaque jour. Il est prévisible que, à l'ère de l'entreprise numérique, on s'appuiera de plus en plus sur la TI pour créer des écosystèmes d'affaires, parce qu'il en coûtera de moins en moins cher pour y participer, tandis que les profits de toutes les entreprises augmenteront rapidement avec la croissance des plateformes.

À leur propre échelle, les entreprises doivent examiner de quelle manière leurs investissements dans la TI leur permettront de trouver des niches profitables au sein des gros écosystèmes créés par des entreprises pivots. Par exemple, lorsqu'elle prend des décisions concernant des produits ou services qu'elle compte offrir, une entreprise devra tenir compte des écosystèmes d'affaires auxquels ces produits ou services se rattachent et de la manière dont elle peut utiliser la TI pour y participer.

Un exemple éloquent d'écosystème en expansion rapide est celui de la plateforme Internet mobile, qui regroupe quatre secteurs d'activité : les fabricants d'appareils (entre autres iPhone d'Apple, BlackBerry de RIM, Motorola et LG), les entreprises de télécommunication sans fil (notamment AT&T, Rogers, Bell et Telus), les fournisseurs indépendants d'applications logicielles (en général, de petites entreprises offrant des jeux, des applications et des sonneries de téléphone) et les fournisseurs de service Internet (qui fournissent le service à la plateforme mobile).

Chacun de ces secteurs d'activité a sa propre histoire, ses intérêts et ses forces motrices. Mais ces éléments se réunissent dans un contexte tantôt coopératif, tantôt concurrentiel, au sein d'un nouveau secteur d'activité qu'on peut appeler écosystème de la plateforme numérique mobile. Apple est l'entreprise qui a le mieux réussi à combiner tous ces secteurs dans un nouveau système. Sa mission est de vendre des appareils (les iPhone) qui sont presque aussi puissants que les ordinateurs personnels actuels, mais ne peuvent fonctionner qu'à l'aide d'un réseau haute vitesse fourni par les entreprises de téléphone sans fil. Afin d'attirer un vaste bassin de clientèle, l'iPhone devait être davantage qu'un simple téléphone cellulaire. Apple a différencié son produit en en faisant un « téléphone intelligent », capable d'exécuter des milliers d'applications utiles. Et comme elle ne pouvait développer elle-même toutes ces applications, l'entreprise a fait appel à des développeurs de logiciels indépendants, généralement de taille modeste, pour produire ces applications, qu'on peut se procurer dans les magasins iTunes. À l'arrière-plan se trouve le secteur des fournisseurs de services Internet, dont les revenus croissent chaque fois que les utilisateurs d'iPhone se branchent à Internet.

L'un des développeurs les plus prospères de la plateforme iPhone est Tapulous, une petite entreprise émergente de Silicon Valley. Tapulous a développé et lancé deux applications gratuites : un jeu appelé Tap Tap Revenge, qui s'inspire d'un jeu de danse populaire dans les salles de jeux électroniques, et Twinkle, une application qui permet aux utilisateurs d'iPhone d'envoyer des messages sur Twitter ou sur le propre système de Tapulous. Le jeu a fait l'objet de 1,2 million de téléchargements et Twinkle compte 100 000 utilisateurs. Bien que ces applications ne lui aient encore rien rapporté, l'entreprise facturera un jour des services supérieurs. Pendant ce temps, Apple compte gagner 360 millions de dollars supplémentaires annuellement grâce à la vente d'applications, avec une marge de profit de 30 %.

3.4 L'UTILISATION DES SYSTÈMES POUR ACQUÉRIR UN AVANTAGE CONCURRENTIEL : PROBLÈMES DE GESTION

Les **systèmes d'information stratégiques** transforment souvent l'organisation, ainsi que ses produits, ses services et ses procédures d'exploitation, ce qui l'amène à adopter de nouveaux modèles de comportement. L'utilisation efficace des systèmes d'information pour acquérir un avantage concurrentiel est difficile et exige une coordination précise de la technologie, des organisations et de la gestion.

Le maintien d'un avantage concurrentiel

L'avantage concurrentiel que confèrent à une entreprise ses systèmes stratégiques ne dure pas toujours assez longtemps pour en assurer la rentabilité à long terme. Étant donné que ses concurrents sont en mesure de répliquer et d'imiter ces systèmes, l'avantage concurrentiel peut en effet être de courte durée. Les marchés, les attentes des clients et la technologie changent, et la mondialisation a encore accéléré ces changements tout en les rendant plus imprévisibles. Et Internet peut faire s'évanouir un avantage concurrentiel très rapidement dès lors que la technologie devient accessible à presque toutes les entreprises. Les systèmes stratégiques classiques, comme le système de réservation informatisé SABRE d'American Airlines, le système de guichets automatiques de la Citibank ou le système de suivi des colis de FedEx, ont été profitables parce qu'ils étaient les premiers dans leur secteur d'activité. Mais des systèmes rivaux sont bientôt apparus. Amazon.com, dont il a été question précédemment, était un chef de file du commerce électronique, mais elle doit maintenant faire face à la concurrence d'eBay, de Yahoo! et de Google.

Les systèmes d'information ne sauraient à eux seuls garantir un avantage concurrentiel durable. Ceux qui se voulaient stratégiques au départ deviennent souvent des outils de survie, que toute entreprise qui veut rester dans la course doit posséder, et ils peuvent même empêcher les organisations de procéder aux changements stratégiques essentiels à leur succès à venir.

L'alignement de la TI sur les objectifs de gestion

Les recherches sur la TI et la performance des entreprises ont révélé que a) mieux une entreprise parvient à aligner sa technologie de l'information sur ses objectifs commerciaux, plus elle sera rentable, et b) un quart des entreprises seulement parvient à le faire. En fait, environ la moitié des profits d'une entreprise peuvent être expliqués par l'alignement de la TI sur les activités commerciales (Luftman, 2003).

Or, la plupart des entreprises ne comprennent pas l'enjeu de la TI: la technologie de l'information travaille pour elle-même et ne sert pas adéquatement les intérêts de la direction et des actionnaires. Les dirigeants, plutôt que de jouer un rôle actif dans l'ajustement de la TI à l'entreprise, l'ignorent, prétendent ne pas la comprendre et en tolèrent les échecs comme s'il s'agissait simplement d'un obstacle à contourner. Ces entreprises paient le prix fort pour leur attitude, car leur performance en souffre. Les entreprises et les gestionnaires qui réussissent sont ceux qui savent ce que peut faire la TI et comment elle fonctionne. Ils s'intéressent activement à la façon dont elle est utilisée et en mesurent les répercussions sur les revenus et les profits.

L'analyse des systèmes stratégiques

S'ils veulent aligner la TI sur leurs affaires et utiliser les systèmes d'information avec efficacité pour doter leurs entreprises d'un avantage concurrentiel, les gestionnaires doivent d'abord faire une analyse des systèmes stratégiques. Voici les questions qu'ils devraient se poser pour déterminer le type de systèmes qui pourraient fournir un avantage stratégique à leur entreprise:

1. Quelle est la **structure du secteur économique** de l'entreprise?
   - Quelles sont les forces concurrentielles qui s'y affrontent? Y a-t-il de nouveaux arrivants dans ce secteur? Quelle influence ont respectivement les fournisseurs, les clients et les produits et services de substitution sur les prix?
   - La concurrence se fonde-t-elle sur la qualité, sur le prix ou sur la marque?
   - Quelles sont l'orientation et la nature des changements qui se produisent au sein de ce secteur économique? Qu'est-ce qui les provoque et en détermine le rythme?
   - Comment utilise-t-on actuellement la technologie de l'information dans ce secteur? L'organisation est-elle en avance ou en retard sur les autres pour l'utilisation des systèmes d'information?

2. Quelles sont les chaînes de valeur de cette entreprise, concernant les processus d'affaires, l'entreprise elle-même et le secteur économique?
   - De quelle manière crée-t-elle de la valeur pour le client: grâce à des prix et à des coûts de transaction inférieurs ou par une qualité supérieure? Dans la chaîne de valeur, y a-t-il des stades où l'entreprise pourrait créer plus de valeur pour le client et faire elle-même des profits supplémentaires?
   - L'entreprise a-t-elle une bonne compréhension de ses processus d'affaires et les gère-t-elle en se conformant aux meilleures pratiques? Tire-t-elle le meilleur parti possible de la gestion de la chaîne logistique et de la relation client, ainsi que des systèmes d'entreprise?
   - L'entreprise se sert-elle de ses compétences fondamentales pour créer un effet de levier?
   - La chaîne logistique et la base de clientèle du secteur économique évoluent-elles d'une manière qui est favorable à l'entreprise ou qui lui est nuisible?
   - L'entreprise peut-elle bénéficier de partenariats stratégiques et de réseaux de valeur?
   - Dans la chaîne de valeur, à quel endroit les systèmes d'information seraient-ils le plus profitables à l'entreprise?

3. L'entreprise a-t-elle aligné la TI sur sa stratégie d'affaires et ses objectifs?
   - A-t-elle correctement formulé sa stratégie d'affaires et ses objectifs?
   - La TI améliore-t-elle les activités et les processus d'affaires voulus pour promouvoir cette stratégie?
   - Utilise-t-on des indicateurs adéquats pour évaluer les progrès réalisés en direction de ces objectifs?

La gestion des transitions stratégiques

Pour adopter un des types de systèmes stratégiques décrits dans ce chapitre, il faut généralement modifier les objectifs de l'entreprise, ses relations avec ses clients et ses fournisseurs, ses opérations internes et son architecture de l'information. On peut considérer ces changements sociotechniques – qui touchent à la fois les composantes sociales et techniques de l'organisation – comme des **transitions stratégiques** d'un niveau sociotechnique à l'autre.

De tels changements supposent souvent l'élimination des frontières – tant internes qu'externes – de l'organisation: il doit se créer un lien étroit avec les fournisseurs et les clients, qui devront peut-être partager certaines responsabilités. Les gestionnaires devront mettre au point de nouveaux processus d'affaires pour coordonner les activités de leur entreprise avec, entre autres, celles de leurs clients et de leurs fournisseurs. Compte tenu de l'importance des changements organisationnels qu'exige l'introduction des systèmes d'information, ces changements ont bénéficié d'une attention particulière tout au long du présent texte, mais nous examinons la question plus en détail dans le chapitre 14.

Projets concrets en **SIG**

Décisions de gestion

1. Par l'intermédiaire de ses filiales, Macy's exploite aux États-Unis quelque 800 grands magasins, dans lesquels on vend tout un éventail de marchandises : vêtements pour femmes et pour enfants, accessoires, cosmétiques, mobilier et appareils ménagers. La haute direction a décidé que Macy's devait mieux adapter sa marchandise aux goûts des consommateurs locaux et que, notamment, le choix des couleurs, des tailles, des marques et des styles des vêtements et des autres produits devait être basé sur le profil de vente propre à chaque magasin. Ainsi, les magasins du Texas pourraient offrir des vêtements de plus grandes tailles et de couleurs plus vives que ceux de New York, et le Macy's de la State Street de Chicago, une plus grande variété de teintes de maquillage pour attirer une clientèle plus « branchée ». Comment les systèmes d'information peuvent-ils aider la direction de Macy's à mettre en œuvre cette nouvelle stratégie ? Quels éléments de données ces systèmes devraient-ils recueillir pour aider la direction à prendre les décisions de mise en marché propres à soutenir cette stratégie ?

2. La société US Airways actuelle est le résultat de la fusion de US Airways et d'America West Airlines. Avant la fusion, les processus d'affaires de US Airways, dont la création remontait à 1939, étaient très traditionnels. De plus, la société possédait une lourde bureaucratie et des systèmes d'information rigides, dont la responsabilité avait été confiée en impartition à Electronic Data Systems. Fondée en 1981, America West avait pour sa part une main-d'œuvre plus jeune et une culture d'entreprise plus libérale et elle gérait ses propres systèmes d'information. La fusion visait à créer un effet de synergie grâce à la mise en commun de l'expérience de US Airways et de son réseau solidement établi sur la côte Est des États-Unis, d'une part, et de la structure de faibles coûts, des systèmes d'information et des itinéraires dans l'ouest des États-Unis d'America West, de l'autre. Quelles caractéristiques de chaque organisation la direction devrait-elle avoir prises en considération lors de la fusion des deux entreprises et de leurs systèmes d'information ? Quelles décisions faut-il prendre pour s'assurer que cette stratégie soit productive ?

Améliorer le processus décisionnel

Utiliser les outils Internet pour configurer une automobile et en déterminer le prix

Compétences en logiciels : savoir utiliser des logiciels sur Internet
Compétences en affaires : savoir rechercher de l'information sur un produit et son prix

Dans l'exercice qui suit, vous utiliserez le logiciel de sites Web consacrés à la vente de voitures pour trouver de l'information au sujet d'une automobile de votre choix ; cette information vous permettra de prendre une importante décision d'achat. Vous évaluerez également deux de ces sites comme outils de vente.

L'achat d'une Ford Fusion neuve vous intéresse. (Si une autre voiture, fabriquée au pays ou à l'étranger, vous intéresse à titre personnel, orientez plutôt vos recherches sur cette voiture.) Rendez-vous sur le site Web de Auto123 (auto123.com/fr) et amorcez vos recherches. Repérez la Ford Fusion. Recensez les différentes versions de ce modèle et faites un choix. Étudiez tous les détails relatifs à cette voiture particulière, notamment son prix, ses caractéristiques de série et ses options. Si possible, relevez et lisez au moins deux évaluations. Renseignez-vous sur la sécurité du modèle en vous référant aux essais de choc effectués par la National Highway Traffic Safety Administration, si les résultats sont disponibles. Servez-vous des outils permettant de repérer un véhicule en stock et de l'acheter directement. Enfin, analysez les autres possibilités qu'offre le site Auto123 en ce qui a trait au financement.

Après avoir enregistré ou imprimé les renseignements fournis par Auto123 dont vous avez besoin pour prendre votre décision, naviguez sur le site Web du fabricant (dans le cas présent, www.ford.ca) et comparez l'information qui y est présentée pour la Ford Fusion à celle donnée par le site Auto123. Assurez-vous de vérifier le prix et tous les incitatifs offerts (des données qui pourraient ne pas correspondre à celles que vous avez trouvées sur Auto123), puis cherchez un concessionnaire établi dans votre région pour y voir l'auto avant de décider si vous allez l'acheter. Explorez les autres caractéristiques du site Web de Ford.

Essayez de trouver la voiture que vous désirez au meilleur prix possible dans les stocks d'un concessionnaire de votre région. Quel site utiliserez-vous pour acheter votre voiture? Pourquoi? Suggérez des améliorations qui pourraient être apportées aux sites d'Auto123 et de Ford.

▷ RÉSUMÉ

1. Quelles caractéristiques des organisations les gestionnaires doivent-ils connaître pour bâtir des systèmes d'information et les utiliser efficacement? Quelle incidence ont les systèmes d'information sur les organisations?

Toutes les organisations modernes se caractérisent par leur hiérarchisation, leur spécialisation et leur impartialité, et elles utilisent des procédures explicites pour maximiser leur efficacité. Toutes possèdent leur propre culture et leurs propres politiques, issues des particularités de leurs groupes d'intérêt, et subissent l'influence de leur environnement. Mais elles diffèrent à maints égards: objectifs, groupes desservis, rôle social, style de leadership, incitatifs, nature des tâches accomplies et type de structure. Ces dernières caractéristiques contribuent à expliquer les variantes dans l'usage qu'elles font des systèmes d'information.

Les systèmes d'information et les organisations dans lesquelles ils sont utilisés interagissent et influent les uns sur les autres. La mise en place d'un nouveau système d'information aura une incidence sur la structure organisationnelle, les objectifs, la conception du travail, les valeurs, la concurrence entre les groupes d'intérêts, la prise de décisions et le comportement quotidien. Parallèlement, les systèmes d'information doivent être conçus pour répondre aux besoins de groupes organisationnels importants et seront façonnés par la structure de l'organisation, les processus d'affaires, les objectifs, la culture, les politiques et la gestion. La technologie de l'information peut réduire les coûts de transaction et les coûts d'agence, un effet accentué par l'utilisation d'Internet. Les nouveaux systèmes bouleversent aussi les modèles de travail établis et les relations de pouvoir, de sorte que leur mise en place soulève fréquemment une très forte résistance.

2. Comment le modèle des forces concurrentielles de Porter aide-t-il les entreprises à élaborer des stratégies concurrentielles reposant sur les systèmes d'information?

Dans le modèle des forces concurrentielles de Porter, la position de l'entreprise et ses stratégies sont déterminées par sa rivalité avec ses concurrents traditionnels, mais aussi par les nouveaux arrivants sur le marché, les produits et les services de substitution, les fournisseurs et les clients. Les systèmes d'information aident les entreprises à rivaliser en maintenant leurs coûts bas, en différenciant leurs produits ou leurs services, en se concentrant sur un créneau de marché, en consolidant leurs liens avec leurs clients et leurs fournisseurs et en augmentant les barrières à l'entrée sur le marché, grâce à des degrés élevés d'excellence opérationnelle.

3. En quoi les modèles de la chaîne de valeur et du réseau de valeur aident-ils les entreprises à cerner les possibilités d'application stratégique des systèmes d'information?

Le modèle de la chaîne de valeur fait ressortir les activités dans lesquelles les stratégies concurrentielles et les systèmes d'information auront un maximum d'efficacité. Ce modèle présente l'entreprise comme une série d'activités principales et d'activités de soutien visant à accroître la valeur de ses produits ou services. Les activités principales sont directement liées à la production et à la distribution, et les activités de soutien les rendent possibles. La chaîne de valeur d'une entreprise peut être liée aux chaînes de valeur de ses fournisseurs, de ses distributeurs et de ses clients. Un réseau de valeur est formé de systèmes d'information qui rehaussent la concurrence au sein du secteur économique en y promouvant l'application de normes communes et la formation de consortiums et en permettant aux entreprises de travailler avec plus d'efficacité avec leurs partenaires pour produire de la valeur.

4. **En quoi les systèmes d'information aident-ils les entreprises à utiliser la synergie, leurs compétences fondamentales et les stratégies fondées sur le réseautage pour se doter d'un avantage concurrentiel?**

Étant donné que les entreprises se composent de multiples unités organisationnelles, les systèmes d'information permettent d'accroître l'efficacité ou d'améliorer les services en reliant les activités d'unités organisationnelles disparates. Ils aident aussi les entreprises à s'appuyer sur leurs compétences fondamentales en favorisant le partage des connaissances entre ces unités, et ils permettent l'adoption de modèles d'affaires qui reposent sur de vastes réseaux d'utilisateurs ou d'abonnés et tirent parti de l'économie de réseau. Une entreprise virtuelle fait appel aux réseaux pour s'associer à d'autres entreprises, de façon à pouvoir utiliser leurs capacités pour créer, mettre en marché et distribuer des produits et des services. Dans les écosystèmes d'affaires, de multiples secteurs d'activité collaborent pour livrer de la valeur aux clients. Les systèmes d'information y sous-tendent un réseau touffu d'interactions entre les entreprises participantes.

5. **Quels problèmes sont associés aux systèmes d'information stratégiques et comment peut-on les résoudre?**

La mise en place de systèmes stratégiques exige souvent des changements organisationnels importants et le passage d'un niveau sociotechnique à un autre. Ces changements, appelés « transitions stratégiques », sont souvent difficiles et éprouvants. De plus, tous les systèmes stratégiques ne sont pas rentables, et leur implantation peut coûter cher. Enfin, ils sont souvent faciles à copier, si bien que l'avantage stratégique qu'ils procurent ne dure pas toujours.

MOTS CLÉS

Activité de soutien, p. 81

Activité principale, p. 81

Compétence fondamentale, p. 84

Différenciation des produits, p. 76

Économie de réseau, p. 84

Écosystème d'affaires, p. 85

Entreprise virtuelle, p. 84

Étalonnage, p. 82

Frais de substitution, p. 78

Modèle de la chaîne de valeur, p. 81

Modèle des forces concurrentielles, p. 75

Multimédia, p. 77

Organisation, p. 64

Personnalisation en série, p. 77

Pratique d'excellence, p. 82

Réseau de valeur, p. 83

Routine, p. 65

Structure du secteur économique, p. 87

Système de paiement électronique, p. 76

Système de positionnement GPS, p. 73

Système d'information stratégique, p. 86

Système efficace de réponse au client, p. 76

Technologie perturbatrice, p. 67

Théorie de l'agence, p. 70

Théorie des coûts de transaction, p. 69

Transition stratégique, p. 87

QUESTIONS DE RÉVISION

1. **Quelles caractéristiques des organisations les gestionnaires doivent-ils connaître pour bâtir des systèmes d'information et les utiliser efficacement? Quelle incidence ont les systèmes d'information sur les organisations?**

   - Décrivez ce qu'est une organisation, puis comparez la définition technique et la définition comportementale qu'on peut en donner.

   - Recensez et décrivez les caractéristiques des organisations qui contribuent à expliquer les différences dans l'utilisation qu'elles font des systèmes d'information.

   - Décrivez les principales théories économiques permettant d'expliquer les effets des systèmes d'information sur les organisations.

   - Décrivez les principales théories comportementales permettant d'expliquer les effets des systèmes d'information sur les organisations.

   - Expliquez pourquoi on se heurte à une très forte résistance organisationnelle lors de l'implantation des systèmes d'information.

   - Décrivez l'incidence d'Internet et des technologies perturbatrices sur les organisations.

2. **Comment le modèle des forces concurrentielles de Porter aide-t-il les entreprises à élaborer des stratégies concurrentielles reposant sur les systèmes d'information ?**
   - Définissez le modèle des forces concurrentielles de Porter et expliquez-en le fonctionnement.
   - Décrivez ce qu'explique le modèle des forces concurrentielles au sujet de l'avantage concurrentiel.
   - Recensez et décrivez quatre stratégies concurrentielles que peuvent adopter les entreprises grâce aux systèmes d'information.
   - Montrez comment les systèmes d'information peuvent soutenir chacune de ces stratégies concurrentielles et donnez des exemples.
   - Expliquez pourquoi l'alignement de la TI sur les objectifs de l'entreprise est essentiel à l'utilisation stratégique des systèmes d'information.

3. **En quoi les modèles de la chaîne de valeur et du réseau de valeur aident-ils les entreprises à cerner les possibilités d'application stratégique des systèmes d'information ?**
   - Définissez et décrivez le modèle de la chaîne de valeur.
   - Expliquez comment on peut utiliser le modèle de la chaîne de valeur pour repérer les possibilités qu'offrent les systèmes d'information.
   - Définissez le modèle du réseau de valeur et indiquez quelle est sa relation à la chaîne de valeur.
   - Expliquez comment le réseau de valeur aide les entreprises à repérer les possibilités qu'offrent les systèmes d'information stratégiques.
   - Montrez en quoi Internet a modifié les forces concurrentielles et les avantages concurrentiels.

4. **En quoi les systèmes d'information aident-ils les entreprises à utiliser la synergie, leurs compétences fondamentales et les stratégies fondées sur le réseautage pour se doter d'un avantage concurrentiel ?**
   - Expliquez comment les systèmes d'information favorisent la synergie et le renforcement des compétences fondamentales.
   - Décrivez comment le fait de mettre l'accent sur la synergie et sur les compétences fondamentales améliore l'avantage concurrentiel.
   - Expliquez en quoi les entreprises peuvent bénéficier de l'économie de réseau.
   - Définissez et décrivez l'entreprise virtuelle et indiquez les avantages d'une telle stratégie.

5. **Quels problèmes sont associés aux systèmes d'information stratégiques et comment peut-on les résoudre ?**
   - Énumérez et décrivez les problèmes de gestion associés aux systèmes d'information stratégiques.
   - Expliquez comment réaliser une analyse des systèmes stratégiques.

SUJETS DE DISCUSSION

1. On peut dire qu'un avantage stratégique durable n'existe pas. Êtes-vous d'accord ? Oui ou non ? Pourquoi ?

2. On peut dire que l'avantage qu'ont des chefs de file comme Dell et Wal-Mart par rapport aux autres détaillants est attribuable non pas à leur technologie, mais à leur gestion. Êtes-vous d'accord ? Oui ou non ? Pourquoi ?

TRAVAIL D'ÉQUIPE : REPÉRER LES OCCASIONS D'UTILISER DES SYSTÈMES D'INFORMATION STRATÉGIQUES

En groupe de trois ou quatre, choisissez une entreprise décrite dans le journal *Les Affaires* ou dans une autre publication concernant le monde des affaires. Visitez le site Web de l'entreprise pour en apprendre davantage à son sujet et pour savoir de quelle manière elle utilise le Web. En fonction des renseignements obtenus, analysez l'entreprise. Décrivez les caractéristiques de l'organisation : ses principaux processus d'affaires, sa culture, sa structure, son environnement et sa stratégie d'affaires. Proposez des systèmes d'information stratégiques qui conviendraient à cette entreprise, y compris des systèmes se fondant sur la technologie d'Internet, le cas échéant. Dans la mesure du possible, utilisez Google Sites pour afficher des liens vers des pages Web, pour communiquer entre membres de l'équipe et vous répartir les tâches, pour confronter vos idées et pour travailler ensemble sur les documents du projet. Essayez d'utiliser Google Documents pour mettre au point une présentation de vos résultats destinée à la classe.

YouTube, Internet et l'avenir du cinéma

Internet a transformé le secteur économique de la musique. Les ventes de CD chez les marchands de musique au détail ont décliné, alors que les ventes de chansons téléchargées sur les iPod et autres lecteurs portables par l'intermédiaire d'Internet enregistrent une hausse vertigineuse. Et le secteur de la musique continue d'être aux prises avec les téléchargements gratuits de chansons auxquels se livrent illégalement des millions de personnes. Le même sort est-il réservé au cinéma?

La multiplication des accès à haut débit à Internet, des ordinateurs personnels (de plus en plus puissants et munis de lecteurs et de graveurs de DVD), des appareils vidéo portables et des services de partage de fichiers a rendu le téléchargement de contenu vidéo plus rapide et plus facile que jamais. Actuellement, le nombre des téléchargements gratuits – et souvent illégaux – de vidéos est quatre fois supérieur au téléchargement payant. Mais Internet offre également aux studios de cinéma et de télévision de nouvelles possibilités de distribution et de vente dont ils s'efforcent de profiter.

Au début de 2006, les principaux studios de cinéma ont réussi à conclure des accords avec des sites comme Cinema-Now et Movielink – acquise depuis par Blockbuster – pour la vente de films par téléchargement. Auparavant, ces sites proposaient de télécharger des films en location, le client disposant de 24 heures pour les regarder, conformément au modèle de «vidéo à la demande». Warner Brothers a également élargi ses activités en établissant des relations avec les services de téléchargement de vidéos Guba.com et BitTorrent. Les studios essayaient de profiter de la vague créée par le succès du magasin de musique iTunes, un succès qui démontrait que les consommateurs étaient tout à fait disposés à payer le téléchargement électronique légal de matériel protégé par un droit d'auteur. En pénétrant sur le marché de la vente par téléchargement, ils espé-

raient du même coup prévenir le piratage dans leur secteur et échapper au sort de l'industrie de la musique.

Une question demeurait toutefois: les studios pouvaient-ils reproduire le succès d'iTunes? Leurs barèmes de prix initiaux n'avaient certainement pas le même attrait que ceux d'Apple: 0,99 $ la chanson ou 9,99 $ le CD. Le service Movielink a fixé le prix des nouveaux films entre 20 et 30 $, les plus anciens étant soldés à 10 $. Les studios estimaient que les clients seraient disposés à payer davantage pour pouvoir télécharger immédiatement un film plutôt que de devoir se le procurer dans un magasin «en dur» comme Best Buy ou sur un site en ligne comme Amazon.com, qui vendent les nouveaux DVD à moins de 15 $.

Toutefois, même si les clients étaient disposés à payer un léger supplément, ils en obtenaient moins pour leur argent. En effet, la plupart des films téléchargés ne comprenaient pas les suppléments, courants sur les DVD. En outre, ils étaient programmés pour être visionnés sur un écran d'ordinateur, et leur transfert sur un écran de télé exigeait des manipulations trop complexes pour la plupart des consommateurs. Ni Movielink ni CinemaNow n'offraient de films sous une forme qui aurait permis de les graver sur DVD et de les visionner sur un lecteur DVD ordinaire.

Au moment même où les studios tentaient une incursion dans la distribution en ligne, de nouvelles difficultés surgissaient. YouTube, dont les activités avaient commencé en février 2005, est rapidement devenu le site Web de partage de vidéos le plus populaire au monde. Même si sa mission initiale était d'offrir un débouché aux cinéastes amateurs, la gestion des droits numériques a immédiatement posé des problèmes.

Comme on pouvait s'y attendre, des vidéoclips de films et d'émissions de télé protégés par copyright se sont mis à proliférer aux côtés des journaux vidéo d'adolescents tournés au moyen de

cybercaméras et des films d'étudiants en cinéma. Pour dissuader ses utilisateurs d'afficher des clips illégaux, You-Tube a limité la longueur des vidéos diffusées à 10 minutes et accepté de retirer des vidéos à la demande du détenteur des droits d'auteur, mais la bataille était perdue d'avance. Les clips de films et de spectacles populaires étaient souvent affichés par de multiples utilisateurs et réapparaissaient aussi vite qu'ils étaient retirés. Et il s'est avéré que les utilisateurs étaient prêts à voir un film de 2 heures par tranches de 10 minutes si on pouvait y accéder gratuitement.

Il est difficile d'évaluer quelle est la quantité de vidéos tirées de films hollywoodiens qui est diffusée sur YouTube sans l'autorisation des studios. Selon les chercheurs et les gestionnaires de médias, la proportion se situerait entre 30 et 70 %. Lors d'une poursuite en justice en 2008, Viacom a affirmé que plus de 150 000 clips non autorisés extraits de certaines de ses émissions de télévision protégées par le droit d'auteur avaient été diffusés sur YouTube, auquel le conglomérat réclame d'ailleurs 1 milliard de dollars de dommages.

Lorsque Google a fait l'acquisition de YouTube en 2006, au prix de 1,65 milliard de dollars, le site a pris un poids considérable dans l'univers des médias. Avec 100 millions de visionnements de vidéos par jour, YouTube est devenu l'un des sites les plus visités sur le Web à l'échelle mondiale. Les grands studios de production n'allaient pas rester inactifs et laisser quelqu'un d'autre tirer profit de films dont la réalisation leur coûtait plus de 106 millions de dollars en moyenne. Ainsi, NBC Universal a-t-elle affecté trois employés à la recherche quotidienne de produits diffusés sans autorisation sur YouTube.

Mais il est douteux que ce type de chasse soit finalement rentable. Plutôt que de poursuivre un but inatteignable, certains des principaux studios, dont NBC Universal, Warner Brothers

Entertainment de Time Warner et Twentieth Century Fox de News Corporation, se sont donc mis en quête de solutions plus constructives. Ils ont entamé des négociations avec YouTube pour établir des contrats de licence prévoyant des modalités d'accès légal au contenu protégé par copyright. Le modèle d'octroi de licence retenu existait déjà entre YouTube et plusieurs grands producteurs de musique. Qui plus est, YouTube avait déjà conclu des ententes fructueuses avec les principaux studios pour mettre leurs films en marché sur son site.

Les studios sont tout à fait conscients de la valeur de l'exposition de leurs films sur un site Web aussi fréquenté. Marc Shmuger, président du conseil de Universal Pictures, a fait remarquer que l'équipe de marketing de sa société distribuait des vidéoclips promotionnels de tous ses nouveaux films aux sites Web comme YouTube. Il était logique pour le secteur du cinéma de suivre la voie empruntée auparavant par celui de la musique: profiter des avantages de la diffusion numérique comme nouvelle source de revenu plutôt que de chercher à éradiquer les téléchargements illégaux.

Au début de 2007, YouTube a exprimé son intention d'explorer un modèle de partage des revenus avec les créateurs de contenu et a mis au point une technologie de filtrage et d'empreinte numérique appelée Video ID pour concrétiser ce projet. Video ID permet aux détenteurs de droits d'auteur de comparer les empreintes numériques de leurs vidéos avec le matériel diffusé sur YouTube et de signaler le matériel constituant une infraction. Avec cette technologie, le site peut non seulement repérer les vidéos déjà en ligne, mais aussi en éliminer un grand nombre d'avance.

YouTube ne retire pas tout le matériel en infraction. L'entreprise a plutôt conclu avec CBS, Universal Music, Lionsgate, Electronic Arts et d'autres leaders du domaine des médias un accord en vertu duquel le détenteur du droit d'auteur d'une vidéo présentée sur YouTube peut la revendiquer comme lui appartenant et diffuser ses propres messages publicitaires conjointement. YouTube et les propriétaires des droits d'auteur partagent les revenus – qui sont encore assez modestes, puisque ces publicités n'accompagnent qu'une petite fraction des millions de vidéos diffusées sur le site. Les entreprises du domaine des médias estiment toutefois que ces messages publicitaires contribuent à stimuler l'intérêt des clients pour leurs productions.

Quoi qu'il en soit de la relation des studios de cinéma avec YouTube, il reste à voir si la diffusion de vidéos sur Internet peut être rentable. Screen Digest, agence de recherches londonienne, prévoit que 55 % du contenu vidéo regardé aux États-Unis en 2010 – soit 44 milliards d'émissions – le sera par l'intermédiaire d'Internet, mais que cela ne constituera que 15 % des revenus totaux provenant de contenus vidéo. Une grande partie du problème tient au fait que les vidéos les plus populaires en ligne sont aussi les moins intéressantes pour les annonceurs, en raison du caractère inapproprié ou contestable de leur contenu, ou simplement à cause de leur médiocrité.

Pour toutes les parties en lice – studios, sites de partage de vidéos, sociétés de location –, les partenariats et le partage des revenus semblent être le meilleur moyen de maximiser les flux de revenus que permettent les nouvelles technologies.

Pour le secteur du cinéma, le développement de la distribution de films en ligne est arrivé alors que l'industrie traversait une période difficile. En 2008, les ventes de DVD ont enregistré pour la première fois une baisse brutale par rapport à l'année précédente, passant de 16,5 à 15,9 milliards de dollars. Or, la distribution de films en ligne assure aux studios de cinéma une certaine réduction de leurs coûts, à commencer par le fait qu'ils n'ont plus à assumer eux-mêmes la distribution des produits et la gestion des invendus. Et surtout, cela peut leur permettre de tirer profit d'une activité qui autrement s'effectuerait dans l'illégalité.

Les studios continuent de rechercher d'autres partenaires pour la distribution numérique de leurs films. Les six plus importants ont conclu une entente avec Wal-Mart qui permet au géant des magasins de discompte de vendre des téléchargements de films sur son site Web, rejoignant ainsi iTunes, CinemaNow, Amazon et les autres entreprises qui avaient déjà conclu des ententes de cette nature. Tous les intervenants axeront désormais la concurrence sur les prix et la facilité d'utilisation de leurs sites Web. Deux choses sont claires: la technologie continuera de progresser et les avocats continueront d'invoquer des principes comme ceux de la responsabilité et de l'utilisation équitable.

Sources: Brian Steller, «Now Playing on YouTube: Clips with Ads», *New York Times*, 16 août 2008; Brooks Barnes, «Warner Tries a New Tactic to Revive its DVD Sales», *New York Times*, 26 mai 2008; Larry Neumeister, «Viacom Alleges YouTube Copyright Infringement», *USA Today*, 27 mai 2008; «Hollywood Asks YouTube: Friend or Foe?», *New York Times*, 15 janvier 2007; Catherine Holahan, «Google and YouTube: A Catch-22», *BusinessWeek*, 26 janvier 2007; «Upload Video, Download Cash on YouTube?», *BusinessWeek*, 30 janvier 2007; Eric Benderoff, «Web Sites Begin to Pay for Content», *Baltimore Sun*, 31 janvier 2007; Greg Sandoval, «Does YouTube Have a Control Problem?», *CNET News*, 5 février 2007; Jennifer LeClaire, «YouTube.com Stirs Napster Memories in Digital Movie Era», *TechNewsWorld*, 5 février 2007.

QUESTIONS

1. À quelles forces concurrentielles le secteur du cinéma a-t-il dû faire face? Quels problèmes ces forces ont-elles créés? Quels changements les studios de cinéma et de télévision ont-ils été amenés à faire pour résoudre ces problèmes?

2. Décrivez l'incidence de la technologie perturbatrice sur les sociétés dont il est question dans ce cas.

3. Comment les studios de cinéma ont-ils réagi à l'endroit de YouTube? Quel était le but de leur riposte? Que peuvent apprendre les studios de cinéma de la réaction du secteur de la musique à la diffusion numérique en ligne et à la violation des droits d'auteur?

4. Les sociétés de production cinématographique devraient-elles continuer de faire appel à YouTube pour faire la promotion de leurs films? Oui ou non? Pourquoi?

5. Visitez le site YouTube.com et cherchez des vidéos provenant de vos émissions de télé ou de vos films favoris. Que trouvez-vous sur ce site? Des messages publicitaires sont-ils associés à ces vidéos? Pensez-vous que ce type de publicité soit efficace? Oui ou non? Pourquoi?

Les aspects éthiques et sociaux des systèmes d'information de gestion

▶ OBJECTIFS D'APPRENTISSAGE

Après avoir étudié ce chapitre, vous pourrez répondre aux questions suivantes:

1. Quelles questions d'ordre éthique, social et politique soulèvent les systèmes d'information?

2. Quelles règles de conduite peuvent aider à prendre des décisions éthiques?

3. Pourquoi les systèmes d'information contemporains et Internet représentent-ils un défi pour la protection de la vie privée et de la propriété intellectuelle?

4. De quelle façon les systèmes d'information ont-ils influé sur la vie quotidienne?

SOMMAIRE

PEUT-ON « EMPRUNTER » LES DONNÉES DE VOTRE PRÊT ÉTUDIANT ?

Avez-vous déjà fait une demande de prêt étudiant pour financer vos études universitaires ? Si c'est le cas, vous avez dû fournir des renseignements comme votre date de naissance, votre adresse, votre numéro d'assurance sociale, votre situation financière, l'établissement d'enseignement que vous fréquentez, le montant de votre prêt, et peut-être votre adresse de courriel. Vous supposiez sans doute que ces renseignements personnels resteraient hautement confidentiels. Mais si vous avez reçu un prêt directement du ministère de l'Éducation des États-Unis, vous avez eu tort.

Le ministère de l'Éducation conserve des données sur le montant des prêts et bourses, les soldes impayés, la situation des prêts et les déboursés effectués, dans le cadre du programme fédéral Title IV, dans la base de données NSLDS (National Student Loan Data System). Ce système a été mis sur pied en 1993 pour faciliter la communication des renseignements sur les prêts étudiants entre les universités et les organismes de prêt. Il renferme des renseignements provenant des écoles et des agences qui garantissent les prêts, ainsi que des programmes Direct Loan, Pell Grant et autres du ministère de l'éducation. Le NSLDS est administré par le bureau fédéral de l'aide aux étudiants du ministère de l'Éducation des États-Unis.

Quelque 29 000 gestionnaires de l'aide financière universitaire et 7500 employés de sociétés de prêt ont accès à cette base de données qui concerne 60 millions d'étudiants. On peut y recourir uniquement pour déterminer l'admissibilité d'un étudiant à une aide fédérale ou pour faciliter le recouvrement des trop-perçus sur les prêts et bourses fédéraux. Les renseignements ne peuvent pas servir à d'autres fins.

Cependant, certaines sociétés de prêt ont exploité le système pour cibler les clients potentiels à faible risque et proposer des produits et des services aux emprunteurs et à leur famille. C'est au milieu de l'année 2003 que le ministère de l'Éducation s'est aperçu pour la première fois du problème en constatant la popularité grandissante de la consolidation de prêt. À la recherche d'emprunteurs à faible risque à qui elles souhaitaient proposer des plans de consolidation, les sociétés de prêt ont commencé à utiliser la base de données pour cibler les clients potentiels. Mais cette base de données est configurée de telle sorte que les utilisateurs puissent visualiser un seul dossier étudiant à la fois et que le ministère de l'Éducation puisse surveiller chacune des interventions. Devant la quantité inhabituelle de consultations des dossiers étudiants en avril 2005, les employés du service informatique ont envoyé des lettres aux utilisateurs pour les avertir qu'une exploitation inappropriée pourrait entraîner la révocation de leur accès à la base de données. La lettre soulignait que l'organisme était « particulièrement préoccupé » par le fait que les prêteurs donnent accès au système à des utilisateurs non autorisés comme des entreprises de marketing, des agences de recouvrement de créances et des maisons de courtage.

À la suite de l'avertissement, cette pratique semble avoir décliné, mais elle a repris au début de 2007, les sociétés de prêts aux étudiants essayant d'accéder au système plusieurs milliers de fois à la minute. Au même moment, les étudiants ayant un prêt direct ont été littéralement inondés de courrier publicitaire proposant des consolidations de prêt. En avril 2007, le ministère de l'Éducation a provisoirement suspendu l'accès des sociétés de prêt au

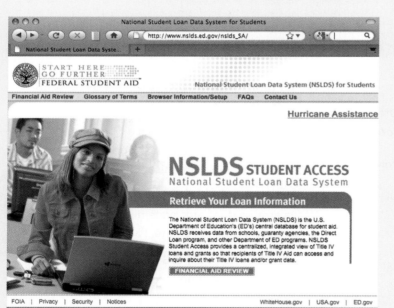

système (les emprunteurs et les représentants universitaires ont continué d'y avoir accès). Pendant cette période, le Bureau de l'inspecteur général s'est penché sur la façon dont les utilisateurs avaient usé ou abusé de la base de données et examiné si l'accès de certains d'entre eux devait être définitivement aboli.

Depuis 2003, le Bureau fédéral de l'aide aux étudiants a investi plus de 650 000 $ dans l'amélioration de la sécurité du système et la protection des renseignements. Il a révoqué plus de 52 000 accès, parmi lesquels 261 appartenaient à des prêteurs, à des emprunteurs, à des agences de cautionnement ou de prêt et à des établissements d'enseignement suspects.

Sources: Larry Greenemeier, «Data on Loan», *Information Week*, 23 avril 2007; U.S. Department of Education and Federal Trade Commission, «Student Loans: Avoiding Deceptive Offers», juin 2008; Amit R. Paley, «Lenders Misusing Student Database», *The Washington Post*, 15 avril 2007.

L'usage abusif de la base nationale de données sur les prêts étudiants décrit ci-dessus montre que la technologie peut être une arme à double tranchant. Si elle procure de nombreux avantages (comme des propositions de prêts à faible intérêt aux étudiants), elle peut aussi engendrer de nouvelles occasions de violer la loi ou de profiter d'autrui.

Le schéma d'introduction met en relief un certain nombre de problèmes importants qui sont traités dans le présent chapitre. Le ministère de l'Éducation des États-Unis cherchait un moyen de faciliter l'évaluation des étudiants qui demandaient des prêts et le recouvrement de ceux-ci tout en permettant aux étudiants de suivre les transactions. Le système NSLDS offrait une solution à ce problème, mais il permettait du même coup d'utiliser à mauvaise fin les renseignements sur les étudiants et leurs prêts.

La solution a créé un dilemme d'ordre éthique entre le besoin légitime d'obtenir des renseignements sur les emprunteurs étudiants et le fait qu'on puisse utiliser de tels renseignements pour s'immiscer dans leur vie privée. Un autre dilemme d'ordre éthique pourrait surgir si on mettait en place un nouveau système d'information qui réduirait les coûts de la main-d'œuvre en éliminant des emplois. Il faut être conscient des effets négatifs des systèmes d'information et pouvoir en évaluer toutes les conséquences – positives ou négatives.

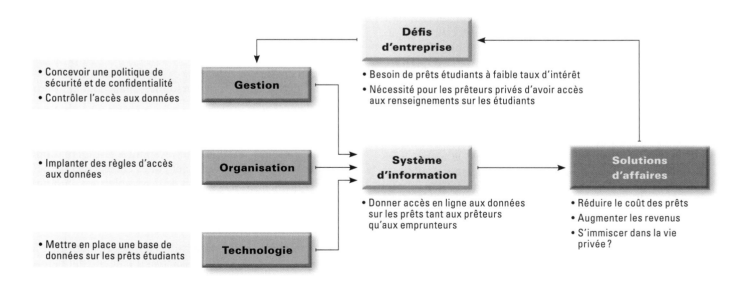

4.1 COMPRENDRE LES QUESTIONS D'ORDRE ÉTHIQUE ET SOCIAL ASSOCIÉES AUX SYSTÈMES D'INFORMATION

Les 10 dernières années ont probablement été les plus stimulantes sur le plan éthique pour les entreprises, tant aux États-Unis que dans le reste du monde. Le tableau 4-1 présente un petit échantillon de cas récents dans lesquels des cadres supérieurs et intermédiaires ont manqué de jugement en matière d'éthique. On a pu observer des fautes éthiques en gestion dans un grand nombre de secteurs d'activité.

Dans le contexte juridique actuel, les gestionnaires qui sont trouvés coupables d'avoir contrevenu à la loi devront très probablement purger des peines de prison. Aux États-Unis, les Federal Sentencing Guidelines, adoptées en 1987, stipulent que les juges de la Cour fédérale doivent imposer des sentences sévères se fondant sur les montants en jeu, sur la présence d'une conspiration visant à empêcher la découverte de l'acte criminel, sur le recours à des transactions financières structurées pour dissimuler le crime et sur le manque de coopération avec les procureurs (U.S. Sentencing Commission, 2004).

Même si par le passé les entreprises ont souvent payé les frais juridiques de leurs employés qui étaient mêlés à des enquêtes civiles ou criminelles, on les encourage plutôt aujourd'hui à coopérer avec les procureurs, de manière à alléger les charges qui pourraient peser sur l'ensemble de l'organisation pour entrave aux enquêtes. Plus que jamais, les gestionnaires et les employés doivent juger par eux-mêmes de ce qui constitue ou non une conduite appropriée, tant du point de vue légal qu'éthique.

Bien que les manquements importants en matière éthique et légale n'aient pas été le fait de services responsables des systèmes d'information, ceux-ci en ont souvent été l'instrument. Dans de nombreux cas, les auteurs des crimes les ont utilisés adroitement pour créer des rapports financiers et dissimuler leurs décisions, croyant ne jamais se faire prendre. Nous traiterons de la question du contrôle des systèmes d'information au chapitre 8. Dans ce chapitre-ci, nous abordons les dimensions éthiques de ces cas, ainsi que celles d'autres actes reposant sur l'utilisation des systèmes d'information.

Le terme **éthique** désigne les principes du bien et du mal que les « agents moraux libres » utilisent pour guider leurs choix en matière de comportement. Les systèmes d'information donnent lieu à de nouvelles questions d'éthique, tant pour les individus que pour les sociétés, car ils créent les conditions de changements sociaux de grande ampleur et menacent de ce fait la répartition existante du pouvoir, de l'argent, des droits et des obligations. Tout comme d'autres découvertes technologiques telles que la machine à vapeur, l'électricité, le téléphone ou la radio, la technologie de l'information peut être un agent de progrès social, mais aussi une arme dangereuse permettant de commettre des délits et de mettre en péril nos valeurs sociales fondamentales. Le développement de la technologie de l'information sera bénéfique à un grand nombre de personnes, mais coûteux pour d'autres.

Le développement d'Internet et du commerce électronique a encore accru l'urgence de prendre en compte les questions éthiques relatives aux systèmes d'information. Grâce aux technologies d'Internet et des entreprises numériques, il est plus facile que jamais de rassembler, de combiner et de distribuer l'information, ce qui aggrave les inquiétudes quant à l'utilisation des renseignements sur les clients, à la protection de la vie privée et à la propriété intellectuelle.

Les systèmes d'information donnent également lieu à d'autres questions éthiques pressantes. Il faut en effet déterminer les responsabilités organisationnelles face aux conséquences des systèmes d'information, établir des normes de qualité des systèmes qui assurent la sécurité des personnes et

---

TABLEAU 4-1

DES EXEMPLES RÉCENTS DE FAUTES DE JUGEMENT EN MATIÈRE ÉTHIQUE COMMISES PAR DES GESTIONNAIRES

Enron
Les trois principaux dirigeants d'Enron ont été reconnus coupables d'avoir faussé leurs déclarations de revenus en ayant recours à des méthodes comptables illégales et d'avoir fait de fausses déclarations aux actionnaires. L'entreprise a fait faillite en 2001.

WorldCom
Le directeur de WorldCom, deuxième entreprise de télécommunications des États-Unis, a été condamné pour avoir illégalement gonflé les revenus de plusieurs milliards de dollars en ayant recours à des méthodes comptables illégales. L'entreprise, qui avait 41 milliards de dollars de dettes, a fait faillite en juillet 2002.

Brocade Communications
Le chef de la direction de Brocade Communications a été reconnu coupable d'avoir antidaté des options sur actions et d'avoir dissimulé aux actionnaires des millions de dollars de charges salariales.

Parmalat
Dix membres de la direction de Parmalat, groupe industriel qui se classe au huitième rang en Italie, ont été reconnus coupables d'avoir déclaré plus de cinq milliards de dollars de revenus, de gains et d'actifs erronés sur une période couvrant plusieurs années.

Bristol-Myers Squibb
L'entreprise pharmaceutique Bristol-Myers Squibb a accepté de payer une amende de 150 millions de dollars pour avoir déclaré des revenus erronés de 1,5 milliard et gonflé la valeur de ses stocks.

de la société, et sauvegarder les valeurs et les institutions considérées comme essentielles à la qualité de la vie. Lorsqu'on utilise des systèmes d'information, il importe de se poser la question suivante: «Quelle est la ligne de conduite à adopter sur les plans social et éthique?»

Un modèle de réflexion sur les problèmes d'ordre éthique, social et politique

Les questions d'ordre éthique, social et politique sont étroitement liées. En général, les dilemmes d'ordre éthique auxquels un gestionnaire de systèmes d'information doit faire face font aussi l'objet de débats politiques et sociaux (figure 4-1).

On peut comparer la société à un étang à la surface plus ou moins calme par un beau jour d'été: c'est un écosystème délicat au sein duquel les individus et les institutions sociales et politiques sont en équilibre partiel. Ceux qui y vivent savent comment se comporter, car les institutions sociales (familles, établissements d'éducation et organisations) ont élaboré des règles de conduite bien précises, appuyées par des lois promulguées par les instances politiques qui déterminent les comportements acceptables et les sanctions applicables en cas d'infraction. Maintenant, lancez un caillou au centre de l'étang, mais au lieu d'un caillou, imaginez que la perturbation ainsi créée est due au puissant impact des nouvelles technologies de l'information et des systèmes d'information sur une société relativement tranquille. Que va-t-il arriver? Cela fera des vagues, c'est certain.

Soudainement, les acteurs sociaux font face à des situations que les anciennes lois n'avaient généralement pas prévues. Les institutions sociales ne peuvent pas réagir du jour au lendemain à ces bouleversements. Cela peut prendre des années pour que se mettent en place des conventions, des attentes, des formes de responsabilité sociale et des attitudes politiquement correctes pour que des règlements soient adoptés. De leur côté, les institutions politiques ont besoin de temps pour adopter de nouvelles lois et elles exigent souvent la preuve que les dommages sont réels avant d'intervenir. Or, dans l'intervalle, vous aurez peut-être besoin d'agir et vous devrez alors le faire dans une zone de vide juridique.

Le modèle que nous vous présentons donne un aperçu de la dynamique qui existe entre les aspects éthiques, sociaux et politiques. Il permet aussi de définir les principales dimensions morales de la société de l'information, lesquelles recouvrent plusieurs sphères d'action, soit les sphères individuelle, sociale et politique.

FIGURE 4-1 **LE LIEN ENTRE LES QUESTIONS D'ORDRE ÉTHIQUE, SOCIAL ET POLITIQUE DANS UNE SOCIÉTÉ DE L'INFORMATION**

L'avènement des nouvelles technologies de l'information bouleverse l'ordre établi et fait surgir de nouvelles questions morales, sociales et politiques, tant pour les individus que pour la société. Ces questions comportent cinq dimensions morales: les droits et obligations concernant l'information, les droits et obligations concernant la propriété, la qualité des systèmes, la qualité de vie et, enfin, la responsabilité organisationnelle et le contrôle.

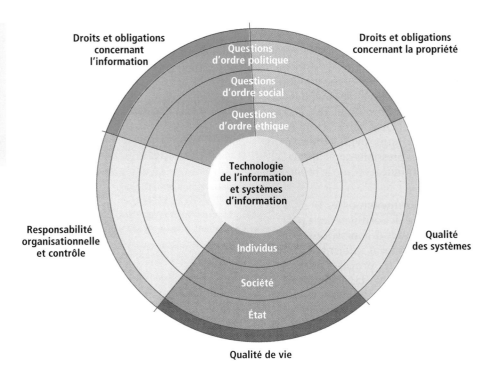

Les cinq dimensions morales de l'ère de l'information

Les principaux problèmes que soulèvent les systèmes d'information comportent les cinq dimensions morales suivantes.

- *Droits et obligations relatifs à l'information* Quels **droits liés aux renseignements personnels** ont les personnes et les organisations? Que peuvent-ils protéger? Quelles sont les obligations des personnes et des sociétés concernant ces renseignements?
- *Droits et obligations liés à la propriété* Comment protégera-t-on les droits traditionnellement associés à la propriété intellectuelle dans une société numérique où il est difficile de retrouver le propriétaire et de lui garantir ses droits tandis qu'il est si facile de les ignorer?
- *Responsabilité et contrôle* Qui peut être considéré comme responsable – et qui sera considéré comme tel (moralement et légalement) – des infractions aux droits à l'information et aux droits de propriété des individus et des collectivités?
- *Qualité des systèmes* En matière de qualité des données et des systèmes, quelles normes devrait-on imposer pour protéger les droits de la personne et la sécurité de la société?
- *Qualité de vie* Dans une société axée sur l'information et la connaissance, quelles valeurs devrait-on préserver? Quelles institutions devrait-on protéger contre les abus? Quelles valeurs et pratiques culturelles la nouvelle technologie de l'information conforte-t-elle?

Nous explorerons ces dimensions morales en détail dans la section 4.3.

Les principales tendances technologiques qui soulèvent des questions d'ordre éthique

Des questions d'ordre éthique ont surgi bien avant l'avènement de la technologie de l'information, mais cette technologie a renforcé les préoccupations, mis à l'épreuve les règles sociales établies et invalidé certaines lois – en tout ou en partie. Quatre tendances technologiques sont principalement à l'origine des pressions que subit actuellement l'éthique, comme le montre le tableau 4-2.

Le doublement tous les 18 mois de la puissance des ordinateurs a permis à la plupart des organisations d'utiliser des systèmes d'information pour leurs principaux processus d'exploitation. Du coup, la dépendance à l'égard de l'informatique et la vulnérabilité aux erreurs des systèmes et à la mauvaise qualité des données se sont accrues. Ni les règles sociales ni les lois ne sont encore adaptées à cette

nouvelle situation, et les normes qui visent à assurer l'exactitude et la fiabilité des systèmes d'information (chapitre 8) ne sont pas universellement acceptées ou mises en vigueur.

Les progrès techniques réalisés dans le domaine du stockage des données et la diminution rapide des coûts de stockage ont entraîné une multiplication des bases de données sur les individus – employés, clients et clients potentiels – conservées par les organisations publiques et privées. Cette évolution a rendu la violation systématique de la vie privée à la fois efficace et bon marché, assez pour que des détaillants régionaux et même locaux puissent se servir d'énormes systèmes pour trouver des clients.

La troisième tendance est le progrès des techniques d'analyse applicables à de grandes quantités de données. Celui-ci accroît les problèmes d'éthique parce que les entreprises et les organismes gouvernementaux peuvent ainsi recueillir des renseignements personnels très détaillés. Grâce aux nouveaux outils de gestion des données (chapitre 6), les entreprises peuvent rassembler et combiner la myriade de renseignements concernant un individu qui sont stockés dans les systèmes informatiques bien plus facilement que par le passé.

Songez à toutes les occasions que vous avez de diffuser des renseignements informatisés sur vous-même: achats par carte de crédit, appels téléphoniques, abonnement à des revues, location de vidéos, achats par correspondance, données bancaires ou dossiers municipaux, provinciaux et fédéraux (y compris les rapports de police et les comptes rendus d'audiences judiciaires) et visites aux sites Web. Si on les regroupe et qu'on les exploite efficacement, ces données peuvent révéler non seulement votre solvabilité, mais aussi votre mode de conduite automobile, vos goûts, vos fréquentations et vos intérêts politiques.

Les entreprises qui ont des produits à vendre achètent l'information pertinente provenant de ces sources afin de mieux cibler leurs campagnes de marketing. Les chapitres 3 et 6 montrent comment elles peuvent analyser de très

TABLEAU 4-2

LES TENDANCES TECHNOLOGIQUES QUI SOULÈVENT DES PROBLÈMES D'ÉTHIQUE

TENDANCE	EFFET
La puissance des ordinateurs double tous les 18 mois.	La plupart des organisations dépendent des systèmes informatiques pour des activités cruciales.
Le coût de stockage des données baisse rapidement.	Les organisations peuvent facilement conserver des bases de données détaillées sur les personnes.
L'analyse des données se raffine.	Les entreprises peuvent analyser les masses de données qu'elles recueillent sur les personnes pour élaborer des profils détaillés du comportement de chaque individu.
Le réseautage et Internet progressent.	Il est désormais beaucoup plus facile de copier des données d'un endroit à l'autre et d'accéder à distance à des renseignements personnels.

grandes bases de données pour découvrir rapidement les habitudes de consommation des clients et y répondre de façon individualisée. L'utilisation de l'informatique pour combiner des données issues de plusieurs sources et créer des dossiers électroniques contenant des renseignements détaillés sur les personnes s'appelle le **profilage**.

Par exemple, des centaines de sites Web permettent à DoubleClick (www.doubleclick.net), un courtier d'annonces publicitaires sur Internet, de faire le suivi des activités de leurs visiteurs en échange d'une redevance sur les publicités basées sur les renseignements qu'il a ainsi obtenus. Double-Click crée un profil de chaque visiteur en y ajoutant des détails chaque fois qu'il se rend sur un autre site auquel il est également associé. Avec le temps, la société DoubleClick peut établir un dossier détaillé sur les habitudes de consommation et d'utilisation d'Internet d'une personne et le vendre aux entreprises pour les aider à mieux cibler leur publicité Internet.

La société ChoicePoint recueille les données des rapports de police, des casiers judiciaires et des dossiers de conduite, les antécédents en matière de crédit et d'emploi, les adresses actuelle et passées, les permis professionnels et les déclarations de sinistres, ce qui lui a permis d'établir et de mettre à jour des dossiers électroniques sur presque tous les adultes aux États-Unis. Puis elle vend ces renseignements personnels à des entreprises et à des organismes gouvernementaux. La demande de renseignements personnels est telle que le marché des courtiers de données comme ChoicePoint est en pleine expansion.

L'apparition d'une nouvelle technologie d'analyse de données appelée **Nonobvious Relationship Awareness (NORA)**, ce qui signifie « recherche de liens implicites », offre tant au gouvernement qu'au secteur privé encore plus de capacités de profilage. NORA permet de recueillir de l'information sur les gens à partir de sources extrêmement diverses, comme des demandes d'emploi, des répertoires téléphoniques ou des listes de clients et de personnes recherchées, et de les combiner pour révéler des liens cachés susceptibles d'aider à reconnaître des criminels ou des terroristes (figure 4-2).

La technologie NORA permet d'analyser les données et d'en extraire de l'information dès le moment où elles sont générées, si bien qu'on pourrait, par exemple, s'apercevoir qu'un homme qui se présente au guichet d'une société aérienne a le même numéro de téléphone qu'un terroriste connu, et ce, avant même qu'il ne prenne place à bord de l'avion. Cette technologie est sans doute un outil utile à la sécurité intérieure mais, compte tenu du caractère extrêmement détaillé du tableau qu'elle peut fournir des activités d'une personne et de ses fréquentations, ses conséquences sur le respect de la vie privée sont bien réelles (Barrett et Gallagher, 2004).

On peut enfin s'attendre à ce que les progrès des techniques de réseautage, et notamment ceux d'Internet, réduisent considérablement les coûts liés à la transmission de grandes quantités de données et à leur accès. Grâce à ces techniques,

FIGURE 4-2

LA TECHNOLOGIE NONOBVIOUS RELATIONSHIP AWARENESS (NORA)

La technologie NORA permet de recueillir de l'information sur les gens à partir de sources extrêmement diverses et de les combiner pour découvrir des liens cachés. Par exemple, si un candidat à un emploi dans un casino a le même numéro de téléphone qu'un criminel connu, NORA pourra émettre un avertissement à l'intention du gestionnaire responsable de l'embauche.

on arrivera à exploiter à distance de grandes bases de données avec de petits ordinateurs de bureau, ce qui pourrait permettre d'empiéter sur la vie privée des personnes à une échelle et avec une précision inimaginables jusqu'alors.

Le développement à l'échelle mondiale de réseaux de communication passant par de « superautoroutes » numériques largement accessibles aux particuliers comme aux entreprises, soulève quantité de questions sur les plans éthique et social. Qui sera responsable des flux d'informations transportés par ces réseaux ? Sera-t-il possible de surveiller la diffusion des renseignements qui sont recueillis sur quelqu'un ? Quelles seront les conséquences de ces réseaux sur les liens traditionnels entre la famille, le travail et les loisirs quand des millions d'« employés » se transformeront en sous-traitants travaillant à partir de bureaux mobiles dont ils devront eux-mêmes assumer les coûts ?

Dans la section suivante, nous examinerons un certain nombre de principes d'éthique et de techniques analytiques permettant de trouver une réponse à ce genre de questions d'ordre éthique et social.

Les achats par carte de crédit permettent aux responsables d'études de marché, aux spécialistes du télémarketing et aux entreprises de vente par correspondance de recueillir des renseignements personnels. Les avancées de la technologie de l'information facilitent l'invasion de la vie privée.

4.2 L'ÉTHIQUE DANS UNE SOCIÉTÉ DE L'INFORMATION

La question de l'éthique se pose aux êtres humains qui ont la liberté de choisir. Elle concerne les choix individuels: parmi diverses possibilités d'actions, laquelle correspond au juste choix moral? Quelles sont les principales caractéristiques d'un choix éthique?

Les notions de base: responsabilité personnelle, organisationnelle et civile

Les choix éthiques sont des décisions prises par des personnes qui sont responsables des conséquences de leurs actes.

- La **responsabilité personnelle** est une caractéristique des êtres humains et un élément clé de toute démarche éthique. En assumant la responsabilité de vos actes, vous acceptez les coûts, les devoirs et les obligations associés à vos décisions.
- La **responsabilité organisationnelle** est une caractéristique des systèmes et des institutions sociales; elle implique que des mécanismes ont été mis en place pour déterminer qui a pris la décision d'agir et à qui incombe la responsabilité d'un acte. Sans ces mécanismes, une

analyse et une démarche éthiques sont intrinsèquement impossibles.

- La notion de **responsabilité civile** se rapproche encore plus du domaine du droit. Elle est une caractéristique des systèmes politiques dans lesquels des lois permettent aux individus d'être indemnisés pour des préjudices que leur ont causés d'autres individus, des systèmes ou des organisations.

Le **traitement équitable** est un processus connexe des États de droit visant à s'assurer que les justiciables connaissent et comprennent les lois, et qu'ils peuvent faire appel à une instance supérieure pour qu'elles soient correctement appliquées.

Ces notions de base constituent le fondement d'une analyse éthique des systèmes d'information et des personnes qui les gèrent.

1. Les effets des technologies de l'information sont médiatisés par des institutions sociales, des organisations et des individus. Les systèmes eux-mêmes n'ont pas d'impact: ce sont les décisions et les comportements des institutions, des organisations et des individus qui ont des répercussions.

2. La responsabilité des conséquences de la technologie incombe clairement aux institutions, aux organisations et aux gestionnaires qui ont choisi de l'utiliser. Une utilisation éthique de la technologie de l'information implique qu'on puisse être tenu responsable des conséquences de ses actes – et qu'on le sera.

3. Dans une société démocratique qui respecte des règles éthiques, chaque citoyen a droit à un dédommagement pour les préjudices subis, en vertu d'un ensemble de lois appliquées équitablement.

Une analyse éthique

Voici un processus en cinq étapes pour analyser une situation qui semble poser un problème d'éthique.

1. *Déterminer et décrire clairement les faits.* Il faut tout d'abord déterminer qui a fait quoi, à qui, où, quand et comment. On est souvent étonné du nombre d'erreurs qui peuvent se glisser dans la façon dont les événements sont initialement rapportés. Le simple rétablissement des faits peut être utile pour trouver une solution et peut aider les parties prenantes à s'entendre.

2. *Définir le conflit ou le dilemme et déterminer les valeurs fondamentales en jeu.* Les questions d'ordre éthique, social et politique mettent toujours en jeu des valeurs fondamentales. Les parties qui sont en conflit affirment toutes qu'elles poursuivent des objectifs hautement moraux tels que liberté, vie privée, protection de la propriété, libre entreprise, etc. En général, les questions éthiques se présentent sous la forme d'un dilemme entre deux positions diamétralement opposées se fondant chacune sur des principes louables. L'étude de cas de la fin du chapitre illustre le conflit entre deux valeurs: d'une

part, la nécessité de protéger les citoyens contre les actes terroristes ; d'autre part, le respect de la vie privée des gens.

3. *Reconnaître les parties prenantes.* Toute question d'ordre éthique, social ou politique met en jeu plusieurs parties prenantes, c'est-à-dire des personnes qui sont intéressées au résultat, qui se sont investies dans la cause et dont l'opinion a généralement un certain poids. Il faut déterminer quels sont ces groupes et ce qu'ils veulent. Cette démarche vous servira ultérieurement à mettre au point une solution.

4. *Trouver les solutions raisonnablement envisageables.* Il se peut qu'aucune des solutions possibles ne satisfasse tous les intéressés, mais que certaines donnent de meilleurs résultats que d'autres. Tenter d'équilibrer les conséquences de la décision sur les différentes parties prenantes ne conduit pas toujours à la bonne solution ni à celle qui est la plus appropriée d'un point de vue éthique.

5. *Déterminer les conséquences éventuelles des différents choix.* Certains choix peuvent être justes sur le plan éthique, mais avoir des conséquences désastreuses sur d'autres plans. D'autres peuvent être satisfaisants dans un cas particulier, mais ne pas l'être dans d'autres circonstances similaires. Il faut toujours se poser la question : « Que se passera-t-il si on applique cette solution systématiquement dans tous les cas ? »

Quelques principes de base

Une fois l'analyse terminée, sur quels principes ou règles d'éthique faut-il s'appuyer pour prendre la décision ? Quelles sont les valeurs fondamentales qui doivent servir de guide ? Même s'il revient au décisionnaire de choisir, parmi les nombreuses règles d'éthique, celles qu'il va suivre et de décider de la priorité à leur accorder, il est utile de prendre en considération un certain nombre de principes profondément ancrés dans de nombreuses cultures et qui se sont maintenus tout au long de l'histoire.

1. Ne pas faire aux autres ce qu'on ne voudrait pas qu'on nous fasse (**règle d'or**). Se mettre à la place des autres et se considérer soi-même comme soumis à la décision à prendre permet de réfléchir sur l'impartialité du processus.

2. Si on ne peut considérer qu'il est juste pour quiconque d'agir d'une certaine façon, cela n'est juste pour personne (**impératif catégorique de Kant**). Il faut se demander : « Si tout le monde agissait de la sorte, l'organisation et la société pourraient-elles survivre ? »

3. Si un geste ne peut être répété constamment, mieux vaut ne pas le poser du tout. Il s'agit de la **règle de la pente fatale de Descartes** : pris isolément, un acte peut entraîner un changement qu'on juge acceptable, mais si on le répète, il risque de provoquer des changements intolérables à long terme. En langage courant, on peut traduire ce principe de la façon suivante : « Lorsqu'on s'engage sur une pente glissante, il peut être difficile de s'arrêter. »

4. Il faut choisir l'action qui procure le plus de bienfaits ou des bienfaits d'une plus grande valeur (**principe de l'utilitarisme**). Cette règle implique qu'on peut hiérarchiser les bienfaits en question et prévoir les conséquences des diverses solutions.

5. Il faut choisir l'action dont les effets seront les moins nocifs et les conséquences les moins coûteuses advenant un échec (**principe du risque minimum**). Certains actes peuvent avoir des conséquences extrêmement coûteuses en cas d'échec, mais cette éventualité est très faible (par exemple, la construction d'une centrale nucléaire dans une région urbaine) ou modérée (la vitesse et les accidents de la route). Il faut éviter tout acte dont les conséquences risquent d'être coûteuses, surtout si la probabilité d'échec est modérée ou, pire, élevée.

6. Il faut partir du principe qu'en l'absence d'une déclaration spécifiant le contraire, pratiquement tout bien – tangible ou intangible – appartient à quelqu'un (**principe éthique du « rien n'est gratuit »**). Si une personne a créé un objet qui vous est utile, l'objet a de la valeur et vous devez vous attendre à ce que le créateur veuille être rémunéré pour son travail.

Bien que ces règles ne puissent servir de guides, il faut examiner très attentivement toute action qui ne les respecte pas et ne s'y engager qu'avec d'extrêmes précautions. Le fait qu'un comportement *paraisse* immoral peut en effet être aussi nuisible à une entreprise et à ses dirigeants que s'il l'est réellement.

Les codes de déontologie

Les gens qui adhèrent à une association professionnelle acquièrent des droits et doivent assumer des obligations particulières en relation avec les connaissances et le jugement particuliers qu'ils affirment posséder et le respect qu'ils exigent. Des associations comme l'Association médicale canadienne (AMC), l'Association du Barreau canadien (ABC), l'Association of Information Technology Professionals (AITP) et l'Association for Computing Machinery (ACM) promulguent des codes de déontologie. Ces associations professionnelles prennent la responsabilité d'une partie de la réglementation qui régit leur profession en déterminant les exigences de qualification et de compétences permettant de l'exercer.

Les codes de déontologie traduisent l'engagement des professionnels de se réglementer eux-mêmes dans l'intérêt général de la société. Par exemple, le code de déontologie de l'ACM comporte les impératifs moraux suivants : ne jamais nuire à autrui, respecter les droits de propriété (y compris la propriété intellectuelle) et protéger la vie privée des individus.

Quelques dilemmes éthiques de la vie courante

Les systèmes d'information ont fait naître de nouveaux dilemmes éthiques dans lesquels les intérêts des uns s'opposent à ceux des autres. Aux États-Unis, par exemple, un grand nombre des grandes sociétés téléphoniques utilisent la technologie de l'information pour réduire leur personnel. En rendant les ordinateurs capables de reconnaître les réponses d'un client à une série de questions informatisées, les logiciels de reconnaissance vocale permettent en effet de réduire le nombre de téléphonistes. Par ailleurs, un grand nombre d'entreprises surveillent ce que font leurs employés sur Internet afin d'éviter qu'ils ne gaspillent les ressources de l'entreprise pour des activités qui ne sont pas liées à leur travail (chapitre 7, session interactive sur la gestion).

Dans les deux cas, on s'aperçoit qu'il y a un conflit entre des valeurs opposées, chacune étant soutenue par des groupes aux intérêts divergents. Ainsi, une entreprise peut soutenir qu'il est légitime d'utiliser des systèmes d'information pour accroître la productivité et réduire le personnel afin de comprimer les coûts et d'assurer sa viabilité. Les employés remplacés par les systèmes d'information, quant à eux, peuvent soutenir que leurs employeurs ont aussi une certaine responsabilité vis-à-vis du bien-être de leur personnel. Par ailleurs, les propriétaires d'entreprises peuvent parfois se sentir obligés de surveiller la manière dont leurs employés utilisent Internet et le courrier électronique pour réduire au minimum les pertes de productivité. Et les employés peuvent pour leur part estimer qu'ils devraient avoir le droit de faire une utilisation limitée d'Internet, plutôt que du téléphone, pour régler des problèmes personnels.

Une analyse approfondie des faits permet parfois de trouver des compromis et de « couper la poire en deux ». Essayez d'appliquer certains des principes d'éthique proposés précédemment à chacun de ces cas. D'après vous, quelle est la solution ?

4.3 LES DIMENSIONS MORALES DES SYSTÈMES D'INFORMATION

Penchons-nous maintenant sur les cinq dimensions morales des systèmes d'information illustrées à la figure 4-1. Pour chacune, nous allons déterminer les composantes éthiques, sociales et politiques de l'analyse et prendre des exemples de la vie quotidienne pour illustrer les valeurs sous-jacentes, les parties prenantes et les solutions.

Le droit à l'information : le respect de la vie privée et la liberté à l'ère d'Internet

Le **droit à la vie privée** est le droit qu'a une personne d'être laissée tranquille, de ne pas être surveillée et de ne pas subir d'immixtion dans ses affaires personnelles, que ce soit de la part d'autres personnes, d'organisations ou même de l'État. La question du respect de la vie privée se pose également au travail : des millions d'employés sont soumis à une surveillance technologique – électronique ou autre. La techno-logie de l'information et les systèmes qui lui sont associés menacent le droit à la vie privée en rendant l'invasion de celle-ci bon marché, rentable et efficace.

L'encadrement juridique au Canada et aux États-Unis

Le droit à la vie privée est protégé de diverses façons dans les constitutions étatsunienne, canadienne et allemande. (Dans d'autres pays, ce sont les lois qui assurent cette protection.) Aux États-Unis, le droit à la vie privée est d'abord protégé par : le premier amendement, qui garantit la liberté d'expression et d'association ; le quatrième, qui protège les citoyens contre les perquisitions et contre la saisie de documents personnels sans motifs valables ; la garantie d'une application équitable de la loi.

Le tableau 4-3 présente les principales lois fédérales déterminant la façon dont les renseignements personnels peuvent être utilisés aux États-Unis dans des domaines comme l'évaluation du crédit, l'éducation, les dossiers financiers, les archives des médias et les communications électroniques. Il contient également les principales lois fédérales du Canada traitant de la protection de la vie privée. Aux États-Unis, la loi la plus importante est la Privacy Act de 1974, qui réglemente la collecte, l'utilisation et la divulgation de l'information. Actuellement, la plupart des lois sur la protection de la vie privée aux États-Unis s'appliquent seulement au gouvernement fédéral, et très peu de domaines du secteur privé sont réglementés.

La plupart des lois américaines et européennes sur la protection de la vie privée s'appuient sur les **Fair Information Practices (FIP, « pratiques équitables de traitement de l'information »)**, énoncées pour la première fois en 1973 dans un rapport du comité consultatif du gouvernement des États-Unis (U.S. Department of Health, Education and Welfare, 1973). Les FIP sont un ensemble de principes qui régissent la collecte et l'utilisation des renseignements personnels. Ces principes se fondent sur l'idée que les détenteurs de renseignements personnels et les personnes sur lesquelles portent ces renseignements ont des intérêts en commun. Une personne souhaite s'engager dans une transaction, et le détenteur des données – généralement une entreprise ou un organisme gouvernemental – a besoin de renseignements sur cette personne pour mener à bien la transaction. Une fois les renseignements recueillis, la personne qui les a fournis garde un droit sur eux, et ils ne peuvent être utilisés dans le cadre d'autres activités sans son consentement.

En 1998, la Federal Trade Commission (FTC) a reformulé et élargi les FIP afin de fournir des directives pour la protection des renseignements personnels en ligne. Le tableau 4-4 décrit les principes énoncés par la FTC.

Les pratiques équitables de traitement de l'information énoncées par la FTC servent de lignes directrices pour la modification des lois sur la protection de la vie privée. En juillet 1998, le Congrès des États-Unis a adopté la Children's Online Privacy Protection Act (COPPA), qui exige des sites Web qu'ils obtiennent l'autorisation des parents pour recueillir de l'information sur les enfants de moins de 13 ans.

TABLEAU 4-3

LES LOIS FÉDÉRALES SUR LA PROTECTION DE LA VIE PRIVÉE AUX ÉTATS-UNIS ET AU CANADA

1. **Lois étatsuniennes d'ordre général sur la protection de la vie privée**

   Freedom of Information Act de 1968 amendé (5 USC 552)

   Privacy Act de 1974 amendé (5 USC 552a)

   Electronic Communications Privacy Act de 1986

   Computer Matching and Privacy Protection Act de 1988

   Computer Security Act de 1987

   Federal Managers Financial Integrity Act de 1982

   Driver's Privacy Protection Act de 1994

   E-Government Privacy Protection Act de 2002

2. **Lois étatsuniennes sur la protection de la vie privée concernant les entreprises privées**

   Fair Credit Reporting Act de 1970

   Family Educational Rights and Privacy Act de 1974

   Right to Financial Privacy Act de 1978

   Privacy Protection Act de 1980

   Cable Communications Policy Act de 1984

   Electronic Communications Privacy Act de 1986

   Video Privacy Protection Act de 1988

   Health Insurance Portability and Accountability Act (HIPAA) de 1996

   Children's Online Privacy Protection Act (COPPA) de 1998

   Financial Modernization Act (Gramm-Leach-Bliley Act) de 1999

3. **Principales lois canadiennes sur la protection de la vie privée**

   Charte canadienne des droits et libertés, partie I de la Loi constitutionnelle de 1982 [annexe B de la Loi de 1982 sur le Canada (1982, R.-U., c. 11)]

   Code criminel, Partie VI, L.R.C. (1985), c. C-46

   Loi sur l'accès à l'information, L.R.C. (1985), c. A-1

   Loi sur la protection des renseignements personnels, L.R.C. (1985), c. P-21

TABLEAU 4-4

LES PRINCIPES DES PRATIQUES ÉQUITABLES DE TRAITEMENT DE L'INFORMATION (FIP) ÉNONCÉS PAR LA FEDERAL TRADE COMMISSION

1. *Avis et sensibilisation (principe de base)* Avant de recueillir des renseignements, les sites Web doivent divulguer leurs pratiques en matière de collecte de données en précisant : l'identité de celui qui recueille les renseignements ; l'utilisation qui sera faite des données ; les autres destinataires des données ; la nature de la collecte (active ou inactive) ; si les renseignements sont fournis sur une base volontaire ou obligatoire ; les conséquences d'un refus ; les étapes visant à protéger la confidentialité, l'intégrité et la qualité des données.

2. *Choix et consentement (principe de base)* Le consommateur doit pouvoir choisir la manière dont les renseignements qu'il fournit seront utilisés à d'autres fins que celles de la transaction, qu'il s'agisse d'utilisation interne ou de transfert à des tiers.

3. *Accès et participation* Les consommateurs doivent avoir la possibilité de vérifier que les données recueillies sur eux sont exactes et complètes et de les contester, et ce, gratuitement et en temps opportun.

4. *Sécurité* Les responsables de la collecte des données doivent prendre les mesures nécessaires pour que l'information recueillie sur le consommateur soit exacte et protégée contre toute utilisation non autorisée.

5. *Application* Un mécanisme doit être mis en place pour garantir l'application des pratiques équitables de traitement de l'information, que ce soit par l'intermédiaire d'un système d'autorégulation, de dispositions légales assurant aux consommateurs des recours judiciaires contre les infractions, ou des lois et règlements fédéraux.

La FTC a recommandé la mise en place de mesures législatives supplémentaires afin de protéger la confidentialité des renseignements recueillis sur les habitudes de consommation des internautes qui fréquentent les sites de réseaux de publicité. Ces réseaux peuvent établir des profils détaillés que d'autres entreprises pourront ensuite utiliser pour cibler leur publicité en ligne. D'autres propositions de loi se concentrent sur la protection de l'utilisation en ligne de numéros d'identification personnels, tels les numéros d'assurance sociale, ainsi que sur la protection des renseignements personnels relatifs à des personnes non concernées par la Children's Online Privacy Protection Act de 1998. Elles visent aussi à limiter l'examen des données au bénéfice de la sécurité intérieure.

Des mesures de protection de la vie privée ont aussi été intégrées aux récentes lois visant à déréglementer les services financiers et à assurer la sécurité de la conservation et de la transmission de données sur la santé des personnes. La Gramm-Leach-Bliley Act de 1999, qui abroge les restrictions antérieures sur les affiliations entre banques, maisons de courtage et sociétés d'assurances, comporte des mesures de protection de la vie privée des clients des services financiers. Toutes les institutions financières doivent divulguer leurs politiques et leurs pratiques en matière de protection des renseignements confidentiels et permettre à leurs clients de se soustraire aux dispositions relatives au partage de l'information avec des tiers non affiliés.

La Health Insurance Portability and Accountability Act (HIPAA) de 1996, entrée en vigueur le 14 avril 2003, assure notamment la confidentialité des dossiers médicaux. Cette loi permet aux patients d'avoir accès à leur dossier, qu'il soit conservé par des prestataires de soins de santé, des hôpitaux ou des sociétés d'assurance, et leur donne le droit de décider de quelle manière les renseignements protégés les concernant peuvent être utilisés ou communiqués. Les médecins, les hôpitaux et les autres prestataires de soins de santé doivent limiter la communication de renseignements personnels concernant leurs patients au minimum nécessaire pour atteindre un objectif donné.

La directive européenne sur la protection des données

En Europe, la protection de la vie privée est beaucoup plus rigoureuse qu'aux États-Unis. Contrairement aux États-Unis, les pays européens défendent aux entreprises d'utiliser des renseignements permettant l'identification des personnes sans leur consentement préalable. La directive européenne relative à la protection des données à caractère personnel, qui est entrée en vigueur le 25 octobre 1998, a élargi la protection de la vie privée dans les pays membres de l'Union européenne (UE).

En vertu de cette directive, les entreprises doivent informer les intéressés lorsqu'elles recueillent des informations sur eux et leur révéler la manière dont elles vont les conserver et les utiliser. Les clients doivent donner leur consentement éclairé avant qu'une entreprise puisse légalement utiliser des données les concernant. De plus, ils ont le droit d'accéder à cette information, de la corriger et d'exiger qu'aucune autre donnée ne soit recueillie sur eux. On peut définir le **consentement éclairé** comme le consentement donné par un individu disposant de toutes les connaissances nécessaires pour prendre une décision rationnelle. Les pays membres de l'UE doivent intégrer ces principes à leurs lois respectives et ne peuvent transmettre des données personnelles à des pays qui, comme les États-Unis, n'ont pas de réglementation similaire.

En collaboration avec la Commission européenne, le ministère du Commerce des États-Unis a mis en place des **règles d'exonération** qui permettent aux entreprises d'adopter une politique privée d'autoréglementation et un mécanisme de mise en application qui répondent aux objectifs des organismes de réglementation gouvernementaux et des lois sans en dépendre. Les entreprises pourraient ainsi être autorisées à utiliser des renseignements personnels provenant des pays de l'Union européenne si elles élaborent des politiques de protection de la vie privée qui satisfont aux normes qui y sont en vigueur. Ces règles seraient appliquées aux États-Unis au moyen de politiques internes et de réglementations, ainsi qu'au moyen de l'application par le gouvernement des lois sur la concurrence.

Les dangers d'Internet pour la protection de la vie privée

Internet a posé de nouveaux problèmes pour la protection de la vie privée. L'information transmise par cet immense réseau de réseaux peut transiter par de nombreux systèmes informatiques avant d'atteindre sa destination finale. Or, chacun de ces systèmes peut surveiller les communications qui transitent par lui, se les approprier et les stocker.

Il est matériellement possible de tenir un registre des nombreuses activités qui ont lieu sur Internet, notamment des recherches qui y sont faites, des sites et des pages Web qui y sont visités, du contenu auquel une personne a eu accès en ligne, des documents qu'elle y a consultés et de ce qu'elle y a acheté. La majeure partie de la surveillance et du traçage des visiteurs d'un site Web se fait sans qu'ils s'en rendent compte. Par ailleurs, cette surveillance n'est pas seulement le fait de sites Web individuels, mais aussi celui de réseaux publicitaires comme DoubleClick, qui peuvent observer ce que fait une personne sur des milliers de sites Web.

Les outils permettant de surveiller les visites effectuées sur le Web sont devenus populaires parce qu'ils aident les entreprises à mieux connaître les personnes qui visitent leurs sites et à mieux cibler leurs offres. (Certaines entreprises surveillent également l'utilisation que leurs employés font d'Internet, afin de savoir comment ils utilisent les ressources de leur réseau.) Le marché de ce genre de renseignements personnels est virtuellement infini.

Les propriétaires de sites Web peuvent obtenir l'identité de leurs visiteurs lorsque ceux-ci s'inscrivent volontairement pour acheter un produit ou un service, ou pour bénéficier d'un service gratuit, par exemple de l'information. Mais ils peuvent aussi recueillir des renseignements sur eux sans qu'ils s'en rendent compte, grâce à la technologie des témoins.

Les **témoins** sont de minuscules fichiers qui sont déposés sur le disque dur de l'ordinateur d'une personne lorsqu'elle visite certains sites Web. Ils reconnaissent le logiciel de navigation de l'internaute et tracent ses visites sur le site. Lorsque le visiteur retourne sur un site qui a déposé un témoin dans son système, le logiciel du site cherche dans son ordinateur pour le retrouver et savoir ainsi ce qu'il y a fait auparavant. Il peut aussi le mettre à jour selon le type d'activités effectuées pendant la visite. Le site peut ainsi personnaliser son contenu en fonction des champs d'intérêt de chaque visiteur. Par exemple, si vous achetez un livre sur le site Web d'Amazon.com et que vous y retournez ultérieurement en utilisant le même navigateur, le site vous accueillera en vous appelant par votre nom et pourra, en se fondant sur vos achats antérieurs, vous recommander des livres susceptibles de vous intéresser.

L'entreprise DoubleClick, dont on a déjà parlé dans ce chapitre, utilise des témoins pour constituer ses dossiers en analysant en détail les achats en ligne et pour examiner le comportement des visiteurs du site. La figure 4-3 illustre la façon dont les témoins fonctionnent.

Les sites Web qui utilisent des témoins ne peuvent obtenir directement les noms et adresses de leurs visiteurs, mais si quelqu'un s'est inscrit sur le site, il est possible d'associer les renseignements qu'il a alors fournis aux données du témoin pour l'identifier. Les propriétaires de sites Web peuvent également combiner les données recueillies à l'aide de témoins et d'autres outils de surveillance du Web avec des renseignements personnels provenant d'autres sources, comme ceux qui sont recueillis hors ligne lors de sondages ou d'achats sur catalogues, et établir ainsi des profils très détaillés de leurs visiteurs.

FIGURE 4-3

COMMENT LES TÉMOINS IDENTIFIENT LES VISITEURS SUR LE WEB

Internaute — **Serveur**

Windows XP
IE
Version 7.0 **1**

Témoin **2**

931032944 Internaute
ayant déjà fait des achats **3**

Bienvenue, Lise Côté ! **4**

1. Le serveur Web détecte le navigateur Web de l'internaute et détermine le système d'exploitation utilisé, le nom du serveur, le numéro de version et l'adresse Internet, ainsi que d'autres informations.
2. Le serveur Web transmet un minuscule fichier texte appelé « témoin » et contenant des renseignements permettant d'identifier l'utilisateur, que le navigateur de celui-ci enregistre sur son disque dur.
3. Lorsque l'internaute retourne sur le site Web, le serveur demande ce que contient tout témoin qu'il a préalablement placé dans son ordinateur.
4. Le serveur Web lit le témoin, identifie le visiteur et extrait les données le concernant.

Les témoins sont inscrits par un site Web sur le disque dur de l'ordinateur d'un visiteur. Lorsque le visiteur retourne sur le site, le serveur Web demande le numéro d'identification au témoin et il s'en sert pour accéder aux données qu'il a stockées sur l'utilisateur en question. Le site Web peut alors utiliser les données pour afficher des informations personnalisées.

Il existe maintenant des outils de surveillance des internautes encore plus subtils et difficiles à détecter. Ainsi, pour épier les comportements en ligne, les services de marketing utilisent les **pixels invisibles**, de minuscules fichiers graphiques insérés dans un courriel ou dans une page Web et conçus pour surveiller qui les lit. Ils en avertissent alors un autre ordinateur. Le **logiciel espion** peut quant à lui s'installer secrètement sur l'ordinateur d'un internaute en se jumelant à des applications de plus grande taille. Une fois installé, il entre en contact avec des sites Web pour qu'ils envoient de la publicité et différentes sortes de matériel non sollicité à l'internaute. Il peut aussi rapporter les mouvements de l'utilisateur sur Internet à d'autres ordinateurs. On trouvera plus d'information sur les pixels invisibles, les logiciels espions et autres logiciels importuns au chapitre 8.

L'entreprise Google a commencé à utiliser le ciblage comportemental pour adapter les annonces qu'elle affiche aux activités de recherche des utilisateurs. L'un de ses programmes permet aux annonceurs de cibler leurs annonces en fonction de l'historique des recherches des utilisateurs du navigateur, de même que tout autre renseignement qu'ils transmettent ou que Google peut obtenir, comme leur âge, leurs caractéristiques sociodémographiques, la région dans laquelle ils habitent et leurs autres activités sur le Web (un blogue, par exemple). Un autre programme permet à Google d'aider les annonceurs à sélectionner des mots clés et à concevoir des annonces adaptées à différents segments de marché selon les historiques de recherche. Google peut ainsi aider un site de vêtements à créer et à tester des publicités destinées aux adolescentes.

Google analyse aussi le contenu des messages que reçoivent les utilisateurs de Gmail, son service de messagerie électronique gratuit. Les annonces publicitaires que les utilisateurs voient lorsqu'ils lisent leurs messages sont ainsi en lien avec le sujet de ces messages. Un profil de l'utilisateur est aussi établi d'après le contenu de ses courriels. Lancé en 2008, le navigateur Google Chrome comporte une fonction de suggestion qui recommande automatiquement des requêtes et des sites Web connexes lorsque l'utilisateur commence une recherche. Des critiques ont souligné qu'il s'agissait d'un enregistreur de frappe qui pouvait enregistrer pour toujours chaque frappe des utilisateurs. Google a annoncé par la suite que les données seraient rendues anonymes au bout de 24 heures.

Les États-Unis permettent aux entreprises de recueillir les renseignements fournis pour effectuer des transactions sur les places de marché, puis de les utiliser à d'autres fins commerciales sans que les personnes concernées soient tenues de fournir un consentement éclairé. Les entreprises de commerce électronique se contentent généralement d'afficher sur leur site des avertissements informant les visiteurs de la manière dont les renseignements personnels qu'ils fournissent seront utilisés.

Certains y ont ajouté une case permettant aux visiteurs de s'inscrire sur une liste d'**exclusion**. Un modèle de consentement éclairé basé sur l'exclusion permet aux entreprises de recueillir des renseignements tant que le consommateur ne s'y oppose pas explicitement. Les défenseurs de la confidentialité souhaiteraient cependant qu'on adopte plus largement un modèle de consentement éclairé basé sur l'**inclusion**, en vertu duquel une entreprise se verrait interdire la collecte de renseignements personnels à moins que le consommateur ne manifeste clairement son accord, tant pour la collecte que pour l'utilisation des renseignements.

Les entreprises pratiquant le commerce électronique ont choisi l'autorégulation de préférence à une législation sur la vie privée pour assurer la protection des consommateurs. En 1998, elles ont formé l'Online Privacy Alliance, dont le but est d'encourager l'autorégulation et d'établir, à l'intention de ses membres, un ensemble de lignes directrices sur la vie privée. Le groupe fait la promotion de l'utilisation de sceaux, comme celui de TRUSTe, qui certifie que les sites Web l'arborant souscrivent à certains principes de protection de la confidentialité. Des membres du secteur des réseaux publicitaires, dont DoubleClick, ont créé une autre association, appelée la Network Advertising Initiative (NAI), qui a pour but d'élaborer ses propres politiques de confidentialité afin d'aider les consommateurs à s'exclure des programmes des réseaux publicitaires et de leur permettre d'obtenir réparation en cas d'abus.

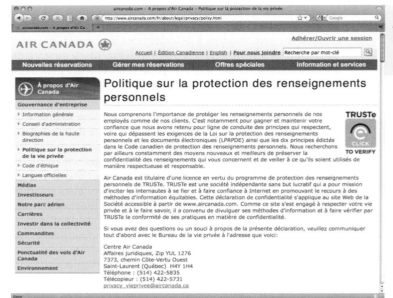

commerce électronique et ses visiteurs. Elle repose sur l'utilisation d'une norme qui permet de comparer ces politiques avec celles de leurs préférences ou avec d'autres normes, telles que les nouvelles directives FIP de la FTC ou les directives européennes en matière de protection des données. Les internautes peuvent donc utiliser la technologie P3P pour déterminer le degré de confidentialité qu'ils souhaitent préserver lorsqu'ils sont sur le Web.

La norme P3P permet aux sites Web de diffuser leurs politiques de protection de la vie privée dans un format que les ordinateurs comprennent. Une fois codifiées selon ces règles, elles deviennent partie intégrante du logiciel associé aux différentes pages Web (figure 4-4). Les utilisateurs du navigateur Explorer de Microsoft peuvent avoir accès aux politiques de protection de la vie privée ainsi qu'à la liste de tous les témoins provenant du site. Internet Explorer permet aux internautes de décider si leur ordinateur doit éliminer tous

De leur propre initiative, des entreprises comme AOL, Yahoo et Google ont récemment adopté des politiques visant à répondre aux inquiétudes du public au sujet du traçage des individus en ligne. AOL a instauré une politique d'exclusion qui permet aux utilisateurs de son site de ne pas être suivis. Yahoo suit les directives de la NAI et permet également aux consommateurs de se soustraire au traçage et au chargement de pixels invisibles. Pour sa part, Google a réduit la durée de rétention des données de traçage.

Mais dans l'ensemble, les entreprises présentes sur Internet font peu pour protéger la vie privée de leurs clients et, de leur côté, ceux-ci ne sont pas aussi prudents qu'ils le devraient. De nombreuses entreprises ayant des sites Web n'ont pas de politiques de protection de la vie privée. Parmi celles qui affichent sur leurs sites Web une politique de confidentialité, la moitié environ ne surveillent pas leurs sites pour s'assurer qu'elle y est respectée. La grande majorité des cyberconsommateurs affirment être préoccupés par les questions de confidentialité, mais moins de la moitié lisent les déclarations sur le sujet affichées sur les sites Web (Laudon et Traver, 2004).

Les solutions techniques

Outre les lois, de nouvelles technologies permettent de protéger la confidentialité des utilisateurs lors de leurs interactions avec les sites Web. Un grand nombre de celles-ci servent à crypter le courrier électronique, à rendre anonymes les courriels et la navigation sur Internet, à empêcher que des témoins puissent être installés sur les ordinateurs des clients et à détecter et éliminer les logiciels espions.

De plus, les utilisateurs disposent maintenant d'outils leur permettant de déterminer le type de données personnelles que les sites Web peuvent extraire. La **technologie P3P** (Platform for Privacy Preferences) automatise la transmission des politiques de confidentialité entre un site de

[**FIGURE 4-4**]

LA NORME P3P

1. L'internaute dont le navigateur est équipé de la technologie P3P demande une page Web.

2. Le serveur envoie la page Web accompagnée d'une version abrégée de la politique du site Web et d'un pointeur qui permet d'aller vers la version complète de la politique P3P. Si le site Web n'est pas conforme à la norme P3P, aucune donnée concernant la politique P3P ne sera renvoyée.

3. Le navigateur de l'internaute compare la réponse provenant du site Web avec les préférences de l'internaute en matière de confidentialité. Si le site Web n'a pas de politique ou si elle ne respecte pas le niveau de confidentialité établi par l'internaute, le navigateur l'en avertit ou rejette les témoins provenant du site Web. Autrement, la page se charge normalement.

La technologie P3P permet aux sites Web de traduire leurs politiques de protection de la vie privée dans un format normalisé que le navigateur d'un internaute peut lire de façon à les évaluer pour déterminer si elles sont compatibles avec ses préférences.

les témoins ou en accepter certains en se fondant sur un degré de protection prédéterminé. Par exemple, une confidentialité « moyenne » accepte les témoins provenant directement des sites hôtes qui ont des politiques d'inclusion ou d'exclusion, mais rejette ceux de tierces parties qui utilisent les renseignements d'identification personnelle sans appliquer de politique de consentement.

La technologie P3P ne fonctionne toutefois qu'avec les sites membres du World Wide Web Consortium qui ont converti leurs politiques de protection de la vie privée en format P3P. Elle signalera bien les témoins provenant de sites Web qui ne font pas partie du Consortium, mais les utilisateurs ne pourront alors connaître ni l'expéditeur ni sa politique de confidentialité. De nombreux internautes auraient aussi besoin de plus d'informations sur la façon d'interpréter les déclarations de confidentialité des entreprises et les degrés de confidentialité P3P.

Les droits de propriété : la propriété intellectuelle

Les systèmes d'information modernes vont à l'encontre des lois et des pratiques sociales actuelles en matière de protection de la propriété intellectuelle. On appelle **propriété intellectuelle** les biens intangibles créés par des particuliers ou des entreprises. La technologie de l'information en a rendu la protection difficile en raison de la facilité avec laquelle on peut copier des données informatisées ou les diffuser sur des réseaux. La propriété intellectuelle fait l'objet d'un ensemble de mesures de protection en vertu de trois traditions juridiques distinctes concernant respectivement le secret commercial, les droits d'auteur et les lois sur les brevets.

Les secrets commerciaux

On appelle **secret commercial** tout produit d'un travail intellectuel – formule scientifique, appareil ou dispositif, structure ou compilation de données – servant à des fins commerciales, à condition qu'il ne repose pas sur des informations appartenant au domaine public. Aux États-Unis, les protections accordées aux secrets commerciaux varient d'un État à un autre. En général, les lois sur les secrets commerciaux accordent un monopole sur les idées qui sous-tendent le produit d'un travail, mais il peut s'agir d'un monopole très précaire.

Les logiciels qui contiennent des éléments nouveaux ou exclusifs, des compilations ou des procédures peuvent être considérés comme des secrets commerciaux. Les lois sur les secrets commerciaux ne protègent pas seulement la matérialisation d'un travail intellectuel, mais également les idées qui sous-tendent ce travail. Pour pouvoir invoquer ce droit, l'inventeur ou le propriétaire doit prendre soin de lier ses employés et ses clients par des ententes de non-divulgation, et de protéger le secret afin qu'il ne tombe pas dans le domaine public.

Cependant, bien que tous les logiciels plus ou moins complexes contiennent des éléments exclusifs d'un type ou d'un autre, il est difficile, s'ils sont largement diffusés, d'empêcher que les idées qui les sous-tendent ne tombent dans le domaine public, ce qui limite la portée de la protection assurée par la loi sur les secrets commerciaux.

Les droits d'auteur

Les **droits d'auteur** (*copyright*) constituent un droit statutaire qui protège le créateur d'une propriété intellectuelle contre sa reproduction par quiconque et à quelque fin que ce soit. Aux États-Unis, cette protection dure tant que l'auteur est vivant et se prolonge 70 ans après son décès. Pour ce qui est des droits détenus par une entreprise, la protection est de 95 ans après la création. Le Congrès des États-Unis a étendu la portée de cette protection aux livres, aux périodiques, aux conférences, aux pièces de théâtre, aux œuvres musicales, aux cartes géographiques, aux dessins industriels, aux œuvres d'art et aux productions cinématographiques. Au Canada, la protection dure pendant toute la vie de l'auteur et se prolonge 50 ans après son décès. Le but des lois sur le copyright est d'encourager la création d'œuvres en permettant aux auteurs de bénéficier des retombées – financières ou autres – de leur travail. La plupart des pays industrialisés possèdent leurs propres lois sur les droits d'auteur, et plusieurs conventions internationales et accords bilatéraux en coordonnent l'application entre les différents pays.

Au milieu des années 1960, le Copyright Office des États-Unis a commencé à enregistrer des logiciels et, en 1980, le Congrès a adopté la Computer Software Copyright Act, qui protège sans équivoque les codes sources et les copies de logiciels originaux vendues sur le marché. Cette loi établit les droits d'utilisation de l'acheteur tout en stipulant que l'auteur conserve la propriété légale du logiciel.

Le droit d'auteur protège contre la reproduction non autorisée de tout ou partie d'un programme. En cas d'infraction, on peut obtenir rapidement des dommages-intérêts et des indemnités. Cependant, la loi ne protège que la façon dont les idées se matérialisent dans un travail, non les idées elles-mêmes, ce qui en limite la portée. Ainsi, un concurrent peut utiliser votre logiciel, en comprendre le fonctionnement et en construire un nouveau à partir des mêmes idées sans pour autant enfreindre les lois sur les droits d'auteur.

Les procès pour infraction au droit d'auteur sur l'aspect et la convivialité des interfaces (*look and feel*) portent précisément sur la distinction entre une idée et son expression. Par exemple, au début des années 1990, Apple Computer a poursuivi Microsoft et Hewlett-Packard pour violation du copyright sur l'aspect de l'interface du Macintosh, en soutenant que les défendeurs avaient copié l'apparence des fenêtres chevauchantes. Les défendeurs ont répliqué que l'idée de fenêtres chevauchantes pouvait s'exprimer d'une seule manière et que, par conséquent, en vertu du principe de la fusion entre une idée et son expression, elle ne pouvait être protégée par le droit d'auteur. On ne peut en effet protéger une idée qui se confond avec son expression.

En général, les tribunaux semblent suivre la jurisprudence d'une cause datant de 1989, Brown Bag Software vs. Symantec Corp., au cours de laquelle la cour avait disséqué les composants d'un logiciel présumément contrefait et statué que des concepts, des fonctions, des fonctionnalités générales (menus déroulants, par exemple) ou des couleurs similaires ne pouvaient être protégés par la loi sur le droit d'auteur (Brown Bag vs. Symantec Corp., 1992).

Les brevets

Un **brevet** accorde à son titulaire un droit exclusif sur les idées qui sont à la base d'une invention. Ce monopole est de 20 ans aux États-Unis et d'un maximum de 20 ans à compter de la date du dépôt du brevet au Canada. En édictant une loi sur les brevets, le Congrès des États-Unis voulait s'assurer que les inventeurs de nouveaux dispositifs, machines ou méthodes bénéficient des retombées – financières ou autres – de leur travail et qu'ils puissent faire néanmoins un usage étendu de leur invention en fournissant des diagrammes détaillés à ceux qui voudraient utiliser leur idée sous licence. Aux États-Unis, les brevets sont octroyés par le Patent and Trademark Office et leur respect est assuré par les tribunaux.

L'originalité, la nouveauté et l'invention sont les concepts clés de la loi sur les brevets. Le Patent Office n'accepte pas les demandes des concepteurs de logiciels jusqu'à ce que, en 1981, la Cour suprême des États-Unis décide que les programmes informatiques pouvaient faire partie des procédés brevetables. Depuis, des centaines de brevets ont été accordés et des milliers de demandes sont en attente.

La force du brevet est qu'il assure un monopole sur les idées et les concepts sous-jacents à l'invention. En contrepartie, il est difficile de satisfaire aux critères d'inventivité (voulant que l'œuvre traduise une compréhension et une contribution particulières), d'originalité et de nouveauté. En outre, l'obtention d'un brevet peut prendre plusieurs années.

Les enjeux relatifs à la propriété intellectuelle

Les technologies modernes de l'information, en particulier les logiciels, posent un problème de taille au chapitre des lois qui protègent actuellement la propriété intellectuelle et devraient, par conséquent, nous inciter à nous poser de sérieuses questions d'ordre éthique, social et politique. Les médias numériques diffèrent des livres, des périodiques et des autres médias par le fait qu'ils sont faciles à reproduire, à transmettre et à modifier. Par ailleurs, il est difficile de déterminer si un logiciel entre dans la catégorie des programmes ou des livres, voire de la musique. Les logiciels se distinguent aussi par leur format : ils sont faciles à dérober. Enfin, comment déterminer leur valeur intrinsèque ?

La prolifération des réseaux électroniques, dont Internet, a rendu encore plus difficile la protection de la propriété intellectuelle. Avant l'expansion des réseaux, les reproductions de logiciels, de livres, d'articles de revue ou de films devaient être enregistrées sur des supports physiques, comme le papier, les disques d'ordinateur ou les vidéocassettes, ce qui faisait dans une certaine mesure obstacle à leur distribution. Mais les réseaux ont facilité la reproduction et la distribution d'informations à grande échelle.

L'étude Fifth Annual Global Software Piracy, menée par l'International Data Corporation et la Business Software Alliance, révèle que 38 % des logiciels installés en 2007 sur des ordinateurs personnels à travers le monde avaient été obtenus illégalement, ce qui représente une perte de 48 milliards de dollars attribuable au piratage informatique à l'échelle mondiale. Ainsi, pour chaque montant de 2 $ dépensé légalement pour acheter un logiciel quelque part dans le monde, l'équivalent de 1 $ était obtenu en fraude (Business Software Alliance, 2008).

Internet a été conçu pour permettre de diffuser librement de l'information dans le monde – y compris celle qui est protégée par les droits d'auteur. Grâce au World Wide Web, en particulier, on peut reproduire facilement n'importe quel document et le distribuer à des milliers, voire des millions de personnes partout dans le monde, malgré les différences entre les systèmes informatiques. L'information peut être copiée illégalement à un endroit et distribuée par l'intermédiaire d'autres systèmes et réseaux sans que ceux-ci aient besoin de participer volontairement à l'infraction.

Depuis des années, les gens copient et distribuent illégalement des fichiers **MP3** ou **MPEG3** de musique numérisée sur Internet. Des services de partage de fichiers comme Napster, et plus tard Groskter, Kazaa et Morpheus, sont apparus pour aider les internautes à localiser et à échanger des fichiers de musique, même ceux qui étaient protégés par des droits d'auteur. Le partage illégal de fichiers s'est tellement répandu qu'il menaçait la viabilité de l'industrie du disque et, bien que celle-ci ait gagné plusieurs poursuites judiciaires visant à arrêter l'exploitation de ces services, elle n'a pas réussi à y mettre totalement fin. De plus, l'accès à haute vitesse à Internet dans les foyers ne cessant de croître, le partage illégal de fichiers vidéo va aussi devenir une menace pour l'industrie du cinéma (voir l'étude de cas à la fin du chapitre 3).

On est actuellement en train de mettre au point des mécanismes de vente et de distribution de livres, d'articles et d'autres types de propriétés intellectuelles sur Internet et la **Digital Millennium Copyright Act (DMCA)** de 1998 assure une certaine protection des droits d'auteur. Cette loi ratifiait le traité de l'Organisation mondiale de la propriété intellectuelle, qui rend illégale l'utilisation d'appareils déjouant les protections technologiques du matériel couvert par des droits d'auteur. En vertu de cette loi, les fournisseurs de services Internet sont tenus, une fois prévenus de la situation, de ne plus héberger les sites délinquants qui ne respectent pas les droits d'auteur.

La société Microsoft et d'autres entreprises importantes du secteur de l'information et des logiciels représentées par la Software and Information Industry Association (SIIA) font pression pour que de nouvelles mesures de protection soient adoptées et pour que les lois actuelles soient appliquées plus rigoureusement afin de protéger la propriété intellectuelle dans le monde entier. LA SIIA a mis en place une ligne antipiratage sans frais pour les personnes qui veulent dénoncer des activités de piratage informatique. Elle a également mis sur pied des programmes de formation pour aider les organisations à combattre le piratage de logiciels et publié des directives sur l'utilisation des logiciels par les employés.

La responsabilité organisationnelle et civile et le contrôle

Les nouvelles technologies de l'information remettent en question la capacité des lois sur la protection de la vie privée et sur la propriété – mais aussi la capacité des lois sur la responsabilité civile et celle des pratiques sociales – à rendre les individus et les institutions responsables de leurs actes sur le plan organisationnel. Lorsqu'une personne est blessée par une machine commandée en partie par un logiciel, qui devrait être considéré comme responsable de l'accident, tant sur le plan organisationnel que sur le plan juridique ? Un babillard électronique public ou un service électronique comme America Online devraient-ils être tenus d'autoriser (en tant que diffuseurs) la transmission de documents pornographiques ou offensants, ou devrait-on les dégager de toute responsabilité concernant le matériel que les utilisateurs transmettent (comme c'est le cas des entreprises de télécommunications tels les systèmes téléphoniques) ? Et qu'en est-il d'Internet ? Une entreprise qui confie le traitement de l'information à un sous-traitant peut-elle le tenir pour responsable des dommages éventuels causés à ses clients ? Certains exemples tirés du monde réel peuvent aider à clarifier ces questions.

Quelques problèmes de responsabilité civile liés aux ordinateurs

Pendant la fin de semaine du 15 mars 2002, des dizaines de milliers de clients de la Bank of America de Californie, d'Arizona et du Nevada n'ont pas pu utiliser les chèques de paye et les prestations sociales qui venaient d'être déposés dans leurs comptes par voie électronique. Comme les chèques, les retraits étaient refusés pour provision insuffisante. En raison d'une erreur de fonctionnement au centre informatique de la banque, au Nevada, un lot de virements automatiques n'avait pas été traité. La banque a perdu la trace de l'argent qui aurait dû être crédité aux comptes de ses clients et a mis plusieurs jours pour régler le problème (Carr et Gallagher, 2002). Qui est légalement responsable des préjudices économiques éventuellement subis par des particuliers ou des entreprises qui ne pouvaient avoir accès à la totalité de leur solde bancaire pendant cette période ?

Ce cas illustre les difficultés auxquelles doivent faire face les dirigeants des systèmes d'information, qui sont en fin de compte responsables des dommages causés par les systèmes que leurs équipes ont mis au point. En principe, si le logiciel est intégré à une machine et que la machine blesse physiquement quelqu'un ou lui cause des problèmes pécuniaires, le producteur du logiciel et l'opérateur peuvent l'un et l'autre être tenus pour responsables des dommages subis. Par

ailleurs, dans la mesure où le logiciel est assimilable à un livre, car il ne fait que contenir et afficher des informations, les tribunaux se sont toujours montrés réticents à tenir les auteurs, les éditeurs et les libraires pour responsables de leur contenu (sauf dans les cas de fraude ou de diffamation) et hésitent donc à leur imputer la responsabilité d'un incident.

En général, il est très difficile (voire impossible) de tenir les producteurs de logiciels pour responsables de leurs produits si on peut les considérer comme des livres, et ce, quels que soient les dommages physiques ou pécuniaires en jeu. Jamais, dans l'histoire des États-Unis, les tribunaux n'ont reconnu les éditeurs de publications, de livres ou de périodiques civilement responsables, de crainte qu'un tel jugement n'entre en contradiction avec la liberté d'expression garantie par le premier amendement de la Constitution.

Qu'en est-il alors des logiciels-services ? Les guichets automatiques sont un service que les banques offrent à leurs clients. En cas de panne, ceux-ci risquent non seulement de subir des désagréments, mais également de perdre de l'argent s'ils ne peuvent accéder à leur compte au moment voulu. Dans ces conditions, ne devrait-on pas aussi considérer comme civilement responsables les éditeurs et les opérateurs de logiciels défectueux de systèmes financiers, de comptabilité, de simulation ou de marketing ?

Les logiciels sont très différents des livres : leurs utilisateurs s'attendent à ce qu'ils soient infaillibles ; il est moins facile d'en vérifier le contenu que celui d'un livre ; il est plus difficile d'en comparer la qualité avec celle de logiciels semblables ; ils sont vendus pour exécuter une tâche, et pas seulement pour la décrire, comme un livre le ferait ; enfin, les activités humaines dépendent de plus en plus des services qu'ils permettent de fournir. Compte tenu du rôle déterminant que les logiciels jouent dans nos vies, il y a de fortes chances pour qu'on étende la portée de la loi sur la responsabilité civile afin qu'elle s'applique aux logiciels, même lorsque leur tâche se réduit à l'affichage d'informations.

Aux États-Unis, les sociétés téléphoniques ne sont pas tenues pour responsables des messages transmis sur leurs lignes parce qu'elles relèvent de la réglementation des transporteurs publics. En contrepartie du droit de fournir un service téléphonique, ceux-ci doivent offrir à tous un service relativement fiable et à un coût raisonnable. Par contre, les diffuseurs de radio et de télévision, tout comme les câblodistributeurs, sont soumis à un ensemble de règles fédérales et locales portant sur le contenu diffusé ainsi que sur les installations. Les entreprises peuvent aussi être tenues pour responsables du contenu de leurs sites Web, et des services en ligne comme Prodigy ou America Online pourraient être considérés comme responsables des documents affichés par leurs utilisateurs.

Ainsi, bien que les tribunaux étatsuniens déchargent de plus en plus les sites Web et les fournisseurs de services Internet de la responsabilité du matériel affiché par des tiers, la menace de poursuites judiciaires a encore un effet dissuasif sur les petites entreprises et les personnes qui n'ont pas les moyens de se défendre devant un tribunal.

La qualité des systèmes : la qualité des données et les erreurs dues aux systèmes

Le débat sur la responsabilité civile et organisationnelle quant aux conséquences involontaires de l'utilisation des systèmes soulève un problème moral qui, tout en y étant relié, doit en être distingué : Quel est le degré de qualité qui doit être considéré comme acceptable et réalisable du point de vue technique pour un système ? À quel moment les gestionnaires de systèmes peuvent-ils dire : « Arrêtez les essais, nous avons fait tout ce qui était possible pour rendre ce produit parfait. On peut l'envoyer. » Les organisations et les individus peuvent être tenus pour responsables des conséquences prévisibles et évitables, et il leur appartiendrait de les détecter et de procéder aux corrections appropriées.

Le problème, c'est qu'il y a des erreurs de système qui sont prévisibles, mais qui ne peuvent être corrigées qu'à un coût extrêmement élevé – si élevé en fait qu'il est impossible, du point de vue économique, de chercher à atteindre un tel degré de perfection : personne n'aurait plus les moyens d'acheter le produit. Ainsi, bien que les constructeurs de logiciels s'efforcent de déboguer leurs produits avant de les lancer sur le marché, ils livrent tout de même des produits dont ils savent qu'ils ne sont pas parfaits, parce que les coûts et le temps nécessaires pour corriger toutes les petites erreurs les empêcheraient purement et simplement de livrer les produits. (Rigdon, 1995).

Si le produit ne pouvait être lancé sur le marché, quelle conséquence cela aurait-il ? Cela pourrait-il empêcher notre bien-être collectif de progresser, voire le faire décliner ? Poursuivons notre raisonnement : jusqu'à quel point un fournisseur de services ou de produits informatiques devrait-il être tenu pour responsable ? Devrait-il retirer du marché un produit qui ne sera, de toute façon, jamais parfait, en avertir l'utilisateur ou tout simplement ne pas tenir compte du risque ? (À l'acheteur de faire attention…)

Trois facteurs essentiels expliquent la mauvaise performance des systèmes : (1) les bogues et erreurs du logiciel, (2) les défaillances du matériel et des installations dues à toutes sortes de raisons – naturelles ou autres –, (3) la mauvaise qualité des données saisies. Il y a donc une barrière technologique qui empêche de rendre un logiciel parfait et les utilisateurs doivent avoir conscience qu'il peut toujours se produire une défaillance qui risque d'entraîner des conséquences catastrophiques. Et l'industrie des logiciels n'est pas encore parvenue à établir des normes de tests définissant un degré de qualité acceptable – quoique imparfait – pour les logiciels.

Cependant, bien que les médias fassent souvent état des bogues logiciels et des catastrophes touchant les installations informatiques, la principale raison des pannes et des erreurs reste la mauvaise qualité des données saisies. Peu d'entreprises mesurent systématiquement la qualité de leurs données, mais des statistiques indépendantes montrent que le taux d'erreur varie de 0,5 à 30 %.

La qualité de vie : l'équité, l'accès et les frontières

Les contrecoups sociaux de l'avènement de la technologie et des systèmes d'information augmentent avec leur puissance. Ils ne se résument pas à la violation des droits individuels et aux infractions à la propriété, mais celles-ci peuvent nuire considérablement aux individus, aux organisations et aux institutions politiques. S'ils apportent par ailleurs des progrès, les ordinateurs et la technologie de l'information peuvent détruire des éléments essentiels de notre culture et de notre société. Si les conséquences heureuses et malheureuses des systèmes d'information s'équilibrent, qui faut-il tenir pour responsable des conséquences malheureuses ? Nous allons maintenant examiner brièvement quelques-unes des conséquences sociales négatives des systèmes d'information ainsi que les réactions qu'elles suscitent, que ce soit sur le plan individuel, social ou politique.

L'équilibre entre la centralisation et la décentralisation du pouvoir

L'une des grandes peurs du début de l'ère informatique était que d'énormes ordinateurs centraux concentrent tout le pouvoir au siège social des entreprises et dans les capitales, créant une société où le « Big Brother » serait omniprésent, comme dans le roman *1984* de George Orwell. La décentralisation de l'informatique a beaucoup fait diminuer ces craintes, tout comme la tendance à l'autonomisation des travailleurs et à la redistribution du pouvoir au sein des entreprises, permettant aux échelons inférieurs de participer aux décisions. Néanmoins, l'essentiel de l'autonomisation décrite dans les revues d'affaires se ramène à peu de choses, car les décisions laissées aux simples employés sont mineures et le pouvoir réel reste aussi centralisé qu'auparavant.

La rapidité des changements : la réduction du temps de réaction à la concurrence

Les systèmes d'information ont aidé à développer des marchés nationaux et internationaux beaucoup plus efficaces, mais le marché mondial actuel a considérablement amoindri l'efficacité des mécanismes sociaux qui donnaient aux entreprises plusieurs années pour s'adapter à la compétition. Cette concurrence « en temps réel » n'a pas que des aspects positifs : l'entreprise pour laquelle vous travaillez pourrait ne pas avoir le temps de s'adapter pour affronter la concurrence mondiale et être balayée en moins d'un an – ainsi que votre travail. On risque donc de se retrouver dans une société où tout devra fonctionner « juste à temps », qu'il s'agisse des emplois, des lieux de travail, de la famille ou des vacances.

Le maintien des frontières entre la famille, le travail et les loisirs

Une partie de ce manuel a été rédigée dans des avions ou des trains, pendant les vacances ou en rognant sur le temps que nous aurions pu passer en famille. Le danger d'un environnement technologique marqué par l'informatique, le télétravail, l'informatique «nomade» et la capacité de faire «n'importe quoi n'importe où», c'est qu'il devienne omniprésent. Si cela se produit, les frontières traditionnelles qui, autrefois, séparaient le travail de la famille et des loisirs tendront à s'effacer.

Même si les auteurs ont toujours écrit pratiquement n'importe où (les machines à écrire portables existent depuis près d'un siècle), l'avènement des systèmes d'information et la croissance du nombre d'emplois reposant sur la connaissance obligent de plus en plus de gens à travailler à des moments traditionnellement réservés à la vie familiale, sociale ou culturelle. La plage de temps allouée au travail s'étend aujourd'hui bien au-delà des huit heures de la journée traditionnelle.

Même le temps de loisir passé sur un ordinateur menace les relations sociales. L'accroissement de l'utilisation d'Internet, même pour se divertir ou se détendre, éloigne les individus de leur famille et de leurs amis. Au cours de la préadolescence et de l'adolescence, cela peut entraîner un comportement antisocial. La session interactive sur les organisations traite ce problème.

L'affaiblissement des institutions sociales que sont la famille et les cercles d'amis présente un risque évident : depuis toujours, ces institutions ont constitué des mécanismes de soutien puissants et contrebalancé les pressions du travail en préservant la vie privée, la réflexion personnelle et la possibilité de penser autrement que son employeur – voire de rêver.

Bien que certaines personnes apprécient les avantages du travail à domicile, le «n'importe quoi n'importe où» qui caractérise l'environnement informatique peut brouiller les frontières entre le temps consacré au travail et celui qui est réservé à la vie personnelle.

La dépendance et la vulnérabilité

Aujourd'hui, les entreprises, les gouvernements, les écoles et même des associations privées comme les églises sont devenus à ce point dépendants des systèmes d'information qu'ils sont extrêmement vulnérables en cas de défaillance. Bien que les systèmes d'information soient aussi omniprésents que le réseau téléphonique, il est étonnant de constater qu'il n'existe aucune autorité de réglementation ou de normalisation de ces systèmes similaire à celles qui régissent le téléphone, l'électricité, la radio, la télévision ou d'autres technologies de service public. L'absence de normes et le rôle crucial joué par certaines applications informatiques vont probablement exiger que des normes nationales soient édictées et peut-être même qu'une surveillance générale soit exercée par des autorités compétentes.

Les délits et les abus en informatique

Les nouvelles technologies – dont les ordinateurs – donnent la possibilité de commettre de nouvelles formes de délits en créant de nouveaux biens à voler, de nouvelles façons de voler et de nouveaux moyens de nuire à autrui. Le **délit informatique** est la perpétration d'un acte illégal au moyen d'un ordinateur ou à l'encontre d'un système informatique. Les ordinateurs et les systèmes informatiques peuvent être aussi bien l'objet de délits (destruction du centre de calcul ou des fichiers de données d'une entreprise) que l'instru-

ment de ceux-ci (vol des listes informatisées d'un système à partir d'un ordinateur personnel). Aux États-Unis, le simple fait d'accéder à un ordinateur sans autorisation ou dans l'intention de causer des dommages, même par accident, est désormais un délit puni par des lois fédérales.

L'**abus informatique** est la perpétration, au moyen d'un ordinateur, d'un acte qui, sans être illégal, est contraire à l'éthique. La popularité d'Internet et du courrier électronique a transformé une de ces formes d'abus – le **pollupostage** ou envoi de pourriels – en un sérieux problème pour les particuliers comme pour les entreprises. Un **pourriel** est un courrier électronique importun envoyé par une organisation ou un individu à un grand nombre d'internautes qui n'ont jamais manifesté aucun intérêt pour le produit ou le service proposé. Habituellement, les polluposteurs vendent de la pornographie, proposent des transactions ou des services frauduleux, ou offrent d'autres produits dont le commerce est généralement désapprouvé dans nos sociétés, sans parler d'escroqueries pures et simples. Certains pays ont adopté des lois visant à interdire le pollupostage ou à le limiter. Aux États-Unis, il est toujours légal s'il n'y a pas fraude et si l'expéditeur et l'objet du message sont bien spécifiés.

Le pollupostage est en plein essor, parce qu'il n'en coûte que quelques cents pour envoyer des milliers de messages

QUE FAIRE AU SUJET DE LA CYBERINTIMIDATION ?

Internet offre toute une gamme de services pour les gens de tout âge, et les jeunes enfants ne font pas exception. Ils peuvent facilement y trouver des renseignements pour leurs travaux scolaires et rester en contact avec leurs amis grâce à la communication en ligne. Internet regorge de musique, de jeux et d'autres activités interactives, et la facilité d'accès à tous ces types de médias leur permet de faire des expériences d'apprentissage uniques, dont ils ne pourraient profiter autrement.

Cependant, ces mêmes caractéristiques qui permettent aux enfants de clavarder avec leurs amis, de faire des recherches pour un projet, de jouer aux tout derniers jeux et de télécharger de la musique permettent aussi aux harceleurs et autres prédateurs de trouver plus facilement des victimes à intimider. La cyberintimidation est notamment en hausse, les harceleurs imaginant sans cesse de nouvelles façons d'utiliser Internet pour humilier leurs congénères. Les harceleurs se servent des sites de réseautage personnel, du courriel, de la messagerie instantanée, de la caméra de leur téléphone cellulaire et d'autres technologies numériques pour insulter et embarrasser leurs victimes. Compte tenu de la difficulté de réglementer Internet, le contrôle de la cyberintimidation reste encore aujourd'hui un enjeu de taille.

Le suicide récent de Megan Meier, une adolescente de 13 ans du Missouri, illustre bien les effets dévastateurs que peut avoir la cyberintimidation sur les jeunes enfants. Megan était victime d'un harcèlement tenace et haineux sur MySpace, organisé principalement par Lori Drew, une mère de sa localité. Âgée de 49 ans, celle-ci a été accusée de quatre chefs, dont un de complot et trois d'accès à un ordinateur sans autorisation par l'entremise du commerce entre États pour recueillir des renseigne-

ments en vue d'infliger une détresse émotionnelle.

La loi fédérale utilisée pour intenter une action dans les cas de fraudes perpétrées au-delà des frontières d'un État a été jugée valable dans ce cas parce que les serveurs MySpace sont situés en Californie. Ainsi, en violant le contrat d'utilisation de MySpace qui interdit de créer de faux comptes, Lori Drew aurait commis une fraude transfrontalière. Elle a plaidé non coupable à tous les chefs d'accusation et de nombreux experts juridiques doutent que la loi couvre réellement ces faits. De fait, le premier verdict de culpabilité a été renversé en juillet 2009, et Lori Drew a été acquittée.

Comme la plupart des autres adolescentes, Megan s'intéressait aux vêtements, au volleyball et au clavardage avec ses amis. Malgré une vie active, elle faisait un peu d'embompoint et était très sensible aux remarques de ses camarades. Dès sa troisième année d'école, elle parlait déjà de suicide en réponse aux taquineries et aux insultes incessantes dont elle était l'objet. On a alors diagnostiqué un état dépressif et un trouble déficitaire de l'attention. Même si son transfert dans une école dotée d'un meilleur encadrement lui a permis d'échapper à certaines des formes de harcèlement classiques qu'elle subissait dans son ancienne école, elle a conservé sa page MySpace, dont l'effet s'est finalement avéré encore plus néfaste que les moqueries de ses camarades d'école.

L'acte d'accusation révèle qu'en 2006, Lori Drew a créé, sous le nom de « Josh Evans », un profil MySpace dont elle s'est servie pour communiquer avec l'adolescente (une ancienne amie de sa fille). Après s'être liée d'amitié avec la jeune fille, Lori Drew a commencé à l'intimider sous l'apparence de « Josh » en lui envoyant des messages cruels, allant même jusqu'à lui déclarer que « le

monde irait mieux » sans elle. Abasourdie et blessée par ce message et d'autres messages reçus par la suite, Megan s'est pendue peu de temps après dans sa chambre à l'aide d'une ceinture.

Le cas de Megan est un rappel bouleversant des effets désastreux de l'intimidation chez les adolescents. Bien que la plupart des mères ne s'amusent pas à faire de mauvaises plaisanteries en ligne et que peu d'adolescents harcelés en soient si déprimés qu'ils en viennent à se suicider, la mort de Megan révèle le côté obscur d'Internet.

Après la mort de Megan, le gouverneur du Missouri, Matt Blunt, a déposé un projet de loi interdisant la cyberintimidation et étendu la portée de la loi existante en supprimant l'article stipulant que le harcèlement devait se produire par écrit ou par téléphone, de façon à y inclure tout harcèlement au moyen d'un ordinateur, de messages texte ou d'autres dispositifs électroniques. Chez les adultes de plus de 21 ans, la cyberintimidation sera considérée comme un délit grave, passible d'une peine pouvant atteindre quatre ans de prison. Mais beaucoup de gens pensent qu'il faut en faire plus à l'échelle nationale pour prévenir la cyberintimidation. Au sujet du projet de loi, la mère de Megan, Tina Meier, a déclaré : « Ça ne règle pas tout. Il y a des cas de harcèlement et de cyberintimidation tous les jours. Il ne s'agit pas seulement de Megan. »

Les statistiques sur la cyberintimidation corroborent cette déclaration. Dans le *Journal of Adolescent Health*, un rapport révèle que le nombre de victimes de cyberintimidation et d'autres formes de harcèlement en ligne a augmenté de 50 % entre 2000 et 2005. De 9 à 35 % des adolescents avaient été victimes de cyberintimidation dans les deux mois précédant le rapport. En raison de l'anonymat que confère Internet et de la protection accordée par le premier amendement, il sera toutefois beaucoup plus difficile de sévir contre la cyberintimidation que contre l'intimidation classique, même si ses effets sur les enfants sont souvent beaucoup plus dévastateurs.

Contrairement à l'intimidation classique, qui survient la plupart du temps à l'école, la cyberintimidation peut se produire en tout temps. Selon Walter Roberts, professeur en orientation scolaire à la Mankato State University du Minnesota, « [l]e harcèlement n'est pas limité à la période où les enfants sont à l'école. Les enfants visés n'ont aucun moyen d'y échapper. »

Avant le suicide de Megan, la commission scolaire locale avait estimé que la cyberintimidation était un problème grave. Elle a tenu une série d'assemblées, de réunions et d'ateliers pour apprendre aux étudiants, aux parents, aux enseignants et aux administrateurs comment reconnaître la cyberintimidation et y réagir. Mais le harcèlement s'est poursuivi malgré ces mesures. Des spectateurs d'un match de football ont ainsi utilisé leur téléphone cellulaire pour prendre des photos d'un garçon impopulaire en train d'exécuter un numéro de « break dancing » et les ont envoyées à des centaines d'autres personnes. Ils avaient encouragé le garçon à poursuivre sa danse pour pouvoir continuer de se moquer de l'air ridicule qu'il avait sur les photos. Un autre incident concerne une adolescente qui avait gagné 500 $ dans un tirage au sort dans sa classe : les autres étudiants ont immédiatement envoyé des messages texte l'accusant de tricherie.

De nombreuses écoles essaient localement de faire des changements pour éviter que ne se produisent des événements aussi graves que ce qui est arrivé à Megan Meier. C'est le cas de certains établissements scolaires du comté de Westchester, dans l'État de New York, une région aux prises avec un taux élevé d'incidents liés à la cyberintimidation, où on a créé des « espaces sécuritaires » dans lesquels on peut traiter de problèmes comme le harcèlement en ligne, dans une ambiance détendue. De plus en plus d'écoles embauchent aussi des conseillers pour parler aux étudiants pendant les pauses et on incite les parents à participer plus activement aux activités Internet de leurs enfants.

Malgré tout, la cyberintimidation restera sans doute un problème répandu. Les harceleurs existent depuis beaucoup plus longtemps qu'Internet et il est peu probable qu'ils renoncent aux nouvelles capacités d'insulter, de blesser ou d'embarrasser les autres que leur offrent les réseaux personnels et les autres moyens de communication.

Sources : Juli S. Charkes, « Cracking Down on the Cyberbully », *New York Times*, 30 mars 2008 ; Christopher Maag, « When the Bullies Turned Faceless », *New York Times*, 16 décembre 2007 ; Jennifer Steinhauer, « Women Indicted in MySpace Suicide Case », *New York Times*, 16 mai 2008, et « Missouri : Cyberbullying Law is Signed », *The Associated Press*, 1er juillet 2008 ; Christian Leduc, « Cyberintimidation : acquittement dans l'affaire Megan Meier », *The Register*, BBC, 3 juillet 2008, techno.branchez-vous.com/actualite/2009/07/cyberintimidation_acquittement.html.

Questions

1. Nommez quelques-unes des technologies et moyens de communication qu'utilisent les cyberharceleurs. Pourquoi sont-ils si efficaces ?

2. Quelles mesures ont été adoptées par les commissions scolaires et les gouvernements pour combattre la cyberintimidation ? Jusqu'à quel point sont-elles utiles ? Avez-vous d'autres idées pour contrôler efficacement la cyberintimidation ?

3. Devrait-on adopter des lois plus sévères contre la cyberintimidation ? Oui ou non ? Pourquoi ?

4. L'existence d'un site de réseautage personnel pour adolescents comme MySpace représente-t-il un dilemme d'ordre éthique ? Oui ou non ? Pourquoi ?

Ateliers

Visitez le site MySpace.com et cliquez sur « Conseils de sécurité ». Parcourez les rubriques à l'intention des parents, des enseignants et des adolescents, ainsi que les rubriques « Liens » et « Conseils et paramètres de sécurité ». Décrivez les fonctions et les outils offerts pour prévenir les utilisateurs contre la cyberintimidation et combattre ce fléau. Dans quelle mesure la prise en charge de la cyberintimidation par ce site est-elle efficace ?

---

vantant un produit à des internautes. Selon Sophos, un des principaux fournisseurs de logiciels de sécurité, les pourriels représentaient 92,3 % de tous les courriels envoyés au cours du premier trimestre de 2008 (Sophos, 2008). Pour les entreprises, les coûts du pollupostage sont très élevés (environ 50 milliards de dollars annuellement) parce qu'ils consomment une quantité importante de ressources informatiques, qu'ils encombrent les réseaux et qu'il faut du temps pour les traiter.

Les fournisseurs de services Internet et les particuliers peuvent combattre le pollupostage en utilisant des filtres à pourriels pour bloquer les messages suspects avant leur arrivée dans la boîte de réception du destinataire. Mais ces filtres peuvent aussi bloquer des messages légitimes. Les polluposteurs savent comment contourner les filtres en changeant continuellement de compte de courrier électronique, en envoyant des images plutôt que du texte, en plaçant les pourriels en pièce jointe ou en les associant à des cartes de souhaits électroniques, ainsi qu'en utilisant les ordinateurs qui ont été détournés par un réseau de zombies (chapitre 8). Beaucoup de pourriels sont envoyés à partir d'un pays différent de celui qui accueille le site Web de pollupostage.

Le pollupostage est plus étroitement contrôlé en Europe qu'aux États-Unis. Le 30 mai 2002, le Parlement européen a interdit l'envoi de messages commerciaux non sollicités. Le marketing électronique ne peut donc viser que des personnes qui ont préalablement donné leur consentement.

Aux États-Unis, la U.S. CAN-SPAM Act de 2003, qui est entrée en vigueur le 1er janvier 2004, ne met pas le pollupostage hors la loi, mais bannit les pratiques de courrier électronique trompeuses en exigeant que les messages électroniques commerciaux affichent une information exacte dans la ligne objet, donnent le véritable nom de l'expéditeur et offrent aux destinataires une manière facile de retirer leur nom de la liste de diffusion. Cette loi interdit également l'emploi de fausses adresses. Quelques personnes ont été poursuivies en vertu de la loi, mais son impact sur le pollupostage a été négligeable.

L'emploi : la diffusion de la technologie et les pertes d'emplois dues à la réingénierie

La réingénierie a bonne presse dans la communauté des systèmes d'information, car on y voit un avantage important des nouvelles technologies. Mais on parle moins souvent du fait que la refonte des processus d'une entreprise peut conduire des millions de cadres moyens et d'employés de bureau à perdre leur emploi. Un économiste a avancé l'hypothèse que nous sommes en train de créer une société dirigée par une petite «élite de professionnels hautement qualifiés [...] dans une nation de chômeurs permanents» (Rifkin, 1993).

D'autres économistes sont beaucoup plus optimistes en ce qui concerne les pertes d'emplois éventuelles. Ils croient en effet qu'en privant de leur emploi des travailleurs intelligents et instruits, la réingénierie leur donne l'occasion d'en trouver de meilleurs dans des secteurs d'activité en plein essor. Ils oublient toutefois d'inclure dans l'équation les ouvriers manuels sans qualification et les cadres intermédiaires qui sont plus âgés et moins instruits. Rien ne prouve qu'on puisse facilement donner à ceux-ci la formation nécessaire pour occuper un «meilleur» emploi, c'est-à-dire un emploi mieux rémunéré. Une planification attentive tenant compte des besoins des employés peut permettre aux entreprises de réorganiser le travail en réduisant au minimum les pertes d'emploi.

La session interactive sur la gestion illustre une autre conséquence de la reconfiguration du travail. Dans ce cas, les changements apportés par Wal-Mart à la planification des horaires de travail pour permettre une utilisation plus efficace de la main-d'œuvre n'ont pas entraîné de pertes d'emploi directes. Mais ils ont eu des répercussions sur la vie personnelle des employés, qui ont dû accepter un travail à temps partiel et des horaires irréguliers. En prenant connaissance de ce cas, essayez de déterminer les problèmes que l'entreprise doit affronter, les solutions de rechange que la direction aurait pu adopter et si la solution choisie était le meilleur moyen de résoudre le problème.

L'équité et l'accès : l'accroissement des clivages sociaux et raciaux

Tout le monde a-t-il les mêmes chances de participer à l'ère numérique? Les écarts sociaux, économiques et culturels qu'on observe aux États-Unis et dans d'autres pays seront-ils réduits par la technologie des systèmes d'information? Ou vont-ils s'accentuer, les nantis devenant encore plus riches par rapport au reste de la population?

On ne connaît pas encore toutes les réponses à ces questions, car on n'a pas étudié de près l'impact des systèmes d'information sur les divers groupes sociaux. Mais ce qu'on sait déjà, c'est que l'information, le savoir, les ordinateurs et l'accès à ces ressources par l'intermédiaire des établissements d'enseignement et des bibliothèques publiques ne sont pas – comme c'est d'ailleurs le cas de bien d'autres ressources en information – répartis équitablement entre les différents groupes ethniques et sociaux.

Plusieurs études ont démontré que, aux États-Unis, les personnes appartenant à certains groupes ethniques et à certaines catégories de revenus ont moins de chances que d'autres d'avoir un ordinateur et d'être reliées à Internet – même si la possession d'un ordinateur et l'accès à Internet ont considérablement augmenté dans les cinq dernières années. Et, bien que l'écart se rétrécisse, les familles de chaque groupe ethnique qui disposent du revenu le plus élevé ont aussi plus de chances de posséder un ordinateur à la maison et d'avoir accès à Internet que celles qui, dans le même groupe, ont un revenu plus faible.

La même **fracture numérique** existe entre les écoles des États-Unis : les écoles des régions pauvres ont moins de chances que d'autres d'accéder à des ordinateurs, à des programmes d'éducation technologique de bonne qualité ou à Internet. Si cette situation n'est pas corrigée, on pourrait aboutir à une société où certaines personnes auraient accès à l'information et posséderaient une expertise en informatique, tandis qu'un large groupe n'aurait ni l'un ni l'autre. Les groupes de défense des intérêts du public veulent réduire cette fracture en s'assurant que les services de la technologie de l'information – notamment Internet – soient à la disposition de tout le monde (ou presque), comme c'est actuellement le cas des services téléphoniques.

Les risques pour la santé : les microtraumatismes à répétition, le syndrome de fatigue oculaire et le technostress

Les maladies professionnelles les plus répandues aujourd'hui sont les **microtraumatismes à répétition**. Il s'agit de troubles qui apparaissent lorsque des groupes de muscles sont obligés

LES HORAIRES VARIABLES INFORMATISÉS CHEZ WAL-MART : UNE BONNE OU UNE MAUVAISE SOLUTION POUR LES EMPLOYÉS ?

Wal-Mart est le plus gros employeur privé des États-Unis, où elle compte près de 1,4 million d'employés. C'est également le plus gros détaillant du pays sur le plan des ventes, avec près de 379 milliards de dollars de chiffre d'affaires pour l'année financière se terminant le 31 janvier 2008. Cette position, Wal-Mart la doit à une combinaison de bas prix et de faibles coûts d'exploitation, ainsi qu'à un excellent système de réapprovisionnement des stocks.

Wal-Mart essaie maintenant de réduire encore ses coûts en modifiant les méthodes de planification des quarts de travail de ses employés. Au début de 2007, l'entreprise a ainsi annoncé qu'elle adoptait un système informatisé de planification d'horaires, une initiative qui a été vertement critiquée par les défenseurs des droits des travailleurs en raison de l'impact qu'elle peut avoir sur la vie des employés.

Traditionnellement, la planification des horaires de travail dans les grandes surfaces comme Wal-Mart était l'apanage des gérants, qui établissaient les horaires manuellement. Leurs décisions reposaient entre autres sur les promotions en cours dans le magasin et sur les chiffres des ventes hebdomadaires de l'année précédente, et le processus leur demandait en moyenne une journée entière de travail. Si on multiplie ces coûts de main-d'œuvre par le nombre de magasins d'une chaîne comme Wal-Mart, on se rend compte qu'il s'agit d'une tâche onéreuse qui ne rapporte à l'entreprise que de maigres bénéfices.

Grâce à l'utilisation d'un système de planification d'horaires tel que Kronos, le système adopté par Wal-Mart, les entreprises de vente au détail peuvent établir l'horaire de travail de chaque magasin en quelques heures. Et pendant ce temps, les gérants peuvent s'occuper de gérer plus efficacement leur magasin.

Le système de planification d'horaires Kronos suit le chiffre des ventes, le nombre de transactions et d'unités vendues, ainsi que l'achalandage dans chaque magasin. Il enregistre ces paramètres toutes les 15 minutes sur une durée de 7 semaines, puis les compare aux résultats de la même période de l'année précédente. Il peut aussi intégrer des données comme le nombre de clients présents dans le magasin à certaines heures ou le temps moyen nécessaire pour vendre un téléviseur ou décharger un camion, et en déduire le nombre d'employés nécessaire à chaque moment.

En règle générale, ce type de planification pourrait conduire à faire travailler un nombre restreint d'employés le matin, à en augmenter substantiellement le nombre pendant l'heure de pointe de mi-journée, à le réduire de nouveau en fin d'après-midi et, enfin, à le renforcer dans la soirée. Mais dans le cas d'une chaîne comme Wal-Mart, dont des milliers de magasins sont ouverts 24 heures sur 24 et chez qui les conditions de travail ont déjà été critiquées, la transition vers un système informatisé de planification d'horaires a provoqué une controverse.

Pour Wal-Mart, l'utilisation du système Kronos s'est traduite par une amélioration de la productivité et de la satisfaction de la clientèle : la direction a annoncé une hausse de 12 % de la productivité du travail au cours du trimestre se terminant le 31 janvier 2008.

Mais pour les employés – que l'entreprise appelle ses « associés » –, ce changement risque de compromettre la stabilité de leur emploi et même engendrer des difficultés financières. La planification établie par Kronos peut être imprévisible et exige donc des employés plus de flexibilité dans leurs horaires de travail. On peut ainsi leur demander de travailler sur appel en période de pointe ou de rentrer chez eux pendant une période creuse. Ces horaires irréguliers et les chèques de paye variables qui les accompagnent rendent l'organisation de leur vie plus difficile, qu'il s'agisse de la garde des enfants ou du paiement des factures. Le système émet aussi des alertes qui permettent au gérant d'éviter de payer des heures supplémentaires ou un salaire à plein temps aux employés qui s'approchent des seuils au-delà desquels l'employeur devra leur octroyer des avantages sociaux supplémentaires. Or, les employés de Wal-Mart sont presque toujours des gens qui ont besoin de travailler autant d'heures qu'ils le peuvent.

Selon Paul Bank, de wakeupwalmart.com, un site Web soutenu par l'Union internationale des travailleurs et travailleuses unis de l'alimentation et du commerce, « Le genre d'optimisation visé par l'ordinateur consiste à avoir le plus possible d'employés à temps partiel et le moins possible d'employés à plein temps pour abaisser les coûts de main-d'œuvre, et ce, sans aucune considération pour les effets d'une telle mesure sur la vie des travailleurs. » La porte-parole de Wal-Mart, Susan Clarke, soutient quant à elle que le but du système est simplement d'améliorer le service à la clientèle en réduisant les files d'attente aux caisses et en répondant mieux aux besoins des consommateurs.

Pour faciliter la mise en place de son système informatisé de planification d'horaires, Wal-Mart a demandé à ses employés de remplir un formulaire de « disponibilité personnelle » portant l'avertissement suivant : « Limiter votre disponibilité personnelle pourrait restreindre le nombre d'heures qui vous seront allouées. » Des cas isolés permettent de penser que le nombre d'heures de certains employés a en effet diminué et que leurs quarts de travail ont été perturbés. Des employés expérimentés, dont le taux de rémunération était élevé, ont exprimé leur crainte que le système permette aux gérants de les pousser à quitter leur emploi. S'ils refusent de travailler la nuit ou pendant les week-ends, les gérants auront une excuse pour les remplacer par de nouveaux employés, beaucoup moins bien rémunérés. Mais Sarah Clark nie que le système soit utilisé de cette façon.

Ceux qui dénoncent le système peuvent citer la Clayton Antitrust Act de 1914, qui stipule que « Le travail d'un être humain n'est pas une marchandise dont on puisse faire le commerce. » Aucune bataille juridique ne semble toutefois en vue sur la question de la planification informatisée des horaires. Il faudra donc attendre pour savoir si on peut considérer que la stratégie de Wal-Mart revient à traiter le travail de ses employés comme une marchandise.

En attendant, Wal-Mart fait une fois de plus figure de pionnier en matière de technologies d'avant-garde dans son secteur. Des entreprises comme Ann Taylor Stores, Limited Brands, Gap, Williams-Sonoma et GameStop ont toutes installé des systèmes de planification d'horaires semblables.

Sources : Vanessa O'Connell, « Retailers Reprogram Workers in Efficiency Push », *Wall Street Journal*, 10 septembre 2008 ; Kris Maher. « Wal-Mart Seeks New Flexibility in Worker Shifts », *Wall Street Journal*, 3 janvier 2007 ; www.kronos.com, visité le 15 juillet 2008 ; Bob Evans, « Wal-Mart's Latest "Orwellian" Technology Move : Get Over It », *Information Week*, 6 avril 2007 ; « More Opinions on Wal-Mart's Flexible Scheduling », *Information Week*, 17 avril 2007.

Questions

1. Quel est le dilemme d'ordre éthique auquel Wal-Mart fait face ? Les employés de l'entreprise doivent-ils eux aussi faire face à un dilemme d'ordre éthique ? Si oui, lequel ?

2. Quels sont les principes éthiques applicables à ce cas ? Comment s'y appliquent-ils ?

3. Quels sont les effets potentiels de la planification informatisée des horaires sur le moral des employés ? Quelles seraient les conséquences de ces effets sur Wal-Mart ?

Ateliers

Visitez le site Web www.wakeupwalmart.com, puis répondez aux questions suivantes :

1. Quels sont les principaux reproches que fait ce groupe à Wal-Mart ?

2. Ce site Web défend-il bien ses intérêts ? Dans quelle mesure ? Le site aide-t-il ou nuit-il à la cause de ce groupe ?

3. Quelle autre approche cette organisation pourrait-elle adopter pour amener des changements ?

À l'aide du site Web de Wal-Mart et de Google pour la recherche, répondez aux questions suivantes :

4. Comment l'entreprise Wal-Mart répond-elle aux questions soulevées par des organisations comme wakeupwalmart.com ?

5. Les méthodes de Wal-Mart sont-elles efficaces ?

6. Si vous étiez un spécialiste en relations publiques chargé de conseiller Wal-Mart, quelles suggestions lui feriez-vous pour répondre aux critiques ?

d'exécuter à répétition des mouvements associés à des chocs importants (comme lorsqu'on joue au tennis) ou encore des dizaines de milliers de gestes identiques et de moindre impact (comme lorsqu'on tape sur un clavier d'ordinateur).

L'usage intensif des claviers d'ordinateur est la principale cause des microtraumatismes à répétition. La forme la plus courante en est le **syndrome du canal carpien (SCP)**, qui est le résultat d'une pression exercée sur le nerf médian à travers la structure osseuse du poignet, appelée canal carpien. Cette pression (qui provoque la douleur) est due à la répétition des frappes. Au cours de sa journée de travail, un opérateur peut taper 23 000 fois sur son clavier. Les symptômes du SCP sont des engourdissements, des élancements, l'impossibilité de saisir des objets et des picotements. On l'a diagnostiqué chez des millions de travailleurs.

On peut éviter l'apparition du syndrome du canal carpien en installant des postes de travail ergonomiques qui permettent de garder les poignets dans une position neutre (sur des appuis), avec des supports adéquats pour les écrans et des repose-pieds. En favorisant une bonne posture, ces aménagements peuvent réduire l'impact des traumatismes. Il existe aussi de nouveaux claviers, plus ergonomiques. Ces diverses mesures devraient s'accompagner de pauses fréquentes et d'une rotation des employés sur les différents postes de travail.

Le SCP n'est pas la seule maladie professionnelle causée par le travail à l'ordinateur. Une mauvaise conception des postes de travail peut aussi provoquer des douleurs dans le dos et dans le cou, des tensions dans les jambes et des douleurs dans pieds. Le **syndrome de fatigue oculaire**, qui résulte d'un travail prolongé devant l'écran d'un ordinateur, se traduit par des maux de tête, une vision floue et des yeux secs et irrités. Ces symptômes sont généralement passagers.

La plus récente des maladies de l'informatique est le **technostress**, autrement dit le stress provoqué par l'usage intensif de l'ordinateur. Les symptômes en sont l'irritabilité, l'hostilité vis-à-vis des autres, l'impatience et l'agitation. Selon les experts, les personnes qui travaillent à longueur de journée devant l'ordinateur en viennent à s'attendre à ce que les autres êtres humains réagissent comme des machines, fournissant des réponses instantanées et leur accordant une attention constante sans jamais manifester la moindre émotion. On pense que le taux élevé de roulement du personnel en informatique, le nombre de retraites anticipées chez les personnes occupant des postes exigeant une utilisation intensive de l'ordinateur et une forte consommation de drogues ou d'alcool pourraient être associés au technostress.

Bien qu'on ne connaisse pas avec exactitude l'incidence du technostress, il pourrait toucher plusieurs millions de personnes aux États-Unis, et sa prévalence serait en hausse. Les emplois nécessitant l'usage d'un ordinateur se classent

Les microtraumatismes à répétition sont actuellement l'une des principales maladies professionnelles. À lui seul, le travail à l'ordinateur est responsable de la plus plupart des cas.

maintenant en tête de liste des métiers les plus stressants, d'après les statistiques sur la santé de plusieurs pays industrialisés.

Pour l'instant, il n'a pas été prouvé que les radiations qu'émettent les écrans d'ordinateur jouent un rôle dans des maladies professionnelles, mais on sait que ceux-ci génèrent des champs électriques non ionisants et des champs magnétiques à basse fréquence. Les rayons pénètrent dans le corps, mais on n'en connaît pas encore les effets sur les enzymes, les molécules, les chromosomes ou la membrane cellulaire. Des études à long terme ont été entreprises pour analyser la relation entre les champs électromagnétiques de basse fréquence et les anomalies congénitales, le stress, un faible poids à la naissance ainsi que d'autres maladies. Depuis le début des années 1980, les constructeurs réduisent le taux d'émission des écrans, et certains pays européens, comme la Suède, ont adopté des normes strictes sur les radiations.

L'ordinateur fait maintenant partie de nos vies, que ce soit sur le plan personnel, social, culturel ou politique, et il est peu probable que les problèmes qu'il soulève et les choix qu'il impose se simplifieront alors que la technologie de l'information continue de transformer le monde. Compte tenu de l'essor d'Internet et de l'économie de l'information, il y a plutôt lieu de croire que toutes les questions d'éthique et de société dont nous avons discuté dans ce chapitre ne feront que s'amplifier au fur et à mesure que nous nous avancerons dans ce premier siècle entièrement numérisé.

Projets concrets en SIG

Décisions de gestion

1. Le site Web USAData est lié à de très grosses bases de données qui réunissent des renseignements personnels sur des millions d'individus. Toute personne possédant une carte de crédit peut y acheter des listes de consommateurs classées selon l'adresse, l'âge, le revenu et les champs d'intérêt. Si vous cliquez sur Consumer Leads, vous pourrez y trouver les noms, les adresses et parfois les numéros de téléphone de clients potentiels résidant dans une région donnée et en acheter la liste. On pourrait ainsi obtenir, par exemple, une liste de tous les habitants de Peekskill (dans l'État de New York) dont le revenu est supérieur à 150 000 $ par année. L'activité de courtiers en données comme USAData pose-t-elle des questions quant à la protection de la vie privée ? Oui ou non ? Pourquoi ? Si votre nom et d'autres renseignements personnels figuraient dans cette base de données, de quelles restrictions d'accès voudriez-vous bénéficier pour protéger votre vie privée ? Pensez, entre autres, aux utilisateurs de données suivants : les organismes gouvernementaux, votre employeur ou des entreprises commerciales.

2. À titre de dirigeant d'une petite société d'assurances comptant six employés, vous vous demandez si votre entreprise utilise efficacement ses réseaux et ses ressources humaines. Les budgets sont serrés, et vous avez de la difficulté à respecter la masse salariale parce que les employés déclarent de nombreuses heures supplémentaires. Vous ne pensez pas que la charge de travail des employés soit suffisamment lourde pour justifier une augmentation de leurs heures de travail et vous décidez d'examiner le temps qu'ils passent sur Internet. Chaque employé dispose d'un ordinateur avec accès Internet au travail. À votre demande, le service des systèmes informatiques vous a fourni le rapport hebdomadaire suivant sur l'utilisation d'Internet par les employés.

RAPPORT D'UTILISATION D'INTERNET POUR LA SEMAINE SE TERMINANT LE 9 JANVIER 2010

NOM D'UTILISATEUR	MINUTES EN LIGNE	SITE WEB VISITÉ
Kirouac, Claire	45	www.lespac.com
Kirouac, Claire	107	www.lemassif.com
Kirouac, Claire	96	www.facebook.com
Martel, Nathalie	83	www.utube.com
Martel, Nathalie	44	www.cnn.com
Masson, Robert	112	www.facebook.com
Masson, Robert	43	www.twitter.ca
Olivera, Ernesto	40	www.linkedin.com
Tremblay, Sarah	125	www.ebay.com
Tremblay, Sarah	27	www.amazon.ca
Tremblay, Sarah	35	www.cnn.com
Tremblay, Sarah	73	www.limewire.com
Wright, Steve	23	www.facebook.com
Wright, Steve	23	www.cyberpresse.ca

- Calculez le temps total passé sur Internet par chaque employé pendant la semaine et la durée totale d'utilisation des ordinateurs de l'entreprise à cette fin. Classez les employés en fonction du temps qu'ils ont passé en ligne.
- Selon les résultats et le contenu du rapport, l'attitude des employés soulève-t-elle un problème d'ordre éthique? De son côté, le fait que l'entreprise vérifie l'utilisation d'Internet par ses employés pose-t-il un problème d'ordre éthique?
- Suivez les directives données dans ce chapitre pour l'analyse éthique afin de trouver une solution aux problèmes que vous avez repérés.

▷ R É S U M É

1. **Quelles questions d'ordre éthique, social et politique soulèvent les systèmes d'information?**

La technologie de l'information provoque des changements pour lesquels il n'existe encore aucune loi ni aucun règlement déterminant la conduite acceptable. L'accroissement de la puissance des ordinateurs ainsi que des capacités de stockage de données et de réseautage (notamment sur Internet) augmente la portée des actions des particuliers et des organisations et amplifie leurs répercussions. L'anonymat et la facilité avec lesquels on peut désormais transmettre de l'information, la copier et la manipuler en ligne posent de nouveaux problèmes en matière de protection de la vie privée et de la propriété intellectuelle. Les principaux problèmes d'ordre éthique, social et politique soulevés par les systèmes d'information tournent autour des droits et obligations concernant l'information et la propriété, la responsabilité organisationnelle et le contrôle, la qualité des systèmes et la qualité de vie.

2. **Quelles règles de conduite peuvent aider à prendre des décisions éthiques?**

Il existe six principes de base qui permettent de décider de la conduite à adopter; ce sont respectivement la règle d'or, l'impératif catégorique de Kant, la règle de la pente fatale de Descartes, le principe de l'utilitarisme, celui du moindre risque minimum et celui selon lequel « rien n'est gratuit ». Il faut les appliquer en conjonction avec une analyse éthique.

3. **Pourquoi les systèmes d'information contemporains et Internet représentent-ils un défi pour la protection de la vie privée et de la propriété intellectuelle?**

Les technologies de stockage et d'analyse des données permettent aux entreprises de réunir facilement des renseignements personnels provenant d'un grand nombre de sources différentes, et de les analyser pour créer des profils électroniques détaillés des personnes et de leurs comportements. Il existe de nombreuses manières de surveiller la circulation des données sur Internet. Les témoins, entre autres moyens de surveillance du Web, permettent de suivre de près les activités des internautes. Les sites Web n'ont pas tous des politiques de confidentialité très strictes et ne demandent pas toujours à l'utilisateur de donner un consentement éclairé avant d'utiliser des renseignements qui le concernent. Les lois existantes sur les droits d'auteur ne suffisent pas à protéger les concepteurs contre le piratage de logiciels, car Internet a considérablement facilité la copie du matériel numérique et permet de le transmettre simultanément à plusieurs destinataires.

4. **De quelle façon les systèmes d'information ont-ils influé sur la vie quotidienne?**

En dépit de leur efficacité et de la prospérité qu'ils procurent, les systèmes informatiques ont aussi des répercussions négatives. Les erreurs informatiques peuvent causer de sérieux dommages aux particuliers comme aux entreprises. La mauvaise qualité des données peut aussi provoquer des pannes et entraîner des pertes pour les entreprises. Également, des travailleurs peuvent perdre leur emploi parce qu'ils sont remplacés par des ordinateurs ou que certaines tâches ont été abolies par la reconfiguration des processus, et la capacité de posséder et d'utiliser un ordinateur peut accentuer les disparités socioéconomiques entre groupes ethniques ou classes sociales. De plus, l'expansion de l'utilisation des ordinateurs accroît les risques de malveillance et de délits informatiques. Enfin, les ordinateurs peuvent provoquer des problèmes de santé comme les microtraumatismes à répétition, le syndrome de fatigue oculaire ou le technostress.

MOTS CLÉS

QUESTIONS DE RÉVISION

1. **Quelles questions d'ordre éthique, social et politique soulèvent les systèmes d'information?**
   - Expliquez de quelle façon les questions d'ordre éthique, social et politique sont reliées et donnez quelques exemples.
   - Énumérez et décrivez les principales tendances technologiques qui accroissent les problèmes d'ordre éthique.
   - Indiquez quelle est la différence entre la responsabilité personnelle, la responsabilité organisationnelle et la responsabilité civile.

2. **Quelles règles de conduite peuvent aider à prendre des décisions éthiques?**
   - Énumérez et expliquez les cinq étapes d'une analyse éthique.
   - Nommez et décrivez six principes d'éthique.

3. **Pourquoi les systèmes d'information contemporains et Internet représentent-ils un défi pour la protection de la vie privée et de la propriété intellectuelle?**
   - Définissez le droit à la vie privée et les pratiques équitables de traitement de l'information (FIP).
   - Expliquez les dangers d'Internet pour la protection de la vie privée et la propriété intellectuelle.
   - Expliquez comment le consentement éclairé, la législation, l'autorégulation et les outils technologiques peuvent contribuer à la protection de la vie privée des internautes.
   - Énumérez et définissez les trois modes distincts de protection de la propriété intellectuelle.

4. **De quelle façon les systèmes d'information ont-ils influé sur la vie quotidienne?**
   - Expliquez pourquoi il est si difficile de tenir les logiciels-services pour responsables de pannes ou de blessures.
   - Énumérez et décrivez les principales causes des problèmes de qualité des systèmes.
   - Énumérez et décrivez quatre des répercussions qu'ont les ordinateurs et les systèmes d'information sur la qualité de vie.
   - Définissez et décrivez le technostress et les microtraumatismes répétés et expliquez leur relation avec la technologie de l'information.

1. **Les fournisseurs de services informatisés comme les guichets automatiques devraient-ils être tenus responsables des pertes occasionnées par des pannes de leurs systèmes ?**

2. **Les entreprises devraient-elles être tenues pour responsables du chômage qui résulte de l'informatisation de leurs opérations ? Oui ou non ? Pourquoi ?**

TRAVAIL D'ÉQUIPE : ÉLABORER UN CODE DE DÉONTOLOGIE

Avec trois ou quatre camarades, élaborez un code de déontologie sur la confidentialité prenant en compte à la fois le cas des employés, des clients et des utilisateurs du site Web d'une entreprise. N'oubliez pas d'y traiter des problèmes relatifs au courrier électronique, à la surveillance des lieux de travail et à l'usage que fait l'entreprise des renseignements qu'elle possède sur le comportement de ses employés en dehors du travail (style de vie, situation de famille, etc.).

Dans la mesure du possible, utilisez Google Sites pour afficher des liens vers des pages Web, pour communiquer entre membres de l'équipe et vous répartir les tâches, pour confronter vos idées et pour travailler ensemble sur les documents du projet. Essayez d'utiliser Google Documents pour mettre au point une présentation de vos résultats destinée à la classe.

ÉTUDE DE CAS

Google devrait-il gérer votre dossier médical ?

Quand on va chez le médecin, on voit généralement dans son bureau des tablettes remplies de dossiers renfermant des archives médicales. À chaque visite chez un médecin ou dans un hôpital, un dossier est créé ou modifié et il arrive souvent qu'on le reproduise en plusieurs exemplaires. La majorité des dossiers médicaux sont actuellement conservés sur papier, d'où la difficulté d'y avoir accès et de les communiquer efficacement. Aux États-Unis, on a enregistré plus d'un milliard de visites chez le médecin ou à l'hôpital au cours de l'année dernière, soit environ quatre visites en moyenne par personne. Il y a donc des millions de documents papier qui encombrent les couloirs dans les établissements médicaux, et la plupart du temps il est impossible de les examiner systématiquement et difficile de les partager.

Malgré l'ampleur de la tâche que représente la mise à jour d'un système aussi désuet, des entreprises comme Google semblent prêtes à relever le défi. En mars 2008, l'entreprise Google a annoncé le lancement d'une application, Google Health, dont elle espère qu'elle permettra de remédier à l'inefficacité actuelle du système d'entreposage des archives médicales. Google Health permettra aux consommateurs d'enregistrer leurs données médicales dans un dépôt numérique en ligne et invitera les médecins à lui faire parvenir les renseignements pertinents par voie électronique. Le service est gratuit pour les usagers. Parmi les fonctions offertes figurent : d'une part, un « profil de santé » indiquant les médicaments que prend la personne, son état de santé et ses allergies, et comportant des messages de rappel pour le renouvellement des ordonnances ou les visites médicales ; d'autre part, des listes de médecins exerçant à proximité et des conseils personnalisés en matière de santé. L'application sera également en mesure de recevoir de l'information de plusieurs

systèmes d'archivage de dossiers actuellement utilisées dans les hôpitaux et d'autres établissements de santé. Le but de cette nouvelle application est de rendre les dossiers des patients plus faciles à consulter et plus complets ainsi que d'en faciliter l'entreposage.

La mission de Google est d'« organiser les informations à l'échelle mondiale dans le but de les rendre accessibles et utiles à tous ». Il est difficile de ne pas souscrire à un but aussi noble et, à titre de chef incontesté de la recherche sur le Web, Google a démontré qu'il réussit dans ses entreprises. Mais si Google était en quête de renseignements personnels à votre sujet, qu'en penseriez-vous ? Il se pourrait que vous deveniez plus méfiant à l'égard de sa mission d'organiser les informations à l'échelle mondiale si vous découvriez qu'une partie de celles-ci sont des renseignements que vous aimeriez garder confidentiels.

La création de l'application Google Health par Google illustre le conflit entre la mission que l'entreprise s'est donnée et le droit des individus à la protection de la vie privée. Comme dans d'autres cas similaires, tels que la surveillance gouvernementale et le groupement de données, la question est de savoir si le danger que représentent les systèmes d'information pour la vie privée est suffisamment grave pour qu'on restreigne ou qu'on abandonne la cueillette de renseignements utiles. Et si on doit la restreindre – sans l'abandonner –, qui en décidera et comment ? Ce n'est pas la première fois que Google fait face à un tel conflit de valeurs ; il ne s'agit que d'un exemple parmi d'autres de situations où Google s'est heurté aux défenseurs de la protection de la vie privée à cause de la façon dont il recueille des renseignements et dont il les utilise.

Grâce au lancement de Google Health, Google espère donner un élan au processus de numérisation et de normalisation des archives médicales sous un format convivial. À l'heure actuelle, seule une petite fraction des centres médicaux des États-Unis (moins de 15 %) conservent leurs archives médicales en ligne, ce qui empêche les patients et d'autres médecins d'y avoir accès facilement et rapidement. Quand un patient change de médecin, commence à en voir un nouveau ou déménage, l'absence d'archives médicales en ligne peut entraîner toutes sortes de tracas, tant pour le patient que pour le personnel médical. Il peut même arriver que l'accès aux dossiers médicaux soit une question de vie ou de mort, comme dans les rares cas où une panne de courant empêche l'accès aux systèmes locaux de stockage des données.

Mais la possibilité d'accéder facilement aux dossiers médicaux en ligne n'est que l'un des avantages potentiels de leur numérisation. Le secteur des services de santé continue de subir des pressions budgétaires par suite des mesures d'austérité adoptées dans la gestion des coûts des soins de santé. Dans ces conditions, la numérisation des dossiers médicaux des patients apparaît de plus en plus comme un moyen de réduire les dépenses. Bien que de nombreux médecins et établissements médicaux considèrent que les coûts de mise en œuvre d'un nouveau logiciel sont prohibitifs, les avantages pour l'ensemble du secteur pourraient être substantiels. Une étude révèle que 26 % des professionnels du secteur des technologies des soins de santé citent le manque de soutien financier comme le facteur le plus important les empêchant de numériser leurs archives médicales. Mais une fois amorti l'investissement initial dans la nouvelle technologie, l'accroissement de l'efficacité pourrait, selon les estimations, réduire les coûts subséquents de 80 à 240 milliards de dollars, une réduction plus que suffisante pour justifier l'opération.

Google Health et les autres initiatives visant à transformer les dossiers médicaux en fichiers électroniques devraient permettre au secteur des services de santé – le plus important des secteurs contribuant au produit intérieur brut (PIB) des États-Unis – d'acquérir un surcroît d'organisation et d'efficacité dont il a grand besoin. Mais les personnes que la question préoccupe et les défenseurs de la protection de la vie privée soutiennent que la façon dont les dossiers médicaux électroniques seront entreposés pourrait accroître le risque d'intrusion dans la vie privée. Plusieurs utilisateurs éventuels craignent aussi que Google permette à des annonceurs d'avoir accès à leurs renseignements médicaux selon une procédure similaire à celle qui s'applique actuellement aux utilisateurs de Gmail, dont l'écran affiche des annonces ciblées en fonction du contenu de leurs courriels.

Ces inquiétudes au sujet de la confidentialité sont loin d'être dénuées de tout fondement. L'HIPAA (Health insurance Portability and Accountability Act) de 1996 offre très peu de protection pour les dossiers médicaux. (Cette loi couvre principalement la circulation de l'information entre les fournisseurs de soins de santé, les assureurs de soins médicaux et les centres de traitement des paiements.) À l'heure actuelle, il n'existe aux États-Unis aucun mécanisme de protection fédéral de la confidentialité des dossiers de santé en ligne. Même les hôpitaux et bureaux médicaux qui procèdent actuellement à un archivage électronique de leurs dossiers signalent une fréquence élevée d'atteintes à la sécurité, le quart des professionnels en technologies des soins de santé ayant rapporté au moins une atteinte à la sécurité en 2007. Selon une étude réalisée en 2006 par la Federal Trade Commission, les renseignements personnels d'environ 249 000 personnes aux États-Unis ont été utilisés abusivement dans le but d'obtenir des traitements, des fournitures ou des services médicaux. Malgré cela, les atteintes à la sécurité et autres formes de vol d'identité médicale ne sont pas la principale source d'inquiétude au sujet des dossiers médicaux électroniques.

La plupart des gens craignent surtout que la possibilité d'accéder légitimement à des renseignements de nature délicate par l'entremise des dossiers médicaux électroniques ne puisse leur faire perdre leur assurance-maladie ou des chances d'obtenir un emploi. Si un employeur sait par exemple qu'un candidat est atteint d'un problème cardiaque chronique, voudra-t-il quand même l'embaucher ?

Bien que les entreprises du secteur des services de santé affirment que ces inquiétudes sont pour la plupart sans fondement, il y a lieu de penser qu'elles sont justifiées. Des histoires d'horreur comme celle de Patricia Galvin renforcent les craintes qu'entretiennent beaucoup de gens quant à la confidentialité de leurs dossiers médicaux. Les demandes de Patricia Galvin dans le but d'obtenir des prestations d'invalidité pour une douleur chronique au dos ont été refusées sur la base des commentaires inscrits dans son dossier par son psychologue, un document censé être confidentiel. Le nombre de plaintes concernant la confidentialité des dossiers médicaux que reçoit le Department of Health and Human Services frôle régulièrement les 750 cas par mois depuis plusieurs années, contre 150 en 2003. Les gens redoutent que le passage au format électronique ne menace encore plus la vie privée.

Les promoteurs des dossiers médicaux électroniques affirment au contraire que, une fois la mise en place du système achevée, la technologie informatique améliorera la sécurité au lieu de la menacer. Ils jugent aussi qu'il est plus urgent de mettre en place le système et de le faire fonctionner que de se préoccuper des questions de confidentialité. Joe Barton, représentant du Texas au Congrès et défenseur d'une loi qui accélérerait la création de ces dossiers, a déclaré que « [l]a protection de la vie privée est une question importante, mais la mise en place d'un système informatisé en matière de soins de santé l'est bien davantage ». Des législateurs comme M. Barton pensent que les bienfaits de systèmes comme Google Health l'emportent sur les risques pour la confidentialité et qu'on pourra toujours voter d'autres lois pour renforcer le contrôle de la confidentialité par la suite.

Plusieurs experts contestent cette position en soutenant qu'à moins qu'un système électronique ne soit dès le départ pourvu de mécanismes suffisants de protection de la confidentialité, son utilisation a peu de chances de devenir universelle. Même si les mécanismes de contrôle de la sécurité étaient suffisants, il faudrait que les consommateurs le sachent et soient assurés de pouvoir utiliser le système sans crainte que des personnes non autorisées n'aient accès à leur dossier. Selon eux, non seulement la création d'un système de soins médicaux électronique sans les mécanismes de sécurité adéquats constituerait un risque inacceptable pour la confidentialité, mais il serait voué à l'échec parce que les utilisateurs refuseraient de fournir les renseignements qui leur sont demandés.

Google a tenté de convaincre le public que la sécurité de son système était sans faille et que les entreprises et les particuliers devraient avoir confiance en sa capacité de stocker et de protéger leurs données. Selon Eran Feigenbaum, directeur principal de la sécurité chez Google, l'entreprise a « travaillé en profondeur à la sécurité, de nombreux outils de sécurité différents s'ajoutant les uns aux autres ». Mais Google n'a pas donné beaucoup de détails sur ses pratiques en

la matière (emplacement de ses centres informatiques, nombre de personnes employées dans son service de sécurité et protection de son armée de serveurs contre les attaques) par crainte de faciliter les attaques.

« Les entreprises espèrent que Google choisira les bons outils pour assurer la sécurité de l'infrastructure, mais elles n'ont aucune garantie et ne sont pas consultées à ce sujet », remarque Randall Gamby, analyste de la sécurité chez Burton Group, une entreprise de recherche et de conseil située à Midvale, dans l'Utah, qui ajoute que le fait que Google s'appuie sur son propre système et sur ses applications pour assurer la sécurité de ses activités quotidiennes tendrait à démontrer qu'ils sont fiables.

Google n'est pas la seule entreprise qui a des vues sur la gestion des dossiers médicaux en ligne. Microsoft et Revolution Health Group LLC, une entreprise créée par Steve Case, le cofondateur d'AOL, sont entre autres en train de lancer des sites similaires qui permettent aux utilisateurs de conserver un carnet de santé personnel en ligne. Il est encore trop tôt pour déterminer si ces initiatives seront fructueuses à long terme, mais en 2007, Revolution Health Group a été obligé de mettre à pied le quart de ses effectifs parce que ses revenus étaient moins élevés que prévu. Quant à Microsoft, le système Health Vault en est encore, comme Google Health, à ses débuts.

En mars 2008, le bureau fédéral chargé de créer un réseau national de dossiers médicaux électroniques (Office of the Coordinator of Health Information) a annoncé qu'il prévoyait d'intégrer son système et les bases de données sur les soins de santé de Google et de Microsoft, entre autres. Il n'a toutefois fourni ni détails ni calendrier précis sur la façon dont se passera l'intégration. Il y a peu de chances que les préoccupations en matière de protection de la vie privée empêchent totalement la numérisation des dossiers médicaux, mais on peut penser qu'elles resteront l'obstacle le plus difficile à franchir pour les projets visant à créer un système

numérique normalisé de dossiers médicaux.

Sources : Ericka Chickowski, « Are Google's Security Practices Up to Snuff? », Baselinemag.com, 23 mai 2008 ; Chris Gonsalves, « Google, Microsoft Take Health Care IT Pulse », Baselinemag.com, 31 mars 2008, et « Securing, Digitizing Medical Records Remain Priorities in Healthcare IT », Baselinemag.com, 26 février 2008 ; Bob Brewin, « National Health Records Network To Hook Up With Google, Microsoft », govexec.com, 27 mars 2008 ; Kristen Gerencher, « As More of Our Health Records Move Online, Privacy Concerns Grow », FoxBusiness.com, 26 mars 2008, « Preying on Patients », *MarketWatch*, 19 juin 2008, et « To Trust or Not to Trust Personal Health Records ? », *MarketWatch*, 26 mars 2008 ; Christopher Lawton et Ben Worthen, « Google to Offer Health Records On The Web », *The Wall Street Journal*, 28 février 2008 ; Lissa Harris, « Google Health Heads to the Hospital », *Technology Review*, 28 mai 2008.

QUESTIONS

1. Quelles sont les notions abordées dans le présent chapitre qu'illustre ce cas ? Précisez quelles sont les parties prenantes.

2. Déterminez les problèmes du système actuel d'archives médicales aux États-Unis et au Canada. En quoi des dossiers médicaux électroniques les atténueraient-ils ?

3. Quels sont les facteurs les plus cruciaux en matière de gestion, d'organisation et de technologie pour la mise en place d'archives médicales électroniques ?

4. Quels sont les avantages et les inconvénients des dossiers médicaux électroniques ? Selon vous, les craintes au sujet de la numérisation de nos dossiers médicaux sont-elles fondées ? Oui ou non ? Pourquoi ?

5. Les gens peuvent-ils faire confiance à Google pour gérer leurs dossiers médicaux électroniques ? Oui ou non ? Pourquoi ?

6. Si vous étiez chargé de concevoir un système électronique d'archives médicales, quelles seraient les fonctions que vous y incluriez et celles qui en seraient exclues ?

L'infrastructure de la technologie de l'information

Dans la deuxième partie, nous présentons la base technique pour comprendre les systèmes d'information en explorant le matériel, les logiciels, la base de données et les technologies de réseautage, ainsi que les outils et les techniques qui assurent la sécurité et le contrôle. Nous tenterons entre autres de répondre aux questions suivantes : Quelles sont les technologies dont les entreprises ont besoin aujourd'hui pour accomplir leur travail ? Que doit-on savoir au sujet des ces technologies pour s'assurer qu'elles améliorent le rendement de l'entreprise ? Comment ces technologies pourraient-elles changer à l'avenir ? Quelles sont les technologies et les procédures nécessaires pour garantir que les systèmes sont fiables et sécuritaires ?

L'infrastructure de la TI et les technologies émergentes

 OBJECTIFS D'APPRENTISSAGE

Après avoir étudié ce chapitre, vous pourrez répondre aux questions suivantes :

1. En quoi consiste l'infrastructure de la TI et quelles sont ses composantes ?
2. Quelles sont les étapes et quels sont les déterminants technologiques de l'évolution de l'infrastructure de la TI ?
3. Quelles sont les nouvelles tendances en matière de plateformes matérielles ?
4. Quelles sont les nouvelles tendances en matière de plateformes logicielles ?
5. Quels sont les enjeux et les solutions en matière de gestion de l'infrastructure de la TI ?

SOMMAIRE

L'INFRASTRUCTURE DE LA TI DE CARS.COM STIMULE LA CROISSANCE DE L'ENTREPRISE

Si vous avez déjà essayé de trouver ou d'acheter une voiture en ligne, vous avez sans doute visité le site Cars.com. C'est l'adresse préférée des acheteurs de voitures en ligne. Comportant une information complète sur les prix, des galeries de photos, des outils de comparaison en juxtaposition, des vidéos et un choix considérable de voitures neuves et d'occasion, le site offre aux millions d'acheteurs de voitures les renseignements dont ils ont besoin pour prendre une décision éclairée. Il n'est donc pas surprenant que l'entreprise ait connu une croissance explosive. En 2008, Cars.com a enregistré un nombre record de visiteurs, tant des particuliers que des concessionnaires clients.

Malheureusement, les systèmes d'information de l'entreprise étaient incapables de suivre la cadence de sa stratégie commerciale et de son expansion dynamiques. Ils consistaient en effet en une collection désordonnée de technologies dont le développement s'était étalé sur 10 ans et avec lesquelles il était difficile de travailler efficacement. Ils comportaient plusieurs versions du système d'exploitation Linux, notamment Linux AGT qui n'est plus pris en charge, ainsi que des serveurs vieillissants tels que Hewlett-Packard et Sun Microsystems fonctionnant avec BEA Java. Selon Manny Montejano, le directeur de la technologie de l'entreprise, « non seulement nous avions différentes pièces de technologie de divers fournisseurs et de diverses sources, mais nous avions plusieurs versions de ces mêmes pièces. » Ainsi, le personnel des systèmes d'information consacrait plus de temps à intégrer des logiciels et des systèmes existants qu'à mettre au point des applications permettant de répondre aux nouvelles demandes commerciales.

Après avoir consulté des experts de Perficient, la direction de Cars.com a pris la décision de remplacer complètement l'infrastructure de la TI de l'entreprise afin d'atteindre ses objectifs commerciaux. Le projet a débuté en janvier 2007. Cars.com a choisi d'adopter une plateforme IBM standard et une architecture axée sur le service (AAS). Le serveur d'applications IBM WebSphere s'exécute sur quatre serveurs IBM Power Series, avec le jeu de puces P5 et en utilisant AIX, la version IBM du système d'exploitation Unix. Les serveurs IBM ont considérablement réduit les coûts du centre de données en raison de leurs besoins réduits en alimentation, en climatisation et en espace.

L'application de Cars.com sur le serveur d'applications est écrite en langage Java. Le serveur IBM Information combine les données des utilisateurs finaux et des concessionnaires afin de pouvoir les intégrer dans les applications de l'entreprise. Au sein d'un stock se comptant en millions de véhicules, les clients peuvent trouver exactement ce qu'ils cherchent. Le logiciel IBM Rational permet aux programmeurs de Cars.com de concevoir, de développer puis de tester rapidement les applications Java. L'environnement AAS permet à l'entreprise de créer plus vite de nouvelles applications et de nouveaux services à l'aide des technologies autoconfigurables.

Jusqu'à présent, l'investissement de Cars.com dans une nouvelle infrastructure de la TI a produit d'intéressants bénéfices. L'entreprise peut développer de nouveaux systèmes beaucoup plus rapidement. Le service des systèmes informatiques a désormais le temps et les ressources pour entreprendre des projets qui stimuleront la croissance. Par exemple, la nouvelle infrastructure a permis à Cars.com de participer aux messages publicitaires du Super Bowl, parce que ses systèmes étaient capables de gérer les importantes pointes de fréquentation provoquées par le passage de ses deux messages publicitaires de 30 secondes sur les ondes.

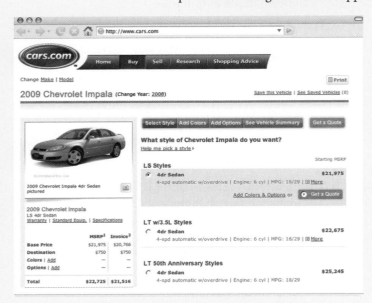

L'infrastructure a également permis à Cars.com de devenir le fournisseur exclusif de listes de voitures d'occasion sur Yahoo! Autos et le service de listage exclusif des vendeurs privés, particuliers sur ce site. En 2007, le nombre de concessionnaires clients a augmenté de 40 %. La nouvelle infrastructure de la TI est vraiment à la hauteur, comme le démontre la gestion d'un stock de 2,7 millions de véhicules, de milliers de concessionnaires et de millions de visiteurs internautes chaque mois.

Sources : Karen D. Schwartz, « Cars.com Firing on All Cylinders », *eWeek*, 9 juin 2008 ; IBM, « Cars.com Turns to IBM Software and SOA Expertise to Drive Rapid Business Growth », 18 avril 2008.

Cars.com est une entreprise de commerce électronique qui connaît un succès enviable. Malheureusement, sa technologie ingérable et dépassée entravait ses plans de croissance dynamiques et ses activités quotidiennes. La direction a donc décidé de remplacer son ancienne infrastructure de la TI par de nouvelles technologies matérielles et logicielles et de normaliser la technologie auprès d'un seul fournisseur, IBM. Ce cas illustre le rôle crucial que peuvent jouer les investissements en matériel et en logiciels dans l'amélioration du rendement de l'entreprise.

Le schéma d'introduction attire l'attention sur des points importants évoqués dans ce cas et dans tout le chapitre. Les dirigeants de Cars.com ont décidé que le meilleur moyen de mettre la technologie au service des objectifs de l'entreprise était de remanier et de normaliser l'infrastructure de la TI. Cars.com utilise maintenant des serveurs plus puissants et plus efficaces, une série d'outils logiciels IBM et une architecture axée sur les services (AAS) qui facilitent grandement le développement de nouvelles applications et de nouveaux services. L'infrastructure complète est plus facile à gérer et peut s'étendre pour s'adapter aux pointes de fréquentation du site Web, aux volumes croissants de transactions et aux nouvelles possibilités d'affaires.

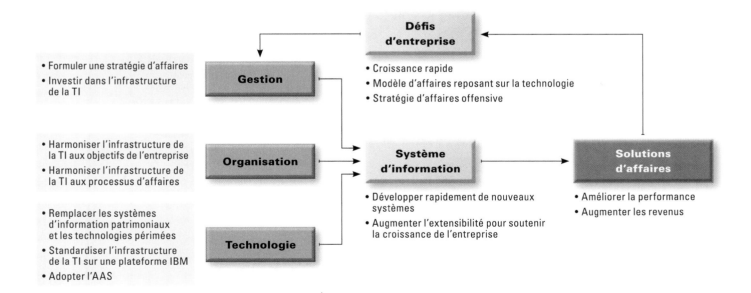

5.1 L'INFRASTRUCTURE DE LA TI

Dans le chapitre 1, nous avons défini l'infrastructure de la technologie de l'information (TI) comme l'ensemble des ressources technologiques partagées qui offrent une plateforme pour les applications spécifiques du système d'information de l'entreprise. L'infrastructure de la TI comprend des investissements en matériel, en logiciels et en services – service-conseil, éducation et formation – concernant l'ensemble de l'entreprise ou plusieurs services. Elle procure l'assise pour le service à la clientèle, la collaboration avec les fournisseurs et la gestion des processus opérationnels internes de l'entreprise (figure 5-1).

Aux États-Unis, l'infrastructure de la TI est une industrie de 1,8 billion de dollars, si on inclut les télécommunications, l'équipement de réseautage et les services de télécommunication (Internet, téléphonie et transmission de données). Dans les grandes entreprises, les investissements en infrastructure représentent de 25 à 35 % des dépenses en technologie de l'information (Weill et coll., 2002).

Définir l'infrastructure de la TI

L'infrastructure de la TI se compose de l'ensemble des appareils et des logiciels indispensables au bon fonctionnement de l'entreprise tout entière. Mais c'est aussi un ensemble de services qui sont à la disposition de toute l'entreprise. Ces services sont budgétisés par les gestionnaires et comprennent les ressources humaines et techniques. Ils englobent les éléments suivants :

- Les plateformes technologiques qui offrent les services informatiques reliant les employés, les clients et les fournisseurs au sein d'un environnement numérique cohérent. Il s'agit des ordinateurs centraux, des ordinateurs de bureau, des ordinateurs portatifs, des ordinateurs de poche et des applications Internet.

- Les services de télécommunication, qui permettent de transmettre des données, la voix et des images aux employés, aux clients et aux fournisseurs ;

- Les services de gestion de données, qui permettent de stocker, de gérer et d'analyser les données de l'entreprise.

FIGURE 5-1 **LES LIENS ENTRE L'ENTREPRISE, L'INFRASTRUCTURE DE LA TI ET LES CAPACITÉS D'AFFAIRES**

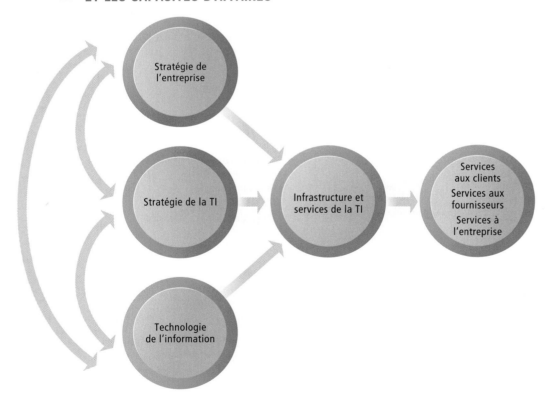

Il existe un lien direct entre l'infrastructure de la TI d'une entreprise et les services que cette entreprise est en mesure d'offrir à ses clients, à ses fournisseurs et à ses employés. Idéalement, l'infrastructure de la TI doit permettre de renforcer les activités de l'entreprise et sa stratégie sur le plan des systèmes d'information. Les nouvelles technologies de l'information exercent une influence considérable sur la stratégie d'affaires, sur la stratégie de la TI, ainsi que sur les services qu'il est possible d'offrir aux clients.

- Les logiciels d'application, qui offrent des capacités communes à toutes les unités commerciales, notamment en planification des ressources, en gestion des relations clients, en gestion des chaînes d'approvisionnement et en gestion des connaissances.
- Les services de gestion des installations physiques, qui développent et gèrent les installations physiques requises pour l'informatique, les télécommunications et les services de gestion de données.
- Les services de gestion de la TI, qui servent à planifier et à développer l'infrastructure, à coordonner les services de la TI pour toutes les unités commerciales, à gérer les comptes liés aux dépenses en TI et à gérer des projets.
- Les normes de service de la TI, qui offrent à l'entreprise et à ses unités des politiques précisant les technologies de l'information à utiliser et le mode d'utilisation.
- Les services de formation en TI, qui permettent aux employés d'apprendre comment utiliser les systèmes et qui offrent aux gestionnaires une formation sur la planification et la gestion des investissements en TI.
- La recherche et le développement en services de TI, qui offrent des données sur les projets à venir et sur les investissements susceptibles d'aider l'entreprise à se différencier au sein d'un marché.

Cette perspective de la TI en tant que plateforme de services aide à comprendre la valeur des investissements en infrastructure. Par exemple, la valeur réelle d'un ordinateur personnel tout équipé fonctionnant à 3 GHz et coûtant environ 1000 $ ou celle d'une connexion Internet haute vitesse sont difficiles à estimer si on ignore qui les utilisera et comment. Toutefois, si on examine les services fournis par ces outils, leur valeur se précise. Supposons que ce nouvel ordinateur personnel permette à un employé dont le salaire annuel est de 100 000 $ de se brancher sur les principaux systèmes de l'entreprise et sur Internet. Avec le service Internet haute vitesse, cet employé gagnera une heure de travail par jour en attendant moins longtemps pour obtenir de l'information. Sans cet ordinateur et cette connexion Internet, il pourrait avoir moitié moins de valeur.

L'évolution de l'infrastructure de la TI

L'infrastructure de la TI des organisations d'aujourd'hui représente l'aboutissement des 50 années d'évolution qu'ont connues les plateformes technologiques. Nous avons découpé cette évolution en cinq grandes périodes, chacune d'elles correspondant à une configuration différente de la puissance informatique et des éléments de l'infrastructure (figure 5-2). Ces cinq périodes sont l'informatique des ordinateurs centraux et des mini-ordinateurs universels, l'informatique des ordinateurs personnels, les réseaux client-serveur, l'informatique d'entreprise et la nimbo-informatique[1]. Le tableau 5-1 compare ces différentes périodes en fonction des dimensions de l'infrastructure.

1. Nous avons préféré ce terme à celui, plus répandu, d'« informatique dans les nuages ».

Les technologies propres à une étape donnée peuvent aussi servir durant d'autres périodes, à d'autres fins. Par exemple, plusieurs entreprises utilisent encore des ordinateurs centraux ou des mini-ordinateurs traditionnels. Ces ordinateurs centraux ont été reconvertis et jouent le rôle de serveurs pour les sites Web substantiels et pour les applications d'entreprise.

L'ère des ordinateurs centraux et des mini-ordinateurs : de 1959 à aujourd'hui

C'est en 1959, avec l'apparition des machines à semi-conducteurs 1401 et 7090 d'IBM, qu'a véritablement commencé l'ère de l'utilisation commerciale à grande échelle des **ordinateurs centraux**. En 1965, l'ordinateur central universel s'impose, avec l'introduction de la série 360 d'IBM. Le 360 était le premier ordinateur commercial doté d'un puissant système d'exploitation. Les modèles les plus perfectionnés pouvaient offrir le partage de temps, un mode multitâche et une mémoire virtuelle.

Avec le temps, les ordinateurs centraux sont devenus suffisamment puissants pour pouvoir être reliés à des milliers de terminaux en ligne à l'aide de protocoles de communication et de lignes dédiées de transmission de données, appartenant en propre à une seule entreprise. Ainsi, en 1959, les premiers systèmes de réservation pour lignes aériennes ont été les prototypes du système informatique en direct et en temps réel, pouvant relier l'ensemble d'un pays.

À l'ère des ordinateurs centraux, la technologie était très centralisée et contrôlée par des programmeurs et des opérateurs de systèmes professionnels (habituellement à partir d'un centre informatique). La plupart des éléments de l'infrastructure provenaient d'un seul et même fournisseur, le fabricant du matériel et des logiciels. Cette situation a commencé à changer en 1965, avec l'arrivée des **mini-ordinateurs** fabriqués par Digital Equipment Corporation (DEC), les PDP-11, et plus tard les machines VAX. Il s'agissait de machines puissantes et beaucoup moins coûteuses que les ordinateurs centraux d'IBM. Elles ont permis la décentralisation du traitement informatique et l'adaptation aux besoins des différents services d'une entreprise, au lieu du partage de temps sur un seul gros ordinateur central.

L'ère des ordinateurs personnels : de 1981 à aujourd'hui

Apparus dans les années 1970, les premiers ordinateurs personnels (PC), l'Alto de Xerox, l'Altair de MIT et les Apple I et II, pour n'en nommer que quelques-uns, n'étaient en fait distribués qu'aux passionnés d'informatique. On considère donc habituellement l'apparition de l'ordinateur personnel d'IBM, en 1981, comme le véritable point de départ de l'ère de ce type d'ordinateurs. En effet, c'est la première machine à avoir été adoptée massivement par les entreprises aux États-Unis.

Au début, le système d'exploitation utilisé était le DOS, un langage de commande textuel. Puis est né le système d'exploitation Windows et l'**ordinateur Wintel** (ordinateur équipé d'un microprocesseur Intel et d'un système d'exploitation

[FIGURE **5-2**] L'ÉVOLUTION DE L'INFRASTRUCTURE DE LA TI

L'illustration présente les configurations types de chacune des cinq périodes de l'évolution de l'infrastructure de la TI.

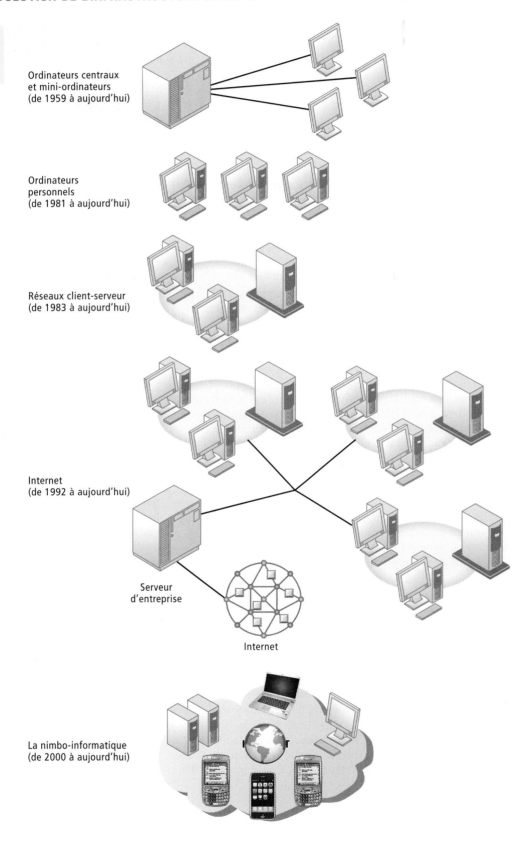

Ordinateurs centraux
et mini-ordinateurs
(de 1959 à aujourd'hui)

Ordinateurs
personnels
(de 1981 à aujourd'hui)

Réseaux client-serveur
(de 1983 à aujourd'hui)

Internet
(de 1992 à aujourd'hui)

Serveur
d'entreprise

Internet

La nimbo-informatique
(de 2000 à aujourd'hui)

TABLEAU 5-1 **LES ÉTAPES DE L'ÉVOLUTION DE L'INFRASTRUCTURE DE LA TI**

Infrastructure	Ère des ordinateurs centraux (de 1965 à aujourd'hui)	Ère des ordinateurs personnels (de 1981 à aujourd'hui)	Ère des réseaux client-serveur (de 1983 à aujourd'hui)	Ère d'Internet (de 1992 à aujourd'hui)	Ère de la nimbo-informatique (aujourd'hui)
Principales entreprises	IBM	Microsoft/Intel Dell HP IBM	Novell Microsoft	SAP Oracle PeopleSoft	Google Salesforce.com IBM
Plateformes matérielles	Ordinateur central	Ordinateurs Wintel	Ordinateurs Wintel	Plateforme multiple: • Ordinateur central • Serveur • Client	Serveurs à distance Clients (ordinateurs personnels, minipor-tables, téléphones cellulaires, téléphones intelligents)
Systèmes d'exploitation	IBM 360 IBM 370	Dos/Windows Linux IBM 390	Windows 3.1 Windows Server Linux	Système multiple: • Unix/Linux • OS 390 • Windows Server	Linux Windows Mac OS X
Logiciels d'application et d'entreprise	Peu d'applications à l'échelle de l'entreprise. Applications de services créées par les programmeurs internes.	Aucune connectivité d'entreprise. Logiciels d'application standardisés.	Peu d'applications à l'échelle de l'entreprise. Logiciels d'application standardisés pour les groupes de travail et les services.	Applications à l'échelle de l'entreprise reliées aux ordinateurs de bureau et aux applications de services: • MySAP • Oracle E-Business Suite • PeopleSoft Enterprise One	Google Apps Salesforce.com
Réseautage et télécommu-nications	Par le fournisseur: • SNA (IBM) • DECNET (Digital) • AT&T voice	Aucun ou limité	Novell Netware Windows Server Linux AT&T voice	LAN Réseau longue portée (WAN) Normes Internet TCP/IP	Internet Réseau local sans fil Wi-Fi Réseaux cellulaires sans fil à large bande
Intégration de systèmes	Par le fournisseur	Aucune	Bureaux d'experts-comptables et sociétés d'experts-conseils Entreprises de services	Fabricants de logiciels Bureaux d'experts-comptables et sociétés d'experts-conseils Sociétés responsables de l'intégration des systèmes Entreprises de services	Entreprises de logiciels-services
Stockage des données et gestion des bases de données	Mémoire magnétique Fichier séquentiel Base de données relationnelle	Dbase II et III Access	Serveurs de bases de données multiples avec mémoire optique et mémoire magnétique	Serveurs de bases de données d'entreprise	Serveurs à distance de bases de données d'entreprise
Plateforme Internet	Faible ou aucune	Aucune au départ. Par la suite, ordinateurs clients avec fureteur.	Aucune au départ. Par la suite, serveur Apache et Microsoft IIS.	Aucune les premières années. Plus tard, services d'entreprise par l'intermédiaire d'un intranet et d'Internet. Parc étendu de serveurs.	Grandes **grappes de serveurs**

Windows) est devenu l'ordinateur personnel standard. On estime aujourd'hui que 95 % du 1,1 milliard d'ordinateurs utilisés dans le monde fonctionnent avec la norme Wintel.

La prolifération des ordinateurs personnels pendant les années 1980 et au début des années 1990 a entraîné dans son sillage la conception d'une myriade de logiciels de productivité (traitements de texte, tableurs, systèmes de présentation électronique des documents et gestionnaire de données) qui se sont avérés très utiles, tant sur le plan personnel que sur le plan commercial. Ces ordinateurs sont demeurés des systèmes autonomes jusqu'à ce que les systèmes d'exploitation rendent possible la mise en réseau, au cours des années 1990.

L'ère du modèle client-serveur : de 1983 à aujourd'hui

Dans le **modèle client-serveur**, plusieurs ordinateurs de bureau ou ordinateurs portatifs, appelés **clients**, sont couplés à de puissants **serveurs** pouvant offrir une multitude de services et de possibilités. Ces deux types de machines se partagent le traitement informatique. Le client constitue le point d'entrée de l'utilisateur, tandis que le serveur sert habituellement au traitement et au stockage des données partagées, à l'hébergement des pages Web et à la gestion des activités du réseau. Le terme *serveur* fait référence à la fois aux logiciels et aux ordinateurs qui utilisent ces logiciels. S'il peut être un ordinateur central, le serveur est aujourd'hui la plupart du temps une version d'ordinateur personnel plus puissante, équipée souvent de plusieurs microprocesseurs Intel peu coûteux, regroupés dans un même boîtier.

Le réseau client-serveur le plus simple se résume à un ordinateur client relié à un serveur, les deux se partageant le traitement des données. On parle alors d'*architecture client-serveur à deux niveaux*. Ce sont surtout les petites entreprises qui ont recours à ce genre de réseau, car la plupart des grandes sociétés utilisent plutôt des **architectures client-serveur multiniveau**. Dans ce dernier type d'architecture (souvent appelé **N-tiers**), le travail de l'ensemble du réseau est réparti entre différents niveaux de serveurs, en fonction du type de service requis (figure 5-3).

Par exemple, au premier niveau, un **serveur Web** fournit la page Web que demande le client. Il repère et gère les pages Web en mémoire. Si le client désire accéder à un système (pour consulter une liste de produits ou de prix, par exemple), le serveur Web transmet sa requête, au deuxième niveau, à un **serveur d'applications**. Celui-ci traite toutes les opérations entre un utilisateur et les applications et bases de données d'une entreprise. Il peut cohabiter dans un ordinateur avec le serveur Web, mais aussi loger dans son propre ordinateur. Les chapitres 6 et 7 présentent en détail les autres composantes logicielles utilisées dans l'architecture client-serveur multiniveau pour le cybercommerce.

Le système client-serveur permet aux entreprises de répartir le traitement des données entre plusieurs petits ordinateurs dont le coût est bien inférieur à celui des mini-ordinateurs ou des ordinateurs centraux. Il en résulte une puissance largement supérieure sur le plan du traitement et des applications, pour l'ensemble de l'entreprise.

Au début de l'ère client-serveur, Novell Netware était le chef de file dans la technologie de réseautage. Aujourd'hui, c'est Microsoft qui domine le marché grâce à son système d'exploitation **Windows** (Windows Server, Windows XP et Windows 7).

L'ère de l'informatique d'entreprise : de 1992 à aujourd'hui

Au début des années 1990, les entreprises se sont tournées vers des normes et des logiciels permettant de réunir des réseaux et des applications disparates en une seule infrastructure intégrée. À compter du milieu des années 1990, au fur et à mesure qu'Internet s'imposait comme un environnement de communication fiable, les entreprises ont commencé à utiliser le protocole de communication TCP-IP pour relier leurs réseaux hétérogènes. Nous examinerons en détail ce protocole au chapitre 7.

FIGURE 5-3 UN RÉSEAU CLIENT-SERVEUR MULTINIVEAU (N-TIERS)

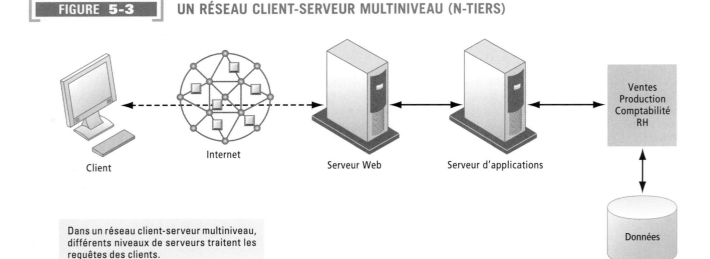

Client — Internet — Serveur Web — Serveur d'applications — Ventes Production Comptabilité RH — Données

Dans un réseau client-serveur multiniveau, différents niveaux de serveurs traitent les requêtes des clients.

L'infrastructure de la TI qui en a découlé a permis de relier des ordinateurs de marques et de types différents et de connecter de petits réseaux dans le but de créer un réseau à l'échelle de l'entreprise. Cela favorise la libre circulation de l'information à l'intérieur comme à l'extérieur de l'entreprise. Les réseaux d'entreprise relient différents types d'ordinateurs, tels des ordinateurs centraux, des serveurs, des ordinateurs personnels, des téléphones cellulaires et d'autres terminaux de poche. De plus, ils communiquent avec des infrastructures publiques, comme les systèmes de téléphonie, Internet et les réseaux publics. L'infrastructure d'entreprise utilise également un logiciel permettant de relier des applications hétérogènes et d'assurer la libre circulation des données au sein de la société, notamment entre les applications d'entreprise (chapitres 2 et 9) et les services Web (section 5.4).

L'ère de la nimbo-informatique : de 2000 à aujourd'hui

La puissance grandissante de la largeur de bande d'Internet a permis au modèle client-serveur de franchir une nouvelle étape, « le modèle de la nimbo-informatique ». La **nimbo-informatique** est un modèle d'infrastructure dans lequel les entreprises et les individus obtiennent de la puissance informatique et des applications logicielles par Internet, au lieu d'acheter leurs propres équipements et logiciels. À l'heure actuelle, la nimbo-informatique est le segment de l'informatique dont la croissance est la plus rapide, avec un volume de marché évalué à 8 milliards de dollars en 2009 et une prévision de 160 milliards de dollars pour 2012 (Gartner, 2008 ; Merrill Lynch, 2008).

Les fabricants d'ordinateurs IBM, HP et Dell créent d'immenses centres de nimbo-informatique extensibles qui procurent de la puissance de traitement, des espaces de stockage et la transmission à haute vitesse d'Internet à des entreprises dépendant d'Internet pour les applications logicielles d'entreprise. Les sociétés de logiciels telles que Google, Microsoft, SAP, Oracle et Salesforce.com vendent des applications logicielles à titre de services par l'entremise d'Internet. En 2009, notamment, quelque 500 000 entreprises ont utilisé Google Apps, une série d'applications logicielles de bureau offertes sur Internet comprenant traitement de texte, tableurs et agendas (King, 2008). En 2009, plus de 43 000 entreprises dans le monde entier ont utilisé le logiciel de gestion de la relation client de Salesforce.com, dont certains sur leur téléphone multimédia (voir la session interactive sur les organisations de ce chapitre).

Les déterminants technologiques de l'évolution de l'infrastructure

Les changements qu'a connus l'infrastructure de la TI et que nous venons de décrire sont à l'origine de percées dans les domaines du traitement des données, des puces mémoire, des unités de stockage, du matériel et des logiciels destinés aux télécommunications et aux réseaux. Il en a résulté une augmentation exponentielle de la puissance informatique et

une réduction des coûts tout aussi exponentielle. Jetons un coup d'œil sur les éléments les plus importants de cette évolution.

La loi de Moore et le traitement micro-informatique

En 1965, l'Américain Gordon Moore, directeur des Fairchild Semiconductor Research and Development Laboratories, une des premières entreprises à avoir fabriqué des circuits intégrés, écrivait dans le magazine *Electronics* que, chaque année, depuis l'introduction du premier microprocesseur en 1959, le nombre de composants dans une puce et la réduction du coût de fabrication par composant (habituellement des transistors) étaient multipliés par deux. Cette affirmation a servi de fondement à la **loi de Moore**. Par la suite, Moore a réduit ce taux de croissance à un doublement bisannuel.

Cette loi a donné lieu à diverses interprétations. Il existe ainsi au moins trois variantes dont Moore lui-même n'est pas l'auteur : (1) la puissance des microprocesseurs double tous les 18 mois ; (2) la puissance de traitement des données double tous les 18 mois ; (3) le prix des ordinateurs diminue de moitié tous les 18 mois.

La figure 5-4 montre la relation qui existe entre le nombre de transistors dans un microprocesseur et les millions d'instructions par seconde (MIPS), mesure fréquemment utilisée

LA LOI DE MOORE ET LA PERFORMANCE DES MICROPROCESSEURS

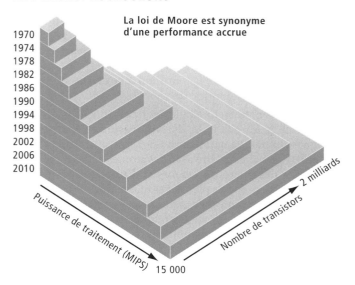

La loi de Moore est synonyme d'une performance accrue

L'augmentation du nombre de transistors dans des microprocesseurs de plus en plus petits a accru de façon exponentielle la puissance de traitement.

FIGURE 5-5   LA RÉDUCTION DU COÛT DES PUCES

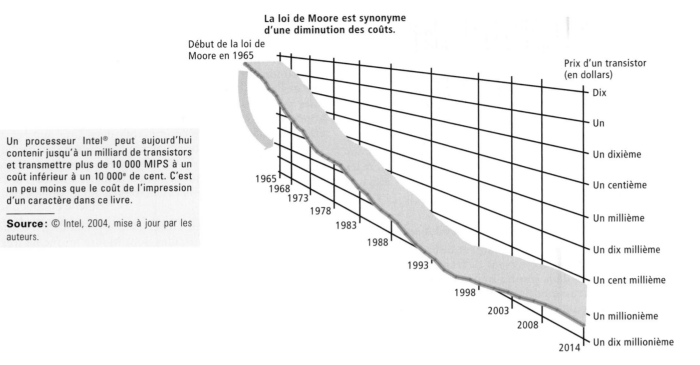

La loi de Moore est synonyme d'une diminution des coûts.

Début de la loi de Moore en 1965

Prix d'un transistor (en dollars)
Dix
Un
Un dixième
Un centième
Un millième
Un dix millième
Un cent millième
Un millionième
Un dix millionième

1965
1968
1973
1978
1983
1988
1993
1998
2003
2008
2014

Un processeur Intel® peut aujourd'hui contenir jusqu'à un milliard de transistors et transmettre plus de 10 000 MIPS à un coût inférieur à un 10 000ᵉ de cent. C'est un peu moins que le coût de l'impression d'un caractère dans ce livre.

Source : © Intel, 2004, mise à jour par les auteurs.

pour l'évaluation de la puissance de traitement. Quant à la figure 5-5, elle illustre la décroissance exponentielle du coût des transistors et l'augmentation de la puissance de calcul.

La croissance exponentielle du nombre de transistors et de la puissance du processeur, conjuguée au déclin exponentiel du coût du traitement de l'information, se maintiendra probablement au cours des prochaines années. Les fabricants de puces miniaturisent de plus en plus leurs composants. Au lieu de comparer les transistors à un cheveu humain, on les compare aujourd'hui à des virus, qui représentent la plus petite forme de vie.

Grâce à la nanotechnologie, les fabricants de puces peuvent même réduire la taille d'un transistor à l'épaisseur de quelques atomes. La **nanotechnologie** travaille à une échelle nanométrique, c'est-à-dire avec des atomes et des molécules, pour créer des microprocesseurs et d'autres dispositifs qui sont des milliers de fois plus petits que ce que permettent les technologies courantes. Les fabricants de puces essaient de mettre au point des procédés permettant de produire des processeurs à partir de nanotubes, à un coût économique (figure 5-6). IBM commence à produire des microprocesseurs grâce à un processus de fabrication utilisant cette technologie.

À mesure que la vitesse des processeurs augmente, la chaleur produite ne peut plus être dissipée par les ventilateurs. Les consommateurs insistent pour obtenir des appareils moins énergivores, afin d'augmenter la durée de vie des piles, et des appareils plus légers, afin d'améliorer leur por-

tabilité. Pour cette raison, Intel et d'autres entreprises s'affairent à créer une nouvelle génération de puces moins énergivores et plus légères. Parmi les autres possibilités, il y a la solution qui consiste à placer plusieurs processeurs sur une même puce (section 5.3).

La loi de la mémoire de masse numérique

La loi de la mémoire de masse numérique est un deuxième déterminant technologique dans l'évolution de l'infrastructure de la TI. Actuellement, l'ensemble des données produites chaque année dans le monde entier représente près de 5 exaoctets de données numériques (un exaoctet correspond à un milliard de mégaoctets, soit 10^{18} **octets**). Ce volume double pratiquement tous les ans (Lyman et Varian, 2003). La quasi-totalité de ces nouvelles données est stockée sous forme numérique dans des mémoires magnétiques, car les documents imprimés ne représentent plus que 0,003 % de cette augmentation annuelle.

Heureusement, chaque année, le coût de la mémoire numérique chute d'un taux exponentiel de 100 %. La figure 5-7 illustre l'augmentation de la capacité d'un disque dur, augmentation qui est passée d'un taux composé annuel de 25 % dans les premières années à un taux de plus de 60 % par année depuis 1990. Aujourd'hui, la densité de compactage des ordinateurs personnels est telle que 645,16 mm² suffisent pour contenir 1 Go. La capacité totale des appareils dépasse 600 Go.

FIGURE 5-6 | DES EXEMPLES DE NANOTUBES

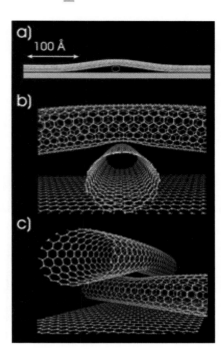

Les nanotubes sont de minuscules tubes dont le diamètre est environ 10 000 fois plus petit que celui d'un cheveu humain. Ils se présentent sous la forme de rouleaux d'hexagones de carbone empilés les uns sur les autres. Découverts en 1991 par des chercheurs de NEC, les nanotubes serviront éventuellement de câbles microscopiques ou de dispositifs électroniques ultrapetits. Ce sont de très puissants conducteurs de courant électrique.

Par ailleurs, la figure 5-8 montre que le nombre de kilo-octets qu'on peut mettre en mémoire sur des disques magnétiques pour la somme de 1 $ a doublé pratiquement tous les 15 mois de 1950 à aujourd'hui.

La loi de Metcalfe et l'économie de réseaux

La loi de Moore et la loi de la mémoire de masse numérique nous aident à mieux comprendre pourquoi les ressources informatiques sont devenues si accessibles. Mais, pourquoi les gens recherchent-ils davantage de puissance de traitement et de stockage des données? L'économie de réseaux et la croissance d'Internet nous donnent quelques éléments de réponse.

En 1970, Robert Metcalfe, l'inventeur du réseau local d'entreprise Ethernet, affirmait que la valeur ou la puissance d'un réseau augmentait de façon exponentielle en fonction du nombre d'utilisateurs faisant partie de ce réseau. Metcalfe et d'autres soulignent les *rendements d'échelle accrus* dont bénéficient les membres d'un réseau au fur et à mesure que s'ajoutent des participants. Lorsque le nombre de membres augmente linéairement, la valeur du système tout entier augmente exponentiellement. De plus, cette valeur continuera d'augmenter de la sorte tant que de nouveaux participants s'ajouteront. La valeur économique et sociale des réseaux numériques capables de multiplier rapidement le nombre de liens réels et potentiels entre leurs membres a alimenté la demande en technologies de l'information.

La diminution des coûts de communication et d'Internet

La diminution rapide des coûts de communication et la croissance exponentielle d'Internet constituent le quatrième déterminant technologique qui a transformé l'infrastructure de

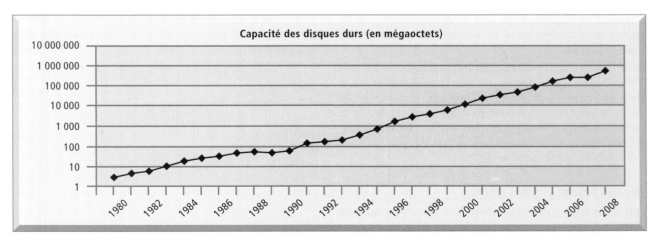

Entre 1980 et 1990, la capacité des disques durs d'ordinateurs personnels a augmenté à un taux annuel composé de 25 %. Après 1990, ce taux de croissance est passé à plus de 65 % par année.

Source: Kurzweil, 2003, mise à jour par les auteurs.

FIGURE 5-8 **LA DIMINUTION EXPONENTIELLE DU COÛT DE STOCKAGE DES DONNÉES ENTRE 1950 ET 2010**

Depuis l'utilisation de la première mémoire magnétique en 1955, le coût de stockage d'un kilo-octet de données a chuté de façon exponentielle, ce qui a permis de doubler en moyenne tous les 15 mois la quantité de mémoire magnétique pour chaque dollar dépensé.

Source: Adaptée de Ray Kurzweil (23 septembre 2003) et les auteurs.

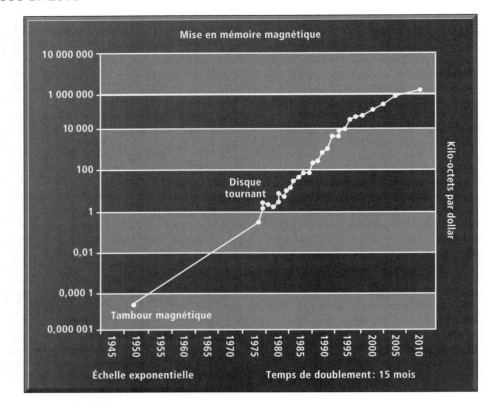

la TI. On estime aujourd'hui que, dans le monde entier, 1,5 milliard de personnes environ accèdent à Internet. La figure 5-9 illustre la diminution exponentielle du coût des communications à la fois pour Internet et pour les réseaux téléphoniques (qui utilisent de plus en plus Internet). Alors que les coûts de communication diminuent jusqu'à avoisiner le zéro, l'utilisation des services d'Internet et de téléphonie connaît une véritable explosion.

Pour profiter de la valeur économique associée à Internet, les entreprises doivent augmenter considérablement le nombre de leurs connexions à Internet, y compris les connexions sans fil. Elles doivent également renforcer la puissance de leurs réseaux client-serveur, de leurs ordinateurs de bureau et de leurs appareils portables. Tout indique que ces tendances vont se poursuivre.

Les normes réseau et leurs effets

Les entreprises ne pourraient utiliser l'infrastructure actuelle ou se servir d'Internet comme elles le font ou le feront dans le futur s'il n'y avait pas de **normes technologiques** communes aux fabricants et si la plupart des utilisateurs n'acceptaient pas ces normes. Les normes technologiques sont les spécifications qui établissent la compatibilité des produits et les capacités de communication au sein d'un réseau (Stango, 2004).

Les normes technologiques permettent d'importantes économies d'échelle. De plus, elles entraînent une diminution des prix, car les fabricants concentrent l'essentiel de leurs efforts sur les produits qui répondent à une seule norme. Sans ces économies d'échelle, le traitement des données serait beaucoup plus coûteux qu'il ne l'est actuellement. Le tableau 5-2 présente les principales normes qui ont façonné l'infrastructure de la TI.

À partir des années 1990, les entreprises ont commencé à utiliser des plateformes standardisées de communication et de traitement des données. Le Wintel PC, accompagné du système d'exploitation Windows et des applications de productivité de Microsoft Office, est devenu la norme autant pour les plateformes de bureau que pour les ordinateurs portables. Par ailleurs, l'adoption à grande échelle du système d'exploitation Unix pour les serveurs d'entreprise a permis le remplacement des coûteux ordinateurs centraux brevetés. Dans le domaine des télécommunications, le standard Ethernet a permis la mise en relation des ordinateurs personnels en petits réseaux locaux d'entreprise (RLE; chapitre 7), alors que le protocole de communication TCP/IP a permis la connexion de ces RLE aux réseaux d'entreprise, puis finalement à Internet.

FIGURE 5-9
LA DIMINUTION EXPONENTIELLE DES COÛTS DE COMMUNICATION PAR INTERNET

La diminution rapide des coûts de connexion à Internet et de l'ensemble des coûts de communication est un des facteurs qui expliquent la croissance d'Internet. Depuis 1955, le coût d'accès à Internet par kilo-octet a diminué de façon exponentielle. La transmission d'un kilo-octet de données au moyen des lignes d'abonnés numériques (Digital Subscriber Line ou DSL) et des modems est maintenant de l'ordre de deux cents.

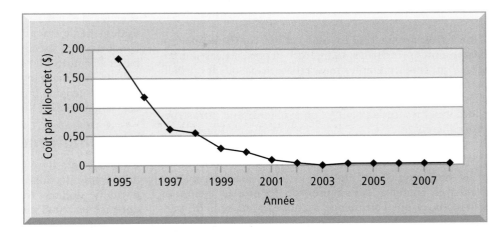

TABLEAU 5-2 **QUELQUES NORMES IMPORTANTES EN INFORMATIQUE**

NORME	CONTRIBUTION
Code américain normalisé pour l'échange d'information (code ASCII) (1958)	Code qui a rendu possible l'échange de données entre les ordinateurs de marques différentes; utilisé par la suite comme langage universel pour relier à l'ordinateur les unités d'entrée-sortie comme le clavier et la souris. Adopté par l'American National Standards Institute en 1963.
Common Business Oriented Language (COBOL) (1959)	Langage de programmation facile à utiliser, qui a permis aux programmeurs d'écrire beaucoup plus facilement des programmes adaptés aux entreprises, d'une part, et de réduire le coût des logiciels, d'autre part. Parrainé par le ministère de la Défense des États-Unis en 1959.
Unix (1969-1975)	Puissant système d'exploitation multitâche et multi-utilisateur, mis au point par les laboratoires Bell en 1969, puis lancé sur le marché en 1975. Une grande variété d'ordinateurs de marques différentes utilisent ce système, qui a été adopté notamment par Sun, IBM et HP pendant les années 1980. Il est devenu le système d'exploitation le plus répandu dans les entreprises.
Protocole de communication/protocole Internet (TCP/IP) (1974)	Série de protocoles de communication et système d'adressage commun qui permettent à des millions d'ordinateurs de se connecter pour former un seul et unique réseau à l'échelle mondiale (Internet). Ils ont été utilisés par la suite comme protocole de réseau par défaut pour les réseaux locaux d'entreprises et les intranets. Mis au point au début des années 1970 par le ministère de la Défense des États-Unis.
Ethernet (1973)	Norme de réseau qui sert à raccorder les ordinateurs au réseau local d'entreprise, ce qui permet l'utilisation de systèmes client-serveur et de réseaux locaux d'entreprise et encourage l'utilisation des ordinateurs personnels.
Ordinateur personnel IBM/Microsoft/Intel (1981)	Norme Wintel pour les ordinateurs de bureau basée sur les processeurs standards Intel et sur d'autres logiciels standards, d'abord Microsoft DOS, puis Windows. L'émergence de ce produit standard et peu coûteux a été le point de départ de 25 années de croissance vertigineuse en informatique, dans toutes les organisations du monde entier. Aujourd'hui, partout dans le monde, les entreprises et les gouvernements utilisent plus de 1 milliard d'ordinateurs personnels.
Web (1989-1993)	Normes utilisées pour le stockage, le formatage et la présentation de l'information sur un Web mondial de pages électroniques contenant du texte, des illustrations, de l'audio et de la vidéo. Elles ont permis de constituer le dépôt mondial de pages Web que nous connaissons aujourd'hui.

5.2 LES COMPOSANTES DE L'INFRASTUCTURE DE LA TI

L'infrastructure de la TI est aujourd'hui constituée de sept composantes principales. La figure 5-10 présente ces composantes qui sont différentes mais reliées, ainsi que les principaux fournisseurs pour chacune d'elles. Pour une entreprise, elles constituent des investissements qu'il est nécessaire de coordonner les uns aux autres pour obtenir une infrastructure cohérente.

Dans le passé, les fournisseurs du secteur technologique se faisaient souvent concurrence. Les solutions qu'ils offraient à leurs clients étaient partielles, incompatibles et exclusives. Toutefois, sous la pression des gros acheteurs, les fournisseurs ont commencé à coopérer au sein de partenariats stratégiques. Ainsi, un fournisseur de matériel et de services comme IBM coopère maintenant avec tous les principaux fournisseurs de logiciels, crée des partenariats stratégiques avec des intégrateurs de systèmes (souvent des sociétés d'expertise comptable). La société IBM accepte également de travailler avec des produits conçus par des concurrents si ses clients souhaitent les utiliser, comme des bases de données (et ce, même si elle vend des produits équivalents, comme le logiciel de base de données DB2). Examinons maintenant l'importance et la dynamique de chacune de ces composantes de l'infrastructure et le marché qu'elle occupe.

Les plateformes matérielles

En 2008, on a livré 285 millions d'ordinateurs personnels dans le monde, dont la valeur marchande totalisait 253 milliards de dollars. Aux États-Unis, les entreprises auront dépensé en 2008 environ 150 milliards de dollars pour l'achat de matériel informatique : ordinateurs clients (ordi-

---

FIGURE 5-10 L'ÉCOSYSTÈME DE L'INFRASTRUCTURE DE LA TI

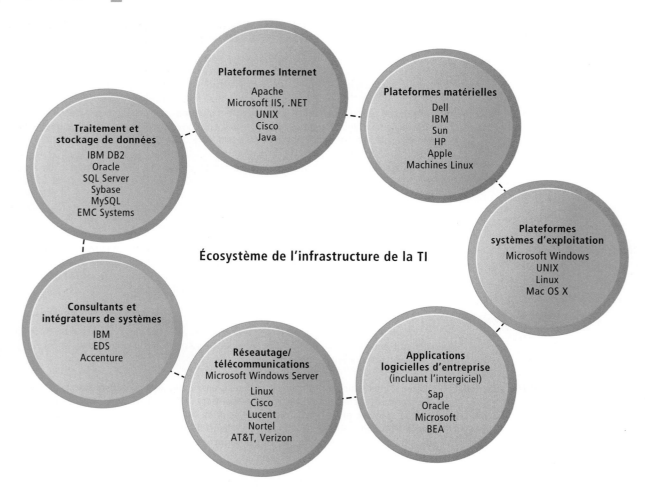

Pour construire une infrastructure cohérente, il est nécessaire de coordonner sept composants principaux. Pour chaque composant, la figure indique les principales technologies employées et leurs fournisseurs.

nateurs de bureau, appareils mobiles comme le téléphone multimédia et le terminal de poche, ordinateurs portatifs) et serveurs. Les ordinateurs clients fonctionnent principalement avec des microprocesseurs Intel et AMD (Gartner, 2008; Metrics 2.0, 2006).

Le marché des serveurs est plus complexe. On y utilise surtout des processeurs Intel ou AMD sous forme de serveurs lames en bâti, mais également des microprocesseurs Sun SPARC et des puces IBM PowerPC spécialement conçus pour ces appareils. Les **serveurs lames** sont des ordinateurs ultraminces consistant en une carte de circuits imprimés munie de processeurs, d'une mémoire et de connexions réseaux stockées en bâti. Ils occupent moins d'espace que les serveurs traditionnels en forme de boîte. Chaque serveur lame peut avoir, en guise de mémoire auxiliaire, un disque dur ou une mémoire externe de grande capacité.

Le marché des ordinateurs est de plus en plus concentré entre les mains de grandes entreprises comme IBM, HP, Dell et Sun Microsystems, et de trois producteurs de puces, Intel, AMD et IBM. Si le processeur Intel domine l'ensemble de l'industrie, le marché des serveurs compte quelques exceptions notables, comme les processeurs Unix de Sun et d'IBM utilisés avec les systèmes Unix et Linux.

Les ordinateurs centraux n'ont pas complètement disparu. En fait, ce marché a connu une croissance régulière au cours de la dernière décennie, même si le nombre de fournisseurs a diminué et se limite maintenant à un seul. Il s'agit d'IBM, qui a trouvé une nouvelle vocation à ses ordinateurs centraux. Il est en effet possible de les transformer en serveurs géants pour les grands réseaux et sites Web d'entreprise. Un seul ordinateur central IBM peut traiter jusqu'à 17 000 applications logicielles de serveurs Linux ou Windows et remplacer des milliers de serveurs lames plus petits (voir la partie sur la virtualisation, section 5.3).

Les plateformes de systèmes d'exploitation

Sur le marché des ordinateurs clients, 95 % des ordinateurs personnels et 45 % des appareils portables utilisent une forme ou l'autre du **système d'exploitation** Windows (par exemple, Windows XP ou Windows Mobile). Sur le marché des serveurs, 70 % des serveurs d'entreprise fonctionnent avec Windows, alors que 30 % utilisent une forme ou l'autre du système d'exploitation **Unix** ou encore de **Linux**, cousin robuste et économique de code source libre d'Unix. Bien que le serveur Microsoft Windows 2008 puisse remplir le rôle de système d'exploitation, tout en offrant des services de réseau pour une entreprise, on n'y recourt pas généralement lorsque le réseau compte plus de 3000 ordinateurs clients.

Unix et Linux sont extensibles, fiables et beaucoup moins coûteux que les systèmes d'exploitation destinés aux ordinateurs centraux. De plus, ils sont exécutables par différents types de processeurs. Les principaux fournisseurs d'Unix sont IBM, HP et Sun, qui offrent des versions légèrement différentes et partiellement incompatibles.

Un serveur lame est un processeur mince et modulaire, qui sert une seule application (par exemple, le traitement de pages Web) et qui s'insère facilement dans un bâti peu encombrant avec d'autres serveurs similaires.

Les applications logicielles d'entreprise

Outre leurs dépenses en logiciels destinés aux applications concernant des groupes d'employés ou des services spécifiques, les entreprises étatsuniennes auront consacré 250 milliards de dollars en 2008 pour acheter des applications logicielles d'entreprise considérées comme des composantes de l'infrastructure de la TI. Les fournisseurs les plus importants sont SAP et Oracle (qui a fait l'acquisition de PeopleSoft). On compte également dans cette catégorie les intergiciels offerts par des fournisseurs comme BEA (dont Oracle a également fait l'acquisition en 2008). Les intergiciels sont des logiciels permettant l'intégration, à l'échelle d'une entreprise, de tous les logiciels d'application.

Microsoft tente actuellement d'effectuer une percée dans le segment bas de gamme de ce marché, en ciblant les petites et moyennes entreprises qui n'ont toujours pas d'applications d'entreprise. Dans l'ensemble, la plupart des grandes structures ont déjà implanté des applications d'entreprise et ont établi des relations à long terme avec leurs fournisseurs. Une fois l'engagement pris avec un fournisseur, il peut s'avérer difficile et coûteux d'en changer, quoique cela soit réalisable.

Le traitement et le stockage des données

Le choix des logiciels de gestion de bases de données est limité. Ces logiciels permettent d'organiser et de gérer les données de manière à en assurer un accès et une utilisation efficaces. On les décrit en détail au chapitre 6. Les principaux fournisseurs sont IBM (DB2), Oracle, Microsoft (SQL Server) et Sybase (Adaptive Server Entreprise). Ils accaparent plus de 90 % du marché des logiciels de bases de données aux États-Unis. Toutefois, ils doivent compter maintenant avec MySQL, logiciel libre de base de données relationnelle Linux offert gratuitement sur Internet et bénéficiant de l'appui grandissant de HP et d'autres fournisseurs.

Sur le marché du stockage des données, c'est EMC Corporation qui domine pour les systèmes de grande envergure, et un petit nombre de fabricants de disques durs, comme Seagate, Maxtor et Western Digital, pour les ordinateurs personnels. En plus des traditionnelles matrices de disques et des bandothèques, les grandes entreprises se tournent de plus en plus vers les technologies de stockage réseau. Reliant de multiples unités de stockage en un réseau haute vitesse distinct affecté au stockage, le **réseau de stockage** crée un vaste réservoir rapidement accessible et partagé par plusieurs serveurs.

Le volume de nouvelles données numériques produites dans le monde double tous les trois ans. Cette croissance est alimentée par le cybercommerce et les affaires électroniques, d'une part, et par l'obligation imposée aux entreprises d'investir dans des installations de stockage et de gestion des données, d'autre part. Voilà pourquoi le marché du stockage des données numériques a connu une croissance annuelle de plus de 15 % au cours des cinq dernières années.

Le matériel de réseautage et de télécommunication

En 2008, les entreprises étatsuniennes auront dépensé 210 milliards de dollars en équipements de réseautage et de télécommunication, et près de 850 milliards de dollars en services de réseau. Ce deuxième montant correspond principalement à des frais payés aux sociétés de téléphone et de télécommunications pour l'accès aux lignes téléphoniques et à Internet; nous n'en tiendrons pas compte ici. Le chapitre 7 décrit en détail l'environnement réseau d'une entreprise, y compris Internet. Les réseaux locaux d'entreprise fonctionnent principalement avec le système d'exploitation Windows Server, mais aussi avec Linux et Unix. Les réseaux longue portée des grandes entreprises font surtout appel à des variantes d'Unix. De nombreux réseaux locaux d'entreprise et réseaux à longue portée utilisent le protocole de communication standard TCP/IP (chapitre 7).

Les principaux fournisseurs de matériel pour les réseaux sont Cisco, Lucent, Nortel et Juniper Networks. Les entreprises de services téléphoniques fournissent habituellement les plateformes de télécommunication; elles offrent également une connectivité pour la voix et les données, des réseaux longue portée, ainsi qu'un accès à Internet. Parmi les principaux fournisseurs de services de télécommunication, on trouve AT&T et Verizon. Comme nous le verrons au chapitre 7, ce marché est en pleine expansion avec l'arrivée de fournisseurs en téléphonie cellulaire, en technologie Wi-Fi et en **téléphonie par Internet**.

Les plateformes Internet

Les plateformes Internet recouvrent l'ensemble de l'infrastructure réseau d'une entreprise, ainsi que ses plateformes matérielles et logicielles, auxquelles elles sont reliées. On estime que les entreprises étatsuniennes auront dépensé en 2008 environ 52 milliards de dollars pour l'infrastructure reliée à Internet. Ces dépenses servent à l'acquisition de matériel, de logiciels et de services de gestion pour les sites Web des entreprises, notamment les services d'hébergement, les intranets et les extranets. Un **service d'hébergement Web** comprend un gros serveur Web ou une série de serveurs et offre aux membres un espace pour le maintien de leurs sites, moyennant certains frais.

Avec la révolution Internet de la fin des années 1990, l'utilisation des serveurs a connu une véritable explosion. En effet, beaucoup d'entreprises ont alors relié des milliers de petits serveurs pour l'exécution de leurs opérations Internet. Depuis, on observe une tendance au regroupement des serveurs. Le nombre de serveurs diminue et ceux qui restent gagnent en taille et en puissance. Dell, HP/Compact et IBM détiennent la majeure partie du marché des serveurs Internet, dont les prix ont chuté.

Microsoft et Sun offrent les principaux outils logiciels et grandes suites logicielles pour le Web. La famille d'outils logiciels Microsoft.NET sert à créer des sites Web à l'aide des pages ASP, pour un contenu dynamique. Le langage Java, de Sun, est le plus utilisé dans la création des applications Web, à la fois pour les serveurs et pour les clients. À ces deux grands fournisseurs s'ajoutent divers développeurs de logiciels (Macromedia, logiciel Flash), de logiciels médias (Real Media) et d'outils texte (Adobe, logiciel Acrobat). Le chapitre 7 décrit en détail les composantes de la plateforme Internet.

Les services de consultants et d'intégrateurs de systèmes

Il y a 20 ans, une grande entreprise pouvait envisager d'implanter elle-même sa propre infrastructure de la TI, mais cela s'avère beaucoup plus difficile aujourd'hui. En effet, même les grandes sociétés ne disposent pas du personnel, de l'expertise, du budget et de l'expérience nécessaires. Comme nous le soulignons dans les chapitres 13 et 14, implanter une nouvelle infrastructure exige la transformation radicale des méthodes et des procédures administratives, de la formation ainsi que l'intégration des logiciels. Accenture, IBM Global Services, Electronic Data Systems, HP Technology Solutions, Infosys et Wipro Technologies sont les principales entreprises de services-conseils offrant cette expertise.

L'intégration des systèmes consiste en la mise en compatibilité de la nouvelle infrastructure d'entreprise et de l'ancienne, appelée système informatique patrimonial, et en la vérification de l'interaction correcte entre les nouveaux éléments. Le **système informatique patrimonial** est généralement un ancien système de traitement des transactions qu'on a créé pour un ordinateur central et qu'on conserve pour éviter les coûts élevés qu'entraînerait son remplacement ou sa restructuration. Le remplacement d'un tel système est, d'une part, extrêmement coûteux et, d'autre part, souvent inutile quand son intégration dans une infrastructure moderne est possible.

5.3 LES TENDANCES ACTUELLES DANS LES PLATEFORMES MATÉRIELLES

Bien que les coûts associés à l'informatique aient diminué de façon exponentielle, les coûts associés à l'infrastructure de la TI n'ont pas suivi la même tendance, bien au contraire. Ils accaparent une part plus grande des revenus et des budgets des entreprises. En effet, certains coûts ont baissé, mais d'autres ont considérablement augmenté, tel le coût des services informatiques (services-conseils, intégration des systèmes). De plus, le coût des logiciels est demeuré élevé et les activités liées à l'informatique et aux communications se sont intensifiées. Par exemple, les employés utilisent aujourd'hui des applications beaucoup plus perfectionnées qui requièrent différents types d'ordinateurs plus puissants et plus coûteux (portables, ordinateurs de bureau et ordinateurs de poche).

Les entreprises font face à d'autres enjeux. Elles doivent intégrer l'information stockée dans différentes applications et plateformes (téléphone, systèmes patrimoniaux, intranets, sites Internet, ordinateurs de bureau et appareils mobiles). Elles doivent également se doter d'une infrastructure souple, capable d'absorber de fortes augmentations de trafic en période de pointe, de repousser les intrusions périodiques de pirates informatiques et de contrer l'attaque des virus, tout en conservant la puissance électrique requise. Enfin, elles doivent améliorer les services pour répondre aux attentes toujours grandissantes des clients et aux demandes de leurs employés. Les tendances que nous décrivons pour les plateformes matérielles et logicielles servent l'entreprise dans toutes ces situations ou dans certaines d'entre elles.

L'émergence de la plateforme numérique mobile

Alors que l'informatique s'intègre de plus en plus dans un réseau, de nouvelles plateformes numériques mobiles font leur apparition. Les dispositifs de communication tels que les téléphones cellulaires et les téléphones intelligents (téléphone multimédia de type iPhone et terminal de poche de type BlackBerry) se sont vu doter de plusieurs fonctions des ordinateurs de poche: transmission des données, navigation sur le Web, transmission des courriels et des messages instantanés, affichage de contenu numérique et échange de données avec des systèmes internes d'entreprise. La nouvelle plateforme mobile comprend également de petits ordinateurs portatifs légers et bon marché appelés **miniportables**. Conçus expressément pour la communication sans fil et l'accès à Internet, ils sont dotés de fonctions informatiques de base comme le traitement de texte, de lecteurs de livres numériques comme Amazon Kindle et de capacités d'accès au Web. Dans les entreprises, on délaisse de plus en plus les ordinateurs personnels et les ordinateurs de bureau au profit de ces dispositifs mobiles. Les cadres font une utilisation croissante de ces appareils pour la coordination du travail et la communication avec les employés.

L'informatique en grille

L'**informatique en grille** permet de relier en un seul réseau des ordinateurs éloignés sur le plan géographique et de créer un superordinateur virtuel combinant la puissance de calcul de tous les ordinateurs raccordés. Elle tire profit du fait que la plupart des ordinateurs utilisent en moyenne seulement 25 % de leur unité centrale pour accomplir les tâches qu'on leur assigne: les ressources inutilisées peuvent donc servir à d'autres fins. C'est l'apparition de connexions Internet à haute vitesse qui a rendu possible l'informatique en grille, en permettant aux entreprises de relier des machines éloignées les unes des autres afin de les faire échanger d'énormes quantités de données, et ce, à peu de frais.

L'informatique en grille requiert des logiciels capables de contrôler et de répartir les ressources de la grille. Le logiciel d'un ordinateur client communique avec l'application logicielle d'un serveur qui fragmente les données et les codes d'application puis les répartit entre les ordinateurs de la grille. Les ordinateurs clients effectuent leurs tâches régulières tout en exécutant les applications de la grille en arrière-plan.

Pour une entreprise, l'informatique en grille signifie économies, traitement des données accéléré et flexibilité accrue. Par exemple, le groupe Royal Dutch/Shell utilise une plateforme en grille extensible qui améliore la précision et la vitesse de ses logiciels de modélisation servant au repérage des gisements de pétrole. Cette plateforme, qui relie 1024 serveurs IBM utilisant Linux, a permis de créer le plus puissant superordinateur commercial Linux au monde. La grille est ajustable: elle peut s'adapter aux fluctuations de volumes propres à cette industrie qui connaît des activités cycliques. Selon Royal Dutch/Shell, elle a permis de réduire le temps de traitement des données sismiques, d'améliorer la qualité des analyses et d'aider les scientifiques à déterminer les problèmes liés à la découverte de nouvelles réserves pétrolières.

L'Eee PC est un miniportable de 907 g seulement qui a été conçu par ASUS. Il fonctionne avec un système d'exploitation basé sur Linux et offre l'accès Internet sans fil et une série d'outils de productivité de bureau à code source libre. La popularité des miniportables ne cesse de croître en raison de leur portabilité, de leur facilité d'utilisation et de leur prix abordable.

La nimbo-informatique et l'informatique à la demande

Plus tôt dans le chapitre, nous avons présenté la nimbo-informatique, dans laquelle les capacités matérielles et logicielles sont des services fournis par l'intermédiaire d'Internet (qu'on appelle parfois «le nuage», d'où «nimbo», *nimbus* signifiant «nuage» en latin). Les données sont stockées en permanence dans des serveurs à distance et constituent alors de gigantesques centres de données. L'accès et la mise à jour se font par l'entremise d'Internet, à la demande des clients, notamment les ordinateurs de bureau, les ordinateurs portables, les miniportables, les chaînes audio-vidéo et les appareils mobiles. Par exemple, Google Apps offre, en ligne, des applications de gestion courante auxquelles on a accès grâce à un navigateur Web, alors que le logiciel et les données de l'utilisateur sont stockés dans les serveurs.

Puisque les organisations qui recourent à la nimbo-informatique ne possèdent habituellement pas l'infrastructure, elles n'ont pas à effectuer d'investissement important dans le matériel et les logiciels. Elles achètent plutôt leurs services informatiques à des fournisseurs à distance et ne paient que pour la puissance informatique qu'elles utilisent véritablement (ou sont facturées par abonnement). On emploie aussi l'expression **informatique à la demande** pour désigner ces services. La session interactive portant sur Salesforce.com et l'étude de cas portant sur Amazon.com, à la fin du chapitre, donnent des exemples de fournisseurs de services matériels et logiciels de nimbo-informatique.

Certains analystes croient que la nimbo-informatique représente un profond changement dans la façon d'utiliser l'informatique en entreprise: au lieu de centres de données privés, l'informatique se retrouve dans les «nuages» (Carr, 2008). Mais il y a des divergences de vues. La nimbo-informatique plaît davantage aux petites et moyennes entreprises qui n'ont pas les ressources nécessaires pour acheter et posséder leur matériel et leurs logiciels propres. Les grandes organisations, quant à elles, ont investi des sommes considérables dans des systèmes complexes, exclusifs, aux processus opérationnels uniques qui leur procurent dans certains cas des avantages stratégiques. Le scénario le plus probable est en fait un modèle informatique hybride, dans lequel les entreprises utiliseront leur propre infrastructure pour la plupart de leurs activités essentielles et adopteront la nimbo-informatique pour les systèmes non vitaux. Progressivement, les entreprises ayant une infrastructure fixe en viendront à l'assouplir pour en posséder une partie et louer l'autre à de gigantesques centres informatiques appartenant à des fournisseurs de matériel informatique.

L'informatique autonome

Les systèmes informatiques modernes sont devenus si complexes que, selon certains experts, ils pourront devenir impossibles à gérer. En effet, il semble de plus en plus ardu d'arriver à gérer les systèmes d'exploitation, les bases de données, les logiciels traitant des millions de lignes de code, les systèmes gigantesques regroupant des milliers d'appareils en réseau.

On estime que, dans une entreprise, la prévention et la réparation des pannes de systèmes absorbent entre le tiers et la moitié du budget total de la TI. De plus, l'erreur humaine serait à l'origine d'environ 40 % des pannes. Or, ni la formation ni la compétence des opérateurs ne sont en cause. Il faut plutôt incriminer la complexité des systèmes informatiques modernes, mais aussi le fait que les opérateurs et les gestionnaires de la TI doivent souvent prendre des décisions en quelques secondes.

D'un point de vue technique, une des solutions à ce problème est l'informatique autonome. L'**informatique autonome** est une initiative de l'ensemble de l'industrie visant l'élaboration de systèmes autonomes, c'est-à-dire capables de se configurer, d'assurer un rendement maximal, de procéder à des réglages, de réparer les pannes et de se protéger des intrus et de l'autodestruction, et ce, sans intervention humaine. Imaginez, par exemple, un ordinateur de bureau qui pourrait détecter lui-même qu'il a été infecté par un virus. Au lieu de rester passif, il identifierait l'intrus et l'éliminerait, ou encore confierait à un autre processeur le travail en cours et s'arrêterait pour empêcher le virus de détruire les fichiers.

Les systèmes d'exploitation des ordinateurs possèdent déjà certaines fonctions associées à l'informatique autonome. Par exemple, les logiciels antivirus et pare-feu peuvent détecter des virus, les détruire automatiquement et prévenir l'opérateur. De plus, l'abonnement à un service antivirus en ligne comme McAfee permet la mise à jour automatique de ces programmes, au gré des besoins. IBM et d'autres fournisseurs commencent à inclure des fonctions d'informatique autonome dans les applications jumelées aux grands systèmes.

La virtualisation et les processeurs multicœurs

La virtualisation

De nombreuses entreprises ont découvert qu'en utilisant des milliers de serveurs, elles dépensaient presque autant en électricité pour l'alimentation et le refroidissement qu'en achat de matériel. La quantité d'énergie que consomment les centres de données a plus que doublé entre 2000 et 2008. L'agence de protection de l'environnement des États-Unis (U.S. Environmental Protection Agency) évalue que, d'ici 2011, les centres de données utiliseront plus de 2 % de toute la puissance électrique des États-Unis. La réduction de la consommation d'électricité dans les centres de données constitue maintenant le grand enjeu des entreprises. La session interactive portant sur la technologie examine ce problème. En étudiant ce cas, essayez de déterminer les solutions de rechange ainsi que leurs avantages et inconvénients respectifs.

La session interactive sur la technologie présente les organisations qui ont mis un frein à la prolifération de matériel et à la consommation d'électricité en recourant à la virtualisation pour réduire le nombre d'ordinateurs requis par

SESSION INTERACTIVE :
LA TECHNOLOGIE

L'INFORMATIQUE SE MET AU VERT

La gestion des salles d'ordinateurs devient de plus en plus problématique. Les tâches utilisant beaucoup de données, comme la vidéo sur demande, les téléchargements de musique, le partage de photos et l'entretien de sites Web, requièrent des appareils de plus en plus énergivores. Entre 2000 et 2007, dans les centres de données d'entreprise, le nombre de serveurs est passé de 5,6 millions à quelque 12 millions aux États-Unis et à 29 millions dans le monde. Au cours de la même période, le coût total annuel en électricité des serveurs des centres de données a bondi de 1,3 à 2,7 milliards de dollars aux États-Unis, et de 3,2 à 7,2 milliards de dollars dans le monde.

De plus, la chaleur produite par tous ces serveurs provoque des pannes. Les entreprises doivent donc dépenser encore pour la climatisation ou pour d'autres solutions. Certaines déboursent plus d'argent pour la climatisation de leurs centres de données que pour la location de l'édifice proprement dit. Avec les frais de climatisation, un centre de données de 9294 m² a vu sa facture annuelle moyenne de services publics grimper jusqu'à 5,9 millions de dollars. C'est un cercle vicieux, car les entreprises doivent payer d'abord pour alimenter leurs serveurs et ensuite pour dissiper la chaleur et garder les appareils fonctionnels. Le refroidissement d'un serveur nécessite à peu près le même nombre de kilowatts d'énergie que son fonctionnement. Cette consommation supplémentaire d'électricité a un effet négatif sur l'environnement et sur les frais d'exploitation des entreprises.

Au Pomona Valley Hospital Medical Center, en Californie, un centre de données de 558 m² hébergeait un si grand nombre de serveurs que la température a grimpé jusqu'à près de 38 °C. En général, les responsables de la TI cherchent à maintenir la température de ce genre de salles à environ 16 °C. Dans ce cas-ci, la température élevée a provoqué des défaillances et même une panne. L'hôpital a réglé le problème en investissant 500 000 $ dans un réseau de climatiseurs au plafond. La température avoisine maintenant les 18 °C.

L'entreprise Emerson Network Power, de Saint Louis, offre une solution de climatisation, appelée Liebert XD, qui s'installe directement au-dessus des supports de serveurs et rafraîchit l'air par des tuyaux contenant un frigorigène à sec. La société US Internet, fournisseur régional de services Internet à Minneapolis, y a eu recours pour combattre la température de 32,2 °C qui régnait dans l'un de ses centres de données. Sans ce système, elle subissait des pannes quotidiennes de serveurs et de lecteurs de stockage.

Pour sa part, la société Degree Controls, située à Milford, au New Hampshire, installe des carreaux de plancher équipés de ventilateurs puissants qui envoient de l'air frais directement sur les serveurs. Chaque carreau coûte 1800 $.

Quelques-unes des entreprises les plus importantes dans le monde s'attaquent à leurs problèmes de consommation d'électricité en tenant compte à la fois de l'environnement et des économies possibles. Google, Microsoft et HSBC construisent des centres de données qui tireront parti de l'alimentation hydroélectrique. Salesforce.com compte compenser son bilan de carbone en investissant dans des projets d'énergie renouvelable et de sources d'énergie de substitution.

Hewlett-Packard travaille à une série de technologies visant à réduire de 75 % le bilan de carbone des centres de données, à remplacer les fils de cuivre sur les microprocesseurs par des impulsions lumineuses et à concevoir et développer de nouveaux logiciels et services pour la mesure de la consommation d'énergie et des émissions de carbone. Elle a réduit ses frais d'électricité de 20 à 25 % en regroupant les serveurs et les centres de données. Aucune de ces entreprises ne prétend sauver la planète par ses efforts, mais toutes ont admis l'importance du problème et la nécessité, pour le secteur de l'informatique, de passer au vert.

Les gestionnaires de la TI ont également des possibilités matérielles et logicielles pour économiser l'électricité. Certaines organisations choisissent d'utiliser des ordinateurs clients légers, c'est-à-dire des terminaux très rudimentaires qui se connectent directement aux serveurs et consomment beaucoup moins que les ordinateurs de bureau habituels. Un centre d'appels exploité par Verizon Wireless à Chandler, en Arizona, a remplacé 1700 ordinateurs personnels par des clients légers de Sun Microsystems, et a vu sa consommation électrique baisser d'un tiers. Sun Microsystems affirme que ses clients légers consomment en moyenne moins de la moitié de l'électricité utilisée par les ordinateurs personnels.

Il y a deux ans, la City University of New York a adopté, pour ses 20 000 ordinateurs personnels, le logiciel Surveyor fabriqué par Verdiem. Ce logiciel permet aux gestionnaires de la TI de configurer les ordinateurs de façon qu'ils s'éteignent automatiquement quand ils sont inactifs la nuit. Il a permis à l'université de réduire de 10 % sa facture d'électricité et de réaliser des économies annuelles d'environ 320 000 $. Dans le Wisconsin, Quad Graphic, de Sussex, a également installé Surveyor après que des tests eurent indiqué des économies d'électricité de 35 à 50 %, soit des économies annuelles pouvant atteindre 70 000 $.

Le système d'exploitation Windows Vista de Microsoft a des fonctions de mise en veille améliorées qui réduisent la consommation d'électricité de façon plus importante que les modes d'attente des versions antérieures de Windows. En mode veille, les ordinateurs ne consomment que 3 ou 4 W, alors qu'ils nécessitent 100 W quand ils sont au ralenti. Les puces performantes à insérer dans les serveurs constituent une autre solution pour les entreprises.

Comme elle permet de réduire le nombre de serveurs nécessaires au fonctionnement des applications d'une organisation, la virtualisation est un outil très efficace pour une informatique rentable et respectueuse de l'environnement. Le University of Pittsburgh Medical Center et la société Swinerton Construction de San Francisco font partie des nombreuses entreprises qui ont profité de cette technologie. En une seule année, Swinerton a économisé 140 000 $ grâce à la virtualisation : elle a réalisé des économies d'électricité de 50 000 $ et réduit ses frais de climatisation et ses achats de serveurs.

Sources : Scott Ferguson, «Cooling the Data Center», *eWeek*, 9 juin 2008; Rob Bernard, «Microsoft's Green Growth», *eWeek*, 7 avril 2008; Eric Chabrow, «The Wild, Wild Cost of Data Centers», *CIO Insight*, mai 2008; Jim Carlton, «IT Managers Make a Power Play», *The Wall Street Journal*, 27 mars 2007 et «IT Managers Find Novel Ways to Cool Powerful Servers», *The Wall Street Journal*, 10 avril 2007; Marianne Kolbasuk McGee, «Data Center Electricity Bills Double», *Information Week*, 17 février 2007.

Questions

1. Quels problèmes d'ordre économique et d'ordre social entraîne la consommation d'électricité des centres de données ?
2. Quelles sont les solutions offertes ? Lesquelles sont les plus écologiques ?
3. Quels sont les avantages et les coûts de ces solutions pour les entreprises ?
4. Les entreprises devraient-elles toutes «se mettre au vert» en informatique ? Justifiez votre réponse.

Ateliers

Effectuez une recherche dans Internet avec les mots «informatique écologique», puis répondez aux questions suivantes :

1. Comment définiriez-vous l'informatique écologique ?
2. Nommez quelques chefs de file du mouvement de l'informatique écologique. Quelles entreprises sont à l'avant-garde de ce mouvement ? Quels organismes environnementaux jouent un rôle important ?
3. Quelles sont les dernières tendances de l'informatique écologique ? Quel en est l'impact ?
4. Que peuvent faire les individus pour contribuer au mouvement de l'informatique écologique ? Le mouvement est-il utile ?

le traitement. La **virtualisation** consiste en un processus de présentation d'un ensemble de ressources informatiques (comme la puissance de traitement ou le stockage de données) de telle sorte qu'il soit possible d'y accéder sans aucune restriction de configuration physique ou d'emplacement géographique. La virtualisation de serveur permet aux entreprises de faire fonctionner plusieurs systèmes d'exploitation en même temps dans un seul appareil. La plupart des serveurs ne se servent que de 10 à 15 % de leur capacité. La virtualisation peut faire grimper ce taux jusqu'à plus de 70 %. Il faut alors un nombre moindre d'ordinateurs pour le traitement du même volume de travail.

Par exemple, le réseau d'hôpitaux et d'établissements de santé Christus Health, dans le sud et l'ouest des États-Unis et au Mexique, gérait officiellement plus de 2000 serveurs dans 8 centres de données, dont 70 % dans le centre de données de San Antonio. À cet endroit, 97 % des systèmes utilisaient moins de 20 % de leur puissance de traitement et seulement 29 % de la mémoire disponible. L'organisme de soins de santé s'est servi de la virtualisation pour regrouper le travail de 824 serveurs sur 83 serveurs lames. Il a ainsi économisé 1,8 million de dollars, réductions d'électricité comprises (Conklin et coll., 2008).

Le logiciel de virtualisation de serveur s'exécute entre le système d'exploitation et le matériel, afin de dissimuler les ressources aux utilisateurs, notamment le nombre et l'identité des serveurs physiques, des processeurs et des systèmes d'exploitation. VMware est le principal fournisseur de logiciels de virtualisation de serveur pour les systèmes d'exploitation Windows et Linux. Microsoft offre son propre environnement de virtualisation, Virtual Server, et a intégré des fonctions de virtualisation dans la nouvelle version de Windows Server.

Outre qu'elle contribue à la réduction des dépenses en matériel et en électricité, la virtualisation permet aux entreprises d'exécuter leurs applications patrimoniales dans les versions antérieures d'un système d'exploitation et sur le même serveur que les nouvelles applications. Elle facilite également la centralisation de la gestion du matériel informatique.

Les processeurs multicœurs

L'utilisation de processeurs multicœurs est une autre façon de réduire les besoins en énergie et l'accumulation de matériel informatique. Le **processeur multicœur** est un circuit intégré auquel deux ou plusieurs processeurs ont été greffés pour une meilleure performance, une réduction de la consommation d'électricité et le traitement simultané plus efficient de plusieurs tâches. Cette technologie permet à deux unités de traitement, dont les besoins en énergie et la dissipation de chaleur sont alors réduits, d'accomplir des tâches plus rapidement que la puce énergivore d'un processeur monocœur. Aujourd'hui, les ordinateurs personnels sont dotés de processeurs bicœurs, et les serveurs, de processeurs à quatre cœurs. La puce UltraSparc T2 de Sun Microsystems pour la gestion des applications Web comporte 8 processeurs et sera bientôt suivie d'un processeur à 16 cœurs.

5.4 LES TENDANCES ACTUELLES DANS LES PLATEFORMES LOGICIELLES

Les cinq principaux axes de l'évolution des plateformes logicielles sont : Linux et les logiciels libres ; Java et Ajax ; les services Web et l'architecture axée sur le service ; les applications composites et les applications Web 2.0 ; l'impartition de logiciels.

Linux et les logiciels libres

Les logiciels libres

Un **logiciel libre** est le produit de centaines de milliers de programmeurs à travers le monde. Selon l'association professionnelle la plus importante dans le domaine, OpenSource.org, le logiciel libre est gratuit et peut être modifié par n'importe quel utilisateur. Tout le travail dérivant du code source doit également être gratuit et le logiciel peut être redistribué par l'utilisateur sans licence supplémentaire. Si, par définition, un logiciel libre ne peut être limité à un système d'exploitation ou à une plateforme matérielle, la grande majorité des logiciels d'exploitation libres sont basés sur un système d'exploitation Linux ou Unix.

En principe, les logiciels libres sont supérieurs aux logiciels des marques commercialisées, car des milliers de programmeurs bénévoles du monde entier peuvent lire, perfectionner, distribuer et modifier le code source beaucoup plus rapidement, et avec des résultats beaucoup plus fiables, que ne peut le faire une petite équipe de programmeurs travaillant pour un seul fabricant de logiciels. Après plusieurs années d'effort, ce mouvement qui a 30 ans a prouvé qu'il était en mesure de produire des logiciels de haute qualité et acceptables sur le plan commercial.

Aujourd'hui, il est possible de télécharger des milliers de programmes libres à partir de centaines de sites Web. Parmi les outils logiciels libres les plus populaires, on trouve le système d'exploitation Linux, le serveur Web Apache HTTP, le navigateur Web Mozilla Firefox et la suite logicielle en bureautique OpenOffice. D'autres outils libres servent sur les miniportables comme solution de rechange bon marché à la suite logicielle Office de Microsoft. Plusieurs grands fabricants d'ordinateurs et de logiciels, notamment IBM, Hewlett-Packard, Dell, Oracle et SAP, proposent maintenant des versions de leurs produits qui sont compatibles avec Linux.

Linux

Linux est un système d'exploitation relié à l'entreprise Unix, et c'est probablement le logiciel libre le plus connu. Créé par le programmeur finlandais Linus Torvalds, il est apparu pour la première fois sur Internet au mois d'août 1991. Aujourd'hui, il constitue le système d'exploitation pour les systèmes client-serveur qui connaît la plus forte croissance dans le monde. Les applications Linux sont intégrées aux téléphones cellulaires, aux téléphones intelligents, aux miniportables et aux autres appareils portatifs. Linux est offert en versions libres à télécharger par Internet ou en versions commerciales bon marché comportant des outils et incluant un soutien technique, avec des fournisseurs comme Red Hat.

Linux reste pour le moment un partenaire relativement modeste dans le secteur des ordinateurs de bureau, quoiqu'il connaisse une croissance rapide, en particulier comme système d'exploitation pour les miniportables à accès Internet. Il joue un rôle majeur dans les fonctions d'arrière-guichet des réseaux locaux d'entreprises, dans les serveurs Web et dans les tâches informatiques de haute performance ; sa présence est de 20 % sur le marché des serveurs. IBM, HP, Intel, Dell et Sun ont fait de Linux la pièce maîtresse de leurs produits destinés aux entreprises. Plus d'une vingtaine de pays en Asie, en Europe et en Amérique latine ont adopté Linux et des logiciels libres.

La montée des logiciels libres, en particulier celle de Linux et des applications correspondantes, a eu de grandes répercussions sur les plateformes logicielles des entreprises : réduction des coûts, fiabilité, résilience et intégration. En effet, Linux fonctionne sur les principales plateformes matérielles, qu'il s'agisse d'ordinateurs centraux ou de systèmes client-serveur.

Des logiciels pour le Web : Java et Ajax

Java

Java est un langage de programmation orienté objet qui n'est lié à aucun système d'exploitation ou processeur. Il est devenu le premier environnement de programmation interactif pour le Web. Quand un objet se déplace sur le Web ou reçoit l'entrée d'un utilisateur, l'applet Java est probablement derrière. Java a été conçu en 1992 par James Gosling et la Green Team de Sun Microsystems.

La quasi-totalité des navigateurs Web possèdent une plateforme Java intégrée. Plus récemment, la plateforme Java a fait son apparition dans les téléphones cellulaires, les automobiles, les lecteurs de musique, les consoles de jeux vidéo et, finalement, les décodeurs de systèmes de télévision par câble, pour les contenus interactifs et les services de télévision à la carte. Le logiciel Java a été conçu pour s'exécuter dans un ordinateur ou dans un dispositif de calcul, quel que soit le microprocesseur ou le système d'exploitation. Pour chacun des environnements informatiques utilisant Java, Sun a créé une « machine Java » virtuelle qui interprète le code de programmation Java. Ainsi, une fois écrit, le code peut être utilisé sur n'importe quel appareil pour lequel il existe une « machine Java » virtuelle.

Java est un langage très robuste capable de gérer, dans un même programme, du texte, des données, des graphiques, des sons et des vidéos. Il permet également aux utilisateurs de l'ordinateur de manipuler des données dans des systèmes interconnectés, à l'aide d'un navigateur Web, ce qui réduit les besoins en logiciels spécialisés. Un **navigateur Web** est un logiciel facile à utiliser. Muni d'une interface graphique, il permet de présenter des pages Web et d'accéder au Web et aux autres ressources d'Internet. Internet Explorer de Microsoft, Mozilla Firefox et Netscape en sont des exemples. Pour une entreprise, Java sert à exécuter des applications plus complexes de commerce et d'affaires électroniques qui requièrent la communication avec les systèmes de traitement des transactions.

Dans le passé, des désaccords entre Sun Microsystems et Microsoft quant aux normes Java ont retardé le déploiement de ce langage. En effet, Microsoft a lancé plusieurs variantes de la machine virtuelle Java et créé sa propre version, qui était incompatible avec la norme Java. Sun a alors intenté une série de poursuites antitrust contre Microsoft pour mettre un terme à cette initiative. En avril 2004, cédant aux pressions de clients importants comme General Motors, Microsoft et Sun ont signé une entente de 10 ans pour régler la poursuite antitrust de Sun. Microsoft a alors accepté de cesser la distribution de la machine virtuelle Java mise au point pour sa version de Java et de coopérer avec Sun pour la mise au point de nouvelles technologies, incluant Java.

Ajax

Avez-vous déjà rempli un bon de commande sur le Web ? Avez-vous déjà fait une erreur qui vous a obligé à tout recommencer après une longue attente pour voir apparaître à l'écran un nouveau bon de commande ? Avez-vous déjà visité un site de cartes géographiques, cliqué une fois sur la flèche « Nord » et attendu un moment le téléchargement d'une nouvelle page ? **Ajax** (XML et Javascript asynchrones) est une autre technique de développement du Web qui permet de créer des applications Web interactives libérées de tous ces désagréments.

Ajax permet à un client et à un serveur d'échanger de petites quantités de données de façon cachée, et d'éviter ainsi le nouveau téléchargement complet de la page Web à chaque demande de changement de l'utilisateur. Ainsi, si vous cliquez « nord » dans la page d'un site de cartes comme Google Maps, le serveur télécharge uniquement la partie de l'application qui change, sans attendre l'apparition d'une nouvelle carte. Dans les applications de cartes, vous pouvez aussi déplacer une carte dans toutes les directions, avec le curseur « main », sans que cela requière un nouveau téléchargement complet de la page. Ajax utilise les programmes JavaScript téléchargés au client pour maintenir une communication quasi continue avec le serveur utilisé, et ainsi assurer à l'utilisateur une navigation plus fluide.

Les services Web et l'architecture axée sur les services

L'expression **services Web** désigne un ensemble de composantes logicielles qui sont reliées et qui échangent de l'information à l'aide de normes de communication universelles et d'un langage Web standardisé. Ces services permettent l'échange d'information entre deux plateformes fonctionnant avec des systèmes d'exploitation ou des langages de programmation différents. Ils permettent la création d'applications Web à norme ouverte qui relient les systèmes d'organisations différentes ou les systèmes disparates d'une même organisation. Les services Web ne dépendent d'aucun système d'exploitation ou langage de programmation. De plus, différentes applications peuvent utiliser ces services pour communiquer les unes avec les autres de façon standardisée, sans recours à une codification personnalisée nécessitant beaucoup de temps.

Le **langage de balisage extensible**, ou **langage XML**, constitue le fondement technologique des services Web. Le consortium W3C (World Wide Web Consortium, organisme international supervisant le développement du Web) l'a mis au point en 1996 dans le but d'offrir une solution plus souple et plus puissante que le langage de balisage hypertexte (HTML), principalement pour l'échange d'informations entre des systèmes hétérogènes. Le **langage de balisage hypertexte (HTML)** est utilisé pour la mise en forme de textes, d'illustrations, de vidéos et de sons dans une même page Web. Toutefois, il ne fait que décrire la façon dont il faut présenter les données sous forme de page Web. Le XML, lui, va plus loin, puisqu'il peut prendre en charge la présentation, la transmission et le stockage des données. Il ne se limite pas à l'identification d'un nombre, mais va jusqu'à indiquer si ce nombre est un prix, une date ou un code postal. Le tableau 5-3 présente quelques échantillons de code XML.

En marquant certains éléments de contenu en fonction de leur sens, le marqueur XML permet aux ordinateurs de manipuler et d'interpréter automatiquement des données et d'effectuer des opérations sans intervention humaine. Les navigateurs Web et les programmes du type des logiciels destinés au traitement des commandes ou à la planification des ressources de l'entreprise (PRE) peuvent alors appliquer des règles programmées pour manipuler et présenter des données. Le langage XML offre un format standard pour l'échange de données, ce qui permet aux services Web de transmettre des données d'un système à l'autre.

TABLEAU 5-3 — DES EXEMPLES DE CODE XML

FRANÇAIS	XML
Sous-compacte	<AUTOMOBILE TYPE="Sous-compacte">
4 passagers	<PASSAGER>4</PASSAGER>
16 800 $	<PRIX MONNAIE="CAN">16800</PRIX>

Les services Web utilisent les messages XML pour communiquer directement avec les protocoles Web standardisés. Le **protocole SOAP** (Simple Object Access Protocol) est un ensemble de règles de structuration des messages qui permettent aux applications de s'échanger des données et des instructions. Le *langage de description des services Web (LDSW)* est un cadre commun pour la description des tâches d'un service Web et pour la description des commandes et des données que ce service reconnaîtra et rendra utilisables par d'autres applications. L'*annuaire UDDI* (Universal Description, Discovery and Integration) permet d'inclure un service Web dans un répertoire de services Web, afin de faciliter sa localisation. Grâce à ce répertoire, les entreprises peuvent découvrir et retrouver des services comme s'il s'agissait de petites annonces dans la section « pages jaunes » d'un annuaire téléphonique. Tous ces protocoles permettent la connexion libre d'un logiciel avec d'autres applications, sans la nécessité d'une programmation personnalisée. Toutes les entreprises partagent les mêmes normes.

L'assemblage de services Web pour la construction du système de logiciels d'une entreprise forme une **architecture axée sur le service (AAS)**, c'est-à-dire un ensemble de services autonomes qui communiquent les uns avec les autres pour créer une application logicielle fonctionnelle. L'exécution d'une série de services permet l'accomplissement de tâches opérationnelles. Au besoin, les développeurs de logiciels réutilisent les mêmes services pour concevoir de nouvelles combinaisons d'applications.

Les principaux fournisseurs de logiciels proposent presque tous des outils et des plateformes complètes pour la construction et l'intégration d'applications logicielles à l'aide de services Web. IBM propose la plateforme logicielle de commerce électronique WebSphere, et Microsoft a conçu .NET.

Dollar Rent A Car utilise des services Web pour assurer le lien entre son système de réservation informatique et le site Web de Southwest Airlines. Ainsi, bien que les systèmes des deux entreprises fonctionnent avec des plateformes technologiques différentes, un client qui achète un billet à Southwest Airlines peut en même temps réserver une voiture de Dollar Rent A Car sans quitter le site Web du transporteur aérien. Au lieu de dépenser de l'énergie pour faire en sorte que son système de réservation et les systèmes informatiques de Southwest échangent des informations, Dollar recourt à la technologie des services Web Microsoft.NET en guise d'intermédiaire. Les réservations provenant du site Web de Southwest sont traduites en protocoles de services Web qui sont eux-mêmes transposés en formats compréhensibles pour les ordinateurs de Dollar Rent A Car.

Dans le passé, d'autres entreprises de location de voitures ont relié leurs systèmes informatiques aux sites Web de transporteurs aériens. Mais sans les services Web, elles devaient construire ces liens un par un. Les services Web constituent un outil standardisé qui permet aux ordinateurs de Dollar Rent A Car de « discuter » avec d'autres systèmes informatiques sans avoir à utiliser de liens spéciaux. Maintenant, Dollar Rent A Car recourt également aux services Web pour relier ses systèmes à ceux d'une petite agence de voyages et d'un grand centre de réservations de voyages, mais aussi d'un site Internet mobile pour téléphones cellulaires et assistants numériques. L'entreprise n'a pas besoin d'écrire un nouveau code logiciel pour le système d'information de chaque partenaire ou de chaque appareil sans fil (figure 5-11).

Les applications composites et les gadgets logiciels

Auparavant, les logiciels tels que Microsoft Word ou Adobe Illustrator parvenaient au consommateur dans une boîte et fonctionnaient sur un seul appareil. Maintenant, de plus en plus de logiciels peuvent être téléchargés par l'entremise d'Internet et comprennent des éléments interchangeables qui se combinent librement à d'autres applications d'Internet. Les particuliers et les entreprises associent ces éléments de logiciel pour créer leurs applications personnalisées et pour partager de l'information avec d'autres. Les logiciels obtenus sont des **applications composites**. L'idée consiste à combiner des logiciels de différentes sources dans le but de produire une application qui soit « supérieure » à la somme de ses parties.

Dans le cadre du mouvement appelé Web 2.0 (chapitre 7) et dans l'esprit des applications composites musicales, les applications composites Web associent les capacités de deux applications en ligne ou plus pour former une sorte d'application hybride offrant au client une valeur supérieure à celle des sources prises séparément. L'application composite combinant un logiciel de cartographie et d'images satellites avec un contenu local constitue une grande innovation. Par exemple, ChicagoCrime.org associe Google Maps avec les données sur les crimes à Chicago. Les utilisateurs peuvent effectuer une recherche par adresse, secteur de patrouille ou type de crime, et ils obtiennent des résultats s'affichant dans une carte Google sous forme de points de couleur. Google, Yahoo! et Microsoft offrent maintenant des outils pour que des applications puissent, avec assez peu de programmation, utiliser des renseignements tirés de leurs cartes et images satellites.

Vous avez produit une application composite si vous avez déjà personnalisé votre profil dans Facebook ou votre

FIGURE 5-11 L'UTILISATION DES SERVICES WEB PAR DOLLAR RENT A CAR

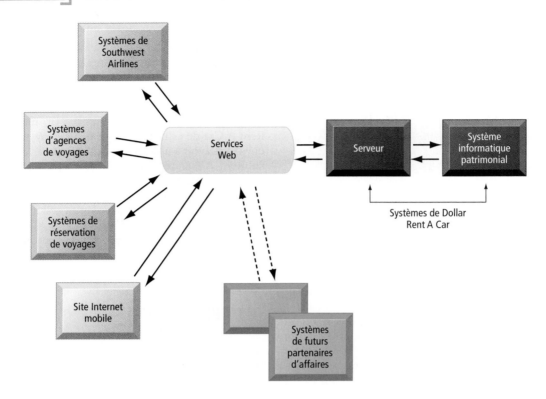

blogue en ajoutant l'affichage de vidéos ou de diaporamas. Les petits éléments de code logiciel qui permettent d'incorporer le contenu d'un site dans une page Web ou dans un autre site Web forment ce qu'on appelle des **gadgets logiciels**. Ce sont de petits programmes informatiques qui s'ajoutent aux pages Web ou se placent sur le bureau pour fournir des fonctionnalités supplémentaires. Par exemple, le gadget logiciel Flixter, dans Facebook, amène les utilisateurs à un endroit où ils peuvent répertorier les films qu'ils ont vus, avec leur évaluation et leurs commentaires, lire les évaluations et commentaires de leurs amis et consulter les films qui sont à l'affiche.

Les gadgets logiciels Web s'exécutent dans une page Web ou un blogue. Les gadgets logiciels de bureau intègrent le contenu d'une source externe au bureau de l'utilisateur, pour offrir des services tels que la calculatrice, le dictionnaire ou l'affichage des conditions météorologiques. Apple Dashboard et Google Desktop Gadgets sont des gadgets logiciels de bureau.

Les gadgets logiciels fournissent également des objets fenêtres pour la publicité et la vente de produits et services. Random House possède un gadget logiciel qui permet aux visiteurs de son site Web de cliquer dessus pour acheter les nouvelles parutions offertes par son magasin en ligne. Amazon.com et Wal-Mart ont des gadgets logiciels sous forme de barres d'outils qui permettent aux internautes de naviguer dans leurs magasins Web en restant branchés sur leur réseau personnel ou une autre page personnelle. Les gadgets logiciels sont devenus si puissants et utiles que Facebook et Google ont lancé des programmes pour attirer des développeurs de gadgets logiciels, pour leurs sites Web.

L'impartition

La plupart des entreprises continuent d'utiliser leurs systèmes informatiques patrimoniaux répondant encore à leurs besoins. Toutefois, lorsqu'elles devront les renouveler, ce qui est en général extrêmement coûteux, elles se tourneront très probablement vers des ressources externes pour acquérir la plupart de leurs nouvelles applications logicielles. La figure 5-12 montre la croissance rapide de l'acquisition de ressources logicielles externes par les entreprises des États-Unis.

Il existe trois types de ressources externes pour les logiciels : les progiciels produits par les fournisseurs commerciaux de logiciels, les services logiciels venant de fournisseurs de services en ligne et l'impartition du développement d'applications personnalisées à un fabricant de logiciels, généralement installé dans un pays où les salaires sont bas.

Les progiciels et les logiciels d'entreprise

Nous avons déjà présenté les progiciels pour les applications d'entreprise comme l'une des principales composantes de l'infrastructure de la TI. Un **progiciel** est un ensemble de programmes préécrits et préencodés qui est disponible sur

FIGURE 5-12 DES LOGICIELS PRODUITS À L'ÉTRANGER

Chaque année, les entreprises étatsuniennes dépensent un peu plus de 250 milliards de dollars en achat de logiciels.
En 2008, environ 40 % de ces logiciels
provenaient de l'extérieur des organisations, soit de fournisseurs de logiciels
pour entreprises, soit de fournisseurs de
services logiciels vendant des modules
logiciels.

Sources : BEA National Income and Product Accounts, 2008 ; Gartner Research, 2008 ;
estimations des auteurs.

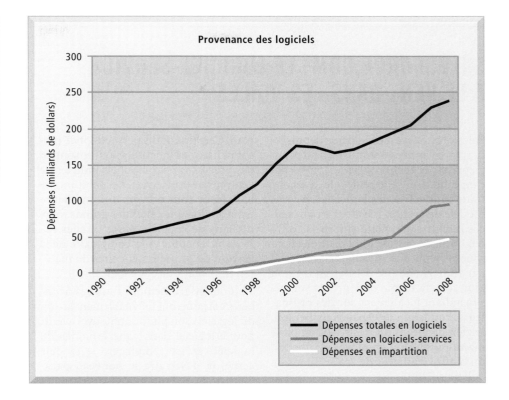

le marché et qui élimine la nécessité d'écrire des programmes pour certaines fonctions courantes, comme la préparation de la paie ou le traitement des commandes.

Les fournisseurs d'applications logicielles pour entreprises comme SAP et Oracle-PeopleSoft ont mis au point de
puissants progiciels capables d'exécuter les travaux administratifs courants d'une entreprise d'envergure mondiale : du
stockage des marchandises aux ressources humaines et
financières, en passant par la gestion des relations clients et
de la chaîne d'approvisionnement. Ces logiciels constituent
un système unique et intégré qui s'applique à l'ensemble
d'une entreprise, à l'échelle mondiale, et qu'il est finalement
moins coûteux d'acheter à l'externe que de développer à l'interne. Le chapitre 9 présente les systèmes d'entreprise en
détail.

Les logiciels-services (SaaS)

Il est évident que, de plus en plus, on passera par les réseaux
pour obtenir et utiliser des logiciels, sous la forme de services. Précédemment, nous avons décrit la nimbo-informatique, dans laquelle le logiciel est fourni comme un service par
l'intermédiaire d'Internet. Outre les outils gratuits ou bon
marché qu'offrent Google ou Yahoo! aux individus et aux
petites entreprises, des logiciels d'entreprise et d'autres fonctions de gestion complexes sont proposés à titre de services
par les grands fabricants de logiciels commerciaux. Au lieu
d'acheter ou d'installer des logiciels, les entreprises s'abon-

nent à des services pour l'accomplissement des mêmes
tâches. Soit elles paient des frais d'abonnement, soit elles
paient selon l'utilisation. On désigne maintenant sous le
nom de **logiciel-service (SaaS)** le service de fourniture en
ligne d'un accès à des logiciels, à titre de service Web.

La session interactive sur les organisations présente
l'exemple de Salesforce.com, qui offre des logiciels-services
à la demande pour la gestion des relations avec la clientèle,
notamment l'automatisation, la gestion des relations entre
associés, le marketing et le service à la clientèle. Ces SaaS
comprennent des outils pour la personnalisation, pour l'intégration des logiciels à d'autres applications d'entreprise et
pour l'intégration de nouvelles applications devant s'occuper d'autres parties de l'entreprise. La session interactive sur
les organisations décrit en détail les possibilités.

Les entreprises qui envisagent le recours au modèle des
logiciels-services doivent évaluer soigneusement les coûts et
les avantages, soupeser toutes les questions d'ordre social,
organisationnel et technologique, et notamment la capacité
d'intégrer ces logiciels-services aux systèmes existants et
d'arriver à fournir ainsi un service et un rendement acceptables. Dans certains cas, le coût de location du logiciel sera
plus élevé que l'achat de l'application et le maintien à l'interne. Néanmoins, il peut y avoir des avantages à payer plus
cher pour un logiciel-service si cela permet de se concentrer
sur les problèmes fondamentaux de gestion, au lieu de se
préoccuper d'enjeux technologiques.

SALESFORCE.COM : LE LOGICIEL-SERVICE A LE VENT DANS LES VOILES

Salesforce.com est considérée depuis les dernières années comme l'une des entreprises de technologie les plus « dérangeantes ». À elle seule, elle a secoué toute l'industrie des logiciels avec son modèle de gestion novateur et son succès retentissant. Cette entreprise offre des outils de gestion de la relation client sous la forme de logiciels-services loués par l'intermédiaire d'Internet, et non plus sous la forme de logiciels vendus s'installant localement sur des ordinateurs. Fondée en 1999 par Marc Benioff, ancien dirigeant d'Oracle, elle emploie maintenant 2600 employés et affichait un chiffre d'affaires de 748 millions de dollars en 2007.

Salesforce.com compte plus de 43 000 entreprises clientes et plus d'un million d'abonnés. Elle attribue son succès aux nombreux avantages de son modèle de distribution de logiciels à la demande. Les entreprises ne sont plus obligées de faire de gros investissements de capitaux dans des systèmes ni en vue d'une longue implantation dans ses ordinateurs. Pour 9 $ seulement par mois, un utilisateur peut s'abonner à la version réduite destinée aux petites équipes de ventes et de marketing. L'abonnement mensuel débute à 65 $ par utilisateur pour les versions perfectionnées destinées aux grandes entreprises.

Salesforce.com a besoin d'une période maximale de trois mois pour l'implantation. L'abonné n'a aucun matériel informatique à acheter, à mettre à jour ni à entretenir ; aucun système d'exploitation, aucun serveur de base de données ni aucun serveur d'applications à installer ; enfin, aucun consultant, aucun employé ni aucuns frais de licence et d'entretien à payer. Le système est accessible au moyen d'un navigateur Web standard, et Salesforce.com met sans cesse ses logiciels à jour en arrière-plan. Certains outils permettent de personnaliser des fonctions pour le soutien des processus opérationnels uniques de l'entreprise utilisatrice. Les solutions de Salesforce.com offrent une meilleure extensibilité que celles des grands fournisseurs de logiciels, parce qu'elles éliminent les coûts et la complexité de la gestion de plusieurs couches de matériel informatique et de logiciels.

Pour Marc Benioff, tous ces avantages entraîneront inévitablement la « fin du logiciel », ou plutôt un nouvel avenir pour le logiciel, dans lequel le modèle du logiciel-service remplacera le modèle actuel et deviendra le nouveau paradigme. Cependant, il est encore trop tôt pour confirmer la justesse de cette prévision. Salesforce.com rencontre des enjeux importants à mesure qu'elle poursuit sa croissance et perfectionne ses activités.

Le premier enjeu de Salesforce.com prend la forme de la concurrence accrue venant tant des chefs de file de l'industrie traditionnelle que des nouveaux prétendants espérant reproduire son succès. Microsoft, SAP et Oracle proposent maintenant des versions par abonnement de leurs outils de gestion de la relation client, en réponse à Salesforce.com. Des concurrents plus petits du type de NetSuite se frayent également une place et rognent la part de marché de Salesforce.com.

D'après les analystes, grâce à la bonne connaissance qu'a le client moyen de ses applications, Microsoft a une chance de concurrencer Salesforce.com en offrant un outil d'informatique à la demande simplement acceptable dans le domaine de la gestion de la relation client. En outre, Microsoft compte offrir son produit pour moitié moins cher que Salesforces.com, tactique qu'elle a déjà employée avec des résultats concluants dans d'autres marchés, pour faire pression sur ses concurrents. Salesforces.com a encore beaucoup de retard à rattraper pour atteindre la taille et la part de marché de ses plus grands concurrents. En 2007, l'outil de gestion en relation client de SAP occupait 25,7 % du marché, alors que celui de Salesforce.com ne représentait que 7 %. Par ailleurs, IBM compte dans sa clientèle 9000 entreprises de logiciels qui exécutent déjà leurs applications sur ses logiciels et auront donc plus tendance à choisir une solution d'IBM plutôt qu'une solution de Salesforce.com.

Le deuxième enjeu de Salesforce.com consiste à étendre son modèle de gestion à d'autres domaines. Actuellement, c'est principalement le personnel des ventes qui utilise ses logiciels pour le suivi des clients potentiels et des listes de clients. L'entreprise tente d'offrir de nouvelles fonctionnalités grâce à un partenariat avec Google, en particulier Google Apps. Elle combine ses services avec Gmail, Google Documents, Google Talk et Google Agenda pour permettre à ses clients d'accomplir plus de tâches par l'entremise du Web.

Le partenariat associant Salesforce.com et Google constitue un front uni contre Microsoft, visant à affaiblir la popularité de la suite bureautique Office de Microsoft. Actuellement, Salesforce.com décrit le partenariat comme « une entente de distribution essentiellement ». Mais cela pourrait prendre de l'expansion, étant donné que les entreprises préfèrent souvent gérer les outils de gestion de la relation client à un seul endroit. Salesforce.com et Google espèrent que leur initiative commune concernant Google Apps stimulera la croissance du logiciel à la demande.

Salesforce.com a ouvert sa plateforme de développement d'applications, Force.com, à des développeurs de logiciels indépendants et répertorie leurs programmes sur AppExchange. Grâce à ce site, les petites entreprises peuvent télécharger facilement plus de 800 applications logicielles, notamment du matériel complémentaire de Salesforce.com et d'autres de source indépendante. 24 Hour Fitness, la plus grande chaîne mondiale de centres de culture physique privés, utilise AppExchange de concert avec l'édition pour entreprises des logiciels de Salesforce.com, pour l'automatisation de la force de vente et le service à la clientèle à l'échelle de l'entreprise. L'une de ses applications AppExchange permet d'exploiter la base de données de Hoover, comprenant 21 millions d'entreprises et 28 millions de dirigeants, avec le logiciel de Salesforce. Une autre application permet aux utilisateurs de créer et de distribuer facilement à la demande des enquêtes et des formulaires de réponse.

Il reste à déterminer si la clientèle pour la plateforme d'applications App-Exchange sera suffisante pour assurer la croissance que Salesforce.com recherche. Selon certains analystes, la plateforme ne conviendra peut-être pas aux besoins en applications des grandes entreprises.

Enfin, le troisième enjeu de Salesforce.com concerne la disponibilité. Les abonnés dépendent de la disponibilité du service 24 heures sur 24, 7 jours sur 7. Or, des interruptions de service occasionnelles (voir la session interactive sur la technologie, au chapitre 8) ont poussé des entreprises à réévaluer leur dépendance à l'égard des logiciels-services. Salesforce.com offre des outils pour rassurer les clients au sujet de la fiabilité de son système, ainsi que des applica-

tions pour ordinateurs personnels qui se combinent aux services et permettent de travailler hors connexion.

Sources : J. Nicholas Hoover, « Service Outages Force Cloud Adopters to Rethink Tactics », *Information Week*, 18-25 août 2008 ; Jay Greene, « Google and Salesforce : A Tighter Bond », *Business Week*, 15 avril 2008 ; Mary Hayes Weier, « Salesforce, Google Show Fruits of Their Collaboration », *Information Week*, 21 avril 2008 ; John Pallatto et Clint Boulton, « An On-Demand Partnership », *eWeek*, 21 avril 2008 ; Gary Rivlin, « Software for Rent », *The New York Times*, 13 novembre 2007 ; Steve Hamm, « A Big Sales Job for Salesforce.com », *Business Week*, 24 septembre 2007 ; Mary Hayes Weier, « Salesforce.com » et Marianne Kolbasuk McGee, « Salesforce as B-to-B Broker », *Information Week*, 10 décembre 2007 ; Salesforce.com, rapport sur le formulaire 10-K pour l'année financière se terminant le 31 janvier 2008, rempli avec le SEC le 29 février 2008.

Questions

1. Quels sont les avantages et les inconvénients du modèle « logiciel-service » ?
2. Nommez quelques-uns des problèmes auxquels se heurte Salesforce.com au fil de sa croissance. Dans quelle mesure pourra-t-elle les surmonter ?
3. Quels types d'entreprises pourraient profiter de l'expertise de Salesforce.com ? Pourquoi ?
4. Quels facteurs considéreriez-vous pour décider de recourir ou non à Salesforce.com pour votre entreprise ?

Ateliers

Explorez le site Web Salesforce.com. À la section AppExchange, examinez les applications offertes pour chacune des catégories énumérées. Répondez ensuite aux questions suivantes :

1. Quelles applications d'AppExchange sont les plus populaires ? Quels types de processus soutiennent-elles ?
2. Une entreprise pourrait-elle diriger toutes ses activités en utilisant Salesforce.com et AppExchange ? Justifiez votre réponse.
3. Quels types d'entreprises sont les plus susceptibles d'utiliser AppExchange ? Que pouvez-vous conclure quant à l'utilisation de Salesforce.com ?

L'impartition de logiciels

La troisième façon de se procurer des logiciels à l'externe est l'**impartition**. Il s'agit, pour l'entreprise, de confier la mise au point ou l'entretien de ses programmes patrimoniaux à des entreprises externes, souvent basées dans des pays où les salaires sont bas. Selon le groupe Gartner, l'impartition à l'échelle mondiale totalisait 441 milliards de dollars en 2008 et connaissait une croissance annuelle d'environ 8 % (Gartner, 2008). La majeure partie de cette somme est allée aux entreprises des États-Unis qui produisent des intergiciels, des services d'intégration et d'autres services d'assistance logicielle destinés à l'exploitation des systèmes des grandes entreprises. IBM détient la part la plus importante de ce marché global (8 %), devant EDS (5 %) et ADP (3 %). La moitié environ

de toute l'impartition provient du secteur des services financiers.

Par exemple, en mars 2008, la Royal Dutch Shell PLC, troisième producteur mondial de pétrole, a signé avec T-Systems International GmbH, AT&T et Electronic Data Systems (EDS) un contrat d'impartition de 5 ans ayant une valeur de 4 milliards de dollars. Shell confie ainsi à AT&T la responsabilité du réseautage et des télécommunications, à T-Systems l'hébergement et le stockage, et à EDS les services informatiques destinés à l'utilisateur final et l'intégration des services d'infrastructure. Cela va lui permettre de réduire ses coûts et de se concentrer sur des systèmes visant l'amélioration de sa position concurrentielle sur le marché du pétrole et du gaz.

Au départ, les entreprises étrangères proposant l'impartition ne s'occupaient que de l'entretien de base, de la saisie de données et de l'exploitation de centres d'appels. Mais elles ont acquis de l'expérience et se sont complexifiées, particulièrement en Inde. Cela leur permet de créer un nombre toujours croissant de nouveaux logiciels. Le chapitre 13 présente en détail l'impartition de logiciels à l'étranger.

Pour gérer leur relation avec un impartiteur ou un fournisseur de services technologiques, les entreprises ont besoin d'un contrat comprenant un **accord sur les niveaux de service (ANS)**. Cet accord est une entente officielle entre le client et son fournisseur de services qui définit les responsabilités précises du fournisseur et le service auquel le client s'attend. Il établit généralement la nature et le niveau des services fournis, les critères pour la mesure du rendement, les options de soutien, les dispositions de sécurité et de reprise sur sinistre, la propriété du matériel informatique et des logiciels ainsi que les mises à jour, le soutien au client, la facturation et les modalités de résiliation.

5.5 LES ENJEUX EN MATIÈRE DE GESTION

La création et la gestion d'une infrastructure de la TI cohérente comportent de nombreux enjeux, soit gérer les changements de plateformes et de technologie, régler les questions de gouvernance et investir judicieusement dans l'infrastructure.

La gestion des changements de plateformes et de technologie

Il arrive que la croissance d'une entreprise dépasse rapidement la capacité de son infrastructure. À l'inverse, une entreprise en décroissance peut se retrouver avec une infrastructure trop lourde acquise en des temps meilleurs. Comment dans ce cas demeurer flexible alors que les investissements en TI se résument principalement à des coûts fixes? Dans quelle mesure l'infrastructure est-elle extensible? L'**extensibilité** est la capacité pour un ordinateur, un produit ou un système de prendre de l'expansion afin de servir un grand nombre d'utilisateurs, et ce, sans tomber en panne. Les nouvelles applications, les regroupements et les acquisitions d'entreprises, ainsi que les changements dans le volume des activités commerciales ont des répercussions sur le volume de travail des ordinateurs. Ce sont des éléments dont il faut tenir compte pour la **planification de la capacité** matérielle.

Les entreprises qui utilisent les plateformes de l'informatique mobile et de la nimbo-informatique devront adopter de nouvelles politiques et procédures pour gérer ces nouvelles plateformes. Elles devront faire l'inventaire de tous les dispositifs mobiles en activité et concevoir des politiques et des outils pour en assurer le suivi, la mise à jour et la protection, et pour contrôler les données et les applications qui s'y trouvent. Les entreprises qui utilisent la nimbo-informatique et les logiciels-services devront conclure de nouvelles ententes contractuelles avec des fournisseurs à distance pour s'assurer que le matériel et les logiciels destinés aux applications essentielles seront toujours disponibles quand le besoin se fera sentir. C'est à la direction de l'entreprise de déterminer les temps de réponse et la disponibilité acceptables des systèmes indispensables pour le rendement qu'elle souhaite.

La gestion et la gouvernance

Qui doit contrôler l'infrastructure de la TI? Le directeur de l'informatique ou le directeur général? C'est une question qui ne cesse d'être débattue. Le chapitre 2 présente le concept de gouvernance de la TI et décrit certains problèmes. Voici d'autres questions importantes en la matière. Les divisions et services devraient-ils prendre leurs propres décisions sur le plan technologique? La gestion et le contrôle de l'infrastructure de la TI devraient-ils être centralisés? Quelle est la relation entre la gestion de systèmes d'information centralisés et la gestion de systèmes d'information par division ou service? Comment répartir les coûts d'infrastructure entre les différentes divisions? Chaque entreprise doit répondre à ces questions en fonction de ses propres besoins.

L'investissement judicieux dans l'infrastructure

Pour toute entreprise, l'infrastructure de la TI exige des investissements considérables en capitaux. Si les dépenses sont trop importantes et que l'infrastructure est sous-utilisée, la situation financière de l'entreprise pourrait en souffrir. À l'inverse, si les investissements en infrastructure sont insuffisants, l'entreprise risque d'être incapable de fournir certains services importants. Ses concurrents (qui ont investi le bon montant) en profiteront alors pour la devancer. Quel budget une entreprise doit-elle consacrer à son infrastructure? Voilà une question à laquelle il est difficile de répondre.

De cette question découle une autre question : l'entreprise doit-elle acquérir sa propre infrastructure ou louer une infrastructure à des fournisseurs externes? Comme nous l'avons vu, le recours à des fournisseurs externes est une tendance importante dans le domaine des plateformes matérielles et logicielles. La décision d'acquérir son propre équipement ou de recourir à la location est une décision du type *louer ou acheter*.

Le modèle des forces concurrentielles pour l'investissement dans l'infrastructure de la TI

La figure 5-13 présente le modèle des forces concurrentielles qui permet de répondre à la question «Combien notre entreprise devrait-elle dépenser en infrastructure de la TI?»

1. *Demande pour les services de votre entreprise* Faites l'inventaire des services que vous offrez actuellement à vos clients, à vos fournisseurs et à vos employés. Sondez chacun de ces groupes ou organisez des groupes de discussion afin de vérifier si vos services répondent à

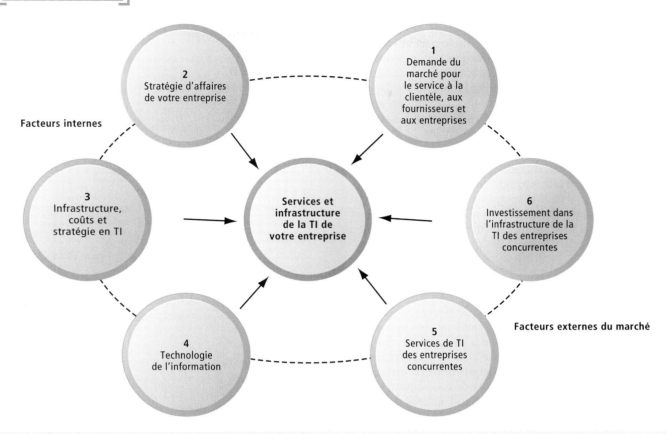

Six facteurs permettent de répondre à la question « Combien notre entreprise devrait-elle dépenser en infrastructure de la TI ? »

leurs besoins. Par exemple, les clients se plaignent-ils de la lenteur des réponses aux questions sur le prix ou la disponibilité de vos produits ? Les employés vous font-ils part d'une difficulté à trouver l'information nécessaire à leur travail ? Les fournisseurs se plaignent-ils d'avoir de la difficulté à connaître vos besoins en matière de capacité de production ?

2. *Stratégie de votre entreprise* Analysez le plan stratégique quinquennal de votre entreprise et essayez de déterminer les nouveaux services et les nouveaux moyens dont vous aurez besoin pour atteindre vos objectifs stratégiques.

3. *Stratégie, infrastructure et coût de la technologie de l'information (TI) de votre entreprise* Examinez les projets en technologie de l'information de votre entreprise pour les cinq prochaines années et déterminez s'ils concordent avec le plan d'affaires. Calculez les coûts totaux de votre infrastructure de la TI actuelle. Le but est de faire une analyse du coût total de possession (voir la discussion à ce sujet dans les pages suivantes). Si votre entreprise n'a pas de stratégie en TI, élaborez-en une qui tienne compte du plan stratégique quinquennal.

4. *Évaluation de la technologie de l'information* Sur le plan technologique, votre entreprise accuse-t-elle un retard ou est-elle à la fine pointe ? Ces deux situations sont à éviter. Vous ne voudrez sans doute pas consacrer des ressources aux technologies de pointe qui sont souvent coûteuses, qui en sont encore au stade expérimental et dont la fiabilité n'est pas assurée. Vous souhaiterez plutôt investir dans des technologies éprouvées, offertes par plusieurs fournisseurs se faisant concurrence sur le prix et non le design. Cependant, vous ne voulez pas retarder les investissements dans les nouvelles technologies, de peur de laisser le temps à vos concurrents de lancer de nouveaux modèles d'affaires, d'acquérir de nouvelles capacités et de nouvelles compétences.

5. *Services des entreprises concurrentes* Essayez de mesurer la qualité des services que vous offrez à vos clients, à vos fournisseurs et à vos employés, et comparez-la à celle de vos concurrents. Pour ce faire, il vous faudra créer des instruments de mesures quantitatives et qualitatives. Si des lacunes sont observées, votre entreprise souffre d'un désavantage sur le plan concurrentiel. Cherchez des moyens qui lui permettront d'exceller.

6. *Investissements des entreprises concurrentes dans l'infrastructure de la TI*   Évaluez vos dépenses dans l'infrastructure de la TI et comparez-les à celles de vos concurrents. De nombreuses entreprises aiment rendre publiques leurs dépenses en technologies innovatrices. Vous pourrez donc trouver l'information dont vous avez besoin dans les publications spécialisées. Si certains de vos concurrents tentent de garder secrètes leurs dépenses en la matière, vous pouvez consulter leur rapport annuel, du moins si ce sont des sociétés ouvertes et que leurs dépenses influent sur leur bilan financier.

Vous n'êtes pas obligé de dépenser autant ou plus que vos concurrents. Votre entreprise offre peut-être les mêmes services au moyen d'une méthode beaucoup plus économique. Vous possédez alors un avantage en termes de coûts. Mais votre entreprise peut aussi dépenser beaucoup moins d'argent que les concurrents, obtenir des résultats proportionnellement décevants et perdre des parts de marché.

Le coût total de possession des équipements informatiques

Dans l'évaluation des dépenses de votre entreprise dans l'infrastructure de la TI, par rapport à celles de vos concurrents, vous devez tenir compte d'un vaste éventail de coûts. En effet, le coût réel associé à la possession de ressources technologiques comprend les coûts d'acquisition et d'installation du matériel et des logiciels, les coûts de mise à jour, l'entretien, l'assistance technique, la formation, et même les coûts liés aux bâtiments et aux services publics. Les entreprises qui souhaitent déterminer le coût d'implantation réel de certaines technologies peuvent utiliser le modèle du **coût total de possession** (CTP) pour analyser les coûts directs et indirects.

Le tableau 5-4 décrit les principaux éléments à considérer pour une analyse du coût total de possession. Une fois l'ensemble des coûts pris en compte, le CTP d'un ordinateur personnel peut représenter jusqu'à trois fois le coût de l'équipement initial. Les coûts cachés concernant le personnel de soutien, le temps d'indisponibilité et la gestion supplémentaire du réseau peuvent rendre les architectures client-serveur réparties plus coûteuses que les architectures reposant sur les ordinateurs centraux, surtout lorsque les architectures réparties comprennent des assistants numériques et des dispositifs sans fil.

Le coût d'acquisition du matériel et des logiciels représente environ 20 % du CTP. Les gestionnaires doivent donc porter une attention particulière aux frais d'administration s'ils veulent connaître les dépenses totales de l'entreprise en matériel et en logiciels. Une gestion étroite permet de réduire ces frais. Par ailleurs, beaucoup de grandes entreprises possèdent du matériel et des logiciels redondants et incompatibles, parce que leurs services et filiales ont pu décider de leurs propres achats technologiques.

TABLEAU 5-4

LES COMPOSANTES DU COÛT TOTAL DE POSSESSION (CTP)

Achat de matériel
Coût d'acquisition du matériel, c'est-à-dire des ordinateurs, des terminaux, du matériel de stockage des données et des imprimantes

Achat de logiciels
Achat d'un logiciel ou d'une licence par utilisateur

Installation
Coût d'installation des ordinateurs et des logiciels

Formation
Coût de formation des spécialistes en systèmes et des utilisateurs finaux

Assistance technique
Coût de l'assistance technique, du service de dépannage, etc.

Entretien
Coût des mises à jour du matériel et des logiciels

Infrastructure
Coût d'acquisition et d'entretien des composantes de l'infrastructure, comme les réseaux et le matériel spécialisé (une unité de sauvegarde des données, par exemple)

Temps d'indisponibilité
Coût inhérent à la baisse de productivité lorsqu'une panne de matériel ou de logiciel entraîne une indisponibilité du système pour le traitement de données et d'autres tâches de l'utilisateur

Espace et énergie
Coût des bâtiments et des services publics pour l'hébergement et l'alimentation en énergie

Ces entreprises peuvent réduire leur CTP en renforçant la centralisation et la standardisation de leurs ressources matérielles et logicielles, comme l'a fait Cars.com dans le cas décrit en début de chapitre. Elles peuvent réduire le nombre d'employés de soutien de l'infrastructure en réduisant le nombre de modèles d'ordinateurs et de logiciels utilisés. Dans une infrastructure centralisée, il est possible de gérer les systèmes et de diagnostiquer les pannes à partir d'un point central.

Projets concrets en SIG

Décisions de gestion

1. Le University of Pittsburgh medical Center (UPMC) compte sur les systèmes d'information pour administrer 19 hôpitaux, un réseau de sites de soins et des activités internationales et commerciales. La demande de nouveaux serveurs et de nouvelles technologies de stockage augmentait de 20 % chaque année. L'UPMC installait un serveur distinct pour chacune des applications ; ses serveurs et autres ordinateurs fonctionnaient avec plusieurs systèmes d'exploitation, dont plusieurs versions d'Unix et de Windows. L'UPMC devait gérer les technologies de nombreux fournisseurs, notamment Hewlett-Packard (HP), Sun Microsystems, Microsoft et IBM. Évaluez les conséquences de cette situation sur le rendement de l'entreprise. Quels facteurs et quelles décisions de gestion doit-on prendre en compte pour trouver une solution à ce problème ?

2. Quantas Airways, principale ligne aérienne d'Australie, subit des pressions sur les coûts dues au prix élevé du pétrole et à la baisse du trafic aérien. Pour demeurer concurrentielle, elle doit trouver des façons de garder ses coûts bas tout en offrant un service de qualité à sa clientèle. Le centre de données datant de 30 ans, la direction devait décider soit de remplacer l'infrastructure de la TI par une technologie plus récente, soit de recourir à l'impartition. Quels facteurs les dirigeants de Quantas doivent-ils prendre en compte pour décider s'ils doivent ou non recourir à l'impartition ? En supposant qu'ils optent pour l'impartition, énumérez et décrivez les points à aborder dans un accord sur les niveaux de service.

Améliorer le processus décisionnel

Utiliser la recherche sur le Web pour la budgétisation d'un congrès sur les ventes

Compétences en logiciels : savoir utiliser les logiciels offerts sur Internet
Compétences en affaires : savoir faire des recherches sur les frais de transport et d'hébergement

Dans cet exercice, vous utiliserez les logiciels de différents sites Internet de voyages pour organiser le transport et l'hébergement d'un grand nombre de représentants devant assister à un congrès sur les ventes. Envisagez deux endroits possibles. Calculez chaque fois les frais totaux en fonction des informations obtenues et choisissez l'endroit où aura lieu le congrès.

L'entreprise Matériaux Composites Côté planifie un congrès de deux jours les 15 et 16 octobre prochains, avec une soirée d'ouverture le 14. Des réunions sont prévues toute la journée et on a demandé à tout le personnel des ventes d'y assister : 125 représentants et 16 directeurs. Les représentants exigent d'avoir leur propre chambre et l'entreprise a besoin de deux grandes salles, l'une pour réunir tout le personnel des ventes et quelques visiteurs (200 personnes), l'autre pour réunir la moitié du personnel. La direction a fixé un budget de 105 000 $ pour la location des chambres des représentants. L'hôtel doit également offrir des services de rétroprojecteurs et d'appareils de projection pour ordinateurs, ainsi qu'un centre d'affaires et une salle de réception. Il doit être équipé d'installations permettant aux représentants de travailler dans leur chambre et de se divertir dans une piscine ou un gymnase. L'entreprise aimerait tenir le congrès à Toronto ou à Ottawa, en Ontario.

Les dirigeants aiment habituellement faire leurs réunions au Hilton ou au Marriott. Allez sur les sites Web de ces deux chaînes d'hôtels pour choisir un établissement dans l'une des deux villes citées, établissement qui pourrait accueillir le congrès et correspondrait au budget fixé.

Une fois l'hôtel choisi, trouvez des vols dont l'arrivée est prévue l'après-midi de l'ouverture du congrès, pour que les représentants puissent assister à la réception en soirée. Les participants viendront de Vancouver (54), San Francisco (32), Sept-Îles (22), Montréal (19) et

Québec (14). Déterminez le prix de chaque billet d'avion en provenance de ces villes. Puis, établissez un budget pour le congrès. Il faut inclure le coût de chaque billet d'avion, le prix de chaque chambre et une indemnité quotidienne de 60 $ par participant, pour la nourriture.

- Quel est votre budget final ?
- Quel hôtel avez-vous choisi et pourquoi ?

▷ RÉSUMÉ

1. En quoi consiste l'infrastructure de la TI et quelles sont ses composantes ?

L'infrastructure de la TI consiste dans des ressources technologiques partagées qui offrent une plateforme pour les applications spécifiques d'une entreprise. Elle comprend le matériel, les logiciels et les services communs. Ses principales composantes sont les plateformes matérielles, les plateformes de systèmes d'exploitation, les applications logicielles d'entreprise, les systèmes de gestion de bases de données, le matériel de réseautage et de télécommunication, les plateformes Internet, les services de consultants et d'intégrateurs de systèmes.

2. Quelles sont les étapes et quels sont les déterminants technologiques de l'évolution de l'infrastructure de la TI ?

L'évolution de l'infrastructure de la TI comporte cinq étapes : l'ère des ordinateurs centraux et des mini-ordinateurs, l'ère des ordinateurs personnels, l'ère du modèle client-serveur, l'ère de l'informatique d'entreprise et l'ère de la nimbo-informatique. Concernant les déterminants technologiques de cette évolution, citons la loi de Moore sur l'augmentation exponentielle de la puissance de traitement informatique et sur la baisse du coût de la technologie informatique. Elle stipule que tous les 18 mois, la puissance des microprocesseurs double et le prix des ordinateurs chute de moitié. La loi de la mémoire de masse numérique, elle, porte sur la diminution exponentielle du coût de stockage des données. Elle stipule que le nombre de kilo-octets de données qu'on peut stocker sur un support magnétique pour la somme de 1 $ double approximativement tous les 15 mois. Quant à la loi de Metcalfe, elle montre que chaque participant d'un réseau bénéficie d'une valeur qui croît de façon exponentielle à mesure que le nombre de membres augmente. Enfin, la chute vertigineuse des coûts de communication et l'adoption de normes par l'industrie informatique contribuent également à l'explosion de l'informatique.

3. Quelles sont les nouvelles tendances en matière de plateformes matérielles ?

L'émergence de la plateforme numérique mobile, l'informatique en grille, la nimbo-informatique et l'informatique à la demande sont des tendances qui montrent que l'informatique s'intègre de plus en plus dans un réseau. L'informatique en grille permet de relier en un seul réseau des ordinateurs géographiquement éloignés et d'obtenir de la combinaison des appareils une grande puissance de traitement pour la résolution de vastes problèmes informatiques. La nimbo-informatique est un modèle dans lequel les entreprises et les individus vont chercher une puissance de traitement et des applications logicielles sur Internet, au lieu d'acheter et d'installer le matériel et les logiciels dans leurs propres ordinateurs. Quant à l'informatique autonome, elle donne aux systèmes informatiques la capacité de se configurer et de se réparer eux-mêmes.

La virtualisation organise les ressources informatiques de telle sorte qu'il est possible d'y accéder sans aucune restriction de configuration physique ou d'emplacement géographique. La virtualisation de serveur permet aux entreprises de faire fonctionner plusieurs systèmes d'exploitation en même temps dans un seul appareil. Le processeur multicœur, lui, est un microprocesseur auquel ont été greffés deux ou plusieurs processeurs pour un meilleur rendement, une réduction de la consommation d'électricité et le traitement simultané plus efficace de plusieurs tâches.

4. Quelles sont les nouvelles tendances en matière de plateformes logicielles ?

L'utilisation croissante de Linux et des logiciels libres, les logiciels Web Java et Ajax, les services Web, les applications composites et les gadgets logiciels, ainsi que l'impartition constituent les grandes tendances en matière de plateformes logicielles modernes. Le logiciel libre est le fruit de la collaboration continue d'un grand nombre de programmeurs à travers le monde ; il se télécharge gratuitement. Logiciel libre très connu, Linux est un système d'exploitation puissant et résilient, compatible avec diverses plateformes matérielles et utilisé fréquemment avec des serveurs Web. Java est un langage de programmation qui n'est lié à aucun système d'exploitation ou matériel informatique ; il est le plus important environnement de programmation interactif pour le Web.

Les services Web sont des composantes logicielles qui sont reliées de manière flexible à l'aide de normes Web. Ils ne sont pas propres à un produit et sont compatibles avec n'importe quel logiciel ou système d'exploitation. Ils peuvent servir de composantes d'applications Web permettant de relier les systèmes de différentes entreprises ou les systèmes disparates d'une même entreprise. Les applications composites et les gadgets logiciels sont les éléments de base de nouvelles applications logicielles et services reposant sur le modèle de la nimbo-informatique. Dernière grande tendance dans le domaine : les entreprises se procurent de plus en plus leurs nouvelles applications logicielles auprès de ressources externes, faisant de l'impartition. Elles achètent des progiciels, confient le développement d'applications personnalisées à des fournisseurs externes (outre-mer) ou louent des services logiciels-services (SaaS).

5. **Quels sont les enjeux et les solutions en matière de gestion de l'infrastructure de la TI ?**

La gestion des changements de plateformes et d'infrastructure, la gestion et la gouvernance, ainsi que l'investissement judicieux dans l'infrastructure constituent les principaux enjeux que comporte la gestion de l'infrastructure de la TI. Les pistes de solution qui y sont associées vont dans deux grandes directions : d'une part, le recours au modèle des forces concurrentielles, permettant de déterminer les montants à investir et les domaines où faire des investissements stratégiques ; d'autre part, l'établissement du coût total de possession (CTP) des équipements informatiques, qui comprend non seulement les coûts initiaux d'acquisition et d'installation du matériel et des logiciels, mais également les coûts de mise à jour, d'entretien, d'assistance technique et de formation.

MOTS CLÉS

QUESTIONS DE RÉVISION

1. En quoi consiste l'infrastructure de la TI et quelles sont ses composantes?

- Définissez l'infrastructure de la TI tant du point de vue de la technologie que du point de vue des services.
- Nommez et décrivez les composantes de l'infrastructure de la TI que les entreprises doivent gérer.

2. Quelles sont les étapes et quels sont les déterminants technologiques de l'évolution de l'infrastructure de la TI?

- Énumérez les différentes étapes de l'évolution de l'infrastructure de la TI et décrivez les caractéristiques de chacune d'elles.
- Définissez et décrivez les expressions suivantes: serveur Web, serveur d'applications, architecture client-serveur multiniveau.
- Expliquez la loi de Moore et la loi de la mémoire de masse numérique.
- Décrivez la façon dont l'économie des réseaux, la baisse des coûts de communication et les normes technologiques influent sur l'infrastructure de la TI.

3. Quelles sont les nouvelles tendances en matière de plateformes matérielles?

- Décrivez les tendances que constituent la plateforme mobile, l'informatique en grille et la nimbo-informatique.

- Expliquez les avantages qu'une entreprise peut retirer de l'informatique autonome, de la virtualisation et des processeurs multicœurs.

4. Quelles sont les nouvelles tendances en matière de plateformes logicielles?

- Définissez et décrivez ce qu'est un logiciel libre, notamment Linux. Expliquez quels en sont les avantages pour une entreprise.
- Définissez Java et Ajax et expliquez en quoi ils sont importants.
- Définissez et décrivez les services Web et le rôle joué par le langage XML.
- Définissez et décrivez l'application composite et le gadget logiciel.
- Nommez et décrivez les trois sources externes de logiciels.

5. Quels sont les enjeux et les solutions en matière de gestion de l'infrastructure de la TI?

- Nommez et décrivez les enjeux que représente l'infrastructure de la TI sur le plan de la gestion.
- Expliquez en quoi l'utilisation du modèle des forces concurrentielles et le calcul du coût total de possession (CTP) des actifs technologiques aident les entreprises à faire des investissements judicieux dans l'infrastructure.

SUJETS DE DISCUSSION

1. En quoi le choix du matériel et des logiciels représente-t-il une décision de gestion importante pour une entreprise? Quels aspects de la gestion, de l'organisation et de la technologie une entreprise doit-elle prendre en compte dans le processus de choix de ses plateformes matérielles et logicielles?

2. Les entreprises devraient-elles recourir aux fournisseurs de logiciels-services pour tous leurs besoins en logiciels? Pourquoi? Quels facteurs sur le plan de la gestion, de l'organisation et de la technologie devrait-on considérer?

TRAVAIL D'ÉQUIPE: ÉVALUER LES SYSTÈMES D'EXPLOITATION POUR SERVEURS

Formez une équipe de quatre ou cinq personnes. Un groupe fait une recherche sur les capacités et les coûts de Linux, pour les comparer avec ceux de la dernière version du système d'exploitation Windows pour serveurs. Un autre fait une recherche comparative sur les capacités et les coûts de Linux et d'Unix. Dans la mesure du possible, utilisez Google Sites pour afficher des liens aux pages Web, pour communiquer entre membres de l'équipe et vous répartir les tâches, pour confronter vos idées et pour travailler ensemble sur les documents du projet. Essayez d'utiliser Google Documents pour mettre au point une présentation de vos résultats destinée à la classe.

Le nouveau magasin d'Amazon : l'informatique à la demande

Cherchez-vous une bonne aubaine pour l'achat du coffret DVD *À la Maison Blanche* ou du dernier livre d'Harry Potter ? Depuis l'ouverture de sa cyberlibrairie, en 1995, Amazon.com s'est transformée en supermarché virtuel, offrant des articles dans 36 catégories, dont des meubles, des bijoux, des vêtements et des produits alimentaires. Mais que faire si ce dont vous avez besoin, c'est un emplacement de stockage pour plusieurs téraoctets de données ou la puissance informatique de 100 serveurs Linux ? Désormais, vous pouvez aussi obtenir ces services auprès d'Amazon.com.

Au cours des 12 dernières années, Amazon.com a investi 2 milliards de dollars pour perfectionner son infrastructure de la technologie de l'information, à laquelle elle devait en grande partie sa place de plus grand détaillant en ligne dans le monde. Après l'explosion des entreprises point-com en 2001, Amazon s'est concentrée principalement sur la modernisation de ses centres de données et de ses logiciels, afin de pouvoir ajouter de nouvelles fonctions à ses pages de produits, notamment des groupes de discussion et des logiciels pour la transmission audio et vidéo.

En mars 2006, Amazon a présenté le premier de plusieurs nouveaux services qui, espère son fondateur Jeff Bezos, transformeront ses affaires. Grâce à Simple Storage Service (S3) et Elastic Compute Cloud (EC2), l'entreprise entre dans le marché de la nimbo-informatique à la demande. Elle a compris que les avantages de son investissement de 2 milliards de dollars dans la technologie pourraient aussi profiter à d'autres entreprises.

Amazon possède une puissance informatique considérable. Mais, comme la plupart des entreprises, elle n'en utilise qu'une petite partie au cours d'une période donnée. En outre, beaucoup d'experts considèrent son infrastructure comme l'une des plus solides à l'échelle mondiale. Elle a donc décidé d'exposer les entrailles de son système complet sur Internet, pour que les développeurs puissent l'utiliser. Amazon a commencé à vendre sa puissance informatique en fonction de l'utilisation qui en est faite, de la même manière qu'une entreprise d'électricité vend de l'électricité.

S3 est un service d'hébergement en ligne qui doit faciliter l'extensibilité de l'informatique sur le Web et la rendre plus abordable pour les développeurs. Les clients paient 0,15 $ par mois pour chaque gigaoctet de données stockées dans le réseau de lecteurs de disques d'Amazon. Ils ont aussi des frais de 0,20 $ par gigaoctet de données transférées. Il n'y a pas de frais minimaux ou de frais de démarrage. Les clients ne paient que pour l'utilisation qu'ils font du service. Ils peuvent stocker leurs données sous la forme d'un nombre illimité d'objets dont la taille varie de 1 octet à 5 Go. L'utilisation du service S3 ne requiert aucun logiciel client ni aucune installation de matériel. Amazon a voulu offrir aux entreprises une méthode rapide, simple et bon marché pour le stockage des données dans un système extensible et fiable. Elle promet une disponibilité de 99,99 %, grâce à un mécanisme de tolérance aux pannes permettant une réparation sans temps d'arrêt.

En lien avec S3, le service EC2 permet aux entreprises d'utiliser les serveurs d'Amazon pour des tâches informatiques comme la vérification de logiciels. Les frais d'utilisation sont de 0,10 $ par heure consommée, pour une puissance équivalant à celle d'un processeur de 1,7 GHz x 86, avec 1,75 Go de mémoire vive, un disque dur de 160 Go et 250 Mb/s de bande passante sur le réseau. Le service facture également 0,20 $ par gigaoctet de trafic de données par mois, en entrée et en sortie, de même que le prix standard de S3 pour le stockage d'Amazon Machine Image (AMI). AMI est une image de l'environnement applicatif souhaité qui contient les applications, les bibliothèques de programmes, les données et les paramètres de configuration dont une entreprise se sert pour ses processus.

Selon Adam Selipsky, vice-président de la filiale Amazon Web Services (AWS) s'occupant de la gestion des produits et des relations avec les développeurs, Amazon est vraiment une entreprise technologique qui peut apporter énormément de performance et d'expérience techniques aux développeurs indépendants et aux entreprises, en leur permettant d'exécuter leurs processus sur ses systèmes informatiques à elle. Selipsky souligne également qu'AWS n'est pas un simple fournisseur d'immenses capacités de stockage et de temps d'utilisation des serveurs. Elle offre aussi à d'autres la possibilité de travailler à l'extension du Web, tout en leur épargnant les erreurs qu'Amazon a faites et dont elle a tiré les leçons. « Simplicité » et « facilité d'emploi » ne sont pas des termes qu'on associe généralement à la création d'applications Web extensibles, mais ce sont des arguments de vente importants pour AWS. Les utilisateurs bâtissent leurs services en se servant des interfaces de programmation (API) qu'Amazon met à leur disposition.

Depuis le début, les clients ont très bien réagi à l'offre des services S3 et EC2. Bezos ciblait les très petites entreprises et les entreprises Web en démarrage. Mais S3 et EC2 ont aussi attiré plusieurs moyennes entreprises et quelques grands aspirants du commerce électronique.

MileMeter est une entreprise de Dallas en démarrage qui prévoit de vendre de l'assurance automobile au kilomètre. Au départ, elle avait son propre serveur dans un centre de données. Puis elle a choisi de transférer la plupart de ses applications dans les ordinateurs « virtuels » du service EC2 d'Amazon. Chris Gay, son chef de la direction, a déclaré : « Je n'ai pas besoin d'un gestionnaire de système ni d'un administrateur de réseau. Je n'ai plus à m'inquiéter de l'obsolescence du matériel. »

Webmail.us fournit des services de gestion de courriel à des milliers d'entreprises dans le monde, depuis son siège social de Blacksburg, en Virginie. Quand elle a eu besoin d'augmenter sa capacité de stockage à court terme et la redondance de ses systèmes de secours de données primaires, elle a choisi le service S3. Chaque semaine, elle envoie pour stockage plus d'un million de téraoctets de données à Amazon. Bill Boebel, son cofondateur et son directeur de la technologie, était très heureux que son entreprise arrive à créer une interface simple avec laquelle son abondance de petits fichiers ne posait pas problème. Les autres systèmes de sauvegarde avaient en effet de la difficulté à gérer le volume de sauvegarde habituel de Webmail.us et la plupart des entreprises d'hébergement exigeaient une application personnalisée pour la gestion d'une telle quantité de données. Webmail.us a même recouru au service EC2 pour la conception de son interface de stockage. Selon Pat Matthews, son chef de la direction, Amazon a permis une réduction immédiate de 75 % des frais de sauvegarde de données.

Jeune entreprise ambitieuse de San Francisco proposant un moteur de recherche, Powerset désire consacrer son temps et ses 12,5 millions de dollars accumulés à la technologie de recherche basée sur la sémantique, qui constitue l'essentiel de ses activités. Grâce aux services S3 et EC2, elle a économisé de l'argent sur les dépenses d'investissement initiales et éliminé le risque de retard que comporte la mise en place d'une infrastructure. De nombreux fournisseurs traditionnels d'informatique à la demande facturent environ 1 $ de temps machine par heure, soit 10 fois plus qu'Amazon.

Barney Pell, chef de la direction de Powerset, affirme que le modèle de facturation à l'utilisation est très important, parce qu'il ne sait pas quelle sera la rapidité de croissance de son entreprise. Il sait que la demande des services de Powerset se fera par vagues et qu'il est dangereux d'essayer de prévoir les besoins en matériel informatique. En

cas de surestimation de la capacité d'utilisation maximale, l'entreprise dépensera de l'argent pour du matériel inutile. Mais en cas de sous-estimation, elle pourrait ne pas satisfaire aux attentes de ses utilisateurs et en subir les conséquences dans ses activités. Avec AWS, Powerset n'a jamais à s'inquiéter d'une incapacité à ajouter de la puissance informatique lorsque survient une pointe d'utilisation.

SmugMug, jeune entreprise de partage de photos en ligne, a été immédiatement séduite par la facilité avec laquelle elle pouvait sauvegarder les photos avec le service S3 d'Amazon. Grâce au stockage des photos de ses utilisateurs sur les appareils d'Amazon, qui lui a évité l'achat de matériel, elle a épargné un million de dollars au cours de la première année d'utilisation de S3.

Comme toutes les grandes initiatives économiques, Amazon Web Services a plusieurs obstacles à franchir avant qu'on puisse parler de réussite. Les grandes entreprises seront peut-être plus portées à se tourner vers des sociétés établies, ayant de l'expérience dans l'hébergement d'applications et de données essentielles. À l'heure actuelle, la flexibilité du modèle de facturation à l'utilisation procure à Amazon un avantage concurrentiel sur les entreprises qui exigent des contrats de service.

Cependant, selon Daniel Golding, vice-président de Tier 1 Research, les organisations établies comme IBM, Hewlett-Packard et Sun Microsystems peuvent suivre l'exemple d'Amazon et offrir l'informatique à la demande sans accords sur les niveaux de service (ANS). Pour compliquer les choses, certaines entreprises hésitent à utiliser un fournisseur ne proposant pas d'ANS, donc pas de garantie quant à la disponibilité des services en termes de temps. Golding laisse entendre qu'Amazon a peut-être provoqué un changement majeur au sein de l'industrie, mais que d'autres récolteront les fruits à sa place.

La viabilité d'AWS proprement dite constitue un autre enjeu. Les services fonctionneront-ils vraiment comme prévu ? Amazon n'a pas obtenu que des bons résultats lorsqu'elle a lancé des nouveaux projets technologiques, dans le passé. Son site de recherche A9.com,

annoncé avec fanfare, n'a jamais vraiment marché auprès des utilisateurs. De plus, la croissance d'AWS pourrait nuire aux services Web et à la cyberlibrairie si Amazon ne réussit pas à gérer une augmentation spectaculaire de la demande pour ses infrastructures. Les clients d'AWS pourraient laisser tomber le service, ce qui ébranlerait Amazon.com.

En janvier 2007, février et juillet 2008, les serveurs S3 d'Amazon ont subi des pannes importantes, notamment une perte de service pendant huit heures en juillet. En janvier 2007, le problème venait d'un équipement défectueux installé pendant une mise à jour et il a été résolu rapidement. En juillet 2008, la panne était plus sérieuse. Selon Amazon, certaines composantes ne pouvaient interagir correctement en raison d'un « problème de communications internes des systèmes ». L'entreprise a promis de fournir une explication plus complète quand elle aurait déterminé la cause profonde de cette panne. Il reste que certains utilisateurs critiques ont remis en cause sa capacité d'être pour eux une solution d'avenir comme site d'hébergement.

AWS a séduit quelques clients prestigieux. Ainsi, Microsoft utilise S3 pour accroître les vitesses de téléchargement de logiciels pour ses utilisateurs. Linden Lab, créateur du monde virtuel Second Life, se sert du service pour soulager ses serveurs durant les transmissions des fréquentes mises à jour des logiciels. Le marché boursier Nasdaq recourt à S3 pour héberger les données de Nasdaq Market Replay, une application permettant aux entreprises de revoir les données historiques du marché en temps réel. Cependant, Nasdaq hésite à utiliser un service en ligne pour des données transactionnelles ou hautement sécurisées.

Pour bien soutenir ses grands comptes clients, Amazon a mis en place une ligne téléphonique 24 heures sur 24 et octroie des crédits en cas de disponibilité de S3 inférieure à 99,99 % pendant un seul mois. Jusqu'à maintenant, ce sont principalement des développeurs technologiques débrouillards recevant un appui financier qui permettent la conversion du potentiel d'AWS en rendement. Plus de 370 000 développeurs, tant individus que grandes entreprises, se sont inscrits. Grâce à la contribution d'autres développeurs et à l'expansion des services, Amazon espère un jour permettre à quiconque ayant une idée et une connexion Internet de commencer à mettre sur pied la prochaine cyberentreprise Amazon.com.

Sources : Thomas Claburn, « Amazon's S3 Coud Service Turns into a Puff of Smoke », *Information Week*, 28 juillet 2008 ; Chris Preimesberger, « Perils in the Cloud », *eWeek*, 4 août 2008 ; Jessica Mintz, « Amazon's Hot New Item : Its Data Center », Associated Press, 1er février 2008 ; J. Nicholas Hoover, « Ahead in the Cloud : Google, Others Expand Online Services », *Information Week*, 14 avril 2008 ; J. Nicholas Hoover et Richard Martin, « Demystifying the Cloud », *Information Week*, 23 juin 2008 ; Edward Cone, « Amazon at Your Service », *CIO Insight*, 7 janvier 2007 ; Anne Zelenka, « So You Wanna Be a Web Tycoon ? Amazon Can Help », www.webworkerdaily.com, 24 janvier 2007 ; Thomas Claburn, « Open Source Developers Build on Amazon Web Services », TechWeb.com, 12 janvier 2007.

QUESTIONS

1. Quels services technologiques Amazon offre-t-elle ? Quels en sont les avantages commerciaux pour Amazon et pour les abonnés ? Quels en sont les inconvénients pour chacun d'eux ? Quels types d'entreprises pourraient profiter de ces services ?

2. Dans quelle mesure les concepts de planification de la capacité, d'extensibilité et de coût total de possession (CTP) s'appliquent-ils à ce cas ? Faitesen la démonstration, tant pour Amazon que pour les abonnés de ses services.

3. Faites une recherche sur Internet pour trouver des entreprises proposant de l'informatique à la demande. Choisissez-en deux ou trois et comparez-les à Amazon. Quels services offrent-elles ? Quelles promesses font-elles au sujet de la disponibilité ? Quel est leur modèle de facturation ? Qui sont leurs clients cibles ? Si vous étiez une société nouvelle sur le Web, choisiriez-vous l'une de ces entreprises de préférence à Amazon pour obtenir des services Web ? Justifiez votre réponse. Votre réponse seraitelle la même si vous travailliez pour une grande entreprise et que vous deviez faire une recommandation au service des systèmes d'information ?

4. Pensez à une idée de nouvelle entreprise sur le Web. Expliquez de quelle façon cette entreprise pourrait utiliser les services S3 et EC2 d'Amazon.

Les fondements de l'intelligence d'affaires : les bases de données et la gestion de l'information

 **OBJECTIFS D'APPRENTISSAGE**

Après avoir étudié ce chapitre, vous pourrez répondre aux questions suivantes :

1. Quels problèmes pose la gestion des ressources en données dans un cadre traditionnel d'exploitation des fichiers, et de quelle façon un système de gestion de base de données peut-il les résoudre?

2. Quelles sont les principales fonctionnalités des systèmes de gestion de base de données (SGBD) et pourquoi un SGBD relationnel est-il si puissant?

3. Nommez quelques principes importants pour la conception d'une base de données.

4. Quels sont les principaux outils et les principales technologies d'accès à l'information des bases de données qui permettent d'améliorer le rendement de l'entreprise et la prise de décision?

5. Pourquoi la politique en matière d'information, l'administration des données et la qualité des données sont-elles essentielles dans la gestion des ressources en données de l'entreprise?

SOMMAIRE

LA RÉUSSITE DE HP REPOSE-T-ELLE SUR UN ENTREPÔT DE DONNÉES D'ENTREPRISE ?

Hewlett-Packard (HP) est l'un des principaux fournisseurs de technologies de l'information, notamment d'ordinateurs personnels, de serveurs, d'imprimantes et de services d'expert-conseil. Bien que l'entreprise ait une expertise considérable en matière de systèmes à offrir à d'autres entreprises, elle était minée par ses propres problèmes de technologie de l'information. HP possédait beaucoup de données, mais elles étaient dispersées entre de multiples applications et référentiels d'entreprise dans divers services, divisions opérationnelles et emplacements géographiques. Les nombreux systèmes et logiciels de HP étaient incapables de fournir l'information dont la société avait besoin pour avoir une vision globale et cohérente de ses activités.

Mark Hurd, le chef de la direction, éprouvait de la difficulté à recueillir et à analyser « des données cohérentes et opportunes couvrant plusieurs secteurs de l'entreprise ». Il y avait des systèmes qui suivaient les ventes et les prix selon le produit, alors que d'autres recueillaient des renseignements sur les ventes en fonction de la localisation géographique. Les renseignements financiers couramment utilisés pour mesurer la rentabilité, comme les marges brutes, étaient calculés différemment selon la division opérationnelle. La direction de l'entreprise recueillait ainsi des renseignements de plus de 750 sources distinctes de données dans toute la société.

Le manque de cohérence des données minait les ventes et les profits. La compilation de l'information des différents systèmes de l'entreprise pouvait durer une semaine ; les directeurs devaient donc prendre leurs décisions en s'appuyant sur des données dont la validité n'était plus assurée. Il était difficile de répondre même à des questions à première vue simples, comme les montants alloués au marketing dans ses différents secteurs d'activité. En l'absence d'une vision cohérente de l'entreprise, les dirigeants avaient de la difficulté à prendre des décisions sur des sujets comme la taille des équipes de vente et de service affectées à des systèmes particuliers. Il était évident qu'ils avaient besoin d'une meilleure information.

La direction de HP a donc décidé de mettre sur pied un entrepôt de données constitué d'une seule base de données pour toute l'entreprise à l'échelle mondiale, afin de pouvoir mettre en commun des informations qui présentent une vision unifiée et exacte de l'entreprise. L'entrepôt de données, qui remplace 17 technologies de base de données différentes et unifie les 14 000 bases de données actuellement utilisées, permet aux employés de HP d'accéder aux données en temps réel sans aucune frontière de service ou d'emplacement géographique.

En novembre 2005, Randy Mott, le chef de l'information de HP, a créé une équipe chargée de concevoir la base de données qui constituerait le fondement de l'entrepôt de données. Cette équipe a trouvé une façon de modéliser les données de toute l'entreprise et de s'assurer qu'elles soient cohérentes, complètes et tenues à jour. HP a mis au point pour l'entrepôt une plateforme logicielle exclusive, qui comprend un ensemble intégré de serveurs et d'unités de stockage assorti d'un système d'exploitation, d'un système de gestion de base de données (SGBD) et de logiciels pour les requêtes et les rapports, le tout optimisé pour l'entreposage des données. Cette plateforme s'est avérée un tel succès que HP a décidé de la vendre à d'autres entreprises sous le nom de Neoview. Une fois achevé, l'entrepôt de données HP contenait plus de 400 téraoctets de données et était utilisé par 50 000 employés de l'entreprise. On peut y trouver toutes les données financières de HP.

Les efforts déployés par HP semblent avoir porté fruit. Depuis sa mise en place, l'entrepôt a permis de multiplier par 12 le nombre de requêtes de données, de mises à jour et d'autres transactions traitées dans sa base de données financière en un trimestre. (Les transactions mensuelles ont atteint près de 50 milliards.) La société peut maintenant connaître le montant de ses dépenses en marketing dans tous ses secteurs d'activité, selon le type de média et le segment de la clientèle, à l'échelle mondiale aussi bien que par pays. Ces renseignements, impossibles à obtenir jusqu'alors, aident la direction à mieux orienter les investissements pour obtenir les meilleurs résultats.

Sources : Doug Henschen, « HP Upgrades Neoview Data Warehouse Appliance », *Intelligence Enterprise*, juin 2008 ; « HP Neoview Enterprise Data Warehouse », www.hp.com, consulté le 24 septembre 2009 ; Christopher Lawton, « Data, Data Everywhere », *Wall Street Journal*, 24 septembre 2007 ; John Foley, « Inside Hewlett-Packard's Data Warehouse Gamble », *Information Week*, 6 janvier 2007.

Le cas de HP illustre l'importance de la gestion des données et des systèmes de base de données pour une entreprise. La société n'était pas en mesure d'obtenir une compréhension globale de son rendement comme entreprise ni de prendre les décisions opportunes parce que ses données étaient redondantes, incohérentes et dispersées parmi de nombreux systèmes et de multiples applications différentes. La façon dont les entreprises stockent, organisent et gèrent leurs données a des répercussions considérables sur l'efficacité organisationnelle.

Le schéma d'introduction résume les principales questions soulevées par ce cas et traitées dans ce chapitre. Les données d'entreprise de HP étaient stockées dans plusieurs bases de données différentes qui se prêtaient mal à l'extraction et à l'analyse. La direction a conclu que la rentabilité et l'efficacité étaient compromises parce qu'il était impossible d'obtenir une information cohérente à l'échelle de l'entreprise pour évaluer le rendement de ses activités. Elle a donc autorisé une équipe à élaborer un modèle de données reposant sur les normes et les règles établies dans toute l'entreprise pour définir et organiser les données ainsi que pour y accéder. Elle a choisi de concevoir sa propre technologie d'entreposage des données afin de procéder à l'intégration, au stockage et à l'organisation des données provenant de toutes ses sources disparates dans une seule base de données globale, et d'y associer des outils de consultation et de rapport pour en faciliter l'accès à un grand nombre d'employés. En créant un modèle de données permettant d'avoir une vision d'ensemble de la société et une base de données reflétant ce modèle, que tous les employés peuvent consulter et utiliser pour leurs rapports, HP est devenue beaucoup plus efficace et ses cadres prennent de meilleures décisions.

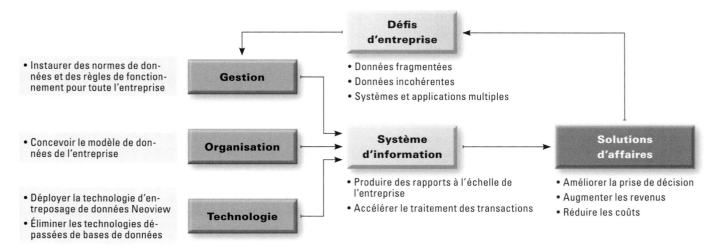

6.1 L'ORGANISATION DES DONNÉES DANS UN CADRE TRADITIONNEL D'EXPLOITATION DES FICHIERS

Un système d'information efficace doit fournir aux utilisateurs une information opportune, précise et pertinente, c'est-à-dire dénuée d'erreurs, disponible au moment où les gestionnaires en ont besoin et correspondant au travail à faire et aux décisions à prendre.

Les systèmes modernes utilisent des fichiers pour stocker des données potentiellement utiles. Grâce à des fichiers organisés et entretenus adéquatement, les utilisateurs sont en mesure de stocker facilement les données dont ils ont besoin, d'y accéder, de les modifier ou de les récupérer aisément. Pourtant, même si elles disposent de matériel et de logiciels de très bonne qualité, plusieurs organisations doivent composer avec des systèmes d'information inefficaces en raison d'une mauvaise gestion des fichiers. Dans ce chapitre, nous allons décrire les méthodes traditionnelles utilisées par les organisations pour structurer les données dans des fichiers informatiques, puis étudier les problèmes qu'elles soulèvent.

Les notions et les termes liés à l'organisation des fichiers

L'ordinateur organise hiérarchiquement les données à partir de bits et d'octets, puis de champs, d'enregistrements et de fichiers jusqu'aux bases de données (figure 6-1). Le bit représente la plus petite unité de données que peut traiter un ordinateur. Un groupe de bits, appelé octet, représente un caractère, qui peut être une lettre, un nombre ou un autre symbole. Le regroupement de caractères en un mot, en un groupe de mots ou en un nombre complet (comme le nom ou l'âge d'une personne) porte le nom de **champ**. Le regroupement de champs connexes, comme le nom de l'étudiant, le cours suivi, la date et la note, constitue un **enregistrement**, et un groupe d'enregistrements du même type forme un **fichier**.

Par exemple, les enregistrements de la figure 6-1 forment le fichier des cours que suivent les étudiants. Un groupe de fichiers reliés constitue une **base de données**. Le fichier de cours illustré à la figure 6-1 peut ensuite être combiné aux fichiers sur les renseignements personnels et financiers pour constituer la base de données des étudiants.

Un enregistrement décrit une entité. Une **entité** est une personne, un lieu, un objet ou un événement au sujet duquel nous conservons de l'information. La qualité ou la caractéristique qui décrit une entité s'appelle un **attribut**. Par exemple, les champs NOM, COURS, DATE et NOTE sont des attributs de l'entité COURS. Les valeurs spécifiques que peuvent avoir ces attributs se trouvent dans les champs de l'enregistrement décrivant l'entité COURS.

FIGURE 6-1

LA HIÉRARCHIE DES DONNÉES

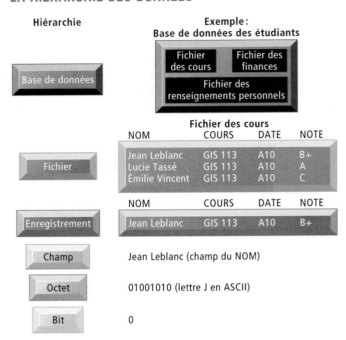

L'ordinateur organise les données en une hiérarchie qui commence par le bit, lequel représente un 0 ou un 1. Les bits sont regroupés pour former un octet, qui peut être un caractère, un nombre ou un symbole. Les octets forment un champ et les champs connexes, un enregistrement. À leur tour, les enregistrements sont regroupés en fichiers, et les fichiers en bases de données.

Les problèmes posés par le cadre traditionnel d'exploitation des fichiers

Dans la plupart des organisations, les systèmes avaient tendance à se développer indépendamment les uns des autres, sans plan d'ensemble. La comptabilité, les finances, la fabrication, les ressources humaines et le marketing élaboraient leurs propres systèmes et leurs propres fichiers de données. La figure 6-2 illustre cette méthode traditionnelle de traitement de l'information.

Bien entendu, chaque application exigeait ses propres fichiers et ses propres logiciels. Par exemple, le service des ressources humaines pouvait posséder un fichier maître du personnel et un fichier pour la paie, un pour l'assurance médicale, un pour le régime de retraite et un pour le publipostage, entre autres. Pour l'entreprise dans son ensemble, ce processus nécessitait une multitude de fichiers maîtres, qui étaient créés, conservés et exploités par des divisions ou des services distincts. Au fil des ans, l'entreprise a fini par s'enliser dans des centaines de programmes et d'applications qu'il devenait difficile de tenir à jour et de gérer. Il en résultait des problèmes

FIGURE 6-2 LE TRAITEMENT TRADITIONNEL DES FICHIERS

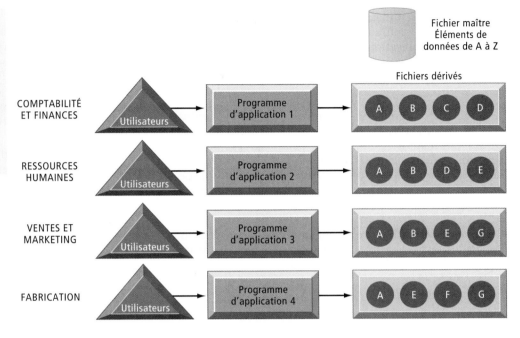

Lorsque le traitement des fichiers se fait de façon traditionnelle, chaque secteur fonctionnel de l'entreprise élabore ses propres applications spécialisées. Chaque application exige un fichier de données spécifique, qui est généralement un sous-ensemble d'un fichier maître. Cette abondance de sous-ensembles du fichier maître entraîne une redondance des données, un manque de souplesse dans le traitement et un gaspillage des ressources de stockage.

de redondance et d'incohérence des données, d'interdépendance des programmes et des données, ainsi qu'un manque de souplesse et de sécurité, et il était impossible de partager des données entre plusieurs applications.

La redondance et l'incohérence des données

On parle de **redondance de données** lorsque des fichiers différents contiennent des informations identiques, c'est-à-dire quand les divisions, les secteurs fonctionnels et les groupes d'une même organisation recueillent les mêmes données indépendamment les uns des autres. La redondance des données entraîne un gaspillage des ressources de stockage et mène à l'**incohérence des données**, car les mêmes attributs peuvent avoir des valeurs différentes. Par exemple, dans le cas de l'entité COURS illustrée à la figure 6-1, le champ DATE peut être mis à jour dans certains systèmes et non dans les autres. Le même attribut, NOM, peut aussi prendre des valeurs différentes dans les différents systèmes. Certains pourraient l'utiliser pour enregistrer le nom complet (prénom et nom) et d'autres pour le nom de famille seulement.

L'utilisation de systèmes différents d'encodage pour représenter les valeurs d'un attribut risque d'entraîner une confusion additionnelle. Par exemple, un magasin de vêtements peut utiliser différents codes pour les ventes, l'inventaire et la fabrication. Un système pourra utiliser le terme « extra grand » pour désigner la taille d'un vêtement, alors qu'un autre emploiera le code « XG ». Il pourrait s'ensuivre une confusion qui risque de compliquer la tâche des entreprises qui veulent créer des systèmes pour gérer leurs relations avec leurs clients ou leur chaîne d'approvisionnement, ou regrouper des données provenant de plusieurs sources dans un système d'entreprise.

L'interdépendance des données et des programmes

L'**interdépendance des données et des programmes** est l'étroite relation qui s'établit entre les données stockées dans les fichiers et les programmes nécessaires pour les mettre à jour et les conserver. Tous les programmes doivent décrire l'emplacement et la nature des données avec lesquelles ils travaillent. Dans un contexte traditionnel d'exploitation des fichiers, toute modification apportée aux données oblige à modifier les programmes qui s'en servent. Si on change, par exemple, le format d'un produit (en le faisant passer de cinq à neuf caractères), il faudra modifier les programmes en conséquence, ce qui peut coûter des millions de dollars.

Le manque de souplesse

Si on déploie des efforts de programmation importants, un système de fichiers traditionnel peut produire des rapports périodiques, mais il ne peut pas créer de rapports ponctuels, ni répondre en temps opportun à des demandes d'information imprévues. Les informations demandées se trouvent quelque part dans le système, mais elles sont trop difficiles à récupérer. Pour regrouper les données exigées dans un nouveau fichier, plusieurs programmeurs devraient travailler pendant plusieurs semaines.

Le manque de sécurité

Compte tenu du peu de contrôle ou de gestion des données, il est pratiquement impossible de surveiller l'accès à l'information et sa dissémination. Les gestionnaires n'ont aucun moyen de savoir qui a accès aux données ou même qui apporte des modifications aux données de l'organisation.

Le manque de disponibilité et les problèmes de partage de données

Le manque de contrôle qui caractérise l'accès aux données dans un contexte si confus fait en sorte qu'il est difficile d'obtenir des informations. Comme on ne peut relier les informations contenues dans différents fichiers et dans différentes parties de l'organisation, il est pratiquement impossible de les mettre en commun et d'y accéder rapidement. L'information ne peut circuler librement entre les différents secteurs de l'entreprise. Si les usagers reçoivent de deux systèmes différents des valeurs différentes pour la même information, ils risquent de ne pas vouloir utiliser ces systèmes en raison de la piètre fiabilité des données qu'ils contiennent.

6.2 LA GESTION DES DONNÉES AU MOYEN D'UNE BASE DE DONNÉES

La technologie des bases de données permet de résoudre la plupart des problèmes que soulève l'organisation traditionnelle des fichiers. Plus précisément, une **base de données** est un ensemble de données organisées de façon à pouvoir servir efficacement plusieurs applications grâce à la centralisation des données et au contrôle des redondances. Au lieu de stocker les données dans des fichiers distincts correspondant à diverses applications, on les stocke de manière à donner à l'utilisateur l'impression qu'elles sont emmagasinées dans un seul endroit. Une seule base de données peut ainsi prendre en charge plusieurs applications. Par exemple, plutôt que de stocker les données sur les employés dans des systèmes d'information et des fichiers distincts pour le service du personnel, celui de la paie et celui des avantages sociaux, l'entreprise peut créer une base de données unique pour l'ensemble des ressources humaines.

Les systèmes de gestion de base de données

Un **système de gestion de base de données (SGBD)** est un logiciel qui permet à une organisation de centraliser les données, de les gérer efficacement et d'en permettre l'accès au moyen de programmes d'application. Un SGBD sert d'interface entre les programmes d'application et les fichiers de données physiques. Lorsqu'on veut obtenir une donnée telle que la paie brute, le SGBD la trouve dans la base de données et la transmet au programme d'application. Avec les fichiers traditionnels de données, le programmeur doit définir les données, puis indiquer à l'ordinateur où elles se trouvent. Un SGBD élimine la plupart des instructions de définition de données contenues dans les programmes traditionnels.

Le SGBD libère le programmeur ou l'utilisateur final de la nécessité de comprendre où et comment les données sont stockées en séparant la représentation physique et la représentation logique des données. Dans la *vue logique*, les données sont organisées de la façon dont elles sont perçues par les utilisateurs finaux, tandis que dans la *vue physique*, elles sont réellement organisées et structurées dans leur support de stockage.

Le logiciel de gestion de la base de données permet d'accéder à la base de données en utilisant les représentations logiques des différentes applications. Par exemple, pour la base de données de ressources humaines illustrée à la figure 6-3, le spécialiste des avantages sociaux pourrait demander une vue comprenant le nom de l'employé, son numéro d'assurance sociale et son régime d'assurance-maladie. Un membre du service de la paie pourrait avoir besoin de données telles que le nom de l'employé et son numéro d'assurance sociale ainsi que le montant de son salaire brut et de son salaire net. Les données de toutes ces vues sont stockées dans une seule base de données, ce qui permet à l'organisation d'en assurer plus facilement la gestion.

Comment un SGBD peut résoudre les problèmes associés au traitement traditionnel des fichiers

Un SGBD peut réduire la redondance et l'incohérence des données en réduisant le nombre de fichiers isolés contenant des données redondantes. Si le SGBD ne permet pas toujours à une organisation d'éliminer la redondance des données, il aide néanmoins à la contrôler. Et même s'il reste des données redondantes, il permet de supprimer les incohérences en aidant l'organisation à s'assurer que toutes les occurrences d'une donnée ont la même valeur. En dissociant les programmes des données, le SGBD donne à celles-ci un statut à part entière. Ce faisant, il facilite l'accès à l'information, en accroît la disponibilité et réduit les frais d'élaboration et de mise à jour des programmes, puisque les utilisateurs et les programmeurs peuvent consulter les données contenues dans la base selon leurs besoins. Le SGBD permet également de centraliser la gestion des données, leur utilisation et la sécurité.

Le modèle relationnel

Les SGBD modernes utilisent différents modèles de bases de données pour effectuer le suivi des entités et de leurs relations. Le **modèle relationnel** est aujourd'hui le modèle le plus répandu, tant pour les ordinateurs personnels que pour les gros ordinateurs centraux. Le modèle relationnel représente toutes les données de la base sous forme de tables bidimensionnelles, appelées *relations* ou parfois *fichiers*. Chaque table contient les données relatives à une entité et à ses attributs. Microsoft Access est un système de base de données relationnelle pour les ordinateurs de bureau, alors que DB2,

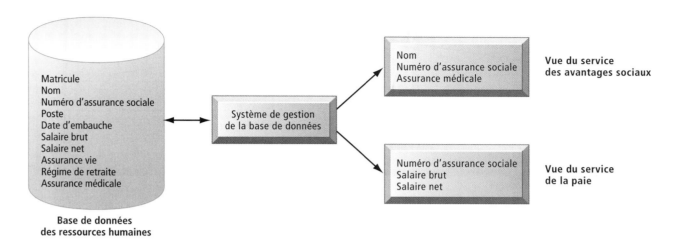

Une seule base de données sur les ressources humaines offre de nombreuses vues différentes selon les besoins des utilisateurs. Deux d'entre elles sont représentées ici, l'une destinée aux spécialistes des avantages sociaux, l'autre aux membres du service de la paie.

Oracle Database et SQL Server de Microsoft sont des SGBD relationnels pour les ordinateurs centraux et les **ordinateurs de milieu de gamme**. MySQL est un SGBD libre populaire, et Oracle Database Lite est un SGBD pour les petits terminaux de poche.

Examinons comment une base de données relationnelle organise des données au sujet de fournisseurs et de pièces (figure 6-4). La base de données possède une table distincte pour l'entité FOURNISSEURS et pour l'entité PIÈCES. Chaque table se compose d'une grille de colonnes et de lignes de données. Chaque **élément de donnée** de chaque entité est stocké dans un champ distinct, qui représente un attribut de cette entité. Dans une base de données relationnelle, les champs sont également appelés colonnes. Pour l'entité FOURNISSEURS, le numéro d'identification du fournisseur, son nom, la rue, la ville et l'État où il habite et son code postal sont stockés dans des champs séparés de la table FOURNISSEURS dont chacun représente un attribut de l'entité FOURNISSEURS.

Dans une table, l'information concernant un fournisseur donné s'appelle une ligne. Les lignes sont couramment appelées enregistrements ou, en termes techniques, **tuples**, n-uplets ou uplets. Les données des entités PIÈCES sont représentées dans une table distincte.

Le champ Numéro_Fournisseur de la table FOURNISSEURS étiquette de façon exclusive un enregistrement particulier afin qu'il puisse être extrait, mis à jour et trié. C'est ce qu'on appelle un **champ clé**. Chaque table dans une base de données relationnelle présente un champ qui est désigné comme sa **clé primaire**. Ce champ clé est l'étiquette exclusive de tous les renseignements d'une ligne et on ne peut le répéter. Le Numéro_Fournisseur est la clé primaire de la table FOURNISSEURS et le Numéro_Pièce est la clé primaire de

la table PIÈCES. On peut remarquer que le champ Numéro_Fournisseur figure dans les deux tables, FOURNISSEURS et PIÈCES. Dans la table FOURNISSEURS, il s'agit de la clé primaire, mais quand il figure dans la table PIÈCES, il devient une **clé étrangère** et sert surtout à chercher des données au sujet du fournisseur d'une pièce particulière.

Les opérations sur les bases de données relationnelles

Deux tables d'une base de données relationnelle peuvent être facilement combinées pour transmettre les données demandées par les utilisateurs, pourvu qu'elles aient un élément de données commun. Supposons que nous voulions trouver les noms et les adresses des fournisseurs qui pourraient vendre la pièce portant le numéro 137 ou 150. Nous aurons besoin des renseignements contenus dans les deux tables, FOURNISSEURS et PIÈCES, de la figure 6-4. Notez qu'on retrouve dans les deux fichiers l'élément de donnée Numéro_fournisseur.

Comme on le voit à la figure 6-5, dans une base de données relationnelle, la création d'ensembles de données utiles s'effectue au moyen de trois opérations de base : la sélection, la projection et la jointure (en anglais, *select*, *project* et *join*). La *sélection* crée un sous-ensemble comportant tous les enregistrements du fichier qui correspondent aux critères énoncés. En d'autres mots, elle crée un sous-ensemble de lignes qui répondent à certains critères. Dans cet exemple, nous souhaitons sélectionner dans la table PIÈCES les enregistrements (lignes) correspondant aux numéros de pièce 137 et 150. La *jointure* combine les tables relationnelles pour fournir à l'utilisateur plus d'informations que celles contenues dans chacune des deux tables individuellement. Dans cet exemple, nous voulons relier la table PIÈCES, maintenant raccourcie (elle ne présente plus que les pièces numéro

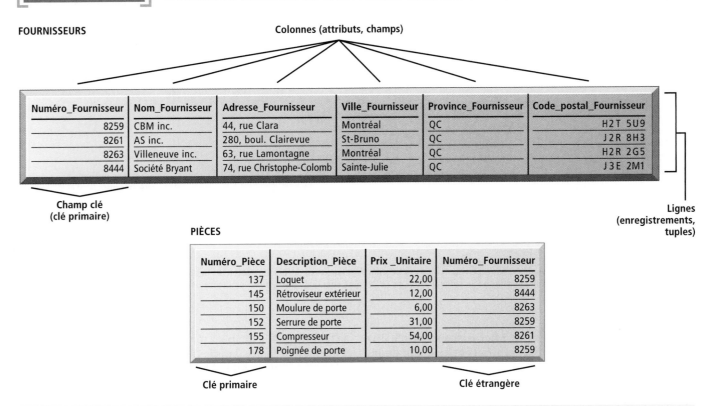

Une base de données relationnelle représente les données sous forme de tables bidimensionnelles. On voit ici comment les tables FOURNISSEURS et PIÈCES représentent chaque entité et ses attributs. Le Numéro_Fournisseur est une clé primaire de la table FOURNISSEURS et une clé étrangère de la table PIÈCES.

FIGURE 6-5 LES TROIS OPÉRATIONS DE BASE D'UN SGBD RELATIONNEL

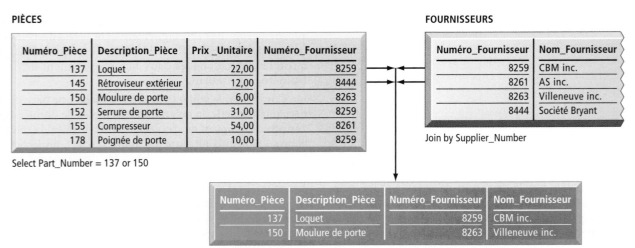

Les opérations de *sélection*, de *projection* et de *jointure* (en anglais, *select*, *project* et *join*) permettent de combiner les données de deux tables différentes et d'afficher uniquement les attributs sélectionnés.

137 et 150) et la table FOURNISSEURS pour créer une seule nouvelle table de résultats.

L'opération de *projection* crée un sous-ensemble de colonnes dans une table, ce qui permet à l'utilisateur de créer de nouvelles tables qui ne contiennent que l'information qu'il recherche. Dans cet exemple, nous souhaitons extraire de la nouvelle table les colonnes suivantes : Numéro_pièce, Numéro_fournisseur, Nom_fournisseur et Adresse_fournisseur.

Les bases de données orientées objet

Aujourd'hui, bon nombre d'applications exigent des bases de données capables de stocker et de récupérer non seulement des nombres et des caractères structurés, mais aussi des dessins, des images, des photographies, des sons et des vidéos animées. Or, les SGBD traditionnels ont du mal à traiter les applications graphiques ou multimédias. Les bases de données orientées objet sont mieux adaptées à ces fonctions.

Une **base de données orientée objet** stocke les données et les procédures sous forme d'objets qu'on peut automatiquement récupérer et mettre en commun. On utilise de plus en plus les systèmes de gestion de base de données orientée objet (SGBDOO), car ils permettent de gérer les diverses composantes multimédias ou les applets Java utilisés par les applications Web, qui rassemblent généralement des données provenant de diverses sources.

Même si les bases de données orientées objet peuvent stocker des types d'informations plus complexes que les SGBD relationnels, elles ont tendance à être plus lentes lorsque le nombre de transactions à traiter est élevé. Les **SGBD** hybrides **relationnels-objets** offrent maintenant à la fois les fonctionnalités d'un SGBD orienté objet et celles d'un SGBD relationnel.

Les fonctionnalités des systèmes de gestion de base de données

Un SGBD procure les fonctionnalités et les outils nécessaires pour assurer l'organisation et la gestion des données d'une base, ainsi que l'accès à celles-ci. Les composantes les plus importantes en sont le langage de définition des données, le dictionnaire de données et le langage de manipulation des données.

Un SGBD possède un **langage de définition des données** permettant de déterminer la structure du contenu de la base de données. On l'utilise pour créer les tables de la base de données et déterminer les caractéristiques de leurs champs. Ces informations sur la base de données sont décrites dans un **dictionnaire de données,** un fichier automatisé ou manuel dans lequel on stocke les définitions des éléments de données et leurs caractéristiques.

Microsoft Access possède un dictionnaire de données rudimentaire qui affiche les renseignements sur le nom, la description, la taille, le type, le format et les autres propriétés de chaque champ d'une table (figure 6-6). Les dictionnaires de données des bases des grandes entreprises peuvent saisir d'autres renseignements, comme l'utilisation des données,

---

FIGURE 6-6 LES CARACTÉRISTIQUES DU DICTIONNAIRE DE DONNÉES DE MICROSOFT ACCESS

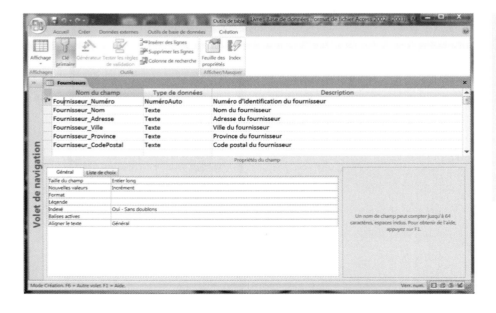

Microsoft Access possède un dictionnaire de données rudimentaire qui affiche des renseignements sur la taille, le type, le format et les autres propriétés de chaque champ d'une base de données. On voit ici les renseignements figurant dans la table Fournisseurs. L'icône placée à la gauche du champ Fournisseur_Numéro indique qu'il s'agit d'un champ clé.

Source : Michel Berthiaume, responsable du microprogramme de 2e cycle en stratégie de l'intelligence d'affaires, Faculté d'administration de l'Université de Sherbrooke.

FIGURE 6-7 UN EXEMPLE DE REQUÊTE SQL

SELECT PIÈCES.Numéro_Pièce, PIÈCE.Description_Pièce,
FOURNISSEUR.Numéro_Fournisseur, FOURNISSEUR.Nom_Fournisseur
FROM PIÈCES, FOURNISSEURS
WHERE PIÈCES.Numéro_Fournisseur = FOURNISSEUR. Numéro_Fournisseur AND
Numéro_Pièce = 137 OR Numéro_Pièce = 150

On voit ici les énoncés SQL correspondant à une demande de sélection des fournisseurs des pièces 137 et 150. La liste qu'ils produisent est la même que celle de la figure 6-5.

leur propriétaire (la personne qui est responsable de leur mise à jour), les autorisations d'accès et les règles de sécurité qui s'y appliquent, ainsi que les individus, les unités opérationnelles, les programmes et les rapports qui utilisent chaque élément de donnée.

Les requêtes et les rapports

Les SGDB fournissent des outils permettant de manipuler les informations d'une base de données. La plupart disposent pour ce faire d'un langage spécialisé, appelé **langage de manipulation des données**. Les commandes de ce langage permettent aux utilisateurs finaux et aux spécialistes de la programmation d'extraire des données de la base pour répondre à des demandes d'information et élaborer des applications. À l'heure actuelle, le langage de manipulation de données le plus répandu est le **langage de requête structuré**

SQL (Structured Query Language). La figure 6-7 illustre la requête SQL qui permet d'obtenir la table de la figure 6-5.

Les utilisateurs de SGBD destinés aux macroordinateurs et aux ordinateurs de milieu de gamme comme DB2, Oracle ou SQL Server peuvent employer le langage de requête SQL pour extraire l'information dont ils ont besoin de la base de données. Microsoft Access l'utilise également, mais il fournit son propre ensemble d'outils conviviaux pour consulter les bases de données et pour organiser les données qui en proviennent afin de produire des rapports.

On trouve dans Microsoft Access des dispositifs qui permettent aux utilisateurs de créer des requêtes en indiquant les tables, les champs et les résultats qu'ils désirent, puis en sélectionnant les lignes de la base de données qui correspondent à leurs critères particuliers. Ces actions sont ensuite traduites en commandes SQL. La figure 6-8 illustre comment la requête précédemment rédigée en langage SQL pour sélectionner des pièces et des fournisseurs serait construite en utilisant les outils de Microsoft.

Microsoft Access et les autres SGBD disposent de fonctionnalités permettant de produire des rapports de façon à afficher les données dans un format plus structuré et plus clair que ce qu'il serait possible d'obtenir avec la seule requête. Crystal Reports est un outil de conception de rapports destiné aux SGBD des grandes entreprises, mais on peut aussi l'utiliser avec Access. Microsoft Access offre également des fonctionnalités pour la mise au point d'applications d'ordinateurs de bureau, notamment des outils permettant de créer des écrans de saisie et des rapports ou d'élaborer des processus logiques de traitement des transactions.

FIGURE 6-8 UNE REQUÊTE DANS MICROSOFT ACCESS

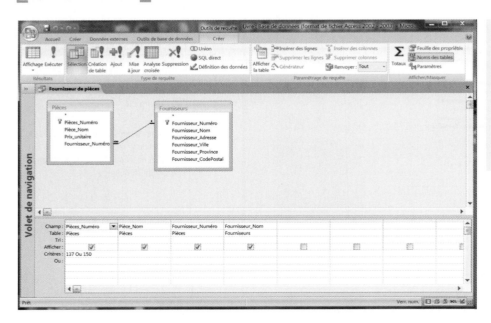

Voici comment la requête de la figure 6-7 serait exécutée en utilisant les outils de création de requête de Microsoft Access. On y trouve les tables, les champs ainsi que les critères de sélection utilisés pour la requête.

Source: Michel Berthiaume, responsable du microprogramme de 2e cycle en stratégie de l'intelligence d'affaires, Faculté d'administration de l'Université de Sherbrooke.

La conception d'une base de données

Pour créer une base de données, il faut comprendre les relations qu'il y a entre les données, les types de données qui vont être enregistrées, le mode d'utilisation des données et la façon dont l'organisation va devoir changer pour gérer les données dans une perspective globale. Une base de données requiert deux modèles : un modèle conceptuel et un modèle physique. Le modèle conceptuel – ou logique – est un modèle abstrait conçu dans une perspective d'affaires. Le modèle physique, lui, montre comment la base de données est disposée sur les unités de stockage à accès direct.

La normalisation et les diagrammes entité-relation

La conception logique de la base de données dépend de la manière dont on désire y regrouper les éléments de données. Au moment de la conception, on définit les relations entre les éléments de données et leur regroupement de façon à pouvoir répondre le plus efficacement possible aux besoins en information. Ce processus détermine également les éléments de données redondants et les regroupements nécessaires pour des programmes d'application précis. Les groupes de données sont organisés, retravaillés et rationalisés jusqu'à ce qu'on puisse créer un modèle logique global des relations entre les éléments de données contenus dans la base.

Pour utiliser efficacement le modèle relationnel, il faut rationaliser les regroupements complexes de données afin d'en éliminer les éléments de données redondants, ainsi que les relations non biunivoques (*many to many*), peu maniables. Le processus qui consiste à créer de petites structures stables (mais flexibles) de données à partir de groupes de données complexes porte le nom de **normalisation**. Les figures 6-9 et 6-10 illustrent ce processus.

Dans l'entreprise donnée ici en exemple, une commande peut contenir plusieurs pièces, mais chaque pièce ne provient que d'un seul fournisseur. Si on construit une relation appelée COMMANDE en incluant tous les champs, il faudra répéter le nom et l'adresse du fournisseur pour chaque pièce

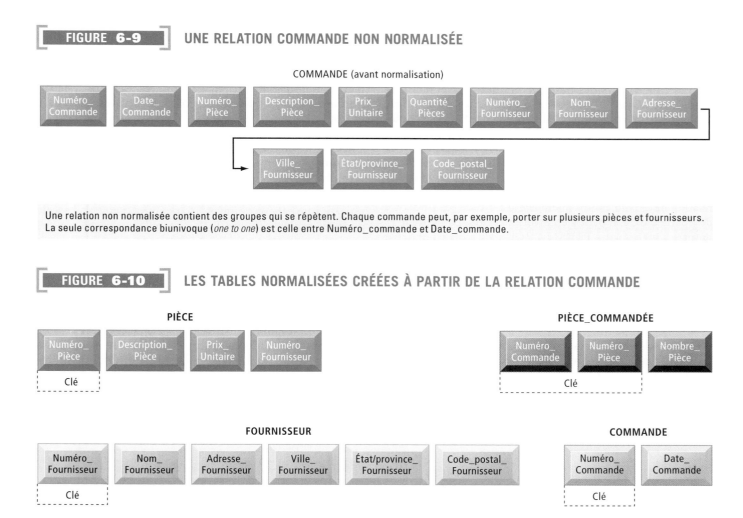

FIGURE 6-9 UNE RELATION COMMANDE NON NORMALISÉE

COMMANDE (avant normalisation)

Une relation non normalisée contient des groupes qui se répètent. Chaque commande peut, par exemple, porter sur plusieurs pièces et fournisseurs. La seule correspondance biunivoque (*one to one*) est celle entre Numéro_commande et Date_commande.

FIGURE 6-10 LES TABLES NORMALISÉES CRÉÉES À PARTIR DE LA RELATION COMMANDE

Après normalisation, la relation COMMANDE initiale a été divisée en quatre relations plus petites. Il ne lui reste plus que deux attributs, tandis que la relation PIÈCE_COMMANDÉE a une clé combinée (ou concaténée) formée du numéro de commande et du numéro de pièce.

commandée, même si c'est le même. Cette relation contient ce qu'on appelle des *doublons* (groupes de données répétitifs), car il peut y avoir plusieurs pièces sur une seule commande à un seul fournisseur, et elle décrit en fait plusieurs entités – pièces, fournisseurs et commandes. Une méthode d'organisation plus efficace des données consiste à diviser la COMMANDE en relations plus petites décrivant chacune une seule entité. Si on normalise, étape par étape, la relation COMMANDE, on obtient les relations illustrées à la figure 6-10.

Les systèmes de base de données relationnelle tentent de respecter les règles d'**intégrité référentielle** pour s'assurer que les relations entre les tables combinées demeurent cohérentes. Lorsqu'une table présente une clé étrangère qui indique une autre table, on ne peut y ajouter un enregistrement que s'il existe dans la table associée. Dans la base de données que nous avons étudiée plus tôt dans le présent chapitre, la clé étrangère Numéro_Fournisseur relie la table PIÈCES à la table FOURNISSEURS. On ne peut ajouter un nouvel enregistrement pour une pièce ayant le Numéro_Fournisseur 8266 à la table PIÈCES que s'il y a un enregistrement correspondant dans la table FOURNISSEURS pour ce numéro. Et si on supprime l'enregistrement du Numéro_Fournisseur 8266 dans la table FOURNISSEURS, il faut aussi supprimer l'enregistrement correspondant dans la table PIÈCES. Autrement dit, on ne peut pas avoir de pièces provenant de fournisseurs inexistants !

Les concepteurs des bases de données présentent leur modèle de données conceptuel à l'aide d'un **diagramme entité-relation** comme celui illustré à la figure 6-11. Ce diagramme illustre la relation entre les entités COMMANDE, PIÈCE_COMMANDÉE, PIÈCE et FOURNISSEUR. Les boîtes représentent les entités et les lignes, les relations. Lorsqu'une ligne reliant deux entités se termine par deux petits traits, cela indique qu'un seul élément entre dans la relation de ce côté, tandis que si elle se termine par une sorte de « patte d'oie », il peut y en avoir plusieurs. La figure 6-11 montre ainsi qu'une COMMANDE peut correspondre à plusieurs PIÈCE_COMMANDÉE. (Chaque PIÈCE peut être commandée à plusieurs reprises et apparaître plusieurs fois parmi les pièces commandées.) Chaque PIÈCE ne peut avoir qu'un seul fournisseur, mais le même FOURNISSEUR peut fournir plusieurs pièces.

On ne saurait trop insister sur ce point : si le modèle de données de l'entreprise est mal conçu, le système ne sera pas en mesure de bien la servir. Les systèmes de l'entreprise ne seront pas aussi efficaces qu'ils le devraient parce qu'ils devront employer des données qui peuvent être inexactes, incomplètes ou difficiles à extraire. Comprendre les données de l'organisation et la façon dont elles devraient être représentées dans une base de données est sans doute la leçon la plus importante que vous pouvez apprendre dans le cadre de ce cours.

Par exemple, Famous Footwear, une chaîne de magasins de chaussures comptant plus de 800 emplacements dans 49 États des États-Unis, ne pouvait atteindre son objectif d'offrir « le bon modèle de souliers dans le bon magasin au bon prix » parce que sa base de données n'avait pas été conçue pour réajuster rapidement les stocks en magasin. L'entreprise possédait une base de données relationnelle Oracle fonctionnant sur un ordinateur de milieu de gamme IBM AS/400, mais celle-ci était plutôt conçue pour produire des rapports standard de gestion que pour réagir aux mouvements du marché. Les gestionnaires ne pouvaient obtenir de données précises sur les articles spécifiques que chaque magasin avait en stock. Pour résoudre ce problème, il a fallu créer une nouvelle base de données dans laquelle on pouvait mieux organiser les données de ventes et d'inventaire pour l'analyse et la gestion des stocks.

Les bases de données réparties

Dans la conception d'une base de données, il faut également tenir compte de la répartition des données. Certains systèmes d'information sont dotés d'une base de données centralisée qui est utilisée par un seul processeur central ou par plusieurs processeurs à l'intérieur d'un réseau client-serveur. Une base de données peut également être répartie. Une **base de données répartie** est une base de données stockée dans plusieurs emplacements physiques.

Comme l'illustre la figure 6-12, il existe deux façons de répartir une base de données. On peut *fractionner* la base de données centrale (figure 6-12a) de telle sorte que chaque processeur éloigné possède les données nécessaires pour répondre aux besoins locaux. Les modifications apportées aux fichiers locaux sont inscrites dans la base de données centrale en un **traitement par lots**, souvent la nuit. Il est également possible de *copier* entièrement la base de données centrale dans tous les ordinateurs éloignés (figure 6-12b). Par exemple, Lufthansa a remplacé sa base de données centralisée par une base de données copiée pour que ses contrôleurs de vols puissent accéder plus facilement aux informations. Toute modification apportée au SGBD de Lufthansa à Francfort

UN DIAGRAMME ENTITÉ-RELATION

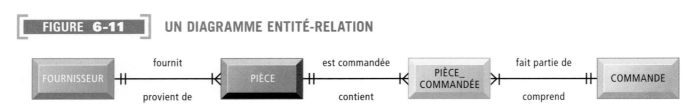

Ce diagramme illustre les relations entre les entités COMMANDE, PIÈCE, PIÈCE_COMMANDÉE et FOURNISSEUR qui pourraient être utilisées pour modéliser la base de données de la façon illustrée à la figure 6-10.

FIGURE 6-12   LES BASES DE DONNÉES RÉPARTIES

Il existe différentes méthodes de distribution d'une base de données. La base de données centrale peut être (a) fractionnée de telle sorte que chaque processeur éloigné puisse obtenir les données qui lui sont nécessaires pour ses besoins locaux ou (b) copiée dans tous les ordinateurs éloignés.

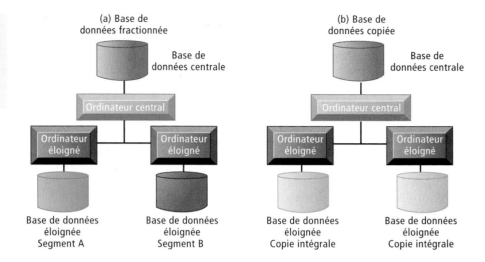

est automatiquement recopiée à New York et à Hong Kong. Cette stratégie suppose aussi qu'on mette la base de données centrale à jour en dehors des heures de travail.

Les systèmes répartis réduisent la vulnérabilité associée à une installation centrale unique et imposante. Ils permettent aussi d'améliorer la rapidité et la puissance des systèmes tout en autorisant l'achat d'ordinateurs plus petits et moins coûteux. Mais les systèmes répartis doivent être connectés à des lignes de télécommunication de grande qualité. Or, celles-ci sont vulnérables. De plus, il arrive parfois que les bases de données locales ne soient pas régies par les mêmes normes et définitions que la base de données centrale, et le fait qu'il soit possible d'accéder plus facilement à des données confidentielles risque de poser des problèmes de sécurité. Les concepteurs doivent tenir compte de l'ensemble de ces facteurs pour prendre leurs décisions.

6.3 L'UTILISATION DES BASES DE DONNÉES POUR AMÉLIORER LE RENDEMENT DE L'ENTREPRISE ET LA PRISE DE DÉCISION

Les entreprises utilisent leurs bases de données pour se tenir au courant des transactions de base, comme le paiement des fournisseurs, le traitement des commandes, le suivi des clients et la rémunération des employés. Cependant, elles en ont aussi besoin pour obtenir les informations qui permettront à l'entreprise d'être plus efficace et aux gestionnaires et employés de prendre de meilleures décisions. Si une entreprise veut connaître le produit le plus demandé ou le client le plus rentable, la réponse se trouve dans les données.

Par exemple, l'analyse des données concernant les achats de ses clients par carte de crédit a appris à Louise's Trattoria, une chaîne de restaurants de Los Angeles, que la qualité était plus importante que le prix pour la plupart d'entre eux, des personnes éduquées qui aimaient les bons vins. Grâce à ces informations, la chaîne a modifié son menu pour y inclure des mets végétariens, un plus grand choix de plats de fruits de mer et des vins plus coûteux. Ses ventes ont ainsi augmenté de plus de 10 %.

Dans une grande entreprise disposant de bases de données ou de systèmes imposants pour l'accomplissement de fonctions distinctes, comme la production, les ventes et la comptabilité, il faut disposer de fonctionnalités et d'outils spéciaux. L'entreprise peut ainsi analyser d'énormes quantités de données et y accéder à partir de nombreux systèmes, comme l'entreposage et le forage de données ou les outils permettant d'accéder à des bases de données internes par l'entremise du Web.

Les entrepôts de données

Supposons qu'on ait besoin d'une information concise et fiable sur les activités courantes, les tendances et les changements dans toute l'entreprise. Si on travaille au sein d'une grande société, il pourrait être difficile d'obtenir cette information, parce que les données sont souvent réparties entre des systèmes opérationnels distincts, comme les ventes, la production ou la comptabilité. On peut ainsi trouver certaines données dans le système des ventes et d'autres dans le système de production. De plus, les systèmes en question sont souvent de vieux systèmes patrimoniaux qui utilisent des technologies de gestion des données ou des procédés de classement de fichiers dépassés, si bien qu'il est difficile d'accéder à l'information. Le cas de Hewlett-Packard, exposé en début de chapitre, illustre ce type de problèmes.

Résultat : ou bien on passe énormément de temps à localiser et à recueillir les données dont on a besoin, ou on est obligé de prendre des décisions reposant sur des connaissances lacunaires. Si on veut avoir des renseignements sur les tendances, il peut aussi être difficile de retrouver des données historiques, parce que la plupart des entreprises ne disposent que des données courantes. L'entreposage de données permet de résoudre ces problèmes.

Qu'est-ce qu'un entrepôt de données ?

Un **entrepôt de données** est une base de données qui stocke les données courantes et historiques susceptibles d'intéresser les gestionnaires d'une entreprise. Ces données proviennent de plusieurs systèmes opérationnels et sources externes, y compris de transactions sur des sites Web, chaque système utilisant des modèles différents de données. Les données sont normalisées et rassemblées pour qu'on puisse les utiliser pour des analyses de gestion et pour prendre des décisions.

La figure 6-13 illustre le fonctionnement d'un entrepôt de données. Tout le monde peut accéder aux données, mais il est impossible de les modifier. De plus, le système d'entrepôt de données fournit une série d'outils d'interrogation ad hoc et normalisés, ainsi que des outils d'analyse et de fonctions graphiques pour la présentation de rapports. De nombreuses entreprises utilisent les portails intranet pour rendre les données accessibles à tous les employés.

La session interactive sur les organisations montre comment l'Internal Revenue Service (IRS) se sert d'un entrepôt de données, le Compliance Data Warehouse, pour améliorer la prise de décision et l'efficacité de ses opérations. Comme les données à leur sujet étaient dispersées dans de nombreux systèmes différents créés au cours des années, l'IRS était incapable d'obtenir une vision globale et complète des contribuables ; il lui était donc difficile d'analyser les données pour identifier les personnes les plus susceptibles de fraude. L'entrepôt de données a permis à l'IRS d'intégrer et de centraliser les données relatives aux contribuables afin de pouvoir remplir cette tâche ainsi que de répondre plus rapidement aux requêtes des contribuables eux-mêmes. En lisant cette étude de cas, essayez de déterminer le problème auquel devait faire face l'IRS, les solutions de rechange dont disposaient ses gestionnaires, ainsi que les problèmes de gestion, d'organisation et de technologie qu'il fallait régler pour les mettre en œuvre.

Les dépôts de données

On construit souvent des entrepôts de données centraux destinés à desservir une entreprise, mais on peut aussi créer des entrepôts plus petits et décentralisés, appelés dépôts de données. Un **dépôt de données** est un sous-ensemble de l'entrepôt de données dans lequel un résumé ou une partie très spécifique des données de l'organisation est placé dans une base de données distincte, destinée à un groupe particulier d'utilisateurs. Par exemple, une entreprise peut construire des dépôts de données marketing et ventes pour traiter de l'information sur la clientèle. Un dépôt de données est généralement concentré sur un seul secteur d'activité ou sur une seule gamme de produits ; on peut donc le construire plus rapidement et à moindre coût qu'un entrepôt de données destiné à toute l'entreprise.

L'intelligence d'affaires, l'analyse multidimensionnelle des données et le forage de données

Dès que les données ont été saisies et organisées dans des entrepôts ou des dépôts de données, elles peuvent faire l'objet d'une analyse plus approfondie. Une série d'outils permet aux utilisateurs d'analyser ces données afin de trouver de

---

FIGURE 6-13 | LES COMPOSANTES D'UN ENTREPÔT DE DONNÉES

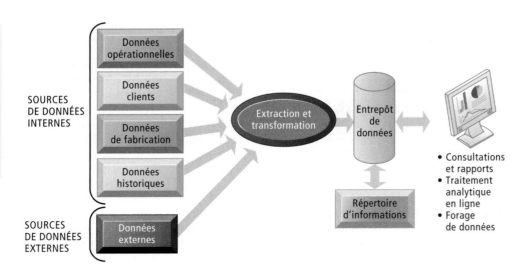

Un entrepôt de données extrait les données courantes et historiques des divers systèmes opérationnels de l'organisation. Combinées à d'autres, de sources externes, ces données sont restructurées dans une base de données centrale conçue pour la présentation de rapports et l'analyse de gestion. Le répertoire d'informations fournit aux utilisateurs des renseignements sur les données disponibles dans l'entrepôt.

SOURCES DE DONNÉES INTERNES

Données opérationnelles
Données clients
Données de fabrication
Données historiques

SOURCES DE DONNÉES EXTERNES

Données externes

Extraction et transformation

Entrepôt de données

Répertoire d'informations

- Consultations et rapports
- Traitement analytique en ligne
- Forage de données

L'IRS MET AU JOUR DES FRAUDES FISCALES GRÂCE À UN ENTREPÔT DE DONNÉES

L'Internal Revenue Service (IRS) est le service fédéral chargé du recouvrement de l'impôt et de l'application du droit fiscal aux États-Unis. Depuis sa création dans les années 1860, l'IRS s'est développé proportionnellement à l'augmentation de la population. En 2006, il traitait près de 134 millions de déclarations de revenus de particuliers qui généraient des revenus totalisant 1,2 billion de dollars. Il est facile d'imaginer que toute faiblesse de ses systèmes d'information puisse se traduire par une perte considérable de revenus pour le gouvernement fédéral. Heureusement pour le service (mais malheureusement pour certains Américains malhonnêtes), l'IRS et Sybase ont fait équipe pour mettre en place un entrepôt de données, le Compliance Data Warehouse (CDW), qui a considérablement amélioré son efficacité et augmenté les sommes que l'IRS recouvre auprès des contrevenants.

L'IRS avait besoin d'un entrepôt de données pour organiser l'information qu'ils avait accumulée, notamment les renseignements personnels sur les contribuables et les déclarations de revenus archivées. Ces données étaient stockées dans des systèmes conçus pour traiter efficacement les formulaires de déclaration de revenus se présentant sous de nombreux formats différents : bases de données hiérarchiques dans des systèmes centraux, bases de données relationnelles Oracle et fichiers ordinaires. Il était pratiquement impossible de consulter et d'analyser les données dans les « vieilles » bases de données hiérarchiques et les fichiers ordinaires, et encore plus difficile de les combiner avec les données relationnelles.

L'entrepôt CDW permet de faire des demandes d'information très flexibles dans l'une des plus grandes bases de données du monde, qui recueille les données des déclarations de revenus des particuliers et des entreprises sur une période de sept ans. Chaque année, quatre téraoctets de données fiscales individuelles et commerciales sont téléchargés dans le système. La base de données de l'entrepôt est relationnelle et dispose de milliards de lignes et de plus de 200 colonnes, reliées par des liens complexes à des tableaux et autres pièces jointes. Dès leur réception, les données sont réaménagées en une structure relationnelle à l'aide de définitions et de formats normalisés. Les chercheurs de l'IRS peuvent maintenant consulter et analyser des centaines de millions et même des milliards d'enregistrements à la fois en utilisant une source centralisée de données précises et cohérentes, au lieu de devoir concilier des informations provenant de nombreuses sources incohérentes.

La mise en place de l'entrepôt CDW a grandement amélioré la capacité de l'IRS de gérer et d'utiliser les données recueillies. Il a ainsi permis au service de récupérer plusieurs milliards de dollars de recettes fiscales qui étaient perdus avec l'ancien système. En 2006, par exemple, l'IRS a recouvré 59,2 milliards de dollars de recettes additionnelles grâce à 1,4 million de vérifications de contribuables suspectés de ne pas avoir déclaré la totalité de leurs revenus.

La capacité de l'entrepôt CDW est passée de 3 téraoctets – au moment de sa création, à la fin des années 1990 –, à environ 150 téraoctets aujourd'hui. Cela permet aux utilisateurs de consulter les données en utilisant tout un éventail d'outils. Au début, l'entrepôt CDW était constitué des éléments suivants : Sybase Adaptive Server IQ (un logiciel de base de données relationnelle pour les entrepôts de données, appelé maintenant Sybase IQ), Sybase PowerBuilder (un outil permettant aux utilisateurs d'élaborer des applications pour leurs rapports et pour accéder au contenu de la base de données), Sybase Open Client (une interface entre les systèmes clients et les serveurs Sybase), l'application ODBC, une interface universelle de connexion aux bases de données, les serveurs Dual Sun Enterprise 6000 exécutant le logiciel d'exploitation Solaris 2.6 (la version de Sun du système Unix) et les matrices de disques EMC. L'entrepôt de données devait surtout être suffisamment grand pour contenir de multiples téraoctets de données, en plus d'offrir une accessibilité suffisante pour permettre la consultation de ces données à l'aide de nombreux outils différents. Et les composantes choisies par l'IRS permettent effectivement à l'entrepôt CDW de le faire.

La mise en œuvre de l'entrepôt CDW ne s'est toutefois pas faite sans difficulté. L'un des principaux problèmes était le manque d'uniformité dans le processus de conversion des données existantes au nouveau système. Comme les lois fiscales ont été modifiées de nombreuses fois au cours des années, la structure des données de l'IRS n'était pas uniforme d'une année à l'autre, ce qui compliquait leur intégration. De plus, la quantité de données que l'entrepôt CDW était destiné à gérer était beaucoup plus grande que tout ce que l'IRS avait eu à traiter auparavant. Il ne fut pas non plus facile de convaincre l'organisation d'entreprendre une mise à jour aussi radicale que la mise en place d'un entrepôt de données, car les services gouvernementaux sont habituellement peu enclins à courir des risques et ont plutôt tendance à résister au changement. De plus, la mise à jour des entrepôts de données exige des efforts et des fonds considérables.

En dépit de ces obstacles, l'installation a été un succès retentissant. En effet, l'IRS a déclaré que, peu de temps après la mise en place de l'entrepôt, le rendement du capital investi avait atteint 200 pour 1, alors que sa réalisation n'avait coûté que 2 millions de dollars. On peut attribuer l'essentiel des économies permises par l'entrepôt CDW à la rapidité et à la facilité avec lesquelles le système détecte les erreurs dans les déclarations de revenus. Grâce au CDW, les analystes sont en mesure de déterminer des constantes chez les groupes d'individus les plus susceptibles de fraude dans leurs déclarations de revenus, comme les couples divorcés où chacun des ex-conjoints déclare ses enfants dans sa déclaration au cours de la même année, les personnes qui abusent du crédit d'impôt sur le revenu ou des abris fiscaux consentis aux petites entreprises, ou encore les universitaires récemment diplômés qui, accablés par des prêts étudiants, peuvent retarder les versements de leurs impôts. L'entrepôt de données réduit le temps nécessaire pour déceler les erreurs dans les déclarations de revenus et permet

d'analyser les données de six à huit mois en quelques heures seulement.

Plus récemment, l'IRS a amélioré la façon dont il transporte les données à son entrepôt central. Au début, le service transportait ses données sur des bandes magnétiques qui pouvaient contenir jusqu'à 2 gigaoctets chacune. En 2006, celles-ci ont été remplacées par des serveurs de stockage en réseau NAS de 2 téraoctets qui, pour une taille comparable à celle d'une bande magnétique, peuvent contenir autant de données que 1500 bandes. De plus, ces dispositifs de stockage sont codés, ce qui assure la sécurité des données pendant le transport, alors qu'avec les bandes, les renseignements sur les contribuables étaient sans protection. On estime que ce changement a permis au service d'épargner

des millions de dollars sur une période de cinq ans.

Le nombre de vérifications réalisées par l'IRS indique que l'entrepôt CDW fonctionne bien et qu'il permet de détecter un nombre plus élevé de fraudes fiscales tout en réduisant le nombre de vérifications touchant des contribuables honnêtes. En 2006, le risque de faire l'objet d'une vérification a atteint 1 sur 140 contre 1 pour 377 en 2000. Les contribuables dont le revenu annuel s'élevait à 1 million de dollars ou plus en 2006 avaient ainsi 1 chance sur 11 de faire l'objet d'une vérification, contre 1 sur 20 en 2003. Et pourtant, l'IRS a été en mesure de réduire le nombre de vérifications exécutées à l'encontre de contribuables innocents ; le nombre accru de vérifications a donc surtout touché les fraudeurs.

Questions

1. Pourquoi est-ce que l'IRS avait autant de difficultés à analyser les données recueillies sur les contribuables ?

2. Quelles sont les difficultés que l'IRS a éprouvées dans de la mise en œuvre de son entrepôt CDW ? Quels sont les problèmes de gestion, d'organisation et de technologie qui ont dû être réglés ?

3. De quelle façon l'entrepôt CDW a-t-il amélioré la prise de décision ainsi que les opérations au service ? Les contribuables en profitent-ils ?

4. Croyez-vous que les entrepôts de données pourraient être utiles dans d'autres domaines du secteur fédéral ? Oui ou non ? Pourquoi et si oui, lesquels ?

Ateliers

1. Rendez-vous sur le site www.irs.gov et téléchargez le formulaire de déclaration de revenus 1040. Quels sont les champs de ce formulaire les plus susceptibles d'être stockés dans l'entrepôt CDW ?

2. Comment les chercheurs de l'IRS pourraient-ils utiliser ces données pour évaluer si une personne déclare des revenus inférieurs à ses revenus réels ?

nouvelles tendances, relations ou idées utiles pour orienter la prise de décision. Ces outils de consolidation, d'analyse et d'accès à de vastes quantités de données aident les utilisateurs à prendre de meilleures décisions d'affaires et sont souvent présentés sous le vocable d'**intelligence d'affaires**. Les principaux outils de l'intelligence d'affaires sont un logiciel pour consulter la base de données et établir des rapports et des outils pour l'analyse multidimensionnelle des données (traitement analytique en ligne) et le forage de données.

Quand on applique la notion d'intelligence aux êtres humains, on pense habituellement à la capacité des individus de combiner des connaissances acquises à une nouvelle information et de changer leur comportement de manière à remplir efficacement leur tâche ou à s'adapter à une nouvelle

situation. De même, l'intelligence d'affaires donne aux entreprises la capacité d'accumuler de l'information, d'acquérir des connaissances sur leurs clients, leurs concurrents et leurs opérations internes et de modifier leur comportement décisionnel pour atteindre une rentabilité supérieure et leurs autres objectifs commerciaux.

Par exemple, Harrah's Entertainment, la deuxième plus grandes entreprise de jeux des États-Unis, analyse sans cesse les données recueillies quand ses clients jouent dans ses appareils à sous ou fréquentent ses casinos et ses hôtels. Le service de marketing de l'entreprise se sert de ces renseignements pour élaborer un profil de jeu détaillé basé sur la valeur que représente un client particulier pour l'entreprise. Les gestionnaires se guident sur ces informations pour

FIGURE 6-14 LES COMPOSANTES D'UN ENTREPÔT DE DONNÉES

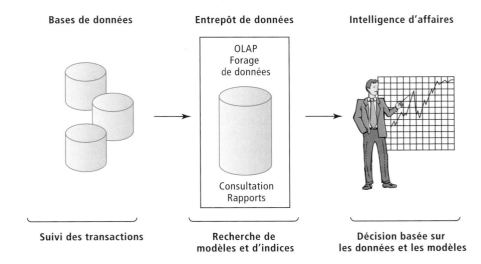

Une série d'outils d'analyse utilise les données stockées dans les bases de données pour trouver les modèles et les indices qui aideront les gestionnaires et les employés à prendre de meilleures décisions pour améliorer le rendement organisationnel.

prendre des décisions quant à la façon de traiter leurs clients les plus rentables, de les inciter à dépenser davantage et d'attirer d'autres clients susceptibles d'engendrer des revenus élevés. L'intelligence d'affaires a accru les profits d'Harrah's au point qu'elle est devenue le pivot de sa stratégie commerciale.

La figure 6-14 illustre le fonctionnement de l'intelligence d'affaires. Des bases de données opérationnelles suivent l'évolution des transactions générées par l'exploitation de l'entreprise et alimentent l'entrepôt de données. Les gestionnaires utilisent les outils de l'intelligence d'affaires pour trouver des constantes dans les données et comprendre leur signification. Ce qu'ils apprennent ainsi leur permet ensuite de prendre des décisions d'affaires mieux éclairées et plus intelligentes.

Dans cette section, nous présentons les technologies et les outils les plus importants de l'intelligence d'affaires. Vous trouverez au chapitre 12 plus de renseignements sur ses applications.

Le traitement analytique en ligne (OLAP)

Imaginons, par exemple, qu'une entreprise vende quatre produits – des écrous, des boulons, des rondelles et des vis – dans l'est, dans l'ouest et dans le centre du Québec et qu'elle veuille connaître les résultats des ventes par produit et par région et les comparer à ses prévisions. Il lui faudra effectuer une analyse exigeant une visualisation multidimensionnelle des données.

Pour obtenir ce genre d'informations, on a besoin du **traitement analytique en ligne (OLAP)**, un outil qui permet de créer des représentations multidimensionnelles des données contenues dans une base relationnelle. L'analyse multidimensionnelle permet en effet aux utilisateurs de représenter les mêmes données de différentes manières et sous différents angles. Chaque aspect de l'information – produit, prix, coût, région, période – représente une dimension différente. Ainsi,

un chef de produits pourrait utiliser un outil d'analyse multidimensionnelle pour savoir combien de rondelles l'entreprise a vendues dans l'Est au mois de juin et comparer ce chiffre à celui du mois précédent, puis à celui du mois de juin de l'année précédente, ainsi qu'aux prévisions.

La figure 6-15 présente un modèle multidimensionnel qu'on pourrait créer pour représenter les produits, les régions, les ventes et les prévisions. Une matrice des ventes

FIGURE 6-15

UN MODÈLE DE DONNÉES MULTIDIMENSIONNEL

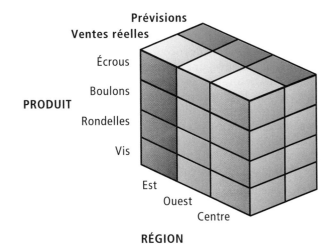

La face présentée est celle des produits selon la région. Si on fait pivoter le cube de 90° dans un sens, la face qu'on observera sera celle du produit par rapport aux ventes et aux prévisions de vente. Si on le fait tourner de 90° dans l'autre sens, on verra la région par rapport aux ventes et aux prévisions. On peut aussi obtenir d'autres représentations.

peut être disposée au-dessus d'une matrice des prévisions pour former un cube à six faces. Si on fait pivoter le cube de 90° dans un sens, la face qu'on observera sera celle du produit par rapport aux ventes et aux prévisions de vente. Si on le fait tourner de 90° dans un autre sens, on verra la région par rapport aux ventes et aux prévisions. Et si on lui imprime une rotation de 180° à partir de sa position initiale, on verra les prévisions de vente et le produit selon la région. On peut aussi intégrer des cubes à l'intérieur d'autres cubes pour construire des représentations complexes des données. Une entreprise peut utiliser pour cela soit une base de données multidimensionnelle spécialisée, soit un outil qui crée des vues multidimensionnelles des données d'une base relationnelle.

Le forage de données

Généralement, l'interrogation des bases de données permet d'obtenir des réponses à des questions telles que « combien d'unités du produit numéro 403 a-t-on livrées en février 2007 ? » Le traitement analytique en ligne ou l'analyse multidimensionnelle prend en charge des demandes d'informations beaucoup plus complexes, comme : « Comparez les ventes du produit 403 au plan établi par semestre et par région de vente pour les deux dernières années. » Dans le cas du traitement analytique en ligne et de l'analyse des données par interrogation, les utilisateurs doivent avoir une idée relativement précise de l'information qu'ils cherchent.

Le **forage de données** est plutôt axé sur la découverte. Il donne un aperçu des données d'entreprise qu'on ne peut obtenir par le traitement analytique en ligne en permettant de trouver des relations et des modèles dissimulés dans de grandes bases de données et en en tirant des règles pour prédire des comportements à venir. Ces modèles et ces règles peuvent ensuite servir à guider la prise de décision et à en prévoir l'effet. Parmi les types de renseignements qu'il est possible d'obtenir grâce au forage de données figurent les associations, les séquences, la classification, la segmentation et les prévisions.

- Les *associations* sont des occurrences liées à un seul événement. Par exemple, une étude des structures de consommation dans un supermarché peut révéler que, lorsqu'une personne achète des croustilles de maïs, elle achète aussi des boissons gazeuses dans 65 % des cas. Cependant, s'il y a une promotion, le consommateur en achète dans 85 % des cas. Au moyen de ces données, les gestionnaires peuvent prendre des décisions plus éclairées, car ils peuvent savoir si une promotion est rentable ou non.
- Les *séquences* sont des associations d'événements dans le temps. Par exemple, on peut découvrir que, si une personne achète une maison, elle achètera aussi un nouveau réfrigérateur au cours des deux semaines suivantes dans 65 % des cas, et un four au cours du mois suivant dans 45 % des cas.
- La *classification* permet de reconnaître les caractéristiques du groupe auquel appartient un élément en examinant les éléments déjà classifiés et en en tirant des règles. Par exemple, des entreprises comme les sociétés émettrices de cartes de crédit ou les compagnies de téléphone ont souvent peur de perdre les clients qui leur sont fidèles. La classification peut les aider à découvrir les caractéristiques des clients susceptibles de quitter l'entreprise et leur fournir un modèle permettant aux gestionnaires d'identifier les clients appartenant à cette catégorie et d'élaborer des campagnes spéciales visant à les retenir.

- La *segmentation* fonctionne de façon similaire à la classification, mais sans qu'aucun groupe ait préalablement été défini. Un outil de forage de données peut découvrir divers types de regroupement des données, comme des groupes d'affinités pour les cartes bancaires, ou une répartition des clients en fonction de leurs données démographiques et de leurs types de placements personnels.

- Bien que les applications qui précèdent impliquent des prédictions, la *prévision* fonctionne d'une manière différente. Elle s'appuie sur un ensemble de valeurs existantes pour en prévoir d'autres. La prévision permet par exemple de trouver dans les données des structures qui aideront les gestionnaires à estimer la valeur à venir de variables continues, comme le chiffre d'affaires.

Ces systèmes peuvent effectuer des analyses très pointues des structures de données ou des tendances. Ils peuvent également procéder à un forage en profondeur pour fournir une analyse plus détaillée. Il existe des applications de forage de données pour tous les domaines de l'entreprise, ainsi que pour le gouvernement et la recherche scientifique. On se sert souvent du forage de données pour obtenir des analyses détaillées des données sur les consommateurs en vue de concevoir des campagnes de marketing personnalisées ou pour connaître les clients les plus rentables.

Par exemple, Virgin Mobile Australia utilise un entrepôt de données et le forage de données pour accroître la fidélité de sa clientèle et introduire de nouveaux services. L'entrepôt de données intègre les données de son système d'entreprise, de son système de gestion de la relation client et de ses systèmes de facturation dans une gigantesque base de données. Le forage de données a permis aux gestionnaires de déterminer le profil démographique des nouveaux clients et de le relier aux appareils qu'ils ont achetés, de même que d'analyser la performance de chacun de leurs magasins et points de vente durant les campagnes de promotion et de connaître les réactions des clients aux nouveaux produits et services, le pourcentage de clients perdus et les revenus générés par chacun.

L'**analyse prévisionnelle** s'appuie sur des techniques de forage de données, les données historiques et des hypothèses sur l'évolution des conditions du marché pour prédire les résultats d'événements, telle la probabilité qu'un client réponde à une offre ou achète un produit précis. La division de l'entreprise The Body Shop International des États-Unis a utilisé l'analyse prévisionnelle avec les données provenant de son catalogue, du Web et de ses clients en magasin pour déterminer les personnes qui étaient les plus susceptibles de faire leurs achats par catalogue. Cette information a permis à l'entreprise de créer une liste d'envoi plus précise et mieux ciblée pour ses catalogues, ce qui a amélioré le taux de réponse et les revenus générés par les achats subséquents.

Le forage de texte et le forage du Web

Les outils d'intelligence d'affaires s'appliquent surtout aux données qui sont déjà structurées dans des bases de données et des fichiers. On pense toutefois que les données non structurées, la plupart se présentant sous la forme de fichiers textes, représentent plus de 80 % de l'information qui pourrait être utile à une entreprise. Les courriels, les notes de service, les transcriptions de centres d'appels, les réponses aux sondages, les actions en justice, les descriptions de brevets et les rapports de service constituent autant de sources précieuses pour trouver des modèles et des tendances qui permettront aux employés de prendre de meilleures décisions d'affaires. Des outils de **forage de texte** sont maintenant offerts pour aider les entreprises à analyser ces données. Ces outils sont en mesure d'extraire des éléments clés de grands ensembles de données non structurées, de découvrir des modèles et des relations et de résumer l'information. Des entreprises pourraient avoir recours au forage de texte pour analyser les transcriptions d'appels du centre de service à la clientèle afin de savoir quels sont les principaux problèmes de service et de réparation.

La société Air Products and Chemicals d'Allentown, en Pennsylvanie, a recours au forage de texte pour distinguer les documents qui nécessitent des procédures spéciales de conservation en vertu de la Loi Sarbanes-Oxley. La société compte plus de 9 téraoctets de données non structurées (en excluant les courriels). Le logiciel SmartDiscovery de Inxight Software classifie et organise ces données pour que l'entreprise puisse appliquer les règles de l'entreprise à toute une catégorie de documents plutôt qu'à chacun individuellement. Si on découvre qu'un document traite d'opérations couvertes par la Loi Sarbanes-Oxley, la société s'assurera qu'il respecte les dispositions de la loi sur la conservation des données.

Le Web est une autre source d'informations précieuses et on peut maintenant en extraire certaines pour trouver des modèles, des tendances et des indices relatifs au comportement des clients. La découverte et l'analyse de modèles et de renseignements provenant du Web constituent ce qu'on appelle le **forage du Web**. Les entreprises y ont recours pour les aider à comprendre le comportement des clients, pour évaluer l'efficacité de certains sites ou mesurer le succès d'une campagne de publicité. Par exemple, les publicitaires utilisent les services de recherche Google Trends, qui évaluent la popularité de diverses expressions utilisées pour les recherches dans Google, pour savoir ce qui intéresse les gens et ce qu'ils désirent acheter.

Le forage du Web permet de trouver des modèles dans les données par l'entremise du forage de contenu, de structure et d'utilisation. Le forage de contenu consiste à extraire les connaissances contenues dans les pages Web sous forme de données texte, image, audio ou vidéo. Le forage de structure examine les données associées à la structure d'un site Web particulier. Par exemple, les liens renvoyant à un document permettent d'en mesurer la notoriété et ceux qui en proviennent, la richesse ainsi que, le cas échéant, la variété des sujets qui y sont abordés. Le forage d'utilisation examine les données relatives aux interactions avec les utilisateurs que le serveur enregistre lors des demandes d'accès aux ressources d'un site Web. Les données d'utilisation enregistrent le comportement de l'utilisateur quand ce dernier surfe ou effectue des transactions sur le site Web et consignent les données dans un journal de serveur. En les analysant, l'entreprise peut déterminer la valeur de certains clients et l'efficacité des stratégies de marketing croisé et des campagnes promotionnelles.

Les bases de données et le Web

Avez-vous déjà essayé d'utiliser le Web pour passer une commande ou consulter un catalogue de produits ? Si c'est le cas, vous utilisiez probablement un site Web lié à la base de données interne d'une entreprise. De nombreuses entreprises ont maintenant recours au Web pour rendre accessible une partie de l'information de leurs bases de données internes aux clients et aux partenaires commerciaux.

Supposons, par exemple, qu'un client utilise un navigateur Web pour entrer dans la base de données d'un détaillant et faire une recherche de prix en ligne. La figure 6-16 montre comment les choses se passent : à l'aide d'un navigateur installé sur son ordinateur client, l'utilisateur accède au site Web du détaillant par l'entremise d'Internet. Le navigateur Web de l'utilisateur interroge ensuite la base de données en utilisant des commandes HTML pour communiquer avec le serveur Web.

Étant donné qu'un certain nombre de bases de données centrales ne peuvent interpréter les commandes écrites en HTML, le serveur Web transmet la requête à un logiciel spécial qui la traduit en langage SQL. Elle peut ainsi être traitée par le SGBD qui régit la base de données. Dans un environnement client-serveur, le SGBD est logé dans un ordinateur dédié, appelé **serveur de base de données**. Il reçoit les requêtes SQL et transmet les données demandées ; l'intergiciel transfère alors l'information contenue dans la base de données interne de l'organisation au serveur Web, lequel la livre ensuite à l'utilisateur sous forme de pages Web.

La figure 6-16 montre que l'intergiciel qui sert d'intermédiaire entre le serveur Web et le SGBD peut être un serveur d'applications installé sur son propre ordinateur dédié (chapitre 5). Le logiciel du serveur d'applications gère l'ensemble des opérations – y compris le traitement des transactions et l'accès aux données – entre des ordinateurs munis d'un navigateur et les applications et les bases de données centrales de l'entreprise. Le serveur d'applications reçoit les requêtes du serveur Web, les traite en utilisant la logique d'applications, puis fait le lien avec les systèmes ou les bases de données centrales de l'organisation. Le logiciel qui exécute ces opérations peut également se présenter sous la forme d'un programme personnalisé ou d'un script CGI. La Common Gateway Interface (CGI) est la spécification qui

FIGURE 6-16   LA LIAISON ENTRE UNE BASE DE DONNÉES INTERNE ET LE WEB

Les utilisateurs peuvent utiliser le Web pour accéder à la base de données interne d'une organisation à partir de leur ordinateur à l'aide d'un navigateur Web.

Client avec navigateur Web — Internet — Serveur Web — Serveur d'applications — Serveur de base de données — Base de données

sert au transfert d'information entre un serveur Web et le programme conçu pour recevoir et renvoyer des données. Divers langages de programmation permettent d'écrire un tel programme, notamment C, C++, Perl, Java et Visual Basic.

L'utilisation du Web pour accéder aux bases de données internes d'une organisation comporte plusieurs avantages. D'abord, un navigateur Web est beaucoup plus facile à utiliser que les outils d'interrogation de base de données les plus conviviaux. Ensuite, l'interface Web n'exige pratiquement aucun changement dans la base de données. Les entreprises peuvent ainsi récupérer les investissements qu'elles ont effectués dans leurs vieux systèmes, parce qu'il est beaucoup moins coûteux d'y ajouter une interface Web que de les modifier ou de les reconstruire pour en faciliter l'accès.

Le fait de pouvoir accéder aux bases de données des entreprises grâce au Web crée une foule de nouvelles possibilités en matière d'efficacité, d'économies et de modèles d'affaires. ThomasNet.com offre un répertoire en ligne régulièrement mis à jour de plus de 600 000 fournisseurs de produits industriels tels que les produits chimiques, les métaux, les plastiques, le caoutchouc et l'équipement automobile. L'entreprise (anciennement Thomas Register) envoyait auparavant ces renseignements dans d'énormes catalogues. Elle peut désormais le faire par l'entremise de son site Web, ce qui lui a permis d'alléger son fonctionnement.

D'autres entreprises ont pu mettre en place des activités entièrement nouvelles reposant sur l'accès à des bases de données volumineuses grâce au Web. L'une d'elles, le site de réseautage personnel MySpace, aide les utilisateurs à rester en contact ou à rencontrer de nouveaux amis. MySpace présente de la musique, des comédies, des vidéos et des «profils» grâce aux renseignements fournis par 175 millions d'utilisateurs sur leur âge, leur ville, leurs goûts en matière de rencontres, leur état civil et leurs champs d'intérêt. Pour héberger et gérer tout ce contenu, l'entreprise possède une volumineuse base de données. Et, compte tenu de la croissance très rapide du site, elle a dû effectuer une série de modifications à la technologie sous-jacente à celle-ci. La session interactive sur la technologie explore ce sujet. En lisant cette étude de cas, essayez de déterminer quels sont les problèmes que doit affronter MySpace et les solutions de rechange dont disposent ses cadres, ainsi que les problèmes de gestion, d'organisation et de technologie qu'il faudra régler pour les mettre en œuvre.

6.4 LA GESTION DES RESSOURCES EN DONNÉES

La mise en place d'une base de données n'est qu'un début. Pour s'assurer que ses données demeurent exactes, fiables et facilement accessibles à ceux qui en ont besoin, une entreprise doit instaurer des politiques et des procédures spéciales pour leur gestion.

L'instauration d'une politique en matière d'information

Toute entreprise, grande ou petite, a besoin d'une politique en matière d'information. Les données d'une entreprise sont une ressource importante, et on ne veut pas que les gens les utilisent comme bon leur semble. Il faut donc établir des règles sur la façon de les organiser et de les mettre à jour, ainsi que sur les personnes qui sont autorisées à les consulter ou à les modifier.

Une **politique en matière d'information** comprend les règles de partage, de distribution, d'acquisition, de normalisation, de classification et d'inventaire de l'information dans toute l'organisation. Elle détermine les procédures pertinentes et les responsabilités, en spécifiant les services qui doivent partager l'information et ceux dans lesquels elle sera distribuée. Elle désigne également la personne chargée de sa mise à jour et du maintien de son intégrité. Par exemple, une politique de l'information type pourrait établir que seuls certains membres sélectionnés du service de la paye et des ressources humaines auront le droit de changer ou de consulter des données confidentielles au sujet des employés, comme leur salaire ou leur numéro d'assurance sociale, et qu'il incombe à ces services de s'assurer que ces données sont exactes.

Dans une petite entreprise, la politique en matière d'information est généralement établie et mise en œuvre par les propriétaires ou les gestionnaires. Dans une grande entreprise, il est souvent nécessaire, pour assurer la gestion et la planification de l'information en tant que ressource de l'entreprise, de créer une fonction d'**administration des données** chargée d'élaborer les règles et les procédures particulières qui régiront la gestion des données en tant que ressource organisationnelle. Les responsabilités associées à cette fonction

LES BASES DE DONNÉES DE MYSPACE

MySpace.com, un site de réseautage personnel populaire, a connu l'une des plus fortes poussées de croissance dans l'histoire d'Internet. Lancé en novembre 2003, il comptait 175 millions de comptes d'utilisateurs en mai 2007. Pour satisfaire l'expansion rapide de son réseau d'utilisateurs, MySpace devait éviter les ratés technologiques qui auraient pu miner ses performances et frustrer sa clientèle en pleine expansion.

Les exigences techniques d'un site comme MySpace sont extrêmement différentes de celles d'autres sites Web très achalandés. En général, un petit nombre de personnes changent le contenu d'un site de nouvelles quelques fois par jour. Le site peut extraire des milliers de fichiers « pour lecture seulement » de sa base de données sous-jacente sans avoir à la mettre à jour. Sur MySpace, des dizaines de millions d'utilisateurs mettent sans cesse à jour leur contenu, ce qui entraîne un taux élevé d'interactions avec la base de données et nécessite des mises à jour constantes de la base de données sous-jacente. Chaque fois qu'un utilisateur consulte un profil sur MySpace, la page qui en résulte est reliée aux outils de consultation de la base de données qui organisent l'information provenant des nombreuses tables stockées dans de multiples bases de données hébergées sur plusieurs serveurs.

À ses débuts, MySpace fonctionnait avec deux serveurs Web en communication avec un serveur de base de données et une base de données Microsoft SQL Server. En raison de sa simplicité, cette configuration convient parfaitement aux sites de petite et moyenne taille. Mais à MySpace, l'installation montrait de plus en plus de signes de surcharge à mesure que s'ajoutaient de nouveaux comptes d'utilisateurs. Le site a d'abord réduit la charge en ajoutant des serveurs Web pour gérer le nombre accru de requêtes des utilisateurs. Mais

en 2004, le nombre de comptes d'utilisateurs ayant atteint 500 000, un seul serveur de base de données ne pouvait plus suffire à la tâche. Il est toutefois plus difficile d'ajouter des serveurs de bases de données que des serveurs Web, parce que les données doivent être réparties parmi les différentes bases sans qu'il y ait de perte sur le plan de l'accessibilité ou des performances. MySpace a mis en place trois bases de données SQL Server, dont l'une servait de base de données permanente et recevait toutes les nouvelles données, qu'elle recopiait ensuite dans les deux autres qui, elles, se concentraient sur l'extraction des données des requêtes des utilisateurs.

Quand le nombre de comptes d'utilisateurs de MySpace est passé à près de 2 millions, les serveurs de bases de données ont presque atteint leur capacité d'entrées-sorties, c'est-à-dire la vitesse à laquelle ils peuvent procéder à la lecture et à l'écriture des données. Cette situation a entraîné des retards dans les mises à jour du contenu du site. MySpace a donc opté pour un modèle de partition verticale, dans lequel des bases de données différentes prenaient en charge des fonctions distinctes du site Web, comme l'écran d'ouverture de session, les profils d'utilisateurs et les blogues.

Bien que distinctes, ces fonctions devaient cependant à l'occasion partager des données, et cette caractéristique est devenue problématique quand le site a atteint 3 millions de comptes d'utilisateurs. En outre, certaines fonctions du site sont devenues trop volumineuses pour être prises en charge par un seul serveur de base de données. Après avoir envisagé d'augmenter les capacités du système en investissant dans des serveurs plus puissants mais coûteux, MySpace a finalement choisi de répartir le volume de travail de la base de données entre plusieurs serveurs moins coûteux.

Cette solution, plus économique, d'une architecture répartie nécessitait néanmoins une nouvelle conception, dans laquelle tous les serveurs se combineraient pour travailler comme un seul ordinateur logique. Mais le volume de travail devait tout de même être réparti, ce qui fut fait en divisant les comptes d'utilisateurs en groupes d'un million et en plaçant toutes les données associées à chaque groupe dans un serveur SQL distinct.

Mais, malgré ces gains en matière d'efficacité, le volume de travail n'était pas réparti également, ce qui provoquait parfois une surcharge de la zone de stockage d'une base de données particulière. MySpace a tenté de corriger ce problème manuellement, mais c'était une tâche exigeante, qui entraînait une utilisation inefficace des ressources. MySpace a donc adopté une architecture de stockage virtuel, délaissant les disques dédiés à des applications spécifiques au profit d'un seul groupe d'unités de stockage accessible à toutes les applications. Dans cette configuration, les bases de données pouvaient inscrire des données sur n'importe quel disque disponible, ce qui supprimait tout risque de surcharge du disque dédié à une application particulière.

En 2005, l'entreprise a aussi renforcé son infrastructure en installant une couche de serveurs entre les serveurs de bases de données et les serveurs Web pour stocker et distribuer des copies d'objets-données souvent utilisés, afin que les serveurs Web du site n'aient plus à recourir aussi fréquemment aux outils de consultation pour interroger les bases de données.

En dépit de toutes ces mesures, MySpace est encore surchargé plus souvent que d'autres sites Web importants, et les utilisateurs ont exprimé leur mécontentement de ne pouvoir se connecter au site ou consulter certaines pages. Certains jours, la fréquence des erreurs de connexion atteint 20 à 40 %. L'activité dont le site fait l'objet défie encore les limitations de la technologie. Pour l'instant, sa croissance continue permet de penser que les utilisateurs sont prêts à tolérer l'affichage périodique de la mention « erreur inopinée », mais les développeurs de MySpace doivent continuer de remodeler la base de données du site ainsi que les logiciels et les systèmes de stockage pour suivre le rythme de sa croissance explosive : un travail qui semble ne pas avoir de fin.

Sources : Joel Martinez, « Deconstructing MySpace. com Part 1-Social Networking Database », www.com- munitymx.com, consulté le 24 septembre 2009 ; David F. Carr, « Inside MySpace.com », *Baseline Magazine*, 16 janvier 2007 ; Mark Brunelli, « Oracle Database 10g Powers Growing MySpace.com Competitor », Search-Oracle.com, 31 janvier 2007.

Questions

1. Quel type de bases de données et de serveurs de base de données MySpace utilise-t-il ?
2. Pourquoi la technologie des bases de données est-elle si importante pour une entreprise comme MySpace ?
3. Dans quelle mesure MySpace est-il efficace dans l'organisation et le stockage des données sur son site ?
4. Quels sont les problèmes de gestion de données qui ont surgi ? Comment MySpace a-t-il résolu ou tenté de résoudre ces problèmes ?

Ateliers

Visitez le site MySpace.com et examinez les caractéristiques et les outils qui ne sont pas réservés aux membres inscrits. Répondez ensuite aux questions suivantes :

1. Selon ce que vous pouvez voir sans vous inscrire, quelles sont les entités de la base de données de MySpace ?
2. Parmi ces entités, lesquelles ont des liens avec des membres individuels ?
3. Choisissez l'une de ces entités et décrivez ses attributs.

sont l'élaboration d'une politique en matière d'information, la planification des données, le contrôle du modèle logique de la base, l'élaboration du dictionnaire de données et la surveillance de leur utilisation par les spécialistes des systèmes d'information et les groupes d'utilisateurs finaux.

On utilise aussi le terme de **gouvernance des données** pour décrire plusieurs de ces activités. Encouragée par IBM, la gouvernance des données consiste à instaurer des politiques et des processus de gestion de l'accessibilité, de l'utilisation, de l'intégrité et de la sécurité des données employées au sein d'une entreprise, la prépondérance étant accordée à la confidentialité, à la sécurité, à la qualité des données et au respect de la réglementation.

Une grande entreprise devra aussi former, à l'intérieur de sa division des systèmes d'information, un groupe de conception et de gestion de base de données chargé de déterminer et de mettre en place la structure et le contenu de la base de données et d'en assurer l'entretien. En étroite collaboration avec les utilisateurs, ce groupe établit la base de données physique, les relations logiques entre ses éléments, les règles d'accès et les procédures de sécurité. La fonction qu'il remplit porte le nom d'**administration de la base de données**.

Le contrôle de la qualité des données

Une base de données bien conçue et une politique en matière d'information adéquate peuvent faire beaucoup pour qu'une entreprise obtienne l'information dont elle a besoin. Il lui faudra cependant prendre des mesures additionnelles pour s'assurer que les données contenues dans les bases de données organisationnelles sont exactes et demeurent fiables.

Qu'arriverait-il si le numéro de téléphone ou le solde du compte d'un client était erroné ? Et si la base de données vous avait donné un prix erroné pour l'article que vous venez de vendre ? Ou que vos systèmes de vente et d'inventaire affichaient des prix différents pour le même produit ? Les données inexactes, inopportunes ou incohérentes par rapport à d'autres sources d'information risquent d'engendrer de mauvaises décisions, des rappels de produits et des pertes financières. Comme le montre l'étude de cas présentée à la fin du présent chapitre, il se pourrait même que vous ayez à subir une surveillance ou une détention inutile à cause de données erronées dans les bases de données de la justice pénale et de la sécurité nationale.

Selon Forrester Research, 20 % des envois postaux et des livraisons de colis commerciaux aux États-Unis ont été retournés en raison d'une erreur de nom ou d'adresse. La société Gartner révèle que plus de 25 % des données cruciales contenues dans les bases de données des 1000 plus grandes entreprises selon le magazine Fortune, sont erronées ou incomplètes : mauvais codes ou mauvais noms de produit, descriptions de stocks fautives, données financières erronées, renseignements inexacts sur le fournisseur et données incorrectes sur les employés (Gartner, 2007).

Pensez à toutes les fois que vous avez reçu plusieurs exemplaires du même publipostage le même jour. La raison en est sans doute que votre nom apparaissait à plusieurs reprises dans une base de données. Il se peut qu'il ait été mal orthographié, que vous ayez utilisé l'initiale de votre second prénom une fois et pas l'autre, ou encore que l'information ait été initialement inscrite sur papier et n'ait pas été correctement enregistrée dans le système. Ce genre d'incohérences peut amener la base de données à vous traiter comme quelqu'un d'autre.

Si une base de données est bien conçue et que des normes de données sont établies à l'échelle de l'entreprise, il devrait y avoir moins de doublons ou de données incohérentes. La plupart des problèmes liés à la qualité des données surviennent toutefois au moment de leur saisie: noms mal orthographiés, nombres intervertis, codes inexacts ou manquants. Et l'incidence de ces erreurs augmente au fur et à mesure que les entreprises transfèrent leurs activités sur le Web, où les clients et les fournisseurs peuvent entrer eux-mêmes des données dans le site, lequel met ensuite automatiquement à jour les systèmes internes.

Avant de créer une nouvelle base de données, les organisations doivent commencer par repérer et corriger les données erronées. Elles doivent également établir de meilleurs programmes pour corriger les données de la base une fois qu'elle sera entrée en fonction. L'analyse de la qualité des données commence souvent par un **audit de la qualité des données**, c'est-à-dire un examen systématique de leur exactitude et de leur exhaustivité dans un système d'information. On peut procéder à un audit de la qualité des données en examinant tous les fichiers de données, en prenant des échantillons de celles-ci ou encore en demandant aux utilisateurs finaux ce qu'ils en pensent.

Le **nettoyage des données** consiste à détecter et à corriger, dans une base de données ou dans un fichier, les données incorrectes, incomplètes, mal formatées ou redondantes. Ce nettoyage permet non seulement de corriger les erreurs, mais également d'augmenter la cohérence entre les différents ensembles de données qui proviennent de systèmes d'information distincts. Les logiciels spécialisés dans le nettoyage de données peuvent examiner automatiquement les fichiers, corriger les erreurs de données et intégrer celles-ci dans un format cohérent à l'échelle de l'entreprise.

Projets concrets en **SIG**

Décisions de gestion

1. Emerson Process Management, fournisseur mondial d'instruments et de services de mesure, d'analyse et de contrôle situé à Austin, au Texas, avait un nouvel entrepôt de données conçu pour analyser les activités des clients dans le but d'améliorer le service et le marketing affaibli par une foule de données erronées ou redondantes. Les données de l'entrepôt provenaient des nombreux systèmes de traitement des transactions en Europe, en Asie et dans d'autres régions du monde. L'équipe responsable de la conception de l'entrepôt a présumé que les groupes des ventes de toutes ces régions entreraient les noms et adresses des clients de la même façon, quel que soit leur pays. En réalité, la combinaison des différences culturelles et des problèmes posés par l'intégration des entreprises acquises par Emerson a engendré plusieurs façons d'enregistrer les devis, la facturation, la livraison et d'autres données. Évaluez les répercussions commerciales éventuelles de ces problèmes de qualité des données. Quelles mesures devront être prises pour trouver une solution?

2. Votre entreprise de fournitures industrielles désire créer un entrepôt de données qui permettra aux gestionnaires d'obtenir une vision unifiée à l'échelle de l'entreprise des renseignements nécessaires sur les ventes pour identifier les produits qui se vendent le mieux dans un secteur géographique donné, les clients clés et les tendances. Les renseignements sur les ventes et sur les produits sont stockés dans plusieurs systèmes différents: le système des ventes du service des pièces mécaniques (sur serveur UNIX) et le système des ventes de l'entreprise (sur un ordinateur central IBM). Vous aimeriez créer un seul format normalisé qui regroupe les données de ces deux systèmes. Le format suivant a été proposé:

NOM_PRODUIT	DESCRIPTION _PRODUIT	COÛT_UNITAIRE	UNITÉS_VENDUES	RÉGION_VENTES	SERVICE	NOM_CLIENT

Voici les modèles de fichiers des deux systèmes qui fourniraient des données à l'entrepôt de données:

SYSTÈME DES VENTES DE L'ENTREPRISE

NOM_PRODUIT	DESCRIPTION_PRODUIT	COÛT_UNITÉ	UNITÉS_VENDUES	TERRITOIRE_VENTES	DIVISION
60231	Coussinet, 4 po	5,28	900 245	Nord-Est	Pièces
85773	Assemblage en acier inoxydable	12,45	992 111	Centre-Ouest	Pièces

SYSTÈME DES VENTES DU SERVICE DE PIÈCES MÉCANIQUES

NUMÉRO_PRODUIT	DESCRIPTION_PRODUIT	COÛT_UNITÉ	UNITÉS_VENDUES	RÉGION_VENTES	NOM_CLIENT
60231	Coussinet en acier de 4 po	5,28	900 245	N-E	Angers
85773	Assemblage en acier inoxydable	12,45	992 111	C-O	Industries St-Raymond

- Quels sont les problèmes de gestion liés au fait que ces données n'apparaissent pas dans un même format normalisé?
- Serait-il facile de créer une base de données dans un seul format normalisé, où on pourrait stocker les données des deux systèmes? Dans quelle mesure? Énumérez les problèmes qui devront être résolus.
- Les problèmes devraient-ils être réglés par des spécialistes des bases de données ou par les gestionnaires de l'entreprise? Expliquez votre réponse.
- Qui devrait avoir la responsabilité de la mise au point finale du format normalisé qui sera utilisé dans toute l'entreprise pour enregistrer cette information dans l'entrepôt de données?

Améliorer le processus décisionnel

Rechercher des ressources étrangères dans les bases de données en ligne

Compétences en logiciels: savoir consulter des bases de données en ligne
Compétences en affaires: savoir rechercher des services pour des activités à l'étranger

Les utilisateurs d'Internet ont accès sur le Web à plusieurs milliers de bases de données contenant des renseignements sur des services et des produits offerts dans des régions lointaines. Ce projet développe les compétences de recherche dans ces bases de données en ligne.

Votre entreprise est située à Sherbrooke, au Québec, et fabrique divers types de mobilier de bureau. Vous avez récemment acquis plusieurs nouveaux clients en Australie et commandé une étude qui vous a révélé que vous pourriez augmenter considérablement vos ventes si votre entreprise était présente dans ce pays. Cette étude souligne aussi que vous pourriez encore améliorer vos résultats si vous fabriquiez un certain nombre de vos produits localement (en Australie). Vous devez d'abord ouvrir un bureau à Melbourne pour vous faire connaître, puis commencer à importer des produits du Canada. Vous pourrez ensuite envisager de les produire à l'échelle locale.

Bientôt, vous visiterez le pays pour organiser la mise en place de bureaux et vous voudriez rencontrer des organisations qui peuvent vous aider dans vos projets. Vous aurez besoin de personnes ou d'organisations qui offrent les nombreux services nécessaires à l'ouverture de votre bureau, notamment des avocats, des comptables, des spécialistes de l'import-export et des télécommunications (équipement et soutien), et même des formateurs pour vous aider à préparer vos futurs employés.

Commencez par chercher des conseils auprès du site EDC Canada et du Department of Commerce des États-Unis sur le commerce avec l'Australie. Puis essayez les bases de données en ligne suivantes pour trouver les entreprises que vous pourriez rencontrer pendant votre séjour : Australian Business Register (abr.business.gov.au), Australia Trade Now (australiatradenow.com) et le Nationwide Business Directory d'Australie (www.nationwide.com.au). Vous pourriez aussi, le cas échéant, essayer des moteurs de recherche comme Yahoo! et Google. Exécutez ensuite les activités suivantes :

- Énumérez les entreprises que vous voulez contacter pendant votre séjour pour déterminer si elles peuvent vous aider dans ces domaines ou dans d'autres domaines que vous jugez cruciaux pour la mise en place de votre bureau.
- Évaluez les bases de données que vous avez utilisées en fonction de l'exactitude des noms, de l'exhaustivité des renseignements qu'elles vous ont fournis, de leur facilité d'utilisation et de leur utilité générale.
- Que concluez-vous de cet exercice au sujet de la conception des bases de données ?

▷ RÉSUMÉ

1. Quels problèmes pose la gestion des ressources en données dans un cadre traditionnel d'exploitation des fichiers, et de quelle façon un système de gestion de base de données peut-il les résoudre ?

Le cadre traditionnel d'exploitation des fichiers complique le suivi systématique des données utilisées et leur organisation en un ensemble accessible. Chaque secteur fonctionnel et chaque groupe pouvaient élaborer leurs propres systèmes. Avec le temps, ce cadre traditionnel d'exploitation créait des problèmes de redondance et d'incohérence des données, d'interdépendance entre les données et les programmes, ainsi que des problèmes de souplesse, de sécurité, de partage et d'accessibilité. Un système de gestion de base de données (SGBD) règle ces problèmes à l'aide d'un logiciel qui permet de centraliser et de gérer efficacement les données et offre ainsi à l'entreprise une source unique et cohérente pour ses besoins en données. L'utilisation d'un SGBD réduit la quantité de fichiers redondants ou incohérents.

2. Quelles sont les principales fonctionnalités des systèmes de gestion de base de données (SGBD) et pourquoi un SGBD relationnel est-il si puissant ?

Les principales fonctionnalités d'un SGDB sont un langage de définition des données, un dictionnaire de données et un langage de manipulation des données. Le langage de définition des données définit la structure et le contenu de la base. Le dictionnaire de données est un fichier automatisé ou manuel dans lequel on stocke l'information sur les données contenues dans la base, notamment les noms, les définitions, les formats et les descriptions des éléments de données. Un langage de manipulation des données SQL est un langage spécialisé qui permet d'avoir accès aux données de la base et de les manipuler.

Le recours à une base de données relationnelle est aujourd'hui la principale méthode utilisée pour organiser et mettre à jour les données d'un système d'information, parce que bases de ce type sont très flexibles et faciles d'accès. Les données y sont organisées dans des tables bidimensionnelles décrivant des relations et comportant des lignes et des colonnes. Chaque table contient des données au sujet d'une entité et de ses attributs. Chaque ligne représente un enregistrement et chaque colonne, un attribut ou un champ. Chaque table contient également un champ clé qui caractérise chaque enregistrement lorsqu'on l'extrait ou qu'on le manipule. Pourvu qu'elles aient un élément de données commun, il est facile de combiner les tables des bases de données relationnelles pour fournir les données demandées par un utilisateur.

3. Nommez quelques principes importants pour la conception d'une base de données.

La conception d'une base de données repose sur un modèle logique et un modèle physique. Le modèle logique présente la base de données du point de vue de ses fonctions. Il doit refléter les processus d'affaires et répondre aux besoins de l'organisation en matière de prise de décision. Le processus qui consiste à créer de petites structures stables, flexibles et adaptatives à partir de groupes de données complexes lors de la création d'une base de données relationnelle est appelé normalisation. On peut également envisager de répartir tout ou partie des données entre plusieurs emplacements, afin d'en accroître la souplesse et d'en réduire la vulnérabilité et les coûts. Il existe deux types de bases de données de ce genre : les bases de données copiées et les bases de données réparties.

4. Quels sont les principaux outils et les principales technologies d'accès à l'information des bases de données qui permettent d'améliorer le rendement de l'entreprise et la prise de décision?

Il existe des outils permettant d'analyser l'information contenue dans les bases de données et de profiter des ressources en information du Web. L'analyse de données multidimensionnelle, aussi appelée traitement analytique en ligne, permet de représenter les relations entre les données à l'aide de représentations multidimensionnelles qu'il est possible d'observer sous la forme de cubes de données (simples ou emboîtés les uns dans les autres pour effectuer des analyses plus poussées). Les entrepôts de données facilitent l'analyse des données en permettant de récupérer les données actuelles et historiques provenant de plusieurs systèmes opérationnels différents et de les rassembler en vue de prendre des décisions d'affaires. Le forage de données permet d'analyser de grandes quantités de données, dont le contenu des entrepôts, dans le but de dégager des tendances et des règles qui permettent de prédire les comportements à venir et de guider les prises de décision. On peut aussi relier des bases de données conventionnelles au Web ou à une interface Web par l'intermédiaire d'un intergiciel pour que les utilisateurs puissent accéder aux données internes d'une organisation.

5. Pourquoi la politique en matière d'information, l'administration des données et la qualité des données sont-elles essentielles dans la gestion des ressources en données de l'entreprise?

Créer le cadre d'exploitation d'une base de données nécessite l'instauration au sein de l'organisation de politiques et de procédures de gestion des données, ainsi que d'un bon modèle de données et d'une technologie de base de données. Une politique formelle en matière d'information doit régir l'entretien, la répartition et l'utilisation de l'information. Dans les grandes entreprises, il incombe à l'administrateur de données de concevoir une telle politique, ainsi que la planification des données et la création du dictionnaire de données. Il doit aussi surveiller l'utilisation des données au sein de l'entreprise.

Les données inexactes, inopportunes ou incohérentes peuvent occasionner de sérieux problèmes opérationnels et financiers dans une entreprise, parce qu'elles provoquent des erreurs sur les prix, les comptes clients et l'inventaire et conduisent à prendre de mauvaises décisions. Les entreprises doivent adopter des mesures spéciales pour s'assurer d'avoir des données de grande qualité. Parmi celles-ci, mentionnons l'utilisation de normes de données uniformes à l'échelle de l'entreprise et de bases de données conçues pour réduire l'incohérence et la redondance des données, l'instauration d'audits sur la qualité des données et le recours à un logiciel de nettoyage.

MOTS CLÉS

1. **Quels problèmes pose la gestion des ressources en données dans un cadre traditionnel d'exploitation des fichiers, et de quelle façon un système de gestion de base de données peut-il les résoudre?**

   - Énumérez et décrivez les composantes de la hiérarchie des données.
   - Expliquez la signification des termes «entité», «attribut» et «champ clé».
   - Énumérez et décrivez les problèmes que pose un cadre traditionnel d'exploitation des fichiers.
   - Définissez les notions de base de données et de système de gestion de base de données et indiquez comment ces dispositifs peuvent résoudre les problèmes inhérents au cadre traditionnel d'exploitation des fichiers.

2. **Quelles sont les principales fonctionnalités des systèmes de gestion de base de données (SGBD) et pourquoi un SGBD relationnel est-il si puissant?**

   - Nommez et décrivez brièvement les fonctionnalités d'un SGBD.
   - Définissez un SGBD relationnel et expliquez de quelle manière il organise les données.
   - Énumérez et décrivez les trois opérations d'un SGBD relationnel.

3. **Nommez quelques principes importants pour la conception d'une base de données.**

   - Définissez la normalisation et l'intégrité référentielle et précisez le rôle qu'elles jouent dans une base de données relationnelle bien conçue.

   - Définissez une base de données répartie et décrivez les deux principales méthodes de répartition des données.

4. **Quels sont les principaux outils et les principales technologies d'accès à l'information des bases de données qui permettent d'améliorer le rendement de l'entreprise et la prise de décision?**

   - Définissez un entrepôt de données et expliquez quels en sont les avantages pour une organisation.
   - Définissez l'intelligence d'affaires et expliquez quelle est sa relation avec la technologie des bases de données.
   - Décrivez les fonctionnalités du traitement analytique en ligne (OLAP).
   - Définissez le forage de données, expliquez en quoi il diffère du traitement analytique en ligne et énumérez les types d'informations qu'il fournit.
   - Expliquez en quoi le forage de texte et le forage du Web se distinguent du forage de données traditionnel.
   - Décrivez de quelle façon les utilisateurs peuvent accéder, par l'intermédiaire du Web, aux bases de données internes d'une entreprise.

5. **Pourquoi la politique en matière d'information, l'administration des données et la qualité des données sont-elles essentielles dans la gestion des ressources en données de l'entreprise?**

   - Décrivez le rôle que joue la politique en matière d'information et l'administration des données dans la gestion de l'information.
   - Expliquez pourquoi les audits de qualité des données et le nettoyage des données sont essentiels.

SUJETS DE DISCUSSION

1. **On a déjà dit qu'il n'était pas nécessaire d'utiliser un logiciel de gestion de base de données pour créer un cadre d'exploitation de base de données. Qu'en pensez-vous?**

2. **Dans quelle mesure les utilisateurs finaux devraient-ils participer à la conception d'une base de données et au choix de son système de gestion?**

TRAVAIL D'ÉQUIPE: DÉTERMINER LES ENTITÉS ET LES ATTRIBUTS DANS UNE BASE DE DONNÉES EN LIGNE

Formez une équipe de trois ou quatre personnes. Choisissez une base de données en ligne à explorer, comme Virgin-Mega, iGo.com ou Internet Movie Database. Explorez chacun de ces sites Web pour voir quels renseignements vous pouvez y trouver. Énumérez ensuite les entités et les attributs dont l'entreprise exploitant le site Web doit effectuer le suivi dans ses bases de données. Faites un schéma des relations entre les entités que vous avez repérées. Dans la mesure du possible, utilisez Google Sites pour afficher des liens vers des pages Web, pour communiquer entre membres de l'équipe et vous répartir les tâches, pour confronter vos idées et pour travailler ensemble sur les documents du projet. Essayez d'utiliser Google Documents pour mettre au point une présentation de vos résultats destinée à la classe.

Les problèmes de la base de données de la liste de surveillance des terroristes

À la suite des attaques terroristes du 11 septembre, les critiques et les partisans des systèmes d'information utilisés par les milieux du renseignement se sont unis pour analyser ce qui n'avait pas marché et trouver des moyens d'éviter que cela ne se reproduise. Le FBI a mis sur pied un Terrorist Screening Center (TSC) pour organiser en une seule liste et normaliser les informations sur des terroristes présumés provenant des nombreux services gouvernementaux afin d'améliorer la communication entre les services. En réponse aux critiques selon lesquelles divers services possédaient des listes distinctes sans qu'il y ait de processus cohérent permettant de mettre les renseignements en commun, cette initiative a conduit en 2003 à la création de la liste de surveillance des terroristes, une base de données de terroristes présumés.

Les dossiers de la base de données du TSC contiennent des renseignements de nature délicate – mais non protégés – sur l'identité des présumés terroristes, comme leur nom et leur date de naissance, qui peuvent être communiqués à d'autres services de surveillance. (Les renseignements protégés concernant des individus figurant sur la liste sont conservés dans les bases de données d'autres services de police et de renseignement.) Les dossiers de la base de données de la liste de surveillance proviennent de deux sources : le National Counterterrorism Center (NCTC), dirigé par l'Office of the Director of National Intelligence, et qui fournit des renseignements signalétiques sur les individus ayant des liens avec le terrorisme international ; le FBI, qui fournit des renseignements sur ceux qui n'ont de liens qu'avec le terrorisme intérieur. Ces organismes recueillent et conservent des renseignements au sujet des terroristes et identifient les individus qui feront partie de la liste générale de surveillance du TSC. Ils sont tenus de suivre des procédures strictes, établies par la direction du service concerné et approu-

vées par le ministre de la Justice des États-Unis. Le personnel du TSC doit étudier chacun des dossiers soumis avant de l'ajouter à la base de données. L'individu figurera sur la liste de surveillance tant que le service ou l'organisme qui l'a désigné ne décidera pas qu'il doit en être retiré, ainsi que de sa base de données.

La base de données de la liste de surveillance est mise à jour quotidiennement par l'ajout de nouveaux noms, par des modifications aux dossiers existants et par des suppressions. Depuis sa création, la liste s'est enrichie de plus de 750 000 dossiers et elle continue de croître à un rythme annuel de 200 000 dossiers depuis 2004. Les renseignements qui y sont contenus sont transmis à un large éventail de systèmes d'organismes gouvernementaux, comme le FBI, la CIA, le National Security Agency (NSA), la Transportation Security Administration (TSA), le Department of Homeland Security (DHS), le ministère des Affaires étrangères (State Department), la U.S. Customs and Border Protection, les services secrets, le U.S. Marshals Service et la Maison Blanche, qui s'en servent pour découvrir et prévenir les mouvements de terroristes connus ou présumés. Les compagnies aériennes ont recours aux données fournies par le système TSA pour établir les listes d'exclusion aérienne et de personnes désignées qu'elles utilisent pour effectuer la sélection préalable des passagers, alors que le système de la U.S. Customs and Border Protection les utilise pour contrôler les voyageurs qui entrent sur le territoire des États-Unis. Le système du State Department contrôle les personnes qui demandent un visa d'entrée aux États-Unis et les résidents américains qui veulent obtenir un passeport, tandis que les services de police locaux et régionaux ont recours au système du FBI pour procéder à des arrestations et à des détentions, ainsi qu'à d'autres opérations de justice pénale.

Chacun de ces organismes reçoit le sous-ensemble des données figurant dans

la liste de surveillance qui se rapporte à sa mission spécifique. Par exemple, les dossiers de citoyens américains et de résidents permanents légitimes ne sont pas exportés dans le système du State Department pour le contrôle des demandeurs de visas puisqu'ils n'ont aucune raison de faire une demande de visa pour les États-Unis. Toutes ces bases de données ont besoin d'un minimum de données signalétiques ou biographiques pour pouvoir exporter des dossiers de la liste générale de surveillance.

Quand un individu effectue une réservation auprès d'une compagnie aérienne, se présente à un port d'entrée des États-Unis, fait une demande de visa pour les États-Unis, ou qu'il est arrêté par la police d'un État ou par la police locale sur le territoire des États-Unis, le service de surveillance de première ligne ou l'entreprise aérienne communique son nom pour qu'il soit comparé avec les enregistrements de la base de données de la liste de surveillance des terroristes. Si le système de comparaison informatisé décèle un risque d'adéquation entre le nom et un enregistrement, la compagnie ou le service doit vérifier toutes les possibilités de correspondance. En cas de disparité évidente, il pourra régler le problème, mais si l'adéquation est nettement positive ou que, sans l'être tout à fait, elle ne peut être totalement écartée (identification incertaine ou difficile à vérifier), elle doit être soumise au centre d'opérations ou de renseignements du service de surveillance et au TSC pour examen approfondi.

À son tour, le TSC vérifie ses bases de données et autres sources, notamment les bases de données protégées du NCTC et du FBI, pour vérifier si l'individu correspond ou non à un dossier de la liste de surveillance, ou encore si le rapprochement n'est pas concluant. Le TSC produit un rapport quotidien récapitulant toutes les correspondances effectives avec la liste de surveillance et le distribue aux différents services fédéraux.

Bien que l'unification des diverses listes de surveillance du terrorisme constitue un pas positif vers la rationalisation du processus de localisation et d'arrestation des terroristes, il s'agit d'une entreprise lente et fastidieuse qui nécessitait l'intégration d'au moins 12 bases de données différentes. Deux ans après la mise en œuvre du processus d'intégration, 10 de celles-ci l'ont été. Les deux bases de données restantes (l'Automatic Biometric Identification System de l'Immigration and Customs Department et l'Integrated Fingerprint Identification System du FBI) sont des bases de données d'empreintes digitales et ne sont donc pas en principe des listes de surveillance, mais il reste encore du travail à faire pour optimiser l'utilité de la liste.

La liste du TSC a engendré de nouveaux problèmes et suscité des questions quant au bien-fondé des systèmes d'information impliqués dans la conservation et l'utilisation de données relatives au terrorisme. Les rapports préparés par le Government Accountability Office (GAO) et le bureau de l'inspecteur général confirment que la liste contient des inexactitudes et que les politiques appliquées par les différents services gouvernementaux pour l'inclusion ou la suppression de noms sur la liste divergent.

La taille de la liste et les incidents très médiatisés touchant des personnes n'ayant manifestement aucun lien avec le terrorisme, mais qui figuraient sur la liste ont également soulevé les protestations du public.

Pour que la liste soit efficace contre le terrorisme, l'information au sujet du processus d'inclusion à celle-ci doit bien entendu être soigneusement protégée : si les algorithmes qui la sous-tendent étaient de notoriété publique, les terroristes pourraient éviter plus facilement la détection, ce qui irait à l'encontre de l'objectif visé. En revanche, dans le cas d'individus innocents qui subissent un préjudice inutile, il est frustrant de ne pouvoir vérifier comment ils ont abouti sur la liste. Compte tenu de la taille de la liste et de son rythme de croissance, l'une des critiques principales porte sur les critères d'inclusion, qui pourraient ne pas être assez restrictifs.

Bien que les critères spécifiques d'inclusion à la liste ne soient pas de notoriété publique, on sait que les services gouvernementaux alimentent leurs listes de surveillance en exécutant de vastes balayages des renseignements recueillis sur les voyageurs en s'appuyant sur de nombreuses variations et orthographes déviantes du nom des terroristes présumés. Cette opération entraîne souvent l'inclusion d'individus, appelés « faux positifs », qui ne devraient pas figurer sur les listes de surveillance. Il en résulte également que certaines personnes y figurent plusieurs fois selon la façon dont leur nom a été orthographié, si bien que les 750 000 « enregistrements » ne correspondent pas à 750 000 individus distincts. Des rapports révèlent que certains individus peuvent être inscrits jusqu'à 50 fois sur la liste en raison de leurs divers noms d'emprunt et des diverses façons dont les noms sont orthographiés. De décembre 2003 à mai 2007, on a associé 53 000 fois des individus aux listes de surveillance, nombre d'entre eux l'ayant été à plusieurs reprises.

Si ces critères de sélection peuvent être efficaces pour dépister autant de terroristes potentiels que possible, ils produisent aussi beaucoup plus d'inscriptions erronées sur la liste que si le processus exigeait des renseignements plus précis pour ajouter de nouveaux noms. Parmi les exemples notables de « faux positifs », mentionnons le marine américain Daniel Brown, qui a été arrêté à l'aéroport pour un examen plus approfondi après un séjour de huit mois en Irak, le sénateur Ted Kennedy, qui a été retardé à plusieurs reprises parce que son nom ressemble à un nom d'emprunt déjà utilisé par un terroriste présumé, et John Anderson, un garçon de six ans qui a été arrêté à l'aéroport pour faire l'objet d'une enquête additionnelle malgré son jeune âge. Comme le sénateur Kennedy, John a peut-être été ajouté à la liste parce que son nom est identique ou similaire à celui d'un terroriste présumé.

Ces incidents jettent un doute sur la qualité et l'exactitude des données de la liste générale de surveillance du TSC. En juin 2005, un rapport du bureau de l'inspecteur général du ministère de la Justice a révélé nombre de dossiers incohérents, de doublons et de dossiers comportant des champs de données manquantes ou dont les sources étaient imprécises. Même si le TSC a depuis accru ses efforts pour trouver et corriger les dossiers incomplets ou inexacts dans la liste de surveillance, l'inspecteur général a déclaré en septembre 2007 que la gestion de la liste de surveillance par le TSC laissait encore à désirer.

Les détracteurs de la liste s'interrogent sur la véritable utilité ou sur la signification d'une liste visant l'arrestation des terroristes qui pourrait bientôt dépasser le million d'entrées. L'American Civil Liberties Union (ACLU) a ouvertement critiqué la taille de la liste, en prétendant que, pour surveiller les allées et venues d'un groupe de suspects nettement moins nombreux, elle permet de harceler inutilement des milliers de gens et de violer leur droit à la vie privée. Le sénateur Joe Liberman, président du comité de la Sécurité intérieure, a pour sa part déclaré que « de sérieux obstacles demeurent pour que [la liste] soit aussi efficace que nous le voudrions. Certains problèmes découlent de sa croissance rapide, qui pourrait remettre en question la qualité de la liste elle-même. »

Entre une liste qui suit chaque terroriste potentiel au prix de la surveillance inutile de quelques innocents et une liste qui laisserait un grand nombre de terroristes échapper à la surveillance afin d'éviter la surveillance d'innocents, beaucoup de gens choisiraient la première solution en dépit de ses inconvénients. Mais ce qui rend la situation encore plus difficile pour ceux qui subissent déjà le préjudice d'une inclusion injustifiée dans la liste, c'est qu'ils ne disposent à l'heure actuelle d'aucun processus de recours simple et rapide pour en faire retirer leur nom.

Les demandes de retrait de la liste de surveillance continuent de s'accumuler : on en a enregistré plus de 24 000 (environ 2000 par mois), et seules 54 % d'entre elles sont réglées. En 2008, il fallait en moyenne 40 jours pour traiter une demande. C'était légèrement mieux qu'en novembre 2007 (44 jours), mais ce n'est pas assez rapide pour suivre le rythme du nombre de demandes de suppression qui arrivent. Il n'est donc pas facile pour les voyageurs respectueux de la loi qui figurent inexplicablement sur la liste de surveillance d'en être retirés.

En février 2007, le DHS a instauré le Traveler Redress Inquiry Program (TRIP) pour aider les gens qui ont été ajoutés par erreur aux listes de surveillance des terroristes présumés à s'en faire retirer et à éviter d'autres vérifications et interrogatoires. Mais la mère de John Anderson a affirmé que malgré tous ses efforts, elle n'avait pas réussi à faire retirer le nom de son fils des listes de surveillance. Et on dit que le sénateur Kennedy n'a pu le faire qu'en s'adressant à Tom Ridge, alors directeur du DHS.

Les responsables de la sécurité déclarent que des erreurs comme celle qui a permis l'inclusion d'Anderson et de Kennedy sur la liste d'exclusion aérienne et les listes générales de surveillance proviennent de la mauvaise qualité des données des systèmes de réservation des lignes aériennes et de celles des listes de surveillance avec lesquelles on les compare. De nombreuses compagnies aériennes n'incluent ni le sexe, ni second prénom ni la date de naissance dans leurs dossiers de réservation, ce qui augmente le risque de fausse adéquation. Même si les organismes gouvernementaux ont été en mesure d'unifier leurs données en une seule liste, il reste donc beaucoup de travail à accomplir pour la rendre compatible avec celles des lignes aériennes, des États et d'autres localités qui utilisent plus de renseignements pour différencier les individus. Le TSA continue de mettre à jour son processus d'examen de façon que le gouvernement – et non les lignes aériennes – soit en mesure de comparer les listes de voyageurs aux listes de surveillance.

Une autre préoccupation suscitée par la liste de surveillance est celle de la protection de la vie privée. Pour améliorer le dépistage et réduire le nombre de gens qui font l'objet à tort d'une enquête additionnelle, il faudrait utiliser un système plus sophistiqué inté-grant plus de données personnelles au sujet des individus figurant sur la liste. Le TSA développe présentement un tel système, appelé «Secure Flight», mais il a été sans cesse retardé à cause des problèmes de confidentialité posés par la nature délicate des données qui seraient recueillies et par leur sécurité. D'autres programmes et listes de surveillance semblables, comme les tentatives du NSA de recueillir des renseignements au sujet des terroristes présumés, ont également soulevé des critiques à cet égard.

De plus, la liste de surveillance s'est attirée des critiques parce qu'elle pourrait promouvoir la discrimination et le profilage racial. Certaines personnes prétendent qu'elles ont été incluses dans la liste en vertu de leur race ou de leur origine ethnique, comme David Fathi, un avocat de l'ACLU d'origine iranienne, et Asif Iqbal, un citoyen étatsunien d'origine pakistanaise ayant le même nom qu'un détenu de Guantanamo. Des détracteurs virulents de la politique étrangère des États-Unis, comme certains représentants élus et professeurs d'université, se sont aussi retrouvés sur la liste.

Un rapport de l'inspecteur général du ministère de la Justice, Glenn A. Fine, paru en mars 2008, et des rapports du GAO révèlent également que le FBI n'avait pas de procédures normalisées et cohérentes pour désigner les individus à ajouter à la liste, y apporter des modifications et les transmettre à d'autres organismes gouvernementaux. Il est ainsi arrivé que le FBI retarde l'ajout de nouveaux renseignements à la liste ou le retrait d'individus qui n'étaient plus considérés comme une menace. Par ailleurs, les inscriptions de ses bureaux locaux étaient parfois erronées ou incomplètes. Ceux-ci soumettaient en effet des noms de gens qui ne faisaient pas l'objet d'une enquête en matière de terrorisme directement au NCTC, passant outre à l'obligation de les faire examiner par le quartier général, ce qui aurait pu éviter des erreurs. Les responsables du FBI affirment que le bureau a apporté des améliorations et exige désormais des superviseurs des bureaux locaux qu'ils revoient les inscriptions sur la liste de surveillance pour s'assurer qu'elles sont exactes et complètes.

Plusieurs organismes non affiliés au FBI, dont la Drug Enforcement Administration et le Bureau of Alcool, Tobacco, Firearms, and Explosives (ATF), affirment qu'ils ne se sentent pas concernés par la cueillette de renseignements pour la liste de surveillance ou qu'ils sont en désaccord avec le FBI sur ce qui constitue l'activité terroriste. De nombreux bureaux du ministère de la Justice obtiennent des renseignements associés au terrorisme qui pourraient permettre au FBI d'alimenter sa liste de surveillance, mais ils ne lui transmettent ces informations que d'une manière informelle – voire pas du tout. Une meilleure coordination entre le FBI et les autres services de renseignement pourrait améliorer considérablement la qualité et l'efficacité de la liste de surveillance des terroristes.

Le TSC prend actuellement des mesures pour améliorer les données de la liste et les procédures permettant de les gérer. Le plus tôt serait le mieux, car on s'est aperçu, au début de 2008, que 20 terroristes connus n'étaient pas correctement inscrits sur la liste générale de surveillance – sans qu'on puisse savoir s'ils ont pu entrer aux États-Unis en raison de cette défaillance.

Sources: Bob Egelko, «Watch-list Name Confusion Causes Hardship», *San Francisco Chronicle*, 20 mars 2008; Siobhan Gorman, «NSA's Domestic Spying Grows as Agency Sweeps Up Data», *Wall Street Journal*, 10 mars 2008; Ellen Nakashima, «Reports Cite Lack of Uniform Policy for Terrorist Watch List», *Washington Post*, 18 mars 2008; Scott McCartney, «When Your Name is Mud at the Airport», *Wall Street Journal*, 29 janvier 2008; Audrey Hudson, «Airport Watch List Now Reviewed Often», *Washington Times*, 11 avril 2008; Mimi Hall, «15,000 Want Off the U.S. Terror Watch List», *USA Today*, 8 novembre 2007, et «Terror Watch List Swells to More Than 755,000», *USA Today*, 23 octobre 2007; «Justice Department Report Tells of Flaws in Terrorist Watch List», CNN.com, 7 septembre 2007; Burt Helm, «The Terror Watch List's Tangle», Businessweek.com, 11 mai 2005; Paul Rosenzweig et Jeff Jonas, «Correcting False Positives: Redress and the Watch List Conundrum», The Heritage Foundation, 17 juin 2005.

QUESTIONS

1. Quels concepts abordés dans le présent chapitre cette étude de cas illustre-t-elle?

2. Pourquoi a-t-on créé la liste générale de surveillance des terroristes? Quels en sont les avantages?

3. Décrivez quelques-unes des faiblesses de la liste de surveillance.

   Quels sont les facteurs qui en sont responsables dans la gestion, dans l'organisation et dans la technologie?

4. Si vous étiez responsable de la gestion de la base de données de la liste de surveillance, quelles mesures adopteriez-vous pour corriger certaines de ces faiblesses?

5. Croyez-vous que la liste de surveillance représente une menace importante pour le droit à la vie privée ou les droits des individus? Oui ou non? Pourquoi?

Les télécommunications, Internet et la technologie sans fil

▶ OBJECTIFS D'APPRENTISSAGE

Après avoir étudié ce chapitre, vous pourrez répondre aux questions suivantes :

1. Quelles sont les principales composantes des réseaux de télécommunication et les plus importantes technologies de réseautage ?
2. Quels sont les principaux supports de transmission et types de réseaux ?
3. Comment Internet et sa technologie fonctionnent-ils et de quelle façon prennent-ils en charge les communications et le commerce électronique ?
4. Quelles sont les principales technologies et normes de réseautage, de communication et d'accès à Internet sans fil ?
5. Pourquoi l'identification par radiofréquence (RFID) et les réseaux de capteurs sans fil sont-ils importants pour les entreprises ?

SOMMAIRE

VIRGIN MEGASTORE RESTE BIEN EN SELLE GRÂCE À LA MESSAGERIE UNIFIÉE

Avez-vous déjà visité un magasin Virgin Megastore? À l'intérieur, vous trouverez une foule de présentoirs remplis de CD, de DVD, de livres, de jeux vidéo et de vêtements, sans compter les vidéos qui défilent sur des écrans suspendus. Vous pourrez utiliser les postes d'écoute Virgin Vault pour écouter de la musique et visionner des vidéos ou des jeux. Et vous pourriez même voir un « DJ » installé dans une cabine surplombant la surface de vente, en train de faire tourner les plus récents succès ou les pièces d'un artiste inconnu. Les magasins Virgin sont très axés sur la technologie et les médias.

Ces magasins constituent une réponse soigneusement orchestrée face à un environnement très compétitif. L'entreprise étant en concurrence avec de grandes surfaces comme Wal-Mart et des services de téléchargement de musique en ligne, elle doit être en mesure de réagir immédiatement à l'évolution des ventes et de rationaliser son fonctionnement pour garder ses prix bas. Comme la moitié des ventes totales d'un nouveau CD ou d'un nouveau DVD peut se faire dans les deux premières semaines suivant sa sortie, il suffit qu'il y en ait trop ou trop peu à un moment donné pour entraîner des pertes importantes. Et, même si l'entrepôt des données d'inventaire de Virgin Megastores (qui fonctionne avec le logiciel de base de données Microsoft SQL Server) permet de connaître à la minute près l'état des ventes et le niveau des stocks, la réaction à un changement rapide de l'approvisionnement et de la demande nécessite des communications humaines.

Virgin Megastores USA compte 1400 employés répartis dans 11 magasins sur le territoire des États-Unis. Son siège social, situé à Los Angeles, communique avec ses magasins par l'entremise de la messagerie vocale, du courrier électronique et de conférences téléphoniques hebdomadaires, lesquelles permettent de discuter des promotions et des événements à venir, des problèmes de stocks et de l'évolution des ventes. En raison de leurs coûts élevés, beaucoup de gens se sont détournés des conférences téléphoniques au profit de moyens de communication moins coûteux, comme l'envoi de courriels en série. Mais les destinataires de ces messages n'y répondent pas forcément tout de suite.

Pour accélérer l'interaction, Virgin Megastore a choisi une technologie unifiée qui réunit la messagerie vocale, le courrier électronique, les conférences téléphoniques et la messagerie instantanée pour créer un environnement de travail naturel et homogène. À l'automne 2007, l'entreprise a déployé les outils de communication et de collaboration Microsoft Office Communication Server, Office Communicator et RoundTable. Cette technologie offre des fonctionnalités d'indicateur de présence qui permettent aux employés de savoir si les autres sont disponibles ou à quoi ils sont occupés (par exemple, si la personne est déjà au téléphone, participe à une conférence Web ou travaille à distance), grâce au logiciel de productivité dont ils se servent dans leur travail. Les utilisateurs peuvent voir les personnes avec lesquelles ils travaillent dans une fenêtre d'Office Communicator et il leur est aussi facile de changer de type de messagerie que de décrocher un téléphone.

Les appels intégrant l'audio et la vidéo permettent aux employés de résoudre plus rapidement les problèmes. L'entreprise économise annuellement 50 000 $ de frais de conférence et dispose de la possibilité de faire des conférences vidéo et des conférences sur le Web en plus des conférences audio.

Sources: Lauren McKay, « All Talk », *Customer Relationship Management Magazine*, juin 2008; John Edwards, « How to Get the Most from Unified Communications », *CIO*, 8 février 2008; « Virgin Megastores USA Turns Up the Volume with Unified Communications », consulté le 19 juin 2008.

L'expérience de Virgin Megastores USA illustre quelques-unes des puissantes fonctionnalités de la technologie de réseautage contemporaine ainsi que les solutions qu'elle offre. L'entreprise a eu recours à la technologie de messagerie unifiée pour procurer aux gestionnaires et aux employés des fonctionnalités intégrées de messagerie vocale, de courrier électronique et de téléconférence, avec la possibilité de passer sans coupure d'un type de messagerie à un autre. L'utilisation de cette technologie a accéléré le partage de l'information et la prise de décision, permettant ainsi à l'entreprise de gérer plus efficacement ses stocks.

Le schéma d'introduction met en évidence les principales questions soulevées par ce cas et qui sont traitées dans ce chapitre. Le secteur de la vente de musique au détail est particulièrement concurrentiel et dépend étroitement du facteur temps. Pour rester performante, la société Virgin Megastore doit être en mesure de réagir très rapidement à l'évolution des ventes. Les réseaux et la technologie vocale périmés de l'entreprise rendaient la tâche difficile. Les gestionnaires ont décidé que la solution pourrait résider dans un changement de technologie et ont choisi une nouvelle plateforme de messagerie unifiée. Le passage à ce type de messagerie a permis d'épargner du temps et a facilité le partage de l'information entre les gestionnaires et les employés, ainsi qu'entre les magasins et le siège social de l'entreprise. La transmission plus rapide de l'information permet à l'entreprise de réagir plus rapidement à l'évolution des ventes et de modifier les stocks en conséquence. Ces améliorations permettent de gagner du temps et de réduire les frais de stockage. Virgin Megastore a toutefois dû effectuer quelques changements dans les fonctions et le déroulement du travail des employés pour tirer profit de la nouvelle technologie.

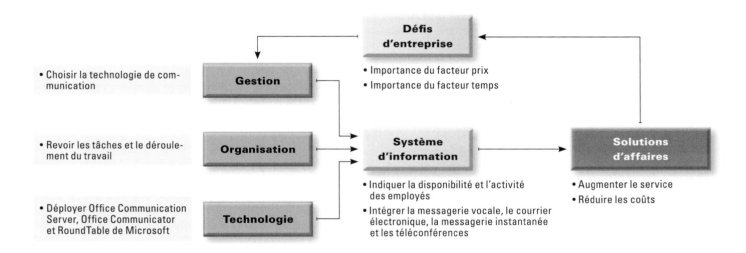

7.1 LES TÉLÉCOMMUNICATIONS ET LE RÉSEAUTAGE DANS L'ENVIRONNEMENT D'ENTREPRISE

On ne peut diriger une entreprise ou y travailler sans se servir de réseaux, car il faut pouvoir communiquer rapidement avec les clients, les fournisseurs et les employés. Jusqu'en 1990, on utilisait les services postaux ou téléphoniques, en y ajoutant la messagerie vocale et la télécopie pour les communications d'entreprise. Aujourd'hui, les employés et les gestionnaires utilisent des ordinateurs, le courrier électronique, Internet, ainsi que des téléphones cellulaires et des ordinateurs portables connectés à des réseaux sans fil pour assurer la plupart des communications. Faire des affaires, du réseautage ou se servir d'Internet sont devenus presque synonymes.

Les tendances en matière de réseautage et de communication

Autrefois, les entreprises avaient recours à deux types fondamentalement différents de réseaux : les réseaux téléphoniques et les réseaux informatiques. Historiquement, les premiers transmettaient la voix et les autres, les données. Tout au long du XXe siècle, les sociétés de téléphone construisaient des réseaux téléphoniques en recourant aux technologies de transmission de la voix (matériel et logiciels) et elles bénéficiaient de monopoles réglementés presque partout dans le monde. De leur côté, les réseaux informatiques ont d'abord été créés par des fabricants d'ordinateurs qui désiraient transmettre des données entre des ordinateurs situés à des endroits différents.

Grâce au processus continu de déréglementation des télécommunications et aux innovations de la technologie de l'information, les réseaux téléphoniques et informatiques convergent lentement pour former un seul réseau numérique utilisant les plateformes d'Internet et régi par ses normes. Les fournisseurs de télécommunications, comme AT&T, Bell et Telus, offrent aujourd'hui la possibilité de transmettre des données, l'accès à Internet, des services téléphoniques sans fil, du contenu télévisuel et des services de messagerie vocale. De leur côté, les entreprises de câblodistribution, comme Comcast, Cogeco et Vidéotron, offrent maintenant des services de messagerie vocale et l'accès à Internet, et les réseaux informatiques englobent la téléphonie Internet et divers services de vidéo. Les technologies d'Internet interviennent de plus en plus fréquemment dans la transmission de la voix, de la vidéo et des données.

Les réseaux de transmission de la voix et des données sont également devenus plus puissants (plus rapides), plus « portables » (plus petits et plus mobiles) et moins coûteux. En 2000, par exemple, la vitesse moyenne de connexion à Internet était de 56 kb par seconde, alors qu'aujourd'hui, plus de 60 % des utilisateurs d'Internet possèdent une connexion à **large bande** fournie par les sociétés de téléphone et de câblodistribution qui fonctionne à la « haute vitesse » de 1 million de bits par seconde (b/s). Et le coût du service a baissé de manière exponentielle, passant de 0,25 $/kb en 2000, à moins de 0,01 $/kb aujourd'hui.

De plus en plus, la transmission de la voix et des données, comme l'accès à Internet, passent par des plateformes sans fil à large bande comme les téléphones cellulaires, les appareils numériques portatifs et les réseaux d'ordinateurs sans fil. En 2008 aux États-Unis, l'accès mobile à large bande sans fil à Internet (les réseaux de cellulaires 2.5G et 3G que nous décrivons à la section 7.4) était la forme d'accès à Internet dont la croissance était la plus rapide, avec un taux de croissance annuel composé de 96 %, la deuxième étant l'accès fixe à large bande sans fil (Wi-Fi), dont le taux annuel composé était de 28 %.

En quoi consiste un réseau d'ordinateurs ?

Si on veut raccorder les ordinateurs de deux employés ou plus dans le même bureau, on aura besoin d'un réseau d'ordinateurs. En quoi consiste exactement un tel réseau ? Dans sa forme la plus simple, un réseau se compose de deux ou plusieurs ordinateurs reliés entre eux. La figure 7-1 montre les principales composantes – matérielles, logicielles et de transmission – utilisées dans un réseau simple : ordinateur client et ordinateur serveur dédié, interfaces réseau, support de connexion, système d'exploitation de réseau et concentrateur ou commutateur.

Chaque ordinateur d'un réseau contient une interface appelée **carte réseau**. Dans la plupart des ordinateurs personnels fabriqués aujourd'hui, elle est intégrée à la carte mère. Divers supports de connexion peuvent servir à relier les composantes du réseau : fil téléphonique, câble coaxial, ou signal radio dans le cas d'un téléphone cellulaire ou d'un réseau local sans fil (réseau Wi-Fi).

Le **système d'exploitation de réseau** ou **SER** (ou NOS pour *Network Operating System*) achemine et gère les communications au sein du réseau et coordonne ses ressources. On peut l'installer sur chaque ordinateur du réseau, ou sur un serveur chargé d'exécuter toutes les applications pour l'ensemble du réseau. Le serveur est l'ordinateur qui accomplit les fonctions de gestion (et de contrôle) du réseau pour les ordinateurs clients : il permet d'accéder aux pages Web et de stocker des données, tout en hébergeant le système d'exploitation du réseau. Microsoft Windows Server et Linux sont les systèmes d'exploitation pour réseaux les plus utilisés.

La plupart des réseaux contiennent également un commutateur ou un concentrateur, des appareils qui servent de point de raccordement entre les ordinateurs. Un **concentrateur** est un dispositif très simple qui relie les composantes d'un réseau et envoie des paquets de données à tous les appareils auxquels il est relié. Un **commutateur** est un appareil plus perfectionné, car il filtre les données avant de les acheminer à une adresse particulière.

Pour communiquer avec d'autres réseaux, par exemple Internet, un réseau doit utiliser un appareil appelé **routeur**.

FIGURE 7-1 — LES COMPOSANTES D'UN RÉSEAU SIMPLE

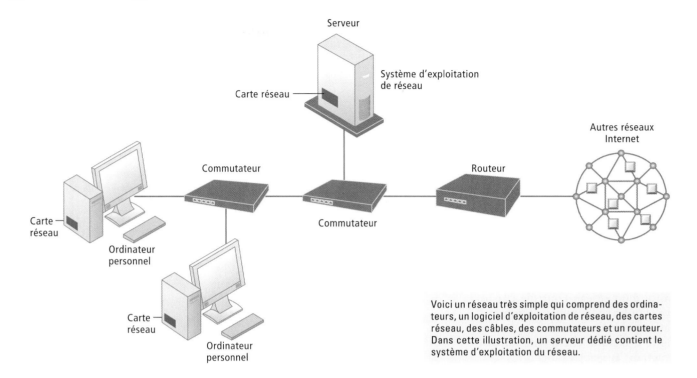

Voici un réseau très simple qui comprend des ordinateurs, un logiciel d'exploitation de réseau, des cartes réseau, des câbles, des commutateurs et un routeur. Dans cette illustration, un serveur dédié contient le système d'exploitation du réseau.

Un routeur est un processeur spécial que le réseau utilise pour acheminer des paquets de données en empruntant différents réseaux tout en s'assurant d'expédier le message à la bonne adresse.

Les réseaux des grandes entreprises

Le réseau que nous venons de décrire pourrait convenir à une petite entreprise. Mais qu'en est-il d'une grande entreprise ayant des locaux à plusieurs endroits différents et des milliers d'employés? Lorsqu'elle se développe, une telle entreprise accumule des centaines de réseaux locaux (LAN), qu'il est possible de relier au sein d'une infrastructure d'entreprise globale. Ce type d'infrastructure englobe un grand nombre de petits réseaux locaux reliés entre eux ainsi qu'à des réseaux desservant toute l'entreprise. Une série de serveurs puissants permettent à un site Web d'entreprise, un intranet d'entreprise et, le cas échéant, un extranet de fonctionner. Certains de ces serveurs sont reliés aux gros ordinateurs sur lesquels fonctionnent les systèmes d'arrière-plan.

La figure 7-2 illustre la complexité d'une telle connectivité globale pour les entreprises. On peut y voir que l'infrastructure du réseau d'entreprise gère les communications d'une équipe de vente mobile munie de téléphones cellulaires ainsi que d'employés en déplacement connectés au site Web ou aux réseaux internes de l'entreprise à l'aide de réseaux locaux sans fil (réseaux Wi-Fi). À cette infrastructure s'ajoute un système de vidéoconférence, que les gestionnaires

peuvent utiliser où qu'ils soient dans le monde. En plus des réseaux informatiques, l'infrastructure d'entreprise comprend souvent un réseau téléphonique distinct qui traite la majeure partie des données transmises vocalement. Mais de nombreuses entreprises délaissent leurs réseaux téléphoniques traditionnels et ont désormais recours à la téléphonie Internet, qui passe par leurs réseaux de données existants (que nous décrirons ultérieurement).

Comme on peut le constater sur cette figure, l'infrastructure réseau d'une grande entreprise emploie un large éventail de technologies: services téléphoniques ordinaires, réseaux de données d'entreprise, service Internet, Internet sans fil et téléphones cellulaires sans fil. Un des problèmes les plus importants auxquels font face les organisations actuelles est l'intégration en un tout cohérent de tous ces réseaux et canaux de communication de façon que l'information puisse circuler facilement d'une partie de l'organisation à l'autre et d'un système à l'autre. Plus les communications se numérisent et plus elles s'appuient sur Internet, plus il est facile de les intégrer.

Les principales technologies numériques de réseautage

Les réseaux numériques modernes et Internet sont basés sur trois technologies clés: l'informatique client-serveur, la commutation de paquets et l'adoption de normes de communication (dont la plus importante est le *Transmission Control Protocol/Internet Protocol* ou protocole TCP/IP) permettant de relier des réseaux et des ordinateurs disparates.

L'informatique client-serveur

Dans le chapitre 5, nous avons présenté le concept d'informatique client-serveur. Dans un système client-serveur, les ordinateurs clients sont reliés à un ou plusieurs ordinateurs serveurs qui font partie d'un réseau. L'informatique client-serveur est un système au sein duquel une partie de la puissance de traitement est répartie entre de petits ordinateurs clients peu coûteux (ordinateurs de bureau, ordinateurs portables ou terminaux de poche) placés sous le contrôle de l'utilisateur. Tous ces « clients » sont reliés les uns aux autres par l'entremise d'un réseau contrôlé par un serveur qui fixe les règles de communication pour l'ensemble du réseau et assigne à chaque client une adresse permettant aux autres membres de le localiser.

L'informatique client-serveur a largement remplacé le **traitement centralisé**, où un gros ordinateur central assurait la totalité de la gestion des données ou presque. Ce modèle a permis d'étendre l'informatique aux différents services et groupes de travail, aux unités de production et à tous les autres secteurs des entreprises qui n'étaient pas desservis par une architecture centralisée. Internet est la plus importante application de l'informatique client-serveur.

La commutation de paquets

La **commutation de paquets** est une technique qui permet de découper des messages numériques en fragments appelés *paquets*, d'expédier ces paquets par l'intermédiaire de différentes voies de communication selon leur disponibilité, puis de reconstituer les messages une fois qu'ils sont parvenus à destination (figure 7-3). Avant l'introduction de la commutation de paquets, les réseaux informatiques devaient louer des circuits téléphoniques dédiés pour communiquer avec des ordinateurs éloignés. Or, dans les réseaux faisant

---

FIGURE 7-2 L'INFRASTRUCTURE D'UN RÉSEAU D'ENTREPRISE

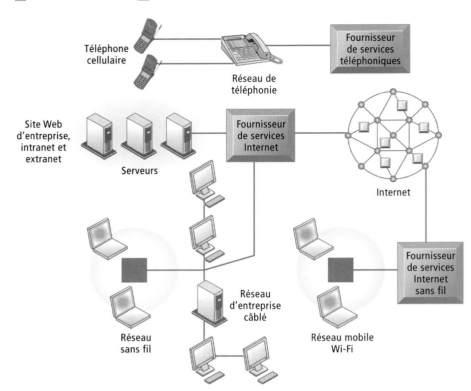

Aujourd'hui, l'infrastructure réseau d'une entreprise est constituée d'une série de réseaux allant du réseau téléphonique commuté à Internet et à des réseaux locaux d'entreprise reliant des groupes de travail, des services et des bureaux.

FIGURE 7-3 LES RÉSEAUX À COMMUTATION DE PAQUETS ET LA COMMUNICATION DE PAQUETS

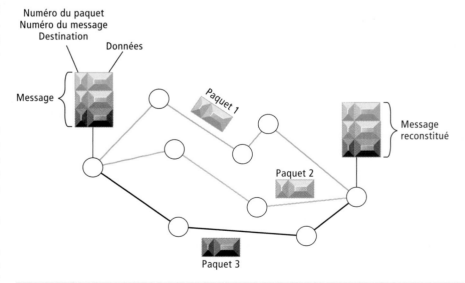

Les données sont divisées en petits paquets transmis séparément par l'intermédiaire de différents canaux de communication. Les messages sont reconstitués une fois les paquets parvenus à destination.

appel à la commutation de circuits, comme les réseaux téléphoniques, il faut établir un circuit complet d'un point à un autre avant de pouvoir transmettre une communication. Ces techniques de commutation de circuits dédiés étaient très coûteuses et entraînaient un gaspillage des capacités de communication, car les circuits étaient toujours en activité, que des données y transitent ou non.

La commutation de paquets permet d'exploiter beaucoup plus efficacement la capacité de communication d'un réseau. Dans les réseaux à commutation de paquets, les messages sont fragmentés en paquets dont la taille dépend de la norme de communication utilisée. En plus des données, les paquets contiennent l'information nécessaire pour acheminer celles-ci à la bonne adresse et corriger les erreurs de transmission.

Les données sont rassemblées auprès d'un grand nombre d'utilisateurs, divisées en petits paquets, puis transmises à travers tous les canaux de transmission disponibles à l'aide de routeurs. Chaque paquet circule indépendamment des autres à travers les réseaux. Les paquets de données provenant d'une même source peuvent emprunter différents trajets et différents réseaux avant d'être reconstitués une fois arrivés à destination, pour recréer le message original.

Le protocole TCP/IP et la connectivité

Un réseau de télécommunication type comprend diverses composantes matérielles et logicielles qui doivent travailler ensemble pour transmettre l'information. Pour communiquer les unes avec les autres, ces diverses composantes doivent répondre à un ensemble de règles communes appelées protocole. Un **protocole** est donc l'ensemble des règles et des procédures qui gouvernent la transmission de l'information entre deux points d'un réseau.

Dans le passé, l'existence de divers protocoles incompatibles forçait les entreprises à acheter tout leur équipement de communication et d'informatique à un même fournisseur. Mais aujourd'hui, les réseaux d'entreprise utilisent de plus en plus une norme mondiale appelée **protocole TCP/IP**. Ce protocole a été mis au point au début des années 1970, par la Defense Advanced Research Projects Agency (DARPA), un service du ministère de la Défense des États-Unis, pour permettre aux scientifiques de transmettre des données à différents types d'ordinateurs sur de longues distances.

Le protocole TCP/IP utilise une série de protocoles, dont les principaux sont le TCP et l'IP. Le protocole TCP (pour *Transmission Control Protocol*) coordonne les flux de données entre les ordinateurs : il établit la connexion, contrôle la séquence des paquets, puis en confirme la réception. Quant au protocole IP (pour *Internet Protocol)*, il assure la transmission des paquets, c'est-à-dire la répartition des données et leur regroupement en paquets. La figure 7-4 illustre le modèle de référence en quatre couches du protocole TCP/IP.

1. *La couche application* Elle permet aux applications clients d'accéder aux autres couches et définit les protocoles utilisés par les diverses applications pour échanger des données. Le protocole HTTP (pour *Hypertext Transfer Protocol)*

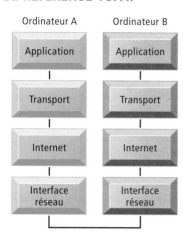

FIGURE 7-4

LE MODÈLE DE RÉFÉRENCE TCP/IP

Cette figure illustre les quatre couches du modèle de référence du protocole de communication TCP/IP.

est le protocole d'application utilisé pour transmettre des fichiers de pages Web.

2. *La couche de transport* Elle fournit à la couche application des services de communication et de paquets. Cette couche comprend le TCP et d'autres protocoles.

3. *La couche Internet* Elle dirige, achemine et met en forme des paquets de données appelés datagrammes IP. Le protocole Internet (IP) est un des protocoles utilisés dans cette couche.

4. *La couche interface réseau* Située à la base du modèle de référence, elle envoie et reçoit les paquets à travers le réseau, quelle que soit la technologie employée.

Avec le protocole TCP/IP, deux ordinateurs sont donc en mesure de communiquer entre eux, même s'ils possèdent des plateformes matérielles et logicielles différentes. Les données envoyées d'un ordinateur à l'autre traversent les quatre couches, de la couche application de l'ordinateur expéditeur jusqu'à la couche interface réseau. En parvenant au destinataire, les données traversent de nouveau toutes les couches pour être regroupées dans un format utilisable par cet ordinateur. Si l'ordinateur destinataire détecte un paquet endommagé, il demande à l'expéditeur de le retransmettre. Le processus s'inverse lorsque l'ordinateur destinataire répond à l'expéditeur.

7.2 LES RÉSEAUX DE COMMUNICATION

Examinons de plus près les autres technologies de réseautage offertes aux entreprises.

FIGURE 7-5   LES FONCTIONS D'UN MODEM

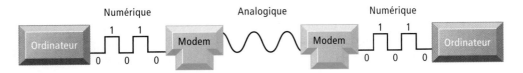

Un modem est un dispositif qui traduit les signaux numériques d'un ordinateur en signaux analogiques, lesquels peuvent être transmis sur des lignes téléphoniques. Inversement, il convertit les signaux analogiques que l'ordinateur reçoit en signaux numériques.

Les signaux numériques et analogiques

Il y a deux façons de communiquer un message dans un réseau: par un signal analogique ou par un signal numérique. Un **signal analogique** se présente sous la forme d'un train d'ondes continues qui traversent un support de transmission. Comme l'oreille entend ces ondes, on s'en sert pour les communications vocales. Le téléphone, le haut-parleur d'un ordinateur ou l'oreillette d'un iPod en sont des exemples.

Contrairement à un signal analogique, un **signal numérique** est discontinu. Il transmet les données sous forme de chaînes de deux états discrets, le bit 1 et le bit 0, représentés par la présence ou l'absence d'une impulsion électrique. Comme les ordinateurs utilisent des signaux numériques pour envoyer des données informatiques par l'intermédiaire d'un système téléphonique analogique, il faut utiliser un dispositif appelé **modem** qui les traduira en signaux analogiques (figure 7-5). (Le terme *modem* signifie «modulation-démodulation».)

Les types de réseaux

Il existe plusieurs types de réseaux et plusieurs façons de les classer. L'un des critères qu'on peut employer est leur portée (tableau 7-1).

TABLEAU 7-1   **LES TYPES DE RÉSEAUX**

TYPE	PORTÉE
Réseau local (LAN)	Jusqu'à 500 mètres; un bureau ou un étage
Réseau de campus (CAN)	Jusqu'à 1000 mètres; un campus ou une entreprise
Réseau métropolitain (MAN)	Ville ou agglomération urbaine
Réseau étendu (WAN)	Transcontinentale ou mondiale

Les réseaux locaux

Aujourd'hui, la plupart des postes de travail d'une même entreprise sont reliés les uns aux autres, ainsi qu'à différents groupes de travail, à l'aide d'un réseau local. Un **réseau local** ou **LAN** (pour *Local Area Network*) permet de relier des ordinateurs personnels et d'autres appareils numériques se trouvant dans un rayon de 500 mètres. Habituellement, il s'agit de quelques ordinateurs dans un petit bureau, de tous les ordinateurs d'un même immeuble, ou encore d'un ensemble d'ordinateurs installés dans des bâtiments voisins. Les réseaux locaux peuvent être reliés à des réseaux étendus (ou WAN, voir un peu plus loin), voire à des réseaux mondiaux par l'intermédiaire d'Internet.

La figure 7-1, présentée en début de chapitre, illustre un petit réseau local de bureau. Un ordinateur, qui sert de serveur dédié, permet aux utilisateurs d'accéder aux ressources informatiques du réseau, notamment les logiciels et les fichiers de données. Le serveur détermine qui a accès à quoi et dans quel ordre. Le réseau local utilise un routeur pour se connecter à d'autres réseaux, comme Internet ou des réseaux d'entreprise, afin de procéder à des échanges d'information. Les systèmes d'exploitation les plus couramment utilisés pour les réseaux locaux sont Windows et Linux. Chacun de ces systèmes d'exploitation réseau utilise le protocole TCP/IP comme protocole de réseautage par défaut.

Ethernet est la principale norme utilisée pour l'exploitation matérielle des réseaux locaux. Elle détermine le support qui acheminera le signal entre les ordinateurs, les règles d'accès et la trame, soit un ensemble normalisé de bits utilisés pour acheminer les données dans le système. À l'origine, Ethernet assurait un débit de 10 Mb/s. Les versions plus récentes, comme Ethernet rapide et Gigabit Ethernet, permettent des débits de transfert de 100 Mb/s et de 1 Gb/s respectivement et servent pour la **dorsale de réseau**, c'est-à-dire la section du réseau qui traite le trafic important.

Le réseau local illustré à la figure 7-1 utilise une architecture client-serveur, dans laquelle le système d'exploitation réseau est pour l'essentiel installé sur un seul serveur, qui assure la plus grande partie du contrôle du réseau et lui fournit les ressources dont il a besoin. Un réseau local peut également adopter une architecture de **réseau poste à poste**, qui traite tous les processeurs sur un pied d'égalité. On utilise ce type d'architecture surtout pour les petits réseaux dont le nombre d'utilisateurs est inférieur à 10. Les divers ordinateurs mis en réseau peuvent échanger directement des données et partager des périphériques sans passer par un serveur.

Dans les réseaux locaux utilisant les systèmes d'exploitation de la famille Windows Server, l'architecture poste à poste est appelée *groupe de travail*. Avec ce système, un petit nombre d'ordinateurs peuvent partager des ressources comme des fichiers, des dossiers et des imprimantes à travers un réseau sans dépendre d'un serveur dédié. À l'inverse, le modèle de Windows appelé *domaine* utilise un serveur dédié pour gérer les ordinateurs du réseau.

Les gros réseaux locaux comptent de nombreux clients et de multiples serveurs. Chaque serveur prend en charge une fonction particulière, comme le stockage et la gestion des fichiers et des bases de données (serveurs de fichiers ou serveurs de bases de données), la gestion des imprimantes (serveurs d'imprimante), le stockage et la gestion du courrier électronique (serveurs de courrier électronique) ou le stockage et la gestion des pages Web (serveurs Web).

On peut aussi décrire les réseaux en fonction de leur **topologie**, à savoir la façon dont leurs composantes sont reliées les unes aux autres. Il en existe trois principales : le réseau en étoile, le réseau en bus et le réseau en anneau (figure 7-6).

Dans un **réseau en étoile**, tous les dispositifs du réseau sont reliés à un seul concentrateur, comme l'illustre la figure 7-6. L'ensemble du trafic transite par le concentrateur. Dans un *réseau en étoile étendu*, plusieurs couches ou concentrateurs sont organisés de façon hiérarchique.

Dans un **réseau en bus**, une station transmet les signaux, qui circulent dans les deux directions à travers un même segment de communication. Tous les signaux sont émis dans les deux directions sur l'ensemble du réseau. Toutes les machines reliées au réseau reçoivent les mêmes signaux, et le logiciel installé sur les ordinateurs clients permet à chacun d'entre eux de capter les messages qui leur sont spécialement adressés. La topologie en bus est la plus courante des topologies d'Ethernet.

Dans un **réseau en anneau**, les composantes forment une boucle fermée. Les messages passent d'un ordinateur à l'autre dans une seule direction et ne peuvent être transmis que par une seule station à la fois. On trouve surtout cette topologie dans de vieux réseaux en anneau à jeton.

Les réseaux métropolitains et les réseaux étendus

Les **réseaux étendus (WAN)** couvrent de vastes superficies : des régions, des pays, des continents, voire la planète entière. Internet en est l'exemple le plus puissant et le plus universel. On se connecte à un réseau étendu par l'intermédiaire de réseaux publics comme les systèmes téléphoniques, ou de systèmes privés de câblodistribution, de lignes louées ou de satellites. Un **réseau métropolitain (MAN)** couvre généralement une ville et ses principales banlieues. Sa portée se situe entre celle d'un WAN et celle d'un LAN.

Les supports de transmission matériels

Les réseaux utilisent différents types de supports de transmission, notamment les paires de fils torsadés, les câbles coaxiaux, les fibres optiques et des supports de transmission sans fil. Tous ces supports peuvent offrir une vaste gamme de vitesses, selon la configuration du matériel et des logiciels.

Les paires de fils torsadés

Constituée de torons de cuivre, la **paire de fils torsadés** est un des plus anciens supports de transmission. La plupart des systèmes téléphoniques d'un immeuble utilisent des fils torsadés pour les transmissions analogiques, mais on peut aussi les utiliser pour les transmissions numériques. Malgré son ancienneté, la paire de fils torsadés utilisée dans les réseaux locaux d'entreprise actuels, comme le CAT5, peut atteindre des vitesses de 1 Gb/s. La longueur maximale recommandée pour ce type de câblage est de 100 m.

Les câbles coaxiaux

Un **câble coaxial**, comme celui qu'on utilise pour la câblodistribution, est constitué de fils de cuivre recouverts d'une épaisse isolation et capables de transmettre une plus grande quantité de données que les fils torsadés. On a beaucoup utilisé le câble coaxial dans les premiers réseaux locaux et on l'utilise encore aujourd'hui pour les longues portées (de plus de 100 m) dans de grands édifices. Sa vitesse de transmission peut atteindre 1 Gb/s.

FIGURE 7-6　LES TOPOLOGIES DE RÉSEAUX

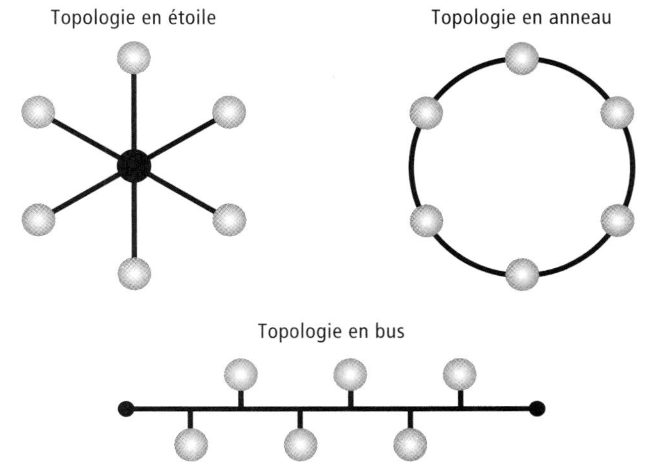

Topologie en étoile

Topologie en anneau

Topologie en bus

Les trois topologies élémentaires sont le réseau en étoile, le réseau en bus et le réseau en anneau.

Les fibres optiques

Un **câble à fibres optiques** est constitué de milliers de torons de fibres de verre de l'épaisseur d'un cheveu. Les données sont transformées en impulsions lumineuses émises par un laser et acheminées dans les fibres optiques à une vitesse variant de 500 kb/s à plusieurs milliards de b/s. Les câbles à fibres optiques sont bien plus rapides, légers et durables que les câbles coaxiaux, ce qui en fait le matériau de choix pour les systèmes qui transportent de grandes quantités de données. Ils sont en revanche beaucoup plus coûteux et difficiles à installer.

Jusqu'à tout récemment, on n'utilisait les câbles à fibres optiques que pour la dorsale des réseaux à haut débit. Mais aujourd'hui, les câblodistributeurs et les sociétés de téléphone en installent dans les maisons pour de nouveaux types de services, comme l'accès Internet à très grande vitesse (de 5 à 50 Mb/s) et la vidéo sur demande.

Les supports et les appareils de transmission sans fil

La transmission sans fil repose sur des signaux radio de diverses fréquences. Les systèmes à **micro-ondes**, par satellite ou par voie terrestre, permettent d'acheminer des signaux radio de haute fréquence à travers l'atmosphère. On les utilise fréquemment pour transmettre de grandes quantités de données d'un poste à un autre sur de grandes distances. Les micro-ondes se propageant en ligne droite, elles ne suivent pas la courbure terrestre. La distance entre les postes de transmission des systèmes terrestres ne peut donc dépasser 60 km. On peut résoudre ce problème en faisant ricocher les signaux sur des satellites qui les renvoient aux stations terrestres.

Généralement, les grandes organisations dispersées à travers le globe utilisent des satellites pour leurs communications, car il serait difficile de relier les différentes entités au moyen de supports câblés ou de systèmes à micro-ondes terrestres. Par exemple, la société pétrolière mondiale BP utilise des satellites pour le transfert en temps réel des données de prospection recueillies au cours de ses recherches sur le fond des océans. Des navires de prospection envoient les données au moyen de satellites géosynchrones vers les principaux centres de traitement installés aux États-Unis, à Houston, à Tulsa et dans la banlieue de Chicago. La figure 7-7 illustre le fonctionnement de ce système.

Les systèmes cellulaires communiquent par ondes radio avec des antennes (pylônes) installées à l'intérieur de territoires géographiques adjacents appelés cellules. Le message téléphonique envoyé à une cellule locale par un **téléphone cellulaire** est transmis d'une antenne à l'autre – et donc d'une cellule à l'autre – jusqu'à destination.

Les réseaux sans fil remplacent actuellement les réseaux câblés traditionnels dans de nombreuses applications. Ils ont permis de créer de nouvelles applications, de nouveaux services et de nouveaux modèles d'entreprise. On trouvera à la section 7.4 une description détaillée des applications et des normes technologiques qui sont à l'origine de la « révolution du sans-fil ».

La vitesse de transmission

La quantité totale d'informations qu'il est possible de transmettre par l'une au l'autre voie de télécommunication se mesure en bits par seconde (b/s). Un changement de signal, ou cycle, est nécessaire pour transmettre un ou plusieurs bits. Par conséquent, la capacité de transmission de chaque type de support de télécommunication est fonction de sa fréquence. Le nombre de cycles par seconde pouvant être acheminés par un support se mesure en **hertz**. On trouvera au tableau 7-2 une comparaison des vitesses de transmission des principaux types de supports.

FIGURE 7-7

LE SYSTÈME DE TRANSMISSION PAR SATELLITE DE BP

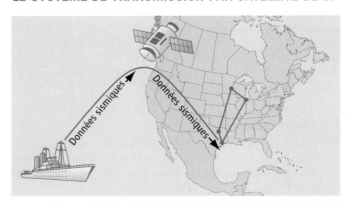

Les satellites de communication aident BP à transmettre des données sismiques depuis les navires d'exploration jusqu'aux centres de recherche situés aux États-Unis.

TABLEAU 7-2

LES VITESSES DE TRANSMISSION DES PRINCIPAUX SUPPORTS DE TÉLÉCOMMUNICATION

SUPPORT	VITESSE
Paire de fils torsadés	Jusqu'à 1 Gb/s
Micro-ondes	Jusqu'à 600 Mb/s et plus
Satellite	Jusqu'à 600 Mb/s et plus
Câble coaxial	Jusqu'à 1 Gb/s
Câble à fibres optiques	Jusqu'à 6 Tb/s et plus

Mb/s = mégabits par seconde
Gb/s = gigabits par seconde
Tb/s = térabits par seconde

La gamme de fréquences que peut prendre en charge un canal de télécommunication donné s'appelle la **bande passante**. Elle correspond à la différence entre les fréquences les plus élevées et les plus basses qu'un canal est en mesure de prendre en charge. Plus la gamme de fréquences est étendue, plus la bande passante est large, et meilleure est la capacité de transmission du canal.

7.3 INTERNET

Nous utilisons tous Internet, et beaucoup d'entre nous ne pourraient s'en passer. C'est devenu un outil personnel et professionnel indispensable. Mais qu'est-ce qu'Internet exactement? Comment fonctionne-t-il? Que peut offrir sa technologie aux entreprises? Examinons maintenant ses caractéristiques les plus importantes.

En quoi consiste Internet?

Internet est devenu le système de communication public le plus important de la planète; sa portée et son étendue rivalisent avec le système téléphonique mondial. C'est aussi le plus vaste système client-serveur et système d'interréseautage, car il relie des millions de réseaux individuels dans le monde. Ce gigantesque réseau de réseaux a été créé au début des années 1970 par le ministère de la Défense des États-Unis pour mettre en relation des scientifiques et des universitaires des quatre coins du monde.

La plupart des utilisateurs résidentiels et des petites entreprises se branchent à Internet par l'entremise d'un **fournisseur de services Internet (FSI)**, une entreprise commerciale connectée en permanence à Internet qui vend des connexions temporaires à ses abonnés. Ces connexions peuvent être assurées par les lignes téléphoniques, des câbles coaxiaux ou des connexions sans fil. Bell, Vidéotron, Telus et Cogeco sont des FSI. On peut aussi se connecter à Internet par l'intermédiaire de son entreprise, de son université ou d'un centre de recherche s'ils possèdent un domaine Internet.

Il existe plusieurs façons de se connecter à un fournisseur de services Internet. La connexion par l'entremise d'une ligne téléphonique traditionnelle et d'un modem, à une vitesse de 56,6 kb/s était jusqu'à récemment la forme la plus courante dans le monde, mais elle cède rapidement la place aux connexions à haut débit. Les lignes d'abonnés numériques, le câble, les connexions Internet par satellite et les lignes T offrent ces services de transmission de données à haut débit.

Les **lignes d'abonnés numériques (DSL, pour *Digital Subscriber Line*)** exploitent les lignes téléphoniques existantes pour transmettre des communications vocales, des données et de la vidéo à une vitesse variant de 385 kb/s à 9 Mb/s. L'**accès Internet par le câble** fourni par les câblodistributeurs emprunte les lignes de transmission coaxiales numériques pour offrir un accès à Internet à haute vitesse (jusqu'à 10 Mb/s)

à domicile ou dans les entreprises. Dans les régions où les services de DSL et de câble ne sont pas offerts, il est possible d'accéder à Internet par l'entremise d'un satellite, mais la vitesse de téléchargement peut être plus lente qu'avec les autres services à large bande.

T1 et T3 sont des normes téléphoniques internationales de communication numérique. Les **lignes T** (T1 et T3) sont des **lignes dédiées**, offertes en location aux entreprises et organismes gouvernementaux qui ont besoin d'un service garanti à haut débit. Les lignes T1 assurent une vitesse de transmission de 1,544 Mb/s, et les lignes T3, de 45 Mb/s.

L'adressage et l'architecture d'Internet

Internet est basé sur le protocole de réseautage TCP/IP, présenté plus tôt dans ce chapitre. Sur Internet, chaque ordinateur possède sa propre **adresse IP**, qui est en général un numéro de 32 bits formé de quatre nombres entiers compris entre 0 et 255, séparés par des points. Par exemple, l'adresse IP de www.microsoft.com est 207.46.250.119.

Lorsqu'un utilisateur envoie un message par Internet, le protocole TCP le décompose en paquets contenant chacun l'adresse de destination. Ceux-ci sont ensuite transmis au serveur de réseau et, de là, à autant de serveurs que nécessaire pour atteindre l'ordinateur désigné par cette adresse particulière. Une fois parvenus à destination, les paquets sont associés pour reformer le message original.

Le système de noms de domaine

Comme il serait très difficile pour les utilisateurs d'Internet de mémoriser des numéros de 12 chiffres, un **système de noms de domaine** (**DNS**, pour *Domain Name System*) les convertit en **noms de domaine** correspondant chacun à une adresse numérique. Les serveurs DNS ont une base de données contenant les adresses IP et les noms de domaine correspondants. Pour accéder à un ordinateur par l'intermédiaire d'Internet, il suffit ainsi de connaître son nom de domaine.

Le système DNS a une structure hiérarchique (figure 7-8). Le domaine qui se trouve au sommet du système est qualifié de *domaine racine*. Les sous-domaines du domaine racine sont des *domaines de premier niveau*, et en dessous d'eux se trouvent des *domaines de second niveau*. Les domaines de premier niveau sont des mots de deux ou trois lettres, comme .com, .edu ou .gov, qui vous sont familiers si vous naviguez sur le Web. Ils comprennent également les divers indicatifs de pays, comme .ca pour le Canada et .fr pour la France. Les domaines de second niveau comportent une partie de premier niveau et une autre de second niveau: buy.com, ucla.edu ou amazon.ca, par exemple. Les noms (ou adresses) d'hôte, à la base de la hiérarchie, désignent un ordinateur particulier relié à Internet ou à un réseau privé.

La liste suivante présente les suffixes des principaux domaines actuellement disponibles qui ont reçu une approbation officielle. Les pays ont des noms de domaine tels

.uk (Angleterre), .au (Australie) et .cn (Chine). Cette liste devrait s'allonger prochainement pour inclure d'autres types d'organisations et d'autres secteurs économiques.

.com   Entreprises et organismes commerciaux

.edu   Établissements d'enseignement

.gov   Organismes gouvernementaux (États-Unis)

.mil   Organisations militaires (États-Unis)

.net   Réseaux

.org   Organismes à but non lucratif

.biz   Entreprises privées

.info Fournisseurs d'information

L'architecture et la gouvernance d'Internet

Dans Internet, les données circulent sur des dorsales de réseaux à haut débit dont la capacité oscille habituellement entre 45 Mb/s et 2,5 Gb/s (figure 7-9). Les dorsales appartiennent habituellement à des entreprises de téléphonie interurbaine (appelées *fournisseurs de services de réseau*) ou aux gouvernements. Aux États-Unis et au Canada, les lignes de connexion locales sont la propriété d'entreprises régionales de téléphonie ou de câblodistribution qui permettent aux utilisateurs résidentiels ou commerciaux de se brancher sur Internet. Les réseaux régionaux louent cet accès à des FSI, des entreprises privées et des organismes gouvernementaux.

Chaque organisation assume les coûts de ses réseaux et de sa connexion locale à Internet, notamment sous forme de mensualités pour l'utilisation des réseaux interurbains principaux. Les utilisateurs individuels paient les fournisseurs de service Internet, généralement à un taux mensuel fixe, quel que soit leur degré d'utilisation. Un débat fait actuellement rage quant à l'équité de cette forme de facturation : les usagers qui utilisent plus de bande passante devraient-ils payer plus ? La session interactive sur les organisations traite de cette question.

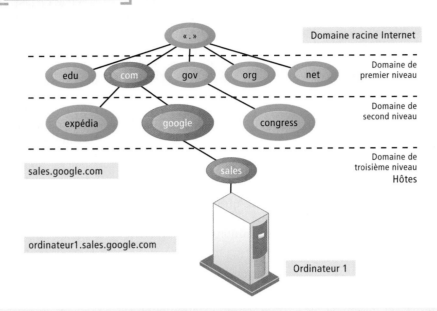

FIGURE 7-8   LE SYSTÈME DES NOMS DE DOMAINE

Le système des noms de domaine est un système hiérarchique à quatre niveaux.

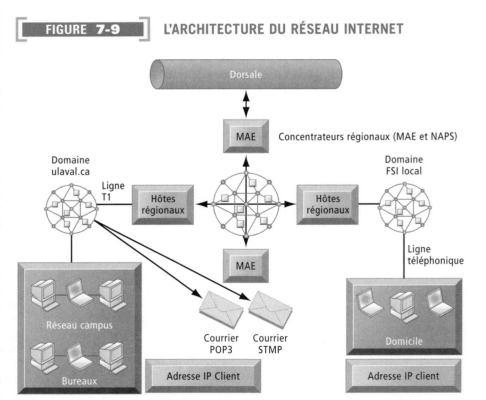

FIGURE 7-9   L'ARCHITECTURE DU RÉSEAU INTERNET

La dorsale d'Internet connecte les réseaux régionaux. À leur tour, ces réseaux offrent un accès aux fournisseurs de services Internet, aux grandes entreprises et aux organismes gouvernementaux. Les points d'interconnexion (NAP ou *Network Access Point*) et les zones d'échange (MAE ou *Metropolitan area exchanges*) Internet sont des concentrateurs qui assurent la liaison entre le système dorsal et les systèmes régionaux et locaux et permettent aux dorsales privées de se connecter les unes aux autres.

SESSION INTERACTIVE : LES ORGANISATIONS

DOIT-ON PRÉSERVER LA NEUTRALITÉ DU RÉSEAU ?

Quel type d'internaute êtes-vous ? Utilisez-vous Internet surtout pour le courrier électronique et la recherche de numéros de téléphone ? Restez-vous en ligne toute la journée à regarder des vidéos sur You-Tube, à télécharger des fichiers de musique ou à jouer massivement à des jeux en ligne avec d'autres joueurs ? Si vous faites partie de la dernière catégorie, vous consommez beaucoup de bande passante, et des centaines de millions de gens comme vous pourraient commencer à ralentir Internet. En 2007, YouTube a consommé autant de bande passante que tout Internet en 2000. C'est l'un des arguments avancés à l'heure actuelle pour facturer les services d'Internet en fonction du volume de transmission.

Selon un rapport daté de novembre 2007, un cabinet spécialisé en recherches a prédit que la demande pour Internet pourrait dépasser les capacités du réseau d'ici 2011. Dans cette éventualité, Internet ne cesserait peut-être pas brutalement de fonctionner, mais la vitesse de téléchargement ralentirait, ainsi que les performances de YouTube, de Facebook et d'autres services transmettant d'importantes quantités de données. D'autres chercheurs pensent toutefois que, même avec un taux croissance de 50 %, la technologie permettant de gérer cet achalandage pourra suivre le rythme.

En plus de ces problèmes techniques, la question de savoir s'il faut mesurer l'utilisation d'Internet soulève aussi un débat sur le principe de la neutralité du réseau. Selon ce principe, les fournisseurs de services Internet doivent assurer aux clients un accès égal au contenu et aux applications, quelle qu'en soit la source ou la nature. Actuellement, Internet est effectivement neutre : tout le trafic d'Internet est traité également, selon l'ordre d'arrivée, par les propriétaires de la dorsale d'Internet, et ce, parce qu'il

utilise les lignes téléphoniques qui sont assujetties, aux États-Unis du moins, aux lois sur les transports publics. Ces lois obligent les sociétés de téléphone à traiter également tous les appels et tous les clients : elles ne peuvent offrir d'avantages supplémentaires aux clients prêts à débourser plus pour des communications plus rapides ou plus nettes.

Les entreprises de télécommunications et de câblodistribution veulent maintenant être en mesure de fixer des prix différenciés selon la largeur de bande utilisée pour une transmission. En juin 2008, Time Warner Cable a mis à l'essai un tarif progressif pour son service d'accès à Internet dans la ville de Beaumont, au Texas. Dans le cadre de ce projet pilote, Time Warner facturait à ses clients 1 $ de plus par mois pour chaque gigaoctet de contenu téléchargé ou envoyé en sus de la limite de la largeur de bande de leur plan mensuel. L'entreprise a révélé que 5 % de ses clients utilisaient la moitié de la capacité totale de ses lignes locales sans payer plus que ceux qui l'utilisaient peu, et elle a soutenu qu'un tarif progressif constituait « le moyen le plus équitable » de financer les investissements nécessaires dans son infrastructure réseau.

Ce n'est pas de cette façon qu'Internet a fonctionné depuis sa création, et cette initiative va à l'encontre des objectifs de neutralité du réseau. Les partisans de la neutralité insistent donc pour que le Congrès réglemente ce secteur en obligeant les fournisseurs de réseaux à s'abstenir de ces types de pratiques. L'étrange alliance des partisans de la neutralité d'Internet englobe MoveOn.org, la Christian Coalition, l'American Library Association, les principales associations de consommateurs et beaucoup de blogueurs et de petites entreprises, ainsi que quelques grosses sociétés Internet comme Google et Amazon. Le représentant au Congrès Ed Markey

et les sénateurs Byron Dorgan et Olympia Snowe ont répondu à ces préoccupations en élaborant deux projets de loi pour la sauvegarde de la liberté d'Internet et de sa neutralité, la Freedom Preservation Act et la Net Neutrality Act, qui interdiraient toute méthode discriminatoire de gestion du trafic sur Internet. Mais il est peu probable qu'une législation concernant la neutralité d'Internet soit adoptée rapidement, en raison de la forte résistance manifestée par les fournisseurs de services.

Les fournisseurs de services Internet soulignent en effet la flambée du piratage d'œuvres et de documents protégés par des droits d'auteur sur Internet. Comcast, le deuxième fournisseur de services Internet par ordre d'importance aux États-Unis, a déclaré que le partage illégal de fichiers contenant des documents protégés par des droits d'auteur avait utilisé 50 % de sa capacité réseau. À un moment donné, Comcast a même ralenti la transmission des fichiers BitTorrent, largement utilisés pour le piratage et le partage illégal de documents protégés par des droits d'auteur, notamment des vidéos. S'étant attirée des critiques virulentes pour sa gestion des paquets BitTorrent, elle a par la suite décidé d'adopter une approche « indépendante de la plateforme » consistant à ralentir la connexion de tout client qui utilise une trop grande largeur de bande pendant les périodes de trafic intenses quels que soient les services particuliers qu'il utilise. Comcast affirme qu'en limitant le piratage et en établissant des priorités pour l'utilisation de la bande passante, elle offre un meilleur service à ses clients qui utilisent légalement le Web.

Les défenseurs de la neutralité d'Internet arguent que le risque de censure augmente lorsque les exploitants de réseau peuvent bloquer ou ralentir ponctuellement l'accès à un certain contenu. Il existe déjà de nombreux exemples de fournisseurs de services Internet qui limitent l'accès à des documents de nature délicate (comme les commentaires contre Bush provenant d'un concert en ligne de Pearl Jam, un programme de messagerie textuelle du groupe pro-choix NARAL) ou l'accès à des concurrents comme Vonage. Pour sa part, le gouvernement pakistanais a bloqué l'accès à des sites antimusulmans ainsi qu'à YouTube en réponse à des contenus qu'il jugeait diffamatoires envers l'Islam.

Les partisans de la neutralité d'Internet affirment aussi que la neutralité encourage tous les utilisateurs à innover sans avoir à demander l'autorisation des sociétés de téléphone et de câblodistribution ou d'une quelconque autorité, et que cette égalité de traitement a permis à un nombre considérable de nouvelles entreprises de se développer. À l'heure où le commerce et les relations sociales se déplacent vers Internet, la libre circulation de l'information devient essentielle à la liberté du marché comme à la démocratie.

Les propriétaires de réseaux pensent que des lois comme celles proposées par les défenseurs de la neutralité mineront la compétitivité des États-Unis en étouffant l'innovation et nuiront aux clients qui auraient pu bénéficier de pratiques « discriminatoires ». De fait, le service Internet des États-Unis est à la traîne de ceux de nombreux autres pays pour ce qui est de sa vitesse globale, de son coût et de la qualité du service, ce qui ajoute de la crédibilité aux arguments présentés par les fournisseurs.

Les défenseurs de la neutralité du réseau répliquent que les fournisseurs possèdent déjà beaucoup trop de pouvoir en raison du manque de concurrence, qui leur donne plus de latitude pour fixer les prix et édicter des politiques, puisque leurs clients n'ont pas d'autre option. Les fournisseurs peuvent ainsi favoriser leur propre contenu. Et le manque d'options de service se fait même sentir chez les usagers à haut débit des grandes agglomérations. La neutralité d'Internet ne serait pas un problème aussi pressant s'il y avait suffisamment d'options d'accès à Internet. Les consommateurs insatisfaits pourraient alors tout simplement changer de fournisseur et en choisir un qui respecte la neutralité d'Internet et permette une utilisation illimitée du réseau.

Le problème n'est pas près d'être réglé. Même des personnalités éminentes, comme Vint Cerf et Bob Kahn, les co-inventeurs du protocole Internet, ne s'entendent pas. M. Cerf est pour la neutralité d'Internet, car, selon lui, un accès inégal au contenu nuirait à la capacité d'Internet de continuer à se développer (« permettre aux fournisseurs de large bande de contrôler ce que les gens voient et font en ligne modifierait fondamentalement les principes qui sont à l'origine du succès retentissant d'Internet »). Plus prudent, Bob Kahn déclare que la neutralité d'Internet enlève aux fournisseurs de réseaux la motivation d'innover, d'offrir de nouvelles fonctionnalités et de valoriser de nouvelles technologies. Qui a raison et qui a tort ? Le débat se poursuit.

Sources: Andy Dornan, « Is Your Network Neutral ? », *Information Week*, 18 mai 2008 ; Rob Preston, « Meter is Starting to Tick on Internet Access Pricing », *Information Week*, 9 juin 2008 ; Damian Kulash Jr, « Beware of the New Thing », *New York Times*, 5 avril 2008 ; Steve Lohr, « Video Road Hogs Stir Fear of Internet Traffic Jam », *New York Times*, 13 mars 2008 ; Peter Burrows, « The FCC, Comcast, and Net Neutrality », *Business Week*, 26 février 2008 ; S. Derek Turner, « Give Net Neutrality a Chance », *Business Week*, 12 juillet 2008 ; K.C. Jones, « Piracy Becomes Focus of Net Neutrality Debate », *Information Week*, 6 mai 2008 ; Jane Spencer, « How a System Error in Pakistan Shut YouTube », *Wall Street Journal*, 26 février 2008.

Questions

1. En quoi consiste la neutralité du réseau ? Pourquoi ce principe a-t-il toujours été appliqué à Internet jusqu'à présent ?

2. Qui est partisan de la neutralité du réseau ? Qui s'y oppose ? Pourquoi ?

3. Si les fournisseurs d'Internet adoptaient un modèle de services et tarifs progressifs, quelles en seraient les répercussions sur les utilisateurs, les entreprises et le gouvernement ?

4. Êtes-vous favorable à une législation imposant la neutralité du réseau ? Oui ou non ? Pourquoi ?

Ateliers

1. Visitez le site de la Web Open Internet Coalition et choisissez cinq des organisations membres. Visitez ensuite le site Web de chacune d'entre elles ou naviguez sur le Web pour trouver d'autres renseignements à leur sujet. Rédigez un bref compte rendu expliquant pourquoi chaque organisation appuie la neutralité du réseau.

2. Calculez la largeur de bande que vous consommez quand vous utilisez Internet chaque jour. Combien de courriels envoyez-vous quotidiennement et de quelle taille ? (Votre programme de courrier électronique peut peut-être vous fournir ces renseignements.) Combien de fichiers de musique et de vidéoclips téléchargez-vous chaque jour et quelle en est la taille ? Si vous regardez souvent YouTube, naviguez pour trouver la taille d'un fichier type. Additionnez le nombre de courriels et de fichiers audio et vidéo que vous envoyez ou recevez au cours d'une journée ordinaire.

Internet n'appartient à personne et ne dispose d'aucune organisation ou structure formelle de gestion. Divers organismes publics et privés participent néanmoins à l'élaboration de politiques mondiales pour Internet, dont l'IAB (Internet Architecture Board), qui travaille à la définition d'une structure d'ensemble, l'ICANN (*Internet Corporation for Assigned Names and Numbers*), qui est chargée de l'attribution des noms de domaine et des numéros sur Internet, et le consortium W3C (World Wide Web Consortium), qui établit le langage HTML (*HyperText Mark-up Language*) et les autres normes de programmation pour le Web.

Ces organisations usent de leur influence auprès des services gouvernementaux, des propriétaires de réseaux et des développeurs de logiciels pour qu'Internet fonctionne de la façon la plus efficace possible. Internet doit aussi se conformer aux lois des États souverains où il est accessible et s'adapter aux infrastructures techniques dont ils disposent. Bien que l'intervention des gouvernements ait été plutôt timide durant les premières années qui ont suivi la création d'Internet et du Web, la situation est en train de changer, avec l'accroissement du rôle d'Internet dans la distribution de l'information et de la connaissance, y compris de contenus que certains jugent inadmissibles.

L'avenir d'Internet : IPv6 et Internet2

À l'origine, Internet n'a pas été conçu pour transmettre des quantités massives de données à des milliards d'utilisateurs. En raison des blocs de millions d'adresses IP octroyés à de nombreuses entreprises et à des gouvernements pour leurs employés actuels et à venir, ainsi que de la croissance naturelle du nombre d'internautes, le stock d'adresses IP utilisant le protocole d'adressage existant devrait être épuisé d'ici 2012 ou 2013. Une nouvelle version du schéma d'adressage IP appelée *Internet Protocol version 6* (IPv6) est donc en cours de création. Elle permettra de créer des adresses de 128 bits (2 à la puissance 128), soit une possibilité de plus de 1 billiard (10^{15}) d'adresses.

Aux États-Unis, **Internet2** et Next-Generation Internet (NGI) sont des consortiums qui réunissent 200 universités, des entreprises privées et des organismes gouvernementaux autour de la mise au point d'une nouvelle version d'Internet, plus robuste et disposant d'une bande de transmission plus large. Ils ont établi des réseaux dorsaux haute performance dotés de bandes passantes de 2,5 à 9,6 Gb/s. Les groupes de recherche d'Internet2 travaillent à la mise au point et à l'implantation de nouvelles technologies permettant un routage plus efficace, des niveaux de service différents selon le type de données et leur importance, des applications évoluées de partage des opérations informatiques, des laboratoires virtuels, des bibliothèques numériques, l'enseignement à distance et la télé-immersion. Ces réseaux ne remplacent pas l'Internet public, mais servent de banc d'essai pour les technologies de pointe qui pourraient se retrouver un jour sur Internet.

Les services et les outils de communication d'Internet

Le fonctionnement d'Internet repose sur la technologie client-serveur. Les personnes qui utilisent Internet contrôlent leurs opérations au moyen des applications clients de leur ordinateur, dont le navigateur Web est un exemple. Toutes les données, y compris les courriels et les pages Web, sont stockées dans des serveurs. Un client utilise Internet pour demander une page Web à un serveur donné et celui-ci lui renvoie l'information par Internet. Les chapitres 5 et 6 décrivent comment les serveurs Web travaillent avec des serveurs d'applications et des serveurs de bases de données pour accéder aux informations par l'intermédiaire des applications des systèmes d'information internes d'une organisation et des bases de données correspondantes. Aujourd'hui, les plateformes clients comprennent non seulement des ordinateurs – personnels et autres –, mais également des téléphones cellulaires, des assistants personnels numériques et d'autres types d'appareils.

Les services Internet

Un ordinateur client connecté à Internet peut accéder à tout un éventail de services : courrier électronique, groupes de clavardage et messagerie instantanée, **Telnet**, **protocole de transfert de fichiers FTP** (pour *File Transfer Protocol*), World Wide Web, etc. Le tableau 7-3 donne une brève description de ces services.

[TABLEAU 7-3]

LES PRINCIPAUX SERVICES INTERNET

SERVICE	RÔLE
Courrier électronique	Messages de personne à personne ; partage de documents
Messagerie instantanée, clavardage	Conversation en temps réel
Groupes de discussion	Forums sur babillards électroniques, serveur d'information ou autre
Telnet	Ouverture d'une session sur un système et travail sur un autre
Protocole FTP	Transfert de fichiers d'un ordinateur à un autre
Web	Récupération, mise en forme et affichage d'informations (texte, sons, graphiques, images et vidéo) au moyen de liens hypertextes

Chaque service Internet est assuré par un ou plusieurs logiciels. Un seul serveur peut assurer tous ces services, mais il est également possible de les répartir entre plusieurs appareils. La figure 7-10 illustre une des façons de disposer ces services dans une architecture client-serveur à plusieurs niveaux.

Le **courrier électronique** permet d'échanger des messages d'un ordinateur à un autre, éliminant les frais coûteux d'interurbains inhérents à l'expédition de messages aux différents services d'une organisation. En plus d'offrir une fonction de messagerie électronique, les logiciels de courrier électronique permettent d'acheminer des messages à plusieurs destinataires, de les faire suivre et d'y joindre des fichiers texte ou multimédias. Même si certaines organisations exploitent leur propre système de courrier électronique, la majeure partie transite aujourd'hui par Internet. Les coûts sont beaucoup moins élevés que ceux du courrier traditionnel, et la plupart des messages arrivent à destination en quelques secondes, ce qui fait d'Internet un support de communication rapide et peu coûteux.

Aux États-Unis, plus de 90 % des employés de grandes entreprises utilisent les outils de **clavardage** ou de messagerie instantanée. Le clavardage permet à deux ou plusieurs personnes simultanément branchées à Internet d'avoir une conversation en direct. Aujourd'hui, les systèmes de clavardage transmettent l'écrit, la voix et la vidéo. Un grand nombre de commerces électroniques offrent des services de clavardage sur leur site Web pour attirer des visiteurs, encourager les clients à acheter de nouveaux produits et améliorer le service à la clientèle.

La **messagerie instantanée** est un service de clavardage qui permet aux participants de créer leurs propres canaux privés. Le système prévient l'utilisateur chaque fois qu'il y a un interlocuteur sur sa ligne privée pour qu'il puisse clavarder avec lui. Il existe sur le marché plusieurs systèmes de messagerie électronique, dont Yahoo! Messenger, MSN Messenger et AOL Instant Messenger. Les entreprises pré-

occupées par les questions de sécurité utilisent des outils comme Sametime, de Lotus, pour se doter de systèmes de messagerie instantanée.

Les groupes de discussion utilisent des babillards électroniques pour permettre aux gens, où qu'ils se trouvent dans le monde, d'échanger de l'information et des idées sur n'importe quel sujet – par exemple la radiologie ou les groupes rock. N'importe qui peut afficher un message sur ces babillards. Il existe plusieurs milliers de groupes de discussion portant sur tous les sujets possibles et imaginables.

L'utilisation du courrier électronique, de la messagerie instantanée et d'Internet par les employés est censée accroître la productivité des travailleurs, mais la session interactive sur la gestion révèle que ce n'est peut-être pas toujours le cas. Beaucoup de gestionnaires d'entreprise croient maintenant qu'il est nécessaire de surveiller et même de réglementer l'activité de leurs employés en ligne. Mais est-ce conforme à l'éthique? Bien qu'il y ait de bonnes raisons, du point de vue des affaires, de surveiller le courrier électronique des employés et leurs activités sur le Web, qu'en est-il du droit à la vie privée?

La voix sur IP

Internet est devenu une plateforme populaire de transmission de la voix et de réseautage d'entreprises. La technologie **Voix sur IP** (**VoIP**) utilise le protocole Internet (IP) pour transmettre la voix sous forme numérique grâce à la commutation de paquets. Les utilisateurs évitent ainsi de payer des frais aux réseaux de téléphone locaux et interurbains traditionnels (figure 7-11). Les appels qui devraient transiter par les réseaux publics de téléphone passent plutôt par un réseau d'entreprise basé sur le protocole Internet ou par le réseau Internet public. La téléphonie IP permet de faire et de recevoir des appels à partir d'un ordinateur de bureau équipé d'un microphone et de haut-parleurs, ou encore d'un téléphone VoIP.

FIGURE 7-10   LE SYSTÈME CLIENT-SERVEUR SUR INTERNET

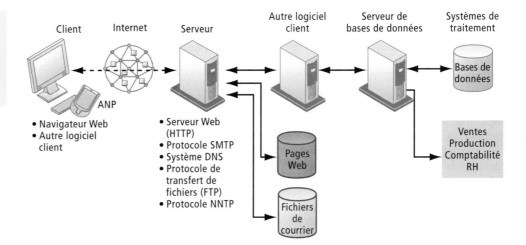

Les ordinateurs clients munis d'un navigateur Web et d'autres logiciels peuvent utiliser Internet pour accéder à une série de services qui peuvent être assurés par un même serveur ou par différents serveurs spécialisés.

SESSION INTERACTIVE : LA GESTION

LA SURVEILLANCE DES EMPLOYÉS SUR LES RÉSEAUX : UNE PRATIQUE CONTRAIRE À L'ÉTHIQUE OU DE LA BONNE GESTION ?

L'utilisation d'Internet dans le monde a littéralement explosé, et c'est aussi le cas de l'utilisation du courrier électronique et du Web à des fins personnelles pendant les heures de travail. Plusieurs problèmes de gestion sont apparus : d'une part, la vérification du courrier électronique, la réponse à la messagerie instantanée ou le visionnement à la dérobée d'un bref vidéo sur YouTube ou MySpace engendrent une série d'interruptions qui détournent l'attention des employés des tâches qu'ils sont censés remplir. Selon Basex, une société de recherche sur l'entreprise basée à New York, ces distractions occuperaient plus de 28 % du temps de travail moyen aux États-Unis et se traduiraient par une perte de productivité se chiffrant annuellement à 650 milliards de dollars.

D'autre part, ces interruptions ne sont pas forcément liées au travail. Plusieurs études en sont arrivées à la conclusion que les employés consacraient au moins 25 % du temps qu'ils passent à naviguer sur le Web à des activités qui n'avaient aucun lien avec leur travail, et que 90 % d'entre eux recevaient et envoyaient des courriels personnels pendant les heures de travail.

Beaucoup d'entreprises ont commencé à surveiller l'utilisation que font leurs employés du courrier électronique, des blogues et d'Internet, parfois sans qu'ils le sachent. Une étude récente menée par l'American Management Association (AMA) auprès de 304 entreprises étatsuniennes de toutes tailles a révélé que 66 % d'entre elles surveillaient les messages de courrier électronique et les connexions au Web de leurs employés. Même si légalement elles ont le droit de surveiller les activités de leurs employés liées à Internet et au courrier électronique pendant les heures de travail, on

peut se demander si une telle surveillance est contraire à l'éthique ou si elle relève d'une saine gestion.

Les gestionnaires s'inquiètent de la perte de temps et de la baisse de productivité engendrées par le fait que des employés traitent de leurs affaires personnelles plutôt que de s'occuper de celles de l'entreprise. Trop de temps consacré aux affaires personnelles (par l'intermédiaire d'Internet ou non) peut se traduire par des pertes de revenus ou une surfacturation des clients. Certains employés pourraient même facturer aux clients le temps qu'ils consacrent à effectuer des transactions boursières personnelles en ligne ou d'autres affaires de nature privée.

Si le trafic lié aux transactions de nature personnelle est trop élevé, il risque aussi de causer des encombrements sur les réseaux de l'entreprise et de nuire aux affaires. Schemmer Associates, une firme d'architectes située à Omaha, au Nebraska, et le Potomac Hospital de Woodbridge, en Virginie, ont constaté que leurs ressources informatiques étaient limitées par la pénurie de bande passante causée par des employés qui utilisaient les connexions Internet de l'entreprise pour regarder et télécharger des fichiers vidéo.

Lorsque des employés utilisent le courrier électronique ou le Web, que ce soit sur le lieu de travail ou à l'aide d'appareils appartenant à l'entreprise, c'est cette dernière qui doit assumer la responsabilité de tous leurs actes, notamment les actes illégaux. L'employeur peut alors être retrouvé et incriminé. Les gestionnaires de nombreuses entreprises craignent que le matériel à connotation raciste, sexuellement explicite ou potentiellement offensant que leurs employés pourraient soit consulter, soit échanger

puisse se transformer en publicité négative, voire entraîner des poursuites. Et même si l'entreprise est innocentée, les frais encourus pourraient se chiffrer à des dizaines de milliers de dollars.

Les entreprises craignent également que des renseignements confidentiels et des secrets commerciaux soient divulgués par l'entremise du courrier électronique ou des blogues. Ajax Boiler, une entreprise établie à Santa Ana, en Californie, a appris qu'un de ses cadres supérieurs pouvait accéder au réseau d'un ancien employeur et lire le courrier électronique du directeur de ses ressources humaines. Il tentait ainsi de recueillir des renseignements en vue d'intenter une poursuite contre son ancien employeur.

Les entreprises qui permettent aux employés d'utiliser des comptes de courrier électronique personnels au travail risquent des ennuis d'ordre juridique et réglementaire si elles ne conservent pas ces messages. Aujourd'hui, le courrier électronique est une source importante de preuve en matière de poursuites, et les entreprises doivent conserver tous leurs messages pendant une période plus étendue qu'auparavant. Les tribunaux ne se préoccupent pas de savoir si les courriels concernés par les poursuites ont été envoyés par l'entremise d'un compte personnel ou d'un compte d'entreprise. L'incapacité de présenter ces courriels peut entraîner une amende s'élevant à plusieurs centaines de milliers de dollars, voire plus.

Aux États-Unis, la loi accorde aux entreprises le droit de surveiller les faits et gestes de leurs employés pendant les heures de travail. La question est de savoir si la surveillance électronique est un outil approprié pour favoriser l'efficacité et créer une ambiance positive au travail. Certaines entreprises essaient d'interdire toute activité personnelle sur les réseaux de l'entreprise (la « tolérance zéro »). D'autres souhaitent plutôt interdire l'accès à certains sites ou limiter le temps consacré aux affaires personnelles sur le Web grâce à des logiciels qui permettent au service de la TI de connaître les sites Web visités, la durée de ces visites et les fichiers téléchargés à cette occasion. La société Ajax utilise un logiciel de SpectorSoft Corporation qui enregistre tous les sites Web que les employés visitent, le temps qu'ils passent sur chacun et tous les courriels envoyés. Schemmer Associates se sert de OpenDNS pour classer et filtrer le contenu du Web et bloquer l'accès aux fichiers vidéo jugés indésirables.

Certaines entreprises ont renvoyé des employés qui avaient dépassé les bornes. Le tiers des entreprises recensées dans l'étude d'AMA avaient licencié des travailleurs pour avoir utilisé Internet à de mauvaises fins pendant leurs heures de travail. Parmi les gestionnaires qui avaient renvoyé des employés pour cette raison, 64 % l'avaient fait parce que le courrier électronique de l'employé était rédigé dans un langage inapproprié ou offensant, et plus de 25 % en raison d'un usage personnel abusif.

Il n'existe pas de panacée à ce problème, mais beaucoup de consultants pensent que les entreprises devraient établir des politiques d'entreprise pour régir l'utilisation du courrier électronique et d'Internet par les employés. Ces politiques devraient déterminer, pour chaque poste ou chaque fonction, dans quelles circonstances et à quels moments les employés auraient le droit d'utiliser les équipements de l'entreprise pour envoyer des courriels, pour bloguer ou pour naviguer sur Internet. Elles devraient également prévenir les employés que leurs activités sont surveillées et en expliquer les raisons.

Ces règles doivent s'accorder avec la culture d'entreprise et tenir compte de ses besoins particuliers. Par exemple, bien que certaines entreprises puissent empêcher tout leur personnel d'accéder à des sites contenant du matériel sexuellement explicite, les employés de bureaux d'avocats ou d'établissements de soins pourraient en avoir besoin pour leur travail. De même, les sociétés de placement doivent autoriser un grand nombre de leurs employés à accéder à d'autres sites de placement. À la limite, une entreprise pour laquelle le partage de l'information, l'innovation et l'autonomie constituent des dimensions essentielles pourrait parfaitement en arriver à la conclusion que surveiller les activités de ses employés crée plus de problèmes que cela n'en résout.

Sources : Nancy Gohring, « Over 50 Percent of Companies Fire Workers for E-Mail, Net Abuse », *InfoWorld*, 28 février 2008 ; Bobby White, « The New Worplace Rules : No Video-Watching », *Wall Street Journal*, 4 mars 2008 ; Maggie Jackson, « May We Have Your Attention, Please ? », *Business Week*, 23 juin 2008 ; Katherine Wegert, « Workers Can Breach Security Knowingly Or Not », *Dow Jones News Service*, 24 juin 2007 ; Andrew Blackman, « Foul Sents », *Wall Street Journal*, 26 mars 2007.

Questions

1. Les gestionnaires devraient-ils surveiller l'utilisation du courrier électronique et d'Internet par les employés ? Oui ou non ? Pourquoi ?
2. Décrivez une politique d'utilisation du courrier électronique et du Web efficace dans une entreprise.

Ateliers

Explorez le site Web d'un logiciel de surveillance des employés en ligne tel que SpectorSoft ou SpyTechn NetVizor et répondez aux questions suivantes.

1. Quelles activités de l'employé peut-on suivre grâce à ce logiciel ? Que peut apprendre un employeur au sujet d'un employé en utilisant ce logiciel ?
2. Quels avantages procure l'utilisation de ce logiciel, pour les entreprises ?
3. Comment réagiriez-vous si votre employeur utilisait ce logiciel pour surveiller vos faits et gestes au travail ? Expliquez votre réponse.

Les fournisseurs de services de télécommunications (comme Bell et Telus) et les entreprises de câblodistribution (comme Cogeco et Vidéotron) offrent des services VoIP. Skype offre gratuitement la VoIP à l'échelle mondiale grâce à un réseau poste à poste, et Google possède son propre service VoIP gratuit.

Même si un système téléphonique IP exige certains investissements initiaux, la technologie VoIP permet une réduction de l'ordre de 20 à 30 % des coûts liés aux communications et à la gestion de réseaux. Par exemple, la VoIP a permis à Virgin Entertainment Group d'épargner annuellement 700 000 $ en frais d'appels interurbains. En plus de réduire le coût des appels interurbains et d'éliminer les frais de location de lignes privées, un réseau IP fournit aux services informatiques et de télécommunication une infrastructure voix-données commune. Les entreprises n'ont ainsi plus besoin d'entretenir des réseaux distincts, avec tous les services de soutien et tout le personnel que cela exige.

La flexibilité est un autre avantage de la VoIP. En effet, contrairement aux systèmes téléphoniques traditionnels,

FIGURE **7-11** LE FONCTIONNEMENT DE LA TECHNOLOGIE VoIP

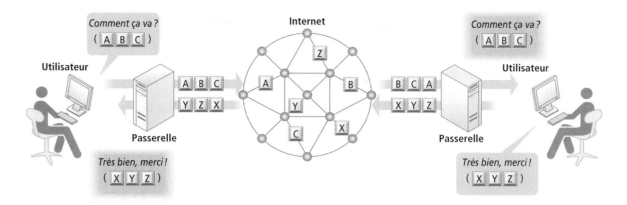

Un appel VoIP numérise et décompose un message vocal en paquets de données qui peuvent emprunter différents trajets avant d'être réassemblés une fois parvenus à destination. Le processeur le plus proche de l'émetteur de l'appel, appelé *passerelle*, met les paquets en ordre et les achemine vers le numéro de téléphone ou l'adresse IP du destinataire.

cette technologie permet d'ajouter ou de déplacer des téléphones sans modifier ni le câblage ni la configuration du réseau : il suffit de brancher les téléphones VoIP dans les nouveaux emplacements du réseau IP. Elle permet aussi d'organiser une **téléconférence** en sélectionnant le nom des participants par une simple opération « glisser-déposer » dans une fenêtre apparaissant à l'écran de l'ordinateur. Messages vocaux et courriels peuvent enfin être combinés en un seul répertoire.

La messagerie unifiée

Auparavant, chacun des réseaux de données avec et sans fil, de communication vocale et de vidéoconférence de l'entreprise fonctionnait indépendamment, et le service des systèmes d'information devait les gérer séparément. Les entreprises peuvent maintenant combiner des modes de transmission variés en un seul service accessible à tous, grâce à la **messagerie unifiée**. Comme nous l'avons souligné dans l'étude de cas sur Virgin Megastore présentée en début de chapitre, la messagerie unifiée intègre les divers canaux de transmission de la voix et des données, la messagerie instantanée, le courrier et les conférences électroniques pour créer un mode unique qui permet aux utilisateurs de passer sans coupure d'un mode de transmission à un autre. L'indicateur de présence permet de savoir si une personne est disponible pour recevoir un appel. Les entreprises devront évaluer l'effet de cette technologie sur le déroulement du travail et les processus administratifs pour en mesurer l'intérêt.

Les réseaux privés virtuels

Que feriez-vous si les membres de l'équipe de marketing chargée de concevoir de nouveaux produits et services pour votre entreprise étaient dispersés dans tout le pays ? Vous voudriez probablement qu'ils puissent communiquer entre eux, ainsi qu'avec le siège social, par courrier électronique, sans que les communications risquent d'être interceptées. Autrefois, on réglait ce problème en travaillant avec de grandes entreprises de réseautage privées qui offraient à leurs clients des réseaux sûrs, confidentiels et dédiés. Il s'agissait toutefois d'un choix onéreux. Il est beaucoup plus économique de créer un réseau privé virtuel sur Internet.

Un **réseau privé virtuel (RPV)** est un réseau privé crypté et sûr, qu'on a configuré à l'intérieur d'un réseau public pour profiter des économies d'échelle et des facilités de gestion des grands réseaux comme Internet (figure 7-12). Un réseau virtuel privé basé sur le protocole Internet offre une con-

FIGURE **7-12**

LE RÉSEAU PRIVÉ VIRTUEL UTILISANT INTERNET

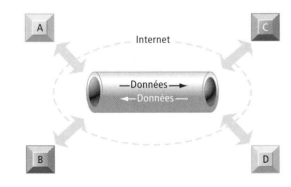

Ce RPV est un réseau privé d'ordinateurs reliés par une connexion en « tunnel » sécurisée sur Internet. Ce système protège la transmission des données en les codant et en les emballant dans des paquets IP. Cet « emballage » permet aux organisations de créer une connexion privée qui circule sur le réseau public d'Internet.

nexion sécurisée qui permet aux communications privées de circuler en toute sécurité dans l'infrastructure publique. L'infrastructure des RPV permet aussi de combiner les réseaux voix et données.

Les organisations utilisent plusieurs protocoles concurrents pour protéger la transmission des données dans Internet, dont le protocole PPTP (*Point to Point Tunneling Protocol*). Grâce à un processus appelé *tunnellisation*, des paquets de données sont codés et enveloppés à l'intérieur de paquets IP afin de leur permettre de circuler en toute sécurité dans Internet. Cet « emballage » permet aux organisations de créer une connexion privée qui circule sur un réseau public.

Le Web

Vous avez probablement déjà utilisé le World Wide Web (le Web), soit pour acheter de la musique, trouver de l'information pour un travail universitaire, connaître la météo ou des résultats sportifs. Le Web est le service le plus populaire d'Internet. Ce système est régi par des normes universellement reconnues permettant d'administrer le stockage, la recherche, la mise en forme et la présentation d'informations à l'aide d'une architecture client-serveur. Pour mettre en forme une page Web, on utilise un hypertexte qui intègre des liens reliant les documents les uns aux autres, ainsi qu'à d'autres éléments comme le son, la vidéo et les fichiers d'animation. Quand on clique sur un graphique ou un vidéoclip, on clique sur un lien hypertexte. Un **site Web** type est en fait une collection de pages Web reliées à une page d'accueil.

L'hypertexte

Les pages Web sont basées sur le langage HTML (*Hypertext Markup Language*), qui met en forme les documents et y incorpore des liens dynamiques avec d'autres images et d'autres documents stockés dans le même ordinateur ou dans d'autres (chapitre 5). On peut accéder aux pages Web par Internet parce que le navigateur Web d'un ordinateur permet de consulter des pages Web stockées dans un serveur hôte Internet à l'aide du **protocole HTTP** (*Hypertext Transfer Protocol*). Ce protocole est une norme de communication utilisée pour transmettre des pages sur le Web. Par exemple, lorsque vous tapez dans votre navigateur une adresse Web comme www.sec.gov, celui-ci envoie une requête HTTP au serveur sec.gov pour qu'il le laisse accéder à sa page d'accueil.

HTTP est le premier groupe de lettres de toute adresse Web. Il est suivi par le nom de domaine, qui caractérise le serveur de l'organisation dans lequel le document est stocké. La plupart des entreprises prennent un nom de domaine identique à leur dénomination officielle ou proche de celle-ci. Le chemin d'accès au répertoire et le nom du document sont les deux autres éléments d'information contenus dans l'adresse Web qui permettent au navigateur de repérer la page demandée. L'ensemble forme une **adresse URL** (*Uniform Resource Locator*). Lorsqu'on tape une adresse URL dans un navigateur, elle lui indique avec précision où se trouve l'information. Par exemple, dans l'adresse

http://www.grandeent.ca/contenu/faits/082602.html, *http* indique le protocole utilisé pour afficher la page Web, www. grandeent.ca, le nom de domaine, *contenu/faits* le chemin d'accès au répertoire qui permet de repérer la page dans le serveur Web du domaine et *082602.html*, le nom du document et son format (en l'occurrence une page HTML).

Les logiciels de serveurs Web

Un logiciel de serveur Web est un logiciel qui sert à repérer et à gérer des pages Web. Il localise les pages demandées par un utilisateur dans l'ordinateur où elles sont stockées, puis les transmet à son ordinateur. Le serveur le plus utilisé aujourd'hui est Apache, qui occupe 60 % du marché. Il s'agit d'un produit libre, gratuit et téléchargeable à partir du Web. Internet Information Services, de Microsoft, arrive deuxième avec une part de marché de 40 %.

La recherche d'information sur le Web

Personne ne sait exactement combien il y a de pages Web. Le Web visible est la partie du Web que les moteurs de recherche explorent et au sujet de laquelle on enregistre des renseignements. Par exemple, l'entreprise Google a exploré environ 50 milliards de pages Web en 2008 (même si elle n'a reconnu publiquement en avoir indexé que moins de 25 milliards). Il existe toutefois un « Web invisible » qui contient environ 800 milliards de pages additionnelles, dont beaucoup sont de propriété exclusive (comme les pages du journal *La Presse* en ligne, dont l'accès est protégé par un code d'accès) ou qui sont hébergées dans des bases de données d'entreprise protégées.

Bien sûr, compte tenu de la quantité de pages Web, il est difficile de trouver presque instantanément celles qui peuvent aider une entreprise. Comment trouver les quelques pages dont on a réellement besoin parmi les milliards de pages Web répertoriées ? Les **moteurs de recherche**, qui tentent de résoudre ce problème, sont sans doute l'application phare de l'ère d'Internet. Ils peuvent aujourd'hui passer en revue les fichiers HTML, les fichiers des applications de Microsoft Office et les fichiers PDF, et ils développent des fonctionnalités leur permettant de fouiller les fichiers audio, vidéo et image. Il existe des centaines de moteurs de recherche différents dans le monde, mais la grande majorité des résultats proviennent de trois fournisseurs principaux : Google, Yahoo ! et Microsoft.

Ces moteurs de recherche sont apparus au début des années 1990. Il s'agissait alors de programmes assez simples qui parcouraient le Web naissant en en visitant les pages pour recueillir des informations sur leur contenu. Les premiers étaient de simples index de mots clés de toutes les pages visitées et ne fournissaient à l'utilisateur que des listes de pages qui pouvaient ou non être pertinentes pour sa recherche.

En 1994, David Filo et Jerry Yang, alors étudiants en informatique à la Stanford University, ont créé une liste personnalisée de leurs pages Web préférées et l'ont appelée « Yet Another Hierarchical Officious Oracle » ou Yahoo ! Au départ, Yahoo! n'était pas un moteur de recherche, mais plutôt une sélection de sites Web classés selon des catégories que les auteurs trouvaient utiles; depuis, il a développé ses propres fonctionnalités de moteur de recherche.

En 1998, Larry Page et Sergey Brin, deux autres étudiants en informatique de Stanford, ont lancé la première version de Google. Ce moteur de recherche était différent: en plus de répertorier les mots de chaque page Web, il classait également les résultats de recherche selon la pertinence de chaque page. Larry Page a fait breveter l'idée d'un système de classement des pages Web (PageRank) qui, pour l'essentiel, mesure la popularité d'une page Web en calculant le nombre de sites qui y sont reliés. L'apport de Sergey Brin a consisté en un programme unique de robot d'indexation ou robot-araignée qui répertorie sur la page non seulement des mots clés, mais aussi des combinaisons de mots (comme le nom des auteurs et les titres de leurs articles). Ces deux idées ont formé l'assise du moteur de recherche Google. La figure 7-13 illustre la façon dont fonctionne Google.

Les sites Web permettant de trouver de l'information comme Yahoo!, Google et MSN sont devenus si populaires et si conviviaux qu'ils servent également de principaux por-tails Internet (chapitre 10). Leurs moteurs de recherche sont devenus d'importants outils de magasinage et offrent ce qu'on appelle maintenant **marketing par moteur de recherche** (ou **SEM** pour *search engine marketing*). Lorsqu'un utilisateur tape un mot clé dans Google, MSN, Yahoo!, ou tout autre site relié à ces moteurs de recherche, il reçoit deux types de listes: l'une contient des liens publicitaires payés par les annonceurs (habituellement dans le haut de la page de résultats) et l'autre, les résultats de recherche non commandités. De plus, les annonceurs peuvent acheter de petits textes encadrés qui apparaissent sur le côté de la page de résultats de Google et MSN. Ces annonces payantes consti-tuent actuellement la forme de publicité Internet qui croît le plus rapidement; ce sont de puissants outils de marketing qui s'adaptent aux champs d'intérêt du consommateur en lui envoyant le bon message au bon moment (voir l'étude de cas à la fin du chapitre). Le marketing par moteur de recherche introduit ainsi une dimension commerciale dans le proces-sus de recherche.

Aux États-Unis seulement, 71 millions de personnes ont utilisé quotidiennement un moteur de recherche en 2008, effectuant plus de 10 milliards de recherches par mois. Il

LE FONCTIONNEMENT DE GOOGLE

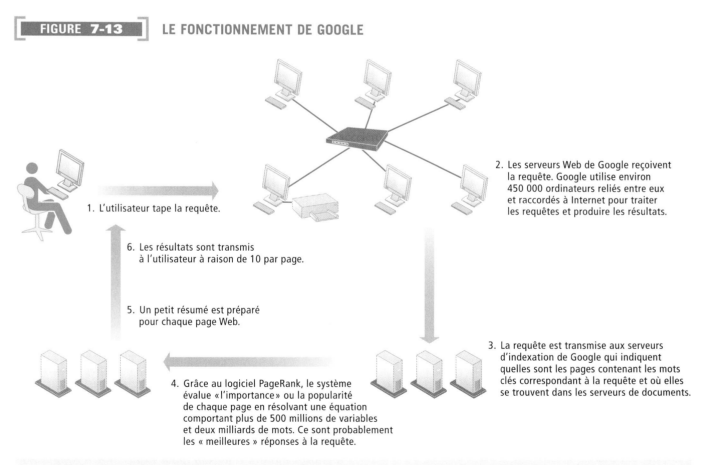

1. L'utilisateur tape la requête.

2. Les serveurs Web de Google reçoivent la requête. Google utilise environ 450 000 ordinateurs reliés entre eux et raccordés à Internet pour traiter les requêtes et produire les résultats.

6. Les résultats sont transmis à l'utilisateur à raison de 10 par page.

5. Un petit résumé est préparé pour chaque page Web.

4. Grâce au logiciel PageRank, le système évalue «l'importance» ou la popularité de chaque page en résolvant une équation comportant plus de 500 millions de variables et deux milliards de mots. Ce sont probablement les « meilleures » réponses à la requête.

3. La requête est transmise aux serveurs d'indexation de Google qui indiquent quelles sont les pages contenant les mots clés correspondant à la requête et où elles se trouvent dans les serveurs de documents.

Le moteur de recherche Google ne cesse de parcourir le Web, indexant le contenu de chaque page, mesurant sa popularité et la classant afin de pouvoir répondre rapidement aux requêtes des utilisateurs. Le processus dure environ une demi-seconde au total.

existe des centaines de moteurs de recherche, mais les trois plus importants – Google, Yahoo! et MSN – représentent 90 % de toutes les recherches (figure 7-14).

Bien que les moteurs de recherche aient été initialement conçus pour trouver des documents texte, la multiplication des vidéos et des images en ligne a engendré une demande pour des moteurs capables de trouver rapidement des vidéos spécifiques. Les mots « danse », « amour », « musique » et « fille » sont tous extrêmement répandus dans les titres de vidéos diffusées sur YouTube, et les recherches utilisant ces mots clés produisent un déluge de réponses, même si le contenu réel des vidéos n'a rien à voir. La recherche de vidéos est difficile parce que les ordinateurs n'arrivent pas très bien à reconnaître les images numériques ou ne le font que très lentement. Certains moteurs de recherche ont commencé à répertorier les scénarios de films, ce qui permet de trouver un film en en examinant les dialogues. L'un des moteurs de recherche de vidéos les plus populaires est Blinkx.com, qui a répertorié 18 millions d'heures de vidéo et emploie une équipe importante de classificateurs pour vérifier dans quelle mesure leur contenu correspond à leur titre.

Le chapitre 11 présente en détail des logiciels dotés d'une intelligence intégrée qui leur permet de trouver ou de filtrer de l'information et d'effectuer diverses tâches pour aider les utilisateurs. Les robots-araignées dont il a été question précédemment en sont un exemple. Les **robots magasineurs** utilisent eux aussi un logiciel d'agent intelligent pour magasiner sur Internet. Ils peuvent aider les gens qui s'apprêtent à faire un achat à trouver des renseignements sur les produits qu'ils cherchent et à les filtrer, à évaluer les produits

concurrents en fonction de critères qu'ils ont eux-mêmes établis et à négocier le prix et les conditions de livraison avec les fournisseurs. Un grand nombre de robots magasineurs cherchent des produits sur le Web en fonction des critères de prix et de disponibilité indiqués par l'utilisateur, à qui ils rapportent une liste des sites qui les vendent, assortie d'informations sur le prix et de liens permettant de les acheter.

Le Web 2.0

Si vous avez affiché des photos sur Internet par l'entremise de Flickr ou d'un autre site de partage de photos, si vous avez blogué, cherché un mot sur Wikipédia ou fourni vous-même des renseignements, vous avez utilisé des services qui font partie du **Web 2.0**. De nos jours, les sites Web ne se limitent plus à offrir un contenu statique, ils permettent aux utilisateurs de collaborer, de partager de l'information et de créer de nouveaux services en ligne. Le terme « Web 2.0 » fait référence à ces services Internet interactifs de deuxième génération.

Les technologies et les services qui distinguent le Web 2.0 sont la « nimbo-informatique » (ou « informatique dans les nuages »), les applications composites, les gadgets logiciels, les blogues, les fils RSS et les sites wiki. Les applications composites et les gadgets logiciels, que nous avons présentés au chapitre 5, sont des logiciels-services qui permettent aux utilisateurs et aux développeurs d'agencer du contenu ou des composantes logicielles pour créer de nouvelles applications. Par exemple, le site de stockage et de partage de photos Flickr, de Yahoo!, combine des photos avec d'autres renseignements sur les images fournis par les utilisateurs et des outils permettant de les utiliser dans d'autres environnements de programmation.

Au lieu d'être installées sur un ordinateur, ces applications logicielles fonctionnent sur le Web lui-même, donnant ainsi un avant-goût de ce que pourrait être une informatique basée sur le Web. Grâce au Web 2.0, le Web ne se limite plus en effet à une collection de sites de destination, il devient une source de données et de services que les utilisateurs peuvent combiner pour créer les applications dont ils ont besoin. Les outils et les services du Web 2.0 ont stimulé la création de sites de réseautage personnel et d'autres communautés en ligne qui permettent aux gens d'interagir à leur guise.

Un **blogue** (du terme anglais *weblog*) est un site Web informel mais structuré sur lequel on peut publier des témoignages, afficher des opinions et placer des hyperliens vers d'autres sites d'intérêt. Les blogues sont devenus un mode de publication très populaire, mais ils sont aussi utiles aux entreprises (chapitres 10 et 11). L'entreprise Wells Fargo les utilise par exemple pour permettre aux gestionnaires de communiquer avec les employés et les clients.

Si vous êtes un fervent lecteur de blogues, vous pourriez utiliser les fils RSS pour rester au courant de vos blogues préférés sans avoir à les vérifier constamment pour connaître les mises à jour. Un fil **RSS** (pour *Really Simple Syndication* ou *Rich Site Summary*) est un format de syndication de contenu Web qui indexe le contenu des sites pour qu'il

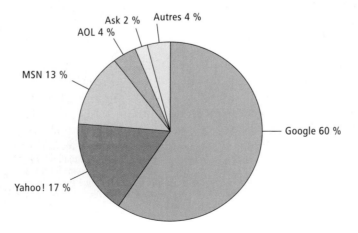

FIGURE 7-14

LES PRINCIPAUX MOTEURS DE RECHERCHE WEB AUX ÉTATS-UNIS

Google est le moteur de recherche Web le plus populaire : il traite 60 % de toutes les recherches Web.

Sources : Selon les données de Nielsen Online et MegaView Search, 2008.

puisse être utilisé dans un autre contexte. La technologie RSS extrait le contenu spécifié des sites Web et l'envoie directement dans l'ordinateur de l'abonné, où il peut être stocké pour lecture ultérieure.

Pour recevoir un fil de syndication (ou fil RSS), vous devez installer un agrégateur ou un logiciel de lecture de nouvelles qu'il est possible de télécharger du Web. (Le navigateur Internet Explorer 7 de Microsoft comprend des fonctionnalités de lecture du format RSS.) Vous pouvez aussi ouvrir un compte sur un site Web d'agrégateurs. Vous indiquez à l'agrégateur de recueillir toutes les mises à jour d'une page Web donnée, ou d'une liste de pages, ou encore de recueillir des renseignements sur un sujet donné en effectuant des recherches sur le Web à intervalles réguliers. Une fois abonné, vous recevez automatiquement le nouveau contenu dès qu'il est affiché sur le site Web spécifié. Plusieurs entreprises utilisent le format RSS à l'interne pour distribuer des mises à jour sur l'entreprise, et Wells Fargo l'utilise pour fournir à ses employés des fils de nouvelles parmi lesquels ils pourront choisir les nouvelles les plus pertinentes pour leur travail.

Les blogues offrent aux visiteurs la possibilité d'ajouter leurs commentaires au contenu initial, mais non de le modifier. Sur les sites **wiki**, en revanche, ils peuvent ajouter, supprimer ou modifier le contenu du site, y compris le travail des auteurs précédents. Le mot « wiki » vient de l'hawaïen *wikiwiki*, qui signifie « vite ». Wikipédia est sans doute le site wiki le plus connu. Il s'agit d'une énorme encyclopédie libre à laquelle tous les internautes peuvent contribuer. Mais les sites wiki sont également utiles aux entreprises. Par exemple, les représentants de commerce de Motorola s'en servent pour se communiquer des renseignements sur les ventes. Au lieu de concevoir une nouvelle présentation publicitaire pour chaque client, ils réutilisent l'information affichée sur le site wiki.

Le Web 3.0 : le Web du futur

Chaque jour, quelque 75 millions d'Américains présentent 330 millions de demandes aux moteurs de recherche. Parmi celles-ci, combien produisent un résultat significatif (une réponse utile dans les trois premières listes) ? Moins de la moitié, sans doute, et les entreprises Google, Yahoo !, Microsoft et Amazon essaient toutes d'augmenter cette proportion. Mais, compte tenu des 50 milliards et plus de pages Web répertoriées, les moyens offerts pour trouver l'information qu'on désire sont plutôt primitifs, puisqu'ils reposent sur les mots utilisés sur les pages et sur la popularité relative de celles-ci auprès des internautes qui ont utilisé les mêmes mots de recherche. Autrement dit, on procède par tâtonnements.

L'avenir du Web consiste en grande partie à concevoir des techniques pour que la recherche à travers ces 50 milliards de pages devienne plus productive et plus utile aux gens ordinaires. Le Web 1.0 a réglé le problème de l'accès à l'information. Le Web 2.0 a permis le partage de cette information avec d'autres et engendré de nouvelles expériences. Le **Web 3.0**, quant à lui, représente la promesse d'un Web dans lequel toute l'information et tous les contacts seront interconnectés en une seule expérience.

Le Web 3.0 s'apparente au **Web sémantique**, le terme « sémantique » se rapportant au sens des mots. Le contenu Web est actuellement conçu pour être lu par des êtres humains et affiché à l'écran des ordinateurs, mais pas pour être analysé et manipulé par des programmes informatiques. Les moteurs de recherche peuvent déterminer si un document Web contient effectivement un terme ou un mot-clé, mais ils sont incapables de comprendre sa signification ou ses liens avec d'autres informations similaires. Vous pouvez le vérifier en effectuant deux recherches sur Google. Tapez d'abord « Paris Hilton » puis « Hilton à Paris ». Comme Google ne comprend pas le français usuel, il ne peut pas savoir que, dans le deuxième cas, vous vous intéressez à l'hôtel Hilton à Paris ni saisir la signification des pages qu'il a répertoriées. Il vous renverra donc dans les deux cas les pages les plus populaires auprès des internautes qui ont fait des recherches en utilisant les mots « Hilton » et « Paris ».

Le Web sémantique, décrit pour la première fois en 2001 dans un article du magazine *Scientific American*, est une tentative collective menée par le consortium W3C pour améliorer l'efficacité de la recherche sur le Web en réduisant la nécessité d'une intervention humaine dans la recherche et le traitement de l'information (Berners-Lee et coll., 2001).

On peut trouver plusieurs visions de l'avenir du Web, mais en général toutes se concentrent sur la façon de rendre le Web plus « intelligent » grâce à une compréhension automatique améliorée de l'information qui favorise une expérience d'utilisation plus intuitive et plus efficace. Supposons, par exemple, que vous vouliez organiser une fête avec vos partenaires de tennis dans un restaurant le vendredi soir après le travail. Le problème, c'est que vous aviez déjà prévu d'aller voir un film avec un ami. Dans un environnement Web 3.0 sémantique, vous seriez capable de coordonner ce changement de programme avec les calendriers de vos partenaires de tennis et de votre ami et de faire en outre une réservation au restaurant, à l'aide d'une seule série de commandes vocales ou par texte sur votre téléphone portable intelligent. Mais pour l'instant, il n'existe pas de fonctionnalité de ce type.

Rendre le Web plus « intelligent » s'avère une tâche lente et fastidieuse, en grande partie parce qu'il est difficile de rendre des machines, et même des programmes d'ordinateur, aussi intelligents que des êtres humains. Il y a cependant d'autres visions du futur Web. Certains envisagent ainsi un Web 3D dans lequel il serait possible de parcourir les pages dans un environnement à trois dimensions et d'autres, un Web omniprésent qui contrôlerait tout, de l'éclairage de votre salon au rétroviseur arrière de votre voiture, sans oublier la gestion de votre calendrier et de vos rendez-vous.

Parmi les autres tendances préfigurant le Web 3.0, mentionnons une utilisation plus étendue de la nimbo-informatique et des logiciels-services d'entreprise, la possibilité de connecter un appareil mobile ou un dispositif d'accès à Internet où qu'on se trouve (informatique omniprésente ou ubiquiste), ainsi que la transformation du Web, qui passerait d'un réseau d'applications et de contenus séparés de façon

Les intranets et les extranets

Les intranets

En s'appuyant sur les normes de réseautage d'Internet et sur la technologie du Web, les organisations peuvent créer des réseaux privés appelés intranets. Comme nous l'avons expliqué au chapitre 1, il s'agit de réseaux internes qui permettent aux employés d'accéder aux données dans toute l'entreprise. L'intranet utilise l'infrastructure existante, les normes de connectivité d'Internet et un logiciel mis au point pour le Web. Les intranets peuvent donner naissance à des applications en réseau, qu'on peut exécuter sur plusieurs types d'ordinateurs au sein de l'organisation.

Alors que le Web est ouvert au grand public, les intranets sont des réseaux privés, protégés par des pare-feux : des systèmes de sécurité dotés de logiciels spécialisés, qui empêchent toute personne extérieure à l'entreprise de pénétrer dans son réseau privé. La technologie logicielle utilisée pour les intranets est identique à celle du Web, et il est possible de créer un intranet simple en reliant un ordinateur client pourvu d'un navigateur à un ordinateur équipé d'un logiciel de serveur Web par l'intermédiaire d'un réseau TCP/IP.

Les extranets

Une entreprise peut créer un extranet pour offrir à des personnes ou à des organisations extérieures un accès limité à son intranet. Par exemple, à partir d'Internet, des acheteurs autorisés pourront consulter l'intranet d'une entreprise afin d'obtenir des informations sur les prix et les caractéristiques des produits offerts. L'entreprise limite l'accès à ses données internes et se protège au moyen de pare-feux ; de plus, seules les personnes autorisées peuvent accéder au site.

Les intranets et les extranets contribuent à réduire les coûts d'exploitation. Ils offrent en effet la connectivité nécessaire pour coordonner des processus d'affaires disparates dans l'entreprise et créer un lien électronique entre les fournisseurs et les clients. Les extranets sont souvent utilisés pour établir des liens de collaboration avec d'autres entreprises et gérer efficacement la chaîne logistique, la conception et le développement de produits, ainsi que les efforts en matière de formation.

7.4 LA RÉVOLUTION DU SANS-FIL

Si vous avez un téléphone cellulaire, l'utilisez-vous pour prendre et envoyer des photos, pour transmettre des messages textes ou pour télécharger des clips de musique ? Apportez-vous votre ordinateur portatif en classe ou à la bibliothèque pour vous connecter à Internet ? Si c'est le cas, vous faites partie de la révolution du sans-fil. Les téléphones cellulaires, les ordinateurs portables et les petits terminaux de poche se sont transformés en des plateformes informatiques portatives qui permettent d'accomplir certaines des opérations informatiques qu'on faisait auparavant à son bureau.

La communication sans fil permet aux entreprises de rester plus facilement en contact avec leurs clients, leurs fournisseurs et leurs employés et d'organiser le travail de façon plus souple. Cette technologie a aussi engendré de nouveaux produits, de nouveaux services et de nouveaux circuits de vente, que nous aborderons au chapitre 10.

Les personnes qui ont besoin d'un accès à distance aux systèmes de leur entreprise et d'une capacité de traitement et de communication mobiles disposent aujourd'hui d'une vaste gamme d'appareils : téléphones cellulaires, assistants numériques personnels et téléphones intelligents. On commence aussi à utiliser les ordinateurs personnels pour la transmission sans fil.

L'**assistant numérique personnel (ANP)** est un petit ordinateur de poche qui comporte diverses applications, telles qu'un agenda électronique, un carnet d'adresses, un bloc-notes et un suivi des dépenses. Le **téléphone intelligent** est un modèle d'ANP qui offre des fonctions de téléphone cellulaire numérique, comme la messagerie électronique, l'accès sans fil à Internet, la transmission de la voix et la prise de photos numériques.

Les systèmes cellulaires

Les téléphones cellulaires et les téléphones intelligents sont devenus des dispositifs tout usage pour la transmission de données numériques. On se sert maintenant des téléphones mobiles non seulement pour les communications vocales, mais pour la transmission de messages texte et de courrier électronique, la messagerie instantanée, la prise de photos numériques et le tournage de courts clips vidéo, pour écouter de la musique et jouer à des jeux, pour naviguer sur le Web et, même, pour transmettre et recevoir des données d'entreprise. Par exemple, Aflac, une importante société d'assurances, possède une application qui transmet, aux téléphones intelligents de toute son équipe sur le terrain (Sacco, 2008), de l'information sur les modifications de police, l'état des demandes de règlement et les polices présentes ou passées des clients.

Dans quelques années, une nouvelle génération de processeurs mobiles et des réseaux mobiles plus rapides permettront à ces appareils de fonctionner comme des plateformes numériques informatiques exécutant un grand nombre des tâches actuellement effectuées sur des ordinateurs. Avec la capacité de stockage et la puissance de traitement d'un ordinateur, les téléphones intelligents seront en mesure d'exécuter toutes les applications importantes et d'accéder à toutes les données numériques dont on a besoin.

Les réseaux cellulaires : différentes normes et différentes générations

Les services cellulaires numériques utilisent plusieurs normes rivales. En Europe et dans le reste du monde – à l'exception

étanche en une entité plus intégrée et interfonctionnelle. Ces visions plus modestes du futur Web 3.0 sont plus susceptibles à court terme de devenir une réalité.

de l'Amérique du Nord –, la norme est le Système mondial de communications mobiles (GSM). La capacité d'itinérance internationale est le principal atout de cette norme. Il existe aussi des systèmes de téléphonie cellulaire GSM aux États-Unis (T-Mobile et AT&T) et au Canada (Rogers).

L'**AMRC** ou **Accès multiple par répartition en code** (CDMA pour *Code Division Multiple Access* en anglais) est toutefois la principale norme aux États-Unis et au Canada. C'est d'ailleurs celle qu'utilisent Verizon, Bell et Sprint. Cette norme a été mise au point par l'armée des États-Unis pendant la Seconde Guerre mondiale. Elle transmet plusieurs fréquences occupant la totalité du spectre et en assigne au hasard une gamme aux utilisateurs. En règle générale, l'implantation de l'AMRC est plus économique, car elle permet une utilisation plus efficace du spectre de fréquences et offre un débit supérieur de transmission de la voix et des données que la norme GSM.

Les premières générations de systèmes cellulaires étaient principalement conçues pour la transmission de la voix et un transfert limité de données sous la forme de petits messages texte. Les entreprises de téléphonie sans fil introduisent maintenant des réseaux cellulaires plus puissants appelés **réseaux de troisième génération** ou **3G**, dont les vitesses de transmission varient de 144 kb/s pour les utilisateurs mobiles (par exemple, en voiture) à 2 Mb/s pour les utilisateurs statiques. À cette vitesse, il est possible de transmettre, en plus de la voix, des images vidéo, des graphiques et divers médias très perfectionnés. Les réseaux 3G assurent donc un accès à Internet de haut débit. Beaucoup de téléphones cellulaires offerts aujourd'hui sont adaptés au réseau 3G, notamment la plus récente version de l'iPhone d'Apple et le Palm Pre.

Les réseaux 3G sont très répandus au Japon, en Corée du Sud, à Taïwan, à Hong Kong, à Singapour et dans certaines parties de l'Europe du Nord, mais peu aux États-Unis et au Canada. Pour compenser, les entreprises de téléphonie cellulaire ont rehaussé les capacités de leurs réseaux afin de prendre en charge des vitesses plus élevées de transmission. Ces réseaux intermédiaires 2.5G transmettent les données à des vitesses variant entre 60 et 354 kb/s, ce qui permet d'utiliser le téléphone cellulaire pour accéder au Web, pour télécharger de la musique ou pour bénéficier d'autres services à haut débit. Le réseau EDGE de AT&T, utilisé pour la première génération d'iPhone, en est un exemple. Les ordinateurs équipés d'une carte spéciale peuvent utiliser ces services cellulaires à haut débit pour bénéficier d'un accès permanent à Internet sans fil.

La prochaine évolution d'envergure dans les communications sans fil, appelée 4G, reposera entièrement sur un réseau à commutation de paquets et pourra fournir un débit de 1 Mb/s à 1 Gb/s de qualité supérieure dans d'excellentes conditions de sécurité. La transmission en continu de la voix, ainsi que de données et de vidéos d'excellente qualité sera accessible aux utilisateurs partout, en tout temps. Les organismes de réglementation et de normalisation des télécommunications à l'échelle internationale s'affairent en vue d'un déploiement commercial des réseaux 4G entre 2012 et 2015.

Les réseaux d'ordinateurs sans fil et l'accès à Internet

On peut maintenant, avec un ordinateur portatif, accéder à Internet en se déplaçant d'une pièce à l'autre de son appartement ou d'une table à l'autre de la bibliothèque d'une université. Un éventail de technologies assure l'accès sans fil à Internet haute vitesse aux ordinateurs et aux appareils de poche, dont les téléphones cellulaires. Ces nouveaux services à haute vitesse ont étendu l'accès à Internet à beaucoup d'endroits que les services Internet traditionnels ne pouvaient atteindre.

Bluetooth

On appelle **Bluetooth** la norme de réseautage sans fil 802.15 qu'on utilise pour la création de petits **réseaux personnels**. Basée sur la radiocommunication à faible puissance, elle permet de relier jusqu'à huit appareils dans un rayon de 10 m et peut transmettre à une vitesse atteignant 722 kb/s dans la bande 2,4 GHz.

Les téléphones sans fil, les téléavertisseurs, les ordinateurs, les imprimantes et les autres appareils informatiques qui utilisent Bluetooth peuvent ainsi communiquer entre eux, voire interagir les uns avec les autres, sans intervention directe de l'utilisateur (figure 7-15). On peut, par exemple, ordonner à un bloc-notes de transmettre un document à une imprimante. Bluetooth permet également de relier un clavier et

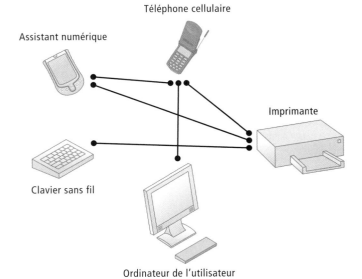

FIGURE 7-15   UN RÉSEAU BLUETOOTH

Téléphone cellulaire

Assistant numérique

Imprimante

Clavier sans fil

Ordinateur de l'utilisateur

Bluetooth permet à toutes sortes d'appareils, dont les téléphones cellulaires, les assistants numériques, les claviers et les souris sans fil, les ordinateurs personnels et les imprimantes, d'interagir sans fil les uns avec les autres dans un rayon de 10 m. On peut également l'utiliser pour mettre en réseau des appareils similaires, par exemple pour transmettre des données d'un ordinateur à un autre.

une souris sans fil à un ordinateur ou des écouteurs sans fil à un téléphone cellulaire. Et cette technologie consomme peu d'énergie, ce qui convient aux ordinateurs de poche, aux téléphones cellulaires et aux assistants personnels à piles.

Même si la technologie Bluetooth convient davantage au réseautage domestique, elle est parfois utilisée par de grandes entreprises. Les livreurs de FedEx s'en servent, par exemple, pour transmettre les données de livraison saisies par leur ordinateur de poche à des émetteurs cellulaires qui les envoient aux ordinateurs de l'entreprise. Ils n'ont ainsi plus besoin d'ancrer physiquement leur appareil de poche dans l'émetteur, ce qui leur fait gagner du temps et permet à FedEx d'économiser annuellement 20 millions de dollars.

La technologie Wi-Fi

L'ensemble des normes IEEE s'appliquant aux réseaux locaux sans fil forme la famille de normes 802.11, également connues sous le nom de **Wi-Fi** (pour *Wireless Fidelity*). Cette famille compte les trois normes 802.11a, 802.11b et 802.11g, ainsi que la norme 802.11n, récemment approuvée.

La norme 802.11a permet de transmettre jusqu'à 54 Mb/s sur la fréquence non réglementée de 5 GHz, avec une portée efficace de 10 à 30 m, et la norme 802.11b, jusqu'à 11 Mb/s dans la bande (également non réglementée) de 2,4 GHz, avec une portée de 30 à 50 m. L'utilisation d'antennes montées sur des tours accroît la distance de réception des signaux. La norme 802.11g, quant à elle, transmet jusqu'à 54 Mb/s sur la bande de fréquence 2,4 GHz, et la norme 802.11n, jusqu'à 300 Mb/s sur les bandes de fréquence 2,4 ou 5 GHz.

La norme 802.11b a été la première norme sans fil à être largement adoptée pour créer des réseaux locaux et offrir un accès sans fil à Internet, mais on utilise de plus en plus la norme 802.11g, car on trouve maintenant des systèmes bibandes capables d'utiliser à la fois les normes 802.11b et 802.11g.

Un système Wi-Fi relie généralement des appareils sans fil à des points d'accès afin qu'ils puissent entrer en communication avec un réseau local. Un point d'accès est formé d'un boîtier contenant un récepteur-transmetteur radio muni d'une antenne et relié à un réseau, à un routeur ou à un concentrateur câblé.

La figure 7-16 illustre un réseau local sans fil fonctionnant selon la norme 802.11 et reliant un petit nombre d'appareils mobiles à un réseau local câblé plus important. La plupart des appareils sans fil sont des appareils clients. Les serveurs utilisés par les stations mobiles clients font partie du réseau câblé. Le point d'accès contrôle les stations sans fil et sert de pont entre le réseau local principal et le réseau local sans fil. (Un *pont* relie deux réseaux locaux utilisant des technologies différentes.)

Les ordinateurs portables sont maintenant munis de puces capables de recevoir des signaux Wi-Fi. (Les modèles plus anciens nécessitent une carte d'extension, c'est-à-dire d'un adaptateur de réseau sans fil.)

FIGURE 7-16 UN RÉSEAU LOCAL SANS FIL 802.11

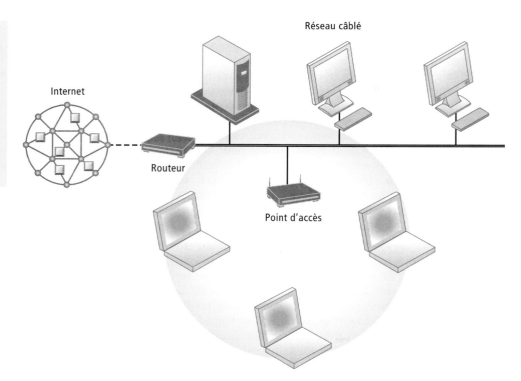

Des ordinateurs portables équipés d'une carte interface réseau sont reliés à un réseau local câblé par l'intermédiaire d'un point d'accès, qui utilise des ondes radio pour transmettre les signaux du réseau câblé aux adaptateurs des appareils clients. Ces adaptateurs convertissent les signaux en données que les appareils mobiles peuvent interpréter. Ceux-ci transmettent en retour leurs données au point d'accès, qui les renvoie au réseau câblé.

Le Wi-Fi et l'accès sans fil à Internet

La norme 802.11 permet aussi d'accéder à Internet par une connexion à large bande. Dans ce cas, le point d'accès est relié à Internet soit par câble, soit par téléphone numérique (DSL), ce qui permet aux ordinateurs situés à proximité d'avoir accès sans fil à Internet.

Des entreprises de toutes tailles utilisent les réseaux Wi-Fi pour créer des réseaux locaux sans fil peu coûteux et offrir l'accès à Internet. On trouve maintenant des points d'accès sans fil à Internet un peu partout : dans les hôtels, les salles d'attente des aéroports, les bibliothèques, les cafés, les campus, etc. L'Université de Sherbrooke est l'un des nombreux campus offrant aux étudiants d'utiliser le réseau Wi-Fi pour leurs recherches, pour leurs travaux scolaires ou pour se divertir.

Les **zones d'accès sans fil à Internet** sont des zones où des points d'accès sont installés dans les plafonds, les murs et d'autres emplacements stratégiques d'un lieu public afin d'offrir une couverture sans fil maximale dans un secteur donné. Les utilisateurs qui se trouvent dans une de ces zones peuvent se connecter à Internet à partir d'un ordinateur portable, d'un ordinateur de poche ou d'un téléphone cellulaire équipé pour le Wi-Fi, comme l'iPhone d'Apple. Dans certaines zones, l'accès est gratuit et ne nécessite aucun logiciel supplémentaire, tandis que dans d'autres, l'utilisateur doit ouvrir un compte en fournissant un numéro de carte de crédit sur le Web pour activer la transmission.

La technologie Wi-Fi se heurte toutefois à de nombreuses difficultés. À l'heure actuelle, un utilisateur ne peut passer d'une zone d'accès à une autre si elles utilisent des services réseau différents. À moins que le service ne soit gratuit, il doit donc ouvrir un compte distinct pour chaque service, chacun ayant ses propres tarifs.

La sécurité est un autre problème de la technologie Wi-Fi, car les réseaux sont vulnérables. Comme leur portée peut dépasser les limites des édifices où ils fonctionnent, un intrus risque de s'y introduire pour profiter d'une connexion gratuite à Internet. Nous reviendrons en détail sur la sécurité des réseaux Wi-Fi au chapitre 8.

Enfin, un autre problème des réseaux Wi-Fi est le risque d'interférence avec les systèmes d'exploitation situés à proximité et fonctionnant sur la même bande de fréquence. Dans les réseaux sans fil régis par la norme 802.11n, le problème est réglé grâce à l'utilisation de plusieurs antennes en parallèle pour transmettre et recevoir les données et le recours à une technologie permettant de coordonner plusieurs signaux radio simultanés, la technologie d'entrées et sorties multiples MIMO (pour *multiple input multiple output*).

WiMax

Il existe dans le monde un nombre étonnamment élevé de régions qui ne bénéficient ni du système Wi-Fi ni de connexions fixes à large bande. Habituellement, la portée des réseaux Wi-Fi n'excède pas 100 m à partir du point d'accès, ce qui rend difficile l'accès à haut débit à Internet dans les zones rurales qui ne possèdent ni le câble ni le service DSL.

Pour régler ces problèmes, l'IEEE a élaboré une nouvelle série de normes connues sous le nom de **WiMax**. L'expression « WiMax » (pour *Worldwide Interoperability for Microwave Access*) sert habituellement à désigner la norme 802.16 *(Air Interface for Fixed Broadband Wireless Access Systems)*. Grâce à WiMax, il est possible d'avoir un accès sans fil dans un secteur pouvant aller jusqu'à 50 km, comparé à 100 m pour le Wi-Fi et à 10 m pour Bluetooth. De plus, la vitesse de transmission des données peut atteindre 75 Mb/s. La norme 802.16 offre également un degré de sécurité et une qualité de service élevés pour la transmission de la voix et de la vidéo.

Les antennes WiMax sont assez puissantes pour assurer une transmission à haut débit avec celles qui sont installées sur le toit de maisons ou d'entreprises situées à des kilomètres de distance. Sprint Nextel s'apprête à créer un réseau WiMax national pour prendre en charge les vidéos, les appels vidéo et d'autres services de transmission intensive de données sans fil, et Intel a créé des puces spéciales pour faciliter l'accès à WiMax à partir d'ordinateurs mobiles.

L'identification par radiofréquence et les réseaux de capteurs sans fil

Les technologies mobiles créent de nouvelles façons, plus efficaces, de travailler dans l'environnement des entreprises. En plus des systèmes que nous venons de décrire, les systèmes de radio-identification et les réseaux de capteurs sans fil ont un impact important.

L'identification par radiofréquence (RFID)

Les systèmes d'**identification par radiofréquence (RFID** pour *radio frequency identification)* permettent de suivre efficacement le mouvement des marchandises tout au long de la chaîne logistique. Ces systèmes font appel à de minuscules étiquettes munies d'une puce contenant les données relatives à un article et à sa position sur la chaîne. Cette puce permet de transmettre sur de courtes distances des signaux radio à des lecteurs RFID. Ces signaux sont ensuite relayés par un réseau qui les transmet à l'ordinateur chargé de les traiter. Contrairement aux codes à barres, il n'est pas nécessaire de faire passer les étiquettes devant un lecteur optique.

L'étiquette RFID est programmée électroniquement et contient les informations nécessaires à l'identification de l'article ainsi que des renseignements sur son emplacement, son lieu et sa date de fabrication, notamment. En plus de la puce qui sert à stocker les données, elle possède aussi une antenne pour les transmettre au lecteur.

Le lecteur est composé d'une antenne et d'un émetteur radio doté d'une capacité de décodage. Ces deux éléments font partie d'un appareil fixe ou mobile. Le lecteur émet des ondes radio dont la portée se situe entre 2 cm et 30 m selon sa puissance, la fréquence utilisée et les conditions environnantes. Dès qu'une étiquette RFID se trouve à portée d'un lecteur, elle est activée et commence à transmettre des données. Le lecteur les capte, les décode et les transmet par l'intermédiaire d'un réseau câblé ou sans fil à un ordinateur hôte qui effectue le traitement des informations (figure 7-17). Les étiquettes RFID et les antennes sont de formes et de tailles diverses.

Les étiquettes RFID *actives* sont alimentées en énergie par une pile interne. Il est généralement possible de réécrire sur ces étiquettes ou de les modifier. Les étiquettes actives possèdent généralement une distance de lecture plus longue, mais elles sont plus grosses et coûtent plus cher. Les systèmes de péage automatique des autoroutes utilisent des étiquettes actives RFID.

Les étiquettes RFID *passives* n'ont pas de source d'alimentation autonome : l'énergie dont elles ont besoin pour leur fonctionnement provient du lecteur RFID. Elles sont plus petites, plus légères et moins coûteuses que les étiquettes actives, mais doivent être plus près du lecteur pour pouvoir être lues.

En matière de contrôle des stocks et de gestion de la chaîne logistique, la RFID peut capter et gérer plus d'informations sur les articles entreposés ou en cours de production que les systèmes de codes à barres. Lors de l'expédition simultanée d'un grand nombre d'articles, elle permet de suivre chaque palette, chaque lot et même chaque unité de chaque envoi. Les fabricants qui ont recours à la RFID peuvent suivre l'historique de production de chaque produit, ce qui leur permet de mieux comprendre ses défauts et ses succès.

Wal-Mart a installé des lecteurs RFID sur les rampes de réception de ses magasins pour enregistrer l'arrivée des palettes et des caisses de marchandises expédiées avec des étiquettes RFID. Le lecteur lit ensuite les étiquettes une deuxième fois au moment où les caisses quittent l'entrepôt pour l'aire de vente. Le logiciel combine alors les données du système de vente et les données RFID concernant le nombre de caisses apportées dans l'aire de vente. Il détermine les produits dont les stocks sont en baisse et génère automatiquement une liste des articles à choisir dans l'entrepôt pour regarnir les tablettes du magasin. Cette information permet à Wal-Mart de réduire le nombre d'articles en rupture de stock, d'accroître ses ventes et de diminuer encore ses coûts.

Le coût des étiquettes RFID était auparavant trop élevé pour une utilisation massive, mais comme il avoisine maintenant 10 cents pour les étiquettes passives, la RFID devient rentable pour certaines applications.

En plus d'installer des lecteurs et des étiquettes RFID, les entreprises devront peut-être mettre à jour leurs plateformes matérielles et logicielles pour traiter les quantités massives de données produites par le système, qui peuvent atteindre des dizaines, voire des centaines de téraoctets.

Il est nécessaire d'utiliser des logiciels spéciaux pour filtrer et regrouper les données RFID et empêcher qu'elles ne surchargent les réseaux d'entreprise et les applications, qui devront éventuellement être modifiées pour accepter les quantités massives de données fréquemment générées par la RFID et les partager avec d'autres applications. Les principaux fournisseurs de logiciels, notamment SAP et Oracle, offrent maintenant des versions de leurs applications de gestion de la chaîne logistique adaptées à la RFID.

Les réseaux de capteurs sans fil

Si votre entreprise souhaitait se doter de la technologie de pointe pour assurer la sécurité des bâtiments ou détecter des substances dangereuses dans l'air, elle pourrait déployer un réseau de capteurs sans fil. Les **réseaux de capteurs sans fil** sont constitués d'appareils sans fil interconnectés et intégrés à l'environnement physique pour fournir des données sur une multitude de points à l'intérieur d'un grand espace. Ils regroupent des appareils dotés de capacités de traitement et de stockage intégrées, ainsi que de capteurs de fréquences radio et d'antennes. Ils forment un réseau interconnecté qui achemine les données captées à un ordinateur pour analyse.

FIGURE 7-17 **LE FONCTIONNEMENT DE LA RFID**

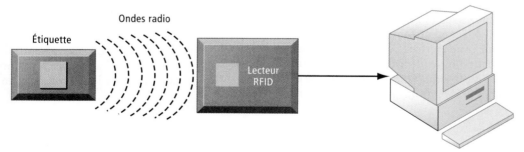

La RFID utilise des émetteurs radio de faible puissance pour lire les données stockées dans un rayon de 2 cm à 30 m. Le lecteur capte les données de l'étiquette et les transmet par le réseau à un ordinateur hôte pour traitement.

Une puce stocke des données, dont un numéro d'identification. Le reste de l'étiquette sert d'antenne qui transmet des données à un lecteur.

Le lecteur possède une antenne qui émet en continu. Lorsqu'il détecte une étiquette, il s'active, interroge l'étiquette et en décode les données. Il les transmet alors à un système hôte par l'intermédiaire d'une connexion, câblée ou sans fil.

L'ordinateur traite les données de l'étiquette transmises par le lecteur.

Ces réseaux ne requièrent aucune infrastructure externe et peuvent regrouper quelques centaines, voire quelques milliers de nœuds. Comme les capteurs sans fil doivent rester en place pendant des années sans entretien ni intervention humaine, ils doivent être peu gourmands en énergie et munis de piles pouvant durer plusieurs années.

La figure 7-18 illustre un type de réseau de capteurs sans fil. Les données provenant des nœuds individuels circulent dans le réseau jusqu'à un serveur possédant une puissance de traitement supérieure. Celui-ci fait office de passerelle avec un réseau utilisant la technologie Internet.

Les réseaux de capteurs sans fil sont des outils précieux dans des domaines comme la surveillance des changements environnementaux, de la circulation automobile ou des activités militaires. Citons également la protection de la propriété, l'exploitation et la gestion des machines et des véhicules, l'établissement de périmètres de sécurité, la surveillance de la chaîne logistique, ou encore la détection des matières chimiques, biologiques ou radiologiques.

FIGURE 7-18

UN RÉSEAU DE CAPTEURS SANS FIL

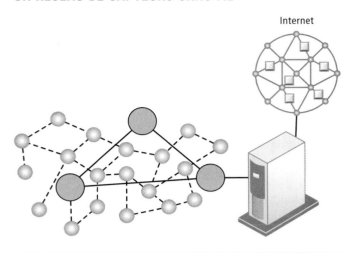

Les petits cercles représentent des nœuds de niveau inférieur et les grands, les nœuds principaux. Les nœuds de niveau inférieur se transmettent les données ou les dirigent vers les nœuds principaux, dont la rapidité de transmission est supérieure, ce qui améliore la performance du réseau.

Projets concrets en SIG

Décisions de gestion

1. Votre entreprise fournit des carreaux de céramique pour plancher à Home Depot, Rona et d'autres magasins spécialisés dans la rénovation résidentielle. On vous a demandé d'utiliser les étiquettes d'identification par radiofréquence (RFID) sur chaque caisse de carreaux que vous livrez pour aider votre client à améliorer la gestion de vos produits et de ceux des autres fournisseurs dans ses entrepôts. Servez-vous du Web pour déterminer le coût du matériel, du logiciel et des composantes de réseautage d'un système RFID pour votre entreprise. Quels sont les facteurs dont vous devriez tenir compte ? Quelles sont les décisions clés qui doivent être prises pour déterminer si votre entreprise doit adopter cette technologie ?

2. La société DISTRIMED vend de l'équipement et des produits médicaux et chirurgicaux provenant de plus de 700 fabricants aux hôpitaux, aux cliniques de soins de santé et aux bureaux de médecins. Dans ses sept établissements implantés au Canada, l'entreprise emploie 500 personnes, dont des directeurs de comptes, des employés du service à la clientèle et du soutien technique ainsi que du personnel d'entrepôt. Ces personnes communiquent par l'entremise des services téléphoniques traditionnels, du courrier électronique, de la messagerie instantanée et du téléphone cellulaire. Les gestionnaires se demandent si l'entreprise devrait unifier la messagerie. Quels facteurs devrait-on prendre en considération ? Quelles sont les décisions clés qui doivent être prises pour déterminer s'il faut adopter cette technologie ? Servez-vous du Web, s'il y a lieu, pour trouver d'autres renseignements au sujet de la messagerie unifiée et de ses coûts.

1. Quelles sont les principales composantes des réseaux de télécommunication et les plus importantes technologies de réseautage ?

Un réseau informatique simple est formé d'un ou plusieurs ordinateurs reliés les uns aux autres. Dans sa forme la plus simple, il comprend des ordinateurs, des interfaces réseau, un support de connexion, un système d'exploitation réseau et un commutateur ou un routeur. Dans les grandes entreprises s'ajoutent le téléphone conventionnel, les communications cellulaires mobiles, des systèmes de vidéoconférence, un site Web, des intranets, des extranets et tout un ensemble de réseaux locaux ou étendus, dont Internet.

Les réseaux modernes ont été façonnés par l'informatique client-serveur, l'utilisation de paquets de données et l'adoption du protocole TCP/IP, qui sert de norme universelle de communication entre des réseaux et des ordinateurs disparates. Les protocoles offrent un ensemble commun de règles qui permettent aux différents éléments d'un réseau de communication de communiquer entre eux.

2. Quels sont les principaux supports de transmission et types de réseaux ?

Les principaux supports de transmission sont les fils torsadés, le câble coaxial, la fibre optique et les systèmes de transmission sans fil. La paire de fils torsadés est un support relativement lent, mais il permet aux entreprises d'utiliser le câblage des systèmes téléphoniques existants pour la communication numérique. Le câble coaxial et la fibre optique sont des supports dont l'installation est coûteuse, mais qui peuvent transmettre d'importants volumes de données.

Les réseaux locaux (LAN) permettent de relier des ordinateurs personnels et d'autres appareils numériques dans un rayon de 500 mètres et remplissent aujourd'hui différentes tâches informatiques. Il est possible de relier les différents éléments d'un réseau selon une topologie en étoile, en bus ou en anneau. Les réseaux étendus (WAN) ont une portée considérable ; ils peuvent couvrir tout un continent, voire la planète entière. Ce sont des réseaux privés, gérés de manière autonome. Les réseaux métropolitains (MAN) couvrent une agglomération urbaine.

On utilise souvent des lignes d'abonnés numériques (DSL), des modems câble et des lignes T pour assurer la connexion à haut débit avec Internet.

Les modems câble utilisent les lignes de télévision câblée. Ils permettent d'accéder très rapidement au Web ou à des intranets d'entreprise, car leur vitesse peut atteindre 10 Mb/s. Les lignes T1 offrent une vitesse de transmission pouvant aller jusqu'à 1,544 Mb/s.

3. Comment Internet et sa technologie fonctionnent-ils et de quelle façon prennent-ils en charge les communications et le commerce électronique ?

Internet est un réseau de réseaux mondial qui repose sur l'utilisation du modèle informatique client-serveur et du protocole TCP/IP. Chaque ordinateur connecté à Internet possède sa propre adresse IP numérique, que le système de noms de domaine (DNS) convertit en noms de domaine plus conviviaux. Ce réseau informatique mondial n'appartient à personne, mais diverses organisations publiques et privées, comme le Conseil IAB et le consortium W3C, en fixent les règles.

Parmi les principaux services Internet, on trouve le courrier électronique, les forums, le clavardage, la messagerie instantanée, les protocoles Telnet et FTP, ainsi que le Web. Les pages Web sont programmées en langage HTML (*Hypertext Markup Language*) et contiennent du texte, des graphiques, de la vidéo ou de l'information audio. Les répertoires de sites Web, les moteurs de recherche et la technologie RSS aident les utilisateurs à repérer les informations dont ils ont besoin sur le Web. Les fils RSS, les blogues et les sites wiki sont des caractéristiques du Web 2.0. La technologie Web et les normes de réseautage Internet offrent la connectivité et les interfaces nécessaires pour établir des réseaux intranet et extranet privés auxquels pourront accéder différents types d'ordinateurs à l'intérieur et à l'extérieur d'une organisation.

Les entreprises réalisent également des économies en utilisant la technologie de la voix sur IP (VoIP), ainsi que les réseaux privés virtuels (RPV), qui peuvent à peu de frais remplacer des réseaux étendus.

4. Quelles sont les principales technologies et normes de réseautage, de communication et d'accès à Internet sans fil ?

Les réseaux cellulaires évoluent vers la transmission numérique à haute vitesse et à haut débit par commutation de paquets. Les réseaux 3G à haut débit permettent la transmission de données à des vitesses de 144 kb/s à 2 Mb/s, mais ils ne sont pas encore offerts dans toutes les régions. Pour compenser, les entreprises de téléphonie cellulaire ont rehaussé les capacités de leurs réseaux pour en accroître la vitesse de transmission.

Les principales normes de transmission cellulaire sont l'accès multiple par répartition en code (AMRC), surtout utilisée en Amérique du Nord, et le système mondial de communications mobiles (GMS), utilisé en Europe et dans le reste du monde.

L'Institute of Electrical and Electronics Engineers (IEEE) a classé les normes complémentaires pour les réseaux sans fil en trois groupes : la norme IEEE 802.15 (Bluetooth), la norme IEEE 802.11 (Wi-Fi) pour les réseaux locaux, et la norme IEEE 802.16 (WiMax) pour les réseaux métropolitains.

5. Pourquoi l'identification par radiofréquence (RFID) et les réseaux de capteurs sans fil sont-ils importants pour les entreprises ?

Les systèmes d'identification par radiofréquence (RFID) améliorent la gestion de la chaîne logistique en captant des données sur le mouvement des marchandises en temps réel et en offrant une information immédiate et détaillée sur la progression des biens d'un point à un autre de la chaîne. Ces systèmes utilisent de minuscules étiquettes munies d'une puce contenant des données sur l'article sur lequel elles sont apposées et son emplacement. Ces étiquettes émettent sur de courtes distances des signaux radio que captent des lecteurs RFID spéciaux, qui acheminent ensuite ces signaux par l'entremise d'un réseau à un ordinateur qui en effectuera le traitement. Les réseaux de capteurs sans fil sont constitués d'appareils sans fil interconnectés et dotés d'une capacité de transmission et de traitement des signaux radio. Intégrés à l'environnement physique, ces appareils permettent de prendre des mesures en de nombreux points à l'intérieur de grands espaces.

MOTS CLÉS

Accès Internet par câble, p. 209
Accès multiple par répartition en code (AMRC), p. 223
Adresse IP, p. 209
Adresse URL, p. 218
Assistant numérique personnel (ANP), p. 222
Bande passante, p. 209
Blogue, p. 220
Bluetooth, p. 223
Câble à fibres optiques, p. 208
Câble coaxial, p. 207
Carte réseau, p. 202
Clavardage, p. 214
Commutateur, p. 202
Commutation de paquets, p. 204
Concentrateur, p. 202
Courrier électronique, p. 214
Dorsale de réseau, p. 206
Fournisseur de services Internet (FSI), p. 209
Hertz, p. 208
Identification par radiofréquence (RFID), p. 225
Internet2, p. 213
Large bande, p. 202
Ligne d'abonné numérique (DSL), p. 209
Ligne dédiée, p. 209
Ligne T, p. 209
Marketing par moteur de recherche (SEM), p. 219
Messagerie instantanée, p. 214
Messagerie unifiée, p. 217
Micro-onde, p. 208
Modem, p. 206
Moteur de recherche, p. 218
Nom de domaine, p. 209
Paire de fils torsadés, p. 207
Protocole, p. 205
Protocole de transfert de fichiers FTP, p. 213

Protocole HTTP, p. 218
Protocole TCP/IP, p. 205
Réseau de capteurs sans fil, p. 226
Réseau de troisième génération (3G), p. 223
Réseau en anneau, p. 207
Réseau en bus, p. 207
Réseau en étoile, p. 207
Réseau étendu (WAN), p. 207
Réseau local (LAN), p. 206
Réseau métropolitain (MAN), p. 207
Réseau personnel, p. 223
Réseau poste à poste, p. 206
Réseau privé virtuel (RPV), p. 217
Robot magasineur, p. 220
Routeur, p. 202
RSS, p. 220
Signal analogique, p. 206
Signal numérique, p. 206
Site Web, p. 218
Système de noms de domaine (DNS), p. 209
Système d'exploitation de réseau (SER), p. 202
Téléconférence, p. 217
Téléphone cellulaire, p. 208
Téléphone intelligent, p. 222
Telnet, p. 213
Topologie, p. 207
Traitement centralisé, p. 204
Voix sur IP (VoIP), p. 214
Web 2.0, p. 220
Web 3.0, p. 221
Web sémantique, p. 221
Wi-Fi, p. 224
Wiki, p. 221
WiMax, p. 225
Zone d'accès sans fil à Internet, p. 225

1. **Quelles sont les principales composantes des réseaux de télécommunication et les plus importantes technologies de réseautage?**
   - Décrivez les caractéristiques d'un réseau simple et de l'infrastructure réseau d'une grande entreprise.
   - Nommez et décrivez les principales technologies et tendances qui ont façonné les systèmes de télécommunication modernes.

2. **Quels sont les principaux supports de transmission et types de réseaux?**
   - Nommez les différents types de supports de communication et comparez-les en fonction de leur vitesse de transmission et de leur coût.
   - Dites ce qu'est un réseau local (LAN) et décrivez-en les composantes et les fonctions.
   - Nommez et décrivez les principales topologies de réseau.

3. **Comment Internet et sa technologie fonctionnent-ils et de quelle façon prennent-ils en charge les communications et le commerce électronique?**
   - Définissez Internet, décrivez comment il fonctionne et expliquez son utilité pour une entreprise.
   - Expliquez le fonctionnement du système de noms de domaine (DNS) et du système d'adressage IP.
   - Énumérez et décrivez les principaux services Internet.

- Définissez et décrivez la technologie VoIP et les réseaux virtuels privés. Expliquez ce qu'ils apportent aux entreprises.
- Énumérez et décrivez les diverses façons de trouver de l'information sur le Web.
- Comparez le Web 2.0 et le Web 3.0.
- Définissez les intranets et les extranets. Expliquez quelles sont les différences entre les deux et ce qu'ils apportent aux entreprises.

4. **Quelles sont les principales technologies et normes de réseautage, de communication et d'accès à Internet sans fil?**
   - Définissez les technologies Bluetooth, Wi-Fi, WiMax et 3G.
   - Décrivez les fonctionnalités de chacune et indiquez à quels types d'applications elle convient le mieux.

5. **Pourquoi l'identification par radiofréquence (RFID) et les réseaux de capteurs sans fil sont-ils importants pour les entreprises?**
   - Définissez la RFID et expliquez son fonctionnement et son utilité pour les entreprises.
   - Définissez les réseaux de capteurs sans fil, expliquez leur fonctionnement et décrivez les types d'applications auxquelles ils peuvent servir.

1. **On a dit que d'ici quelques années le téléphone intelligent sera à lui seul notre plus important appareil numérique. Discutez des implications de cet énoncé.**

2. **Les grandes entreprises de commerce de détail et de fabrication de produits devraient-elles toutes adopter la RFID? Oui ou non? Pourquoi?**

Formez une équipe de trois ou quatre personnes. Comparez les fonctionnalités du téléphone intelligent iPhone d'Apple à celles d'un téléphone comparable, comme le Pre de Palm ou le BlackBerry de RIM. Votre analyse doit tenir compte du prix de chaque appareil, des réseaux sans fil sur lesquels il peut fonctionner, ainsi que du coût du service Internet sans fil et des services disponibles pour chaque appareil. Vous devez également tenir compte des autres fonctionnalités et notamment de la possibilité de les intégrer avec les applications installées dans l'entreprise ou sur votre ordinateur personnel. Quel appareil choisirez-vous? Quels critères guideront votre choix? Dans la mesure du possible, utilisez Google Sites pour afficher des liens vers des pages Web, pour communiquer entre membres de l'équipe et vous répartir les tâches, pour confronter vos idées et pour travailler ensemble sur les documents du projet. Essayez d'utiliser Google Documents pour mettre au point une présentation de vos résultats destinée à la classe.

Google et Microsoft : un combat de géants

Google et Microsoft, deux des entreprises de technologie les plus marquantes à avoir vu le jour au cours des dernières décennies, s'apprêtent à s'affronter pour assurer leur suprématie dans les milieux de travail, sur Internet et dans l'univers technologique. En fait, la lutte est bien engagée. Les deux entreprises occupent déjà une position dominante dans leur domaine d'expertise respectif : Google détient le monopole sur Internet, et Microsoft, sur les ordinateurs de bureau, mais chacune cherche à envahir le territoire de l'autre pour assurer sa croissance, et la lutte promet d'être chaude.

Les différences entre les deux entreprises en matière de stratégie et de modèle d'affaires illustrent pourquoi ce conflit déterminera notre avenir technologique. Au départ, Google était une entreprise de moteurs de recherche parmi d'autres. Toutefois, l'efficacité de son algorithme de recherche PageRank, ses services de publicité en ligne et sa capacité à attirer les plus brillants talents de son secteur d'activité lui ont permis de devenir l'une des plus grosses entreprises du monde. Sa vaste infrastructure lui permet d'offrir les vitesses de recherche les plus rapides, ainsi que tout un éventail de produits accessibles sur Internet.

Microsoft est devenu un géant en s'appuyant sur son système d'exploitation Windows et ses applications de productivité Office, que 500 millions d'individus utilisent à travers le monde. L'entreprise a parfois été décriée pour ses agissements anticoncurrentiels, mais ses produits demeurent des outils indispensables pour les entreprises et les particuliers qui cherchent à améliorer la productivité de leurs tâches informatiques.

Aujourd'hui, les deux entreprises ont pour l'avenir des visions très différentes, influencées par le développement continu d'Internet et la disponibilité accrue des connexions à haut débit. Google pense qu'une fois qu'Internet aura atteint sa maturité, on pourra, par son entremise, faire de plus en plus de tâches informatiques sur des ordinateurs de centres de données plutôt que sur son propre ordinateur. Cette idée, connue sous le nom de « nimbo-informatique », joue un rôle essentiel dans l'expansion du modèle d'entreprise de Google. Microsoft, en revanche, a établi sa réussite en s'appuyant sur le modèle de l'ordinateur de bureau. Son but est d'englober Internet tout en persuadant les consommateurs de continuer à centrer leurs travaux d'informatique sur leur ordinateur personnel.

Seule une poignée d'entreprises possèdent les liquidités et la main-d'œuvre nécessaires pour gérer et maintenir un « nuage informatique » – Google et Microsoft en font d'ailleurs partie. Google a été à l'avant-garde de la nimbo-informatique grâce à un éventail de produits accessibles sur Internet et d'outils pour la recherche et la publicité en ligne, la cartographie, la gestion de photos et la radiodiffusion numériques, ainsi que pour l'écoute de vidéos en ligne. Google fait le pari que le centre des opérations informatiques va se déplacer de l'ordinateur personnel vers Internet. Les utilisateurs auront recours à divers dispositifs de connectivité pour accéder aux applications de serveurs à distance installés dans des centres de données au lieu de travailler localement sur leur ordinateur.

L'un des avantages du modèle de la nimbo-informatique est que l'utilisateur ne dépendra plus d'un appareil spécifique pour s'informer ou travailler. En outre, il reviendrait à Google de s'occuper de l'essentiel de l'entretien des centres de données qui hébergeraient ces applications. Mais le modèle comporte aussi des inconvénients : la nécessité d'une connexion Internet pour utiliser les applications et les problèmes de sécurité liés au fait de laisser Google gérer des renseignements personnels. Mais Google mise sur l'omniprésence d'Internet et sur la disponibilité croissante de connexions à haut débit et Wi-Fi pour en venir à bout.

De son côté, Microsoft possède déjà plusieurs atouts susceptibles de lui permettre de rester en lice, même si la nimbo-informatique est aussi efficace que l'annonce Google. L'entreprise offre un ensemble d'applications bien rodées et populaires dont un grand nombre de consommateurs et d'entreprises ont pris l'habitude. Quand elle lance de nouveaux produits, les utilisateurs d'Office et de Windows peuvent être assurés qu'ils sauront comment les utiliser et qu'ils fonctionneront avec leur système.

En outre, même Google proclame qu'elle ne vise pas à remplacer Microsoft, mais plutôt à offrir des produits et des services qui seront utilisés en tandem avec ses applications. Selon Dave Girouard, président de la division Enterprise de Google, « les gens utilisent simplement les deux [les produits Google et Office] et choisissent ce dont ils ont besoin pour une tâche donnée. »

Cependant, la nimbo-informatique représente quand même une menace pour le modèle d'entreprise central de Microsoft, qui accorde une place privilégiée à l'ordinateur personnel. Si, au lieu de se procurer un logiciel de Microsoft, les consommateurs peuvent accéder à des applications stockées sur des serveurs à distance pour un prix beaucoup plus faible, l'ordinateur va tout à coup se trouver déchu de sa position centrale. Auparavant, Microsoft se servait de la popularité de son système d'exploitation Windows (installé sur 95 % des ordinateurs personnels dans le monde) et d'Office pour anéantir les produits concurrents, comme le navigateur Nescape, Lotus 1-2-3 ou WordPerfect. Mais comme Google offre ses produits sur le Web, ils ne dépendent pas de Windows ou d'Office. Google pense que la grande majorité des tâches informatiques – près de 90 % – peuvent être exécutées sur Internet, une prétention que, pour sa part, Microsoft juge nettement exagérée.

Il est clair que Microsoft désire renforcer sa présence Internet dans le cas où Google verrait juste. Sa récente tentative d'acquérir le portail Internet Yahoo! en fait foi. Aucune autre entreprise ne lui procurerait une plus grande part du marché Internet. Google contrôle en effet plus de 60 % des recherches sur le Web, alors que Yahoo! occupe le deuxième rang, loin derrière, avec un peu plus de 20 %, suivie de Microsoft, avec moins de 10 %. Même si l'écart avec Google resterait encore important, l'alliance Microsoft-Yahoo! augmenterait au moins la possibilité de détrôner le leader. Mais les tentatives initiales d'achat de Microsoft ont rencontré une forte résistance de la part de Yahoo!

Avec sa tentative d'acquérir Yahoo!, Microsoft veut non seulement renforcer sa présence sur Internet, mais aussi mettre fin à la menace d'un accord entre Google et Yahoo! sur la publicité. En juin 2008, ces chances ont encore diminué en raison d'un partenariat entre Google et Yahoo!, en vertu duquel Yahoo! sous-traitera une partie de sa publicité à Google. Google prévoit placer une partie de sa publicité dans certains des secteurs les moins rentables de la recherche de Yahoo!, puisque sa technologie est beaucoup plus avancée et qu'elle génère plus de revenus par recherche que toute autre. Yahoo! a récemment présenté un programme général d'indemnités de départ que les critiques ont écarté en le qualifiant de «pilule empoisonnée» destinée à rendre l'entreprise moins attrayante pour Microsoft. En réaction à cette mesure et à d'autres actions jugées inopportunes, Carl Icahn, un investisseur milliardaire, a racheté une part importante des actions de l'entreprise et fait campagne pour un changement à la direction de Yahoo! et la reprise des négociations avec Microsoft. Cependant, l'accord conclu entre Google et Yahoo! sur la publicité jette un doute sur la capacité de Microsoft de mener à bien l'achat.

Avec ou sans Yahoo!, la présence en ligne de l'entreprise devra être grandement améliorée. À l'inverse de ce qui s'est passé pour Google, le rendement de la division des services en ligne de Microsoft s'est détérioré. En 2007, Microsoft a perdu 732 millions de dollars et était en voie de connaître une année encore pire en 2008. Au cours de la même période, Google a réalisé des profits de 4,2 milliards.

Microsoft vise à «innover et à bouleverser le domaine de la recherche, à s'accaparer le marché des publicités et à réinventer les portails et les expériences de médias sociaux.» Ses visées sur Yahoo! laissent planer le doute au sein même de Microsoft quant à la capacité de la société de parvenir seule à atteindre tous ces objectifs. Il est bien plus difficile de porter une entreprise à l'échelle supérieure que d'en acheter tout simplement une autre. Mais, dans sa tentative de prendre de l'expansion dans ce nouveau domaine, Microsoft fait face à des obstacles considérables. Le secteur évolue trop rapidement pour qu'une entreprise reste dominante très longtemps et, depuis l'avènement d'Internet, Microsoft a de la difficulté à maintenir son rythme de croissance. Même les entreprises bien gérées éprouvent des difficultés lorsqu'elles doivent faire face à de nouvelles technologies perturbatrices, et Microsoft ne fait peut-être pas exception.

Google connaît aussi sa part de difficultés dans sa tentative d'empiéter sur le territoire de Microsoft. Le pivot de ses efforts est la suite Google Apps. Il s'agit d'une suite d'applications accessibles sur le Web qui comprend le courrier électronique Gmail, une messagerie instantanée, un agenda, un traitement de texte, un outil de présentation et un tableur (Google Documents), ainsi que des outils de création de sites Web. Ces applications sont des versions simplifiées de Microsoft Office. Google en offre gratuitement des versions de base ainsi qu'une version Premier Edition pour une fraction du prix de l'original, soit 50 $ annuellement par personne, contre environ 500 $ pour Microsoft Office.

Google croit que la plupart des utilisateurs n'ont pas besoin des caractéristiques de pointe de Word, d'Excel et des autres applications Office, et qu'ils ont beaucoup à gagner en adoptant Google Apps. Les petites entreprises, par exemple, pourraient préférer les versions plus économiques et plus simples du traitement de texte, du tableur et des outils de présentation électronique parce qu'ils n'ont pas besoin des fonctions complexes de Microsoft Office. Microsoft conteste cette allégation en affirmant que la suite Office est le résultat de nombreuses années de recherches et d'investissements pour trouver ce que les consommateurs désirent et que ces derniers sont très satisfaits de leurs produits. De nombreuses entreprises sont d'accord et se disent réticentes à laisser tomber Office parce que c'est un «choix sûr». Ces entreprises s'inquiètent souvent du fait que leurs données ne sont pas stockées sur place et qu'ils pourraient par conséquent contrevenir à des lois comme la loi Sarbanes-Oxley, qui les oblige à conserver leurs données et à les dévoiler au gouvernement sur demande. Pour renforcer sa présence sur le Web, Microsoft offre également plus de fonctionnalités logicielles et de services accessibles en ligne. Parmi ceux-ci, SharePoint, une plateforme de collaboration et de gestion des documents, et Microsoft Office Live, qui offre des services de courrier électronique, de gestion de projets et d'organisation de l'information ainsi que des extensions en ligne à la suite bureautique Office.

La lutte que se livrent Google et Microsoft ne se limite pas aux outils de productivité de bureau. Les deux entreprises s'affrontent dans une multitude d'autres domaines, dont les navigateurs, les cartes géographiques Web, la vidéo en ligne, les logiciels de téléphone cellulaire et les outils d'archivage des dossiers médicaux électroniques. Salesforces.com est le lieu d'un autre conflit entre les deux géants. Microsoft a tenté d'adopter le modèle de logiciels-services popularisé par Salesforces.com en offrant un outil de gestion en relation client concurrentiel à une fraction du prix de l'original. Google a pris la direction opposée en s'associant avec Salesforce pour intégrer ses outils de gestion en relation client à Google Apps et créer un nouveau réseau de vente pour commercialiser Google Apps auprès des entreprises qui ont déjà adopté le logiciel de Salesforce.

En outre, les deux entreprises tentent de devenir des plateformes pour les développeurs. Google a déjà lancé son service

Google Apps Engine, qui permet à des programmeurs extérieurs à l'entreprise de créer et de lancer leurs propres applications à un coût minime. De son côté, dans un geste qui représente un changement considérable par rapport à sa politique antérieure, Microsoft a annoncé qu'elle dévoilerait de nombreux détails clés de son logiciel, jusqu'alors gardés secrets. Les programmeurs pourront ainsi établir plus facilement des services qui fonctionnent avec les programmes de Microsoft. La politique du secret de Microsoft lui avait permis jusqu'alors de contrôler le marché en forçant les autres entreprises à utiliser Windows plutôt que de développer des solutions de rechange, mais cette stratégie ne peut s'appliquer à Google Apps. Il est donc logique qu'elle tente d'adopter une approche différente pour attirer les développeurs.

Seul le temps nous dira si Microsoft est en mesure de repousser la tentative de Google d'assurer sa suprématie dans le secteur technologique. Beaucoup d'autres entreprises importantes ont succombé à des changements de paradigme – qu'on pense au remplacement de l'ordinateur central par l'ordinateur personnel ou à celui des médias imprimés traditionnels par Internet. Or, s'il n'en tient qu'à Google, le passage de l'ordinateur personnel à la nimbo-informatique devrait être le prochain.

Sources : Clint Boulton, « Microsoft Marks the Spot », *eWeek*, 5 mai 2008 ; Andy Kessler, « The War for the Web », *Wall Street Journal*, 6 mai 2008 ; John Pallatto et Clint Boulton, « An On-Demand Partnership », *eWeek*, 21 avril 2008 ; Miguel Helft, « Ad Accord for Yahoo ! and Google », *New York Times*, 13 juin 2008, et « Google and Saleforce Join to Fight Microsoft », *New York Times*, 14 avril 2008 ; Clint Boulton, « Google Tucks Jotspot into Apps », *eWeek*, 3 mars 2008, et « Google Apps Go to School », *eWeek*, 21 avril 2008 ; Robert A. Guth, Ben Worthen et Charles Forelle, « Microsoft to Allow Software Secrets on Internet », *Wall Street Journal*, 22 février 2008 ; J. Nicholas Hoover, « Microsoft-Yahoo ! Combo Would Involve Overlap–and Choices », *Information Week*, 18 février 2008 ; Steve Lohr, « Yahoo ! Offer is Strategy Shift for Microsoft », *New York Times*, 2 février 2008 ; John Markoff, « Competing as Software Goes to Web », *New York Times*, 5 juin 2007.

QUESTIONS

1. Définissez et comparez les stratégies et les modèles d'affaires de Google et de Microsoft.

2. Internet a-t-il supplanté l'ordinateur de bureau au cœur de l'action ? Oui ou non ? Pourquoi ?

3. Pourquoi Microsoft a-t-elle essayé d'acquérir Yahoo ! ? Quel en a été l'impact sur son modèle d'affaires ? Pensez-vous que c'était une bonne stratégie ?

4. Quelle est l'importance de Google Apps pour l'avenir de Google ?

5. Utiliseriez-vous Google Apps au lieu des applications Microsoft Office pour des tâches informatiques ? Oui ou non ? Pourquoi ?

6. Selon vous, quelle entreprise et quel modèle de gestion l'emporteront dans cette lutte épique ? Justifiez votre réponse.

La sécurité des systèmes d'information

 OBJECTIFS D'APPRENTISSAGE

Après avoir étudié ce chapitre, vous pourrez répondre aux questions suivantes :

1. Pourquoi les systèmes d'information sont-ils vulnérables à la destruction, à l'erreur et à un usage abusif ?

2. Quelle est la valeur commerciale de la sécurité et du contrôle des systèmes d'information ?

3. Quels éléments doit comprendre le cadre organisationnel de sécurité et de contrôle des systèmes d'information ?

4. Quelles technologies et quels outils sont les plus importants pour la sauvegarde des ressources en information ?

SOMMAIRE

LES CELTICS DE BOSTON MARQUENT DES POINTS CONTRE LES LOGICIELS ESPIONS

Il y a plusieurs années, alors que le club de basketball des Celtics de Boston luttait pour une place dans les séries, ses systèmes d'information livraient eux aussi une bataille féroce. Jay Wessel, vice-président de la technologie de l'équipe, essayait de marquer des points contre les logiciels espions. M. Wessel et le personnel de la TI gèrent environ 100 ordinateurs portables, qui sont distribués aux entraîneurs et aux dépisteurs, ainsi qu'aux employés affectés aux ventes, au marketing et aux finances. Or, ces appareils étaient submergés de logiciels malveillants.

Comme toutes les autres équipes de la ligue, les Celtics voyagent beaucoup pendant la saison de jeu. Les entraîneurs, les dépisteurs et autres membres du personnel font au moins 40 matchs en déplacement chaque saison et ils ont recours à leurs ordinateurs portables pour revoir les jeux et mettre à jour la situation des joueurs. Ils sont sans cesse reliés à Internet et se connectent au réseau interne des Celtics depuis des aéroports, des hôtels et toutes sortes d'autres lieux publics. Or, selon M. Wessel, « les connexions Internet des hôtels sont, pour les logiciels espions, un véritable bouillon de culture ». Par la suite, les employés ramenaient leurs ordinateurs portables contaminés au siège social de l'équipe, à Boston, où ils congestionnaient le réseau. En outre, les logiciels espions entravaient l'accessibilité et le rendement de la base de données statistiques exclusive des Celtics (sur Microsoft SQL Server), dont les entraîneurs se servaient pour préparer chaque match. Du coup, M. Wessel et son personnel passaient un temps incalculable à tenter d'éliminer les virus des ordinateurs et du réseau.

Alors que les séries éliminatoires battaient leur plein, un déluge de logiciels espions a pris d'assaut les ordinateurs portables par une connexion Internet mal protégée dans un hôtel de l'Indiana. C'est alors que M. Wessel a décidé d'adopter une attitude plus énergique. Ses options étaient limitées en raison de la taille réduite de son personnel et des ressources restreintes de l'entreprise en matière de sécurité. Par ailleurs, les logiciels que les Celtics utilisaient pour assurer la sécurité (Aladdin, esafe Security Gateway et Webroot Spy Sweeper) étaient trop lourds : lorsqu'ils voulaient faire fonctionner le logiciel de montage vidéo dont ils se servaient pour le dépistage de nouveaux joueurs, les Celtics étaient obligés de les désactiver.

M. Wessel a donc décidé de recourir à la passerelle Webgate de Mi5 Network pour assurer la sécurité. Installée entre le pare-feu et le réseau d'entreprise des Celtics, elle empêche les logiciels espions de pénétrer sur le réseau de l'entreprise et en refuse l'accès aux ordinateurs qui ont déjà été contaminés. De plus, elle empêche que les ordinateurs contaminés ne retransmettent des données à l'émetteur du logiciel espion.

Les ordinateurs contaminés sont mis en quarantaine et nettoyés par l'équipe de M. Wessel. Webgate offre aussi un écran de supervision qui lui permet de voir la liste des ordinateurs contaminés et de surveiller l'activité interne du réseau de zombies, ainsi que les attaques télécommandées et les tentatives des logiciels espions de communiquer clandestinement avec leurs auteurs. En complément, l'entreprise utilise SurfControl (qui fait maintenant partie de Websense) pour filtrer le courrier électronique et la navigation sur le Web, le logiciel antivirus Trend Micro, le pare-feu et la technologie anti-intrusion SonicWALL, ainsi qu'Aladdin esafe pour s'assurer une protection supplémentaire contre les programmes malveillants.

L'installation de Webgate et de ces autres outils a débarrassé le réseau des Celtics des logiciels espions. La performance des ordinateurs portables, ralentie par les logiciels malveillants, s'est améliorée, le réseau de l'entreprise fonctionne beaucoup plus rapidement et il y a moins d'appels au service de dépannage informatique. M. Wessel n'a pas manqué de faire remarquer que ce système ne pourrait fonctionner sans une bonne formation des utilisateurs. Les employés doivent signer une politique d'utilisation stipulant ce qu'il leur est permis de faire sur les ordinateurs de l'entreprise, et on leur déconseille explicitement de visiter des sites Web qui pourraient transmettre d'autres programmes malveillants au réseau des Celtics.

Sources : Doug Bartholomew, « The Boston Celtics' New Malware Point Guard », *Baseline Magazine*, janvier 2008 ; Bill Breener, « Boston Celtics Face Off Against Spyware », SearchSecurity.com, consulté le 23 juin 2008.

Les problèmes qu'ont causés les logiciels espions aux Celtics de Boston illustrent quelques-unes des raisons qui doivent inciter les entreprises à prêter une attention toute particulière à la sécurité de leurs systèmes d'information. Les logiciels espions malveillants qui ont contaminé les ordinateurs portables des entraîneurs et des employés en déplacement ont nui à la performance des systèmes internes de l'entreprise et rendu difficile l'obtention des informations dont les employés avaient besoin pour leur travail.

Le schéma présenté ci-dessous met en relief les principales questions soulevées par ce cas et qui sont traitées dans le présent chapitre. Les entraîneurs et les employés des Celtics de Boston doivent utiliser leurs ordinateurs portables pour se connecter aux systèmes internes de l'entreprise lorsqu'ils voyagent avec l'équipe. Mais la connexion à des réseaux Wi-Fi publics dans les hôtels et les aéroports les expose à des logiciels espions, qu'ils peuvent ensuite transmettre aux systèmes de l'entreprise. La société consacrait ainsi beaucoup trop de temps et d'argent à éliminer les programmes malveillants de ses systèmes. Les gestionnaires ont donc décidé d'investir dans une nouvelle technologie de sécurité afin d'obtenir des couches additionnelles de protection. Ils ont aussi modifié les procédures de sécurité en exigeant la mise en quarantaine des ordinateurs portables contaminés, pour qu'ils ne puissent pas infecter les systèmes d'entreprise. La solution retenue a permis aux Celtics de se débarrasser des logiciels espions d'améliorer les performances de leurs systèmes.

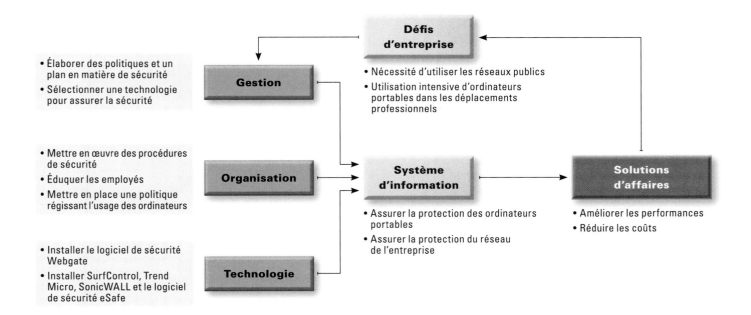

8.1 LA VULNÉRABILITÉ DES SYSTÈMES

Imaginez ce qui arriverait si vous vous connectiez à Internet sans un pare-feu ou un logiciel antivirus. Votre ordinateur pourrait être mis hors service en quelques secondes et cela pourrait prendre plusieurs jours pour le remettre en marche. Si votre ordinateur sert à l'exploitation de votre entreprise, vous pourriez vous retrouver dans l'incapacité de vendre vos produits ou de passer des commandes pendant la durée de la panne. Vous pourriez aussi vous apercevoir que des intrus ont pénétré dans le système et qu'ils ont volé ou détruit des données précieuses, par exemple des données confidentielles sur les moyens de paiement de vos clients. Si le volume de données détruites ou divulguées est trop important, votre entreprise pourrait ne jamais s'en remettre !

Bref, si vous exploitez une entreprise aujourd'hui, vous devez accorder la priorité absolue à la sécurité et au contrôle. La **sécurité** comprend les politiques, les procédures et les mesures techniques visant à prévenir tout accès non autorisé et toute altération de données, ainsi que les vols et les dommages. Les **contrôles** consistent en des méthodes, des mesures et des procédures organisationnelles garantissant la protection des actifs d'une organisation, la précision et la fiabilité de ses enregistrements et la conformité de ses opérations aux normes de gestion.

Les causes de la vulnérabilité des systèmes

De grandes quantités de données stockées sous forme électronique sont plus vulnérables que des données stockées sous forme papier. Grâce aux réseaux de communication, on peut connecter des systèmes d'information situés à différents endroits. Ainsi, les risques d'accès non autorisé, d'usage abusif et de fraude ne se limitent plus à un seul endroit, mais peuvent se produire en tout point d'un réseau.

La figure 8-1 illustre les risques les plus courants auxquels sont aujourd'hui exposés les systèmes d'information. La vulnérabilité des systèmes d'information peut être due à des facteurs techniques, organisationnels et environnementaux conjugués à de mauvaises décisions de gestion. Dans un environnement informatique client-serveur comme celui qui est illustré ici, ce sont non seulement chacune des couches du système, mais également les communications entre celles-ci qui comportent des risques. Les utilisateurs de la couche client peuvent causer des dommages en introduisant des erreurs dans

les systèmes ou en y accédant sans autorisation. Ils peuvent accéder aux données circulant dans les réseaux, voler des données précieuses lors de leur transmission ou modifier des messages sans autorisation. Les rayonnements électromagnétiques peuvent également perturber un réseau à différents endroits. Les intrus peuvent lancer des attaques par déni de service, des logiciels malveillants peuvent paralyser les opérations de sites Web, et si des intrus réussissent à pénétrer à l'intérieur du système des organisations, ils peuvent détruire ou endommager les données stockées dans les bases de données ou dans des fichiers.

Les raisons pour lesquelles un système fonctionne mal sont multiples : il peut s'agir d'une panne du matériel informatique, d'une configuration inadéquate, d'un usage abusif ou d'un acte criminel. Des erreurs de programmation, une installation mal faite et des changements non autorisés peuvent aussi provoquer des pannes de logiciel. Les systèmes informatiques peuvent d'autre part être perturbés par des pannes de courant, ainsi que par des inondations, des incendies et d'autres catastrophes naturelles.

L'impartition – que l'entreprise s'adresse à des sous-traitants locaux ou à des entreprises basées à l'étranger – peut accroître la vulnérabilité des systèmes si des informations précieuses se retrouvent sur des réseaux et des ordinateurs dont la surveillance échappe à l'organisation. En l'absence de mécanismes de protection efficaces, des données d'une grande valeur peuvent ainsi être perdues ou endommagées. Elles peuvent également tomber entre de mauvaises mains et révéler des secrets commerciaux importants ou des renseignements confidentiels.

L'utilisation accrue d'appareils mobiles dans le cadre de l'informatique d'entreprise accentue les écueils. Du fait qu'ils sont portables, les téléphones cellulaires et intelligents risquent plus d'être perdus ou volés, et des intrus peuvent avoir facilement accès à leurs réseaux. Les téléphones intelligents dont se servent les cadres d'entreprise peuvent contenir des données de nature délicate, comme le chiffre d'affaires, les noms des clients, des numéros de téléphone et des adresses

FIGURE 8-1 LA VULNÉRABILITÉ DES RÉSEAUX ACTUELS

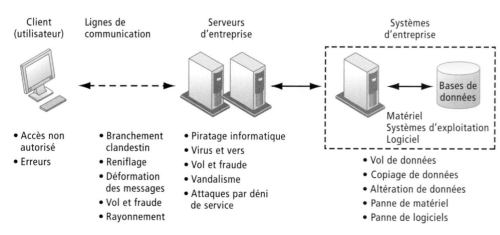

de courriel. Des intrus peuvent aussi accéder au réseau interne de l'entreprise par l'entremise de ces appareils, et des téléchargements non autorisés peuvent introduire un logiciel de neutralisation de la protection.

La vulnérabilité d'Internet

Les grands réseaux publics comme Internet sont plus vulnérables que les réseaux internes, car ils sont virtuellement ouverts à tous. Internet est un si gros réseau qu'un usage abusif peut y avoir des répercussions considérables. Lorsqu'une entreprise relie son réseau à Internet, ses systèmes d'information deviennent donc encore plus vulnérables aux interventions externes.

Les ordinateurs qui sont constamment connectés à Internet au moyen de modems câbles ou de lignes d'abonnés numériques (DSL) sont plus sujets aux intrusions que les autres, car ils utilisent une adresse Internet permanente qui permet de les repérer facilement. (Avec un service commuté, une adresse Internet temporaire est attribuée à chaque session.) Or, une adresse Internet permanente offre aux pirates une cible de choix – toujours la même.

S'il ne transite pas par un réseau privé sécurisé, un service téléphonique basé sur Internet (chapitre 7) est plus vulnérable que les réseaux téléphoniques commutés. Les communications vocales VoIP (voix sur IP) sont en très grande partie non cryptées. Toute personne reliée à un réseau peut donc les écouter, et les pirates peuvent les intercepter pour obtenir des renseignements personnels ou des numéros de carte de crédit. Ils peuvent aussi interrompre le service téléphonique en inondant les serveurs de fausses conversations.

L'usage de plus en plus répandu du courrier électronique, de la messagerie instantanée et des programmes de partage de fichiers poste-à-poste contribue également à augmenter la vulnérabilité des systèmes. En effet, les courriels peuvent contenir des pièces jointes qui servent de tremplin aux logiciels malveillants ou à un accès non autorisé aux systèmes d'entreprise internes. Les employés peuvent aussi utiliser le courrier électronique pour transmettre à des destinataires non autorisés des secrets commerciaux, des données financières ou des renseignements confidentiels sur les clients. Les applications de messagerie instantanée grand public ne comportent aucune couche de sécurité pour les messages textuels. Des intrus peuvent ainsi intercepter et lire les messages pendant leur transmission sur Internet. Dans certains cas, les activités de messagerie sur Internet peuvent même donner accès à un système sécurisé. Le partage de fichiers sur des réseaux poste-à-poste (P2P), comme ceux qui servent au partage illégal de musique, peut aussi favoriser la transmission de logiciels malveillants ou rendre accessibles à des intrus les renseignements stockés sur des ordinateurs personnels ou d'entreprises.

La sécurité de l'accès «sans fil»

Peut-on sans danger se connecter à un réseau sans fil dans un aéroport, une bibliothèque ou un autre lieu public? Tout dépend de votre vigilance. Même le réseau sans fil de votre domicile est vulnérable, car les fréquences radio sont faciles à capter et à analyser. Les réseaux Bluetooth et Wi-Fi peuvent faire l'objet d'une écoute électronique. Bien que la portée de la norme Wi-Fi ne soit que de quelques dizaines de mètres, on peut l'augmenter jusqu'à quelques centaines de mètres à l'aide d'une antenne externe. Des intrus munis d'un ordinateur portable, de cartes «sans fil», d'une antenne externe et d'un logiciel de piratage peuvent ainsi facilement accéder aux réseaux locaux qui utilisent la norme 802.11b (Wi-Fi). Les pirates informatiques utilisent ces divers outils pour détecter des réseaux non protégés, surveiller le trafic et, dans certains cas, accéder à Internet ou à des réseaux d'entreprise.

La session interactive sur les organisations montre comment une sécurité sans fil médiocre a peut-être permis à des malfaiteurs de pénétrer dans les systèmes d'entreprise de TJX Compagnies et d'autres détaillants importants pour voler des renseignements personnels sur plus de 41 millions d'individus (et notamment les données de leurs cartes de crédit).

La technologie de transmission Wi-Fi a été conçue pour faciliter la connexion et la transmission entre les stations. Les *identifiants de réseau* (en anglais *Service Set Identifiers*), qui reconnaissent les points d'accès à un réseau Wi-Fi, sont transmis à de multiples reprises et peuvent être captés avec une relative facilité par un programme renifleur (figure 8-2). De nombreux réseaux Wi-Fi n'ont pas de protection de base

FIGURE 8-2

LES RISQUES DES RÉSEAUX WI-FI EN MATIÈRE DE SÉCURITÉ

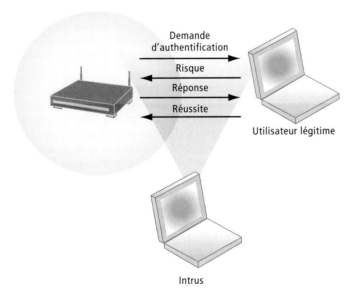

À l'aide d'un programme renifleur, des intrus peuvent facilement entrer dans la plupart des réseaux Wi-Fi et obtenir une adresse leur permettant d'accéder sans autorisation aux ressources du réseau.

LE PLUS GROS VOL DE DONNÉES DE TOUS LES TEMPS ?

Au début d'août 2008, des procureurs fédéraux américains ont inculpé 11 hommes dans 5 pays (dont les États-Unis, l'Ukraine et la Chine) pour le vol de plus de 41 millions de numéros de carte de crédit ou de débit. C'est à ce jour le plus gros vol de numéros de carte de crédit connu dans l'histoire. Les voleurs se sont concentrés sur d'importantes chaînes de magasins comme Office-Max, Barnes & Noble, BJ's Wholesale Club, Sports Authority et T.J. Maxx.

Les voleurs circulaient en voiture près de magasins appartenant à ces détaillants, scannaient leurs réseaux sans fil pour en déceler les failles, puis installaient des programmes renifleurs qu'ils s'étaient procurés auprès de complices à l'étranger. Ces programmes s'introduisaient sur le réseau servant au traitement des cartes de crédit et interceptaient les numéros de carte des clients ainsi que leurs numéros d'identification personnels. Les voleurs transmettaient ensuite l'information à des ordinateurs situés en Ukraine, en Lettonie et aux États-Unis. Ils vendaient certains numéros de carte de crédit en ligne et en imprimaient d'autres sur la piste magnétique de cartes vierges pour les utiliser dans des guichets automatiques, ce qui leur a permis de retirer des milliers de dollars. Albert Gonzalez, de Miami, a été identifié comme l'organisateur principal de la bande.

C'est en juillet 2005 que les conspirateurs ont commencé à mettre en œuvre ce qui deviendrait leur plus gros vol, en découvrant un réseau vulnérable dans un grand magasin Marshalls de Miami et en s'en servant pour installer un programme renifleur dans les ordinateurs de la société mère, TJX. Ils ont ainsi pu accéder à la base de données centralisée de TJX, laquelle stockait les transactions des clients des magasins T.J. Maxx, Marshalls, HomeGoods et A.J. Wright

aux États-Unis et à Porto Rico, ainsi que des magasins Winners et Home-Sense au Canada. Quinze mois plus tard, TJX révélait que les intrus avaient volé des dossiers contenant plus de 45 millions de numéros de carte de paiement.

À l'époque, TJX utilisait encore l'ancien système de cryptage WEP (*Wired Equivalent Privacy*), que les pirates informatiques pouvaient assez facilement déchiffrer. D'autres entreprises avaient adopté la norme WPA (*Wi-Fi Protected Access*), qui est plus sécuritaire, mais pas TJX. Un vérificateur a par la suite découvert que l'entreprise avait aussi négligé d'installer des pare-feux et un dispositif de cryptage des données sur un grand nombre des ordinateurs utilisant le réseau sans fil et qu'un logiciel de protection qu'elle s'était procuré avait été mal installé. TJX a reconnu dans une déclaration devant une commission sur la sécurité et les opérations boursières qu'elle avait transmis des données sur les cartes de crédit aux banques sans cryptage, enfreignant ainsi les directives des sociétés émettrices.

On a commencé à découvrir des cas de fraudes sur les cartes de crédit associés aux magasins TJX aux États-Unis et à l'étranger. En novembre 2005, les clients de Fidelity Homestead, une caisse d'épargne de la Louisiane, ont vu apparaître sur leurs relevés de carte de crédit des transactions bizarres : des achats non autorisés dans des magasins Wal-Mart au Mexique ainsi que dans des supermarchés et d'autres magasins du sud de la Californie.

En mars 2007, les services de police de Gainsville, en Floride, ont procédé à l'arrestation de six individus se servant de fausses cartes de crédit portant les numéros volés à TJX. Ils avaient acheté des cartes-cadeaux totalisant huit millions de dollars dans des magasins

Wal-Mart et Sam's Club de 50 comtés de Floride et les avaient utilisées pour se procurer des téléviseurs à écran plat, des ordinateurs et d'autres produits électroniques.

Au mois de juillet suivant, les services secrets ont arrêté dans le sud de la Floride quatre autres individus qui avaient utilisé les données de clients de TJX. Les arrestations ont permis de recouvrer environ 200 000 numéros de carte de crédit utilisés dans le cadre de fraudes dont le montant s'élevait à plus de 75 millions de dollars.

La question qui se posait était de savoir si TJX avait respecté les règles de sécurité établies par Visa et MasterCard pour le stockage de telles données, c'est-à-dire les normes de sécurité des données de l'industrie des cartes de paiement (norme PCI-DSS). En vertu de ces règles, les marchands ne sont pas censés conserver certains types de données sur les détenteurs de cartes de crédit dans leurs systèmes, parce que cela facilite la création de comptes de cartes de crédit frauduleux. Les communications entre Visa et les institutions financières émettrices des cartes de crédit ont révélé que TJX avait effectivement enfreint ce principe en conservant les données pendant des années, bien au-delà de la brève période où elles étaient nécessaires.

Sur papier, les normes PCI-DSS sont rigoureuses – les marchands sont tenus de mettre en place 12 mécanismes de protection des comptes, notamment le cryptage, l'examen périodique des failles éventuelles et l'utilisation de pare-feux et de logiciels antivirus –, mais elles ne sont pas appliquées systématiquement. Les marchands qui négligent de s'y conformer peuvent continuer de recevoir des paiements électroniques, et seule une fraction d'entre eux fait l'objet d'une vérification approfondie.

En mars 2008, la direction de TJX a convenu de renforcer la sécurité de ses systèmes d'information d'entreprise. Elle a également accepté que des vérificateurs externes évaluent ses mesures de sécurité tous les 2 ans au cours des 20 prochaines années.

Quelques mois plus tôt, TJX avait conclu une entente avec VISA U.S.A. pour la création d'un fonds de 40,9 millions de dollars permettant de verser des compensations aux banques qui avaient été lésées par ses manquements aux règles de sécurité. Les banques qui ont émis les cartes de paiement pourraient devoir dépenser 300 millions de dollars rien que pour le remplacement des cartes volées – sans parler de la couverture des achats frauduleux.

TJX a révélé que ce vol de données lui avait déjà coûté 202 millions de dollars (y compris en dommages et in-térêts) et qu'elle prévoyait y consacrer 23 millions de dollars de plus au cours de l'année financière de 2009. Forrester Research estime que le coût de l'atteinte à la sécurité des données de l'entreprise TJX pourrait dépasser le milliard de dollars en cinq ans, en comptant la rémunération des consultants, les mises à jour de sécurité, les frais d'avocats et les campagnes de marketing visant à rassurer les clients. TJX a refusé de commenter ces chiffres.

Un rapport de la firme Javelin Strategy & Research a révélé que plus de 75 % des consommateurs interrogés ne continueraient pas de magasiner chez des détaillants qui ont été victimes d'un vol de données. La même étude a montré que les consommateurs faisaient beaucoup plus confiance aux sociétés émettrices de cartes de crédit qu'aux détaillants pour protéger leurs données.

Sources: Brad Stone, « 11 Charged in Theft of 41 Million Card Numbers », *New York Times*, 6 août 2008; Andrew Conry-Murray, « PCI and the Circle of Blame », *Information Week*, 25 février 2008; Dan Berthiaume, « Data Breaches Cause Concern », *eWeek*, 7 avril 2008; Joseph Pereira, Jennifer Levitz et Jeremy Singer-Vine, « Some Stores Quiet Over Card Breach », *Wall Street Journal*, 11 août 2008; Robin Sidel, « Giant Retailer Reveals Customer Data Breach », *Wall Street Journal*, 18 janvier 2007; « Has Attack Means Headaches for TJ Maxx », *Information Week*, 3 février 2007; « T.J. Maxx Probe Reveals Data Breach Worse Than Originally Thought », *Information Week*, 21 février 2007.

Questions

1. Énumérez et décrivez les faiblesses du contrôle de la sécurité informatique chez TJX Compagnies.
2. Quels sont les facteurs qui ont contribué à ces faiblesses en matière de gestion, d'organisation et de technologie ?
3. Quelles ont été les répercussions commerciales de la perte de ces données sur TJX, les consommateurs et les banques ?
4. De quelle façon TJX a-t-elle réglé ces problèmes ?
5. Qui devrait être tenu responsable des pertes entraînées par l'emploi frauduleux des cartes de crédit dans ce cas ? TJX ? Les banques qui ont émis les cartes de crédit ? Les consommateurs ? Justifiez votre réponse.
6. Quelles solutions suggéreriez-vous pour éviter ce type de problème ?

Ateliers

Explorez le site Web du PCI Security Standards Council (www.pcisecuritystandards.org) et passez en revue les normes de sécurité informatique des données de l'industrie des cartes de paiement (PCI-DSS).

1. Selon les détails fournis dans cette étude de cas, dans quelle mesure TJX se conformait-elle à la norme PCI-DSS? Quelles exigences n'avait-elle pas respectées?
2. Le respect de cette norme aurait-il empêché le vol des données de cartes de crédit de TJX?

contre le **piratage Wi-Fi** (*War Driving*), lequel consiste à passer devant un parc ou un immeuble en voiture pour tenter de capter le trafic de réseaux sans fil.

Un pirate peut utiliser un outil d'analyse des réseaux utilisant la norme 802.11 pour reconnaître les identifiants de réseau (IR). (Windows XP et Vista possèdent pour leur part des fonctions qui permettent de les détecter et de configurer automatiquement la carte réseau radio contenue dans l'appareil de l'utilisateur.) L'intrus qui a utilisé le bon IR pour établir le contact avec un point d'accès peut ensuite accéder aux ressources du réseau, utiliser le système d'exploitation Windows pour savoir quels autres utilisateurs y sont connectés, accéder au disque dur de leurs ordinateurs et ouvrir ou copier leurs fichiers.

Les intrus peuvent également utiliser l'information qu'ils ont glanée pour créer un point d'accès pirate à un canal radio différent dans un emplacement physiquement proche de l'utilisateur et forcer sa carte réseau radio à s'y associer. Cela fait, les pirates peuvent, en utilisant leur point d'accès, s'emparer à son insu du nom et du mot de passe de l'utilisateur.

La première norme de sécurité mise au point pour le réseau Wi-Fi, la norme WEP (*Wire Equivalent Privacy*), s'est avérée peu efficace. Bien qu'elle soit intégrée à tous les produits utilisant la norme 802.11, son utilisation est facultative et de nombreux utilisateurs en négligent les caractéristiques de sécurité, ce qui les laisse sans protection. La spécification de base de cette norme est qu'un point d'accès et tous ses utilisateurs ont le même mot de passe crypté de 40 bits. Or, il suffit à un pirate d'un faible trafic pour déchiffrer ce type de mot de passe. Il existe maintenant des systèmes de cryptage et d'authentification plus difficiles à percer, mais encore faut-il que les utilisateurs veuillent bien les installer.

Les programmes malveillants : virus, vers, chevaux de Troie et logiciels espions

On appelle **programmes malveillants** (ou maliciels) les programmes qui menacent les ordinateurs, comme les virus informatiques, les vers informatiques et les chevaux de Troie. Un **virus informatique** est un programme malveillant qui s'attache à d'autres programmes ou à des fichiers de données pour s'exécuter, en général sans la permission de l'utilisateur et sans même qu'il s'en aperçoive. La plupart des virus informatiques ont une « charge » ou fonction. Celle-ci peut être relativement bénigne (des instructions pour l'affichage d'un message ou d'une image, par exemple) ou très destructrice : elle peut détruire des programmes, paralyser des mémoires, provoquer un reformatage du disque dur ou empêcher les programmes de fonctionner correctement. En général, la propagation des virus d'un ordinateur à l'autre nécessite une intervention humaine, comme l'envoi d'un courriel avec pièce jointe ou le fait de copier un fichier infecté.

Les attaques les plus récentes ont pour la plupart été perpétrées à l'aide de **vers informatiques**. Il s'agit de programmes indépendants qui se propagent d'un ordinateur à l'autre dans un réseau. (Contrairement aux virus, ils peuvent fonctionner de manière autonome, sans être attachés à d'autres programmes, et leur propagation ne dépend donc pas totalement d'une intervention humaine ; c'est pourquoi ils se propagent plus rapidement.) Les vers peuvent détruire des données et des programmes et perturber ou même paralyser le fonctionnement d'un réseau informatique.

Les vers et les virus se propagent souvent sur Internet à partir de logiciels téléchargés, de fichiers joints à des courriels, ou encore de courriels ou de messages instantanés corrompus. Les virus peuvent également envahir des systèmes d'information informatisés à partir de machines ou de disques « infectés ». Mais ce sont les vers qui sont actuellement les plus problématiques.

Il existe actuellement plus de 200 virus et vers ciblant les téléphones mobiles, comme CABIR, Comwarrior et Frontal A. Ce dernier, par exemple, installe un fichier corrompu qui provoque une panne téléphonique et empêche l'utilisateur de redémarrer. Étant donné la multiplication des appareils sans fil reliés au système d'information des entreprises, les virus pour appareils mobiles peuvent représenter une menace sérieuse pour les systèmes d'information d'une entreprise.

Les applications Web 2.0 – blogues, sites wiki ou sites de réseautage personnel comme Facebook et MySpace – servent maintenant d'intermédiaires aux programmes malveillants et aux logiciels espions. Ces applications permettent aux uti-

lisateurs d'afficher un code de logiciel qui peut être automatiquement lancé dès que la page Web s'affiche. En août 2008, par exemple, des pirates malveillants ont attaqué des utilisateurs de Facebook à leur insu en se servant des messages affichés sur leur « mur » (une fonctionnalité que les membres utilisent pour se laisser des messages). En se faisant passer pour des « amis », les pirates ont affiché des messages pressant les visiteurs de cliquer sur un lien pour voir une vidéo. Ce lien les transportait alors vers une page Web où on leur demandait de télécharger une nouvelle version d'Adobe Flash Player pour visionner la vidéo. S'ils autorisaient le téléchargement, le site installait alors un cheval de Troie, Troj/Dloadr-BPL, qui acheminait d'autres codes malveillants dans leurs ordinateurs personnels (Perez, 2008).

Le tableau 8-1 décrit les caractéristiques de quelques-uns des vers et des virus les plus dangereux apparus à ce jour.

Au cours de la dernière décennie, les vers et les virus ont causé des milliards de dollars de dommages en s'attaquant aux réseaux d'entreprise, aux systèmes de courrier électronique et aux données. Selon une étude de Consumers Reports sur l'état d'Internet réalisée en 2008 aux États-Unis, les consommateurs auraient perdu 8,5 milliards de dollars en raison de programmes malveillants et d'escroqueries en ligne, et la majorité de ces pertes proviendraient des programmes malveillants (Consumer Reports, 2008).

Un **cheval de Troie** est un programme en apparence inoffensif, mais dont le comportement est imprévisible. Ce n'est pas un virus en soi, car il ne se multiplie pas. Il peut toutefois servir de véhicule pour des virus et d'autres codes malveillants, auxquels il permet de s'introduire dans un système informatique. L'expression *cheval de Troie* renvoie au gigantesque cheval de bois que les Grecs utilisèrent pour se faire ouvrir les portes de la cité par les Troyens au cours de la guerre de Troie. Une fois à l'intérieur des murs, les soldats grecs qui étaient cachés à l'intérieur du cheval en sont sortis pour s'emparer de la ville.

Pushdo est un exemple de cheval de Troie récent, qui se propage par l'entremise de cartes de souhaits piégées jointes au courrier électronique et invitant les utilisateurs sous Windows à lancer un programme exécutable. Une fois le programme exécuté, le cheval de Troie se fait passer pour un serveur Apache Web et essaie de transférer des programmes malveillants exécutables dans les appareils Windows contaminés.

Certains types de **logiciels espions** peuvent également se comporter comme des programmes malveillants. Ces petits programmes s'installent eux-mêmes sur les ordinateurs pour espionner la navigation sur le Web et diffuser de la publicité. On dénombre des milliers de formes de logiciels espions. La firme Harris Interactive a révélé que 92 % des entreprises interrogées dans son étude Web@Work ont signalé la détection de logiciels espions dans leurs réseaux (Mitchell, 2006).

De nombreux utilisateurs considèrent ces logiciels comme des nuisances, et certains observateurs s'inquiètent de leur intrusion dans la vie privée des gens, mais il y a des

NOM	TYPE	DESCRIPTION
Storm	Ver, cheval de Troie	Détecté pour la première fois en janvier 2007. Se propage par l'envoi massif de pourriels comportant une fausse pièce jointe. A contaminé jusqu'à 10 millions d'ordinateurs, qu'il a obligés à se joindre à un réseau d'ordinateurs zombies engagé dans des activités criminelles.
Sasser.ftp	Ver	Apparu pour la première fois en mai 2004. Se propage sur Internet en s'attaquant à des adresses IP choisies au hasard. Fait sans cesse tomber en panne et redémarrer les ordinateurs contaminés et les oblige à chercher d'autres victimes. A contaminé des millions d'ordinateurs à travers le monde, perturbant l'enregistrement des passagers de British Airways ainsi que les opérations des postes de la garde côtière britannique, des hôpitaux de Hong Kong, des bureaux de poste de Taïwan et de la banque Westpac d'Australie. Sasser et ses variantes ont causé des dommages évalués entre 14,8 et 18,6 milliards de dollars à l'échelle mondiale.
MyDoom.A	Ver	Apparu pour la première fois le 26 janvier 2004. Se propageait sous forme de pièces jointes au courrier électronique. Envoyait des courriels aux adresses récoltées sur les appareils contaminés, en falsifiant l'adresse de l'expéditeur. À son apogée, ce ver informatique a ralenti de 10 % la performance globale d'Internet et de 50 % la durée de téléchargement des pages Web. Il était programmé pour cesser de se propager après le 12 février 2004.
Sobig.F	Ver	Détecté pour la première fois le 19 août 2003. Se propageait par l'entremise de pièces jointes au courrier électronique et envoyait des quantités massives de courrier avec de faux renseignements sur l'expéditeur. S'est désactivé lui-même le 10 septembre 2003 après avoir contaminé plus d'un million d'ordinateurs et causé des dommages évalués entre 5 et 10 milliards de dollars.
ILOVEYOU	Virus	Détecté pour la première fois le 3 mai 2000. Virus écrit en VBscript et transmis comme pièce jointe de courrier avec ILOVEYOU comme objet. Substitue une copie de lui-même aux fichiers de musique, d'images et autres, et a causé des dommages évalués entre 10 et 15 milliards de dollars.
Melissa	Macrovirus, ver	Apparu pour la première fois en mars 1999. Macrovirus de texte Word qui contamine un fichier Word et l'expédie aux 50 premiers noms du carnet d'adresses Outlook de l'utilisateur. A contaminé de 15 à 29 % de tous les ordinateurs d'entreprise, causant des dommages allant de 300 à 600 millions de dollars selon les évaluations.

formes de logiciels espions encore plus pernicieuses. Ainsi, **l'enregistreur de frappe** enregistre chaque frappe faite sur un ordinateur pour voler les numéros de série des logiciels, lancer des attaques Internet, accéder à des comptes de courrier électronique, obtenir les mots de passe de systèmes informatiques protégés et recueillir des renseignements personnels, comme les numéros de carte de crédit. D'autres programmes espions réinitialisent les pages d'accueil de navigateur, détournent les recherches ou ralentissent la performance de l'ordinateur en en accaparant l'espace mémoire.

Les pirates informatiques et le cybervandalisme

Un **pirate informatique** est un individu qui cherche à obtenir un accès non autorisé à un système informatique. Dans leur milieu, on qualifie plus spécifiquement de braqueurs (*crackers*) ceux qui ont une intention criminelle, mais le grand public ne fait aucune distinction entre les uns et les autres. Pour obtenir un accès non autorisé, les pirates informatiques repèrent les faiblesses que comportent les systèmes de protection des sites Web et des systèmes informatiques, profitant souvent des diverses caractéristiques d'Internet qui en font un système ouvert, facile à utiliser.

Les activités de piratage vont dorénavant au-delà de la simple intrusion et comprennent maintenant le vol de biens et d'informations, les atteintes aux systèmes et le **cybervandalisme**, c'est-à-dire la perturbation, la dégradation ou même la destruction préméditée d'un site Web ou d'un système informatique d'entreprise. Par exemple, des pirates informatiques ont couvert de « cybergraffitis » un grand nombre des sites de groupe de MySpace, consacrés à des sujets d'intérêt comme la fabrication artisanale de bière ou la protection des animaux, qu'ils ont accompagnés de commentaires et de photographies de mauvais goût (Kirk, 2008).

La mystification et le reniflage

Les pirates qui veulent dissimuler leur véritable identité recourent à la mystification, c'est-à-dire qu'ils utilisent de fausses adresses de courrier électronique ou se font passer pour quelqu'un d'autre. La **mystification** peut également consister à dérouter un lien Web vers une adresse différente de celle qui était prévue au départ, le site d'arrivée se faisant passer pour la véritable destination. En orientant des consommateurs vers un faux site Web ayant presque la même apparence que le vrai, les pirates peuvent, par exemple, recevoir et traiter des commandes, accaparant des commandes et des renseignements confidentiels destinés au site légitime. Nous présentons d'autres formes de mystifications dans la section portant sur les délits informatiques.

Un **renifleur** est un programme d'écoute électronique qui surveille l'information transitant sur un réseau. Utilisé à des fins légitimes, le renifleur peut aider à diagnostiquer des problèmes ou à détecter des activités criminelles, mais utilisé à des fins illégales, il peut causer des dommages et est difficilement repérable. Les renifleurs permettent aux pirates informatiques de voler des renseignements confidentiels en n'importe quel endroit d'un réseau, notamment dans les courriels, les fichiers de l'entreprise et les rapports confidentiels.

Les attaques par déni de service

Une **attaque par déni de service** inonde un serveur de réseau ou un serveur Web de dizaines de milliers de fausses communications et demandes de services afin de provoquer une panne. Le nombre de requêtes à traiter devient si important que le réseau est débordé et ne peut plus s'occuper des demandes légitimes. Une **attaque par déni de service distribué** utilise de nombreux ordinateurs pour inonder un réseau à partir d'un grand nombre de plateformes. Par exemple, le site Web officiel de Bill O'Reilly a été inondé de données qui ont surchargé les pare-feux du système pendant deux jours au début de mars 2007, obligeant le webmestre à fermer le site pour le protéger (Schmidt, 2007).

Même si elles ne détruisent pas l'information et ne s'introduisent pas dans les zones à accès réservé des systèmes d'information d'une entreprise, les attaques par déni de service peuvent entraîner la fermeture d'un site Web et en bloquer l'accès aux utilisateurs légitimes. Pour des sites de commerce électronique très fréquentés, ces attaques sont coûteuses, puisque les consommateurs ne peuvent faire d'achats pendant que le site est hors service. Les petites et moyennes entreprises sont particulièrement vulnérables, car leurs réseaux ont tendance à être moins bien protégés que ceux des grandes.

Les auteurs d'attaques par déni de service ont souvent recours à des milliers d'ordinateurs « zombies » contaminés par des programmes malveillants à l'insu de leurs propriétaires et organisés en un **réseau de zombies**. Les pirates créent ces réseaux en contaminant les ordinateurs d'autres personnes avec un programme malveillant qui permet à un attaquant d'entrer « par la porte arrière » pour donner des instructions. L'ordinateur contaminé devient alors un esclave – un « zombie » – servant un ordinateur maître appartenant à quelqu'un d'autre. Une fois que le pirate a contaminé un nombre suffisant d'ordinateurs, il peut utiliser son réseau de zombies pour lancer des attaques par déni de service distribué, des campagnes d'hameçonnage, ou des envois massifs de pourriels.

Au cours des six premiers mois de 2007, Symantec, un fournisseur de produits de protection, a constaté que plus de cinq millions d'ordinateurs étaient contaminés par des zombies. Les zombies et les réseaux de zombies sont des menaces très graves, parce qu'on peut les utiliser pour lancer de très grosses attaques utilisant toutes sortes de techniques. Par exemple, le ver informatique Storm, responsable de l'une des attaques les plus virulentes lancées contre le courrier électronique au cours des dernières années, s'est propagé par un immense réseau de zombies comptant près de deux millions d'ordinateurs. Ce sont des attaques lancées par des réseaux de zombies, dont on pense qu'elles provenaient de Russie, qui ont provoqué la paralysie des sites Web des gouvernements estonien et géorgien en avril 2007 et juillet 2008.

Les délits informatiques

La plupart des activités de piratage constituent des infractions criminelles, et les points faibles que nous venons de décrire font des systèmes des cibles de choix pour d'autres types de délits informatiques. En janvier 2007, par exemple, Yung-Sun Lin a été inculpé pour avoir installé un programme de bombe logique dans les ordinateurs de son employeur, Medco Health Solutions, de Franklin Lakes, au New Jersey. Le programme de Lin aurait pu effacer des renseignements essentiels sur les ordonnances médicales de 60 millions d'individus (Gaudin, 2007). Le ministère de la Justice des États-Unis définit un délit informatique comme « toute violation de la loi criminelle supposant une connaissance de la technologie informatique pour sa perpétration, son investigation ou pour les poursuites subséquentes ». Le tableau 8-2 présente des exemples de délits informatiques dans lesquels l'ordinateur est une cible ou un instrument.

Personne ne connaît l'ampleur des délits informatiques, c'est-à-dire le nombre de systèmes infectés, le nombre de personnes impliquées ou le montant des dommages causés sur le plan économique. D'après une étude menée sur la sécurité et les délits informatiques par le Computer Security Institute en 2007 auprès de quelque 500 entreprises, la moyenne des pertes annuelles subies par les participants en raison de délits informatiques et d'attaques contre leur sécurité s'élevait à 350 424 $ (Richardson, 2007). De nombreuses entreprises hésitent à signaler les délits informatiques, car leurs propres employés peuvent être impliqués ou parce qu'elles craignent que le fait de dévoiler leur vulnérabilité nuise à leur réputation. Les types de délits informatiques qui causent le plus de dommages économiques sont les attaques par déni de service, l'introduction de virus, le vol de services et l'interruption du fonctionnement des systèmes informatiques.

Le vol d'identité

Avec le développement d'Internet et du commerce électronique, le **vol d'identité** est devenu un problème particuliè-

TABLEAU 8-2

DES EXEMPLES DE DÉLITS INFORMATIQUES

Les ordinateurs en tant que cibles de délits

Violation de la confidentialité de données informatisées protégées

Accès non autorisé à un système informatisé

Accès intentionnel à un ordinateur protégé pour commettre une fraude

Accès intentionnel à un ordinateur personnel provoquant des dommages soit par négligence, soit délibérément

Transmission volontaire d'un programme, d'un code de programme ou d'une commande pour causer des dommages à un ordinateur protégé

Menace d'endommager un ordinateur protégé

Les ordinateurs en tant qu'instruments de délits

Vol de secrets commerciaux

Reproduction non autorisée d'un logiciel ou d'un bien protégé par des droits d'auteur, comme les articles, les livres, la musique ou les vidéos

Planification d'une fraude

Utilisation du courrier électronique pour faire des menaces ou du harcèlement

Tentative intentionnelle d'interception de communications électroniques

Accès illégal à des communications électroniques stockées en mémoire, dont les courriels et les messages vocaux

Transmission ou possession de pornographie infantile à l'aide d'un ordinateur

---

rement préoccupant. Il s'agit du délit que commet une personne qui tente d'obtenir des renseignements personnels, comme un numéro d'assurance sociale, de permis de conduire ou de carte de crédit, dans le but de se faire passer pour quelqu'un d'autre. L'imposteur peut utiliser ces renseignements pour obtenir du crédit, des marchandises ou des services au nom de la victime, ou pour se procurer de faux justificatifs d'identité. Selon la firme Javelin Strategy & Research, 8,4 millions de personnes ont été victimes d'un vol d'identité en 2007 aux États-Unis, et les pertes subies s'élevaient à 49,3 milliards de dollars au total (Stempel, 2007).

Le vol d'identité est en plein essor sur Internet, les dossiers de cartes de crédit étant les principales cibles des pirates de sites Web. En outre, les sites de commerce électronique sont une excellente source de renseignements confidentiels (noms, adresses et numéros de téléphone) concernant les clients. Grâce à ces renseignements, les criminels peuvent utiliser une identité fictive pour obtenir des prêts.

L'**hameçonnage** est une forme de mystification de plus en plus répandue qui consiste à créer de faux sites Web ou à envoyer des courriels semblables à ceux d'entreprises légitimes pour demander aux utilisateurs de fournir des renseignements confidentiels. Le courriel peut, par exemple, inviter le destinataire à mettre à jour ou à confirmer les données inscrites à son dossier en fournissant son numéro d'assurance sociale, des informations sur ses comptes bancaires et ses cartes de crédit ou d'autres renseignements confidentiels soit en ligne, sur un faux site Web, soit par téléphone. EBay, PayPal, Amazon.com, Wal-Mart et tout un éventail de banques figurent parmi les entreprises les plus souvent visées par les tentatives d'hameçonnage.

Les nouvelles techniques d'hameçonnage des «jumeaux malfaisants» (*evil twins*) et du clonage d'adresses de serveur (*pharming*) sont plus difficiles à détecter. Les **jumeaux malfaisants** sont des réseaux sans fil qui prétendent offrir des connexions Wi-Fi fiables à Internet, comme celles qu'on trouve dans les salons d'aéroport, les hôtels ou les cafés. Le pseudoréseau ressemble à un authentique réseau public. Les fraudeurs tentent de saisir les mots de passe ou les numéros de carte de crédit des utilisateurs qui se connectent au réseau.

Le **clonage d'adresses de serveur** (*pharming*, mot formé à partir de *farming* et *pharmaceutical* et qu'on pourrait traduire par «reproduction artificielle») redirige les utilisateurs vers une fausse page Web, même lorsqu'ils ont tapé la bonne adresse dans leur navigateur. Les auteurs de clonage modifient les caractéristiques DNS d'un serveur. Pour ce faire, ils accèdent à l'information sur les adresses Internet stockée par les fournisseurs de services pour accélérer la navigation sur le Web. Les fraudeurs réussissent à s'introduire dans les systèmes pour changer les adresses grâce à des logiciels défectueux installés sur les serveurs des entreprises.

Pour contrer la menace que représentent les délits informatiques, le Congrès des États-Unis a adopté, en 1986, la Computer Fraud and Abuse Act, qui interdit tout accès non autorisé à un système informatique, et la plupart des États américains et des pays européens possèdent des lois similaires. Le Congrès a également adopté, en 1996, la National Information Infrastructure Protection Act, en vertu de laquelle la propagation de virus et les attaques de pirates contre des sites Web sont de ressort fédéral. De leur côté, des lois comme la Wiretrap Act, la Wire Fraud Act, l'Economic Espionage Act, l'Electronic Communications Privacy Act, l'E-Mail Threats and Harassment Act et la Child Pornography Act couvrent les délits informatiques mettant en jeu les techniques suivantes: interception de communications électroniques, utilisation de communications électroniques à des fins de fraudes, vol de secrets commerciaux, accès illégal à des communications électroniques stockées en mémoire, utilisation du courrier électronique à des fins de menaces ou de harcèlement et transmission ou possession de pornographie infantile.

La fraude au clic

Lorsque vous cliquez sur une annonce affichée par un moteur de recherche, l'annonceur paie habituellement une commission pour chaque clic censé diriger d'éventuels acheteurs vers ses produits. On parle de **fraude au clic** quand un individu ou un programme informatique clique frauduleusement sur des publicités en ligne sans aucune intention d'en apprendre davantage au sujet de l'annonce ou de faire un achat. La fraude au clic est devenue un grave problème chez Google et sur d'autres sites Web qui présentent de la publicité facturable au clic.

Certaines entreprises embauchent des tiers (provenant habituellement de pays à faible revenu) pour cliquer frauduleusement sur les annonces d'un concurrent afin de l'affaiblir en dilapidant son budget publicitaire. On peut aussi utiliser des programmes informatiques pour déclencher le clic et des réseaux de zombies sont souvent utilisés à cette fin. Les moteurs de recherche, tel Google, essaient de contrôler la fraude au clic, mais ces entreprises se sont toujours montrées réticentes à rendre leurs efforts publics pour régler le problème.

Les menaces à l'échelle mondiale : cyberterrorisme et guerre de l'information

Les cyberattaques que nous venons de décrire – lancement de programmes malveillants, attaques par déni de service et tentatives d'hameçonnage – ne connaissent pas de frontières. Sophos, une entreprise de sécurité informatique, a révélé que 42 % des programmes malveillants qu'elle a décelés au début de 2008 provenaient des États-Unis, 30,1 %, de Chine et 10,3 %, de Russie (Sophos, 2008). Compte tenu du caractère mondial d'Internet, les cybercriminels peuvent opérer – et donc nuire – partout dans le monde.

L'exploitation éventuelle de la vulnérabilité d'Internet et des autres réseaux par des terroristes, par des services d'espionnage étrangers ou par tout autre groupe pour provoquer une panne généralisée et infliger des dommages substantiels suscite de plus en plus d'inquiétudes. Les cyberattaques peuvent cibler les logiciels qui gèrent les réseaux électriques et le trafic aérien, ainsi que les réseaux des grandes banques et institutions financières. Des groupes basés dans divers pays, et notamment en Chine, examinent et cartographient les réseaux étatsuniens. De plus, une vingtaine de pays au moins sont soupçonnés de se doter de capacités offensives et défensives dans la perspective d'une guerre électronique. On a dénombré, en 2007, 12 986 attaques dirigées contre les organismes gouvernementaux, et une augmentation de 55 % des incursions dans les réseaux militaires aux États-Unis par rapport à l'année précédente. Les entreprises sous contrat avec le ministère de la Défense sont également sur la sellette (Grow et coll., 2008).

En réaction à cette menace, le président George W. Bush a approuvé, le 8 janvier 2008, une directive de la Cyber Initiative, autorisant la National Security Agency à surveiller les réseaux d'ordinateurs de tous les organismes fédéraux pour découvrir la source des cyberattaques. Le ministère de la Sécurité intérieure des États-Unis s'occupera de protéger les systèmes et le Pentagone développera des stratégies de contre-attaque face aux intrus. Il a par ailleurs été ordonné à tous les organismes gouvernementaux de réduire de 4000 à moins de 100 le nombre de ports ou de points d'accès par lesquels leurs réseaux se connectent à Internet.

Les menaces internes : les employés

On a tendance à penser que les menaces en matière de sécurité proviennent de l'extérieur des entreprises, mais le problème peut aussi provenir des personnes qui y travaillent. Les employés ont accès à des informations privilégiées et il arrive souvent, lorsque les procédures de sécurité manquent de rigueur, qu'ils puissent naviguer dans les systèmes de l'entreprise sans laisser de traces.

Des études ont révélé que le manque de connaissances des utilisateurs est le principal responsable de la plupart des atteintes à la sécurité des réseaux. De nombreux employés oublient le mot de passe qui leur permet d'accéder à un système informatique ou laissent des collègues de travail l'utiliser, ce qui compromet la sécurité du système. Des intrus mal intentionnés peuvent les amener frauduleusement à révéler leur mot de passe en prétendant être des membres légitimes de l'organisation à la recherche de renseignements. On appelle cette pratique **ingénierie sociale** ou **piratage psychologique**.

Les utilisateurs finaux et les spécialistes des systèmes d'information sont aussi responsables de l'introduction d'un grand nombre d'erreurs dans les systèmes d'information. Les utilisateurs finaux peuvent le faire en entrant de fausses données ou en omettant de respecter la procédure prescrite pour le traitement de celles-ci, ainsi que pour l'utilisation du matériel informatique. Les spécialistes des systèmes d'information, quant à eux, peuvent commettre des erreurs au moment de la conception d'un nouveau logiciel ou de l'entretien d'un logiciel existant.

La vulnérabilité des logiciels

Les erreurs de logiciel représentent également une menace constante pour les systèmes d'information et sont à l'origine de pertes de productivité d'une ampleur inestimable. Le National Institute of Standard and Technology (NIST) du ministère du Commerce des États-Unis rapporte ainsi que les problèmes des logiciels (dont leur vulnérabilité au piratage informatique et aux programmes malveillants) coûtent chaque année 59,6 milliards de dollars à l'économie du pays (Hulme, 2004).

Les **bogues** cachés ou les codes de programme défectueux constituent l'un des problèmes majeurs en matière de logiciels. Des études ont montré qu'il est pratiquement impossible d'éliminer tous les bogues des gros programmes, car la principale source en est la complexité des codes de prise de décision. Un programme relativement petit de plusieurs centaines de lignes de code comporte des dizaines d'alternatives menant à des centaines ou même à des milliers de chemins différents. Les programmes importants qu'exploitent la plupart des grandes sociétés sont généralement beaucoup plus complexes et contiennent des dizaines de milliers, voire des millions de lignes de code comportant chacune beaucoup plus de choix et de chemins que les programmes plus petits.

Il est impossible d'éliminer toutes les imperfections des gros programmes : une vérification complète est tout simplement impossible. Il faudrait des milliers d'années pour vérifier en détail des programmes qui contiennent des milliers de choix et des millions de chemins. Même avec des tests rigoureux, on ne peut être certain qu'un logiciel est fiable tant qu'on ne l'a pas utilisé à long terme.

Les imperfections des logiciels commerciaux engendrent non seulement des problèmes de performance, mais créent également des points de vulnérabilité ouvrant la porte des réseaux aux intrus. Chaque année, les entreprises de sécurité découvrent environ 5000 failles de ce type sur Internet et dans les logiciels d'ordinateurs. En 2007, par exemple, Symantec a découvert 39 failles dans le navigateur Internet Explorer de Microsoft, 34 dans les navigateurs Mozilla, 25 dans Apple Safari et 7 dans Opera, et dans plusieurs cas, il s'agissait de problèmes d'importance cruciale (Symantec, 2007).

Pour corriger les erreurs détectées dans un logiciel, le fournisseur crée de petits programmes de correction appelés **retouches** qui remédient au problème sans perturber le fonctionnement du logiciel. Le Service Pack 1 de Microsoft Windows Vista est un exemple de telles retouches. Lancé en février 2008, il offre des améliorations en matière de sécurité permettant de contrer les programmes malveillants et les pirates informatiques. Il appartient aux utilisateurs du logiciel de rechercher les points faibles, de procéder à des tests et d'appliquer les programmes de correction. On nomme ce processus *gestion des retouches*.

Comme, dans une entreprise, l'infrastructure de la technologie de l'information comporte généralement un grand nombre d'applications, de systèmes d'exploitation et de systèmes de services, l'installation de retouches sur tous les dispositifs et services utilisés peut lui coûter cher – en temps et en argent. La création des programmes malveillants est si rapide que les entreprises ont très peu de temps pour réagir entre le moment où on annonce un problème de vulnérabilité et la mise au point d'une retouche et celui où apparaît un programme malveillant qui exploite la faille en question.

8.2 LA VALEUR COMMERCIALE DE LA SÉCURITÉ ET DU CONTRÔLE DES SYSTÈMES INFORMATIQUES

De nombreuses entreprises hésitent à investir de grosses sommes d'argent dans la sécurité parce que cette activité n'a pas d'effet direct sur le produit des ventes. Pourtant, la protection des systèmes d'information est à ce point essentielle pour le fonctionnement de l'entreprise qu'elle mérite qu'on s'y attarde.

Les entreprises possèdent des ressources informationnelles précieuses qu'elles doivent protéger. Les systèmes conservent souvent des informations confidentielles sur les individus : impôts, actifs financiers, dossiers médicaux et suivi du rendement au travail. Ils peuvent également contenir divers renseignements sur les activités de l'entreprise, notamment des secrets commerciaux, des projets de nouveaux produits et des stratégies de commercialisation. Les systèmes du gouvernement peuvent, quant à eux, conserver de l'information sur les systèmes d'armes, les activités des services de renseignements et les cibles militaires. Ces diverses ressources informationnelles ont une valeur inestimable, et leur perte, leur destruction ou leur utilisation à des fins criminelles peuvent avoir des répercussions dévastatrices. Une étude récente estime que, lorsque la sécurité d'une grande entreprise est compromise, elle perd approximativement 2,1 % de sa valeur sur le marché dans les deux jours qui suivent, ce qui se traduit par une perte moyenne de sa valeur en Bourse de 1,65 milliard de dollars par incident (Cavusoglu, Mishra et Raghunathan, 2004).

Une sécurité et un contrôle inadéquats peuvent également être à l'origine de sérieux problèmes sur le plan juridique. Les entreprises doivent protéger non seulement leurs propres informations, mais également celles de leurs clients, de leurs employés et de leurs partenaires, sans quoi elles s'exposent à des poursuites pour divulgation ou vol de données, ce qui peut leur coûter cher. Elles peuvent en effet se voir accuser de négligence si elles n'ont pas pris les mesures adéquates pour prévenir la perte d'informations confidentielles, la corruption de données ou un bris de la confidentialité. Par exemple, la société BJ's Wholesale Club a été poursuivie par la Federal Trade Commission des États-Unis pour avoir laissé des pirates informatiques accéder à ses systèmes pour voler des données sur les cartes de paiement qui leur ont permis d'effectuer des achats frauduleux. Les banques qui avaient émis les cartes dont les données ont été volées ont réclamé 13 millions de dollars de compensation à BJ du fait qu'elles ont dû rembourser aux détenteurs de carte les achats frauduleux (McDougall, 2006). Ainsi, un cadre adéquat de sécurité et de contrôle qui protège les ressources informationnelles peut générer un taux de rendement élevé sur le capital investi.

Des mesures de sécurité et de contrôle plus efficaces augmentent également la productivité des employés et réduisent les coûts d'exploitation. Par exemple, la société Axia NextMedia, une entreprise de Calgary, en Alberta, qui crée et exploite des réseaux à large bande en libre accès, a constaté une amélioration de la productivité des employés et une réduction de ses coûts après qu'elle eut installé un système de configuration et de contrôle des systèmes d'information en 2004. Jusque-là, les employés d'Axia perdaient beaucoup de temps en raison d'incidents de sécurité et d'autres problèmes de réseau qui avaient provoqué des pannes de système. Entre 2004 et 2007, le nouveau système de configuration et de contrôle a permis à la société d'économiser 590 000 $ en réduisant les pannes de système (Bartholomew, 2007).

Les exigences juridiques et réglementaires s'appliquant à la gestion des documents informatiques

Les lois qu'a récemment adoptées le gouvernement des États-Unis contraignent les entreprises à prendre la sécurité et le contrôle plus au sérieux. Elles les obligent en effet à protéger leurs données contre tout usage abusif ainsi que toute atteinte à la confidentialité ou accès non autorisé. Dorénavant, les entreprises auront une obligation juridique de gestion et de conservation des documents informatiques, ainsi que de protection de la vie privée.

Si vous travaillez dans le domaine des soins de santé, votre entreprise devra se conformer à la Health Insurance Portability and Accountability Act (**HIPAA**) de 1996. La HIPAA précise les règles et les procédures à respecter pour préserver la confidentialité et la sécurité des données médicales, de façon à simplifier l'administration de la facturation des soins de santé et à automatiser la transmission des dossiers médicaux entre les fournisseurs de soins de santé, les payeurs et les sociétés d'assurances. Elle exige des différents intervenants du secteur de la santé qu'ils conservent les données sur les patients pendant six ans et en assurent la confidentialité. Elle précise les normes que les fournisseurs de soins de santé doivent respecter en matière de confidentialité, de sécurité et de transactions électroniques et prévoit des amendes en cas d'atteinte à la confidentialité des dossiers médicaux, de divulgation de dossiers médicaux par courrier électronique ou d'accès non autorisés au réseau.

Si vous travaillez pour une firme offrant des services financiers, votre entreprise devra se conformer à la Financial Services Modernization Act de 1999, mieux connue sous le nom de **loi Gramm-Leach-Bliley** (du nom de ses rapporteurs devant le Congrès). Cette loi impose aux institutions financières une obligation de confidentialité et de sécurité concernant les données sur les consommateurs. Les institutions financières doivent stocker ces données sur un support sécurisé et prendre des mesures de sécurité spéciales pour les protéger, aussi bien pendant leur stockage qu'au cours des transmissions.

Si vous travaillez dans une société cotée en Bourse, votre entreprise devra se conformer à la Public Company Accounting Reform and Investor Protection Act de 2002, mieux connue sous le nom de **loi Sarbanes-Oxley** (du nom du sénateur du Maryland, Paul Sarbanes, et du représentant de l'Ohio, Michael Oxley). Cette loi a été adoptée à la suite des scandales financiers d'Enron, de WorldCom et d'autres sociétés cotées en Bourse. Visant à protéger les investisseurs, elle fait porter sur les entreprises et sur leurs dirigeants la responsabilité de protéger l'intégrité des informations financières utilisées à l'interne et diffusées à l'externe.

La loi Sarbanes-Oxley a pour principal objectif d'assurer la mise en place de procédures de contrôle internes régissant la production et la documentation des informations contenues dans les états financiers. Étant donné qu'on utilise les systèmes d'information pour générer, stocker et transmettre ces données, elle exige des entreprises qu'elles prennent soin de la sécurité de ces systèmes et mettent en place des mesures de contrôle permettant d'assurer l'intégrité, la confidentialité et l'exactitude des données. Chaque application traitant de données financières cruciales doit être soumise à un contrôle garantissant l'exactitude de celles-ci. Tout aussi essentiels sont les contrôles visant à assurer la sécurité des réseaux d'entreprise, à empêcher tout accès non autorisé aux systèmes et aux données et à assurer l'intégrité et la disponibilité des données en cas de sinistre ou de panne.

La preuve électronique et l'expertise judiciaire en informatique

La sécurité, le contrôle et la gestion des documents électroniques sont devenus fondamentaux en cas de poursuites. Les preuves utilisées dans les cas de fraudes boursières, de détournements de fonds, de vols de secrets commerciaux et de délits informatiques, ainsi que dans de nombreuses affaires civiles, se présentent souvent sous forme numérique. En plus des documents imprimés ou dactylographiés, on s'appuie de plus en plus souvent, dans les causes judiciaires actuelles, sur des preuves qui se présentent sous forme de données enregistrées sur des disquettes, des cédéroms ou des disques durs, ainsi que sur des messages de courrier électronique ou de messagerie instantanée et des transactions de commerce électronique effectuées sur Internet. Le courrier électronique est actuellement le type de preuve électronique le plus utilisé.

En cas de poursuite, une entreprise est tenue de répondre à toute demande de communication préalable d'informations qui peuvent être utilisées comme preuve, et la loi l'oblige à produire ces données. Or, cela peut s'avérer extrêmement coûteux, surtout si l'entreprise éprouve de la difficulté à rassembler les données en question, ou si elles ont été corrompues ou détruites. En effet, les tribunaux imposent maintenant des sanctions financières et pénales sévères pour la destruction inopportune de documents électroniques.

Une politique efficace de conservation des documents électroniques est une politique qui fait en sorte que les fichiers, courriels et autres documents soient bien classés et accessibles, et qu'ils ne soient ni conservés trop longtemps ni détruits trop rapidement. C'est également une politique qui reflète la volonté de préserver des données qui pourraient servir de preuves en cas d'expertise judiciaire en informatique. L'**expertise judiciaire en informatique** est la collecte, l'examen, l'authentification, la conservation et l'analyse de données stockées dans un média de stockage ou extraites de celui-ci, de sorte qu'elles puissent servir de preuves devant un tribunal. Elle s'occupe des problèmes suivants :

- récupération des données dans un ordinateur et préservation de leur intégrité en tant que preuves ;
- stockage et manipulation adéquats et sûrs des données électroniques récupérées ;
- recherche et découverte, dans un gros volume de données, de l'information importante ;
- présentation de l'information à un tribunal.

Une preuve électronique peut se trouver dans un média de stockage sous la forme de fichiers informatiques ou de *données cachées*, invisibles pour l'utilisateur moyen, comme un fichier qui a été effacé d'un disque dur. Or, il est possible de récupérer les données qu'un utilisateur a effacées à l'aide de diverses techniques. Les experts judiciaires en informatique tentent de récupérer ces données cachées pour les présenter comme preuves.

La planification des mesures d'urgence devrait prendre en compte la question de l'expertise judiciaire en informatique. Le directeur des systèmes d'information, les spécialistes de la sécurité, le personnel du service des systèmes d'information et les conseillers juridiques de l'entreprise devraient travailler tous ensemble pour préparer un plan en cas de problème d'ordre juridique.

8.3 L'ÉTABLISSEMENT D'UN CADRE DE GESTION POUR LA SÉCURITÉ ET LE CONTRÔLE DES SYSTÈMES D'INFORMATION

Même avec les meilleurs outils de sécurité, des systèmes d'information ne peuvent être fiables et sécuritaires que si on sait de quelle façon et à quel endroit déployer ces outils. Il faut connaître les points vulnérables de l'entreprise et les contrôles à mettre en place pour protéger les systèmes. Il faut aussi élaborer une politique et des plans de sécurité pour assurer la continuité des affaires en cas de pannes informatiques.

Les différents types de contrôles des systèmes d'information

Les contrôles des systèmes d'information sont à la fois manuels et automatisés, et ils s'appliquent aussi bien à l'ensemble du système qu'à des applications particulières. Les **contrôles généraux** portent sur la conception, la sécurité et l'usage des programmes informatiques, ainsi que sur la sécurité des fichiers de données stockés dans toute l'infrastructure de TI de l'organisation. Dans l'ensemble, ils concernent toutes les applications informatisées et consistent en une combinaison de dispositifs matériels et logiciels, ainsi que de procédures manuelles, visant à créer un cadre global de contrôle.

Les contrôles généraux comprennent des contrôles portant sur les logiciels, le matériel informatique, les opérations informatiques et la sécurité des données, des contrôles portant sur les processus d'implantation des systèmes et des contrôles administratifs. Le tableau 8-3 décrit les fonctions de chacun.

Les **contrôles des applications** portent spécifiquement sur chacune des applications informatisées, comme la paie et le traitement des commandes. Ils regroupent des procédures manuelles et automatisées qui permettent de s'assurer que l'application en question ne traite que des données autorisées,

TABLEAU 8-3 **LES CONTRÔLES GÉNÉRAUX**

TYPE DE CONTRÔLES	DESCRIPTION
Contrôles portant sur les logiciels	Surveiller l'utilisation des logiciels de base et prévenir tout accès non autorisé aux programmes logiciels, aux logiciels de base et aux programmes de l'ordinateur.
Contrôles portant sur le matériel informatique	S'assurer que le matériel informatique est sûr sur le plan physique et vérifier l'absence de toute défaillance. Les organisations qui ne peuvent se passer de leurs ordinateurs doivent également prévoir une sauvegarde ou un plan de secours permettant d'assurer la continuité des opérations.
Contrôles portant sur les opérations informatiques	Superviser le travail du service informatique et s'assurer que les procédures programmées sont appliquées correctement et de façon cohérente au stockage et au traitement des données. Cela inclut des contrôles portant sur le paramétrage des fonctions de traitement des données et des procédures de sauvegarde et de restauration en cas d'interruption brusque du traitement.
Contrôles portant sur la sécurité des données	S'assurer que les fichiers importants de l'entreprise, stockés sur disques ou sur rubans, sont protégés contre tout accès non autorisé, toute modification et tout risque de destruction, au cours de leur utilisation comme pendant le stockage.
Contrôles portant sur l'implantation	Vérifier le processus de mise en œuvre des systèmes à diverses étapes afin de s'assurer qu'il est bien contrôlé et géré.
Contrôles administratifs	Formaliser les normes, les règles et les procédures et s'assurer que les contrôles généraux et les contrôles des applications sont exécutés de façon rigoureuse et disciplinée.

de façon exhaustive et précise. Il en existe trois catégories : 1) les contrôles à l'entrée, 2) les contrôles en cours de traitement, 3) les contrôles à la sortie.

Les *contrôles à l'entrée* permettent de vérifier la précision et l'intégralité des données au moment où on les enregistre dans le système. Il existe des contrôles d'entrée particuliers pour l'autorisation d'entrée, la conversion des données, la modification des données et le traitement des erreurs. Les *contrôles en cours de traitement* servent à vérifier l'intégralité et l'exactitude des données durant la mise à jour. Enfin, les *contrôles à la sortie* garantissent que les résultats du traitement informatique sont exacts et complets et qu'ils font l'objet d'une distribution adéquate.

L'analyse de risque

Avant de consacrer des ressources au contrôle de la sécurité et des systèmes d'information, votre entreprise doit déterminer les actifs à protéger et leur degré de vulnérabilité. Une analyse de risque offre des réponses à ces questions et permet de déterminer les contrôles qui seront les plus rentables pour protéger les actifs en question.

Une **analyse de risque** consiste dans l'évaluation du degré de risque que représente pour l'entreprise une lacune dans le contrôle d'une activité donnée ou d'un processus particulier. Tous les risques ne peuvent être prévus et mesurés, mais la plupart des entreprises seront capables d'acquérir une compréhension des risques auxquels elles doivent faire face. Les directeurs d'entreprises doivent travailler avec les spécialistes des systèmes d'information pour déterminer la valeur des actifs d'information et les points de vulnérabilité, ainsi que pour évaluer la fréquence probable d'un problème et les dommages qu'il risque d'entraîner. Si on pense, par exemple, qu'un événement ne risque pas de se produire plus d'une fois par an et que la perte maximale qu'il peut entraîner est de 1000 $, il ne sera pas rentable de dépenser 20 000 $ pour la conception et l'entretien d'un système de contrôle visant à protéger l'entreprise contre ce problème précis. Mais si ce même événement devait se produire au moins une fois par jour et pouvait entraîner des pertes de plus de 300 000 $ par an, une dépense de 100 000 $ pour la mise au point d'un tel système pourrait être tout à fait justifiée.

Le tableau 8-4 présente un échantillon des résultats de l'analyse des risques d'un système de traitement des commandes en ligne s'occupant de 30 000 commandes par jour. La deuxième colonne indique, sous forme de pourcentage, la probabilité que chaque problème se produise au cours d'une année. La colonne suivante indique la perte la moins élevée et la plus élevée auxquelles on peut s'attendre chaque fois que le problème se produit, ainsi que la perte moyenne (somme de la perte la plus élevée et de la moins élevée divisée par 2). On peut déterminer la perte annuelle prévisible associée à chaque problème (présentée dans la dernière colonne) en multipliant la perte moyenne par la probabilité du problème.

Cette analyse de risque montre que la probabilité qu'une panne de courant se produise sur une période d'un an est de 30 %. Dans ce cas, la perte de commandes se situerait entre 5000 et 200 000 $ (102 500 $ en moyenne) pour chaque événement, selon la durée de l'arrêt. La probabilité d'un détournement au cours de cette même période d'un an est, quant à elle, d'environ 5 %, et les pertes potentielles se situent entre 1000 et 50 000 $ (soit 25 500 $ en moyenne) pour chaque événement. Enfin, le risque que les utilisateurs commettent une erreur, toujours sur une période d'un an, est de 98 %, et les pertes potentielles, entre 200 et 40 000 $ (20 100 $ en moyenne) pour chaque erreur.

Une fois les risques évalués, les constructeurs de systèmes concentreront le contrôle sur les points où la vulnérabilité et les risques de pertes sont les plus importants. Dans ce cas, il faut opter pour des contrôles qui permettent de réduire au minimum les risques de pannes de courant et d'erreurs commises par les utilisateurs, car c'est pour ces problèmes que les pertes annuelles prévisibles sont les plus importantes.

La politique de sécurité informatique

Après avoir déterminé les principaux risques de vos systèmes, votre entreprise devra élaborer une politique de sécurité permettant de protéger ses actifs. Une **politique de sécurité informatique** se compose d'une série d'énoncés qui hiérarchisent les risques et fixent des objectifs raisonnables en matière de sécurité, en indiquant comment les atteindre. Quelles sont les ressources informationnelles les plus impor-

| **TABLEAU 8-4** | L'ÉVALUATION DES RISQUES RELATIFS AU TRAITEMENT DES COMMANDES EN LIGNE | | |

PROBLÈME	PROBABILITÉ D'OCCURRENCE (%)	PERTE MINIMALE – MAXIMALE (MOYENNE) ($)	PERTE ANNUELLE PRÉVISIBLE ($)
Panne de courant	30	5 000 – 200 000 (102 500)	30 750
Détournement informatique	5	1 000 – 50 000 (25 500)	1 275
Erreur de l'utilisateur	98	200 – 40 000 (20 100)	19 698

tantes pour l'entreprise ? Quelles sont les politiques de sécurité qui protègent déjà l'information ? Quel est le degré de risque acceptable pour chaque type de ressources ? La direction de l'entreprise est-elle prête, par exemple, à perdre les données relatives à la carte de crédit d'un client 1 fois tous les 10 ans ? Ou souhaite-t-elle ériger une telle forteresse autour des données relatives aux cartes de crédit que l'entreprise puisse résister à un événement qui peut se produire 1 fois en 100 ans ? Les responsables de l'entreprise doivent estimer l'investissement requis pour atteindre un degré de risque acceptable.

La politique de sécurité détermine quels sont les usages acceptables des ressources informationnelles de l'entreprise et les membres qui y ont accès. Une **politique d'utilisation acceptable** indique quelles utilisations des ressources et du matériel d'information, notamment des ordinateurs de bureau, des ordinateurs portables, des appareils sans fil, des téléphones et d'Internet, sont permises. Elle devrait clarifier la politique de l'entreprise en matière de confidentialité, de responsabilité de l'utilisateur et d'usage du matériel et des réseaux de l'entreprise à des fins personnelles. Une bonne politique d'utilisation détermine quelles sont les actions acceptables ou non pour chaque utilisateur et précise les conséquences du non-respect des règles. Par exemple, la politique de sécurité d'Unilever, la multinationale géante de biens de consommation, exige que chaque employé muni d'un ordinateur de poche mobile utilise un appareil recommandé par l'entreprise et emploie un mot de passe ou une autre méthode d'identification lorsqu'il se connecte au réseau de la société.

Une **politique d'autorisation** détermine le degré d'accès aux ressources informationnelles alloué aux diverses catégories d'utilisateurs au sein de l'organisation. Un **système de gestion des autorisations** indique où et quand un utilisateur peut accéder à certaines sections du Web ou de la base de données de l'entreprise. Dans ce cadre, l'utilisateur n'a accès qu'aux seules parties d'un système qu'il est autorisé à consulter en vertu d'un ensemble de règles.

Comme le montre la figure 8-3, le système de gestion des autorisations sait exactement à quelle information chaque utilisateur a le droit d'accéder. Cette figure illustre les mesures de sécurité mises en œuvre pour deux groupes d'utilisateurs d'une base de données en ligne sur le personnel, qui contient des renseignements confidentiels comme les salaires des employés, leurs avantages sociaux et leurs antécédents médicaux.

- L'un des groupes se compose de tous les utilisateurs qui accomplissent des tâches administratives telles que la saisie des données concernant les employés. Ceux-ci peuvent mettre à jour le système, mais ils ne peuvent ni lire ni mettre à jour les champs confidentiels contenant des données sur les salaires, les antécédents médicaux et les revenus.

- L'autre groupe d'utilisateurs se compose de personnes ayant d'autres responsabilités. Ainsi, le chef divisionnaire du service du personnel ne peut, lui, mettre à jour le système, mais il peut lire tous les champs de données concernant les employés de sa division, y compris les antécédents médicaux et les salaires.

FIGURE 8-3 LES PROFILS DE SÉCURITÉ D'UN SYSTÈME DE GESTION DU PERSONNEL

Ces deux exemples illustrent deux profils de sécurité ou structures de protection des données qu'on peut trouver dans un système de gestion du personnel. Selon son profil de sécurité, l'utilisateur peut être soumis à certaines restrictions concernant l'accès à divers systèmes, emplacements ou données au sein de l'organisation.

PROFIL DE SÉCURITÉ 1

Utilisateur : Commis du service du personnel

Emplacement : Division 1

Identification de l'employé
Codes pour ce profil : 00753, 27834, 37665, 44116

Champ de données Restrictions	Type d'accès
Toutes les données sur les employés de la division 1 seulement	Lecture et mise à jour
• Données sur les antécédents médicaux	Aucun accès
• Salaires	Aucun accès
• Revenus pour la retraite	Aucun accès

PROFIL DE SÉCURITÉ 2

Utilisateur : Chef divisionnaire du service du personnel

Emplacement : Division 1

Identification de l'employé
Codes pour ce profil : 27321

Champ de données Restrictions	Type d'accès
Toutes les données sur les employés de la division 1 seulement	Lecture seulement

Ces profils d'utilisateurs sont établis d'après les règles d'accès fournies par les différents services de l'entreprise. Le système illustré à la figure 8-3 contient des restrictions très détaillées. Par exemple, il autorise certains utilisateurs à demander toutes les informations sur un employé, sauf celles correspondant à des champs confidentiels, comme le salaire et les antécédents médicaux.

La continuité des affaires et la reprise sur sinistre

Si vous exploitez une entreprise, vous devez prévoir que des incidents tels que des pannes d'électricité, des inondations, des tremblements de terre ou des attaques terroristes puissent empêcher vos systèmes d'information et votre entreprise de fonctionner. La **planification de la reprise sur sinistre** est l'élaboration de plans assurant la restauration des services informatiques et des communications après un tel événement. Les plans de reprise sur sinistre s'intéressent principalement aux enjeux techniques liés à l'entretien et à l'exploitation des systèmes : choix des fichiers à copier, entretien des systèmes informatiques de secours et services de reprise sur sinistre, notamment.

Par exemple, MasterCard entretient à Kansas City, dans le Missouri, une réplique de son centre informatique susceptible de remplacer son centre principal, situé à Saint-Louis, en cas d'urgence. Mais, au lieu de construire leurs propres installations de secours, de nombreuses entreprises préfèrent avoir recours aux services de firmes spécialisées dans la reprise sur sinistre, telles que Comdisco Disaster Recovery Services, à Rosemont, dans l'Illinois, ou SunGard Recovery Services, dont le siège social est situé à Wayne, en Pennsylvanie. Ces entreprises spécialisées dans la reprise sur sinistre offrent des centres de secours immédiat qui sont installés en divers endroits des États-Unis et hébergent des ordinateurs de réserve grâce auxquels les clients peuvent faire fonctionner leurs applications essentielles en cas d'urgence. Par exemple, la firme Champion Technologies, qui fournit les produits chimiques utilisés dans les opérations pétrolières et gazières, est en mesure de transférer en deux heures ses systèmes d'entreprise de Houston à un centre de secours Sunguard situé à Scottsdale, en Arizona (Duvall, 2007).

La **planification de la continuité des affaires** porte sur les moyens par lesquels l'entreprise peut reprendre le cours de ses opérations après un sinistre. Elle détermine les processus les plus cruciaux et les mesures à prendre pour préserver les fonctions vitales de l'entreprise en cas de panne des systèmes. Par exemple, la Deutsche Bank, qui offre des services d'investissement bancaire et de gestion des actifs dans 74 pays différents, possède un plan de continuité des affaires bien structuré, qui fait sans cesse l'objet de mises à jour et d'améliorations. Elle emploie des équipes à plein temps à Singapour, à Hong Kong, au Japon, en Inde et en Australie pour coordonner les plans de réponse à la perte d'équipement, de personnel ou de systèmes cruciaux afin d'assurer la continuité des affaires de l'entreprise en cas de catastrophe. Le plan de la Deutsche Bank distingue deux types de processus, soit ceux qui sont essentiels à la survie de l'entreprise et ceux qui

sont nécessaires pour réagir en cas de crise, et il est coordonné avec le plan de reprise sur sinistre des centres informatiques de la société.

Les dirigeants de l'entreprise et les spécialistes de la technologie de l'information doivent travailler de concert sur ces deux types de planification que sont la planification de la reprise sur sinistre et la planification de la continuité des affaires, afin de déterminer les systèmes et programmes les plus cruciaux pour l'entreprise. Ils doivent procéder à une analyse d'impact pour savoir quels systèmes sont les plus importants et pour estimer l'effet d'une panne des systèmes sur les affaires. La direction doit évaluer la durée maximale de survie de l'entreprise en cas de panne de ses systèmes et déterminer quels sont les secteurs qui doivent être restaurés en priorité.

Le rôle de la vérification

Comment la direction d'une entreprise peut-elle savoir si les contrôles sont efficaces ? Pour répondre à cette question, il faut faire des vérifications complètes et systématiques. Une **vérification des systèmes d'information** consiste à examiner la sécurité d'ensemble de l'entreprise ainsi que les contrôles qui s'appliquent à chaque système d'information. Pour ce faire, le vérificateur doit analyser le déroulement d'un échantillon des transactions qui s'effectuent dans le système et faire des tests, en utilisant au besoin un logiciel de vérification automatisé. La vérification des systèmes d'information permet également d'examiner la qualité des données, comme nous l'avons mentionné au chapitre 6.

Les vérifications de sécurité passent en revue les technologies, les procédures, la documentation, la formation et le personnel. Une vérification approfondie simulera même une attaque ou un sinistre pour tester la réaction de chacune de ces composantes.

Le vérificateur dresse la liste de toutes les faiblesses des contrôles, par ordre d'importance, et il évalue la probabilité qu'elles mènent effectivement à une erreur ou à un problème de sécurité. Il évalue ensuite les conséquences financières et organisationnelles de chaque menace. Le tableau 8-5 présente un exemple de liste s'appliquant à un système de prêt. Elle comprend une section permettant d'enregistrer les rapports présentés à la direction ainsi que ses réactions. La direction devrait normalement élaborer un plan d'action pour parer aux principales faiblesses des contrôles.

8.4 LES OUTILS ET LES TECHNOLOGIES PERMETTANT DE PROTÉGER LES RESSOURCES INFORMATIONNELLES

Les entreprises possèdent tout un éventail d'outils et de technologies pour la protection de leurs ressources informationnelles (systèmes et données) ainsi que pour garantir la disponibilité du système et la qualité des logiciels.

TABLEAU 8-5 — UN EXEMPLE DE LISTE DES FAIBLESSES DES CONTRÔLES ÉTABLIE PAR UN VÉRIFICATEUR

Fonction : Prêts Emplacement : Montréal (Québec)	Rapport préparé par : J. Bernard Date : 16 juin 2009		Reçu par : T. Gagnon Date de révision : 28 juin 2009	
Nature et impact de la faiblesse	**Risques d'erreur ou d'abus**		**Signalement à la direction**	
	Oui – non	**Justification**	**Date du rapport**	**Réponse de la direction**
Comptes d'utilisateurs non protégés par un mot de passe	Oui	Rend le système vulnérable à l'intervention de personnes extérieures non autorisées et éventuellement malveillantes	05-10-09	Éliminer les comptes non protégés par un mot de passe
Réseau configuré de façon à permettre le partage de certains dossiers	Oui	Risque que des personnes malveillantes raccordées au réseau puissent accéder à des dossiers essentiels	05-10-09	S'assurer que seuls les répertoires voulus puissent être partagés et qu'ils soient protégés par des mots de passe efficaces
Il est possible que les programmes d'exploitation soient mis à jour au moyen de retouches logicielles sans que le groupe des contrôles et des normes ait donné son approbation finale.	Non	Tous les programmes d'exploitation doivent être approuvés par la direction. Dans l'intervalle, le groupe des contrôles et des normes leur accorde un statut provisoire.		

Ce tableau présente un exemple de page extraite de la liste des faiblesses qu'un vérificateur pourrait repérer dans les contrôles du système de prêt d'une banque commerciale. Le formulaire aide les vérificateurs à consigner et à évaluer les faiblesses et indique le résultat des discussions qui ont eu lieu avec la direction à ce sujet, ainsi que les mesures correctives adoptées.

Le contrôle d'accès

Le **contrôle d'accès** comprend toutes les politiques et procédures qu'une entreprise utilise pour empêcher toute personne non autorisée d'accéder à ses systèmes, à l'interne comme à l'externe. Pour avoir accès à un système, un utilisateur doit posséder une autorisation et être authentifié. L'**authentification** consiste à vérifier si la personne est bien celle qu'elle prétend être. Le logiciel de contrôle d'accès repose sur une méthode d'authentification pour que seules les personnes autorisées puissent utiliser des systèmes ou accéder à des données.

Pour procéder à l'authentification, on utilise souvent un mot de passe connu des seuls utilisateurs autorisés. L'utilisateur final utilise un mot de passe pour ouvrir une session et, le cas échéant, en utilise d'autres pour accéder à des systèmes ou à des fichiers particuliers. Mais les utilisateurs oublient souvent leurs mots de passe, en font part à d'autres personnes ou en choisissent un trop facile à deviner, ce qui compromet la sécurité. Les systèmes de mots de passe trop rigoureux entravent aussi la productivité des employés. Lorsque les employés doivent modifier fréquemment des mots de passe complexes, ils ont souvent recours à des astuces, par exemple choisir des mots de passe faciles à deviner ou les afficher

bien en vue au-dessus de leur poste de travail. De plus, il est possible, si les mots de passe sont transmis par l'intermédiaire d'un réseau ou volés au moyen de l'ingénierie sociale, de les « renifler ».

Les nouvelles technologies d'authentification, comme les jetons, les cartes à puce et l'authentification biométrique, permettent de surmonter quelques-unes de ces difficultés. Un **jeton d'authentification** est un dispositif similaire aux cartes d'identité, conçu pour prouver l'identité d'un utilisateur donné. Les jetons sont de petits dispositifs qu'on peut accrocher à un porte-clés et qui affichent les mots de passe qui changent souvent. La **carte à puce** est une carte ayant le format d'une carte de crédit qui contient une puce contenant les autorisations d'accès et d'autres données. (Les cartes à puce sont également utilisées dans les systèmes de paiement électroniques.) Un lecteur interprète les données inscrites sur la carte et permet ou refuse l'accès.

L'**authentification biométrique** utilise des systèmes de reconnaissance de caractéristiques biologiques, comme les empreintes digitales, la rétine ou la voix, pour permettre ou refuser l'accès. Elle consiste à mesurer une caractéristique physique ou comportementale exclusive à chaque individu. Le dispositif compare ensuite des caractéristiques comme les empreintes digitales, le visage ou l'image rétinienne avec le profil de ces caractéristiques stocké en mémoire pour repérer d'éventuelles différences, et accorde l'accès s'il y a correspondance. Il s'agit toutefois d'une technologie coûteuse, et l'utilisation des techniques de reconnaissance des empreintes digitales et du visage pour la sécurité des applications en est encore à ses débuts.

Les pare-feux, les systèmes de détection d'intrusion et les logiciels antivirus

Il serait très dangereux de se connecter à Internet sans aucune protection contre les programmes malveillants et les intrus. Les pare-feux, les systèmes de détection d'intrusion et les logiciels antivirus sont devenus des outils d'entreprise essentiels.

Les pare-feux

Le chapitre 7 décrit l'utilisation de pare-feux pour empêcher que des utilisateurs non autorisés n'accèdent aux réseaux privés. Un **pare-feu** est une combinaison de matériel informatique et de logiciels qui contrôlent le trafic qui arrive dans un réseau et en sort. On en met généralement entre les réseaux privés internes d'une organisation et des réseaux externes non sécurisés, comme Internet. On peut également les utiliser pour protéger une partie du réseau d'une entreprise vis-à-vis du reste du réseau (figure 8-4).

Le pare-feu se comporte comme un gardien: il examine les pièces d'identité de chaque utilisateur avant de leur donner accès au réseau. Il vérifie les noms, les adresses du protocole Internet (IP), les applications et les autres caractéristiques du trafic entrant. Puis, il compare ces informations avec les règles d'accès que l'administrateur du réseau a programmées dans le système. Le pare-feu empêche toute communication non autorisée vers l'intérieur du réseau ou vers l'extérieur et permet ainsi à l'organisation d'appliquer une politique de sécurité et de contrôler le trafic entre son réseau et d'autres réseaux non sécurisés, comme Internet.

Dans les grandes organisations, le pare-feu se trouve souvent logé dans un ordinateur spécial séparé du reste du réseau. Ainsi, aucune requête venant de l'extérieur ne peut accéder directement aux ressources du réseau privé. Il existe plusieurs technologies de filtrage avec pare-feu, notamment le filtrage statique de paquets de données, l'inspection dynamique, la traduction d'adresses de réseau et le filtrage par serveur mandataire. Les pare-feux utilisent souvent une combinaison de ces différentes techniques.

Le *filtrage statique de paquets de données* sert à examiner des champs sélectionnés dans les en-têtes des paquets de données circulant entre un réseau sécurisé et Internet, étudiant séparément chaque paquet. Toutefois, cette technologie de filtrage est perméable à de nombreux types d'attaques. L'*inspection dynamique*, quant à elle, offre une sécurité supplémen-

FIGURE 8-4   UN PARE-FEU D'ENTREPRISE

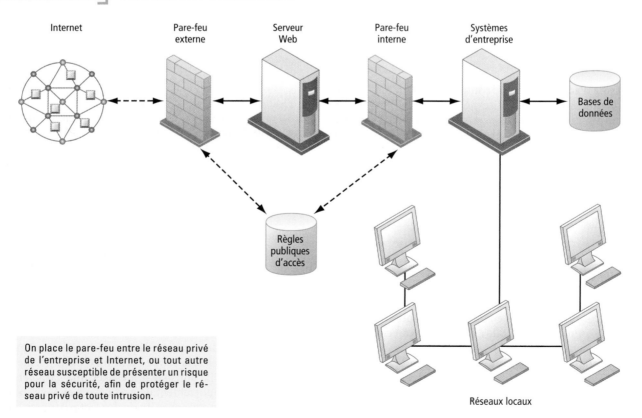

On place le pare-feu entre le réseau privé de l'entreprise et Internet, ou tout autre réseau susceptible de présenter un risque pour la sécurité, afin de protéger le réseau privé de toute intrusion.

taire en déterminant si les paquets de données font partie d'un dialogue en cours entre l'expéditeur et le destinataire. Elle crée ainsi des tables d'états pour suivre l'information transmise par des ensembles de paquets et accepte ou rejette les paquets de données selon qu'ils font partie d'une conversation approuvée ou qu'ils tentent d'établir une connexion illégitime.

La *traduction d'adresses de réseau* offre une autre couche de protection s'ajoutant au filtrage statique de paquets de données et à l'inspection dynamique. Elle dissimule les adresses IP de l'ordinateur hôte interne et empêche les programmes renifleurs externes de les détecter et de les utiliser pour accéder aux systèmes internes de l'organisation.

Enfin, le *filtrage par serveur mandataire* sert à examiner le contenu des paquets de données d'une application. Il bloque les paquets de données qui proviennent de l'extérieur de l'organisation, les inspecte et les transmet à un mandataire situé de l'autre côté du pare-feu. Pour entrer en communication avec un utilisateur situé à l'intérieur de l'organisation, l'utilisateur externe doit d'abord « parler » avec l'application mandataire, laquelle communique avec l'ordinateur interne de l'entreprise. De même, l'ordinateur d'un utilisateur interne doit passer par un mandataire pour se mettre en communication avec des ordinateurs externes.

Pour mettre en place un pare-feu efficace, un administrateur doit établir des règles internes détaillées déterminant les personnes, les applications et les adresses qui sont acceptées et celles qui sont rejetées, puis les mettre à jour régulièrement. Les pare-feux peuvent dissuader la pénétration d'intrus dans un réseau, mais ne peuvent l'empêcher complètement. Il faut donc les considérer comme l'un des éléments d'un plan global de sécurité.

Les systèmes de détection d'intrusion

En plus des pare-feux, les fournisseurs de services de sécurité offrent maintenant des outils de détection d'intrusion pour protéger les systèmes du trafic réseau suspect et des tentatives d'accès aux fichiers et aux bases de données. Les **systèmes de détection d'intrusion** sont constitués d'outils qui effectuent une surveillance continuelle dans les zones ou les points d'accès des réseaux d'entreprise les plus vulnérables, de manière à repérer et à dissuader les intrus. Un système de détection d'intrusion déclenche une alarme en cas d'événement suspect ou anormal. Le logiciel de balayage détecte des comportements pouvant être les signes d'une attaque, comme l'utilisation de mots de passe erronés, vérifie si des fichiers importants n'ont pas été enlevés ou modifiés et envoie des avertissements de vandalisme ou d'erreurs d'administration de système. Le logiciel de surveillance sert à examiner ce qui est en train de se passer afin de repérer d'éventuelles attaques en cours. L'outil de détection d'intrusion peut également être personnalisé, de manière à fermer une partie particulièrement fragile d'un réseau si elle recevait des transmissions non autorisées.

Les antivirus et les anti-logiciels espions

Qu'ils concernent des particuliers ou des entreprises, les plans de défense technologique doivent obligatoirement comprendre une protection antivirus pour chaque ordinateur. Un **logiciel antivirus** vérifie les disques et les systèmes informatiques dans le but de détecter la présence éventuelle de virus informatiques. Souvent, le logiciel peut éliminer les virus de la zone infectée. Mais la plupart des logiciels antivirus ne sont efficaces que contre les virus qui étaient connus au moment de leur conception, c'est pourquoi il faut continuellement les mettre à jour pour qu'ils restent efficaces.

Les principaux fournisseurs de logiciels antivirus, comme McAfee, Symantec et Trend Micro, ont amélioré leurs produits pour y inclure une protection contre les logiciels espions. Les anti-logiciels espions tels que Ad-Aware, Spybot S&D et Spyware Doctor sont également très utiles.

Les systèmes de gestion globale des menaces

Pour aider les entreprises à réduire leurs coûts et à améliorer leurs capacités de gestion, les fournisseurs d'outils de sécurité ont combiné en un seul système divers outils : pare-feux, réseaux virtuels privés, systèmes de détection d'intrusion, filtrage du contenu Web et filtres antipourriels. Ces produits de gestion de sécurité complets sont appelés des systèmes de **gestion globale des menaces**. Bien qu'ils aient à l'origine été conçus pour les petites et moyennes entreprises, on en trouve maintenant pour toutes les dimensions de réseaux. Crossbeam, Fortinet et Secure Computing en sont les principaux fournisseurs ; en outre, des fournisseurs de réseautage comme Cisco Systems et Juniper Networks offrent certaines fonctions de gestion globale des menaces.

La sécurité des réseaux sans fil

Malgré ses lacunes, la norme WEP (*Wired Equivalent Privacy*), dont nous avons parlé plus haut, offre une certaine sécurité – à condition que les utilisateurs des réseaux Wi-Fi pensent à l'activer. Pour contrer les pirates informatiques, une première étape simple consiste à assigner un nom à votre identifiant de réseau (IR) et à donner au routeur la consigne de ne pas le diffuser. On peut renforcer cette mesure en lui adjoignant la technologie des réseaux privés virtuels (RPV) pour accéder aux données internes de l'entreprise.

En juin 2004, le consortium Wi-Fi Alliance a finalisé la spécification 802.11i (appelée également WPA 2 pour *Wi-Fi Protected Access 2*), qui remplace la WEP en imposant des normes de sécurité supérieures. Au lieu des clés de cryptage statiques utilisées dans la WEP, la nouvelle norme a recours à des clés beaucoup plus longues et qui changent sans cesse, ce qui les rend plus difficiles à déchiffrer. Elle emploie également un système d'authentification crypté comprenant un serveur d'authentification central pour s'assurer que seuls les utilisateurs autorisés ont accès au réseau.

Le cryptage et l'infrastructure à clé publique

Un grand nombre d'entreprises optent pour le cryptage afin de protéger les informations numériques qu'elles stockent, transfèrent physiquement ou envoient par Internet. Le **cryptage** ou **chiffrement** est l'encodage de textes ou de données de façon qu'ils ne puissent être lus que par l'expéditeur et le destinataire prévu. Les données sont cryptées à l'aide d'un code numérique secret, appelé clé de cryptage, qui les transforme en texte codé. Le message doit être déchiffré par le destinataire.

Il existe deux méthodes pour crypter le trafic réseau sur le Web : les protocoles SSL et S-HTTP. Le **protocole SSL** (*Secure Sockets Layer*) et son successeur, le protocole TLS (*Transport Layer Security*) permettent aux ordinateurs clients et serveurs de gérer les activités de cryptage et de décryptage au cours d'une session Web sécurisée. Le **protocole S-HTTP** (*Secure Hypertext Transfer Protocol*) est un autre protocole servant au transfert de données chiffrées sur Internet, mais il ne s'applique qu'à des messages particuliers, alors que les protocoles SSL et TLS sont conçus pour établir une connexion sécurisée entre deux ordinateurs.

La capacité de créer des sessions sécurisées est intégrée dans les logiciels de navigation des clients et dans les serveurs Internet. Le client et le serveur négocient le type de clé et le degré de sécurité à utiliser. Dès qu'une session sécurisée est établie entre le client et le serveur, tous les messages envoyés dans le cadre de celle-ci sont cryptés.

Il existe deux méthodes de cryptage : le cryptage symétrique et le cryptage à clé publique. Dans le premier cas, l'expéditeur et le destinataire ouvrent une session Internet sécurisée en créant une seule clé de cryptage et en l'envoyant au destinataire. On mesure la force de la clé de cryptage par sa longueur en bits. De nos jours, une clé type fait 128 bits (ce qui correspond à un nombre binaire de 128 chiffres).

L'inconvénient avec tous les systèmes de cryptographie symétrique, c'est que d'une façon ou d'une autre, il faut que les expéditeurs et les destinataires se communiquent la clé, avec le risque que des intrus l'interceptent. Le **cryptage à clé publique** est plus sécuritaire, car il repose sur deux clés : l'une partagée (publique) et l'autre totalement privée, comme l'illustre la figure 8-5. Ces deux clés sont liées mathématiquement de telle sorte qu'on ne peut déchiffrer les données codées à l'aide d'une des clés qu'en utilisant l'autre. Pour transmettre et pour recevoir des messages, il faut d'abord que l'émetteur et le récepteur créent deux paires de clés (privée et publique) distinctes. On peut conserver la clé publique dans un répertoire, mais la clé privée doit rester secrète. L'expéditeur code son message avec la clé publique du destinataire et, lorsqu'il le reçoit, le destinataire utilise sa clé privée pour le décoder.

On peut améliorer la sécurité de l'authentification en joignant à un message électronique un **certificat numérique** (figure 8-6). Un certificat numérique est un fichier de données qui sert à établir l'identité des utilisateurs et des outils électroniques de manière à assurer la protection des transactions effectuées en ligne. Un système de certificat numérique recourt à une tierce partie en qui on a confiance, appelée organisme de certification, pour vérifier l'identité d'un utilisateur. Il existe de nombreux organismes de certification aux États-Unis et dans le monde, notamment VeriSign, IdenTrust et Australia's KeyPost.

L'organisme de certification vérifie l'identité de l'utilisateur du certificat numérique hors ligne, puis entre cette information dans un serveur, qui émet un certificat numérique encodé contenant les éléments d'identification du propriétaire et une copie de sa clé publique. Le certificat authentifie que la clé publique appartient bien au propriétaire désigné. L'organisme de certification dévoile sa propre clé publique sur papier ou sur Internet. Le destinataire d'un message codé utilise cette clé publique pour décoder le certificat numérique joint au message, vérifie s'il a bien été émis par l'organisme, puis obtient la clé publique de l'expéditeur et les éléments d'identification contenus dans le certificat. À l'aide de cette information, il peut envoyer une réponse codée. Le système de certificat numérique permet, par exemple, à un utilisateur de carte de crédit et à un marchand de vérifier, avant tout échange de données, que leurs certificats numériques ont bien été émis par une tierce partie autorisée à laquelle ils font confiance. L'**infrastructure à clé publique**, c'est-à-dire le recours combiné au cryptage à clé publique et à la certification par un organisme, est maintenant largement répandue dans le commerce électronique.

FIGURE 8-5

LE CRYPTAGE À CLÉ PUBLIQUE

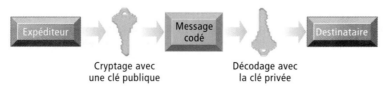

Cryptage avec une clé publique   Décodage avec la clé privée

On peut considérer un système de cryptage avec une clé publique comme un ensemble de clés publiques et privées qui verrouillent les données lorsqu'elles sont transmises et les déverrouillent lorsqu'elles sont reçues. L'expéditeur repère la clé publique du destinataire et l'utilise pour coder son message. Puis il transmet le message sous forme codée par l'intermédiaire d'Internet ou d'un réseau privé. Lorsque le message codé arrive à destination, le destinataire utilise sa clé privée pour décoder les données et lire le message.

Assurer la disponibilité des systèmes

Comme les entreprises se fient de plus en plus aux réseaux numériques pour leurs revenus et leurs opérations, elles doivent prendre des mesures supplémentaires pour s'assurer que leurs systèmes et leurs applications sont tout le temps disponibles. Des entreprises comme les transporteurs aériens et les entreprises spécialisées dans les services financiers, dont certaines applications cruciales sont liées à des transactions en ligne, utilisent depuis de nombreuses

FIGURE 8-6 **LES CERTIFICATS NUMÉRIQUES**

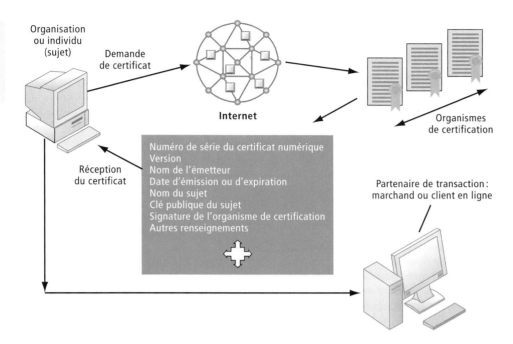

Les certificats numériques servent à vérifier l'identité de personnes ou d'outils électroniques. Ils protègent les transactions en ligne en assurant une communication Internet sécurisée et cryptée.]

Organisation ou individu (sujet)

Demande de certificat

Internet

Organismes de certification

Réception du certificat

Numéro de série du certificat numérique
Version
Nom de l'émetteur
Date d'émission ou d'expiration
Nom du sujet
Clé publique du sujet
Signature de l'organisme de certification
Autres renseignements

Partenaire de transaction : marchand ou client en ligne

années des systèmes à tolérance de pannes leur assurant une disponibilité totale. Dans le **traitement transactionnel en ligne**, l'ordinateur traite immédiatement les transactions en ligne. À chaque instant, de nombreux changements sont apportés aux bases de données, aux rapports et aux demandes d'information.

Les **systèmes à tolérance de pannes** contiennent du matériel, des logiciels et des composantes d'alimentation électrique redondants qui forment un environnement permettant d'assurer la continuité du service. Les programmes de service et de détection d'erreur intégrés dans leurs circuits détectent les pannes et basculent automatiquement le système sur un dispositif de secours. Il est ainsi possible de prélever des composantes pour les réparer sans perturber l'ensemble du système.

Il convient de faire la distinction entre la tolérance aux pannes et l'**informatique à haute disponibilité**. L'informatique à tolérance de pannes et l'informatique à haute disponibilité visent toutes les deux à réduire le **temps d'arrêt**, c'est-à-dire la période durant laquelle un système n'est pas opérationnel. Mais alors que l'informatique à haute disponibilité permet seulement aux entreprises de se relever rapidement en cas de « plantage », l'informatique à tolérance de pannes est censée assurer une disponibilité continue et éliminer totalement le temps de récupération.

Les architectures à haute disponibilité sont indispensables aux entreprises qui traitent de gros volumes de commerce électronique ou dépendent des réseaux numériques pour leurs opérations internes. Elles requièrent des serveurs de secours, une répartition des processus entre plusieurs serveurs, un stockage à grande capacité et de bons plans de reprise sur sinistre et de continuité des affaires. La plateforme informatique de l'entreprise doit être extrêmement robuste et avoir une capacité de traitement, de stockage et de bande passante extensible.

Les chercheurs étudient des moyens qui permettraient aux ordinateurs de reprendre encore plus rapidement leurs opérations en cas d'incident. L'**informatique axée sur la reprise** vise à concevoir des systèmes qui peuvent reprendre rapidement leurs opérations en cas de problème et à installer des fonctions et des outils qui aideront les opérateurs non seulement à localiser les sources de pannes dans des systèmes à composantes multiples, mais aussi à corriger aisément leurs erreurs.

La session interactive sur la technologie décrit les efforts déployés par Salesforce.com pour s'assurer que ses abonnés ont toujours accès à ses systèmes. Salesforces.com est un fournisseur de services aux entreprises qui offre en ligne, sur demande, des outils de gestion de la relation client (GRC). Les abonnés peuvent utiliser des logiciels-services qui s'exécutent sur les serveurs de Salesforce. Mais si les services de Salesforce.com tombent en panne, il est impossible d'exécuter les applications GRC. Or, c'est exactement ce qui s'est produit quand Salesforces.com a subi une série de pannes de service à la fin de 2005 et au début de 2006. En parcourant cette étude de cas, essayez de déterminer le problème que Salesforces.com a rencontré, les solutions de rechange qui s'offraient aux gestionnaires et les problèmes de gestion, d'organisation et de technologie qu'il a fallu résoudre pour mettre en œuvre la solution.

SALESFORCE.COM SUR DEMANDE PEUT-ELLE RESTER « EN DEMANDE » ?

Dans le chapitre 5, nous vous avons présenté Salesforce.com, un chef de file de la nimbo-informatique spécialisé dans les services de gestion de la relation client sur demande. En août 2008, l'entreprise avait servi plus de 1 million d'abonnés dans plus de 43 000 entreprises. Salesforce est l'entreprise de services de gestion de la relation client sur demande à laquelle le plus grand nombre d'entreprises confient leurs données sur les clients et les ventes dans le monde.

Imaginez alors les conséquences si les services de Salesforce.com se trouvaient interrompus. Or c'est exactement ce qui s'est produit pendant une période de six semaines à la fin de 2005 et au début de 2006. À partir du 20 décembre 2005, il est devenu impossible aux clients de Salesforce.com d'avoir accès aux serveurs de l'entreprise et d'obtenir les dossiers de leurs clients pendant plus de trois heures. Un bogue inhabituel du logiciel de la base de données était à l'origine du problème. Oracle Database version 10g et Oracle Grid Computing sont des technologies clés pour le service et les opérations internes de Salesforce.com et sont considérés parmi les plus performants de l'industrie. Salesforce.com s'est d'ailleurs bien gardée d'incriminer Oracle, préférant travailler de concert avec celle-ci pour éliminer le bogue, qui n'a plus refait surface. Mais l'impossibilité d'accéder aux dossiers de leurs clients a complètement paralysé certaines entreprises tant qu'a duré la panne.

Salesforce.com a subi en janvier et au début de février 2006 plusieurs autres pannes, qu'elle a attribuées à « des problèmes de performance du système ». Le 30 janvier, on a détecté un problème de performance dû à une défaillance dans la grappe de bases de données (un ensemble de bases de données) de l'entreprise. Salesforce.com a dû redémarrer individuellement chacune des bases de données de la grappe et, pour cela, a dû interrompre le service. Ses services ont été en panne pendant environ quatre heures. Et à la reprise du service, son interface de programme d'application (IPA) est demeurée hors d'état plusieurs heures.

Le 9 février 2006, le matériel d'un serveur principal a fait défaut et aucun des quatre serveurs nord-américains de la société n'a pris automatiquement la relève. Salesforce.com a dû redémarrer manuellement la base de données s'exécutant sur ce serveur. La panne a duré un peu plus d'une heure.

Ces pannes de service se sont produites à un très mauvais moment. La croissance de Salesforce.com était rapide, et l'entreprise cherchait à attirer des clients plus importants grâce à de nouveaux logiciels et services, en plus des outils de gestion de la relation client. En janvier 2006, l'entreprise a lancé AppExchange, un marché en ligne pour les applications et les services Web d'autres fournisseurs et développeurs qu'il est possible de personnaliser et d'intégrer au service de gestion de la relation client de Salesforce.com. Or, il est difficile pour l'entreprise de convaincre des clients de lui confier l'exécution de leurs applications si elle ne peut garantir une fiabilité totale de ses services.

À la suite de ces pannes, des clients et des analystes se sont demandé si Salesforce.com ne se heurtait pas à des problèmes de capacité ou d'extensibilité. Au moment du premier incident, les analystes convenaient qu'une panne ponctuelle ne provoquerait pas une crise de confiance de la part des clients. Beaucoup de ceux-ci reconnaissaient d'ailleurs que Salesforce.com présentait un meilleur dossier de maintien du temps de fonctionnement que leurs propres entreprises. Ce qui en inquiéta davantage certains fut l'incapacité de Salesforce.com de communiquer adéquatement au sujet de la panne avec ses clients, qui ont été laissés dans l'ignorance quant à la véritable situation du service sur demande. Le 20 décembre 2005, au moins un client (Mission Research, un développeur de logiciels pour campagnes de financement de Lancaster, en Pennsylvanie) a immédiatement abandonné Salesforce.com pour adopter un système interne.

Dans les semaines qui ont suivi la panne, il est devenu évident que les problèmes de Salesforce.com ne se réduisaient pas à un bogue logiciel. Des pannes répétées ont suscité des doutes au sujet de la fiabilité de l'infrastructure de service dans son ensemble. De plus, ces pannes ont coïncidé avec la fin du mois et, pour certaines entreprises, avec la fin de l'exercice financier, un moment où il était particulièrement gênant de ne plus avoir accès aux données sur les clients.

Les plaintes des clients sont alors devenues plus véhémentes. Elles portaient non seulement sur la panne du service sur demande, mais aussi sur la piètre qualité du service à la clientèle et sur la réaction jugée « tiède » de la direction de Salesforce.com. Un client particulièrement outré a créé un blogue, gripeforce.blogspot.com, pour exprimer son insatisfaction à l'égard du service. Le blogueur, CRMGuy, décrit les représentants de Salesforce.com comme des individus arrogants, et ceux du service à la clientèle comme étant uniquement intéressés à vendre d'autres licences d'utilisation. Mark Benioff, le chef de la direction de Salesforce.com, a été vertement critiqué pour avoir minimisé les répercussions des interruptions de service. Que le chef de la direction de l'entreprise qualifie une panne qui paralyse les entreprises clientes de « problème mineur » est inacceptable. Et bien sûr, bon nombre des clients trouvaient que l'augmentation des temps d'arrêt était également inacceptable.

Salesforce.com a rapidement réagi en s'efforçant d'améliorer la communication avec sa clientèle. Elle a informé ses clients des efforts déployés en vue de résoudre les problèmes de service, soit par communication directe, soit par l'entremise des services de soutien. Dès la fin de février 2006, l'entreprise avait lancé Trust.Salesforce.com, un site Web qui affichait des données (actuelles et passées) relatives à la performance de toutes les composantes clés des systèmes utilisés par ses services. Ce site assurait une certaine transparence en ce qui concernait la performance de la base de données et du service à la clientèle, ce que les clients appréciaient. Trust.Salesforce.com affichait des paramètres précis, comme les transactions avec les interfaces de programmation (API) et le nombre de pages vues. Il présentait aussi les conditions générales de fonctionnement à l'aide d'une combinaison de couleurs indiquant l'état de service des nœuds du réseau : vert quand tout allait bien, jaune lorsqu'il y avait un problème de performance et rouge pour une panne.

Même avant les pannes, Salesforce.com avait commencé à réorganiser son infrastructure pour améliorer ses services. L'entreprise a investi 50 millions de dollars dans la technologie Mirrorforce, un système « miroir », qui reproduit la base de données dans un emplacement distinct et synchronise instantanément les données. Lorsqu'une base de données est en panne, l'autre prend la relève. Salesforce.com a ajouté deux centres de données, sur la côte Est et la côte Ouest, à ses installations de Silicon Valley et érigé des installations additionnelles sur la côte Ouest pour prendre en charge le développement de nouveaux produits. L'entreprise a réparti le traitement de ses plus importants clients parmi ces divers centres pour équilibrer la charge des bases de données. L'investissement dans Mirrorforce a nécessité le remaniement complet des systèmes matériels et logiciels de la société.

L'entreprise a aussi proposé à ses clients des applications associées à leurs services et fonctionnant sur ordinateur pour leur permettre de travailler hors ligne. Ces applications ont été conçues pour les utilisateurs en déplacement et déconnectés et ne comportent pas toutes les fonctions du logiciel en ligne de Salesforce, mais elles offrent une solution provisoire en cas d'interruption du service. La société d'études de marché Harris Interactive conseille à ses utilisateurs de télécharger les applications hors ligne de Salesforce qui contiennent une copie des comptes et des personnes ressources. Lorsqu'ils sont de nouveau en mesure d'accéder à Salesforce en ligne, ils peuvent synchroniser leurs données.

La croissance accélérée de Salesforce.com et la mise en place de nouveaux centres de données ont contribué aux pannes, mais depuis mars 2006, l'infrastructure a été stabilisée et aucune autre panne n'est survenue jusqu'au 11 février 2008. Salesforce.com venait alors de convertir un sous-ensemble de sa base générale d'utilisateurs à une nouvelle version de son logiciel et, durant la procédure, son serveur NA5 a été l'objet de pannes intermittentes pendant environ sept heures. Ces pannes n'ont toutefois touché qu'un petit nombre de clients.

En matière de relations publiques, le porte-parole de l'entreprise, Bruce Francis, a déclaré : « On ne peut pas dire d'une panne qu'elle est mineure parce que nous savons que même un bref épisode de réduction de la disponibilité représente pour nos clients une période pendant laquelle ils ne peuvent faire ce qu'ils ont à faire. » Aujourd'hui, Salesforce.com poursuit ses efforts en vue d'atteindre une disponibilité de 99,999 %.

Sources : J. Nicholas Hoover, « Service Outages Force Cloud Adopters to Rethink Tactics », *Information Week*, 18-25 août 2008 ; Renée Boucher Ferguson, « Outages Hit Online Apps », *eWeek*, 18 février 2008 ; Laton McCartney, « Salesforce.com : When On-Demand Goes Off », *Baseline Magazine*, 7 janvier 2007 ; John Pallatto, « Rare Database Bug Causes Salesforce.com Outage », eWeek.com, 22 décembre 2005 ; « Salesforce.com Confirms 'Minor' CRM Outage », eWeek.com, 6 janvier 2006 ; Alorie Gilbert, « Salesforce.com Users Lament Ongoing Outages », cnet News.com, 31 janvier 2006 ; Bill Snyder, « Salesforce.com Outage Strikes Again », TheStreet.com, 6 janvier 2006.

Questions

1. Quelles ont été les conséquences commerciales des problèmes rencontrés par Salesforce.com ?

2. Quelles en ont été les répercussions sur ses clients ?

3. Quelles mesures Salesforce.com a-t-elle adoptées pour résoudre les problèmes ? Ces mesures ont-elles été suffisantes ?

4. Énumérez et décrivez d'autres faiblesses traitées dans le présent chapitre qui pourraient engendrer des pannes chez Salesforce.com, et les mesures qui pourraient les prévenir.

Ateliers

Explorez le site www.trust.salesforce.com et répondez aux questions suivantes.

1. En quoi ce site permet-il à Salesforce.com de promouvoir la sécurité parmi ses utilisateurs ?

2. Si vous dirigiez une entreprise, utiliseriez-vous les services sur demande de Salesforce.com en toute confiance ? Oui ou non ? Pourquoi ?

Le contrôle de l'utilisation des réseaux : l'inspection approfondie des paquets (IAP)

Vous est-il déjà arrivé de tenter d'utiliser le réseau de votre campus et de vous apercevoir qu'il était très lent ? C'est peut-être parce que d'autres étudiants l'utilisent pour télécharger de la musique ou regarder YouTube. Les applications qui consomment beaucoup de bande passante, comme les programmes de partage de fichiers, la téléphonie Internet et la vidéo en ligne peuvent congestionner et ralentir les réseaux d'entreprise. Par exemple, la Ball State University de Muncie, en Indiana, s'est aperçue que son réseau avait ralenti parce qu'une faible minorité d'étudiants se servait de programmes de partage de fichiers poste-à-poste pour télécharger des films et de la musique.

L'**inspection approfondie des paquets (IAP)** aide à régler ce problème. L'IAP examine les fichiers de données et déblaie le matériel à basse priorité en ligne pour laisser passer les fichiers dont l'importance est cruciale pour l'entreprise. Selon les priorités établies par les opérateurs du réseau, elle détermine les paquets de données qui peuvent poursuivre leur cours jusqu'à destination et ceux qui doivent être bloqués ou retardés pour permettre à des données plus importantes de continuer. Grâce à l'utilisation du système IAP de la firme Allot Communications, l'Université a réussi à restreindre l'utilisation des programmes de partage de fichiers et à leur assigner une priorité beaucoup plus faible. Le réseau prioritaire de Ball State est maintenant plus rapide (White, 2007).

L'impartition de la sécurité

De nombreuses sociétés, notamment les petites entreprises, ne disposent pas des ressources ou d'une expertise suffisante pour se doter elles-mêmes d'un environnement informatique sécurisé et à haute disponibilité. Elles peuvent alors choisir de confier plusieurs fonctions de sécurité à un **fournisseur de gestion de services de sécurité**, qui surveillera les activités du réseau, effectuera des tests de vulnérabilité et détectera les intrusions. Les principaux fournisseurs de gestion de services de sécurité sont Guardent (acquis par VeriSign), BT Counterpane, VeriSign et Symantec.

Assurer la qualité des logiciels

En plus de mettre en place des moyens de sécurité et de contrôle efficaces, les entreprises peuvent améliorer la qualité et la fiabilité de leurs systèmes en soumettant leurs logiciels à des mesures de performance et à des essais rigoureux. Les mesures de performance des logiciels sont des évaluations objectives du système se traduisant par des valeurs chiffrées. Leur utilisation continue permet au service des systèmes d'information et aux utilisateurs finaux de mesurer conjointement la performance du système et de détecter les problèmes au fur et à mesure qu'ils surviennent. Parmi les exemples de mesures de performance, on trouve le nombre de transactions qui peuvent être traitées dans une unité de temps donnée, le temps de réponse en ligne, le nombre de chèques de paie imprimés à l'heure, ainsi que le nombre de bogues trouvés par groupe de 100 lignes de code d'un programme. Pour être efficaces, ces mesures doivent être conçues avec soin, formalisées, objectives et utilisées régulièrement.

Des tests précoces, réguliers et approfondis amélioreront considérablement la qualité du système. Nombreux sont ceux qui considèrent la vérification comme un moyen de démontrer la qualité du travail qu'ils ont accompli. En fait, on sait que tout logiciel tant soit peu complexe est criblé d'erreurs, et il faut le tester pour les découvrir.

Une bonne vérification commence avant même l'étape d'écriture du logiciel, avec le test de la *révision structurée*, c'est-à-dire la révision de la spécification (le document de conception) par un petit groupe de personnes soigneusement choisies pour leurs compétences en relation avec les objectifs particuliers qu'on teste. Une fois la programmation commencée, la révision structurée du codage peut aussi servir à évaluer le code de programme, mais il faut, pour le tester, le faire fonctionner sur un ordinateur. Dès qu'on découvre une erreur, on en localise la source et on l'élimine en suivant un processus appelé débogage. Vous trouverez au chapitre 11 d'autres renseignements sur les diverses étapes de vérification nécessaires pour mettre en route un système d'information.

Projets concrets en **SIG**

Décisions de gestion

1. K2 Network exploite des sites de jeux en ligne utilisés par près de 16 millions d'internautes dans plus de 100 pays. On permet aux joueurs d'entrer dans un jeu gratuitement, mais s'ils désirent jouer à fond, ils doivent acheter à K2 des « outils » numériques, comme les épées qui servent à combattre les dragons. Les jeux peuvent accueillir des millions de joueurs à la fois et des gens de partout dans le monde y jouent simultanément. Préparez une analyse de

sécurité pour cette entreprise Internet. Quels types de menaces devrait-elle envisager ? Quelles en seraient les conséquences sur l'entreprise ? Quelles mesures celle-ci peut-elle prendre pour empêcher que ses sites Web soient endommagés et assurer la continuité de ses opérations ?

2. Une étude de l'infrastructure de la technologie de l'information de votre entreprise a produit les statistiques suivantes en matière d'analyse de sécurité.

PLATEFORME	NOMBRE D'ORDINATEURS	RISQUE ÉLEVÉ	RISQUE MOYEN	RISQUE FAIBLE	VULNÉRABILITÉ TOTALE
Windows Server (applications d'entreprise)	1	11	37	19	
Windows Vista Ultimate (haute direction)	3	56	242	87	
Linux (courrier électronique et imprimantes)	1	3	154	98	
Sun Solaris (Unix) (commerce électronique et serveurs Web)	2	12	299	78	
Windows Vista Ultimate (ordinateurs de bureau et ordinateurs portables avec outils de productivité pouvant être reliés au réseau exploitant les applications d'entreprise et l'intranet).	195	14	16	1 237	

Les points de vulnérabilité à risque élevé regroupent l'accès d'utilisateurs non autorisés à des applications, l'adoption de mots de passe facilement devinables ou correspondant aux noms des utilisateurs, le fait que certains comptes actifs d'utilisateurs n'aient pas de mot de passe et la présence de programmes non autorisés dans les systèmes.

Le fait que les utilisateurs puissent éteindre le système sans avoir ouvert de session au préalable, la présence de dispositifs de mot de passe et d'économiseur d'écran qui n'étaient pas préalablement installés sur les ordinateurs, et la conservation de versions désuètes de logiciels sur les disques durs sont classés comme présentant un risque moyen.

Les faiblesses associées à un risque faible sont notamment l'impossibilité pour les utilisateurs de changer leur mot de passe, ainsi que le fait que ceux-ci ne soient pas changés périodiquement ou soient plus petits que la taille minimale prescrite par l'entreprise.

- Calculez le nombre total de faiblesses de chaque plateforme informatique. Quel est l'effet potentiel des problèmes de sécurité sur chacune des plateformes de l'entreprise ?
- Si vous n'avez à votre disposition qu'un seul spécialiste responsable de la sécurité des systèmes d'information, sur quelle plateforme devriez-vous travailler en premier lieu pour éliminer ces faiblesses ? En deuxième lieu ? En troisième lieu ? En dernier ? Pourquoi ?
- Déterminez les types de problèmes de contrôle qu'illustrent ces points de vulnérabilité et expliquez les mesures à prendre pour les résoudre.
- Quels risques court l'organisation si elle néglige de s'occuper des problèmes de vulnérabilité repérés ?

1. Pourquoi les systèmes d'information sont-ils vulnérables à la destruction, à l'erreur et à un usage abusif ?

Les données numériques sont vulnérables à la destruction, à l'usage abusif, à l'erreur, à la fraude et aux pannes de matériel et de logiciels. Internet est un système ouvert qui rend les systèmes internes des entreprises plus vulnérables aux interventions d'intrus. Les pirates peuvent lancer des attaques par déni de service ou pénétrer à l'intérieur des réseaux d'entreprise pour perturber sérieusement les systèmes. Ils peuvent facilement accéder aux réseaux Wi-Fi à l'aide de programmes renifleurs qui leur permettent d'obtenir une adresse leur donnant accès aux ressources d'un réseau. Les virus et les vers informatiques peuvent mettre hors fonction un système ou un site Web. Les logiciels, eux aussi, sont sujets à problèmes, car il peut s'avérer impossible d'éliminer complètement les bogues qu'ils comportent, et les pirates ou les programmes malveillants peuvent exploiter leur vulnérabilité. Enfin, les utilisateurs finaux peuvent eux-mêmes introduire des erreurs.

2. Quelle est la valeur commerciale de la sécurité et du contrôle des systèmes d'information ?

Faute de sécurité et de contrôle fiables, les entreprises qui utilisent les systèmes informatiques pour leurs fonctions de base peuvent perdre des ventes et voir leur productivité baisser. Les ressources informationnelles, comme les dossiers confidentiels des employés, les secrets commerciaux et les plans d'affaires risquent de perdre une grande partie de leur valeur si des personnes extérieures à l'organisation ont la possibilité d'y accéder, ce qui peut aussi exposer l'entreprise à des poursuites judiciaires. Aux États-Unis, de nouvelles lois – HIPAA, Sarbanes-Oxley et Gramm-Leach-Bliley – imposent aux entreprises une gestion rigoureuse des dossiers électroniques et l'adoption de normes strictes en matière de sécurité, de confidentialité et de contrôle. De plus, l'utilisation de preuves électroniques et le recours à l'expertise juridique en informatique incitent les entreprises à accorder une plus grande attention à la sécurité et à la gestion des dossiers électroniques.

3. Quels éléments doit comprendre le cadre organisationnel de sécurité et de contrôle des systèmes d'information ?

Les entreprises doivent établir un ensemble cohérent de contrôles généraux et de contrôles des applications informatisées. L'analyse de risque permet d'évaluer les ressources informationnelles, de localiser les points d'accès et les faiblesses et de trouver la combinaison de contrôles la plus efficace. Les entreprises doivent également adopter un ensemble cohérent de politiques et de plans de sécurité pour assurer la continuité de leurs affaires en cas de sinistre ou d'interruption de service. Les politiques de sécurité définissent ce qu'est une utilisation acceptable et ce qu'est une autorisation. Une vérification complète et systématique des systèmes d'information peut aider les organisations à évaluer l'efficacité de la sécurité et des contrôles de leurs systèmes.

4. Quelles technologies et quels outils sont les plus importants pour la sauvegarde des ressources en information ?

Les pare-feux empêchent les utilisateurs non autorisés d'accéder à un réseau privé lorsqu'il est connecté à Internet. Les systèmes de détection d'intrusion surveillent les réseaux privés pour déceler tout trafic suspect et toute tentative d'accès aux systèmes de l'entreprise. Les mots de passe, les jetons d'authentification, les cartes à puce et l'authentification biométrique permettent de vérifier l'identité des utilisateurs. Les logiciels antivirus détectent les infections par des virus ou des vers informatiques, qu'ils parviennent généralement à éliminer, tandis que les anti-logiciels espions luttent contre les logiciels espions intrusifs et nuisibles. Le cryptage, c'est-à-dire le codage et le brouillage des messages, est une technologie largement utilisée pour sécuriser les transmissions électroniques sur des réseaux non protégés. La combinaison des certificats numériques et du cryptage avec clé publique offre une protection supplémentaire en permettant l'authentification de l'utilisateur. Les entreprises peuvent utiliser des systèmes informatiques à tolérance de pannes ou créer des environnements informatiques à haute disponibilité pour s'assurer que leurs systèmes informatiques sont toujours disponibles. L'utilisation de mesures de performance des logiciels et des essais rigoureux des programmes permettent d'améliorer la qualité et la fiabilité des logiciels.

MOTS CLÉS

Analyse de risque, p. 250

Attaque par déni de service, p. 244

Attaque par déni de service distribué, p. 244

Authentification, p. 253

Authentification biométrique, p. 253

Bogue, p. 246

Carte à puce, p. 253

Certificat numérique, p. 256

QUESTIONS DE RÉVISION

1. **Pourquoi les systèmes d'information sont-ils vulnérables à la destruction, à l'erreur et à un usage abusif?**

   - Énumérez et décrivez les menaces les plus courantes contre les systèmes d'information actuels.

   - Définissez un «programme malveillant» et indiquez quelles sont les différences entre un virus informatique, un ver informatique et un cheval de Troie.

   - Définissez un «pirate informatique» et expliquez les problèmes de sécurité et les dommages aux systèmes qu'ils peuvent causer.

   - Définissez le délit informatique et donnez-en deux exemples dans lesquels les ordinateurs sont les cibles et deux dans lesquels ils sont des instruments.

   - Définissez le vol d'identité et l'hameçonnage et expliquez pourquoi le vol d'identité constitue un problème si grave aujourd'hui.

   - Décrivez les problèmes de sécurité et de fiabilité des systèmes engendrés par les employés.

   - Expliquez de quelle façon les défauts des logiciels nuisent à la fiabilité et à la sécurité des systèmes.

2. **Quelle est la valeur commerciale de la sécurité et du contrôle des systèmes d'information?**

   - Expliquez pourquoi la sécurité et le contrôle ont une valeur sur le plan commercial.

   - Décrivez les liens qui existent entre la sécurité et le contrôle, d'une part, et les lois adoptées récemment par le gouvernement des États-Unis pour la réglementation des systèmes d'information et l'expertise juridique en informatique, d'autre part.

3. **Quels éléments doit comprendre le cadre organisationnel de sécurité et de contrôle des systèmes d'information?**

   - Définissez les contrôles généraux et décrivez-en chaque type.

   - Définissez les contrôles d'application et décrivez-en chaque type.

   - Décrivez le rôle de l'analyse de risque et expliquez comment elle s'applique aux systèmes d'information.

   - Définissez et décrivez les expressions suivantes: politique de sécurité, politique d'utilisation acceptable et politique d'autorisation.

   - Expliquez comment une vérification des systèmes d'information peut améliorer la sécurité et le contrôle.

4. Quelles technologies et quels outils sont les plus importants pour la sauvegarde des ressources en information?

- Nommez et décrivez trois méthodes d'authentification.
- Décrivez le rôle des pare-feux, des systèmes de détection d'intrusion et des logiciels antivirus dans la promotion de la sécurité.
- Expliquez comment le cryptage permet de protéger l'information.

- Décrivez le rôle du cryptage et des certificats numériques dans une infrastructure à clé publique.
- Indiquez ce qui différencie les systèmes à tolérance de pannes et l'informatique à haute disponibilité, d'une part, et la planification de la reprise sur sinistre et celle de la continuité des affaires, d'autre part.
- Décrivez les mesures pour améliorer la qualité et la fiabilité des logiciels.

SUJETS DE DISCUSSION

1. La sécurité ne constitue pas seulement un enjeu technologique, mais également un enjeu commercial. Qu'en pensez-vous?

2. Si vous deviez élaborer un plan de continuité des affaires pour votre entreprise, par où commenceriez-vous? Quels aspects des affaires votre plan aborderait-il?

TRAVAIL D'ÉQUIPE : ÉVALUER LES OUTILS LOGICIELS DE PROTECTION

Formez une équipe de trois ou quatre personnes. Utilisez le Web pour chercher et évaluer les produits de sécurité de deux fournisseurs concurrents (logiciels antivirus, pare-feux ou anti-logiciels espions). Indiquez ce que peut faire chaque produit, le type d'entreprises auxquelles il convient le mieux, ainsi que son coût d'achat et d'installation. Quel est le meilleur produit? Pourquoi? Dans la mesure du possible, utilisez Google Sites pour afficher des liens vers des pages Web, pour communiquer entre membres de l'équipe et vous répartir les tâches, pour confronter vos idées et pour travailler ensemble sur les documents du projet. Essayez d'utiliser Google Documents pour mettre au point une présentation de vos résultats destinée à la classe.

ÉTUDE DE CAS

Un courtier délinquant de la Société Générale perturbe le système financier mondial

La Société Générale est l'une des banques d'affaires et d'investissement les plus respectées au monde et l'une des institutions financières françaises les plus anciennes et les mieux cotées. Fondée en 1864 par Napoléon III, l'entreprise compte plus de 130 000 employés et 22,5 millions de clients dans le monde. Ses trois principaux secteurs d'activité sont le financement et l'investissement, les réseaux de détail et les services financiers, et enfin la gestion d'actifs et les services aux investisseurs à l'échelle mondiale. La réputation de la SocGen, comme on la surnomme dans le monde des services financiers, a été sérieusement entachée au début de 2008, après que l'entreprise a révélé qu'un courtier délinquant était responsable de pertes totalisant près de 5 milliards d'euros (7,2 milliards de dollars).

En janvier 2008, la SocGen a découvert que l'un de ses courtiers, Jérôme Kerviel, âgé de 31 ans, avait effectué au cours de l'année précédente des transactions non autorisées qui n'avaient pas été repérées par les systèmes de gestion de la sécurité et du risque de la banque. Les pertes associées à ces transactions représentaient la fraude la plus importante dans l'histoire des services bancaires d'investissement et survenaient alors que les marchés mondiaux étaient aux prises avec la crise des prêts hypothécaires étatsuniens. Kerviel avait tellement bien réussi à échapper aux contrôles internes qu'il était arrivé à prendre plus de 73 milliards de positions à découvert, une somme bien supérieure à la capitalisation boursière totale de la banque (qui est d'environ 53 milliards de dollars) et qui pouvait provoquer des pertes de 7,2 milliards de dollars.

Kerviel était un courtier discret et sans prétention, dont le parcours était très quelconque par rapport à ceux de bon nombre de ses collègues à la SocGen. Avant de se joindre à l'entreprise en 2000, il a obtenu un diplôme d'études avancées en commerce de l'université de Lyon, alors que nombre des principaux représentants et courtiers de la banque ont étudié dans les meilleures universités françaises, comme Polytechnique et l'École nationale d'administration. Kerviel a d'abord travaillé dans le bureau de gestion des risques de l'entreprise (que les unités commerciales de palier supérieur surnommaient avec mépris « la mine »), où il s'est familiarisé avec un grand nombre des procédures de sécurité et des systèmes administratifs de l'entreprise. Il a par la suite été promu à une unité de négociation de palier inférieur, connue sous le nom de Delta One. Le désir de Kerviel d'impressionner les autres courtiers, dont les antécédents universitaires étaient généralement plus prestigieux, pourrait l'avoir poussé à abuser de ses connaissances des systèmes de transactions de l'entreprise dans ses nouvelles fonctions.

Sa tâche à l'unité Delta One consistait à négocier des contrats à terme sur indice boursier. On lui avait confié l'achat d'un portefeuille de contrats à terme sur indice boursier européens et la vente simultanée d'une combinaison similaire de contrats à terme sur indice boursier de valeur différente à titre de couverture. Le but était de produire un petit courant de profits à faible risque grâce à l'exécution d'un grand nombre de ces transactions au fil du temps. Kerviel a été capable de contourner pratiquement tous les contrôles des systèmes d'information de l'entreprise pour atteindre un résultat assez différent : accumuler des positions non couvertes et non autorisées pouvant gagner ou perdre des milliards de dollars selon l'activité du marché boursier ce jour-là. Pour ce faire, il exécutait des transactions légitimes dans une direction, mais falsifiait la « couverture » qui était censée les « compenser ». Kerviel a effectué ses premières opérations fictives à la fin de 2005, mais en 2006 et 2007 il a pris des positions de plus en plus importantes, jusqu'à atteindre finalement un total de 73 milliards de dollars. Mais comment a-t-il fait pour ne pas être découvert ?

La première tâche de Kerviel a été d'enregistrer ses opérations fictives de telle façon qu'il soit impossible de les distinguer de ses opérations légitimes. Pour ce faire, il enregistrait les fausses transactions dans un portefeuille séparé, différent de celui qui contenait ses transactions réelles, en s'assurant qu'elles n'impliquent aucun échange de comptant réel. Lors de la vérification des deux registres, le portefeuille réel et le portefeuille fictif s'équilibraient et paraissaient bien en deçà de la limite du risque acceptable pour ce courtier. Les superviseurs de Kerviel avaient ainsi l'impression que les comptes étaient équilibrés, alors qu'en réalité il exposait la banque à de graves risques. La limite fixée à la totalité de l'unité Delta One, où travaillait Kerviel, était de 125 millions d'euros, mais grâce à sa méthode, il a été en mesure de prendre des positions dont certaines dépassaient les 600 millions d'euros.

Kerviel devait encore échapper aux vérifications internes plus approfondies que fait la SocGen sur les livres de chaque courtier, lesquelles auraient pu révéler l'existence de son portefeuille fictif. Mais, comme il connaissait le calendrier des contrôles internes de la SocGen, il a été capable d'éliminer ses fausses transactions du système quelques minutes avant les vérifications prévues pour les rétablir peu après, et le déséquilibre temporaire n'a pas déclenché d'alerte. Il s'est également servi de cette tactique pour annuler et rétablir de nouvelles transactions avant même que les confirmations ne soient transmises aux autres banques. Kerviel aurait utilisé pour ce faire les codes d'accès et les informations personnelles relatives à d'autres employés, « piratant » ainsi, selon les termes de certains rapports, les systèmes de la SocGen pour commettre sa fraude. Reste à savoir si Kerviel a dû exécuter des opérations informatiques complexes pour contourner les contrôles de la SocGen.

Enfin, Kerviel devait d'une manière ou d'une autre cacher ses machinations à ses collègues et superviseurs. Une pratique courante parmi les courtiers consiste à prendre des jours de congé fixes pour permettre à d'autres courtiers d'examiner leurs portefeuilles en leur absence. Cette procédure augmente les chances de mettre à jour le type de fraudes qu'a commises Kerviel. Or il semblerait que celui-ci travaillait tard le soir après le départ des autres courtiers et n'aurait pris que quatre jours de congé au cours de l'année 2007 pour empêcher cette vérification. Et bien que ses superviseurs aient signalé des erreurs dans ses livres, Kerviel a réussi à brouiller suffisamment les cartes pour « corriger » rapidement ces erreurs avant de poursuivre ses activités frauduleuses.

Il n'est toujours pas possible de déterminer dans quelle mesure les collègues de travail et les supérieurs de Kerviel étaient au courant de ses activités frauduleuses au moment des faits. La SocGen soutient qu'il agissait seul, mais Kerviel lui-même doute que ses supérieurs n'aient pas été au courant de ses actions. Certains rapports affirment qu'il a utilisé l'ordinateur de son directeur, Éric Cordelle, pour exécuter plusieurs de ses transactions frauduleuses sous les yeux de Cordelle lui-même. Plusieurs autres courtiers supposément responsables d'avoir enregistré quelques-unes des transactions authentiques de Kerviel en toute connaissance de cause ont été interrogés par la police. Les avocats de Kerviel affirment qu'il a agi avec l'approbation tacite de ses supérieurs pendant la période initiale de ses activités frauduleuses, une période fructueuse au cours de laquelle il avait accumulé pour la SocGen des gains de plus de 2 milliards de dollars, qui n'ont jamais été concrétisés. En outre, la banque n'a tenu aucun compte des nombreux signaux qui auraient pu les alerter quant à la possibilité que Kerviel commette ce type de fraude. En 2005, il avait été réprimandé pour avoir dépassé ses limites de transaction en misant sur les titres d'Allianz SE et menacé de renvoi s'il recommençait. Pendant plusieurs années, la banque aurait également négligé d'assurer le suivi des 75 mises en garde concernant les positions de Kerviel. La SocGen n'y aurait pas prêté attention, sous prétexte que tous les courtiers faisaient l'objet de quantités semblables de mises en garde à la longue.

Ce qui retient l'attention dans le cas de Kerviel, c'est la simplicité de ses méthodes et le peu de profit personnel qu'il a tiré de ses transactions. Les contrôles de la SocGen pouvaient repérer des erreurs et des transactions frauduleuses bien plus complexes que les siennes, mais il a réussi à les contourner avec des stratégies particulièrement simples. Le directeur de la division des services d'investissement a déclaré à ce sujet que : « la Société Générale s'est fait prendre de la même façon que quelqu'un qui a installé un système d'alarme haut de gamme… et se fait cambrioler parce qu'il a oublié de fermer la fenêtre. » Bien que Kerviel ait sans doute espéré obtenir une meilleure prime grâce à ses activités frauduleuses, il semble que sa motivation principale était de «faire gagner de l'argent à la banque».

Si la SocGen avait fait des vérifications aléatoires dans l'historique des transactions de ses courtiers, elle aurait probablement pu arrêter Kerviel avant d'être dépassée par la spirale de ses pertes. De même, si la SocGen avait eu un système permettant de détecter les transactions supprimées ou modifiées, on aurait pu découvrir rapidement les méthodes de Kerviel et prévenir l'incident. Enfin, si les superviseurs de Kerviel avaient pris la peine de s'interroger sur le fait qu'un courtier dont le travail était censé amasser de modestes profits reposant sur des mises prudentes puisse accumuler des milliards d'euros, d'abord en gains, mais finalement en pertes, ils auraient peut-être pu atténuer dans une large mesure les dommages causés. Kerviel lui-même a déclaré que ses superviseurs devaient savoir qu'il avait recours à des tactiques inhabituelles pour gagner de telles sommes d'argent, mais que «tant que nous gagnons et que cela ne se voit pas trop, que ça arrange, on ne dit rien».

Au lieu de cela, la SocGen s'est retrouvée dans un véritable bourbier, et sa façon de gérer la crise a peut-être encore aggravé les choses. La banque a choisi de vendre les positions de Kerviel peu après la découverte de la fraude, en dépit du fait que les conditions du marché du moment étaient résolument défavorables. En bradant les positions de Kerviel sur des marchés mondiaux affaiblis, elle a entraîné une dégringolade encore plus prononcée à la fin de janvier 2008. Le lundi suivant la révélation de la fraude, les indices DAX, FTSE et CAC-40 ont chuté de 7,2, 5,5 et 6,8 % respectivement, et la chute de l'indice DAX s'est poursuivie les jours suivants.

Cette chute précipitée serait l'une des principales raisons de la décision de la Réserve fédérale américaine de réduire les taux d'intérêt peu de temps après. Après quoi, la Securities and Exchange Commission (SEC) a ouvert une enquête pour déterminer si la SocGen avait contrevenu aux lois sur les valeurs mobilières des États-Unis en liquidant les positions de Kerviel à la dérobée après la découverte de la fraude, et s'il pouvait y avoir eu un délit d'initiés lors de la vente d'actions de la SocGen avant l'annonce du scandale. Selon certaines estimations, les pertes encourues par Kerviel auraient plutôt approché les 2 milliards d'euros, et ce serait plutôt la liquidation par la banque de ses positions qui aurait entraîné le reste des pertes, évaluées à 4,9 milliards d'euros.

Parmi bien d'autres, cet incident est un des exemples les plus flagrants des lacunes des contrôles de la gestion des risques dans une grande institution financière internationale. De telles lacunes ont grandement contribué à la crise des prêts hypothécaires à risques et au resserrement du crédit subséquent qui a frappé d'autres banques d'investissement.

Que va faire la SocGen pour empêcher d'autres transactions frauduleuses ? Cela reste à voir. Même si Kerviel est bien le génie malfaisant décrit par la SocGen, le fait qu'il a pu accumuler des positions plus importantes que la valeur nette de la banque révèle de graves défauts dans les systèmes de contrôle de l'entreprise. Maxime Legrand, un ancien inspecteur de la SocGen, qualifie les procédures de contrôle utilisées par celle-ci pour surveiller l'activité de ses courtiers d'hypocrites et affirme qu'à la Société Générale, «on fait semblant d'avoir une inspection pour faire plaisir à la commission bancaire ». Dans le sillage de la fraude à la Société Générale et d'autres échecs des services bancaires d'investissement, comme l'effondrement de Bears Stearns, de fortes pressions vont s'exercer sur les institutions financières pour qu'elles amélio-rent leurs systèmes de gestion des risques et leurs contrôles internes.

Sources: Natasha de Teran, «Market Targets Loopholes in Equity Derivatives», Financialnews-US.com, 28 mars 2008; Brian Cleary, «Employee Role Changes and SocGen: Good Lessons From a Bad Example», SCMagazineUS.com, 1er avril 2008; Nicola Clark et David Jolly, «French Bank Says Rogue Trader Lost $7 Billion », New York Times, 25 janvier 2008; Nicolas Parasie, «SocGen Discloses More Detail, Chronology of Alleged Fraud», MarketWatch.com, 27 janvier 2008; Andrew Hurst et Thierry Levesque, «SocGen Under Pressure as Rogue Trader Released», Reuters, 28 janvier 2008; David Gauthier-Villars et Carrick Mollenkamp, «The Loss Where No One Look», Wall Street Journal, 28 janvier 2008; Randall Smith et Kate Kelly, «Once Again, the Risk Protection Fails», Wall Street Journal, 25 janvier 2008; Adam Sage, «Ex-SocGen Risk Auditor Calls System a Sham», Times, 7 février 2008; Angela Doland, «Trader Says SocGen Bosses Had to Know», New York Times, 29 janvier 2008; David Gauthier-Villars, Carrick Mollenkamp et Alistair Macdonald, «French Bank Rocked by Rogue Trader», Wall Street Journal, 25 janvier 2008; David Gauthier-Villars et Stacey Meichtry, «Kerviel Felt Out of His League», Wall Street Journal, 31 janvier 2008; Heather Smith et Gregory Viscusi, «SocGen Threatened to Fire Kerviel in 2005», Court Document Says», Bloomberg.com, 25 mars 2008.

QUESTIONS

1. Quelles sont les notions présentées dans ce chapitre qu'illustre ce cas ?

2. Décrivez les faiblesses du contrôle à la SocGen. Quels sont les facteurs qui y ont contribué sur le plan de la gestion, de l'organisation et de la technologie ?

3. Qui devrait être tenu responsable des pertes de Kerviel ? Quel rôle les systèmes de la SocGen ont-ils joué ? Et les gestionnaires ?

4. Indiquez quelques-uns des moyens qui auraient permis à la SocGen d'éviter la fraude de Kerviel.

5. Si vous étiez chargé de restructurer les systèmes de la SocGen, que feriez-vous pour régler ses problèmes de contrôle ?

Les applications clés de systèmes pour l'entreprise à l'ère numérique

Dans cette troisième partie, nous nous intéressons aux applications clés des systèmes d'information qu'utilisent aujourd'hui les entreprises pour atteindre l'excellence opérationnelle et améliorer leur prise de décision. Il s'agit notamment des systèmes d'entreprise, des systèmes de gestion de la chaîne logistique, des systèmes de gestion de la relation client, des systèmes de gestion de la collaboration et des connaissances, des applications de commerce électronique et des systèmes d'aide à la décision. Des questions importantes trouveront ici des réponses : Comment les applications d'entreprise peuvent-elles améliorer le rendement de l'entreprise ? Comment le commerce électronique permet-il aux entreprises d'étendre la portée de leurs activités ? Comment les systèmes peuvent-ils améliorer la collaboration et la prise de décision et permettre aux entreprises de faire un meilleur usage de leurs connaissances ?

Les applications d'entreprise au service de l'excellence opérationnelle et d'une relation client étroite

 OBJECTIFS D'APPRENTISSAGE

Après avoir étudié ce chapitre, vous pourrez répondre aux questions suivantes :

1. Comment les systèmes d'entreprise aident-ils les entreprises à atteindre l'excellence opérationnelle ?

2. Comment les systèmes de gestion de la chaîne logistique permettent-ils de coordonner la planification, la production et la logistique avec les fournisseurs ?

3. Comment les systèmes de gestion de la relation client contribuent-ils à l'entretien d'une relation client étroite ?

4. Quelles difficultés l'implantation des applications d'entreprise comporte-t-elle ?

5. Comment peut-on utiliser les applications d'entreprise pour créer des plateformes offrant des services interfonctionnels ?

SOMMAIRE

TASTY BAKING : UN SYSTÈME D'ENTREPRISE RENOUVELLE UN CLASSIQUE

Le nom Tasty Baking parle de lui-même. Célèbre pour ses petits gâteaux, ses tartes, ses biscuits et ses beignets Tastykake emballés en portions individuelles, l'entreprise vend ses produits dans quelque 15 500 dépanneurs et supermarchés de l'est des États-Unis. Cette boulangerie de Philadelphie qui avait vendu pour 28 $ de gâteaux le jour de son ouverture, en 1914, enregistrait des ventes de près de 170 millions de dollars en 2007.

Or, s'ils faisaient la joie des clients, les petits gâteaux de Tasty Baking causaient plutôt des soucis aux gestionnaires et aux actionnaires. Tasty Baking est une entreprise relativement petite dans un secteur arrivé à maturité. Vers le milieu des années 1990, ses parts de marché et ses ventes se sont mises à fondre. En 2002, sa rentabilité était plus faible que jamais, la marge d'exploitation se situant à – 4,9 %. Pour lui donner un nouveau souffle, son nouveau président-directeur général, Charles Pizzi, mit alors en place une nouvelle équipe de cadres et un plan stratégique de transformation.

La stratégie impliquait l'établissement de nouvelles méthodes de production et l'installation de nouveaux systèmes d'information. Les systèmes de l'entreprise étaient désuets et contraignants ; ils présentaient de graves problèmes de conformité et d'autres risques pour la bonne marche des affaires. De nombreux procédés clés étaient encore en grande partie manuels, et l'entreprise ne disposait pas d'information à jour pour suivre la production et les expéditions. Il fallait faire un inventaire quotidien manuel du contenu de l'entrepôt. Mais, l'information recueillie était inexacte et dépassée. Certains envois n'étaient pas notés et il fallait écouler des stocks excédentaires dans les boulangeries de discompte. Les parts de marché et les ventes déclinaient, alors que les frais d'exploitation augmentaient.

Les données que recueillait Tasty Baking sur les ventes et les produits provenaient principalement de son réseau de distribution. Pour recevoir cette information le plus rapidement possible, l'entreprise devait donc améliorer la communication avec son service des ventes.

La nouvelle équipe de direction décida de mettre en place un nouveau système d'entreprise utilisant le logiciel de SAP conçu spécialement pour l'industrie des aliments et des boissons. Les consultants de SAP et de Deloitte l'aidèrent à définir ses processus d'affaires et à déterminer la façon de les faire fonctionner sous le logiciel de SAP. En limitant les modifications apportées au logiciel et en appliquant des normes rigoureuses pour la gestion du projet, l'entreprise put implanter le nouveau système en neuf mois, sans dépasser son budget ni son échéancier. Le nouveau système d'entreprise utilise un serveur de base de données SQL de Microsoft et le système d'exploitation Windows sur serveur Intel.

La nouvelle direction de Tasty Baking était prête à apporter de nombreuses modifications aux processus d'affaires pour profiter au maximum des fonctionnalités du logiciel d'entreprise. Elle adopta le modèle de Deloitte en matière de pratiques d'excellence pour l'industrie des aliments et des boissons. Elle implanta les modules de SAP pour les finances, l'entrée des commandes, la planification des ressources de production et l'ordonnancement. Le système intègre l'information qui était mise à jour manuellement ou conservée dans des systèmes distincts et il fournit de l'information en temps réel pour la gestion des stocks et de l'entrepôt, les activités financières et l'approvisionnement centralisé. Il fournit des renseignements plus précis sur la demande et les stocks et permet aux gestionnaires de prendre de meilleures décisions.

La situation financière de Tasty Baking s'est nettement améliorée depuis l'implantation du système d'entreprise de SAP. L'entreprise a diminué de 60 % ses dépréciations de stocks et de 40 % ses démarques. La satisfaction à l'égard du produit est en hausse, comme en témoignent la diminution du taux de retours et l'accroissement des commandes. Les ventes ont ainsi augmenté de 11 % sans que l'entreprise ait eu besoin d'embaucher davantage d'employés.

Sources : «Tasty Baking Company» et «Tasty Baking», www.mysap.com, consulté le 28 septembre 2009; rapport annuel 10-K de Tasty Baking Company, déposé le 12 mars 2008.

Les problèmes qu'a connus Tasty Baking avec ses stocks et ses processus d'affaires illustrent l'importance des applications d'entreprise. Les coûts étaient trop élevés à cause d'informations incorrectes ou dépassées concernant les stocks. Quant aux pertes de ventes, elles s'expliquaient par des envois mal faits.

Le schéma d'introduction présente les points importants que soulèvent ce chapitre et le cas de Tasty Baking. Les produits de Tasty Baking ont une durée de conservation plutôt courte. Les processus d'affaires les plus importants s'accomplissant manuellement, l'entreprise ne pouvait savoir exactement quelles marchandises avaient été envoyées ni ce qu'elle avait encore en stock. L'impossibilité d'accéder rapidement à des données à jour compromettait la planification et la prise de décision quotidienne.

La direction aurait pu choisir d'augmenter son personnel ou d'automatiser ses processus d'affaires au moyen d'une technologie plus récente. Elle a plutôt décidé de changer plusieurs processus d'affaires pour les rendre conformes aux pratiques d'excellence en vigueur dans l'industrie et pour implanter un système d'entreprise. Ce dernier intègre les données relatives à la comptabilité, à l'entrée des commandes, à l'ordonnancement et à la fabrication, en les rendant accessibles à tous les secteurs de l'entreprise. Les données relatives à la production et aux expéditions de l'entrepôt sont saisies dès leur création. L'information exacte et à jour disponible instantanément permet aux employés de travailler de façon plus efficiente, et aux cadres de prendre de meilleures décisions.

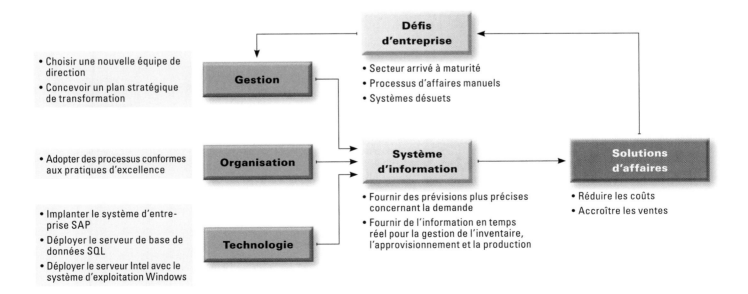

9.1 LES SYSTÈMES D'ENTREPRISE

Dans le monde entier, de plus en plus d'entreprises sont reliées les unes aux autres. Les gestionnaires veulent pouvoir réagir instantanément quand un client passe une commande importante ou quand la livraison d'un fournisseur est retardée. Ils veulent connaître les répercussions de ces événements sur les diverses parties de l'entreprise et suivre à tout moment le rendement. Les systèmes d'entreprise permettent l'intégration des données qui est nécessaire pour y arriver. Examinons leur fonctionnement et ce qu'ils peuvent faire pour l'entreprise.

Qu'est-ce qu'un système d'entreprise?

Imaginez que vous devez gérer une entreprise qui utilise de l'information provenant de dizaines, voire de centaines de bases de données et de systèmes, tous indépendants les uns des autres. Imaginez que votre entreprise produit 10 grandes gammes de produits pour la production desquelles 10 usines recourent à des systèmes incompatibles pour le contrôle de la production, de l'entreposage et de la distribution.

Alcoa, par exemple, est un des plus grands producteurs d'aluminium et de produits d'aluminium dans le monde. L'entreprise réalise ses activités dans 500 emplacements disséminés dans 41 pays. À l'origine, Alcoa était organisée en secteurs d'activité utilisant chacun ses propres systèmes d'information. Plusieurs de ces systèmes étaient redondants ou inefficaces. Les coûts associés aux demandes de paiement

et aux processus financiers, de même que les temps de cycle étaient beaucoup plus importants que dans d'autres sociétés de l'industrie. (Le temps de cycle est le temps que prend l'exécution complète d'un processus.) L'entreprise ne pouvait fonctionner comme une entité mondiale unique.

Dans une entreprise de ce genre, vos décisions reposeraient souvent sur des rapports imprimés, souvent périmés, et vous auriez du mal à avoir une vision globale des activités. Voilà autant de raisons qui poussent les sociétés à se doter d'un système d'entreprise spécialisé pour regrouper et combiner les diverses informations.

Au chapitre 2, nous avons présenté les systèmes d'entreprise, également appelés « progiciels de gestion intégrés », qui se fondent sur une série de modules logiciels combinés et sur une base de données centrale commune. La base de données recueille les données de nombreux services et de nombreux processus d'affaires importants dans les secteurs de la production, de la comptabilité, des ventes et des ressources humaines. Elle les transmet à diverses applications pouvant prendre en charge presque toutes les activités internes de l'entreprise. Les données générées par un processus d'affaires sont immédiatement disponibles pour les autres processus d'affaires (figure 9-1).

Par exemple, si un représentant des ventes enregistre une commande de roues, le système vérifie la limite de crédit du client concerné, planifie la livraison, détermine le meilleur itinéraire et réserve les articles correspondants dans le stock. En cas de stock insuffisant, il planifie la fabrication de roues et commande aux fournisseurs les matériaux et composantes

---

FIGURE 9-1 L'ARCHITECTURE D'UN SYSTÈME D'ENTREPRISE

Les systèmes d'entreprise comprennent un ensemble de modules logiciels intégrés et une base de données centrale qui permettent aux différents processus d'affaires et domaines fonctionnels de l'entreprise de partager des données.

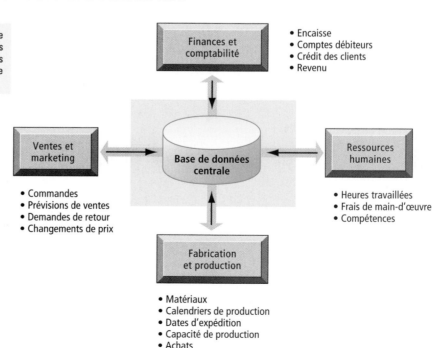

nécessaires. La mise à jour des prévisions de ventes et de production se fait aussitôt. De même, une mise à jour automatique du grand livre et des liquidités de l'entreprise se fait à partir de l'information relative au revenu et aux coûts de la commande. Les utilisateurs peuvent accéder au système pour repérer à tout moment où en est la commande. Les personnes s'occupant de la gestion peuvent en tout temps obtenir de l'information sur les activités commerciales. Enfin, le système peut générer des données à l'échelle de l'entreprise pour des analyses de coûts et de rentabilité des produits.

Les logiciels d'entreprise

Le **logiciel d'entreprise** est construit à partir de milliers de processus d'affaires prédéfinis qui reflètent les meilleures pratiques. Le tableau 9-1 décrit quelques-uns de ces grands processus que prend en charge le système d'entreprise.

Les entreprises qui mettent en place le logiciel d'entreprise doivent d'abord sélectionner les fonctions du système qu'elles souhaitent utiliser, puis faire correspondre leurs processus d'affaires aux processus d'affaires prédéfinis. Tasty Baking, présentée en début de chapitre, a inventorié ses processus d'affaires avant de les transformer de façon qu'ils correspondent aux processus d'affaires du progiciel de gestion intégré de SAP qu'elle avait sélectionnés. Les entreprises peuvent utiliser les tables de configuration fournies pour personnaliser un aspect particulier du système en fonction de leur façon de diriger les affaires. Par exemple, elles peuvent déterminer si elles désirent faire le suivi des ventes par lignes de produits, par zones géographiques ou par canaux de distribution.

Si le logiciel d'entreprise ne va pas dans le sens de leur mode de fonctionnement, les entreprises peuvent en récrire une partie de façon à ce qu'il s'y conforme. Cependant, à cause de la complexité particulière de ce genre d'outil, une personnalisation poussée peut en altérer la performance et finir par nuire au regroupement des données et des processus, qui constitue le principal avantage du système. Pour retirer le maximum de bénéfices du logiciel, les entreprises doivent changer leur façon de travailler pour se conformer aux processus d'affaires prédéfinis et personnaliser le moins possible le système.

Tasty Baking a volontairement prévu d'adapter moins de 5 % du système et a apporté très peu de modifications au logiciel proprement dit. Elle a utilisé le plus grand nombre possible d'outils et de caractéristiques déjà proposées par le logiciel de SAP. Ce dernier comporte plus de 3000 tables de configuration. Le repérage des processus d'affaires de l'organisation à intégrer au système, puis la mise en correspondance de ces processus avec ceux du logiciel d'entreprise constituent souvent un travail important.

Les principaux fournisseurs de logiciels d'entreprise sont SAP, Oracle (qui a acquis PeopleSoft) et SSA Global. Leurs progiciels existent en versions pour les petites entreprises et en versions disponibles chez les fournisseurs d'applications,

LES PROCESSUS D'AFFAIRES PRIS EN CHARGE PAR LES SYSTÈMES D'ENTREPRISE

Processus financiers et comptables, notamment le grand livre, les comptes créditeurs, les comptes débiteurs, les immobilisations, la gestion de la trésorerie et les prévisions pour la trésorerie, la comptabilité des coûts de production, la comptabilité par centre de coûts, la comptabilité des immobilisations, les impôts, la gestion du crédit et la présentation des états comptables.

Processus des ressources humaines, notamment la gestion du personnel, la comptabilité des heures de travail, la paie, la gestion prévisionnelle du personnel, la comptabilité des avantages sociaux, le suivi des candidats, la gestion du temps, les rémunérations, la planification de la main-d'œuvre, la gestion du rendement et les notes de frais de voyage.

Processus de fabrication et de production, notamment l'approvisionnement, la gestion des stocks, les achats, les livraisons, la planification de la production, l'ordonnancement de la production, la planification des besoins en matériel, le contrôle de la qualité, la distribution, le transport et l'entretien des installations et du matériel.

Processus des ventes et du marketing, notamment le traitement des commandes, les soumissions, les contrats, la configuration de produits, les prix, la facturation, la vérification du crédit, la gestion des commissions et des incitatifs et la planification des ventes.

sur le Web. Bien qu'ils aient été conçus à l'origine pour l'automatisation des processus d'affaires internes, les systèmes d'entreprise s'orientent de plus en plus vers l'extérieur et permettent la communication avec les clients, avec les fournisseurs et avec les autres organisations.

La valeur des systèmes d'entreprise

Les systèmes d'entreprise peuvent apporter de la valeur, d'une part en augmentant l'efficacité de l'organisation et, d'autre part, en fournissant de l'information à l'échelle de l'entreprise et en aidant ainsi les gestionnaires à prendre de meilleures décisions. Les grandes sociétés ayant de nombreuses sections réparties dans différents pays utilisent les systèmes d'entreprise pour uniformiser les pratiques et les données.

Coca-Cola, par exemple, a implanté un système d'entreprise SAP pour uniformiser et coordonner les processus d'affaires importants répartis dans 200 pays. L'absence d'uniformité entre les processus d'affaires empêchait l'entreprise de miser sur son pouvoir d'achat mondial pour négocier le prix des matières premières et pour réagir rapidement aux fluctuations du marché. De même, Nestlé a installé un système d'entreprise SAP pour normaliser les processus d'affaires de 500 installations situées dans 80 pays.

Les systèmes d'entreprise aident à répondre plus efficacement aux demandes des clients pour des produits ou de l'information. Comme ils combinent les informations sur les commandes, sur la fabrication et sur les livraisons, le service de la fabrication est mieux informé et ne produit que ce que les clients commandent. Ainsi, il se procure la quantité exacte de composantes ou de matières premières dont il a besoin pour exécuter les commandes réelles, organise la production et réduit au minimum le temps durant lequel les composantes et les produits finis sont entreposés.

L'implantation d'un logiciel d'entreprise Oracle a permis à Alcoa d'éliminer de nombreux processus et systèmes redondants. Alcoa a ainsi pu réduire le temps de cycle des demandes de paiement (le temps écoulé depuis l'émission d'une demande d'achat jusqu'au paiement) en procédant à la vérification du récépissé des marchandises et à l'émission automatique d'un reçu pour le paiement. La durée de traitement des opérations de comptes créditeurs a ainsi chuté de 89 %. En outre, Alcoa a pu centraliser ses activités financières et ses activités d'approvisionnement, ce qui lui a permis de réduire ses coûts de près de 20 % à l'échelle mondiale.

Les systèmes d'entreprise fournissent une information inestimable qui permet d'améliorer le processus décisionnel de la direction. Le siège social dispose de données à jour sur les ventes, les stocks et la production et il peut s'en servir pour faire des prévisions de vente et de production beaucoup plus justes. Les logiciels d'entreprise comprennent des outils d'analyse qui utilisent les données recueillies pour évaluer le rendement général. La définition et le format des données sont normalisés et acceptés dans toute l'organisation. Les taux de rendement signifient la même chose dans tous les secteurs et services. Les systèmes d'entreprise permettent à la haute direction de connaître facilement et à n'importe quel moment le rendement d'une unité organisationnelle donnée, de déterminer les produits les plus rentables et ceux qui le sont moins et de calculer les coûts pour l'ensemble de l'entreprise.

Par exemple, le système d'entreprise adopté par Alcoa comprend des fonctionnalités pour la gestion de l'ensemble des ressources humaines. Ces fonctionnalités montrent les corrélations existant entre l'investissement dans la formation et la qualité. Elles mesurent aussi les coûts associés à la prestation de services aux employés pour l'ensemble de l'entreprise, de même que l'efficacité du recrutement, de la rémunération et de la formation.

9.2 LES SYSTÈMES DE GESTION DE LA CHAÎNE LOGISTIQUE

Si vous êtes gestionnaire d'une petite entreprise n'offrant qu'un nombre limité de produits ou de services, vous avez sans doute également peu de fournisseurs. Vous arrivez à coordonner vos commandes et vos livraisons avec un téléphone et un télécopieur. Cependant, si votre entreprise offre des produits ou des services plus complexes, vous risquez d'avoir des centaines de fournisseurs ayant eux-mêmes leurs propres fournisseurs. Par conséquent, il vous faut coordonner les activités de centaines, voire de milliers d'autres entreprises pour parvenir à fabriquer ou à vendre vos produits et services. Les systèmes de gestion de la chaîne logistique, que nous avons présentés au chapitre 2, constituent une réponse à ces problèmes de complexité et d'étendue de certaines chaînes logistiques.

La chaîne logistique

La **chaîne logistique** est un réseau d'organisations et de processus d'affaires permettant l'approvisionnement en matières premières, la transformation des matières premières en produits intermédiaires et finis et la distribution des produits finis aux clients. Elle relie les fournisseurs, les usines, les centres de distribution, les points de vente au détail et les clients dans le but de fournir des biens ou des services depuis la source jusqu'à la consommation. Les matériaux, l'information et les paiements se déplacent sur la chaîne logistique dans les deux sens.

Au départ, les biens sont des matières premières. Tandis qu'elles se déplacent dans la chaîne logistique, ces matières premières deviennent des produits intermédiaires (ou des composants ou des pièces), puis des produits finis. Les produits finis sont envoyés aux centres de distribution jusqu'à atteindre les points de vente au détail et les clients. Les articles retournés se déplacent dans le sens inverse, depuis l'acheteur jusqu'au vendeur.

Examinons, en guise d'exemple, la chaîne logistique de Nike. Nike conçoit, met sur le marché et vend des chaussures, des chaussettes, des vêtements et des accessoires de sport dans le monde entier. Ses fournisseurs primaires sont des sous-traitants dont les usines se trouvent en Chine, en Thaïlande, en Indonésie, au Brésil et dans d'autres pays. Ils confectionnent les produits finis de Nike.

Les sous-traitants de Nike ne se chargent pas de l'entière confection des chaussures. Ils en obtiennent les composantes – lacets, œillets, tiges et semelles – auprès d'autres fournisseurs et les assemblent pour obtenir le produit fini. Ces fournisseurs comptent eux-mêmes sur d'autres fournisseurs. Par exemple, les fournisseurs de semelles ont des fournisseurs de caoutchouc synthétique, des fournisseurs de produits chimiques pour la fonte et le moulage du caoutchouc et des fournisseurs de moules. Les fournisseurs de lacets s'approvisionnent quant à eux auprès de fournisseurs de fil, de teintures et d'embouts de plastique.

La figure 9-2 fournit une représentation simplifiée de la chaîne logistique de Nike pour la fabrication de chaussures. Elle montre la circulation de l'information et des matériaux entre les fournisseurs, Nike, les distributeurs de produits Nike, les détaillants et les consommateurs. Les sous-traitants de Nike sont ses fournisseurs primaires (premier niveau). Les fournisseurs de semelles, d'œillets, de tiges et de lacets

FIGURE 9-2 LA CHAÎNE LOGISTIQUE DE NIKE

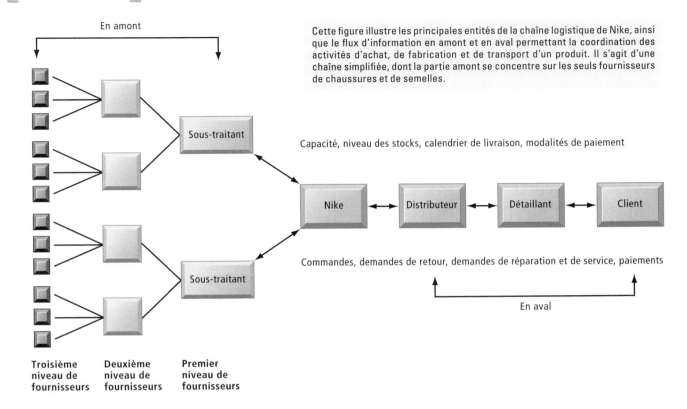

Cette figure illustre les principales entités de la chaîne logistique de Nike, ainsi que le flux d'information en amont et en aval permettant la coordination des activités d'achat, de fabrication et de transport d'un produit. Il s'agit d'une chaîne simplifiée, dont la partie amont se concentre sur les seuls fournisseurs de chaussures et de semelles.

sont les fournisseurs secondaires (deuxième niveau). Les fournisseurs de ces derniers sont des fournisseurs tertiaires (troisième niveau).

Les fournisseurs de l'entreprise et leurs propres fournisseurs ainsi que les processus de gestion des relations correspondantes constituent la partie *amont* de la chaîne logistique. Les organisations et les processus de distribution et de livraison des produits aux consommateurs constituent la partie *aval*. Les fabricants, ici les sous-traitants qui fabriquent les chaussures pour Nike, gèrent par ailleurs leurs propres processus composant la *chaîne logistique interne* : ils visent la transformation des matériaux, des composantes et des services fournis par leurs fournisseurs en produits finis ou en produits intermédiaires (composantes ou parties) pour leurs clients ; ils concernent aussi la gestion des matériaux et des stocks.

La chaîne logistique illustrée à la figure 9-2 est simplifiée. Elle ne comporte que deux sous-traitants de chaussures et que la partie amont de la chaîne logistique des semelles. Mais Nike compte des centaines de sous-traitants produisant des chaussures, des chaussettes et des vêtements de sport et ayant chacun leurs propres fournisseurs. La partie amont de sa chaîne logistique comprend donc en réalité des milliers d'entités. Nike compte aussi de nombreux distributeurs et plusieurs milliers de magasins où sont vendues ses

chaussures. La partie aval de sa chaîne logistique est donc aussi grande que complexe.

Les systèmes d'information et la gestion de la chaîne logistique

Les dysfonctionnements de la chaîne logistique, comme le manque de pièces, une sous-utilisation de la capacité de production de l'usine, un stock de produits finis excessif ou des coûts de transport exorbitants, s'expliquent par une inexactitude des informations ou par un manque d'information en temps voulu. Par exemple, les fabricants peuvent garder un trop grand nombre de pièces en stock parce qu'ils ignorent le moment précis où ils recevront la prochaine livraison de leurs fournisseurs. Les fournisseurs peuvent, quant à eux, commander une quantité insuffisante de matières premières parce qu'ils n'ont pas d'informations précises sur la demande. Ces pratiques non efficientes de la chaîne logistique peuvent occasionner des pertes représentant jusqu'à 25 % des frais d'exploitation de l'entreprise.

Si un fabricant connaissait exactement le nombre d'unités de produits que désirent ses clients, le moment où ils les veulent et le moment où lui peut les produire, il pourrait mettre en œuvre une stratégie **juste-à-temps** très efficace. Les composantes arriveraient exactement en temps voulu et les produits finis seraient expédiés dès leur sortie de la chaîne de montage.

Cependant, dans une chaîne logistique, les incertitudes sont courantes, car de nombreux événements restent imprévisibles : demande de produits incertaine, retards de livraison des fournisseurs, pièces ou matières premières défectueuses, panne des processus de production, etc. Pour satisfaire les clients, les fabricants prévoient ces incertitudes et ces événements imprévisibles en gardant en stock plus de matériaux et de produits qu'ils n'en ont besoin. Le *stock de sécurité* compense alors le manque de souplesse de la chaîne logistique. Mais si l'excès de stock est coûteux, un faible taux de service l'est tout autant, à cause des pertes qu'entraînent les annulations de commandes.

L'**effet coup de fouet** est un problème récurrent dans la gestion de la chaîne logistique. Il se traduit par la déformation de l'information relative à la demande d'un produit, au moment de sa transmission d'une entité à l'autre dans la chaîne logistique. Ainsi, une légère hausse de la demande d'un article peut inciter différents partenaires de la chaîne logistique (distributeurs, fabricants, fournisseurs primaires, fournisseurs secondaires et fournisseurs tertiaires) à accu-muler des stocks en cas de besoin. Ces changements se répercutent sur toute la chaîne logistique, et ce qui était au départ un simple petit changement dans les commandes prévues finit par entraîner des coûts excessifs d'inventaire, de production, d'entreposage et d'expédition (figure 9-3).

Par exemple, l'entreprise Procter & Gamble (P&G) a cons-taté qu'elle avait des stocks beaucoup trop élevés de couches jetables Pampers en différents points de sa chaîne logistique, à cause de cette déformation de l'information. Malgré la sta-bilité des achats des consommateurs, les commandes des distributeurs grimpaient quand elle offrait des promotions de prix agressives. Les produits Pampers et leurs composantes s'accumulaient ainsi dans les entrepôts de la chaîne logistique, pour répondre à une demande qui, en fait, n'existait pas. Pour régler ce problème, P&G a revu ses processus de marke-ting, de vente et de chaîne logistique, et s'est appuyée sur des prévisions plus précises de la demande (Lee, Padmanabhan et Wang, 1997).

On peut contrecarrer l'effet coup de fouet en réduisant les incertitudes relatives à l'offre et à la demande. Il faut pour cela fournir à tous les partenaires de la chaîne logistique une information précise et à jour. Si tous les partenaires de la

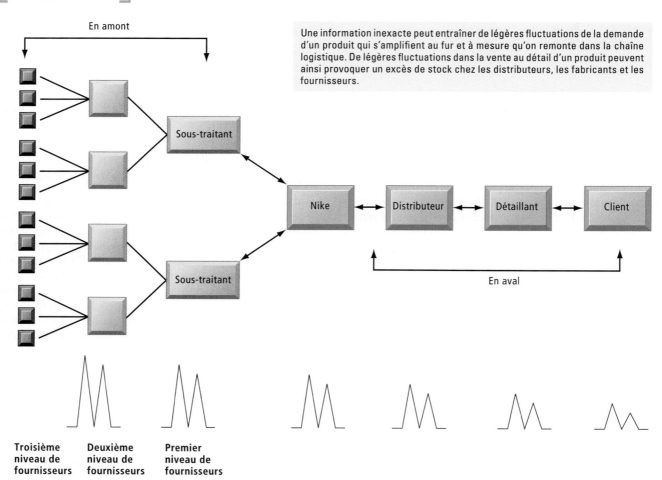

FIGURE 9-3 **L'EFFET COUP DE FOUET**

En amont

Une information inexacte peut entraîner de légères fluctuations de la demande d'un produit qui s'amplifient au fur et à mesure qu'on remonte dans la chaîne logistique. De légères fluctuations dans la vente au détail d'un produit peuvent ainsi provoquer un excès de stock chez les distributeurs, les fabricants et les fournisseurs.

Sous-traitant

Nike — Distributeur — Détaillant — Client

En aval

Sous-traitant

Troisième niveau de fournisseurs   Deuxième niveau de fournisseurs   Premier niveau de fournisseurs

TABLEAU 9-2

LA CONTRIBUTION DES SYSTÈMES D'INFORMATION À LA GESTION DE LA CHAÎNE LOGISTIQUE

L'information fournie par les systèmes de gestion de la chaîne logistique facilite les opérations suivantes :

Déterminer ce qu'il faut produire, entreposer et déplacer, et à quel moment

Transmettre rapidement les commandes

Suivre l'état d'avancement des commandes

Vérifier la disponibilité des marchandises en stock et surveiller le niveau des stocks

Réduire les coûts d'inventaire, de transport et d'entreposage

Suivre les envois

Planifier la production en fonction de la demande réelle

Communiquer rapidement les changements dans la conception du produit

chaîne logistique pouvaient partager une information dynamique sur les quantités de stocks, les calendriers, les prévisions et les expéditions, ils pourraient adapter leurs plans d'approvisionnement, de fabrication et de distribution en conséquence. Les systèmes de gestion de la chaîne logistique fournissent le type d'information qui peut aider les partenaires à prendre de meilleures décisions concernant les achats et les calendriers. Le tableau 9-2 décrit les avantages que tirent les entreprises de ces systèmes.

Les logiciels de gestion de la chaîne logistique

Essentiellement, on peut classer les logiciels de la chaîne logistique en deux catégories : les logiciels aidant les entreprises à planifier leur chaîne logistique (planification de la chaîne logistique) et les logiciels aidant les entreprises à exécuter les étapes de la chaîne logistique (exécution de la chaîne logistique). Les **systèmes de planification de la chaîne logistique** permettent aux entreprises de modéliser leur chaîne logistique existante, de faire des prévisions quant à la demande pour un produit donné et d'élaborer des plans d'approvisionnement et de fabrication pour ce produit. Ils aident les entreprises à prendre de meilleures décisions d'exploitation : par exemple, déterminer la quantité d'un produit à fabriquer dans une période donnée ; établir les niveaux de stocks des matières premières, des produits intermédiaires et des produits finis ; déterminer où entreposer les produits finis ; choisir le mode de transport à utiliser pour la livraison.

Un client important peut, par exemple, passer une commande plus grosse que d'habitude ou modifier cette commande à la dernière minute. Les répercussions sur la

chaîne logistique sont alors considérables. Le fabricant devra peut-être commander à ses fournisseurs des matières premières supplémentaires ou une combinaison différente de matières premières. Il devra aussi modifier sa planification du travail. La société de transport devra sans doute revoir son calendrier de livraison. Dans un cas comme celui-ci, le logiciel de planification de la chaîne logistique apporte les modifications nécessaires aux plans de production et de distribution. Les partenaires qui sont concernés échangent l'information relative aux changements afin de coordonner leur travail. La **planification de la demande** est l'une des fonctions les plus importantes et les plus complexes de la planification de la chaîne logistique : elle vise à déterminer la quantité de produits que doit fabriquer une entreprise pour satisfaire les demandes de sa clientèle.

La société Whirlpool, fabricant de laveuses, de sécheuses, de réfrigérateurs, de cuisinières et d'autres appareils électroménagers, se sert de systèmes de planification de la chaîne logistique pour faire en sorte que sa production corresponde toujours à la demande. Elle utilise un logiciel d'i2 Technologies, qui comprend des modules pour le programme directeur, le plan de déploiement et la planification des stocks. Elle a également installé un outil Internet i2 pour la planification commune des approvisionnements : il lui permet de communiquer et de combiner ses prévisions de vente et celles de ses principaux partenaires commerciaux. Grâce aux améliorations apportées à la planification de la chaîne logistique, Whirlpool a pu atteindre un taux de 97 % pour la disponibilité de ses produits en stock, lorsque les consommateurs en ont besoin. Elle a aussi réduit de 20 % le nombre de produits finis excédentaires et de 50 % les erreurs de prévisions (i2, 2007).

Les **systèmes d'exécution de la chaîne logistique** gèrent le flux de produits passant par les centres de distribution et les entrepôts, afin que les produits soient livrés aux bons endroits avec un maximum d'efficacité. Ils suivent la progression des produits dans la chaîne logistique, la gestion des matériaux, les activités relatives à l'entreposage et au transport, et l'information financière concernant chacun de ces domaines. Les systèmes de gestion du transport et de gestion de l'entreposage d'Haworth, décrits au chapitre 2, font partie de cette catégorie de systèmes. Manugistics et i2 Technologies (achetés tous les deux par JDA Software) sont d'importants fournisseurs de logiciels de gestion de la chaîne logistique. Les fournisseurs de logiciels d'entreprise SAP et Oracle-PeopleSoft proposent quant à eux des modules de gestion de la chaîne logistique.

La session interactive portant sur la technologie décrit comment un logiciel de gestion de la chaîne logistique permet d'améliorer la performance opérationnelle et la prise de décision chez Procter & Gamble. Cette multinationale gère des chaînes logistiques mondiales pour plus de 300 marques, dont chacune présente une variété de configurations. Ses chaînes logistiques sont nombreuses et complexes. P&G compte un grand nombre d'applications de gestion de la chaîne logistique. L'application décrite dans la session interactive vise l'optimisation des stocks.

PROCTER & GAMBLE ESSAIE D'OPTIMISER SES STOCKS

L'allée des shampoings et celle des rouges à lèvres chez Zellers et Wal-Mart n'ont rien d'un champ de bataille, à première vue. Pourtant, les fabricants de produits de grande consommation s'y livrent une lutte sans merci pour l'espace d'étagère. Nulle entreprise ne le sait mieux que Procter & Gamble (P&G), l'une des plus grosses sociétés de produits de grande consommation au monde, déclarant des revenus annuels de plus de 76 milliards de dollars et comptant 138 000 employés dans 80 pays. P&G vend plus de 300 marques à l'échelle mondiale, dont les cosmétiques Cover Girl, les produits de soins Olay, Crest, Charmin, Tide, Pringles et Pampers.

La demande pour les produits de la division beauté de P&G est très variable. Une ombre à paupières ou un rouge à lèvres populaire peut en effet perdre ses adeptes très rapidement, car les tendances de la mode entraînent l'arrivée incessante de nouveaux produits sur le marché. De plus, la concurrence que se livrent les grands détaillants les pousse à offrir des produits de marque aux plus bas prix possibles.

Étant donné ces pressions, P&G cherche constamment des façons de réduire les coûts de sa chaîne logistique et d'accroître l'efficacité de l'ensemble de son réseau de fabrication et de distribution. La société a récemment implanté un système d'optimisation des stocks à plusieurs échelons, pour une meilleure gestion de sa chaîne logistique.

Les chaînes logistiques d'une entreprise de la taille de P&G sont extrêmement complexes, car elles comptent des milliers de fournisseurs, d'usines de production et de marchés. Le moindre changement à un point ou l'autre de la chaîne se répercute sur tous les autres participants. De plus, l'étendue des chaînes logistiques accroît les risques d'erreur ou d'inefficience par rapport aux chaînes plus compactes. L'optimisation des stocks est donc essentielle pour réduire les coûts et accroître les revenus. P&G était déjà réputée pour sa gestion de la chaîne logistique, ayant réussi à réduire ses surplus par la planification de la production et des ventes, l'amélioration de ses prévisions, l'adoption de stratégies de livraison juste-à-temps et la gestion commune des stocks. Cependant, l'optimisation des stocks à plusieurs échelons a donné à l'entreprise les moyens d'atteindre de nouveaux sommets d'efficience.

Les réseaux à plusieurs échelons sont des réseaux au sein desquels les produits sont entreposés dans une variété d'endroits, dans l'attente de leur distribution. Certains de ces endroits se trouvent à différents échelons, ou niveaux, du réseau de distribution. Par exemple, les réseaux de distribution des grands détaillants se composent souvent d'un centre de distribution régional et de nombreux centres de distribution en aval. La présence de nombreux échelons dans un réseau de distribution complique la gestion des stocks. En effet, chaque échelon étant isolé des autres, les modifications de stocks effectuées à un échelon donné peuvent avoir des conséquences imprévisibles sur les autres échelons.

L'optimisation des stocks à plusieurs échelons vise la réduction de l'ensemble des stocks, à tous les échelons de la chaîne logistique de l'entreprise. Elle est plus difficile à réaliser que l'optimisation des stocks traditionnelle, en raison du délai d'approvisionnement supplémentaire entre deux échelons, de l'effet coup de fouet et de la nécessité de synchroniser les commandes et le contrôle des coûts entre les échelons. Les entreprises dont les chaînes logistiques présentent un degré de complexité élevé doivent réapprovisionner et diviser leurs stocks à chaque centre de distribution, au lieu de le faire à un seul endroit ou à même les stocks du fournisseur initial. Les responsables des centres de distribution ignorent en outre les quantités de stocks des centres avec lesquels ils ne sont pas directement en contact. Il en résulte un manque de visibilité en amont et en aval de la chaîne logistique.

L'approche de la gestion des stocks sur plusieurs échelons se caractérise par les aspects suivants : de nombreuses mises à jour indépendantes des prévisions, à tous les échelons ; une justification de tous les délais d'exécution et des variations des délais d'exécution ; une gestion de l'effet coup de fouet ; une visibilité en amont et en aval de la chaîne logistique ; l'établissement de stratégies de commandes synchronisées ; une représentation adéquate des effets des stratégies de réapprovisionnement utilisées à chaque échelon sur les autres échelons.

Bien qu'elle préfère généralement mettre au point ses propres outils d'analyse, P&G s'est cette fois-ci tournée vers Optiant pour sa solution d'optimisation des stocks à plusieurs échelons, appelée PowerChain Suite. Gillette, qu'elle s'apprêtait alors à acquérir, avait déjà commencé à se servir du logiciel d'Optiant et en obtenait d'excellents résultats.

La suite PowerChain détermine des configurations de stocks qui peuvent s'adapter en douceur aux changements rapides de la demande. Elle utilise des modèles mathématiques inspirés de travaux reconnus du MIT et parvient à ces configurations en équilibrant les coûts, les ressources et le service après-vente. Les outils de PowerChain regroupent les stocks pour réduire le plus possible les risques concernant les produits, les composantes et les clients et pour coordonner les politiques de stockage des divers articles. (La disponibilité simultanée des divers niveaux de stocks permet de réduire la quantité d'anciens stocks.) PowerChain permet aux entreprises de concevoir de nouvelles chaînes logistiques et de modéliser leurs chaînes du début à la fin. Le logiciel leur permet d'évaluer rapidement le coût et le rendement de nouvelles structures de chaîne logistique et de nouvelles formules d'approvisionnement, et donc de prendre de meilleures décisions. Optiant a fourni des systèmes de gestion de la chaîne logistique à d'autres grands fabricants que P&G, notamment Black & Decker, HP, IKEA, Imation, Intel, Kraft, Microsoft et Sonoco.

La division des produits de beauté de P&G a servi de pilote pour l'adoption du logiciel d'Optiant. Elle est non seulement la plus grande et la plus complexe des divisions de l'entreprise, mais aussi la plus rentable. P&G estimait que si les stratégies d'optimisation des stocks à plusieurs échelons pouvaient accroître la rentabilité de cette division en particulier, elles fonctionneraient pour toutes les autres.

Le logiciel d'Optiant a d'abord configuré les chaînes logistiques existantes dans les cosmétiques, en regroupant les informations sur la demande recueillies au cours des 18 mois précédents et en utilisant la variabilité de la demande au cours des 3 mois précédents. Il a ensuite optimisé la stratégie de dénombrement des stocks utilisée pour cette chaîne logistique, visant un degré de service supérieur à 99 %. Enfin, il a déterminé de nouveaux modèles de chaînes logistiques avant de redessiner une version optimale du réseau de distribution.

Les résultats furent impressionnants. La division des produits de beauté de P&G a réduit ses stocks de 3 à 7 % et maintenu son degré de service au-dessus de 99 %. Au cours du premier exercice financier suivant l'implantation du nouveau logiciel, ses revenus ont augmenté de 13 % et ses ventes, de 7 %. En comparaison de ceux de l'exercice précédent, les niveaux de stocks évalués en jours ont diminué de huit jours. En fait, les résultats étaient si probants que P&G a entrepris le déploiement des stratégies d'optimisation des stocks à plusieurs échelons dans toutes ses divisions de fabrication.

Sources: John Kerr, «Procter & Gamble Takes Inventory Up a Notch», *Supply Chain Management Review*, 13 février 2008; Optiant, «Optiant Announces Multi-Echelon Inventory Optimization Enterprise Agreement with P&G», 17 octobre 2007; www.optiant.com, consulté le 29 septembre 2009.

Questions

1. Pourquoi les grandes chaînes logistiques sont-elles plus difficiles à gérer? Donnez plusieurs raisons.

2. Pourquoi la gestion de la chaîne logistique prend-elle une telle importance dans une société comme P&G?

3. Dans quelle mesure l'optimisation des stocks a-t-elle influé sur les opérations et la prise de décision chez P&G?

4. Pourquoi l'optimisation des stocks à plusieurs échelons n'offre-t-elle pas les mêmes avantages à une petite entreprise qu'à une grande société? Justifiez votre réponse.

Ateliers

1. Quels ingrédients entrent dans la composition d'un produit P&G, par exemple un dentifrice Crest ou un rouge à lèvres Cover Girl? Faites une recherche sur Internet ou consultez l'emballage d'un produit de votre choix en magasin pour en dresser la liste.

2. En vous servant d'Internet, déterminez les principaux fournisseurs de chacun de ces ingrédients ainsi que leur situation géographique.

3. Que vous apprend votre enquête sur la chaîne logistique du produit que vous avez choisi? Quels facteurs pourraient déterminer le prix et la disponibilité de ce produit?

Internet et les chaînes logistiques mondiales

Avant l'avènement d'Internet, il était difficile de coordonner les différentes parties de la chaîne logistique, comme les achats, la gestion des matières, la fabrication et la distribution, puisque l'information circulait avec peine entre les systèmes disparates correspondants. Il était également difficile pour l'entreprise d'échanger de l'information avec des partenaires externes de la chaîne logistique, car les systèmes des fournisseurs, des distributeurs et des fournisseurs logistiques reposaient sur des plateformes technologiques et des normes qui étaient incompatibles avec celles de ses propres systèmes. Les systèmes d'entreprise pouvaient assurer une certaine coordination des processus internes de la chaîne logistique, mais ils n'étaient pas conçus pour traiter les processus externes.

La technologie d'Internet permet maintenant une certaine intégration de la chaîne logistique à peu de frais. Les entreprises recourent aux *intranets* pour améliorer la coordination des processus de leur chaîne logistique interne, et aux *extranets* pour coordonner les processus de la chaîne logistique qu'elles partagent avec leurs partenaires d'affaires (figure 9-4).

Grâce aux intranets et aux extranets, tous les partenaires de la chaîne logistique peuvent communiquer instantanément entre eux et obtenir une information à jour leur permettant d'ajuster leurs activités d'achat, de logistique, de fabrication,

FIGURE 9-4 **LES INTRANETS ET LES EXTRANETS
DANS LA GESTION DE LA CHAÎNE LOGISTIQUE**

L'entreprise peut utiliser les intranets pour intégrer les informations provenant de processus d'affaires internes isolés, afin de mieux gérer sa chaîne logistique interne. Elle peut également autoriser l'accès à ces intranets privés à des fournisseurs, à des distributeurs, à des fournisseurs de services de logistique et, occasionnellement, à des clients, afin d'améliorer la coordination des processus externes de la chaîne logistique.

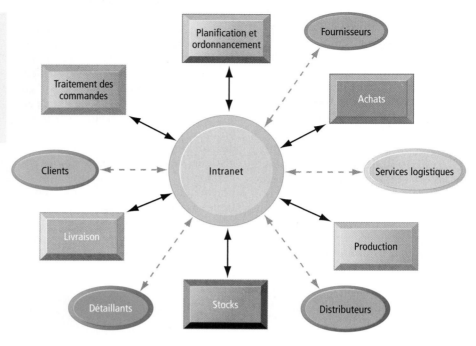

d'emballage et de planification. Un gestionnaire peut utiliser une interface Web pour entrer dans les systèmes des fournisseurs et déterminer si les disponibilités de stocks et de production concordent avec la demande du produit de l'entreprise. Les partenaires d'affaires peuvent se servir des outils de gestion de la chaîne logistique se trouvant sur le Web pour établir des prévisions ensemble, en ligne. Les représentants des ventes peuvent accéder à l'information relative aux calendriers de production et à la logistique des fournisseurs et suivre ainsi l'état des commandes des clients.

Les questions relatives à la chaîne logistique mondiale

De plus en plus d'entreprises externalisent les opérations de fabrication, achètent leurs fournitures et vendent leurs produits à l'étranger. Elles doivent gérer des chaînes logistiques s'étendant dans plusieurs pays et régions, auxquelles sont associées une complexité accrue et des difficultés supplémentaires.

En général, les chaînes logistiques mondiales couvrent de plus vastes zones géographiques et s'étendent sur un plus grand nombre de fuseaux horaires que les chaînes logistiques locales. Elles comptent des intervenants dans de nombreux pays. Bien que l'achat de nombreux produits à l'étranger soit avantageux du point de vue du prix, il entraîne souvent des coûts supplémentaires de transport, d'entreposage (puisqu'il est nécessaire de prévoir une réserve tampon) et de taxes ou de frais locaux. Les normes de rendement peuvent varier d'une région et d'un pays à l'autre. Dans la gestion de la chaîne logistique, on peut devoir tenir compte des réglementations gouvernementales étrangères et des différences culturelles.

Tous ces facteurs influent sur la façon de prendre les commandes, de planifier la distribution, de calibrer l'entreposage et de gérer la logistique de production et la logistique de distribution sur les marchés mondiaux.

Internet aide les entreprises à gérer de nombreux aspects de leurs chaînes logistiques mondiales, notamment les approvisionnements, le transport, les communications et les finances. L'industrie du vêtement, par exemple, recourt beaucoup à l'impartition et traite avec des fabricants de Chine ou d'autres pays où les salaires sont peu élevés. Les entreprises de cette industrie commencent à utiliser Internet pour gérer les questions de chaîne logistique mondiale et de production.

Par exemple, Koret of California, filiale de Kellwood, utilise le logiciel Web e-SPS pour avoir une bonne visibilité du début à la fin de sa chaîne logistique mondiale. Ce logiciel Web offre des composantes pour l'approvisionnement, le suivi des produits en cours de fabrication, l'acheminement de la production, le suivi du développement de produit, la détermination de problème et la collaboration, la projection de dates de livraison et les demandes de renseignements et de rapports sur la production.

L'approvisionnement, la production et l'expédition des produits nécessitent une communication entre les détaillants, les fabricants, les sous-traitants, les agents et les fournisseurs logistiques. Nombre d'entre eux, surtout les petites entreprises, échangent encore l'information par téléphone, par courriel ou par télécopieur. Or ces méthodes ralentissent la chaîne logistique et sont la source d'erreurs et d'incertitudes. Le logiciel e-SPS permet à tous les acteurs de la chaîne logistique de communiquer par l'intermédiaire d'un système Web. Si l'un des fournisseurs de Koret apporte des modifications à l'avancement d'un produit, tous les acteurs de la chaîne logistique en ont rapidement connaissance.

Outre la sous-traitance, la mondialisation a favorisé l'externalisation de la gestion d'entrepôt, de la gestion du transport et des activités qui y sont associées à des tiers fournisseurs de logistique, comme UPS Supply Chain Services et American Port Services. Ces derniers proposent à leurs clients des logiciels Web qui leur donnent une meilleure perspective sur leur chaîne logistique mondiale. American Port Services a investi dans des logiciels qui lui permettent de synchroniser les processus avec les expéditeurs transitaires, les concentrateurs logistiques et les entrepôts qu'il utilise aux quatre coins du monde et, ainsi, de gérer les envois et les stocks de ses clients. Les clients consultent un site Web sécurisé pour surveiller les stocks et les envois, ce qui les aide à gérer efficacement leurs chaînes logistiques mondiales.

Les chaînes logistiques orientées vers la demande : la fabrication avec la technologie du pousser et du tirer et les systèmes de réponse efficace au client

Outre qu'ils réduisent les coûts, les systèmes de gestion de la chaîne logistique permettent aux entreprises de répondre efficacement aux besoins des clients et les orientent davantage vers la demande. (Voir le chapitre 3 pour la définition des systèmes de réponse efficace au client.)

Par le passé, les systèmes de gestion de la chaîne logistique fonctionnaient selon le modèle de technologie du pousser (aussi appelé *fabrication pour stocker*). Dans le **modèle de technologie du pousser**, les plans directeurs de production se fondent sur des prévisions ou des approximations de la demande, et les produits sont «poussés» vers les clients. Mais avec les outils disponibles sur le Web et les nouveaux flux d'information, la gestion de la chaîne logistique peut main-

tenant plus facilement suivre le modèle de technologie du tirer. Dans le **modèle de technologie du tirer**, aussi appelé *modèle orienté vers la demande* ou *fabrication sur commande*, les commandes ou les achats réels des clients déclenchent des événements dans la chaîne logistique. Les seules activités visant la production et la livraison de ce que les clients ont commandé remontent la chaîne logistique depuis les détaillants jusqu'aux fournisseurs, en passant par les distributeurs et les fabricants. Seuls les produits permettant d'exécuter les commandes redescendent la chaîne jusqu'au détaillant. Les fabricants utilisent uniquement l'information de demande fournie par les commandes réelles pour établir leurs calendriers de production et faire l'approvisionnement de composantes ou de matières premières, comme l'illustre la figure 9-5. Le système de réapprovisionnement continu de Wal-Mart et le système de fabrication sur commande de Dell Computer, tous deux décrits dans le chapitre 3, sont des exemples de modèles de technologie du tirer.

Internet et sa technologie permettent de passer d'une chaîne logistique séquentielle, où l'information et les matières se déplacent séquentiellement d'une entreprise à l'autre, à une chaîne logistique concurrente, où l'information se déplace simultanément dans plusieurs directions, dans le réseau de partenaires. Les membres du réseau peuvent s'adapter immédiatement aux changements de calendriers ou de commandes. En fin de compte, Internet pourrait créer un «système nerveux logistique numérique» pour l'ensemble de la chaîne logistique (figure 9-6).

La valeur des systèmes de gestion de la chaîne logistique

Les systèmes de gestion de la chaîne logistique permettent aux entreprises de simplifier leurs processus logistiques internes et externes et fournissent aux gestionnaires une

FIGURE 9-5 UNE COMPARAISON DES MODÈLES DE TECHNOLOGIE DU TIRER ET DU POUSSER POUR LA CHAÎNE LOGISTIQUE

Le slogan «fabriquer ce qu'on vend plutôt que vendre ce qu'on fabrique» résume bien la différence entre le modèle de technologie du tirer et le modèle de technologie du pousser.

Modèle de technologie du pousser

Fournisseur	Fabricant	Distributeur	Détaillant	Client
Approvisionnement selon les prévisions	Production fondée sur les prévisions	Stocks fondés sur les prévisions	Stocks fondés sur les prévisions	Achat des produits sur les tablettes

Modèle de technologie du tirer

Fournisseur	Fabricant	Distributeur	Détaillant	Client
Approvisionnement selon les commandes	Production selon les commandes	Réapprovisionnement automatique de l'entrepôt	Réapprovisionnement automatique des stocks	Commandes client

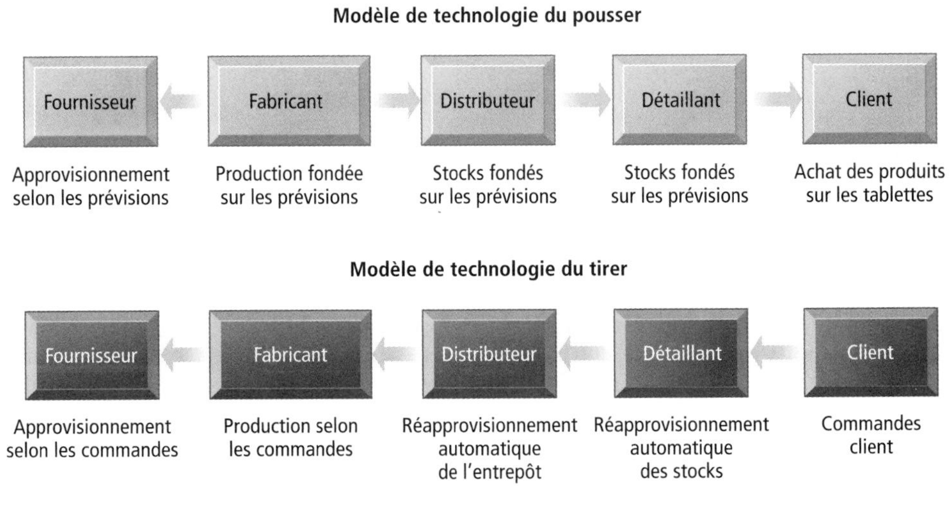

FIGURE 9-6 LA FUTURE CHAÎNE LOGISTIQUE SUR INTERNET

La future chaîne logistique sur Internet fonctionne comme un système nerveux logistique numérique. Elle assure une communication multidirectionnelle entre les entreprises, les réseaux d'entreprises et les cybermarchés, permettant ainsi à des réseaux entiers de partenaires de chaînes logistiques d'ajuster immédiatement leurs stocks, leurs commandes et leurs capacités de production.

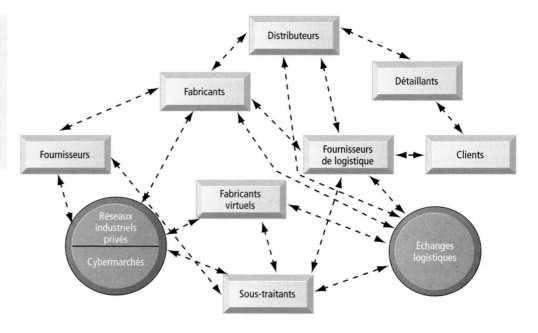

information plus précise sur ce qu'il faut produire, entreposer et déplacer. En mettant en place un système de gestion de la chaîne logistique en réseau et intégré, les entreprises peuvent faire correspondre l'offre à la demande, réduire les niveaux de stocks, améliorer le service de livraison, accélérer le délai de commercialisation et utiliser plus efficacement les actifs.

Les coûts totaux de la chaîne logistique représentent la majorité des frais d'exploitation dans de nombreuses entreprises et près de 75 % du budget d'exploitation total dans certaines industries. Par conséquent, leur diminution peut avoir des répercussions considérables sur la rentabilité de l'entreprise.

Outre qu'ils permettent de réduire les coûts, les systèmes de gestion de la chaîne logistique contribuent à l'augmentation des ventes. En effet, en cas de non-disponibilité d'un produit, le client essaye souvent d'acheter ailleurs. Un contrôle précis de la chaîne logistique permet à l'entreprise d'avoir le bon produit au bon moment pour les achats du client.

9.3 LES SYSTÈMES DE GESTION DE LA RELATION CLIENT

Aujourd'hui, les phrases du type « le client a toujours raison » ou « le client est roi » sonnent plus vrai que jamais. Comme un avantage concurrentiel fondé sur un produit ou un service innovateur peut être de courte durée, les entreprises prennent conscience que leur seul avantage concurrentiel durable pourrait être leurs relations avec leurs clients. Selon certains, la concurrence n'appartient plus à celui qui vend le plus de produits et de services, mais à celui qui « possède » le client ; les relations avec les clients représenteraient l'actif le plus important de l'entreprise.

La gestion de la relation client (GRC)

De quels types d'information avez-vous besoin pour tisser et entretenir des relations solides et durables avec vos clients ? Vous voulez savoir précisément qui sont vos clients, comment entrer en contact avec eux, ce qu'il vous en coûte de leur vendre des produits ou des services, quels types de produits et services les intéressent et combien d'argent ils consacrent à votre entreprise. Si vous le pouvez, vous voulez vous assurer de bien connaître chacun d'eux, comme si vous étiez propriétaire d'un magasin situé dans une petite ville. Vous voulez aussi que vos bons clients aient le sentiment de jouir d'un statut privilégié.

Les propriétaires et les gérants de petits commerces de quartier ont un contact direct et personnel avec chacun de leurs clients. Mais les gestionnaires de grandes entreprises ayant des activités sur la scène métropolitaine, régionale, nationale ou mondiale ne le peuvent pas. Les clients sont trop nombreux, comme sont variées les façons dont ils interagissent avec l'entreprise (par Internet, par téléphone, par télécopieur et en personne). L'intégration des informations provenant de toutes ces sources et la gestion de cette vaste clientèle sont particulièrement ardues.

Dans une grande entreprise, les processus de vente, de service et de marketing sont généralement très compartimentés, et les services correspondants ne partagent pas beaucoup l'information essentielle qu'ils possèdent sur les clients. Certains renseignements sur un client donné seront associés à son numéro de compte, alors que d'autres éléments d'information seront classés selon les produits qu'il a achetés. Il n'y a pas de consolidation de toutes ces informations donnant un portrait uniforme du client dans l'ensemble de l'entreprise.

C'est là que les systèmes de gestion de la relation client entrent en scène. Les systèmes de gestion de la relation client (GRC, présentés au chapitre 2) capturent et intègrent les données sur les clients provenant de tous les secteurs de l'organisation. Ils les combinent et les analysent, puis transmettent les résultats aux divers systèmes et points de contact de l'entreprise avec la clientèle. Un **point de contact avec la clientèle** est un moyen de communication avec le client, comme le téléphone, le courrier électronique, un comptoir de service à la clientèle, la poste, un site Web ou un magasin de détail.

Un système de GRC bien conçu peut fournir à l'entreprise une vision d'ensemble de sa clientèle, qu'elle peut utiliser pour améliorer ses ventes et son service. Il peut aussi donner au client une vision d'ensemble de l'entreprise, à partir de n'importe quel point de contact (figure 9-7).

Un bon système de GRC fournit des données et des outils d'analyse permettant de répondre à des questions comme les suivantes. «Quelle valeur un client donné a-t-il pour l'entreprise, au cours de sa vie?» «Qui sont les plus fidèles clients de l'entreprise?» (Il peut coûter jusqu'à six fois plus cher d'acquérir un nouveau client que d'en conserver un.) «Qui sont les clients les plus rentables?» «Que souhaitent acheter ces clients rentables?» Les réponses à ces questions permettent à l'entreprise d'acquérir de nouveaux clients, d'améliorer le service et le soutien qu'elle propose à ses clients existants, de personnaliser son offre de service afin qu'elle réponde mieux aux préférences des clients et de fournir une valeur continue pour retenir les clients rentables.

Les logiciels de gestion de la relation client

Les progiciels commerciaux de gestion de la relation client vont des outils de niches de marché accomplissant des tâches limitées (comme la personnalisation de sites Web pour des clients particuliers) aux applications d'entreprise à grande échelle capturant une multitude d'interactions avec les clients, les analysant avec des outils de création de rapports évolués et se reliant à d'autres applications d'entreprise importantes (comme les systèmes de gestion de la chaîne logistique et les systèmes d'entreprise). Les logiciels de GRC les plus complets contiennent des modules pour la gestion de la relation partenaire (GRP) et la gestion de la relation employé (GRE).

La **gestion de la relation partenaire (GRP)** repose sensiblement sur les mêmes données, outils et systèmes que la gestion de la relation client, et elle a pour but d'améliorer la collaboration entre l'entreprise et ses partenaires vendeurs. Si l'entreprise ne vend pas directement aux clients mais recourt plutôt aux services de distributeurs et de détaillants, la GRP aide ces derniers à vendre directement aux clients. Elle permet à l'entreprise et à ses partenaires vendeurs de

FIGURE 9-7

LA GESTION DE LA RELATION CLIENT (GRC)

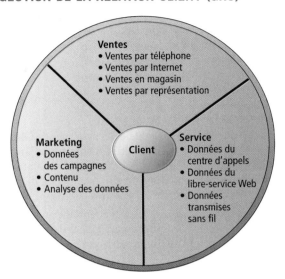

Un système de GRC examine le client sous plusieurs angles. Il utilise un ensemble d'applications intégrées pour traiter tous les aspects de la relation client, notamment le service à la clientèle, les ventes et le marketing.

partager l'information et de diffuser des listes de clients éventuels et des données sur les clients, en intégrant la création de listes, la fixation des prix, les promotions, les configurations de commandes et la disponibilité des produits. De plus, elle fournit à l'entreprise des outils pour évaluer la performance de ses partenaires et s'assurer que ses meilleurs partenaires reçoivent le soutien dont ils ont besoin pour conclure plus d'affaires.

La **gestion de la relation employé** traite des questions relatives aux employés et ayant un lien étroit avec la GRC, telles que l'établissement d'objectifs, la gestion du rendement des employés, la rémunération selon le rendement et la formation. Les principaux fournisseurs de logiciels d'application de GRC sont Siebel Systems et PeopleSoft, appartenant à Oracle, Salesforce.com, SAP et Dynamics CRM de Microsoft.

En général, les systèmes de gestion de la relation client offrent des outils logiciels et des outils en ligne pour la vente, le service à la clientèle et le marketing, comme nous allons le voir.

L'automatisation de la force de vente (AFV)

Les modules d'automatisation de la force de vente des systèmes de GRC aident le personnel des ventes à augmenter sa productivité en concentrant ses efforts sur les clients les plus rentables, ceux qui sont de bons candidats pour les ventes et les services. Les systèmes de GRC fournissent de l'information sur les clients potentiels, sur leurs coordonnées et sur les produits. Ils comportent des fonctions de configuration de produits et de création d'offres de produits ou services. De tels logiciels peuvent combiner des renseignements sur les achats antérieurs des clients, pour aider les vendeurs à faire des recommandations personnalisées. Ils facilitent l'échange d'information sur les clients actuels et les clients potentiels entre les services des ventes, du marketing et de la livraison. Ils améliorent l'efficacité des vendeurs en réduisant les coûts par vente, ainsi que les frais d'acquisition de nouveaux clients et de conservation des clients actuels. Enfin, ils offrent des fonctions de prévision des ventes, de gestion du territoire et de vente en équipe.

Le service à la clientèle

Les modules de service à la clientèle des systèmes de GRC fournissent de l'information et des outils permettant d'améliorer l'efficacité des centres d'appels, des services d'assistance et du personnel de la relation client. Ils ont la capacité de répartir et de gérer les demandes de service des clients.

Ainsi, les modules de service à la clientèle peuvent s'occuper d'une ligne téléphonique de conseil ou de rendez-vous. Quand un client compose un numéro de téléphone standard,

le système achemine l'appel au représentant de service approprié, lequel saisit l'information sur le client une seule fois. Dès lors que les données sont entrées dans le système, tout représentant de service peut s'occuper du client. La facilité d'accès à une information pertinente et exacte sur le client aide les centres d'appels à traiter un plus grand nombre d'appels par jour et à réduire la durée des appels. Par conséquent, les centres d'appels et les groupes de service à la clientèle peuvent améliorer leur productivité, réduire la durée des transactions et augmenter la qualité du service à moindre coût. Le client est plus satisfait, car il passe moins de temps au téléphone à expliquer son problème.

La session interactive sur les organisations décrit une autre fonction de la GRC qui permet d'améliorer le service à la clientèle et l'efficacité opérationnelle. L'implantation du logiciel Enkata a aidé JP Morgan Chase à accroître son taux de résolution de problème au premier appel, c'est-à-dire le nombre de fois où un agent de centre d'appels parvient à résoudre le problème d'un client dès le premier appel de ce dernier au service à la clientèle.

SESSION INTERACTIVE : LES ORGANISATIONS

CHEZ CHASE CARD SERVICES, LA GESTION DE LA RELATION CLIENT PERMET DE GÉRER LES APPELS DE LA CLIENTÈLE

Aux États-Unis, un grand nombre de personnes possèdent une carte de crédit émise par Chase. Chase Card Services est la division de crédit de JP Morgan Chase qui se spécialise dans les cartes de crédit, offrant une vaste gamme de produits et en particulier la carte Chase Rewards Platinum Visa. Faisant partie des plus grands émetteurs de cartes de crédit du pays, l'entreprise reçoit un grand nombre d'appels de clients au sujet de leur compte de carte de crédit. Chacun de ses 6000 agents répartis dans 11 centres d'appels à travers le monde répond à près de 120 appels par jour. Au total, chaque année, cela fait un peu moins de 200 millions d'appels provenant de 100 millions de clients à gérer.

Pour Chase, même une réduction minime de 1 % du nombre d'appels reçus permet d'économiser des millions de dollars et d'améliorer le service à la clientèle. Ce tour de force est cependant plus facile à formuler qu'à réaliser. En 2006, Chase Card Services tentait d'y arriver en améliorant le taux de résolution de problème au premier appel, c'est-à-dire le nombre de fois où l'agent du centre d'appels parvient à résoudre le problème du client dès le premier appel de ce dernier au service à la clientèle.

Le problème résidait dans la façon de consigner l'information relative aux appels. L'entreprise ne connaissait pas le taux exact de résolution de problème au premier appel. Elle avait tenté de le con-

naître en demandant à ses agents de rapporter la teneur et l'issue de chaque appel reçu. Mais l'exercice prenait un temps fou et les comptes rendus manquaient d'uniformité, dans la mesure où les agents les remplissaient de façon subjective. De plus, les politiques de l'entreprise à l'égard de certaines requêtes de la clientèle ne favorisaient certainement pas une augmentation du taux de résolution de problème au premier appel. Par exemple, les agents ne pouvaient effectuer des transferts de solde que lorsque les clients téléphonaient de leur domicile. La structure de frais avait, quant à elle, fait l'objet de plusieurs modifications en peu de temps, ce qui avait entraîné de nombreux appels répétés.

Dans le but d'améliorer l'efficience du centre d'appels, Chase a commandé à Enkata Technologies l'implantation d'un système de gestion du rendement et du talent. Le système surveille et référence chaque appel selon le sujet, la durée et le temps de travail de l'agent. Il ne requiert aucune intervention humaine pour cela, puisqu'il suit les appels automatiquement en relevant les touches de clavier enfoncées par l'agent.

Dès qu'un agent clique sur la caractéristique du compte pour lequel un client appelle, le système Enkata détermine automatiquement le motif de l'appel. Des algorithmes commerciaux associent le motif et l'identité de l'appelant à la durée prédéterminée pour chaque type d'appel.

Enkata repère ensuite les différences marquées dans la durée des appels, par motif. Par exemple, les appels pour l'activation d'une carte sont généralement assez courts; aussi le système relèvera-t-il ceux qui durent anormalement longtemps. Il repérera aussi les appels de contestation de frais qui sont anormalement courts. Les appels motivés par plusieurs raisons étaient, quant à eux, très difficiles à consigner avant l'implantation du système. Enkata isole les divers motifs de ce genre d'appel et les organise séquentiellement, pour analyser l'appel en fonction d'un cadre temporel approprié.

Grâce au tri et à l'organisation des motifs d'appel en catégories distinctes, Chase est en mesure de déterminer les critères permettant de déclarer que des appels donnés sont « résolus ». Par exemple, un appel relatif à l'activation d'une carte sera considéré comme résolu après quelques jours seulement sans rappel du client. Mais un appel relatif à la contestation de frais ne sera considéré comme résolu qu'après réception par le client d'un autre état de compte et sans rappel de sa part. Grâce à cette méthode, Chase obtient des données beaucoup plus précises sur la résolution de problème au premier appel, résultat que toute l'industrie reconnaît comme un exploit.

Enkata compile toutes les données recueillies et les distribue à Chase Card Services sous la forme de rapports hebdomadaires portant sur le type et la durée des appels, le temps de résolution, le taux d'appels répétés et d'autres mesures qui permettent aux agents comme aux superviseurs d'évaluer leur rendement. Le système référence aussi les appels et leur enregistrement pour que les gestionnaires assistent et évaluent leurs agents. Durant son implantation, Enkata a utilisé des données d'appels antérieurs pour produire les premiers rapports. Ce premier téléchargement de données s'est révélé l'étape la plus longue pour les cadres de Chase Card Services. Une fois l'implantation terminée, les dirigeants espéraient que les améliorations dans l'interprétation et la gestion de l'information entraîneraient des améliorations sur le plan du rendement des agents, de la satisfaction des clients et de leur fidélité.

Les résultats sont éloquents. Au cours de la première année suivant l'implantation du système, le taux de résolution de problème au premier appel a en effet grimpé jusqu'à 91 %, ce qui représente une augmentation de 3 % et des économies de 8 millions de dollars. De cette somme, environ 2,5 millions découlent directement d'une réduction de 2 secondes de la durée moyenne des appels. L'entreprise espère atteindre son objectif de 95 % d'ici les prochaines années. Il n'est pas possible d'atteindre un taux de résolution de problème au premier appel de 100 %, parce qu'il est normal que des clients rappellent, par exemple après s'être souvenus de frais qu'ils avaient une première fois contestés.

En trois mois, 30 % des agents qui n'avaient pas atteint le taux acceptable de résolution de problème au premier appel ont réussi à corriger le tir. De plus, bien que le nombre de comptes clients actifs ait augmenté de 5,2 % au cours des six mois suivant l'implantation du système, le volume d'appels a diminué de 8,3 % au cours de la même période.

Encouragés par ces bons résultats, les dirigeants de Chase Card Services souhaitent maintenant étendre les fonctionnalités du système de façon à multiplier les catégories d'appels et à relier les données recueillies à des programmes de marketing, pour favoriser la vente croisée et la vente incitative.

***

Sources: Marshall Lager, « Credit Where Due », *Customer Relationship Management*, avril 2008; Michele Heller, « How Chase Got Control of Call-Center Expenses », *American Banker*, 26 février 2008.

Questions

1. Quelles fonctions des systèmes de gestion de la relation client ce cas illustre-t-il?

2. Pourquoi les centres d'appels sont-ils si importants pour Chase Card Services? Comment peuvent-ils contribuer à l'amélioration de la relation client?

3. Décrivez le problème que posent les centres d'appels à l'entreprise Chase. Quels facteurs y ont contribué sur le plan de la gestion, de l'organisation et de la technologie?

4. Quels aspects de la gestion, de l'organisation ou de la technologie doivent être pris en compte dans l'implantation du système Enkata?

Ateliers

Rendez-vous sur le site Web d'Enkata et prenez connaissance des caractéristiques de ses produits. Puis répondez aux questions suivantes:

1. Comment le système d'Enkata pourrait-il servir à l'analyse du service à la clientèle d'un autre type d'entreprise (un fournisseur de téléphones cellulaires, par exemple, ou un détaillant de vêtements fonctionnant par catalogue et commandes en ligne)?

2. Quel type de questions les clients pourraient-ils avoir à poser? Quels types de problèmes les agents du centre d'appels pourraient-ils éprouver en répondant à ces questions? Comment le logiciel d'Enkata pourrait-il leur être utile?

Les systèmes de GRC peuvent également comporter des fonctions de libre-service sur le Web. Il est alors possible de configurer le site Web de l'entreprise de manière à ce qu'il fournisse au client des renseignements personnalisés et lui permette de communiquer avec un représentant du service à la clientèle par téléphone, pour obtenir de l'aide supplémentaire.

Le marketing

Les systèmes de GRC prennent en charge les campagnes de marketing direct grâce à des fonctions qui leur permettent de capturer des données sur les clients actuels et potentiels, de fournir de l'information sur les produits et les services, de déterminer les clients potentiels pour le marketing visé, enfin de planifier les publipostages ou les courriers électroniques de vente directe et d'en assurer le suivi (figure 9-8). Les modules de marketing peuvent également comporter des outils d'analyse des données relatives au marketing et aux clients, pour repérer les clients rentables ou non rentables, concevoir des produits et services qui comblent les besoins et les champs d'intérêt précis des clients et déterminer les possibilités de vente croisée.

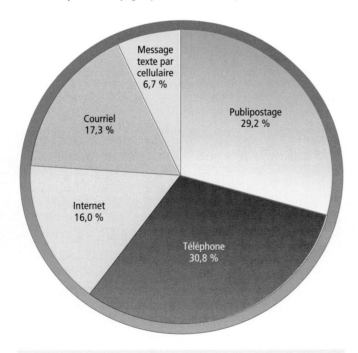

FIGURE 9-8

LA CONTRIBUTION DES SYSTÈMES
DE GRC AU MARKETING

Réponses par canaux,
pour la campagne promotionnelle de janvier 2009

Message texte par cellulaire
6,7 %

Courriel
17,3 %

Publipostage
29,2 %

Internet
16,0 %

Téléphone
30,8 %

Un logiciel de gestion de la relation client fournit un point unique à partir duquel les utilisateurs peuvent gérer et évaluer les campagnes de marketing utilisant divers canaux, notamment le courriel, le publipostage, le téléphone, Internet et la messagerie sans fil.

La **vente croisée** est une technique qui consiste à offrir des produits complémentaires aux clients. (Par exemple, dans le secteur des services financiers, on peut vendre à un client possédant un compte chèques un compte de dépôt du marché monétaire ou un prêt destiné à l'amélioration de la maison.) Les outils de GRC aident aussi les entreprises à diriger et à effectuer toutes les étapes des campagnes de marketing, de la planification à l'évaluation du taux de réussite.

La figure 9-9 illustre les fonctions les plus importantes des processus de vente, de service et de marketing qu'on trouve dans les principaux logiciels de GRC. Comme le logiciel d'entreprise, le logiciel de GRC se fonde sur les processus d'affaires pour fonctionner. Il comprend des centaines de processus d'affaires censés représenter les meilleures pratiques dans chacun des domaines concernés. Pour s'assurer du succès de la mise en place du logiciel, les entreprises doivent revoir et modéliser leurs propres processus d'affaires afin qu'ils correspondent aux meilleurs processus d'affaires inclus dans le logiciel de GRC.

La figure 9-10 illustre, quant à elle, la façon dont le logiciel de GRC peut modéliser une bonne pratique visant l'augmentation de la fidélité de la clientèle grâce au service à la clientèle. Le service direct à la clientèle permet aux entreprises d'augmenter la fidélisation en choisissant des clients rentables sur le long terme, à qui offrir un traitement préférentiel. Le logiciel de GRC peut attribuer à chaque client une cote en fonction de sa valeur pour l'entreprise et de sa fidélité. Il peut ensuite fournir l'information aux centres d'appels pour les aider à acheminer chaque demande de service du client aux agents qui peuvent le mieux répondre à ses besoins. Le système fournit automatiquement à l'agent de service un profil détaillé du client, notamment la cote indiquant sa valeur et sa fidélité. L'agent de service peut utiliser l'information pour présenter des offres spéciales ou un service supplémentaire au client, afin de l'encourager à continuer de faire affaire avec l'entreprise.

La GRC opérationnelle et la GRC analytique

Toutes les applications que nous venons de décrire s'occupent soit des aspects opérationnels, soit des aspects analytiques de la gestion de la relation client. La **GRC opérationnelle** comprend les applications orientées vers le client, telles que des outils pour l'automatisation de la force de vente, le soutien du service à la clientèle et du centre d'appels et l'automatisation du marketing. La **GRC analytique** comprend les applications qui analysent les données sur le client provenant des applications de GRC opérationnelle et fournissent de l'information permettant d'améliorer la performance de l'entreprise.

Les applications de GRC analytique s'appuient sur les entrepôts de données qui regroupent les données provenant des systèmes de GRC opérationnelle et des points de contact avec la clientèle. Elles soumettent ces données à des techniques d'analyse telles que le traitement analytique en ligne (OLAP) et le forage de données (chapitre 6). Elles peuvent

FIGURE 9-9   LES FONCTIONS DES LOGICIELS DE GRC

Les principaux logiciels de GRC prennent en charge les processus d'affaires pour les ventes, le service et le marketing, intégrant l'information relative aux clients provenant de différentes sources. De plus, ils apportent une aide pour les aspects opérationnels et analytiques de la GRC.

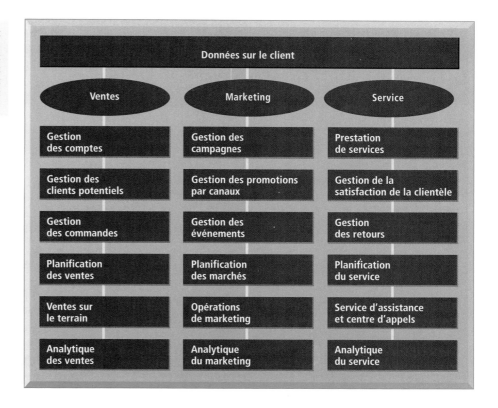

FIGURE 9-10   LE PROCESSUS DE GESTION DE LA FIDÉLITÉ DU CLIENT

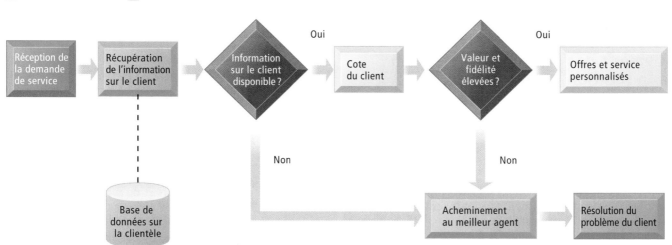

Ce diagramme de processus illustre la façon dont le logiciel de gestion de la relation client peut modéliser une bonne pratique visant à promouvoir la fidélité du client au moyen du service à la clientèle. Le logiciel de GRC aide les entreprises à repérer les clients de grande valeur, afin de leur offrir un traitement préférentiel.

FIGURE 9-11 — L'ENTREPÔT DE DONNÉES DE LA GRC ANALYTIQUE

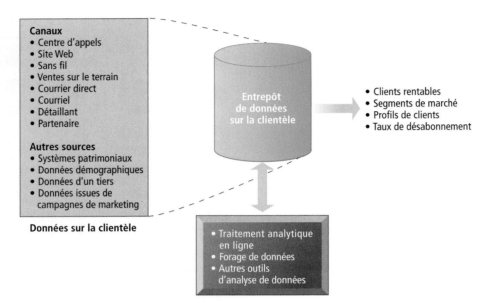

La GRC analytique utilise un entrepôt de données sur les clients ainsi que des outils pour analyser les données des clients recueillies dans les points de contact avec la clientèle et auprès d'autres sources.

Canaux
- Centre d'appels
- Site Web
- Sans fil
- Ventes sur le terrain
- Courrier direct
- Courriel
- Détaillant
- Partenaire

Autres sources
- Systèmes patrimoniaux
- Données démographiques
- Données d'un tiers
- Données issues de campagnes de marketing

Données sur la clientèle

Entrepôt de données sur la clientèle

- Clients rentables
- Segments de marché
- Profils de clients
- Taux de désabonnement

- Traitement analytique en ligne
- Forage de données
- Autres outils d'analyse de données

combiner les données recueillies par l'organisation sur ses clients avec des données provenant d'autres sources, comme des listes de clients achetées à d'autres entreprises pour des campagnes de marketing direct ou des données démographiques. L'analyse de ces données permet de déterminer les tendances d'achats, de créer des segments de clientèle pour du marketing ciblé et de distinguer les clients rentables des clients non rentables (figure 9-11).

La valeur à vie du client constitue un autre produit de la GRC analytique. La **valeur à vie du client** est le rapport entre les revenus que génère un client donné, les dépenses requises pour l'acquisition de ce client et le service à lui offrir et l'espérance de vie de la relation entre le client et l'entreprise.

La valeur des systèmes de gestion de la relation client

Les entreprises qui possèdent des systèmes efficaces de gestion de la relation client bénéficient de nombreux avantages, parmi lesquels une satisfaction des clients accrue, des coûts de marketing direct réduits, un marketing plus efficace et une diminution des frais d'acquisition et de fidélisation des clients. L'information que fournissent les systèmes de GRC leur permet d'augmenter les revenus des ventes en leur indiquant les clients et les segments les plus rentables pour le marketing ciblé et la vente croisée.

Les ventes, le service et le marketing répondant mieux aux besoins de la clientèle, les désabonnements s'en trouvent réduits. Le **taux de désabonnement** mesure le nombre de clients qui cessent d'utiliser ou d'acheter les produits et les services d'une entreprise. C'est un indicateur important de la croissance ou de la diminution de la clientèle.

9.4 LES POSSIBILITÉS ET LES ENJEUX DES APPLICATIONS D'ENTREPRISE

De nombreuses entreprises ont choisi d'implanter des systèmes d'entreprise et des systèmes de gestion de la chaîne logistique et de gestion de la relation client parce que ce sont de remarquables instruments pour atteindre l'excellence opérationnelle et améliorer la prise de décision. Leur capacité à transformer les organisations est précisément ce qui rend leur implantation si complexe et ardue. Examinons brièvement quelques-uns des enjeux qui accompagnent cette démarche, de même que les nouvelles façons de retirer de la valeur de ces systèmes.

Les enjeux des applications d'entreprise

Les systèmes d'entreprise et les systèmes de gestion de la chaîne logistique et de gestion de la relation client sont très attirants, car ils promettent une diminution spectaculaire des coûts liés aux stocks et des délais entre les commandes et les livraisons, mais aussi une grande amélioration de la réponse aux besoins des clients et de la rentabilité des produits et des clients. Mais, pour obtenir tout cela, les entreprises doivent clairement définir les changements qu'elles doivent effectuer pour pouvoir utiliser efficacement ces systèmes.

Les systèmes d'entreprise comprennent des logiciels qui sont très coûteux à acquérir et à implanter. Une grande entreprise peut mettre plusieurs années à implanter à grande échelle un système d'entreprise, un système de gestion de la chaîne logistique ou un système de gestion de la relation client. Le coût total de mise en place, comprenant le matériel, les logiciels, les outils de base de données, les frais de consultation, les frais de personnel et la formation, peut être de quatre à cinq fois plus élevé que le prix d'achat du progiciel.

Les applications d'entreprise nécessitent non seulement des changements techniques profonds, mais aussi des changements fondamentaux dans le mode de fonctionnement de l'organisation. Les entreprises doivent modifier considérablement leurs processus d'affaires de manière à ce qu'ils fonctionnent avec le logiciel. Les employés doivent accepter de nouvelles tâches et de nouvelles responsabilités. Ils doivent apprendre à maîtriser un nouvel ensemble de processus et comprendre comment l'information qu'ils entrent dans le système peut toucher d'autres secteurs de l'entreprise. Ils doivent faire un nouvel apprentissage de l'organisation.

Les systèmes de gestion de la chaîne logistique requièrent de plusieurs organisations qu'elles partagent l'information et les processus d'affaires. Chaque participant peut avoir à modifier certains de ses processus ainsi que la façon dont il utilise l'information, afin de contribuer à la création d'un système qui sert mieux la chaîne logistique dans son ensemble.

Certaines firmes ont connu d'énormes problèmes d'exploitation et essuyé de grosses pertes lors d'une première implantation d'applications d'entreprises, parce qu'elles n'avaient pas mesuré l'ampleur des changements organisationnels requis.

- Kmart a eu du mal à approvisionner ses magasins lors de l'implantation d'un logiciel de gestion de la chaîne logistique conçu par i2 Technologies, en juillet 2000. Le logiciel d'i2 ne fonctionnait pas bien avec le modèle d'affaires de Kmart, axé sur la promotion. De plus, il n'était pas conçu pour gérer le grand nombre de produits entreposés dans les magasins Kmart.

- Hershey Foods a vu sa rentabilité chuter lorsqu'elle a tenté d'implanter le logiciel d'entreprise de SAP, le logiciel de gestion de la chaîne logistique de Manugistics et le logiciel de gestion de la relation client de Siebel Systems, en 1999. Le calendrier établi était impossible à tenir et elle n'a pas procédé à des mises à l'essai approfondies ni veillé à bien former ses employés. Les expéditions ont été retardées de deux semaines et de nombreux clients n'ont pas reçu suffisamment de friandises pour garnir leurs étalages en prévision de la grosse période de l'Halloween. Hershey a perdu des ventes et des clients durant cette période. Par la suite seulement, les nouveaux systèmes lui ont permis d'améliorer son efficience opérationnelle.

Les applications d'entreprise entraînent aussi des « coûts de transition ». Dès lors qu'une firme adopte une application d'entreprise offerte par un fournisseur unique, comme SAP ou Oracle, il serait très coûteux pour elle de changer de fournisseur et elle doit s'en remettre à lui pour la mise à niveau de ses produits et l'entretien de son installation.

Les applications d'entreprise reposent sur des définitions de données valables pour toute l'organisation. Les gestionnaires doivent comprendre la façon dont leur entreprise utilise ses données et la façon dont celles-ci seront organisées dans un système de gestion de la relation client, dans un système de gestion de la chaîne logistique ou dans un système d'entreprise. Les systèmes de GRC nécessitent habituellement un nettoyage des données.

En résumé, les applications d'entreprise requièrent, pour bien fonctionner, beaucoup de travail et la contribution de tous les membres de l'organisation. Mais bien sûr, les entreprises qui ont réussi l'implantation de tels systèmes jugent que les résultats justifient l'énergie déployée.

La nouvelle génération d'applications d'entreprise

Aujourd'hui, les fournisseurs d'applications d'entreprise offrent plus de valeur en offrant des applications plus flexibles, optimisées pour le Web et compatibles avec d'autres systèmes. Les systèmes d'entreprise, les systèmes de GRC et les systèmes de gestion de la chaîne logistique de type autonome sont en voie d'être révolus.

Les principaux fournisseurs de logiciels d'entreprise ont conçu ce qu'ils appellent des *solutions d'entreprise*, des *suites d'entreprise* ou des *suites d'affaires électroniques* permettant au système de gestion de la relation client, au système de gestion de la chaîne logistique et au système d'entreprise de travailler en étroite collaboration et de se relier aux systèmes des clients et fournisseurs. Les logiciels Business Suite de SAP, e-Business Suite d'Oracle et Dynamics Suite de Microsoft (pour les entreprises moyennes) en sont des exemples. Ce type de logiciels utilisent maintenant les services du Web et l'architecture axée sur le service (AAS, chapitre 5).

La nouvelle génération d'applications d'entreprise conçues par SAP repose sur une architecture axée sur le service (AAS). Elle en incorpore les normes et utilise l'outil NetWeaver comme plateforme d'intégration pour relier les applications SAP et des services Web offerts par des fournisseurs indépendants. L'objectif est de rendre les applications d'entreprise plus faciles à implanter et à gérer.

Par exemple, la dernière version du logiciel d'entreprise de SAP combine des applications clés de finance, de logistique et d'approvisionnement ainsi que de gestion des ressources humaines dans un progiciel de gestion intégré. Les entreprises étendent ces applications en les reliant à des services Web aux fonctions précises, notamment le recrutement de personnel ou la gestion des entrées de fonds, offerts par SAP et d'autres fournisseurs. SAP propose plus de 500 services Web par l'intermédiaire de son site Web.

Oracle a également intégré l'AAS et des fonctions de gestion des processus d'affaires à ses intergiciels. Les entreprises peuvent utiliser les outils d'Oracle pour adapter les applications du fournisseur sans en compromettre l'intégrité.

Les applications d'entreprise de nouvelle génération comprennent aussi des solutions permettant l'utilisation de logiciels libres et d'applications à la demande. En comparaison des logiciels d'application que proposent les entreprises commerciales, les logiciels libres comme Compiere, Open for Business et OpenBravo ne sont pas aussi achevés et n'offrent pas à leurs utilisateurs autant de soutien. Cependant, de petites entreprises – notamment les petits manufacturiers – les choisissent parce qu'elles n'ont pas à payer de redevances d'utilisation. (Le soutien technique et l'adaptation des logiciels libres entraînent des coûts supplémentaires.)

Les progrès les plus remarquables en matière de logiciels-services concernent la gestion de la relation client. Salesforce.com (chapitres 5 et 8) et Siebel Systems d'Oracle sont les chefs de file en matière de solutions de GRC hébergées. De plus, Microsoft Dynamics CRM existe en version à la demande, en ligne. Les systèmes d'entreprise en version logiciel-service sont beaucoup moins populaires; les grands fournisseurs ne les offrent d'ailleurs pas encore.

Salesforce.com et Oracle intègrent maintenant certaines fonctions du Web 2.0 qui permettent aux organisations de repérer des idées nouvelles plus rapidement, d'améliorer la productivité des équipes et d'approfondir les interactions avec la clientèle. Par exemple, Salesforce Ideas permet aux employés, aux clients et aux partenaires d'affaires de proposer des idées puis de les soumettre au vote. Dell Computer a déployé cette technologie sous le nom de Dell IdeaStorm (dellideastorm.com) pour permettre à ses clients de faire des suggestions et de voter pour ou contre des concepts et des modifications concernant ses produits. Certaines idées proposées dans ce cadre ont incité Dell à doter son portable Dell 1530 d'un écran à plus haute résolution (Greenfield, 2008).

Les plateformes de services

Une autre façon d'étendre les applications d'entreprise est de les utiliser pour créer des plateformes de services complets pour des processus d'affaires nouveaux ou améliorés intégrant l'information provenant de divers domaines fonctionnels. Ces plateformes de services couvrant l'ensemble de l'entreprise permettent une intégration interfonctionnelle plus poussée que les applications d'entreprise classiques. Une **plateforme de services** regroupe de nombreuses applications provenant d'une multitude de fonctions administratives, d'unités fonctionnelles ou de partenaires d'affaires. Elle vise à procurer une expérience homogène aux clients, aux employés, aux gestionnaires et aux partenaires d'affaires.

Par exemple, le processus « de la commande au paiement » comprend la réception d'une commande et son suivi jusqu'à l'obtention du paiement. Il commence par la création d'une liste de clients potentiels, par des campagnes de marketing et par l'entrée de la commande, activités qui sont généralement prises en charge par les systèmes de GRC. Après réception de la commande, il faut planifier la fabrication et vérifier la disponibilité des pièces, activités pour lesquelles entre généralement en jeu le logiciel d'entreprise. Ensuite, les systèmes de gestion de la chaîne logistique soutiennent les processus de planification de la distribution, d'entreposage, de traitement et d'expédition. Enfin, pour la facturation de la commande au client, ce sont les applications financières de l'entreprise ou les comptes clients qui sont requis. Si le client a besoin de service à la clientèle, les systèmes de gestion de la relation client seront à nouveau sollicités.

Un service comme le service « de la commande au paiement » nécessite l'intégration poussée des données provenant des applications d'entreprise et des systèmes financiers en un processus complexe couvrant toute l'organisation. Pour arriver à cette intégration, les entreprises ont besoin d'outils logiciels leur permettant d'utiliser les applications existantes comme des composantes de base pour les nouveaux processus interentreprises (figure 9-12). Les principaux fournisseurs d'applications d'entreprise offrent des intergiciels et des outils utilisant le langage XML et les services Web, qui permettent de combiner les applications d'entreprise aux applications patrimoniales et aux systèmes d'autres fournisseurs.

Ces nouveaux types de services seront de plus en plus offerts sur des portails. Le logiciel de portail peut intégrer l'information provenant d'applications d'entreprise et d'une multitude de systèmes internes existants, pour la présenter aux utilisateurs au moyen d'une interface Web, de telle sorte qu'elle semble venir d'une seule source. Par exemple, Valero Energy, la plus grande entreprise de raffinage d'Amérique du Nord, utilise le portail NetWeaver de SAP pour offrir à ses clients-grossistes un service leur permettant de voir en un coup d'œil l'information relative à leur compte. Ce portail fournit une interface pour consulter les données relatives aux factures des clients, aux prix, aux transferts électroniques de fonds et aux transactions par carte de crédit, provenant de l'entrepôt de données du système de GRC de SAP ou d'un autre système (Zaino, 2007).

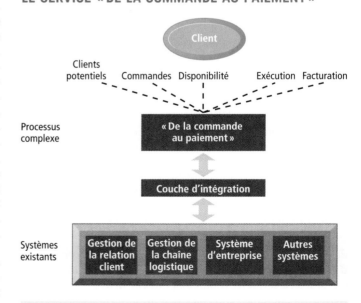

FIGURE 9-12

LE SERVICE « DE LA COMMANDE AU PAIEMENT »

Le service « de la commande au paiement » est un processus complexe qui intègre des données provenant de systèmes d'entreprise individuels et d'applications financières patrimoniales. Le processus doit être modélisé et converti en un système logiciel au moyen d'outils d'intégration d'applications.

Projets concrets en **SIG**

Décisions de gestion

1. L'entreprise Mercedes-Benz Canada, dont le siège social se trouve à Toronto, compte un réseau de 55 concessionnaires. Elle ne connaît pas bien sa clientèle. D'une part, ses concessionnaires lui envoient ponctuellement des données à ce sujet. D'autre part, elle ne les y oblige pas et a de lourds processus pour le suivi des concessionnaires qui ne transmettent aucune donnée. Bref, rien n'incite concrètement les concessionnaires à partager ce type d'information avec l'entreprise. Comment des systèmes de gestion de la relation client (GRC) et de gestion de la relation partenaire (GRP) pourraient-ils l'aider à résoudre ce problème ?

2. Office Depot vend une vaste gamme de produits et de services pour le bureau aux États-Unis et dans le monde : des fournitures de bureau, des fournitures pour imprimantes, des machines (et des fournitures connexes) et du mobilier de bureau. Pour offrir une gamme plus vaste de fournitures de bureau et à meilleur prix que les autres détaillants, l'entreprise utilise des systèmes de réapprovisionnement juste-à-temps et de contrôle serré des stocks. Elle se sert de l'information fournie par un système de prévision de la demande et des données des divers points de vente pour réapprovisionner les stocks de ses 1600 magasins. Expliquez comment ces systèmes aident Office Depot à réduire ses coûts et indiquez quels autres avantages ils lui procurent. Nommez et décrivez d'autres applications de gestion de la chaîne logistique qui pourraient s'avérer particulièrement utiles à Office Depot.

Atteindre l'excellence opérationnelle

Évaluer des services de gestion de la chaîne logistique

Compétences en logiciels : savoir utiliser un navigateur Web et un logiciel de présentation
Compétences en affaires : savoir évaluer des services de gestion de la chaîne logistique

Les sociétés de camionnage ne se contentent plus de transporter des marchandises d'un endroit à un autre. Certaines d'entre elles offrent aussi à leurs clients des services de gestion de la chaîne logistique et les aident à gérer l'information. Pour ce projet, vous vous servirez d'Internet pour vous documenter sur deux de ces types de services et pour les évaluer.

Consultez le site Web de deux entreprises, Transforce et Schneider Logistics, pour savoir en quoi leurs services peuvent être utiles à la gestion de la chaîne logistique. Répondez ensuite aux questions suivantes :

- Quels processus de la chaîne logistique chacune de ces entreprises offre-t-elle de soutenir ?
- Comment le site Web de chaque entreprise peut-il aider les clients dans la gestion de leur chaîne logistique ?
- Comparez les services de gestion de la chaîne logistique des deux entreprises. Lesquels choisiriez-vous pour la gestion de la chaîne logistique de votre firme ? Pourquoi ?

1. Comment les systèmes d'entreprise aident-ils les entreprises à atteindre l'excellence opérationnelle?

Le logiciel d'entreprise repose sur un ensemble de modules intégrés et sur une base de données centrale commune. La base de données recueille et partage les données d'innombrables applications pouvant soutenir à peu près tous les processus d'affaires internes de l'organisation. Les nouvelles données générées par un processus sont immédiatement disponibles pour tous les autres processus d'affaires. Les systèmes d'entreprise permettent la centralisation des activités organisationnelles parce qu'ils impliquent l'établissement de normes de données et de processus d'affaires uniformes à l'échelle de toute l'entreprise ainsi que l'installation d'une plateforme technologique unique. Les données globales générées par les systèmes d'entreprise aident les gestionnaires à évaluer le rendement organisationnel.

2. Comment les systèmes de gestion de la chaîne logistique permettent-ils de coordonner la planification, la production et la logistique avec les fournisseurs?

Les systèmes de gestion de la chaîne logistique automatisent le flux d'information afin que les membres de la chaîne puissent s'en servir pour mieux déterminer quand et quelles quantités acheter, produire et expédier. En livrant une information très précise et exacte, les systèmes de gestion de la chaîne logistique réduisent l'incertitude et les conséquences de l'effet coup de fouet. Les logiciels de gestion de la chaîne logistique sont de deux types: les logiciels de planification et les logiciels d'exécution de la chaîne logistique. Les technologies d'Internet favorisent la gestion des chaînes logistiques mondiales en fournissant aux organisations réparties dans plusieurs pays la connectivité nécessaire pour partager l'information logistique. L'amélioration de la communication entre les partenaires de la chaîne logistique contribue à l'efficacité de la réponse aux besoins des clients et pousse les entreprises à s'orienter vers un modèle axé sur la demande.

3. Comment les systèmes de gestion de la relation client contribuent-ils à l'entretien d'une relation client étroite?

Les systèmes de gestion de la relation client (GRC) intègrent et automatisent les processus comportant une interaction avec les clients, tels que ceux des ventes, du marketing et du service à la clientèle, de façon à procurer une vision d'ensemble de la clientèle. Une bonne connaissance de la clientèle permet aux entreprises d'offrir un service de qualité à leurs clients et de leur vendre de nouveaux produits ou services. Les systèmes de GRC permettent aussi de distinguer les clients rentables des clients non rentables, ainsi que les occasions de réduire le taux de désabonnement des clients. Les grands progiciels de gestion de la relation client proposent des fonctions tant pour la GRC opérationnelle que pour la GRC analytique. Ils comprennent souvent des modules de gestion de la relation avec les partenaires de vente (GRP) et de gestion de la relation employé (GRE).

4. Quelles difficultés l'implantation des applications d'entreprise comporte-t-elle?

Les applications d'entreprise sont très difficiles à mettre en place. Elles requièrent des changements organisationnels considérables, d'importants investissements dans de nouveaux logiciels et une évaluation approfondie de la manière dont elles peuvent améliorer la performance de l'organisation. Les applications d'entreprise ne peuvent procurer de la valeur si elles sont plaquées sur des processus désuets ou si l'entreprise ignore comment les utiliser pour mesurer l'évolution de sa performance. De plus, les employés ont besoin d'une formation pour se préparer à de nouvelles procédures et à de nouveaux rôles. Enfin, la gestion des données requiert une attention particulière.

5. Comment peut-on utiliser les applications d'entreprise pour créer des plateformes offrant des services interfonctionnels?

Les plateformes de services regroupent les données et les processus des diverses applications de l'entreprise (système de gestion de la relation client, système de gestion de la chaîne logistique et système d'entreprise) ainsi que des applications patrimoniales disparates pour créer de nouveaux processus complexes. Des services Web relient les divers systèmes. Les nouveaux services sont de plus en plus offerts sur des portails d'entreprise qui peuvent intégrer une multitude d'applications, de façon à ce que l'information semble provenir d'une seule source.

MOTS CLÉS

Chaîne logistique, p. 274

Effet coup de fouet, p. 276

Gestion de la relation employé (GRE), p. 283

Gestion de la relation partenaire (GRP), p. 283

GRC analytique, p. 286

GRC opérationnelle, p. 286

Juste-à-temps, p. 275

Logiciel d'entreprise, p. 273

Modèle de technologie du pousser, p. 281

Modèle de technologie du tirer, p. 281

Planification de la demande, p. 277

Plateforme de services, p. 290

Point de contact avec la clientèle, p. 283

Système de planification de la chaîne logistique, p. 277

Système d'exécution de la chaîne logistique, p. 277

Taux de désabonnement, p. 288

Valeur à vie du client, p. 288

Vente croisée, p. 286

QUESTIONS DE RÉVISION

1. **Comment les systèmes d'entreprise aident-ils les entreprises à atteindre l'excellence opérationnelle ?**

   - Qu'est-ce qu'un système d'entreprise ? Expliquez le fonctionnement d'un logiciel d'entreprise.

   - Comment un système d'entreprise procure-t-il de la valeur à une entreprise ?

2. **Comment les systèmes de gestion de la chaîne logistique permettent-ils de coordonner la planification, la production et la logistique avec les fournisseurs ?**

   - Qu'est-ce qu'une chaîne logistique ? Quelles en sont les composantes ?

   - Comment les systèmes de gestion de la chaîne logistique aident-ils les entreprises à réduire l'effet coup de fouet ? Comment leur procurent-ils de la valeur ?

   - Définissez et comparez les systèmes de planification de la chaîne logistique et les systèmes d'exécution de la chaîne logistique.

   - Quelles difficultés comportent les chaînes logistiques mondiales ? Comment les technologies d'Internet peuvent-elles aider les entreprises à les gérer ?

   - Expliquez la différence, en matière de gestion de la chaîne logistique, entre le modèle de technologie du tirer et le modèle de technologie du pousser. Pourquoi les systèmes contemporains favorisent-ils le modèle de technologie du tirer ?

3. **Comment les systèmes de gestion de la relation client contribuent-ils à l'entretien d'une relation client étroite ?**

   - Qu'est-ce que la gestion de la relation client ? Pourquoi les relations avec les clients sont-elles si importantes aujourd'hui ?

   - Quel lien existe-t-il entre, d'une part, la gestion de la relation partenaire et la gestion de la relation employé et, d'autre part, la gestion de la relation client ?

   - Décrivez les outils et les fonctions du logiciel de gestion de la relation client pour les domaines des ventes, du marketing et du service à la clientèle.

   - Expliquez la différence entre la GRC opérationnelle et la GRC analytique.

4. **Quelles difficultés l'implantation des applications d'entreprise comporte-t-elle ?**

   - Énumérez et décrivez les enjeux des applications d'entreprise.

   - Expliquez comment les entreprises peuvent surmonter ces difficultés.

5. **Comment peut-on utiliser les applications d'entreprise pour créer des plateformes offrant des services interfonctionnels ?**

   - Expliquez ce qu'est une plateforme de services et décrivez les outils permettant de rassembler et combiner les données issues des applications d'entreprise.

SUJETS DE DISCUSSION

1. **La gestion de la chaîne logistique est plus une question de gestion de l'information que de gestion du déplacement physique des biens. Discutez de cette affirmation.**

2. **Pour mettre en place une application d'entreprise, une organisation a tout intérêt à bien se préparer. Discutez de cette affirmation.**

TRAVAIL D'ÉQUIPE : SE RENSEIGNER SUR DES FOURNISSEURS D'APPLICATIONS D'ENTREPRISE

Avec trois ou quatre autres étudiants, consultez Internet pour vous documenter sur les produits de deux fournisseurs de logiciels d'applications d'entreprise et pour en faire l'évaluation. Vous pourriez comparer, par exemple, les systèmes d'entreprise d'Oracle et de SAP, les systèmes de gestion de la chaîne logistique d'i2 et de SAP, ou les systèmes de gestion de la relation client de Siebel Systems (Oracle) et de Salesforce.com. À partir de l'information trouvée sur les sites Web des entreprises concernées, comparez les progiciels que vous avez choisis en évaluant les processus d'affaires pris en charge, les plateformes technologiques, les coûts et la convivialité. Quel fournisseur choisiriez-vous ? Pourquoi ? Feriez-vous le même choix pour une grande et une petite entreprise ? Dans la mesure du possible, utilisez Google Sites pour afficher des liens vers des pages Web, pour communiquer entre membres de l'équipe et vous répartir les tâches, pour confronter vos idées et pour travailler ensemble sur les documents du projet. Essayez d'utiliser Google Documents pour mettre au point une présentation de vos résultats destinée à la classe.

ÉTUDE DE CAS

Symantec et son système de gestion intégrée dans la tourmente

La société Symantec se spécialise dans la sécurité et la gestion de l'information. Elle est réputée pour ses logiciels antivirus de marque Norton et pour une variété d'autres logiciels de protection et de stockage. Symantec compte des bureaux dans plus de 40 pays et emploie plus de 17 500 personnes. Depuis sa fondation, dans les années 1980, elle a poursuivi sa croissance grâce à l'acquisition d'autres entreprises, notamment Norton, Brightmail, Altiris et de nombreux petits développeurs de logiciels. En 2005, elle effectuait sa plus grosse acquisition à vie en mettant la main sur Veritas Software pour un montant d'environ 13,5 milliards de dollars. C'était aussi la fusion-absorption la plus importante dans l'industrie du logiciel.

Alors que Symantec se spécialisait dans la sécurité et la gestion de l'information pour les consommateurs, Veritas était réputée pour ses logiciels de gestion du stockage de données, dont elle vendait les licences à grande échelle. Dans la mesure où les deux entreprises étaient de taille similaire et se spécialisaient dans des créneaux différents, de nombreux experts de l'industrie remettaient en cause le bien-fondé d'une telle fusion. La suite des événements, notamment les difficultés de Symantec à réaliser une révision complète des systèmes de gestion intégrée, semble maintenant leur donner raison.

Peu après l'acquisition de Veritas, fin 2005, Symantec entreprit le déploiement d'un progiciel de gestion intégrée (on parlait à l'interne du « projet Oasis ») visant l'uniformisation des systèmes d'information des deux entreprises. L'objectif était de créer un progiciel de gestion intégrée unique qui permettrait au vaste réseau de revendeurs, d'intégrateurs, de distributeurs et de consommateurs de faire leurs commandes en choisissant parmi les quelque 250 000 produits qu'offrait simultanément Symantec. Avant la fusion, les deux entreprises utilisaient le logiciel E-Business Suite 11d d'Oracle. Mais elles y avaient apporté tellement de modifications qu'un regroupement s'annonçait difficile.

Il fallait donc procéder à une révision complète des systèmes d'entreprise, afin de combiner les données des processus d'affaires clés de Symantec et de Veritas. Un système d'entreprise unique permettrait en outre à Symantec de réduire les coûts d'entretien de son infrastructure informatique ainsi que les frais de licence de ses logiciels d'entreprise.

Pour son nouveau système, Symantec choisit la mise à niveau E-Business Suite 11i d'Oracle, qu'elle fit fonctionner sur des serveurs Sun Solaris. En guise d'interface frontale, elle recourut au portail intergiciel Fusion d'Oracle pour offrir un point de contact unique à tous ses partenaires et clients. Les applications de sécurité de Symantec et les applications de sauvegarde et de stockage de Veritas sont toutes accessibles par ce portail. Le nouveau système d'Oracle était relié, à l'interface frontale, à un système de gestion de la relation client à la demande conçu par Salesforce.com et, à l'arrière plan, aux applications de ressources humaines PeopleSoft Enterprise (Oracle) de Symantec.

La réaction initiale au lancement du nouveau système fut on ne peut plus négative. Si le système proprement dit était solide sur le plan technique et fonctionnait exactement comme on l'avait voulu, les utilisateurs avaient du mal à traiter la grande quantité d'information qu'on leur fournissait et se sentaient submergés par le nombre de nouvelles étapes nécessaires pour passer une commande. Mécontents du nouveau système, les clients assaillirent d'appels le service du soutien technique de Symantec, qui n'y était pas préparé. L'attente moyenne pour un appel type enfla de 2 à 25 minutes. Lorsqu'ils arrivaient à parler à un représentant, les clients pouvaient passer plus de 20 minutes à tenter de régler leurs problèmes et finissaient souvent par obtenir une réponse du type «il n'y a rien à faire».

De plus, Symantec avait omis de coordonner le déploiement de son nouveau système d'entreprise avec le lancement de produits issus de différentes divisions de l'entreprise. Cela contribua à multiplier les problèmes de service à la clientèle et de temps de réponse. Par exemple, le lancement du nouveau système coïncida avec celui de la nouvelle version de Backup Exec 10d, l'un des produits phares de Symantec. Cela faisait tout simplement trop de changements en même temps pour le client moyen. Même des partenaires de longue date exprimèrent leur insatisfaction à l'égard de la brusque détérioration du service à la clientèle.

Les clients étaient en outre mécontents des modifications qu'avait apportées Symantec à son système d'unités de gestion des stocks (système UGS, ou SKU en anglais). L'entreprise avait amélioré son système en créant un seul jeu de codes pour toutes ses applications. Mais, si la réduction du nombre de codes facilitait les commandes, elle prenait aussi de court un grand nombre de petits partenaires qui n'avaient pas mis leur système à jour et ne pouvaient donc pas soumettre leurs bons de commande sous forme électronique. Symantec dut ainsi traiter leurs commandes manuellement. Bien qu'elle repoussât la date limite d'adoption du nouveau système de commandes, ce changement s'avéra une source d'ennuis pour de nombreux clients et partenaires qui étaient fort satisfaits de l'ancien système.

Les modifications que Symantec apporta au processus d'octroi de licences de logiciels constituèrent un irritant supplémentaire. Le processus fonctionnait très bien avant l'implantation du nouveau système. Les clients pouvaient habituellement passer une commande et recevoir leur licence d'utilisation en quelques jours. Or, par la suite, les clients et les partenaires de Symantec eurent tout à coup beaucoup de mal à obtenir des licences. Ils devaient parfois attendre plusieurs semaines et finissaient par appeler le service à la clientèle, déjà dé-

bordé. Enfin, le manque de coordination entre les modifications apportées au système d'octroi de licences et le reste du projet Oasis généra de la confusion.

Symantec avait conçu son nouveau système d'entreprise de façon que les clients puissent visualiser la liste de leurs licences déjà acquises. Cependant, une entreprise pouvait avoir plusieurs comptes, sous différents noms, lorsque les divisions et les succursales achetaient leurs propres licences.

Des partenaires intermédiaires déclarèrent que l'achat de produits Symantec par l'intermédiaire de sociétés comme Ingram Micro était devenu inhabituellement compliqué. L'un d'eux expliqua: «La multiplication des codes d'articles vaguement décrits fait en sorte qu'il est devenu impossible d'acheter des licences Symantec auprès d'Ingram Micro sans passer par le centre d'assistance, ce qui rend la démarche très fastidieuse.» Pour sa part, Ingram Micro affirmait qu'elle travaillait avec Symantec pour régler ces difficultés, mais la lenteur de cette dernière à réagir déplut à de nombreux partenaires.

À cause de tous ces faux pas, Symantec risquait de perdre de nombreux clients fidèles. La plupart des problèmes rencontrés s'expliquaient par son imprévoyance dans le déploiement du projet Oasis. Bien que les coûts du lancement du nouveau système aient été inférieurs de 7,75 % au budget annoncé, l'entreprise déclara des revenus inférieurs à ses prévisions pour le troisième trimestre de 2007 et en imputa la cause à ses mésaventures informatiques. La direction annonça qu'il fallait réduire les coûts annuels de 200 millions de dollars et, pour cela, procéder à des mises à pied et à des opérations de restructuration. Le déploiement raté fit dire au chef de la direction, John Thompson: «Des remplacements de système comme celui-ci sont rarement exempts de problèmes. Nous avons eu notre juste part de difficultés, qui nous ont coûté plus cher que prévu et qui nous ont fait perdre des possibilités de revenus durant ce trimestre.»

Presque immédiatement, Symantec entreprit de réparer les pots cassés en

lançant un projet complémentaire appelé «projet Nero». L'objectif était de reconquérir les clients déçus par tous les changements en communiquant avec eux et en réglant les problèmes que leur causaient les systèmes d'information, de façon à améliorer le temps de réponse et les opérations de modernisation. En concevant un système de gestion intégré éprouvé sur le plan technique mais peu convivial, Symantec n'avait pas tenu compte des besoins de nombreux clients. Avec le projet Nero, l'entreprise voulait convaincre ses clients que leur satisfaction demeurait une priorité.

La société commença par recruter plus de 150 agents de service à la clientèle pour répondre à l'augmentation du volume d'appels, réduire le temps d'attente et accroître le degré de satisfaction des clients. Les cadres sillonnèrent les États-Unis pour rencontrer et apaiser les clients et les partenaires mécontents. Concernant la question des mises à jour de produits lancées au moment du déploiement du PGI, on produisit une liste de contrôle des lancements de produits et on uniformisa les méthodes de communication interservices pour les nouveaux projets et la gestion du changement.

Symantec recourut également à la méthodologie Net Promoter pour mesurer et accroître la loyauté des clients. Conçu peu avant l'achat de Veritas, ce programme permettait de sonder régulièrement les clients pour évaluer leur satisfaction. Les réponses recueillies permirent de cerner les critiques et les problèmes précis et aidèrent considérablement l'entreprise à corriger le tir. La liste de contrôle des lancements de produits découle ainsi directement des suggestions reçues dans le cadre de Net Promoter.

Après le lancement du projet Oasis, le degré de satisfaction des clients de Symantec était au plus bas. Mais le projet Nero a permis à l'entreprise de surmonter le pire de la crise. Symantec dit enregistrer aujourd'hui un taux de satisfaction comparable à celui de l'industrie et affirme avoir évité la catastrophe. Cependant, les résultats des sondages de Net Promoter n'étant pas rendus publics, il est impossible de savoir avec exactitude dans quelle mesure la réputation de l'entreprise est vraiment rétablie. Les petits distributeurs et revendeurs à valeur ajoutée déclarent qu'ils n'ont jamais fait l'objet d'une telle attention de la part de leurs représentants régionaux. Selon certains, le chef de la direction John Tompson appelle régulièrement pour s'enquérir de la qualité du service à la clientèle. Bien que Symantec se soit bien remise de sa chute provoquée par l'implantation initiale du PGI, le projet Oasis demeure un cas édifiant pour les sociétés qui entreprennent une révision complète de leurs systèmes. Même la planification la plus soignée et les systèmes les mieux conçus peuvent rapidement dérailler en cas de problèmes d'utilisation par les clients.

Sources : Lawrence Walsh, « Symantec's Midnight at the Oasis », *Baseline Magazine*, 31 mars 2008 ; Kevin McLaughlin, « Partners Still Hung Over from Symantec ERP Upgrade », *ChannelWeb*, 2 mars 2007 ; Marc L. Songini : « ERP Rollout Whacks Symantec's Bottom Line », *Computerworld*, 31 janvier 2007 ; « ERP Rollout Continues to Weigh Down Symantec », *Computerworld*, 5 février 2007 ; « ERP Rollout Weighs Symantec Down », *Computerworld*, 12 février 2007.

QUESTIONS

1. Quelles notions présentées dans ce chapitre ce cas illustre-t-il ?

2. Quels facteurs sur le plan de la gestion, de l'organisation et de la technologie sont responsables des difficultés de Symantec à réviser ses systèmes d'entreprise ?

3. Symantec a-t-elle réagi adéquatement ? Expliquez votre raisonnement.

4. Qu'auriez-vous fait à la place des responsables de Symantec pour éviter tous les problèmes d'implantation rencontrés ?

5. Si vous étiez partenaire ou client de Symantec, les problèmes engendrés par la révision des systèmes d'entreprise vous auraient-ils fait changer de fournisseur ? Pourquoi ?

Le commerce électronique : les marchés et les produits numériques

 OBJECTIFS D'APPRENTISSAGE

Après avoir étudié ce chapitre, vous pourrez répondre aux questions suivantes :

1. Quelles sont les caractéristiques du commerce électronique, des marchés électroniques et des produits numériques ?
2. En quoi la technologie d'Internet a-t-elle transformé les modèles d'affaires ?
3. Quels sont les divers types de commerces électroniques ? En quoi le commerce électronique a-t-il changé le commerce de détail et les transactions interentreprises ?
4. Quel est le rôle du commerce mobile et quelles sont les applications de commerce mobile les plus importantes ?
5. Quels sont les principaux systèmes de paiement du commerce électronique ?

SOMMAIRE

LES JEUX NEXON :
LE COMMERCE ÉLECTRONIQUE
INVESTIT LA SPHÈRE SOCIALE

Si vous êtes amateur de jeux en ligne, vous connaissez peut-être déjà MapleStory. Il s'agit d'un jeu de rôle en ligne dans lequel les joueurs incarnent des guerriers, des magiciens ou des voleurs et s'unissent pour combattre des monstres. Vous pouvez jouer gratuitement, mais vous devez payer des frais si vous souhaitez doter votre avatar d'une nouvelle tenue, d'une coiffure farfelue ou d'un animal de compagnie marrant. Et pour unir la destinée de deux de vos personnages de MapleStory dans une cérémonie grandiose à Las Vegas, avec vos compagnons virtuels comme invités, vous devez débourser de 20 à 29 $.

MapleStory est une création récente de Nexon, chef de file mondial des jeux multijoueurs en ligne. Cette entreprise a installé son siège social en Corée du Sud et compte des bureaux en Chine, au Japon et aux États-Unis. Elle est une pionnière du modèle d'affaires de la micro-transaction, selon lequel les utilisateurs peuvent accéder au jeu gratuitement, puis choisir de payer pour agrémenter leur expérience d'artifices ou d'articles. Elle fait payer ses articles virtuels entre 0,30 et 30 $. La clientèle mondiale de MapleStory compte 85 millions d'utilisateurs, dont 5,9 millions aux États-Unis. En 2007, les joueurs ont acheté plus de 1,3 million d'articles vestimentaires et plus de 1 million de coiffures pour leurs personnages de MapleStory.

La popularité de Nexon réside notamment dans le fait qu'elle permet l'interaction entre les utilisateurs. «Nous ne vendons pas des produits emballés, mais des expériences sociales», précise Min Kim, vice-président du marketing de la division américaine de Nexon. Durant la majeure partie de la dernière décennie, les jeux en ligne se pratiquaient le plus souvent en solo. Puis, lorsque Internet et les ordinateurs personnels ont pu offrir des fonctions de médias enrichis, le jeu social s'est imposé. Qu'il s'agisse d'une messagerie instantanée intégrée, de la voix sur IP ou d'une messagerie texte, les joueurs disposent maintenant de nombreux moyens pour communiquer avec leurs amis. Les jeux vidéo attirent désormais un nouveau type de consommateurs recherchant une expérience sociale.

Nexon a créé d'autres jeux populaires : Kart Rider, Sugar Rush et Mabinogi. Kart Rider est un jeu de course en ligne recourant au style dessin animé et permettant aux joueurs de personnaliser leur véhicule et de clavarder avec leurs amis. Sugar Rush est un jeu dans lequel les joueurs se battent tout en accumulant des pièces de monnaie virtuelles. Enfin, inspiré de la mythologie celte, Mabinogi permet aux joueurs de faire toutes sortes de choses, comme cultiver la terre, écrire de la musique, se marier ou se bagarrer. Le jeu évolue continuellement grâce à de petits programmes de retouches (appelés «générations» ou «chapitres») qui introduisent dans l'histoire de nouvelles zones d'exploration et de progression. Tous les jeux de Nexon proposent des forums où les joueurs peuvent interagir avec leurs amis ou échanger des trucs.

Tout indique que Nexon a trouvé une formule gagnante pour réussir sur le Web. Aux États-Unis seulement, ses revenus sont passés de 8,5 millions de dollars en 2006 à 29,3 millions en 2007. Dans les magasins Target, ses cartes prépayées servant à acheter ses articles de jeux se placent maintenant au deuxième rang des cartes-cadeaux de divertissement (derrière les cartes iTunes d'Apple).

Sources: Nick Wingfield, «Korea's Nexon Bets on Sales of Virtual Gear for Free Online Games», *The Wall Street Journal*, 23 mai 2008; Kara Swisher, «Playing with Others», *The Wall Street Journal*, 9 juin 2008; www.nexon.com, consulté le 26 octobre 2009.

Les jeux en ligne de Nexon montrent bien le nouveau visage qu'a pris le commerce électronique. En effet, bien qu'elle reste importante, la vente en ligne de produits concrets ne suscite plus autant d'intérêt qu'avant. C'est maintenant la vente de services et d'expériences sociales, impliquant communication et interaction, qui attire les internautes : réseaux sociaux, sites de mise en ligne de photos ou de musiques, sites d'échange d'idées, jeux multijoueurs en ligne. La possibilité d'entrer en liaison avec d'autres utilisateurs et d'autres sites Web a généré une énorme vague de nouvelles entreprises misant sur les relations et le partage.

Le schéma d'introduction attire l'attention sur des points importants mis en évidence par le cas de Nexon et étudiés dans ce chapitre. Le modèle d'affaires de Nexon est une réponse aux questions suivantes : Comment gagne-t-on de l'argent sur le Web aujourd'hui ? Comment peut-on profiter de l'extension de l'accès à large bande à Internet et aux nouvelles technologies du Web 2.0 ? Nexon est un pionnier du modèle d'affaires de la microtransaction et est devenu l'un des principaux fournisseurs de jeux multijoueurs en ligne. Ses jeux regorgent d'action et d'interactivité. Ils permettent aux utilisateurs d'entretenir des liens avec leurs amis et d'autres joueurs. En misant sur les fonctions sociales des jeux en ligne et en offrant la possibilité de faire des micropaiements en ligne pour de petits achats, Nexon a trouvé un public colossal et une source continuelle de revenus.

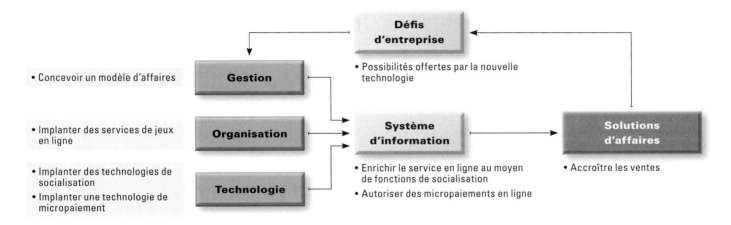

10.1 LE COMMERCE ÉLECTRONIQUE ET INTERNET

Vous est-il arrivé d'acheter de la musique sur le Web ? Vous êtes-vous déjà servi du Web pour vous renseigner sur des chaussures de sport avant de les acheter en magasin ? Si oui, vous avez fait du commerce électronique, comme des centaines de millions de personnes dans le monde. Bien que la plupart des achats passent encore par les canaux traditionnels, le commerce en ligne se développe rapidement et transforme la façon dont de nombreuses entreprises font des affaires.

Le commerce électronique aujourd'hui

Le commerce électronique est l'utilisation d'Internet et du Web pour faire des affaires. L'expression renvoie à des transactions commerciales réalisées sur support numérique entre des organisations, entre des individus ou entre des organisations et des individus. Dans la plupart des cas, il s'agit de transactions effectuées sur Internet et sur le Web. Elles consistent en l'échange de valeurs (par exemple, de l'argent) entre organisations ou individus contre des produits ou des services.

Le commerce électronique a vu le jour en 1995, quand l'un des premiers portails Internet, Netscape.com, a accepté les premières publicités de grandes sociétés et popularisé l'idée selon laquelle le Web pouvait servir de nouveau média pour vendre et annoncer. À l'époque, personne ne soupçonnait que cela allait se traduire par une croissance exponentielle des ventes au détail en ligne, lesquelles ont triplé puis doublé durant les premières années. Ce n'est que depuis 2006 que la croissance de ces ventes a « ralenti », le taux annuel étant de 16 % en 2008, aux États-Unis (figure 10-1).

Comme le reflète l'histoire de nombreuses innovations technologiques – notamment le téléphone, la radio et la télévision –, la croissance très rapide du commerce électronique durant les premières années a créé une bulle spéculative. Comme toutes les bulles, celle-ci a éclaté en mars 2001 et entraîné la faillite de nombreuses entreprises de commerce électronique. Cependant, beaucoup d'autres, comme Amazon,

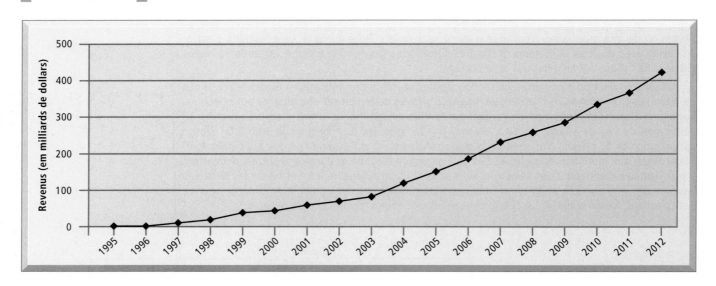

Les revenus du commerce électronique de détail ont augmenté de façon exponentielle depuis 1995 et n'ont « ralenti » que récemment pour atteindre un taux de croissance annuel de 16 % en 2008, aux États-Unis. D'après les projections, ce taux devrait se maintenir jusqu'à la fin de 2010.

eBay, Expedia et Google, s'en sont très bien tirées et se sont distinguées par des revenus à la hausse, des modèles d'affaires parfaitement rodés et rentables et des rendements boursiers croissants. En 2006, les revenus du commerce électronique avaient renoué avec la croissance et demeuraient la forme de commerce de détail affichant la croissance la plus rapide aux États-Unis, en Europe et en Asie.

- Les ventes en ligne aux consommateurs ont augmenté de plus de 15 % en 2008, atteignant 255 milliards de dollars, selon les estimations (services touristiques compris). Quelque 117 millions de personnes ont fait des achats en ligne et 138 millions ont magasiné et se sont renseignées sur Internet, sans acheter nécessairement (eMarketer, 2008).

- Aux États-Unis, le nombre d'internautes est passé de 147 millions en 2004 à 173 millions en 2008. Plus de 1,4 milliard de personnes dans le monde ont une connexion Internet. L'essor de la population d'internautes a favorisé celui du commerce en ligne.

- Au cours d'une journée type, 112 millions de personnes accèdent à Internet, 97 millions envoient des courriels, 71 millions utilisent un moteur de recherche, 67 millions lisent un blogue, 11 millions enrichissent le leur, 12 millions s'échangent de la musique par réseau poste à poste, 28 millions mettent à jour leur profil sur un réseau social, 13 millions visitent Wikipédia et 3 millions utilisent Internet pour évaluer une personne, un produit ou un service (Pew Internet, 2008).

- Le commerce électronique interentreprises, qui désigne autant l'utilisation d'Internet pour le commerce inter-

entreprises que la collaboration entre partenaires d'affaires, a progressé de 17 % et dépasse les 3,6 billions de dollars.

La révolution du commerce électronique se poursuit. Internet deviendra un lieu commercial pour un nombre croissant d'entreprises et d'individus, au fur et à mesure qu'y augmentera l'offre de produits et de services et que les foyers passeront aux télécommunications à large bande. Le commerce électronique transformera un nombre grandissant d'industries, notamment les industries des réservations de voyages, de la musique et du divertissement, de l'information, du logiciel, de l'éducation et de la finance. Le tableau 10-1 présente les innovations du commerce électronique.

Les caractéristiques du commerce électronique

Pourquoi le commerce électronique a-t-il connu un essor aussi rapide ? La réponse réside dans le caractère unique d'Internet et du Web. Les technologies d'Internet et du cybercommerce sont beaucoup plus riches et puissantes que les révolutions technologiques précédentes que furent la radio, la télévision et le téléphone. Le tableau 10-2 résume les caractéristiques exceptionnelles d'Internet et du Web en tant que médias commerciaux. Explorons chacune d'elles en détail.

L'ubiquité

Le commerce traditionnel se caractérise par une place de marché qui est un lieu physique, comme un magasin, où on se rend pour faire une transaction. Le commerce électronique,

TABLEAU 10-1 L'ESSOR DU COMMERCE ÉLECTRONIQUE

LA TRANSFORMATION DES AFFAIRES

- Le commerce électronique est la forme de commerce qui connaît la croissance la plus rapide, par rapport aux magasins de détail et aux entreprises de services et de divertissement ayant pignon sur rue.

- La première vague du commerce électronique a transformé les industries du livre, de la musique et du transport aérien. La deuxième vague voit neuf nouvelles industries suivre la même évolution : la publicité, la téléphonie, le cinéma, la télévision, la joaillerie, l'immobilier, l'hôtellerie, le règlement de factures et le logiciel.

- L'offre s'étend, concernant particulièrement l'économie des services avec le réseautage social, le tourisme, les centres d'information, le divertissement, la vente de vêtements, l'électroménager et l'ameublement.

- Les caractéristiques démographiques de la clientèle internaute ressemblent de plus en plus à celles des consommateurs traditionnels.

- Les modèles d'affaires du commerce électronique s'affinent pour devenir plus rentables et des marques traditionnelles, comme Sears, Archambault, L.L. Bean et Wal-Mart, utilisent le commerce en ligne pour maintenir leur position dominante sur le marché de la vente au détail.

- Les petites entreprises et les entrepreneurs continuent d'envahir l'espace du commerce électronique, profitant souvent des infrastructures créées par les géants de l'industrie, comme Amazon et eBay.

LES BASES DE LA TECHNOLOGIE

- Les connexions Internet sans fil (Wi-Fi, WiMax et le téléphone intelligent 3G) augmentent rapidement.

- Des appareils mobiles puissants permettent d'écouter de la musique, de surfer sur Internet, de se divertir et de parler au téléphone. La baladodiffusion est devenue un moyen de distribution de contenus sonores ou vidéo, produits ou non par les internautes.

- La transmission Internet à large bande est de plus en plus répandue dans les foyers et les entreprises, à mesure que les prix chutent. En 2008, plus de 75 millions de foyers étaient équipés pour accéder à Internet, ce qui représente environ 62 % des foyers aux États-Unis (eMarketer, 2008).

- Le fil RSS est en voie de devenir une nouvelle forme incontournable de distribution de l'information contrôlée par l'utilisateur. Il concurrence même le courrier électronique dans certaines applications.

- Les nouveaux modèles informatiques sur Internet, comme les services Web et .NET, permettent de décupler les possibilités du commerce électronique interentreprises.

L'ÉMERGENCE DE NOUVEAUX MODÈLES D'AFFAIRES

- Plus de la moitié de la population internaute est inscrite sur un site de réseautage social, contribue à des sites de partage de signets, crée des blogues et met ses photos en ligne. Ensemble, ces sites rassemblent une clientèle en ligne aussi vaste et importante que celle de la télévision et très attirante pour les spécialistes du marketing.

- Le modèle d'affaires publicitaire traditionnel est profondément perturbé, Google et d'autres joueurs comme Microsoft et Yahoo!, cherchant à dominer le marché de la publicité en ligne et à s'approprier des parts sur les marchés de la publicité de la télévision et de l'imprimé.

- Les journaux et les autres médias traditionnels gagnent des lecteurs en adoptant des modèles interactifs en ligne, mais perdent des revenus publicitaires au profit d'autres joueurs en ligne.

[TABLEAU **10-2**] **L'ESSOR DU COMMERCE ÉLECTRONIQUE**

DIMENSION TECHNOLOGIQUE DU COMMERCE ÉLECTRONIQUE	IMPORTANCE POUR LES AFFAIRES
Ubiquité La technologie du Web et d'Internet est accessible partout, à la maison, au travail et ailleurs, et tout le temps, grâce aux appareils mobiles.	La « place de marché » s'étend au-delà des frontières traditionnelles et se trouve affranchie des paramètres temporels et géographiques. On obtient un « espace de marché » permettant de magasiner de n'importe où. Le client y gagne et les coûts du magasinage sont réduits.
Portée mondiale La technologie transcende les frontières pour faire le tour de la planète.	Le commerce peut traverser les frontières culturelles et nationales, progressivement et sans modification. L'espace de marché peut comprendre des milliards de consommateurs et des millions d'entreprises à l'échelle mondiale.
Normes universelles Il existe une seule série de normes technologiques, en l'occurrence celles d'Internet.	Une seule série de normes technologiques pour toute la planète permet à des systèmes informatiques disparates de communiquer facilement.
Richesse de l'information Il est possible d'envoyer des messages vidéo, audio ou texte.	Les messages marketing en format audio, vidéo ou texte sont combinés en un seul message marketing, en une seule expérience pour le consommateur.
Interactivité La technologie fonctionne en interaction avec l'utilisateur.	Les consommateurs participent à un dialogue qui leur permet de vivre une expérience personnalisée et les fait jouer un rôle actif dans le processus de livraison de produits sur le marché.
Densité de l'information La technologie réduit le coût de l'information et en augmente la qualité.	Les coûts de traitement, de stockage et de transmission de l'information chutent radicalement, alors que la circulation, l'exactitude et l'à-propos s'améliorent grandement. L'information devient plus généreuse, moins chère et plus précise.
Personnalisation La technologie permet d'envoyer des messages personnalisés à des individus ou à des groupes.	La personnalisation des messages marketing ainsi que des produits et des services se fait en fonction de caractéristiques individuelles.
Technologie sociale Les utilisateurs produisent du contenu et font partie de réseaux sociaux.	Les nouveaux modèles sociaux et modèles d'affaires d'Internet permettent la création et la distribution de contenu par les utilisateurs et favorisent les réseaux sociaux.

lui, est ubiquiste, omniprésent, c'est-à-dire qu'il est disponible partout et tout le temps. On peut donc faire des achats depuis son ordinateur, à la maison, au bureau ou même en voiture, en recourant au commerce mobile. La place de marché a cédé le pas à l'**espace de marché**, qui s'étend au-delà des frontières traditionnelles et qui est affranchi des paramètres temporels et géographiques.

Du point de vue du consommateur, l'ubiquité réduit les **coûts de transaction**, c'est-à-dire les coûts de participation au marché. Pour faire des affaires, il n'est désormais plus nécessaire de consacrer du temps ou de l'argent pour se rendre sur les lieux du commerce. L'effort mental requis pour faire un achat s'en trouve quant à lui grandement diminué.

Une portée mondiale

La technologie du commerce électronique permet aux transactions commerciales de traverser les frontières culturelles et nationales beaucoup plus commodément et à moindre coût

que ne le permet le commerce traditionnel. Par conséquent, le commerce électronique dispose d'un marché dont la taille potentielle correspond grosso modo à celle de la population mondiale d'internautes (plus d'un milliard, avec une croissance rapide).

En comparaison, le commerce traditionnel est d'envergure locale ou régionale, c'est-à-dire qu'il met en relation des commerçants locaux ou nationaux et des points de vente locaux. Les journaux et les stations de télévision et de radio, par exemple, sont avant tout des établissements locaux et régionaux associés à des réseaux nationaux limités mais puissants, capables d'attirer une audience nationale mais pas de transcender les frontières nationales pour rejoindre une audience mondiale.

Des normes universelles

Les normes techniques d'Internet et, par conséquent, les normes techniques qui servent au commerce électronique sont universelles; c'est là une particularité remarquable des technologies du commerce électronique. Ces normes sont utilisées par tous les pays du monde et permettent à n'importe quel ordinateur de se connecter avec n'importe quel autre, quelle que soit la plateforme technologique de l'un et de l'autre. Les technologies du commerce traditionnel, elles, varient d'un pays à l'autre. Par exemple, les normes en usage pour la télévision, la radio et même la technologie cellulaire ne sont pas les mêmes d'un point du globe à l'autre.

Les normes techniques universelles d'Internet et du commerce électronique réduisent considérablement le **prix d'entrée**, c'est-à-dire le prix que les commerçants doivent payer simplement pour introduire leurs produits sur le marché. Elles réduisent aussi les **coûts de recherche** pour les consommateurs, c'est-à-dire le temps et l'argent nécessaires pour trouver les produits qui conviennent.

La richesse de l'information

La **richesse de l'information** renvoie à la complexité et au contenu d'un message. Les marchés traditionnels, les équipes de vente nationales et les petits commerces de détail proposent une information enrichie: ils sont en mesure d'offrir un service personnalisé en se servant d'éléments auditifs et visuels lorsqu'une vente est conclue. Leur richesse en fait de formidables environnements commerciaux. Avant l'essor du Web, il fallait choisir entre la richesse de l'information et le marché: plus l'audience était vaste, plus le message était pauvre. Le Web permet maintenant de livrer à de vastes publics des messages enrichis combinant du texte, des images et du son.

L'interactivité

Contrairement aux technologies commerciales du xxᵉ siècle, à l'exception peut-être du téléphone, les technologies du commerce électronique sont interactives, c'est-à-dire qu'elles permettent une communication bilatérale entre le commerçant et le consommateur. La télévision, par exemple, ne permet pas de poser des questions aux téléspectateurs ni d'entretenir une conversation avec eux, pas plus qu'elle ne permet de faire remplir un formulaire par le consommateur. Or, toutes ces activités sont possibles sur un site Web. L'interactivité permet au cybercommerçant d'entrer en communication avec les consommateurs, par des moyens rappelant le contact en personne mais à une échelle mondiale.

La densité de l'information

Internet et le Web augmentent considérablement la **densité de l'information**, c'est-à-dire la quantité totale et la qualité de l'information dont disposent tous les participants du marché, qu'ils soient consommateurs ou commerçants. Les technologies du cybercommerce réduisent les coûts de collecte, de stockage, de traitement et de transmission de l'information, tout en en améliorant la circulation, l'exactitude et l'à-propos.

La densité de l'information dans les marchés du commerce électronique rend les prix et les coûts plus transparents. La **transparence des prix** renvoie à la facilité avec laquelle les consommateurs peuvent déterminer l'éventail des prix sur un marché. La **transparence des coûts** renvoie pour sa part à la propriété permettant aux consommateurs de connaître les coûts réels que paient les commerçants pour leurs produits.

Les commerçants y gagnent aussi. Les cybercommerçants peuvent en savoir beaucoup plus sur leurs clients que par le passé. Ils peuvent ainsi segmenter leur marché en sous-groupes de consommateurs, selon leur disposition à payer plus ou moins cher. Ils peuvent donc pratiquer une **discrimination des prix**, qui consiste à vendre le même produit ou un produit très semblable à des prix différents, selon les groupes visés. Par exemple, un cybercommerçant peut découvrir chez l'une de ses clientes une attirance pour une destination exotique très coûteuse et lui proposer des vacances haut de gamme à prix d'or, sachant qu'elle est prête à payer cher pour ce type de vacances. En même temps, il pourra faire la même offre, mais à meilleur coût, à un client plus sensible aux prix. La densité de l'information aide aussi les commerçants à différencier leurs produits selon le coût, la marque et la qualité.

La personnalisation

Les technologies du commerce électronique facilitent la **personnalisation** (ou adaptation): elles permettent aux commerçants de cibler leur message marketing en l'ajustant au destinataire, selon ses champs d'intérêt, ses achats précédents et son nom; elles permettent de modifier le produit ou le service livré selon les préférences ou les habitudes antérieures du client. Leur caractère interactif permet de recueillir beaucoup de renseignements sur le client, au moment de l'achat. La densité grandissante de l'information signifie que les cybercommerçants peuvent stocker et utiliser beaucoup de renseignements sur les habitudes de leurs clients, au moment des achats.

Le degré de personnalisation ainsi obtenu est tout simplement impensable avec les technologies du commerce traditionnel. Par exemple, vous pouvez choisir ce que vous voyez à la télévision en changeant de chaîne, mais vous ne pouvez pas changer le contenu de la chaîne que vous avez choisie. En revanche, l'édition en ligne du *Wall Street Journal* vous permet non seulement de choisir le type de nouvelles et de reportages que vous désirez voir en premier, mais aussi de recevoir un avis lorsque surviennent certains événements.

La session interactive sur les organisations décrit ces caractéristiques du commerce en ligne. Turner Sports New Media gère une gamme de sites Web pour NASCAR, la NBA et d'autres associations sportives. L'entreprise fait bon usage de l'interactivité et de la richesse de l'information et elle sait combiner la portée de la télévision par câble et les relations étroites avec les consommateurs.

TURNER SPORTS NEW MEDIA COMBINE INTERNET ET LA TÉLÉVISION

Turner Sports New Media est la division en ligne de Turner Broadcasting System (TBS), société issue du regroupement de plusieurs réseaux de télévision effectué par le milliardaire Ted Turner dans les années 1970. TBS est maintenant un géant médiatique possédant diverses sociétés de portefeuille, notamment CNN, TBS, TNT et Cartoon Network. David Levy, chef de la division des sports de TBS, a créé Turner Sports New Media à partir du constat de la popularité grandissante de la vidéo à large bande sur Internet. Prévoyant que cette technologie nuirait au secteur télévision de TBS, il s'est employé à signer des ententes pour gérer les droits de diverses associations sportives sur le Web et pour trouver des façons créatives de conjuguer télévision et Internet.

Turner Sports New Media s'est positionnée comme une entreprise novatrice par son aptitude à combiner la télévision et le Web avec plus de succès que ses concurrents. Sa réussite lui a permis non seulement d'étendre son bassin d'annonceurs, mais aussi de persuader des associations sportives comme le PGA Tour (golf) et NASCAR (course automobile) de lui confier la gestion de leurs opérations Web en lui versant chaque année des millions de dollars. Sa formule consiste à offrir de riches fonctions interactives qui utilisent simultanément la télévision et le Web pour optimiser l'expérience de l'utilisateur.

En 2003, Turner Sports New Media ne gérait que NASCAR.com. En 2006, la société avait obtenu la gestion de PGA.com et de PGATour.com. Au début de 2008, elle signait avec la NBA (basketball) une entente de cogestion pour le site NBA.com, qui enregistre chaque mois 5,5 millions de visiteurs. Plus récemment, elle convoitait les opérations Web de la ligue majeure de soccer (MLS), dont la gestion relevait curieusement de la Ligue majeure de baseball (MLB). L'entreprise reçoit des honoraires pour la gestion des sites et partage les revenus publicitaires avec chaque ligue. Pour chaque site qu'elle gère, elle a pour objectif d'amener les partisans à passer de la télévision à l'ordinateur, pour profiter des caractéristiques uniques du site Web. Par exemple, les visiteurs de PGATour.com peuvent regarder les jeux de certains trous, voir un joueur en particulier, consulter des vues aériennes du parcours et obtenir des conseils de pros en direct.

De nombreuses ligues sportives n'aiment pas céder la gestion de leur site Web à des organisations externes. Elles préfèrent s'en occuper elles-mêmes afin d'éviter de payer des honoraires à des sociétés comme Turner Sports New Media. La NFL (football) a récemment récupéré les droits de son site Web auprès de CBS. Cependant, la proposition de valeur de Turner est attrayante. Les associations sportives profitent de l'audience cumulée de l'entreprise et de la relation Internet avec les consommateurs. Turner possède une grande expérience dans la gestion de sites Web. Elle a montré qu'elle savait accroître l'achalandage sur un site et élaborer des applications interactives novatrices. Les spécialistes peuvent placer des publicités dans une variété de formats (télévision et Internet).

Le long partenariat qui unit Turner et NASCAR et le fait que les deux ont récemment signé une prolongation d'engagement montrent que NASCAR est plus que satisfaite des résultats. NASCAR.com est l'un des trois sites d'associations sportives les plus populaires depuis quelques années. Il a enregistré une forte augmentation du nombre de pages vues depuis que Turner gère les droits Web de la ligue et une augmentation de 25 % du nombre moyen de visiteurs par mois au cours des sept dernières années. Durant la dernière année civile, il a enregistré 1,4 milliard de pages vues. Turner conservera la gestion de NASCAR.com jusqu'en 2014. Elle collaborera à la création de contenus, au commerce en ligne et à la vente de billets. Elle continuera en outre de surveiller les contenus de nouvelles, la couverture à large bande, les plateformes sans fil, les téléchargements de vidéos et la vente d'espace publicitaire. Enfin, elle cherchera à offrir aux partisans de l'information de première qualité et des produits NASCAR.

Turner a mis en place une grande variété d'applications avant-gardistes et d'offres sur NASCAR.com, notamment TrackPass, la plus interactive de toutes. TrackPass est un service à valeur ajoutée offrant plusieurs applications interactives, dont TrackPass Scanner, TrackPass PitCommand et TrackPass RaceView. Cette dernière application reproduit une image numérique de chaque voiture et propose une multitude de prises de vues et d'options de visionnement. Les utilisateurs peuvent faire une pause, revenir en arrière ou revoir une course réelle en entendant les propos du pilote. Une variété d'autres options leur permettent d'adapter comme jamais auparavant leur façon de regarder chaque course pour en tirer le maximum.

Turner a également enrichi le site NASCAR.com d'applications comme un centre d'information continue, la diffusion sur le Web de certaines courses, une page « communautaire » pour le réseautage social, une grande vidéothèque, des émissions interactives en direct sur large bande et une vaste boutique.

La prolongation d'engagement de Turner avec la NBA fait de ce partenariat le plus long jamais vu entre une association sportive et un réseau de télévision : 32 ans. Le contrat accorde à Turner Sports New Media l'accès au réseau NBA.com, qui comprend WNBA.com et NBADleague.com en plus du site principal. Il prévoit que TNT poursuivra la diffusion à la télévision des matches de la NBA, élargira sa participation sur Internet et assurera la gestion, avec la NBA, des activités numériques de la ligue. Ces activités comprennent la NBA TV (réseau numérique de télévision à programmation continue), la gestion du réseau de sites de NBA.com, la NBA League Pass, la publicité et le recours aux commentateurs et animateurs de TNT pour les éléments interactifs de NBA.com. Il y a fort à parier que Turner

élaborera des applications semblables à TrackPass Race View pour les matches de la NBA, de façon à conférer à l'expérience de l'utilisateur le même degré de richesse et d'adaptabilité.

Turner souhaite développer TNT NBA Overtime, émission à large bande sur NBA.com qui transmet en continu les matches diffusés par TNT, les faits saillants, des entrevues exclusives, des analyses d'experts et d'autres contenus que les utilisateurs peuvent visionner en direct, en différé et sur demande. Le

contrat qui lie Turner et la NBA est censé durer jusqu'à la saison 2015-2016. Si Turner continue d'obtenir les mêmes résultats, le site NBA.com restera un bel exemple de média riche et interactif.

Sources : «Turner, NASCAR Announce Extension of Online Rights», NASCAR.com, 22 janvier 2008; «Turner Broadcasting and NBA Broaden Partnership with Digital Rights», NBA.com, 17 janvier 2008; Tom Lowry, «Turner's Secret WebWeapon», *Business Week*, 31 décembre 2007-7 janvier 2008; «NASCAR.COM : TrackPass», NASCAR.com, juillet 2008.

Questions

1. Décrivez les caractéristiques de la technologie du commerce électronique qui sont présentées dans ce cas.

2. Comment le Web enrichit-il les activités de télévision pour les sociétés présentées dans ce cas? En quoi offre-t-il de la valeur?

3. Pourquoi l'application TrackPass de NASCAR est-elle un bon exemple de valeur qu'offre Turner Sports New Media aux sites des associations sportives?

4. Selon vous, Turner Sports New Media continuera-t-elle de croître tranquillement? Pourquoi?

Ateliers

Explorez le site PGA.com, PGATour.com ou NASCAR.com, puis répondez aux questions suivantes :

1. Quelles caractéristiques de la technologie du commerce électronique relevez-vous sur le site? À quoi servent-elles?

2. Comment le site Web incite-t-il à regarder la télévision? Comment crée-t-il de la valeur pour l'entreprise?

La technologie sociale : des utilisateurs producteurs de contenu et adeptes des réseaux sociaux

En comparaison de celles qui les ont précédées, les technologies d'Internet et du commerce électronique ont développé une facette beaucoup plus sociale en permettant aux utilisateurs de créer du contenu sous forme de texte, de vidéos, de musique et de photos et d'en faire profiter leurs amis (ainsi qu'une communauté plus vaste, à l'échelle planétaire). À l'aide de ces formes de communication, les utilisateurs peuvent créer de nouveaux réseaux sociaux et renforcer ceux dont ils font déjà partie.

Tous les médias de masse de l'histoire moderne, y compris la presse imprimée, suivent un modèle de diffusion univoque dans lequel des experts (professionnels, auteurs, éditeurs, réalisateurs et producteurs) créent du contenu dans un lieu central, pour une multitude de personnes consommant un produit normalisé. Internet et le commerce électronique donnent aux utilisateurs le pouvoir de créer et de distribuer du contenu à grande échelle et leur permettent de programmer leur propre consommation de contenu. Internet fournit un modèle de communication de masse multivoque inédit.

Les notions clés du commerce électronique : les marchés électroniques et les produits numériques au sein d'un marché mondial

En affaires, les modèles relatifs à l'emplacement, au moment propice et aux revenus reposent en partie sur le coût et la distribution de l'information. Internet a créé une place de **marché électronique** où des millions de personnes issues des quatre coins du monde peuvent échanger de grandes quantités d'informations directement, instantanément et gratuitement. Par conséquent, Internet a transformé les façons de faire des entreprises et a accru leur portée mondiale.

Internet réduit l'asymétrie de l'information. L'**asymétrie de l'information** correspond à la situation dans laquelle l'une des parties d'une transaction possède plus d'information essentielle à la transaction que l'autre, et a donc un pouvoir de négociation relatif supérieur. Les marchés électroniques permettent aux consommateurs et aux fournisseurs de «voir» les prix facturés pour les marchandises, et en ce sens sont qualifiés de plus «transparents» que les marchés traditionnels.

Par exemple, avant l'apparition sur le Web des sites de vente de voitures au détail, il existait une asymétrie d'information très grande entre les concessionnaires automobiles et leurs clients. En effet, seuls les concessionnaires automobiles connaissaient les prix des fabricants. Les consommateurs avaient de la difficulté à magasiner et à obtenir le meilleur prix. Les marges bénéficiaires des concessionnaires automobiles dépendaient de cette asymétrie d'information. Aujourd'hui, les consommateurs ont accès à une multitude de sites Web fournissant de l'information sur les prix des concurrents. Les trois quarts des acheteurs de voitures des États-Unis utilisent Internet pour trouver le meilleur prix. Ainsi, le Web a réduit l'asymétrie d'information pour l'achat d'une voiture. Il a aussi aidé les entreprises désirant acheter les produits d'autres entreprises à réduire l'asymétrie d'information et à trouver les meilleurs prix et les meilleures conditions.

Les marchés électroniques sont très flexibles et efficients, parce qu'ils fonctionnent avec des coûts de recherche et de transaction réduits, des **coûts d'ajustement des prix** moindres (coûts de modification des prix que le commerçant assume), une discrimination des prix et la possibilité de changer les prix de façon dynamique selon les conditions du marché. Selon l'**établissement dynamique des prix**, le prix d'un produit varie selon les caractéristiques de la demande et de l'offre, selon la demande du consommateur et la situation d'approvisionnement du vendeur.

Les marchés électroniques peuvent soit réduire ou augmenter les frais de substitution, selon la nature du produit ou du service vendu, et peuvent retarder la gratification. En effet, contrairement à ce qui se produit sur une place de marché physique, l'acheteur ne peut pas utiliser immédiatement le produit qu'il commande en ligne, comme un vêtement (mais la gratification immédiate est possible pour certains produits, comme de la musique ou d'autres produits numériques qui se téléchargent).

Les marchés électroniques offrent de nombreuses possibilités de vente directe au consommateur, sans intermédiaires tels que le distributeur ou le magasin de détail. La suppression d'intermédiaires dans le circuit de distribution peut grandement réduire les coûts de transaction. Lorsqu'il faut payer toutes les étapes du circuit de distribution traditionnel, on obtient un prix de vente pouvant représenter 135 % du coût de fabrication original. La figure 10-2 met en évidence les économies découlant de l'élimination de chacune des étapes du circuit de distribution. En vendant directement aux consommateurs ou en réduisant le nombre d'intermédiaires, les entreprises peuvent faire plus de profits tout en vendant moins cher. La suppression d'étapes intermédiaires dans les processus d'affaires ou de gestion porte le nom de **désintermédiation**.

La désintermédiation concerne aussi le marché des services. Les sociétés aériennes et les hôtels qui ont un système de réservation en ligne empochent plus pour chaque réservation parce qu'ils ont éliminé l'intermédiaire qu'est l'agent de voyages. Le tableau 10-3 résume les différences entre les marchés électroniques et les marchés traditionnels.

Les produits numériques

La place de marché Internet a grandement contribué à l'augmentation des ventes de produits numériques. Les **produits numériques** sont des produits pouvant être livrés par l'entremise d'un réseau numérique. Pièces musicales, vidéos, logiciels, journaux, magazines et livres peuvent tous être réalisés, stockés, livrés et vendus sous forme de produits numériques. Actuellement, ils sont vendus pour la plupart sur des supports traditionnels: CD, DVD, livres imprimés. Cependant, Internet offre la possibilité de les livrer sur demande sous forme de produits numériques.

En matière de produits numériques, le coût marginal de production d'une unité supplémentaire est généralement nul (copier un fichier musical ne coûte rien). Cependant, les coûts de production de l'unité originale sont relativement élevés. Ils représentent presque la totalité du coût du produit, parce que les coûts de stockage et de distribution sont à peu près

FIGURE 10-2 LES AVANTAGES DE LA DÉSINTERMÉDIATION POUR LE CONSOMMATEUR

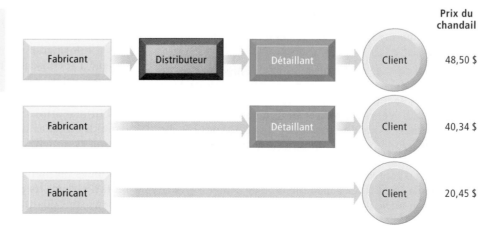

Le circuit de distribution comporte plusieurs intermédiaires faisant chacun augmenter le prix final d'un produit, par exemple un chandail. Lorsqu'on en élimine certains, le prix final que le consommateur doit payer diminue.

				Prix du chandail
Fabricant	Distributeur	Détaillant	Client	48,50 $
Fabricant		Détaillant	Client	40,34 $
Fabricant			Client	20,45 $

TABLEAU 10-3 — UNE COMPARAISON ENTRE LES MARCHÉS ÉLECTRONIQUES ET LES MARCHÉS TRADITIONNELS

	MARCHÉS ÉLECTRONIQUES	MARCHÉS TRADITIONNELS
Asymétrie de l'information	Asymétrie réduite	Grande asymétrie
Coûts de recherche	Faibles	Élevés
Coûts de transaction	Faibles (parfois virtuellement nuls)	Élevés (temps, déplacement)
Délai de gratification	Long (mais court pour les produits numériques)	Court : achat immédiat
Coûts d'ajustement des prix	Faibles	Élevés
Établissement dynamique des prix	Faibles coûts, instantané	Coûts élevés, délai
Discrimination des prix	Faibles coûts, instantanée	Coûts élevés, délai
Segmentation du marché	Faibles coûts, précision moyenne	Coûts élevés, faible précision
Frais de substitution	Élevés ou bas, selon les caractéristiques des produits	Élevés
Effets de réseaux	Forts	Faibles
Désintermédiation	Possible et probable	Peu possible et peu probable

inexistants. Les coûts de livraison par Internet sont très faibles, les coûts de marketing restent sensiblement les mêmes que pour un produit physique et l'établissement de prix est très variable. (Sur Internet, le commerçant peut changer les prix aussi souvent qu'il le désire, en raison des faibles coûts d'ajustement des prix.)

L'impact d'Internet sur le marché des produits numériques dont nous avons parlé est vraiment révolutionnaire, et nous en voyons les résultats chaque jour. Les entreprises qui vivent de la vente de ces produits sur support traditionnel, notamment les librairies, les éditeurs, les compagnies de disques et les maisons de production de films, voient leurs ventes diminuer et risquent même de disparaître. Les journaux et les magazines perdent des lecteurs au profit d'Internet et, par conséquent, des annonceurs. Les compagnies de disques perdent des ventes au profit du téléchargement illégal de musique. Des magasins de disques doivent fermer. Les chaînes de location de films comme Blockbuster, dont les affaires reposent sur le marché des DVD physiques et sur des magasins physiques, perdent des ventes au profit de NetFlix, qui fonctionne selon un modèle Internet. Les studios de Hollywood doivent affronter la réalité des pirates Internet qui distribuent leurs produits sous forme numérique et, ce faisant, court-circuitent leur monopole pour la location et la vente de DVD. Or, ce dernier représente pour l'instant plus de la moitié des revenus de l'industrie du cinéma (voir à ce sujet l'étude de cas à la fin du chapitre 3). Le tableau 10-4 présente les différences entre les produits numériques offerts sur Internet et les produits sur support traditionnel.

TABLEAU 10-4 — LE COÛT DES PRODUITS NUMÉRIQUES SELON QU'ILS SONT OFFERTS SUR INTERNET OU SUR UN SUPPORT TRADITIONNEL

PRODUITS NUMÉRIQUES	SUR INTERNET	SUR SUPPORT TRADITIONNEL
Coût marginal par unité	Nul	Élevé
Coûts de production	Élevés (presque la totalité des coûts)	Variables
Coûts de reproduction	À peu près nuls	Élevés
Coûts de livraison répartis	Faibles	Élevés
Coûts de stockage	Faibles	Élevés
Coûts de marketing	Variables	Variables
Établissement des prix	Variable (offres groupées, établissement de prix aléatoire)	Fixe, selon le coût unitaire

Les modèles d'affaires sur Internet

Le résultat final de ces changements dans l'économie de l'information est une révolution dans la façon de faire du commerce, avec l'apparition de nouveaux modèles d'affaires et la disparition de modèles d'affaires désuets. Le tableau 10-5 décrit certains des modèles d'affaires les plus importants ayant fait leur apparition sur Internet. D'une façon ou d'une autre, tous ces modèles ajoutent de la valeur aux produits et aux services actuels, ou permettent d'offrir de nouveaux produits et services.

La communication et le réseautage social

Certains des nouveaux modèles d'affaires sur Internet tablent sur la richesse des fonctions de communication d'Internet. EBay est un forum d'enchères en ligne qui utilise le courrier électronique et d'autres caractéristiques interactives du Web, comme nous l'avons décrit dans le cas introduisant le chapitre 3. Le système accepte des offres d'achat inscrites en ligne, les évalue et avertit le soumissionnaire de la meilleure offre. L'entreprise empoche une petite commission pour chaque inscription et chaque vente. Le site est

TABLEAU 10-5 LES PRINCIPAUX MODÈLES D'AFFAIRES SUR INTERNET

CATÉGORIE	DESCRIPTION	EXEMPLES
Magasin virtuel	Vend des produits physiques directement aux clients ou aux entreprises.	Amazon.ca Archambault.ca
Courtier en information	Fournit aux personnes ou aux entreprises des renseignements sur les produits, sur les prix et sur la disponibilité. Tire ses revenus de la publicité ou de son action d'orientation des acheteurs vers les vendeurs.	Edmunds.com Autohebdo.net Insweb.com Sia.ca
Courtier électronique	Permet aux utilisateurs de gagner temps et argent en traitant les transactions en ligne, en échange d'une commission. Fournit aussi de l'information sur les taux et les conditions.	Disnat.com Expedia.ca
Place de marché électronique	Fournit un environnement numérique où les acheteurs et les vendeurs peuvent entrer en contact, faire de la recherche de produits, afficher des produits et établir des prix pour ces produits. Peut fournir des services de ventes aux enchères en ligne ou d'enchères inversées, dans lesquelles les acheteurs présentent leurs offres d'achat à plusieurs vendeurs pour acheter un produit au prix qu'ils ont proposé ou à un prix négocié ou fixe. Peut être utile aux consommateurs ou au commerce interentreprises. Les revenus proviennent des frais de transactions facturés.	eBay.ca Priceline.com ChemConnect.com
Fournisseur de contenu	Propose sur le Web du contenu numérique tel que des nouvelles, de la musique, des photos ou des vidéos. Les revenus proviennent soit de ce que paie le client pour accéder au contenu, soit de la vente d'espaces publicitaires.	Cyberpresse.com CNN.com iTunes.com Games.com Lesaffaires.com GettyImages.com Radio-canada.ca
Réseau social	Fournit un lieu de rencontre en ligne où des gens partageant les mêmes champs d'intérêt peuvent communiquer et trouver de l'information utile. Le site tire ses revenus de la publicité.	Linkedin.com MySpace.com Reseaucontact.com Motoneiges.ca Twitter.ca
Portail	Fournit un point d'entrée sur Internet, ainsi qu'un contenu spécialisé et d'autres services. Les revenus proviennent de la publicité.	Canoe.ca MSN.ca Orange.fr Yahoo.com StarMedia.com
Fournisseur de services	Fournit des services Web 2.0, comme le partage de photos, de vidéos et de contenu produit par les utilisateurs (dans les blogues et les réseaux sociaux) sous forme de services. Propose d'autres services, comme le stockage de données sur Internet et les copies de sécurité. Tire des revenus d'abonnements ou de la facturation de frais de transaction et de publicité.	YouTube.com Google Maps Salesforce.com

devenu si populaire qu'il sert de vaste plateforme commerciale pour d'autres entreprises; il héberge des centaines de milliers de vitrines virtuelles.

Les enchères interentreprises sont en train de faire leur apparition également. Par exemple, GoIndustry offre des services d'enchères sur le Web pour la vente interentreprises d'équipements industriels et de machines.

Grâce à Internet se sont créées des communautés électroniques dont les membres partageant les mêmes champs d'intérêt peuvent échanger leurs idées depuis divers endroits. Elles obtiennent un revenu en fournissant aux entreprises des manières de cibler des clients, en plaçant notamment des bandeaux et des fenêtres publicitaires sur leur site Web. Un **bandeau publicitaire** (aussi appelé « bannière ») est un affichage graphique à but publicitaire sur une page Web. Il fait le lien avec le site Web de l'annonceur. Ainsi, lorsqu'une personne clique dessus, la page Web de l'annonceur apparaît pour fournir plus d'information. La **fenêtre publicitaire**, elle, fonctionne d'une façon opposée. En effet, elle s'ouvre automatiquement lorsqu'un internaute accède à un site Web donné et ne disparaît que lorsqu'il clique dessus.

Les **sites de réseautage social** sont des types de communautés en ligne qui ont incroyablement gagné en popularité. Le réseautage social consiste à agrandir le nombre de ses contacts professionnels ou sociaux en créant des liens grâce à d'autres personnes. Les sites mettent des personnes en lien par l'intermédiaire de leurs entreprises respectives ou de leurs relations personnelles. Ils permettent à leurs utilisateurs de constituer et d'élargir leur cercle de connaissances grâce à des amis (et à des amis d'amis), dans le but de trouver des clients potentiels, d'obtenir des trucs pour la recherche d'emploi ou de se faire de nouveaux amis. MySpace, Facebook et Twitter sont surtout destinés aux internautes qui veulent augmenter le nombre de leurs amis, tandis que Linkedin. com cible les réseaux d'emploi.

Les membres des sites de réseautage social passent des heures à y surfer, à consulter les pages des autres membres et à échanger des messages, en fournissant beaucoup d'information à leur sujet. Les entreprises recueillent cette information pour élaborer des promotions soigneusement ciblées, dont le texte et le visuel vont bien plus loin que ceux des publicités types affichées sur le Web. Elles utilisent aussi les sites pour interagir avec des clients potentiels. Par exemple, Procter & Gamble a créé sur MySpace un profil pour le dentifrice Crest et sollicite des « amis » pour un personnage fictif appelé « Miss Irresistable ».

Les sites de réseautage les plus populaires attirent tellement de visiteurs et les retiennent si longtemps qu'ils sont devenus de formidables outils de marketing. Le cas présenté à la fin de ce chapitre présente le modèle d'affaires que constitue Facebook.

Le réseautage social est si attrayant qu'il a inspiré un nouveau type d'expérience de commerce électronique: le **magasinage social**. Les sites de magasinage social que sont Kaboodle, ThisNext et Stylehive.com proposent des lieux de rencontre en ligne pour les internautes qui souhaitent partager de l'information sur le magasinage. Les utilisateurs peuvent y créer leurs propres pages Web et y présenter de l'information et des images sur des articles qu'ils aiment, pour aider d'autres adeptes du magasinage.

Les contenus, divertissements et services numériques

En 2008, aucune industrie n'a connu plus de changements, sous l'influence d'Internet, que celle du divertissement, regroupant grosso modo la télévision, le cinéma, la musique, la radio et les contenus écrits. La possibilité de télécharger des produits et des contenus numériques fournit des solutions de rechange aux médias imprimés et radiotélévisés. De nombreux sites Web présentent la version numérique de publications imprimées, comme le *New York Times*, le *Wall Street Journal*, *La Presse* ou *Le Figaro*, tandis que d'autres proposent de nouveaux journaux en ligne, comme Salon.com.

Certains sites parmi les plus populaires proposent du divertissement en format numérique. Les jeux en ligne attirent une multitude de visiteurs. Les jeux de Nexon, dont nous avons traité en introduction de ce chapitre, recrutent des millions d'adeptes.

Vous pouvez écouter sur le Web vos chaînes radiophoniques préférées, comme Radio-Canada ou la BBC, de même que de nombreuses chaînes indépendantes. Le signal radio étant relayé par Internet, il est maintenant possible d'écouter des stations de radio de n'importe où dans le monde. Des services comme Launchcast de Yahoo! proposent même à leurs utilisateurs une liste de chaînes radiophoniques individuelles.

Grâce aux connexions à large bande, il est maintenant possible de regarder des longs métrages et des émissions de télévision sur un site Web. Netflix, Apple, Amazon, Movielink et CinemaNow offrent un service de téléchargement de longs métrages. MLB.com, site Web de la Ligue majeure de baseball, permet aux abonnés payants de regarder des matchs de la ligue en direct. Certaines chaînes de télévision et certains services vidéo en ligne, comme IVillage Live, offrent des services de messagerie instantanée permettant aux téléspectateurs d'échanger leurs impressions au sujet d'une émission en cours de diffusion.

Nombreux sont ceux qui se servent du Web pour écouter des extraits musicaux et télécharger de la musique. Si la musique peut être gratuite sur Internet, elle est aussi parfois payante. ITunes d'Apple et d'autres sites engrangent des revenus en faisant payer le téléchargement de pièces musicales ou d'albums complets. La popularité phénoménale du service musical iTunes et du baladeur numérique iPod d'Apple a inspiré une nouvelle façon de livrer du contenu numérique appelée « baladodiffusion ». La **baladodiffusion** est un mode de diffusion de contenus audio au moyen d'Internet qui permet aux utilisateurs abonnés de télécharger des fichiers audio, ou « balados », sur leur ordinateur personnel ou leur baladeur numérique. Les vidéoclips conçus pour le téléchargement et le visionnement sur un appareil mobile sont appelés « balado vidéo ».

La baladodiffusion permet à des producteurs indépendants de publier eux-mêmes leurs contenus audio et procure aux médias radiotélévisés une nouvelle méthode de distribution. Les balados servent aussi aux entreprises pour la diffusion d'information sous forme audio, à destination des employés. L'entreprise de sécurité Internet SonicWALL y recourt quant à elle pour présenter son expertise aux consommateurs et pour fournir à ses revendeurs de l'information sur les nouveaux produits.

Les ressources informationnelles disponibles sur le Web sont tellement vastes et riches que sont apparus des « portails », modèles d'affaires Internet ayant pour but d'aider les personnes et les organisations à trouver rapidement l'information qu'elles recherchent. Au chapitre 2, nous avons défini le portail comme une interface Web servant à présenter de manière intégrée du contenu spécialisé provenant de plusieurs sources. En tant que modèle de commerce électronique, le portail est un « supersite » qui fournit un point d'entrée complet sur une impressionnante gamme de ressources et de services offerts sur Internet.

Yahoo! est un exemple de portail. Il offre la possibilité aux internautes de trouver de l'information dans les domaines suivants : nouvelles, sport, météo, répertoires téléphoniques, cartes géographiques, jeux, magasinage, courrier électronique, clavardage, forums de discussion. Il contient également des hyperliens vers d'autres sites. En outre, des portails spécialisés existent pour les internautes ayant des champs d'intérêt particuliers. Par exemple, StarMedia est un portail personnalisé destiné aux internautes d'Amérique latine.

Yahoo! et les autres portails et sites Web combinent souvent du contenu et des applications venant de plusieurs sources et de divers fournisseurs de services. D'autres modèles d'affaires Internet utilisent la souscription pour fournir de la valeur supplémentaire. Par exemple, E*TRADE, site de services financiers à escompte en ligne, achète la plus grande partie de son contenu à des sources externes telles que Reuters (nouvelles) et BigCharts.com (graphiques). Les **agences de souscription** en ligne rassemblent du contenu ou des applications venant de plusieurs sources, les préparent pour la distribution et les revendent à d'autres sites Web. Elles constituent une variante du modèle d'affaires « fournisseur de contenu en ligne ». Le Web facilite le travail des entreprises pour le regroupement, la préparation et la distribution de l'information et des services reposant sur l'information.

Photobucket est un service de diffusion de photos en ligne qui fonctionne avec des applications et services du Web 2.0. D'autres fournisseurs de services en ligne proposent des services comme le stockage de données à distance (Xdrive.com). Tous ces fournisseurs de services tirent leurs revenus des frais d'abonnement et de la publicité.

La plupart des modèles d'affaires décrits au tableau 10-5 sont appelés **sociétés point-com**, parce qu'ils reposent entièrement sur Internet. Ces entreprises ne possédaient pas d'établissements « de briques et de mortier », de type classique, avant leur arrivée sur Internet. D'un autre côté, de nombreuses firmes, telles que Canadian Tire, Rona, Home Depot, Le Figaro, Le Soleil et La Tribune ont créé des sites Web qui sont des extensions de leur entreprise traditionnelle. Elles deviennent des modèles d'affaires hybrides appelés **sociétés clic et mortier**.

La session interactive sur la technologie décrit une société clic et mortier. J&R Electronics vend de la musique, de l'équipement de bureau, des appareils photo, des ordinateurs, des films et des jeux par divers canaux : un immense magasin situé à New York, un catalogue imprimé et un site Web. En lisant ce cas, tentez de déterminer le rôle du Web dans le modèle d'affaires et dans la stratégie d'affaires de l'entreprise.

10.2 LE COMMERCE ÉLECTRONIQUE

Bien que la plupart des transactions commerciales passent toujours par les réseaux traditionnels, de plus en plus de consommateurs et d'entreprises utilisent Internet pour faire du commerce électronique. Aujourd'hui, le commerce électronique représente plus de 5 % des ventes au détail aux États-Unis, et ce n'est qu'un début.

Les types de commerces électroniques

Il existe plusieurs manières de classer les transactions du commerce électronique. L'une d'elles consiste à considérer la nature des participants. Selon cette classification, les trois principaux types de commerces électroniques sont le commerce électronique de détail (B2C), le commerce électronique interentreprises (B2B) et le commerce électronique interconsommateurs (C2C).

- Le **commerce électronique de détail (B2C)** est la vente directe, par Internet, de produits et de services aux consommateurs eux-mêmes. BarnesandNoble.com, qui vend des livres, des logiciels et de la musique aux consommateurs, est un exemple de commerce de détail en ligne.

- Le **commerce électronique interentreprises (B2B)** est la vente, par Internet, de produits et de services entre entreprises. Le site Web de ChemConnect, pour l'achat et la vente de liquides dérivés du gaz naturel, de produits chimiques et de plastiques, est un exemple de commerce interentreprises en ligne.

- Le **commerce électronique interconsommateurs (C2C)** est la vente, par Internet, de produits et de services entre consommateurs. Par exemple, eBay, site d'enchères géant, permet à des particuliers de vendre des biens à d'autres particuliers, grâce à son service de ventes aux enchères.

Une deuxième façon de classer les transactions du commerce électronique consiste à s'intéresser aux types de connexions physiques au Web. Jusqu'à tout récemment, la plupart des transactions du commerce électronique se

LA CROISSANCE DE J&R ELECTRONICS PASSE-T-ELLE PAR LE COMMERCE ÉLECTRONIQUE ?

J&R Electronics est un magasin familial de l'ère moderne. À ses débuts, en 1971, la société de Joe et Rachelle Friedman était un magasin d'équipements audio. Aujourd'hui, J&R Electronics comprend une lucrative entreprise de vente par catalogue et 10 boutiques spécialisées dans l'électronique, couvrant 91 440 m² d'espace commercial dans la rue Park Row, à New York. J&R Music World et J&R Computer World sont des boutiques célèbres.

L'empire J&R vend à peu près tous les types d'appareils électroniques imaginables. Cependant, les Friedman n'ont pas écouté leurs fournisseurs, comme les compagnies de disques, qui affirmaient que la seule façon pour eux de rester concurrentiels par rapport aux magasins-entrepôts était de devenir une chaîne. Pour Rachelle Friedman, « en gardant une seule adresse, nous gardons le contrôle, ce qui n'est pas le cas des chaînes ».

Comment l'entreprise J&R Electronics parvient-elle donc à survivre avec une seule adresse dans une industrie dominée par les Wal-Mart, Best Buy et Costco ? L'une des raisons est qu'elle a trouvé comment faire de son site Web une destination aussi populaire que son magasin « de briques et de mortier ».

J&R Electronics a inauguré son site Web en 1998, en utilisant le logiciel de commerce électronique Commerce Exchange, conçu par la société Inter-World. Cette dernière n'ayant pas survécu à l'éclatement de la bulle technologique de 2000, J&R Electronics a dû maintenir sa présence en ligne par ses propres moyens. Son personnel chargé des systèmes d'information a réussi à assembler une application de commerce électronique personnalisée pouvant contenir les 400 000 produits qu'elle vend.

Cependant, l'application ne permettait pas d'offrir certaines des fonctions que proposaient les compétiteurs en ligne, comme la possibilité de recueillir et d'afficher les évaluations des consommateurs et la possibilité de fournir des données sur la disponibilité des produits et les délais de livraison.

À cette époque, 30 % des 400 millions de dollars de revenus de J&R Electronics provenaient de JR.com et il fallait donner une nouvelle vie au site Web. Pour son nouveau site, l'entreprise a choisi une plateforme de commerce électronique de Blue Martini et un progiciel de GRC de Loyalty Lab. La direction voulait en outre enrichir son site de vidéos et d'évaluations de clients. Ces fonctionnalités sont des outils intéressants qui permettent aux consommateurs de se renseigner sur les produits et de comparer les prix avant d'acheter.

En mai 2006, J&R Electronics lançait un programme de récompenses en ligne pour inciter les consommateurs à se rendre directement sur JR.com, plutôt qu'en passant par un lien d'un autre site, comme un moteur de recherche de comparaison de prix.

L'objectif est d'accroître le nombre de visiteurs et d'épargner à J&R Electronics une guerre des prix avec ses compétiteurs. Les clients qui participent au programme de fidélisation reçoivent des remises de 2 % sur leurs achats, sous forme de cartes-cadeaux. S'il réussit, le programme retiendra les anciens clients d'aller acheter ailleurs et incitera d'autres consommateurs à intégrer la clientèle de l'entreprise. Ceux qui achètent par catalogue peuvent également participer au programme de récompenses.

Mark H. Goldstein, président-directeur général de Loyalty Lab, a fait remarquer que J&R Electronics avait déjà une base de clients fidèles qui appréciaient sans doute la qualité du service à la clientèle et le soin que met l'entreprise à cultiver sa relation client. Tout ce qui manquait était en fait un programme de récompenses soulignant la fidélité des clients. Le progiciel de GRC de Loyalty Lab a permis de combler cette lacune en hébergeant des modules qui offrent aux clients la possibilité de s'inscrire, de gérer leur compte et de réclamer les récompenses auxquelles ils ont droit. Le programme de Loyalty Lab réduit aussi la « taxe de Google », ces frais à payer aux sites de recherche lorsqu'ils orientent les visiteurs vers le site de l'entreprise. Ils représentent de 20 à 30 % du montant des transactions. Quand les consommateurs se rendent directement sur son site, J&R Electronics n'a pas à les assumer.

J&R Electronics a choisi la plateforme de commerce électronique de Blue Martini parce qu'elle fonctionne bien, du point de vue technique, avec son système d'entreprise. Les deux systèmes parviennent aisément à échanger des données. Blue Martini permet à J&R Electronics de profiter en ligne des forces de ses canaux « de briques et mortier ».

J&R Electronics a de nombreux avantages, ou différentiateurs, à déployer. Ses prix sont très compétitifs et son large éventail d'articles en stock permet généralement aux clients de trouver ce qu'ils cherchent. L'entreprise a aussi la réputation d'être à la fine pointe en matière de technologies. Elle se targue d'être le premier détaillant à vendre les nouveaux produits ou les dernières versions des produits populaires. Elle réagit souvent aux tendances avant que ses concurrents se préparent à le faire. Outre ses bons prix, c'est son équipe de vente qui attire les clients. Ces derniers savent que les vendeurs qu'ils croiseront en magasin connaissent la marchandise et sauront leur expliquer les caractéristiques et les fonctions des produits les plus récents et les plus sophistiqués.

Avec Blue Martini, J&R Electronics veut tenter d'égaler en ligne l'expertise de son équipe de vente. La plateforme comprend une application Guided Selling qui recueille les données fournies par l'acheteur et propose une image réduite du produit du catalogue qui répond le mieux à ses exigences et à ses préférences. Le client peut demander l'affichage des produits selon la marque, le prix, la popularité, la taille et la disponibilité des offres spéciales. Les recommandations interactives de J&R Electronics lui permettent d'obtenir plus d'information sur les produits et d'avoir l'assurance de faire le bon achat.

Les descriptions détaillées des produits, les évaluations des produits faites par les clients et par d'autres sources, de même que les grilles de comparaison aident les clients à se faire une idée de la nature des produits et à faire le bon choix. Blue Martini va plus loin en permettant à J&R Electronics d'enrichir son contenu Web de vidéos, notamment des centaines de capsules d'information sur les produits présentées par des employés. Les vidéos confèrent à l'expérience de magasinage en ligne la dimension personnelle qui est couramment associée à l'expérience en magasin. C'est d'ailleurs dans ses magasins que J&R Electronics filme ses capsules.

Le nouveau site JR.com, inauguré en mars 2007, comporte une gamme d'avantages pour les clients. Si un produit est manquant, il propose une liste de produits similaires. De plus, il comporte une fonction d'intégration en temps réel des stocks du magasin, si bien que la disponibilité des produits en ligne prend en compte les achats en magasin. Ensuite, grâce à un processus de paiement optimisé, les clients connaissent rapidement le coût total de leurs achats. Enfin, la restructuration de la section d'expédition a permis d'améliorer la précision des dates de livraison et des frais d'expédition.

Jason Friedman reconnaît que si Blue Martini a su rendre le site plus fonctionnel, son entreprise demeure limitée dans la mesure où ses boutiques ne se trouvent qu'à New York. Alors que les chaînes de magasins permettent aux clients de commander en ligne et d'aller chercher leur marchandise le jour même au magasin le plus proche, J&R Electronics ne peut offrir cette formule qu'à sa clientèle de la région de New York. Friedman croit cependant que le développement du commerce électronique renferme un grand potentiel d'affaires et représente l'avenir de son entreprise.

En août 2008, J&R Electronics confiait à l'agence de publicité Toy le mandat de coordonner ses activités de promotion à la télévision, dans les journaux, à la radio, en ligne et en magasin. Bien qu'elle dépense chaque année des millions de dollars en publicité dans divers canaux, l'entreprise faisait appel à une agence de publicité pour la première fois. Toy doit aussi développer son image de marque axée sur la qualité, le service à la clientèle et les technologies les plus novatrices, afin d'élargir sa clientèle dans un environnement commercial soumis à des changements rapides.

Sources: «J&R Music Turns to Toy», *Adweek*, 19 août 2008; www.jr.com, consulté le 28 octobre 2009; Laton McCartney, «MidMarket Case: J&R Electronics Pumps Up the Volume», *Baseline Magazine*, 13 mars 2007; «J&R Electronics Taps Loyalty Lab's On-Demand Suite for First Shopper Loyalty Program», juin 2006, bnet.com, consulté le 1er décembre 2009; «J&R Electronics Migrating to Blue Martini E-Commerce Platforme», *Internetretailer.com*, 8 novembre 2006.

Questions

1. Analysez J&R Electronics en vous servant du modèle des forces concurrentielles et de celui de la chaîne de valeur. Décrivez son modèle d'affaires et sa stratégie. Comment ce modèle lui procure-t-il de la valeur?

2. Quel est le rôle d'Internet dans la stratégie d'affaires de J&R Electronics? Apporte-t-il des solutions à ses problèmes? Pourquoi?

3. En tant qu'enseigne locale, J&R Electronics peut-elle soutenir la concurrence des chaînes nationales? Comment mesureriez-vous sa capacité à le faire jusqu'ici?

Ateliers

Visitez le magasin en ligne de J&R Electronics, puis répondez aux questions suivantes:

1. Quelles caractéristiques, parmi celles décrites dans ce cas, retrouvez-vous sur le site?

2. La mise en valeur de ces caractéristiques est-elle efficace? Les buts fixés sont-ils atteints?

3. Comparez JR.com et le site Web de Wal-Mart ou de Best Buy. Évaluez sur chaque site le choix de produits et la disponibilité, les outils fournissant de l'information sur les produits et le service à la clientèle, de même que la convivialité. Quel site choisiriez-vous pour acheter un ordinateur ou un baladeur numérique? Pourquoi?

faisaient à l'aide de réseaux câblés. Aujourd'hui, cependant, les téléphones mobiles et d'autres appareils numériques mobiles de poche permettent d'accéder à Internet pour envoyer des messages et d'accéder à des sites Web pour éventuellement y faire des achats. Les entreprises offrent de nouveaux types de produits et de services en ligne auxquels ces appareils donnent accès. L'utilisation d'appareils numériques mobiles pour l'achat de produits et de services à partir de n'importe quel endroit s'appelle le **commerce électronique mobile** ou le **commerce mobile**. Tant le commerce électronique interentreprises que le commerce électronique de détail peuvent utiliser la technologie du commerce mobile. Nous traitons ce sujet en détail à la section 10.3.

Vers une relation client étroite : le marketing interactif, la personnalisation et le libre-service

Les dimensions remarquables des technologies du commerce électronique, que nous avons décrites dans les pages précédentes, offrent de nombreuses possibilités en matière de ventes et de marketing. Internet fournit aux entreprises des canaux de communication et d'interaction supplémentaires pour établir avec les clients des relations à la fois plus étroites et plus rentables sur le plan des ventes, du marketing et du service à la clientèle.

Le marketing interactif et la personnalisation

Internet et le commerce électronique ont permis aux commerçants de trouver le Saint Graal en matière de marketing : ils peuvent offrir des produits personnalisés à des millions de consommateurs, tâche impossible sur les marchés traditionnels. Les sites Web comme ceux de Lands'End (chemises et pantalons), de Nike (chaussures de sport) et de VistaPrint (cartes de visite, cartes sans texte et étiquettes) proposent des outils en ligne permettant aux clients d'acheter des produits correspondant à leurs spécifications. Ils encouragent même les clients à participer à la conception des produits qu'ils désirent acheter.

Les sites Web sont devenus une source abondante d'information détaillée sur les comportements des clients, leurs préférences, leurs besoins et leurs types d'achats, que les entreprises utilisent pour personnaliser les promotions, les produits, les services et les prix. Les entreprises peuvent obtenir de l'information sur les clients en leur demandant de « s'inscrire » en ligne et de donner des renseignements sur eux-mêmes. Toutefois, nombreuses sont celles qui recueillent aussi de l'information en recourant à des logiciels effectuant le suivi des activités des visiteurs de leur site.

Les outils de **suivi de parcours** recueillent des données sur les activités des internautes et les stockent dans un fichier journal. Ils enregistrent le site d'où vient chaque visiteur d'un site Web donné et le site où il se rend ensuite. Ils enregistrent également les pages précises que la personne a consultées sur ce site donné, le temps qu'elle a passé sur chacune d'elles, les types de pages qu'elle a regardées et les achats qu'elle a faits (figure 10-3). Les entreprises peuvent analyser ces renseignements sur les domaines d'intérêt et les comportements des internautes pour élaborer des profils précis des clients actuels et potentiels.

FIGURE 10-3 LE SUIVI DU PARCOURS DU VISITEUR D'UN SITE WEB

Les sites Web de commerce électronique disposent d'outils qui suivent l'acheteur à la trace, étape après étape, durant son magasinage en ligne. L'examen attentif du comportement d'une cliente lorsqu'elle visite un site Web vendant des vêtements pour dames montre que le magasin a quelque chose à apprendre à chacune des étapes de cette visite et donne des indications sur ce qu'il peut faire pour augmenter ses ventes.

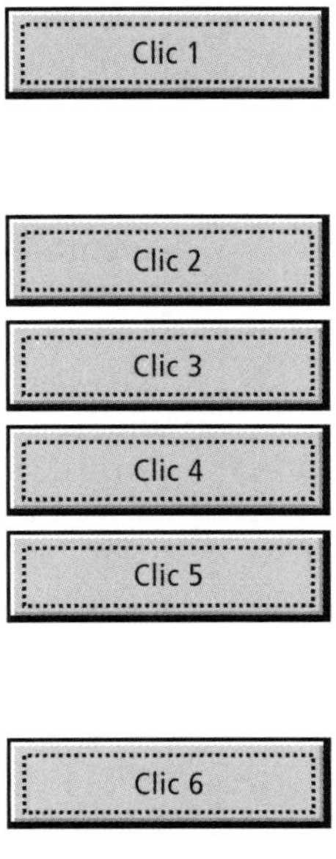

Clic 1

Clic 2

Clic 3

Clic 4

Clic 5

Clic 6

L'acheteuse clique sur la page d'accueil. Le magasin peut dire que l'acheteuse est arrivée du portail Yahoo! à 14 h 30 (ce qui peut l'aider à déterminer le nombre d'employés nécessaires dans ses centres de services) et combien de temps elle est restée sur la page d'accueil (ce qui pourrait indiquer qu'il existe des difficultés de navigation sur le site).

L'acheteuse clique sur les chemisiers, clique encore pour choisir un chemisier blanc pour femme, puis de nouveau pour voir l'article en rose. Elle clique pour choisir l'article dans la taille 10 et dans la couleur rose, puis pour le placer dans son panier d'achats. Ces informations peuvent aider le magasin à déterminer quelles tailles et quelles couleurs sont les plus populaires.

Sur la page du panier d'achats, l'acheteuse clique pour fermer le navigateur dans le but de quitter le Web sans acheter le chemisier. Cela peut signifier qu'elle a changé d'avis ou qu'elle a éprouvé un problème avec le processus de vérification et de paiement du site. Ce genre de comportement peut être l'indication que le site Web est mal conçu.

Grâce à l'information recueillie, les entreprises peuvent créer des pages Web personnalisées affichant du contenu ou de la publicité pour des produits ou des services susceptibles d'intéresser un client particulier. Elles peuvent ainsi améliorer l'expérience du client et créer de la valeur supplémentaire, pour lui comme pour elles (figure 10-4). En utilisant la technologie de personnalisation du Web pour modifier les pages Web présentées à chaque client, les commerçants retirent les mêmes bénéfices que ceux que leur permettent d'obtenir des préposés à la vente, mais à une fraction du coût.

L'une des techniques utilisées pour la personnalisation du Web est le **filtrage de groupe**, qui compare l'information recueillie sur le comportement d'un internaute donné sur un site Web avec les renseignements obtenus sur d'autres clients ayant des domaines d'intérêt semblables, dans le but de prédire ce que l'internaute voudra voir ensuite. Le logiciel peut faire des recommandations à l'internaute en se fondant sur ses champs d'intérêt présumés. Par exemple, Amazon.com et BarnesandNoble.com utilisent le filtrage de groupe pour préparer des recommandations d'achats de livres personnalisées : « Les clients qui ont acheté ce livre ont aussi acheté… » Ces suggestions sont faites au moment de la vente, le meilleur moment pour inciter le client à acheter un produit associé au livre acheté.

Le blogue et le wiki

Le blogue, que nous avons présenté au chapitre 7, s'annonce comme un autre outil Web prometteur pour le marketing. Un blogue, ou carnet Web pour certains, est une page Web personnelle contenant généralement une série de textes rédigés par le blogueur et classés en ordre antéchronologique (du plus récent au plus ancien). Il peut comporter des liens vers d'autres pages Web.

Le blogue peut comprendre une blogoliste (liste de liens vers d'autres blogues) et des rétroliens (liens vers d'autres textes publiés sur le même sujet dans d'autres blogues). La plupart du temps, les lecteurs peuvent écrire des commentaires sur les billets. De nombreux blogues sont hébergés par un site tiers, comme Blogger.com, LiveJournal.com, Typepad.com ou Xanga.com. Sinon, les aspirants blogueurs peuvent télécharger un logiciel comme Movable Type pour créer leur blogue qu'hébergera leur fournisseur de services Internet. Blogger et Twitter ont intégré des fonctions permettant aux utilisateurs d'ajouter de courts billets et des photos à leur blogue depuis leur téléphone cellulaire.

Les pages de blogues sont habituellement des variantes d'un gabarit fourni par un site ou un blogiciel. Par conséquent, des millions de personnes dépourvues de connaissances en langage HTML peuvent créer leurs propres pages Web et afficher des contenus en ligne. Le terme **blogosphère** désigne l'ensemble des blogues et la communauté des blogueurs.

Les blogues proposent un contenu qui va du propos personnel aux communications organisationnelles. Ils exercent une grande influence sur les affaires politiques et suscitent

une attention grandissante pour leur rôle dans la diffusion et l'orientation de l'information. Ils sont devenus immensément populaires. Le Web en abrite au moins 70 millions et en accueille près de 100 000 nouveaux chaque jour.

Les entreprises qui tiennent des blogues publics y voient un nouveau canal pour rejoindre leur clientèle. Ils leur procurent une façon plus personnelle et interactive de renseigner les clients sur de nouveaux produits et services. Les lecteurs sont souvent invités à émettre des commentaires. Par exemple, la société Dessins Drummond, l'un des plus importants acteurs dans le domaine de l'architecture résidentielle en Amérique, a créé un blogue consacré au design, à l'habitation, à la rénovation et à la construction résidentielle. Ce blogue contient des conseils ainsi que l'actualité en matière de produits et de tendances, répondant ainsi de manière concrète à un besoin maintes fois exprimé par les clients ou par des fournisseurs de produits et services du secteur de la construction.

Les spécialistes du marketing analysent les blogues, les forums et les babillards pour connaître la rumeur qui circule en ligne sur les nouveaux produits, les vieilles marques et les campagnes de publicité. Selon les services de veille spécialisés dans les blogues populaires, la « veille de blogues » peut s'avérer plus économique et plus rapide pour analyser les goûts et les sentiments des consommateurs que les traditionnels sondages et groupes de discussion. Par exemple, Polaroid a appris grâce aux blogues que la durée de conservation et l'archivage des photos sont des sujets qui intéressent les consommateurs. L'entreprise en est ainsi venue à accorder une plus grande attention à la durabilité des photos au moment de la conception et du développement de ses produits. Les entreprises choisissent aussi des blogues populaires d'individus et d'organismes pour faire de la publicité.

Le libre-service à la clientèle

De nombreuses entreprises utilisent leur site Web et le courrier électronique pour répondre aux questions des clients ou transmettre de l'information sur les produits. Elles réduisent ainsi leurs besoins en véritables conseillers de service à la clientèle. Par exemple, Air Canada et d'autres grandes sociétés aériennes ont créé des sites Web où les clients peuvent trouver l'heure de départ ou d'arrivée d'un vol, l'emplacement de leur siège et des renseignements sur la logistique de l'aéroport. Les clients peuvent aussi vérifier les points qu'ils ont accumulés dans le cadre d'un programme pour grands voyageurs et acheter des billets en ligne. Le chapitre 1 décrit de quelle manière les clients d'UPS peuvent utiliser le site Web de l'entreprise pour suivre leurs envois de colis, calculer les coûts d'expédition, déterminer le temps de transport et prendre les dispositions nécessaires pour la collecte des colis. FedEx et d'autres entreprises de messagerie fournissent des services semblables sur le Web. Les applications de libre-service et les systèmes de réponse à la clientèle reposant sur le Web ne coûtent qu'une fraction de ce que coûte un conseiller de service à la clientèle bien réel.

De nouveaux logiciels combinent même le Web et les centres d'appels, où on règle traditionnellement les problèmes des clients par téléphone. Un **centre d'appels** est un service responsable du traitement des questions de la clientèle qui utilise le téléphone ou d'autres moyens. Par exemple, sur le site de Lands' End, les visiteurs peuvent cliquer sur le lien « conversation » (*push to talk*) pour signifier qu'ils veulent parler au téléphone à un représentant de l'entreprise. Après qu'ils ont entré leur numéro de téléphone, un système de centre d'appels avertit un représentant du service à la clientèle pour qu'il appelle la personne concernée au téléphone.

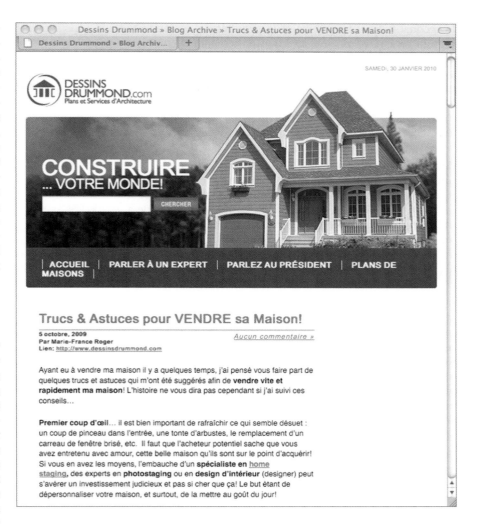

Le commerce électronique interentreprises : une efficience et des relations nouvelles

Aujourd'hui, environ 80 % du commerce interentreprises repose sur des systèmes propriétaires d'échange de documents informatisés. L'**échange de documents informatisés (EDI)** est une technologie qui permet l'échange, entre les ordinateurs de deux organisations, de documents de transactions normalisés, par exemple de factures, de bordereaux de livraison, d'horaires d'expédition ou de bons de commande. Les documents sont automatiquement transmis d'un système d'information à l'autre, par l'intermédiaire d'un réseau. Cela élimine, d'un côté, l'impression et la manipulation de papier et, de l'autre, la saisie de données. Dans la plupart des grands secteurs d'activité, des normes d'EDI définissent la structure et les domaines d'information spécifiques des documents électroniques.

Au départ, l'EDI a permis d'automatiser l'échange de documents tels que des bons de commande, des factures et des avis d'expédition. Aujourd'hui, si certaines entreprises utilisent toujours l'EDI pour l'informatisation des documents, celles qui suivent la méthode du juste-à-temps pour la reconstitution des stocks et la production continue se servent de l'EDI pour le réapprovisionnement continu. Les fournisseurs ont un accès en ligne aux calendriers de livraison ainsi qu'à certains documents de production de l'entreprise acheteuse leur permettant de savoir ce qu'ils doivent livrer. Ils livrent les matériaux et les produits automatiquement, sans l'intervention des acheteurs de l'entreprise, dans le respect des objectifs prédéfinis (figure 10-5).

Bien que de nombreuses organisations utilisent encore des réseaux privés pour l'EDI, elles sont de plus en plus à se tourner vers Internet, qui constitue une plateforme plus flexible et moins coûteuse pour établir des liens. Grâce à Internet, elles peuvent étendre la technologie numérique à une gamme plus large d'activités et agrandir le cercle de leurs partenaires commerciaux.

Prenons l'exemple de l'approvisionnement. L'**approvisionnement** n'est pas seulement l'achat de biens et de matières. C'est aussi le choix de la source d'approvisionnement, les négociations avec les fournisseurs, le paiement des biens et la conclusion d'ententes de livraison. Les entreprises peuvent maintenant utiliser Internet pour trouver le fournisseur le moins cher, consulter en ligne les catalogues de produits des fournisseurs, négocier, passer des commandes, effectuer les paiements et organiser le transport. Elles ne sont pas limitées aux partenaires des réseaux d'EDI traditionnels, mais peuvent travailler avec n'importe quelle entreprise présente sur Internet.

La technologie d'Internet et du Web permet aux entreprises de créer de nouvelles vitrines électroniques pour vendre aux autres entreprises, avec des affichages graphiques multimédias et des caractéristiques interactives semblables à celles qui sont utilisées dans le commerce électronique de vente au détail. Elle leur permet aussi de créer des extranets ou des places de marché électroniques, dans le but d'établir des liens avec d'autres entreprises pour des achats et des ventes.

Un **réseau industriel privé** est habituellement le fait d'une grande entreprise qui se sert d'un extranet pour communiquer avec ses fournisseurs et avec d'autres partenaires commerciaux importants (figure 10-6). Il est alors la propriété de cette entreprise acheteuse. Il permet à cette dernière ainsi qu'à ses fournisseurs, à ses distributeurs et à d'autres partenaires commerciaux désignés de travailler ensemble à la conception et au développement du produit, de collaborer en matière de marketing, d'établissement du calendrier de production, de gestion des stocks. En outre, ce réseau offre la possibilité de communiquer de manière non structurée, de s'envoyer notamment des graphiques et des courriels. On utilise aussi l'expression **réseau privé** pour désigner un réseau industriel privé.

VW Group Supply, qui relie le groupe Volkswagen et ses fournisseurs, constitue un exemple de réseau industriel privé. Il gère 90 % des achats mondiaux pour Volkswagen, y compris toutes les composantes et pièces d'automobiles.

Les **places de marché électroniques** sont des places de marché numériques exclusives reposant sur la technologie d'Internet et mettant en contact plusieurs acheteurs et plusieurs

FIGURE 10-5

L'ÉCHANGE DE DOCUMENTS INFORMATISÉS (EDI)

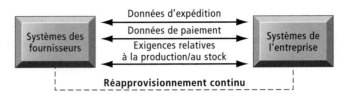

Les entreprises utilisent l'EDI pour automatiser les transactions du commerce interentreprises et pour se réapprovisionner de manière continue. Les fournisseurs peuvent automatiquement envoyer les données sur les expéditions aux entreprises acheteuses. Les entreprises acheteuses peuvent utiliser l'EDI pour transmettre aux fournisseurs leurs exigences concernant la production et les stocks, ainsi que les données de paiement.

FIGURE 10-6

UN RÉSEAU INDUSTRIEL PRIVÉ

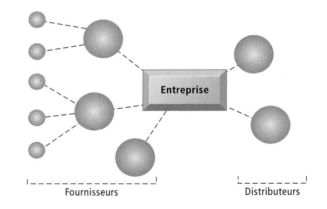

Un réseau industriel privé, aussi appelé « réseau privé », relie une entreprise à ses fournisseurs, à ses distributeurs et à ses autres partenaires commerciaux importants et permet d'assurer une gestion efficace de la chaîne logistique et d'autres activités nécessitant une collaboration.

vendeurs (figure 10-7). Elles sont la propriété d'un groupe d'entreprises appartenant à un même secteur d'activité ou fonctionnent à titre d'intermédiaires indépendants entre les acheteurs et les vendeurs. Elles tirent leurs revenus des transactions de vente et d'achat et d'autres services fournis aux clients. Les participants des places de marché électroniques peuvent établir les prix des transactions au moyen de négociations en ligne, d'enchères ou de demandes de soumission. Les prix peuvent encore être fixés d'avance.

Il existe de nombreux types de places de marché électroniques et de nombreuses manières de les classer. Certaines de ces places de marché vendent des biens directs et d'autres, des biens indirects. Les « biens directs » font l'objet d'une utilisation directe dans un processus de production, comme

FIGURE 10-7

UNE PLACE DE MARCHÉ ÉLECTRONIQUE

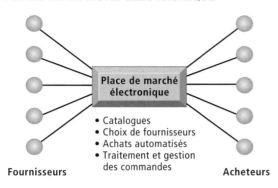

Place de marché
électronique

- Catalogues
- Choix de fournisseurs
- Achats automatisés
- Traitement et gestion
des commandes

Fournisseurs

Acheteurs

Les places de marché électroniques sont des places de marché en ligne où plusieurs acheteurs peuvent acheter à plusieurs vendeurs.

une feuille de métal qui sert à la production de la carrosserie d'une voiture. Les « biens indirects » sont tous les autres biens qui ne font pas directement partie du processus de production, comme les fournitures de bureau ou les produits destinés à l'entretien et à la réparation. Certaines places de marché électroniques sont consacrées aux achats contractuels, reposant sur des relations à long terme avec des fournisseurs désignés. D'autres concernent les achats ponctuels à court terme ; les biens y sont acquis en fonction des besoins immédiats, souvent auprès de différents fournisseurs.

Certaines places de marché électroniques sont des marchés verticaux destinés à des secteurs d'activité spécifiques, comme celui de l'automobile, des télécommunications ou des machines-outils. D'autres, au contraire, sont des marchés horizontaux pour les biens et les services qui peuvent se retrouver dans de nombreux secteurs, comme le matériel de bureau ou les services de transport.

Exostar constitue un exemple de place de marché électronique appartenant à une industrie : elle se concentre sur des relations d'achat à long terme et fournit des réseaux et des plateformes informatiques communes permettant la réduction des lacunes de la chaîne d'approvisionnement. Exostar a été créée par les grandes entreprises du domaine de l'aéronautique et de la défense que sont BAE Systems, Boeing, Lockheed Martin, Raytheon et Rolls-Royce PLC. Elle met ces entreprises en contact avec leurs fournisseurs et facilite la collaboration. Plus de 16 000 partenaires commerciaux des secteurs commercial, militaire et gouvernemental recourent aux outils d'Exostar pour le choix des fournisseurs, l'approvisionnement en ligne et la collaboration, tant pour les biens directs que pour les biens indirects.

Les **places de marché indépendantes** sont des places de marché autonomes qui peuvent mettre en communication des milliers de fournisseurs et d'acheteurs pour des achats ponctuels. Un grand nombre d'entre elles constituent des marchés verticaux pour des secteurs d'activité donnés, tels que l'alimentation, l'électronique ou le matériel industriel. Elles concernent alors essentiellement les biens directs. Par exemple, FoodTrader.com automatise les achats ponctuels pour les acheteurs et les vendeurs issus de plus de 180 pays et travaillant dans les secteurs de l'alimentation et de l'agriculture.

De nombreuses places de marché indépendantes ont vu le jour dans les premières années du commerce électronique, mais plusieurs ont disparu. Les fournisseurs manifestaient une certaine réticence à les utiliser, parce qu'elles favorisaient les enchères et tendaient donc à faire baisser les prix. Elles n'offraient pas de possibilités de relations à long terme avec les acheteurs, ni de services compensant les baisses de prix. Or, de nombreux achats directs importants ne se font pas de manière ponctuelle, parce qu'ils exigent la signature de contrats et la prise en compte de questions telles que les délais de livraison, la personnalisation et la qualité des produits.

10.3 LE COMMERCE MOBILE

On commence à utiliser les appareils mobiles sans fil pour acheter des produits et des services aussi bien que pour transmettre des messages. Aux États-Unis, le commerce mobile en est à ses balbutiements, mais commence à se répandre en raison de la popularité des téléphones cellulaires 3G. En Asie et en Europe, il est beaucoup plus répandu. Bien qu'il ne représente qu'une petite fraction des transactions du commerce électronique, le commerce mobile affiche des revenus en constante croissance (figure 10-8). En 2008, on estimait à 3 milliards le nombre d'utilisateurs du téléphone cellulaire dans le monde, dont plus de 500 millions en Chine. Les États-Unis comptent environ 255 millions d'utilisateurs.

Les services et les applications du commerce mobile

Les applications de commerce mobile conviennent particulièrement aux services où le facteur temps est important, aux services s'adressant aux personnes qui se déplacent beaucoup et aux services permettant d'accomplir une tâche plus efficacement qu'avec d'autres méthodes. Elles sont très populaires en Europe, au Japon, en Corée du Sud et dans d'autres pays où les tarifs pour l'utilisation traditionnelle d'Internet sont élevés. En voici quelques exemples.

Les services géolocalisés

Les services comme ceux qu'offre le VZ Navigator de Verizon permettent à leurs utilisateurs de repérer des restaurants, des guichets automatiques, des stations-services ou des salles de spectacle à proximité du lieu où ils se trouvent. Ils permettent aussi aux abonnés de s'envoyer des données de localisation sous forme de cartes indiquant l'itinéraire à parcourir pour arriver à bon port. MeetMoi propose un service

Le commerce mobile représente un faible pourcentage des ventes du commerce électronique, mais les revenus qu'il génère croissent constamment.

Sources : eMarketer, 2008 ; Gartner, 2008 ; estimations des auteurs.

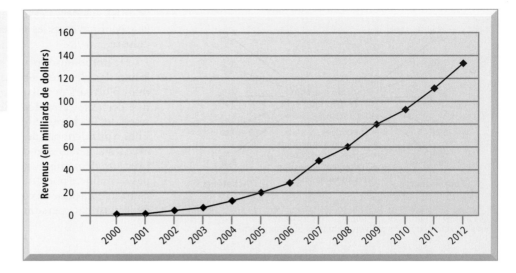

de rencontres qui permet à ses utilisateurs de repérer à proximité des personnes en quête de compagnie. Smarter Agent permet aux utilisateurs de cellulaires dotés d'un GPS de prendre connaissance des appartements à louer à proximité.

Les services bancaires et financiers

Les banques déploient des services qui permettent à leurs clients de gérer leur compte bancaire depuis leur cellulaire ou un autre appareil sans fil. Les clients de Citibank et de Bank of America peuvent utiliser leur téléphone cellulaire pour consulter le solde de leur compte, virer des fonds et payer des factures.

La publicité sans fil

Les fournisseurs de services de communications sans fil possèdent des renseignements précieux pour les annonceurs, notamment l'adresse de leurs abonnés, l'endroit où ils se trouvent lorsqu'ils regardent des publicités, leur âge, de même que les jeux, la musique et les services qu'ils utilisent sur leur téléphone cellulaire. Les annonceurs doivent trouver une façon de gérer les questions de droit à la vie privée et la réaction des consommateurs aux publicités envoyées sur les téléphones cellulaires. Cependant, lorsqu'elles sont bien faites, les campagnes pour téléphones cellulaires génèrent un taux de réponse élevé et accroissent l'adhésion des consommateurs.

Yahoo ! affiche sur sa page d'accueil mobile des publicités pour des entreprises comme Pepsi, Procter & Gamble, Hilton, Nissan et Intel. News Corporation a lancé une campagne sur cellulaires visant à encourager les gens à voter pour élire le gagnant ou la gagnante de son émission de télévision *American Idol*. Google affiche des publicités en lien avec les recherches effectuées sur téléphone cellulaire par les utilisateurs de la version mobile de son moteur de recherche.

Enfin, Microsoft offre des bannières et des publicités en messages texte sur son portail mobile MSN aux États-Unis. Depuis peu, des publicités sont intégrées aux applications téléchargeables comme les jeux et les vidéos. Les dépenses des annonceurs en publicité sur téléphones cellulaires n'ont pas dépassé 1 milliard de dollars en 2007, mais elles pourraient connaître une forte augmentation et augmenter de 10 à 20 milliards de dollars au cours des cinq prochaines années (Bellman et Engineer, 2008).

Les jeux et le divertissement

Les téléphones cellulaires se transforment rapidement en plateformes mobiles de divertissement. Les entreprises de téléphones cellulaires proposent des jeux numériques téléchargeables, de la musique, des sonneries (extraits musicaux numérisés qui se font entendre lorsque l'utilisateur reçoit ou fait un appel). De plus en plus de modèles de cellulaires combinent les caractéristiques d'un téléphone cellulaire et celles d'un baladeur numérique.

Les utilisateurs des services à large bande offerts par les principaux fournisseurs de services sans fil peuvent télécharger des vidéoclips, des manchettes et des bulletins de météo. MobiTV, proposé par Sprint et Cingular Wireless, présente des émissions de télévision, dont celles de MSNBC et de Fox Sports. Les sociétés de production cinématographique commencent à produire des courts métrages spécialement conçus pour les téléphones cellulaires. News Corporation, qui possède Fox Network, a inventé la marque de commerce « mobisodes » pour désigner ces courtes vidéos.

Les contenus produits par les utilisateurs font aussi leur apparition sous forme mobile. Les abonnés de Verizon Wireless qui demandent le service de balado vidéo peuvent accéder à une sélection de vidéos de YouTube. MySpace a conclu un accord avec Vodafone Group PLC et AT&T pour permettre aux utilisateurs européens et étatsuniens d'afficher des commentaires, des photos et des vidéos sur son site Web, depuis leur cellulaire.

L'accès sans fil à l'information du Web

S'ils permettent d'accéder au Web à partir de n'importe quel endroit et à n'importe quel moment, les téléphones cellulaires, les assistants numériques et les autres appareils mobiles de poche ne peuvent réellement traiter simultanément qu'un volume d'information très limité. Tant que l'usage des services à large bande 3G ne se sera pas généralisé, ces appareils seront incapables de transmettre ou de recevoir de grandes quantités de données. De plus, l'information doit pouvoir s'afficher sur de petits écrans.

Les sites Web de Google, de Yahoo! et de Microsoft diffusent des pages avec de l'information utile comportant un minimum de caractères, pour l'écran des ordinateurs mobiles de poche. Leurs **portails mobiles** offrent des contenus et des services conçus pour donner aux utilisateurs de ces appareils l'information optimisée qui répond le mieux à leurs besoins. Par exemple, le portail mobile de Google garde en mémoire les dernières recherches, de sorte que les utilisateurs commençant une recherche de « films » obtiennent la liste des films à voir dans la région, trouvent facilement les horaires de diffusion et puissent acheter des tickets. Le service Tellme de Microsoft permet aux utilisateurs de parler dans leur téléphone pour faire des recherches et obtenir les listes des films à voir, les cours des actions, les nouvelles et d'autres informations, puis de voir les résultats sur leur écran. De son côté, le portail mobile du gouvernement du Canada offre un accès à diverses informations gouvernementales : communiqués de presse, estimations des délais d'attente aux postes-frontières, taux de change et convertisseur de devises, adresses et numéros de téléphone des bureaux des passeports, statistiques économiques, coordonnées des députés au Parlement, coordonnées de fonctionnaires du gouvernement du Canada.

10.4 LES SYSTÈMES DE PAIEMENT DU COMMERCE ÉLECTRONIQUE

Plusieurs systèmes de paiement électronique ont été conçus pour les achats effectués par Internet : le **système numérique de paiement par carte de crédit**, le portefeuille numérique, le système numérique de paiement à solde cumulé, le système de paiement en ligne à valeur enregistrée, le chèque électronique et le système électronique de facturation et de paiement.

Les types de systèmes de paiement électronique

Presque tous les paiements en ligne faits aux États-Unis (90 %) s'effectuent par carte de crédit ou reposent sur le système de carte de crédit. Les entreprises peuvent aussi signer des contrats pour des services qui étendent les fonctionnalités des systèmes de paiement par carte de crédit. Le **portefeuille numérique** optimise le paiement des achats en ligne en évitant la nécessité, pour le consommateur, d'entrer son adresse et les données de sa carte de crédit à chaque transaction. En effet, il garde en mémoire, de façon sécurisée, les données sur la carte de crédit et sur son propriétaire et il fournit automatiquement le nom du client, son numéro de carte de crédit et l'adresse d'expédition au moment d'un achat. Google Checkout en est un exemple.

Le système de **micropaiement** a été conçu pour les achats de moins de 10 $, comme le téléchargement d'articles individuels ou de chansons, dont le montant est trop petit pour un paiement par carte de crédit traditionnelle. Le **système numérique de paiement à solde cumulé** permet à l'utilisateur de faire des micropaiements et des achats sur le Web en accumulant un solde débiteur sur son compte de carte de crédit ou de téléphone. Le système PaymentsPlus de Valista, qu'utilisent Vodafone et NTT DoCoMo, et le système Clickshare, largement utilisé dans l'industrie de l'édition et des journaux en ligne, en sont des exemples.

Le **système de paiement en ligne à valeur enregistrée** permet au consommateur de faire des paiements instantanés en ligne à des commerçants ou à d'autres personnes, selon une valeur enregistrée dans un compte électronique. Il peut s'agir d'une plateforme commerciale, comme Valista, ou d'un système spécialisé dans le paiement de poste à poste, comme PayPal. PayPal appartient à eBay et permet aux utilisateurs d'envoyer de l'argent à des fournisseurs ou à des personnes qui n'ont pas l'équipement requis pour les paiements par carte de crédit.

Le système de **chèques électroniques**, comme PayBy-Check, étend les fonctionnalités des comptes chèques existants afin de permettre leur utilisation pour le paiement d'achats en ligne. Le traitement des chèques électroniques est beaucoup plus rapide que celui des chèques traditionnels, en papier.

Le **système électronique de présentation de facture et de paiement** sert au paiement de comptes mensuels. Il permet à l'utilisateur de voir son compte en ligne et de le régler par virement électronique depuis un compte bancaire ou un compte de carte de crédit. Ce service prévient l'utilisateur lorsqu'il doit faire un paiement, affiche les comptes et traite les paiements. Il peut aussi, comme c'est le cas de CheckFree, regrouper les divers comptes de l'abonné afin de permettre un paiement en une fois. Le tableau 10-6 résume les particularités des systèmes de paiement électronique.

Les systèmes de paiement électronique pour le commerce mobile

L'utilisation du téléphone cellulaire pour effectuer des paiements est déjà bien ancrée en Europe, au Japon et en Corée du Sud. Il existe au Japon trois types de systèmes de paiement électronique mobiles, qui donnent un aperçu de l'avenir de

TABLEAU 10-6 · QUELQUES EXEMPLES DE SYSTÈMES DE PAIEMENT ÉLECTRONIQUE POUR LE COMMERCE EN LIGNE

TYPE DE PAIEMENT	SYSTÈME	EXEMPLES
Système de paiement par carte de crédit	Système qui protège l'information que s'échangent l'utilisateur, le site Web vendeur et la banque traitant le paiement	Visa, MasterCard, American Express
Portefeuille numérique	Logiciel qui mémorise le numéro de carte de crédit et d'autres renseignements pour faciliter les transactions et le paiement de produits sur le Web	Google Checkout
Système numérique de paiement à solde cumulé	Système qui accumule les micropaiements sous forme de solde débiteur sur le compte de carte de crédit ou de téléphone	Valista PaymentsPlus, Clickshare
Système de paiement en ligne à valeur enregistrée	Système qui permet au consommateur de faire un paiement instantané à un commerçant ou à une personne selon une valeur enregistrée dans un compte numérique	PayPal, Valista
Chèque électronique	Chèque en format électronique comportant une signature numérique sécurisée	PayByCheck
Système électronique de présentation de facture et de paiement	Système qui accepte les paiements électroniques pour l'achat de produits et de services en ligne ou dans un commerce	Yahoo! Bill Pay, CheckFree

cette technologie aux États-Unis et au Canada. Les téléphones cellulaires japonais prennent en charge des systèmes de paiement à valeur enregistrée qui permettent le paiement depuis un compte bancaire ou un compte de carte de crédit, avec une carte de débit mobile (associée à un compte bancaire) ou avec une carte de crédit mobile. Ils servent en fait de portefeuilles numériques mobiles et renferment une variété de mécanismes de paiement. L'utilisateur n'a qu'à agiter son téléphone cellulaire devant l'appareil de paiement du commerçant pour que son paiement soit enregistré. En 2004, la plus grande société de téléphone du Japon, NTT DoCoMo, lançait un téléphone cellulaire muni de la technologie d'identification par radiofréquence (RFID) ainsi qu'un système de paiement associé (FeliCa). Quelque 10 millions de téléphones-portefeuilles sont en circulation au Japon.

Aux États-Unis et au Canada, le téléphone cellulaire ne s'est pas encore transformé en système de paiement et de commerce mobile. Il n'est pas connecté à un vaste réseau d'établissements financiers, mais demeure toujours dans le « jardin fermé » des fournisseurs de téléphones. En Europe et en Asie, les consommateurs peuvent utiliser leur téléphone cellulaire pour acheter une grande variété de produits et de services tangibles, et les téléphones sont intégrés à un grand réseau d'établissements financiers.

Projets concrets en **SIG**

Décisions de gestion

1. Columbiana est une petite île indépendante des Caraïbes. Elle souhaite développer son industrie touristique et attirer plus de visiteurs. Elle abrite de nombreux bâtiments historiques, des forts et d'autres sites, sans compter des forêts tropicales humides et de magnifiques montagnes. Ses belles plages de sable blanc sont bordées de quelques hôtels de luxe et de plusieurs douzaines d'établissements moins coûteux. Les grandes sociétés aériennes, et plusieurs petites, offrent des vols réguliers vers l'île. Le gouvernement de Columbiana souhaite accroître le tourisme et développer des marchés pour les produits agricoles. En quoi un site Web peut-il s'avérer utile ? Quel modèle d'affaires Internet serait le plus indiqué ? Quelles fonctionnalités le site Web devrait-il proposer ?

2. Explorez le site Web des entreprises suivantes : Vidéotron, Air Canada, Best Buy, Black&Decker, Air Transat et Expedia.ca. Déterminez le site qui gagnerait le plus à s'enrichir d'un blogue commandité par l'entreprise. Énumérez les avantages qu'apporterait un blogue. À quels marchés ce dernier devrait-il s'adresser ? Qui, dans l'entreprise, devrait l'écrire ? Quels sujets pourraient y être traités ?

Atteindre l'excellence opérationnelle

Évaluer des services d'hébergement pour un site Web de commerce électronique

Compétences en logiciels : savoir utiliser un navigateur Web
Compétences en affaires : savoir évaluer des services d'hébergement de sites Web de commerce électronique

Ce projet vous aidera à développer vos compétences Internet en matière de services d'hébergement d'un site de commerce électronique, pour une petite entreprise en démarrage.

Vous souhaitez créer un site Web pour vendre des produits d'artisanat de votre région : serviettes, linge de maison, poterie et vaisselle. Vous faites une enquête sur les services d'hébergement de magasins virtuels pour les petites entreprises. Votre site doit être sécurisé pour pouvoir accepter des paiements par carte de crédit. Il doit être aussi en mesure de calculer les coûts d'expédition et les taxes. Pour commencer, vous aimeriez afficher la photo et la description d'une quarantaine de produits. Visitez Yahoo ! Small Business, Ebay.ca et Clic.net et comparez la gamme de services d'hébergement qu'offrent ces fournisseurs aux petites entreprises, de même que leurs possibilités et leurs coûts. Examinez aussi les outils proposés pour la création d'un site de commerce électronique. Comparez ces services et déterminez celui que vous choisissez pour votre boutique en ligne. Rédigez un compte rendu dans lequel vous indiquez votre choix et expliquez les forces et les faiblesses de chaque fournisseur.

1. Quelles sont les caractéristiques du commerce électronique, des marchés électroniques et des produits numériques?

Le commerce électronique se traduit par des transactions commerciales numérisées entre des organisations, entre des individus ou entre des organisations et des individus. Les caractéristiques de la technologie du commerce électronique sont l'ubiquité, la portée mondiale, les normes universelles, la richesse de l'information, l'interactivité, la densité de l'information, la personnalisation et la technologie sociale. On dit que les marchés électroniques sont plus «transparents» que les marchés traditionnels, parce que l'asymétrie de l'information, les coûts de recherche, les coûts de transaction et les coûts d'ajustement des prix y sont moindres. Les marchés électroniques permettent aussi de changer les prix de façon dynamique, selon les conditions du marché. Les produits numériques comme la musique, les vidéos, les logiciels et les livres peuvent être livrés grâce à un réseau numérique. Une fois qu'ils ont été produits, leur coût de livraison est extrêmement faible.

2. En quoi la technologie d'Internet a-t-elle transformé les modèles d'affaires?

Internet peut aider les entreprises à ajouter de la valeur à des produits et à des services existants, ou à en créer de nouveaux. De nombreux modèles d'affaires pour le commerce électronique ont émergé, notamment les magasins virtuels, les courtiers en information, les courtiers électroniques, les places de marché électroniques, les fournisseurs de contenu, les réseaux sociaux, les fournisseurs de services et les portails. Ceux qui profitent des possibilités d'Internet en matière de communication, de communautique et de distribution de produits numériques occupent une place de plus en plus importante.

3. Quels sont les divers types de commerces électroniques? En quoi le commerce électronique a-t-il changé le commerce de détail et les transactions interentreprises?

Les trois principaux types de commerces électroniques sont le commerce électronique de détail (B2C), le commerce électronique interentreprises (B2B) et le commerce électronique interconsommateurs (C2C). Le commerce électronique mobile, ou commerce mobile, permet l'achat de biens et de services à l'aide d'appareils mobiles de poche.

Internet fournit un ensemble universellement accessible de technologies de commerce électronique qui permettent la création de nouveaux circuits de marketing, de ventes et d'assistance à la clientèle ainsi que l'élimination des intermédiaires dans les transactions de vente et d'achat. Grâce aux fonctions interactives du Web, les services de marketing et d'assistance à la clientèle peuvent établir des relations plus étroites avec les clients. Grâce aux diverses technologies de personnalisation disponibles sur le Web, ils peuvent concevoir des pages Web au contenu axé sur les domaines d'intérêt particuliers de chaque internaute. Les sites Web et le courrier électronique permettent aux entreprises de réduire les coûts liés aux commandes et au service à la clientèle.

Le commerce interentreprises est efficace parce qu'il permet aux entreprises de trouver des fournisseurs, de demander des soumissions, de passer des commandes et de faire le suivi des expéditions sur Internet. Les places de marché électroniques mettent en contact de nombreux acheteurs et de nombreux vendeurs. Les réseaux industriels privés, quant à eux, relient une entreprise à ses fournisseurs et à ses autres partenaires d'affaires stratégiques, afin d'offrir une chaîne logistique hautement efficace et qui répond rapidement aux demandes des clients.

4. Quel est le rôle du commerce mobile et quelles sont les applications de commerce mobile les plus importantes?

Le commerce mobile convient particulièrement aux applications géolocalisées, comme la recherche d'hôtels et de restaurants dans une région donnée, les bulletins sur la circulation automobile et la météo, le géomarketing personnalisé. Les téléphones mobiles et les appareils de poche servent pour le paiement des factures de téléphonie mobile, les transactions bancaires et de valeurs mobilières, la consultation des horaires du transport en commun et le téléchargement de musique, de jeux et de vidéoclips. Le commerce mobile nécessite des portails mobiles adaptés et des systèmes de paiement électronique permettant les micropaiements, car la plupart des achats du commerce mobile, aujourd'hui, représentent de très petits montants.

5. Quels sont les principaux systèmes de paiement du commerce électronique?

Les principaux systèmes de paiement du commerce électronique sont le système électronique de paiement par carte de crédit, le portefeuille numérique, le système électronique de paiement à solde cumulé, le système de paiement en ligne à valeur enregistrée, le chèque électronique et le système électronique de présentation de facture et de paiement.

MOTS CLÉS

QUESTIONS DE RÉVISION

1. Quelles sont les caractéristiques du commerce électronique, des marchés électroniques et des produits numériques?

- Nommez et décrivez trois tendances dans le domaine des affaires et trois dans le domaine de la technologie qui orientent le commerce électronique aujourd'hui.
- Nommez et décrivez les huit caractéristiques du commerce électronique.
- Définissez le marché électronique et les produits numériques en en décrivant les traits distinctifs.

2. En quoi la technologie d'Internet a-t-elle changé les modèles d'affaires?

- Expliquez de quelle façon Internet modifie l'économie de l'information et les modèles d'affaires.
- Nommez et décrivez six modèles d'affaires de commerce électronique sur Internet. Faites la distinction entre une société point-com et une société clic et mortier.

3. Quels sont les divers types de commerce électronique? En quoi le commerce électronique a-t-il changé le commerce de détail et les transactions interentreprises?

- Nommez et décrivez les différents types de commerce électronique.
- Expliquez comment Internet facilite les ventes et le marketing auprès de clients spécifiques. Décrivez le rôle de la personnalisation du Web.
- Décrivez la façon dont Internet permet d'améliorer le service à la clientèle.
- Décrivez la façon dont la technologie d'Internet soutient le commerce électronique interentreprises.
- Définissez ce qu'est une place de marché électronique. Expliquez ce qui la distingue du réseau industriel privé.

4. **Quel est le rôle du commerce mobile et quelles sont les applications de commerce mobile les plus importantes ?**
   - Énumérez et décrivez les principaux types de services et d'applications de commerce mobile.
   - Expliquez comment les portails mobiles aident les utilisateurs à accéder à l'information disponible sur le Web.
   - Nommez les obstacles qui freinent le développement du commerce mobile.

5. **Quels sont les principaux systèmes de paiement du commerce électronique ?**
   - Nommez et décrivez les principaux systèmes de paiement électronique utilisés sur Internet.
   - Décrivez les systèmes de paiement du commerce mobile.

SUJETS DE DISCUSSION

1. **De quelle manière Internet change-t-il les relations qu'une entreprise entretient avec ses clients et avec ses fournisseurs ?**

2. **Bien qu'Internet ne les condamne pas forcément à la désuétude, les entreprises traditionnelles devront modifier leurs modèles d'affaires. Êtes-vous d'accord avec cette affirmation ? Pourquoi ?**

TRAVAIL D'ÉQUIPE : FAIRE UNE ANALYSE CONCURRENTIELLE DE DEUX SITES DE COMMERCE ÉLECTRONIQUE

Formez une équipe avec trois ou quatre autres étudiants. Choisissez deux entreprises concurrentes appartenant au même secteur d'activité et utilisant leur site Web pour le commerce électronique. Visitez les deux sites Web. Vous pourriez, par exemple, visiter et comparer les sites Web d'opérations bancaires virtuelles qu'ont créés la Citibank et la Banque Nationale, ou les sites Web E*Trade et Disnat de Desjardins. Préparez une évaluation des sites Web visités en vous appuyant sur les critères des fonctions, de la convivialité et de la capacité à soutenir la stratégie d'affaires de l'en-treprise. Quel est le site Web le plus efficace ? Pourquoi ? Pourriez-vous formuler des recommandations pour l'amélioration des deux sites Web ? Dans la mesure du possible, utilisez Google Sites pour afficher des liens vers des pages Web, pour communiquer entre membres de l'équipe et vous répartir les tâches, pour confronter vos idées et pour travailler ensemble sur les documents du projet. Essayez d'utiliser Google Documents pour mettre au point une présentation de vos résultats destinée à la classe.

Le dilemme de Facebook

Facebook est l'un des plus vastes sites de réseautage social au monde. Pour le moment, seul MySpace le surpasse aux États-Unis. Fondé en 2004 par Mark Zuckerberg, Facebook comptait 118 millions d'utilisateurs à l'échelle mondiale en juin 2008. Le site permet à ses utilisateurs de se créer un profil et de se joindre à divers types de réseaux, notamment des groupes d'anciens élèves, des groupes d'employés et des réseaux régionaux. Il propose une vaste gamme d'outils permettant de se connecter et de communiquer avec d'autres internautes : la messagerie électronique, les groupes, la mise en ligne de photos et des applications créées par les utilisateurs.

À ses débuts, Facebook n'était accessible qu'à quelques établissements universitaires. Mais sa croissance a littéralement explosé depuis que l'accès a été élargi à tous les étudiants, puis au grand public. C'est maintenant l'un des sites jouissant de la plus grande notoriété sur le Web. En comparaison de celle de son concurrent MySpace, son interface est remarquablement simple et dépouillée, ce qui plaît aux utilisateurs en quête d'un environnement de réseautage structuré et net.

Facebook constitue pour les annonceurs une occasion unique de joindre des publics parfaitement ciblés selon leur profil démographique, leurs loisirs et leurs préférences, leur région géographique et d'autres critères pointus, et ce, dans un environnement agréable et attirant. Les entreprises peuvent placer des publicités qui sont entièrement intégrées aux fonctions principales du site, notamment l'alimentation en nouvelles, une liste constamment mise à jour des dernières activités de vos « amis » sur Facebook. Elles peuvent aussi elles-mêmes créer des pages pour se faire connaître auprès des utilisateurs et pour interagir avec eux. Par exemple, un restaurant peut faire de la publicité en plaçant, dans l'alimentation en nouvelles de ses clients, des articles annonçant

que ces derniers ont mangé récemment dans l'établissement. Blockbuster a ainsi fait apparaître les dernières locations de films de ses clients, avec des critiques. De nombreuses entreprises, dont eBay, Sony Pictures, The New York Times et Verizon font des pages Facebook informant les utilisateurs à leur sujet et au sujet de leurs produits.

Pour les annonceurs, Facebook présente des possibilités aussi uniques qu'excitantes. En fait, il constitue une mine d'or, en raison de l'information recueillie et de la richesse de son environnement de réseautage social. Il a aussi l'avantage d'être le premier arrivé sur la place de marché du réseautage social. Le vaste public qu'il a rassemblé comprend des utilisateurs qui répugnent maintenant à s'en aller par crainte d'abandonner leurs amis.

Malgré ces avantages, la route vers la rentabilité est semée d'embûches pour Facebook. Avant de connaître le succès, l'entreprise a eu plus que sa part de controverses, concernant surtout l'usage qu'elle fait de toute l'information qu'elle recueille sur ses utilisateurs. Bien que la plupart des renseignements soient fournis volontairement, le droit à la vie privée et le contrôle de l'information constituent les grandes préoccupations de la plupart des utilisateurs.

Facebook se trouve devant un dilemme. L'entreprise doit en effet inventer des moyens pour faire des profits et continuer d'accroître ses revenus avec l'information fournie volontairement par ses utilisateurs, et ce, sans violer leur droit à la vie privée. Jusqu'à maintenant, ses tentatives ont échoué. La fréquentation continue d'augmenter à un bon rythme et les ventes ont atteint 150 millions de dollars en 2007. Mais Facebook continue de dépenser plus qu'elle ne gagne. Pour vraiment tirer profit de son marché colossal et de l'environnement immersif du site, elle doit innover, trouver de nouvelles façons de générer des revenus sans s'aliéner ces mêmes utilisateurs dont elle dépend

pour assurer sa croissance. L'information personnelle recueillie sur le site représente un filon important pour les annonceurs, mais il risque de rester largement inexploité si les utilisateurs n'ont pas assez confiance ou ne disposent pas d'incitatifs suffisants pour le partager.

Le lancement du programme publicitaire Beacon de Facebook est une bonne démonstration de l'incapacité de l'entreprise à mesurer à quel point ses utilisateurs tiennent au respect de leur vie privée. Beacon visait à informer les utilisateurs des achats et des activités de leurs amis en dehors de Facebook. Le problème était qu'il diffusait de l'information que les utilisateurs n'avaient pas explicitement accepté de rendre publique. Il comportait en effet une fonction d'exclusion : les utilisateurs devaient eux-mêmes faire une manipulation de désactivaction, sinon leurs renseignements personnels étaient diffusés sur la présomption que leur accord avait été obtenu. Facebook ne tarda pas à constater que cette présomption d'accord était souvent mal comprise. De plus, Beacon continuait d'envoyer de l'information à Facebook même après la désactivation et même hors connexion à Facebook.

Le groupe de pression MoveOn.org créa un groupe Facebook pour s'insurger contre Beacon et réunit plus de 50 000 membres en 10 jours. En réaction à la tempête médiatique qui suivit, Facebook modifia Beacon de façon à ce qu'il ne fonctionne que sur autorisation expresse et donna même aux utilisateurs la possibilité de le désactiver complètement. L'entreprise misait sur Beacon pour augmenter ses revenus en offrant aux annonceurs l'accès à l'information concernant ses utilisateurs. Or, elle s'est montrée remarquablement malhabile à mesurer à quel point le service violait la vie privée des gens et à prévoir le tollé que sa mise en place risquait de provoquer. Des firmes comme Coca-Cola et Overstock.com se retirèrent même du programme lorsqu'elles eurent connaissance des problèmes qu'il soulevait en matière de droit à la vie privée. Le lancement de Beacon et les ennuis qui suivirent ont terni la réputation de Facebook comme environnement sécurisé. Par la suite, l'entreprise modifia le contrôle de la confidentialité pour le service et pour tout le site, afin qu'ils soient plus transparents.

La mise en place et la gestion de la fonction d'alimentation en nouvelles constituent une autre illustration de l'inaptitude de Facebook à prévoir l'attitude des utilisateurs au sujet de la confidentialité de l'information. La fonction d'alimentation en nouvelles fournit à vos amis des mises à jour de vos activités sur Facebook, que vous ayez mis à jour votre profil, élargi votre cercle d'amis ou ajouté de nouvelles applications. Au départ, elle rencontra une forte résistance de la part des utilisateurs, qui la jugeaient beaucoup trop envahissante. Comme pour Beacon, des groupes de mécontentement se formèrent au moyen de la fonction « Groupes » du site. Il y eut environ 500 groupes, parmi lesquels le groupe des « Étudiants contre l'alimentation en nouvelles de Facebook », qui réunit plus de 700 000 membres.

Dans une lettre ouverte aux membres de Facebook, Zuckerberg présenta ses excuses pour la mise en place inopinée de l'alimentation en nouvelles. Mais il défendit la fonction en la présentant comme une bonne chose et en précisant que les utilisateurs pouvaient choisir quel type d'information y apparaissait et qui pouvait en avoir connaissance. En outre, l'alimentation en nouvelles ne fournit pas d'information qui ne soit déjà accessible ; elle se contente de relever les mises à jour de profils et de les afficher de façon à ce que les utilisateurs n'aient pas à consulter les profils de tous leurs amis pour connaître les éventuelles mises à jour. Dans sa lettre, Zuckerberg expliqua que l'alimentation en nouvelles « présentait de l'information que les gens devaient rechercher quotidiennement, en la réorganisant de façon conviviale et abrégée, afin que les utilisateurs puissent avoir des nouvelles des gens qu'ils aiment ».

Aujourd'hui, cette fonction est l'une des caractéristiques les plus populaires du site. MySpace et d'autres sites concurrents de réseautage social l'ont même reprise.

Facebook a également essuyé des critiques pour la façon dont elle gérait les renseignements personnels d'internautes souhaitant retirer leur profil du site. Elle offrait aux utilisateurs la possibilité de désactiver leur compte, mais ses serveurs gardaient en mémoire son contenu. Elle justifiait cette méthode en expliquant qu'il est ainsi beaucoup plus facile de réactiver un compte. Les utilisateurs qui tentaient de supprimer leur compte n'y arrivaient pas et devaient souvent faire appel à des groupes de surveillance. Nipon Das, conseiller en affaires de Manhattan, tenta pendant deux mois de supprimer son profil, en vain. Il continuait même de recevoir des mises à jour et des messages sur le site. Aujourd'hui, Facebook a emboîté le pas à MySpace, à Friendster et à d'autres sites de réseautage social, en proposant une marche à suivre simple pour supprimer définitivement un compte et les renseignements personnels qu'il contient.

Pour l'heure, les meilleures chances qu'a Facebook de devenir rentable résident dans le développement d'applications utilisables sur sa plateforme. Lancée en mai 2007, la « plateforme Facebook » constitue une tentative d'ouverture à des développeurs tiers et à leurs applications. Ces applications, ou gadgets logiciels, sont des jeux, des modules d'extension pour les profils des utilisateurs et d'autres programmes intégrés au site Facebook. Au milieu de l'année 2008, plus de 24 000 applications avaient été créées.

La « plateforme Facebook » s'est avérée profitable tant pour Facebook que pour les développeurs d'applications pour le site : d'une part, l'environnement du site est encore plus attrayant et autonome ; d'autre part, les développeurs obtiennent une visibilité inégalée pour leurs applications. Un petit pourcentage de ces applications sont devenues des activités commerciales viables. Les entreprises dont l'application attire un grand nombre d'utilisateurs sur Facebook arrivent en effet à vendre des produits, des services

ou de la publicité. Par exemple, plus de 2 millions de personnes utilisent quotidiennement FunSpace pour afficher des messages, des vidéos ou des cartes sur la page de profil de leurs amis. De plus, ils sont 1,6 million d'abonnés à utiliser Top Friends pour distinguer leurs amis les plus proches dans un encadré de leur page Facebook. Enfin, avec plus de 400 000 utilisateurs par jour, Scrabulous permet aux membres de Facebook de jouer à une version adaptée du Scrabble. Toutes ces applications génèrent des revenus de publicité.

D'autres développeurs se servent de leur présence sur Facebook pour accroître la visibilité de leur entreprise. Ainsi, Flixter, une communauté virtuelle de cinéphiles, utilise une application Facebook appelée Movies, qui permet aux membres de Facebook d'informer leurs amis des films qu'ils ont vus et de leur transmettre des critiques. La direction de Flixter signale que cette application, utilisée chaque jour par quelque 482 000 personnes, a entraîné une prodigieuse augmentation de sa clientèle et de ses occasions d'affaires.

Il reste encore à déterminer si le développement de ce genre d'applications peut vraiment générer des revenus importants. Certains croient que les applications de Facebook sont le prochain Klondike et que les annonceurs traditionnels se tourneront vers Facebook pour rejoindre des publics très ciblés, grâce à leurs applications. D'autres, en revanche, estiment que la popularité même de Facebook altérera ses chances d'attirer des annonceurs sur son site. L'environnement attrayant et immersif qui attire les visiteurs sur le site fait aussi en sorte, disent-ils, qu'ils sont peu portés à cliquer sur les publicités. Les sceptiques croient aussi que le système d'applications actuel, dans lequel les applications se soutiennent mutuellement en faisant la publicité l'une de l'autre, sans l'aide d'annonceurs extérieurs, n'est pas un modèle viable à long terme. Jusqu'à maintenant, 200 applications Facebook réussissent à attirer chaque jour plus de 10 000 utilisateurs et 60 % en attirent moins de 100 par jour.

Il est à peu près certain que les applications Facebook feront du site une destination plus difficile à quitter pour les utilisateurs, puisqu'ils pourront y faire plusieurs des choses qu'ils aiment faire sur Internet. Mais cela ne se traduira pas forcément par une rentabilité accrue.

En 2007, Microsoft achetait une petite participation à Facebook : 1,6 % des actions de la société pour 246 millions de dollars. Cet investissement fit augmenter la capitalisation boursière de Facebook à environ 15 milliards de dollars. Il reste à voir si l'entreprise pourra convertir la formidable fréquentation de son site et le trésor de renseignements personnels qu'il renferme en nouveaux flux de revenus. L'acceptation qui suivit le tollé initial concernant la fonction d'alimentation en nouvelles montre que l'attitude des utilisateurs à l'égard du respect de leur vie privée est sujette à changement – et est à tout le moins sensible à la persuasion. Il est possible que de nombreux utilisateurs n'aient même pas conscience de la dissémination de l'information les concernant, ou qu'ils soient indifférents. S'ils s'en préoccupent, les avantages que représente une participation à Facebook – vaste marché, richesse des fonctionnalités et du contenu – peuvent surpasser leurs réserves au sujet du respect de la vie privée. Cependant, les utilisateurs avertis et préoccupés par cette dimension semblent suffisamment nombreux pour empêcher la mise en place de services aussi envahissants que Beacon dans sa version initiale.

En mars 2008, Facebook lançait une nouvelle gamme de contrôles de la confidentialité, avec une fonction permettant aux utilisateurs de classer leurs amis en sous-groupes pour ne permettre qu'à certains d'entre eux d'accéder à leur album de photos ou à une partie de leur profil. Par exemple, les utilisateurs peuvent mettre en ligne des photos de leurs vacances familiales et ne les rendre accessibles qu'aux membres de Facebook qui font partie de leur famille. Ils peuvent aussi empêcher leurs collègues de travail de voir les photos gênantes d'une soirée trop arrosée. C'est un pas dans la bonne direction pour Facebook, mais la tâche la plus ardue sera de continuer à préserver la vie privée des membres tout en monnayant les données recueillies à leur sujet.

Peu après le lancement des nouvelles fonctions, un Canadien, technicien en informatique, révélait une faille dans la sécurité de Facebook. Celle-ci permettait à n'importe quel membre de voir certains albums de photos et renseignements, notamment les photos d'une fête à laquelle avait participé Paris Hilton et un album de photos de Zuckerberg. Bien que Facebook ait rapidement corrigé le problème, l'incident ne fit que ternir davantage la réputation déjà chancelante du site dans ce domaine. Seul le temps dira si Facebook parviendra à exploiter le formidable potentiel de recettes que représente le site. Une chose est sûre, cependant : les préoccupations des utilisateurs en matière de confidentialité seront au cœur des démarches de l'entreprise pour devenir rentable.

Sources : Riva Richmond, « Some Facebook Applications Thrive, Others Flop », *The Wall Street Journal*, 16 juin 2008 ; Jim Carr, « Facebook Privacy Flap Should Spark Concern for Business », SCMagazineUS.com,

26 mars 2008 ; Thomas Claburn, « Social Networks Find Ways to Monetize User Data », *Information Week*, 10 novembre 2007 ; Vauhini Vara, « Facebook CEO Seeks Help as Site Grows Up », *The Wall Street Journal*, 5 mars 2008 ; Adam Cohen, « One Friend Facebook Hasn't Made Yet : Privacy Rights », *The New York Times*, 18 février 2008 ; Alan Krauss, « Piggybacking on Facebook », *The New York Times*, 20 février 2008 ; Maria Aspan, « How Sticky Is Membership on Facebook ? Just Try Breaking Free », *The New York Times*, 11 février 2008 ; Maria Aspan, « Quitting Facebook Gets Easier », *The New York Times*, 13 février 2008 ; Brad Stone, « In Facebook, Investing In a Theory », *The New York Times*, 4 octobre 2007 ; Randall Rothenberg, « Facebook's Flop », *The Wall Street Journal*, 14 décembre 2007.

QUESTIONS

1. Quelles notions de ce chapitre ce cas illustre-t-il ?

2. Quel rôle jouent les technologies du commerce électronique et du Web 2.0 dans la popularité mondiale de Facebook ?

3. Décrivez les faiblesses des politiques et des caractéristiques de Facebook quant à la confidentialité et au droit à la vie privée. Quels facteurs, sur le plan de la gestion, de l'organisation et de la technologie, ont contribué à ces faiblesses ?

4. Le modèle d'affaires de Facebook est-il viable ? Justifiez votre réponse.

5. Si on vous confiait la coordination de la publicité sur Facebook, comment doseriez-vous le désir de rentabilité et la nécessité de protéger la vie privée des utilisateurs ?

La gestion des connaissances et de la collaboration

▶ OBJECTIFS D'APPRENTISSAGE

Après avoir étudié ce chapitre, vous pourrez répondre aux questions suivantes :

1. Quel est le rôle, dans les affaires, de la gestion des connaissances et des programmes de gestion des connaissances ?

2. Quels types de systèmes servent à la gestion des connaissances de l'entreprise, et comment procurent-ils de la valeur aux organisations ?

3. Quels sont les principaux types de systèmes pour le travail intellectuel, et comment procurent-ils de la valeur aux entreprises ?

4. Quels avantages l'utilisation des techniques intelligentes présente-t-elle pour la gestion des connaissances ?

SOMMAIRE

CHEZ P&G, LA GESTION DES CONNAISSANCES PASSE DU PAPIER AUX PIXELS

Procter & Gamble (P&G) est un chef de file mondial dans la conception et la fabrication de produits de grande consommation et de produits populaires d'hygiène et de soins de santé. En 2007, ses ventes atteignaient 76,5 milliards de dollars. L'entreprise compte plus de 300 marques, dont Crest, Tide, Folgers (café) et Pampers. Mais elle se distingue également dans un domaine moins connu du grand public : elle est aux premiers rangs des organisations se consacrant à la recherche et au développement (RD) et détenant des brevets mondiaux. Son secteur RD compte plus de 7000 scientifiques et 20 centres de recherche dans 9 pays. P&G s'est hissée au sommet et s'y maintient, en créant un flux constant de nouveaux produits. Chez elle, le partage des connaissances est la clé du succès et de la survie.

La culture organisationnelle de P&G promeut explicitement le partage des connaissances. Elle soutient de nombreuses communautés de praticiens qui relient des gens accomplissant un travail similaire dans différentes divisions opérationnelles. Les chercheurs publient des comptes rendus mensuels sur leurs projets. P&G a donc lancé plusieurs initiatives de partage des connaissances pour mettre en réseau à l'échelle mondiale sa communauté de la connaissance et du savoir. L'intranet InnovationNet (INet) héberge plus de 5 millions de documents de recherche en format numérique, accessibles grâce à un portail avec navigateur. De plus, l'outil MyInet aide les chercheurs à repérer des experts de l'entreprise menant des travaux connexes aux leurs et à se tenir au courant des innovations réalisées dans d'autres secteurs de l'entreprise et susceptibles de les intéresser. Ses utilisateurs peuvent indiquer les sujets qui les intéressent et recevoir des alertes lorsque des documents traitant de ces sujets sont mis en ligne.

Malgré ses tentatives novatrices en gestion des connaissances, P&G croulait toujours sous les documents papier. Les sociétés qui fabriquent des médicaments (en vente libre ou sur ordonnance) doivent gérer une avalanche de documents et de dossiers concernant les questions de réglementation, la recherche et le développement et les litiges potentiels. Les chercheurs, les cliniciens, le personnel affecté au contrôle de la qualité, les spécialistes du marketing et d'autres employés de P&G, sans compter ses partenaires externes, doivent ainsi échanger et utiliser conjointement ces documents. Auparavant, la conservation des documents nécessitait l'utilisation de nombreuses armoires de classement, la production de microfiches, la gestion d'index et la location d'entrepôts. Trouver un document dans cette montagne constituait un processus fastidieux qui menaçait de ralentir le rythme de travail de la RD.

Récemment, P&G a déployé un système de gestion des documents électroniques appelé eLab Notebook. Ce dernier utilise le logiciel Adobe LiveCycle pour créer des archives au format PDF faciles à explorer, ainsi qu'une gamme d'outils courants que toutes les divisions de l'entreprise dans le monde peuvent utiliser. Lorsqu'un chercheur a recueilli et rassemblé toutes les données, le générateur LiveCycle PDF crée un document au format PDF et invite l'auteur du fichier à le doter d'une signature numérique. Ensuite, LiveCycle Reader Extensions intègre au document des droits d'utilisation précisant qui est autorisé à le consulter.

Le nouveau système a changé le déroulement du travail. P&G a dû former ses employés, habitués à travailler avec des documents papier, à l'utilisation de l'application eLab et à une nouvelle façon de travailler.

Le programme eLab Notebook fait gagner du temps et de l'argent. Les chercheurs ne passent plus plusieurs heures par semaine à archiver les documents papier de leurs expériences. Les autres employés peuvent extraire rapidement les gros volumes de données que leur demandent les organismes gouvernementaux de réglementation, les partenaires externes et les acheteurs. Une première étude a permis de constater une augmentation de la productivité de 5 à 10 %.

Sources : Samuel Greengard, « A Document Management Case Study : Procter & Gamble », *Baseline Magazine*, septembre 2008 ; Intel Corporation, « Enhancing Innovation : Intel Solution Services Helps Procter & Gamble Connect Its Global Knowledge Community », www.intel.com, 2003, consulté le 24 novembre 2009.

L'expérience de P&G montre comment la performance organisationnelle peut s'améliorer lorsqu'on facilite l'accès aux connaissances. Collaborer et communiquer avec les praticiens et les experts, faciliter l'accès aux connaissances et utiliser celles-ci pour améliorer les processus d'affaires et innover sont des moyens essentiels à la survie et au succès.

Le schéma d'introduction attire l'attention sur les points importants que soulève ce cas et qu'aborde ce chapitre. Procter & Gamble est une entreprise qui repose sur l'expertise et le savoir et qui utilise un modèle d'affaires axé sur l'innovation. Une grande partie de l'information et des connaissances essentielles à la RD était difficilement accessible parce qu'elle était éparpillée dans de nombreux documents papier. Le délai d'accès aux documents de RD et à l'information essentielle compromettait l'efficience et la performance de l'entreprise. Pour profiter de la technologie de gestion des documents, P&G devait modifier le déroulement du travail et former ses employés à l'utilisation du nouveau système. En rendant la documentation de RD immédiatement accessible, le nouveau système a fait de P&G une entreprise beaucoup plus efficace.

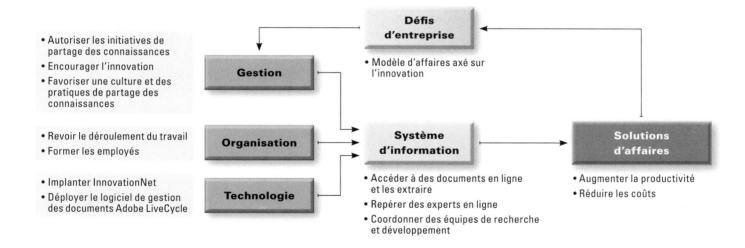

11.1 L'UNIVERS DE LA GESTION DES CONNAISSANCES

Les systèmes de gestion des connaissances et de collaboration comptent parmi les secteurs d'investissement en logiciels publics et d'entreprise les plus florissants. La figure 11-1 indique qu'on prévoit jusqu'en 2012 une hausse annuelle de 15 % des ventes de logiciels de gestion de contenu d'entreprise pour la gestion des connaissances. On a de fait observé, au cours des 10 dernières années, une croissance phénoménale de la recherche axée sur les connaissances et sur la gestion des connaissances dans les domaines de l'économie, de la gestion et des systèmes d'information

La gestion des connaissances et la collaboration sont étroitement liées. Si elles ne peuvent être transmises et partagées, les connaissances sont presque inutiles. Elles commencent à servir à quelque chose quand elles circulent dans l'entreprise. Comme nous le décrivons dans le chapitre 2, les systèmes de collaboration sont les environnements de collaboration reposant sur Internet, comme Google Sites et Lotus Notes d'IBM, le réseautage social, le courrier électronique et la messagerie instantanée, les téléphones cellulaires et les terminaux mobiles de poche, les wikis et les mondes virtuels. Dans ce chapitre, nous nous concentrons sur les systèmes de gestion des connaissances, en gardant toujours à l'esprit le fait que la transmission et le partage des connaissances sont de plus en plus importants.

Nous vivons dans une économie de l'information où la principale source de richesse et de prospérité est la production et la distribution d'information et de connaissances. Par exemple, 55 % de la population active des États-Unis se compose de travailleurs de la connaissance et du savoir, et 60 % du produit intérieur brut des États-Unis provient des secteurs de la connaissance et de l'information, comme la finance et l'édition.

La gestion des connaissances est devenue un thème important pour bon nombre de grandes entreprises, car les gestionnaires s'aperçoivent que la valeur d'une entreprise dépend beaucoup de son habileté à créer des connaissances et à les gérer. Des études ont d'ailleurs démontré qu'une partie substantielle de la valeur boursière d'une entreprise est liée à ses immobilisations incorporelles, dont les connaissances sont une composante importante, avec les marques, les réputations et les processus d'affaires uniques. On sait aussi, malgré la difficulté à mesurer les investissements liés aux connaissances, que, bien menés, les projets basés sur la connaissance produisent des rendements d'investissement extraordinaires (Gu et Lev, 2001 ; Blair et Wallman, 2001).

Les dimensions importantes des connaissances

Il existe une différence importante entre les données, l'information, les connaissances et le savoir. Au chapitre 1, nous définissons les données comme un flux d'événements ou de transactions qui sont saisis par les systèmes d'une organisation et qui, en eux-mêmes, ne servent pratiquement qu'aux transactions. Pour transformer les données en *information* utile, l'entreprise doit d'abord consacrer des ressources à leur organisation en catégories, pour produire par exemple des rapports de vente mensuels, quotidiens, régionaux ou par magasin. Pour transformer l'information en **connaissance**, elle doit consacrer des ressources supplémentaires à la recherche de modèles, de règles et de contextes dans lesquels la connaissance fonctionne. Enfin, le **savoir** correspond à

FIGURE 11-1 LES REVENUS DES ENTREPRISES ÉTATSUNIENNES LIÉS AUX LOGICIELS DE GESTION DES CONNAISSANCES, DE 2005 À 2012

Les données sur les logiciels de gestion des connaissances d'entreprise comprennent les ventes de gestion de contenu et de licences de portail, qui augmentent de 15 % par an. Ces applications logicielles font ainsi partie de celles qui croissent le plus rapidement. Les données proviennent de sources de l'industrie et d'estimations des auteurs.

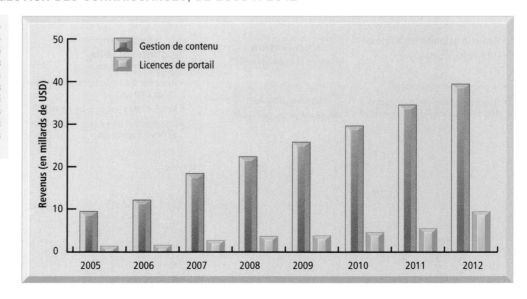

l'expérience collective et individuelle de l'application des connaissances à la résolution de problèmes. Le savoir détermine où, quand et comment appliquer la connaissance.

La connaissance est à la fois un attribut individuel et un attribut collectif de l'entreprise. Elle est un événement cognitif, voire physiologique, qui se produit dans la tête des gens. Elle se conserve aussi dans les bibliothèques et les dossiers, se partage durant les conférences et s'entrepose dans les entreprises sous la forme de processus d'affaires et de savoir-faire des employés. La connaissance que possèdent les employés mais qui n'a pas été consignée dans des documents est appelée **connaissance tacite**, tandis que la connaissance qui a été consignée dans des documents est appelée **connaissance explicite**. La connaissance peut se trouver dans les courriels, les courriers vocaux, les graphiques et les documents non structurés aussi bien que dans les documents structurés. En général, on croit qu'elle réside quelque part, dans le cerveau humain ou dans des processus d'affaires précis. Elle est « collante ». On ne peut l'appliquer universellement ou la déplacer facilement. Enfin, on croit que la connaissance est circonstancielle et contextuelle. Par exemple, il faut savoir à la fois quand et comment exécuter une procédure. Le tableau 11-1 résume les diverses dimensions de la connaissance.

On peut constater que la connaissance est un type d'actif organisationnel différent des actifs immobiliers et financiers, par exemple. Elle est un phénomène complexe et sa gestion comporte de nombreux aspects. Il faut aussi reconnaître que les principales compétences des entreprises reposant sur la connaissance, c'est-à-dire les deux ou trois domaines dans lesquels elles excellent, constituent des actifs organisationnels clés. Un savoir-faire qui rend une entreprise efficace et rentable et que les autres ne sont pas en mesure d'imiter constitue une source fondamentale de profit et d'avantage concurrentiel qui ne s'achète pas facilement sur le marché.

Par exemple, posséder un système de production sur commande constitue, pour une organisation, une forme de connaissance et un actif unique que les autres ne peuvent facilement imiter. Grâce aux connaissances, les organisations utilisent plus efficacement et de manière plus rentable les ressources limitées. Sans ces connaissances, elles sont vouées à l'échec.

L'apprentissage organisationnel et la gestion des connaissances

Comme les êtres humains, les organisations créent et rassemblent des connaissances au moyen d'une variété de mécanismes d'apprentissage organisationnel. Elles acquièrent ainsi de l'expérience par la collecte de données, l'évaluation soigneuse des activités planifiées, les essais et erreurs (expériences) ainsi que la rétroaction des clients et de l'environnement en général. Elles apprennent puis ajustent leurs comportements en conséquence, afin qu'ils reflètent cet apprentissage : elles créent de nouveaux processus d'affaires et modifient leurs modèles de prise de décision en gestion. Ce processus de changement porte le nom d'**apprentissage**

TABLEAU 11-1

LES DIMENSIONS IMPORTANTES DE LA CONNAISSANCE

La connaissance est un actif organisationnel.

La connaissance est un bien incorporel.

La transformation de données en information utile et en connaissance exige des ressources organisationnelles.

La connaissance n'est pas sujette à la loi du rendement décroissant comme le sont les biens corporels ; elle subit plutôt les effets de réseau (loi du rendement en expansion), car sa valeur augmente à mesure que les gens la partagent.

La connaissance se présente sous différentes formes.

La connaissance peut être tacite ou explicite (codifiée).

La connaissance comprend le savoir-faire, les métiers et les compétences.

La connaissance, c'est savoir comment suivre des procédures.

La connaissance, c'est savoir pourquoi, et pas seulement quand, les choses se produisent (causalité).

La connaissance se situe quelque part.

La connaissance est un événement cognitif qui implique des schémas et des modèles mentaux.

Il existe une base sociale et individuelle de la connaissance.

La connaissance est « collante » (elle est difficile à déplacer), localisée (elle est liée à la culture d'une entreprise) et contextuelle (elle ne fonctionne que dans certaines situations).

La connaissance est circonstancielle.

La connaissance est conditionnelle : savoir quand appliquer une procédure est aussi important que connaître la procédure.

La connaissance est associée au contexte : on doit savoir comment utiliser un outil particulier et dans quelles circonstances l'utiliser.

organisationnel. On peut dire que les organisations qui prennent le pouls de leur environnement et y réagissent rapidement dureront plus longtemps que celles qui possèdent de piètres mécanismes d'apprentissage.

La chaîne de valeur de la gestion des connaissances

La **gestion des connaissances** porte sur l'ensemble des processus d'affaires élaborés dans une organisation pour la création, l'entreposage, le transfert et l'application des connaissances.

FIGURE 11-2 LA CHAÎNE DE VALEUR DE LA GESTION DES CONNAISSANCES

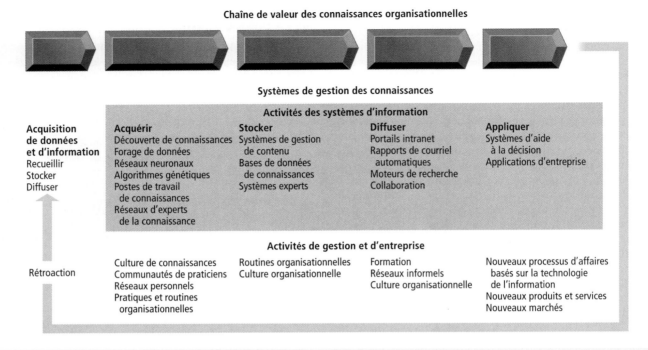

Aujourd'hui, la gestion des connaissances fait intervenir les activités des systèmes d'information et un ensemble d'activités de gestion et d'entreprise fournissant un appui.

Elle augmente la capacité de l'organisation à apprendre de son environnement et à incorporer les connaissances dans ses processus d'affaires. La figure 11-2 illustre les cinq étapes de la chaîne de valeur de la gestion des connaissances. Chaque étape ajoute de la valeur aux données brutes et à l'information, au fur et à mesure de leur transformation en connaissances utilisables.

Comme le montre la figure 11-2, une ligne sépare les activités des systèmes d'information et les activités d'entreprise et de gestion connexes. Les activités des systèmes d'information se trouvent dans le haut du diagramme, tandis que les activités d'entreprise et de gestion sont dessous. À cet égard, retenons ce slogan pertinent, relatif au domaine de la gestion des connaissances : « Une gestion des connaissances efficace relève à 80 % de la gestion et de l'organisation et à 20 % de la technologie. »

Au chapitre 1, nous définissons le *capital organisationnel et le capital de gestion* comme l'ensemble des processus d'affaires, de la culture et des comportements qui permettent de tirer profit du capital investi dans les systèmes d'information. Dans le cas de la gestion des connaissances, comme pour les autres investissements dans les systèmes d'information, il faut créer des valeurs d'appui, construire des structures et des modèles de comportement afin de maximiser le rendement du capital investi dans les projets de gestion des connaissances. À la figure 11-2, les activités d'entreprise et

de gestion (dans la moitié inférieure du diagramme) représentent l'investissement en capital organisationnel nécessaire pour obtenir des rendements substantiels des investissements dans la technologie de l'information (TI) et des systèmes (dans la moitié supérieure du diagramme).

L'acquisition de connaissances

Les organisations acquièrent des connaissances de nombreuses façons, selon le type de connaissances qu'elles souhaitent obtenir. Les premiers systèmes de gestion des connaissances cherchaient à créer des bibliothèques de documents, de rapports, de présentations et de bonnes pratiques. Ces bibliothèques comprenaient même des documents non structurés (comme les courriels). Dans certains cas, les organisations acquièrent des connaissances en construisant des réseaux d'experts en ligne pour permettre aux employés de « trouver l'expert » qui, au sein du personnel, possède dans sa tête les connaissances recherchées.

Dans d'autres cas, les entreprises doivent créer de nouvelles connaissances en découvrant des modèles dans leurs données ou en utilisant des stations de travail de connaissances où les ingénieurs peuvent acquérir de nouvelles connaissances. Nous décrivons ces diverses façons d'acquérir des connaissances tout au long de ce chapitre. Un système de connaissances cohérentes et organisées nécessite également des données systématiques provenant des systèmes de traitement des transactions, qui font le suivi des ventes, des paiements, des stocks, des clients et d'autres données essentielles. Il requiert enfin des données provenant de sources externes, comme les nouvelles, les rapports d'industrie, les avis juridiques, les recherches scientifiques et les statistiques gouvernementales.

Le stockage des connaissances

Une fois découverts, les documents, les modèles et les règles d'expert doivent être entreposés de manière à ce que les employés puissent les récupérer et les utiliser. En général, le stockage des connaissances exige la création d'une base de données. Les systèmes de gestion des documents qui numérisent et répertorient les documents selon une méthode cohérente sont de grosses bases de données expertes dans le stockage de collections de documents. Les systèmes experts aident aussi les entreprises à conserver les connaissances acquises en les incorporant dans les processus et la culture organisationnelle. Nous discutons de ces sujets plus loin dans ce chapitre et dans le chapitre suivant.

La gestion doit soutenir le développement des systèmes de stockage planifié des connaissances, encourager l'élaboration de schémas d'entreprise pour l'indexage des documents et récompenser les employés qui prennent le temps de mettre à jour et de stocker convenablement les documents. Par exemple, une entreprise pourrait récompenser sa force de vente pour avoir ajouté des noms de clients potentiels à une base commune de données de clients potentiels, dans laquelle tout le personnel des ventes peut reconnaître chaque client potentiel et réviser les connaissances stockées.

La diffusion des connaissances

Les portails, les courriels, les messageries instantanées, les wikis, les réseaux sociaux et les moteurs de recherche se sont ajoutés à un large éventail de technologies de collaboration et de systèmes de bureau permettant le partage de calendriers, de documents, de données et de graphiques (chapitre 7). La technologie contemporaine a engendré un déluge d'information et de connaissances. Comment les gestionnaires et les employés peuvent-ils trouver, dans un océan d'information et de connaissances, les éléments essentiels à la prise de décision et à l'accomplissement de leurs tâches? Les programmes de formation, les réseaux informels et le partage des expériences de gestion au moyen d'une culture du soutien aident les gestionnaires à se concentrer sur l'information et les connaissances pertinentes.

L'application des connaissances

Les connaissances qui ne sont pas partagées ni appliquées aux problèmes pratiques que connaissent les entreprises et leurs gestionnaires ne procurent aucune valeur, et ce, quel que soit le type de systèmes de gestion des connaissances utilisé. Pour produire un rendement sur le capital investi, les connaissances organisationnelles doivent systématiquement faire partie de la prise de décision en matière de gestion et être placées dans la perspective des systèmes d'aide à la décision (décrits au chapitre 12). En fin de compte, les nouvelles connaissances doivent être intégrées aux processus d'affaires et aux systèmes d'application clés d'une entreprise, notamment les applications d'entreprise servant à gérer les principaux processus d'affaires internes et les relations avec les clients et les fournisseurs. La gestion appuie ce processus en créant, sur la base des nouvelles connaissances, de nouvelles pratiques d'affaires, de nouveaux produits et services et de nouveaux marchés pour l'entreprise.

La création d'un capital organisationnel et d'un capital de gestion : la collaboration, les communautés de praticiens et les environnements de bureau

Outre les activités que nous venons de décrire, les gestionnaires peuvent enrichir l'organisation de nouveaux rôles et de nouvelles responsabilités concernant l'acquisition de connaissances, notamment en créant des postes de chefs de la gestion des connaissances, des postes fonctionnels (de gestionnaires de la connaissance) et des communautés de praticiens. Les **communautés de praticiens** sont des réseaux sociaux informels de professionnels et d'employés, appartenant ou non à l'entreprise, qui ont des champs de compétences et d'intérêt communs. Elles mènent des activités aussi diverses que l'autoéducation et l'apprentissage en groupe, les conférences, les bulletins en ligne et le partage au quotidien d'expériences et de techniques pour la résolution de problèmes professionnels précis. De nombreuses grandes entreprises, comme IBM et la Banque mondiale, ont encouragé la création de milliers de communautés de praticiens en ligne. Ces communautés ont grandement besoin d'environnements de programmation qui permettent la collaboration et la communication.

Les communautés de praticiens peuvent favoriser la gestion des connaissances dans quatre domaines. Premièrement, elles aident les gens à réutiliser des connaissances en orientant leurs membres vers des documents utiles, en créant des référentiels de documents et en filtrant l'information pour les nouveaux membres. Deuxièmement, leurs membres servent d'animateurs en encourageant les contributions et les discussions. Troisièmement, elles réduisent parfois la courbe d'apprentissage des nouveaux employés en leur permettant de communiquer avec des spécialistes et d'avoir accès aux méthodes et aux outils reconnus. Quatrièmement, elles favorisent l'éclosion des idées, l'élaboration de techniques et la mise au point de comportements décisionnels.

Les types de systèmes de gestion des connaissances

On compte essentiellement trois types de systèmes de gestion des connaissances : les systèmes de gestion des connaissances de l'entreprise, les systèmes pour le travail intellectuel et, enfin, les techniques intelligentes. La figure 11-3 illustre les applications de ces grands types de systèmes de gestion des connaissances.

Systèmes de gestion
des connaissances d'entreprise

Systèmes pour le travail intellectuel

Techniques intelligentes

Efforts polyvalents, intégrés et déployés
à l'échelle de l'entreprise, destinés
à recueillir, à stocker, à diffuser et à utiliser
les contenus et les connaissances numérisés

Système de gestion de contenu d'entreprise
Outils de collaboration
Systèmes de gestion de l'apprentissage
Systèmes de réseaux de la connaissance

Stations de travail et systèmes spécialisés
permettant aux scientifiques, aux ingénieurs
et à d'autres travailleurs de la connaissance
de créer et de découvrir de nouvelles
connaissances

Conception assistée par ordinateur (CAO)
Visualisation
Réalité virtuelle
Stations de travail pour
   des spécialistes des finances

Outils conçus pour découvrir des modèles
et appliquer les connaissances aux décisions
discrètes et aux domaines de connaissances

Forage de données
Réseaux neuronaux
Systèmes experts
Raisonnement par cas
Logique floue
Algorithmes génétiques
Agents intelligents

On compte trois grandes catégories de systèmes de gestion des connaissances, qui peuvent être décomposées e n types plus spécialisés de systèmes.

Les **systèmes de gestion des connaissances de l'entreprise** sont des systèmes d'entreprise à vocation générale permettant la collecte, le stockage, la distribution et l'application du contenu numérique et des connaissances. Ils renferment des fonctions de recherche de l'information, de stockage de données structurées et non structurées ainsi que de localisation d'expertises au sein de l'entreprise. Ils comportent aussi des technologies de soutien, comme des portails, des moteurs de recherche, des outils de collaboration (courriel, messagerie instantanée, wikis, blogues et partage de signets) et des systèmes de gestion de l'apprentissage.

Le développement de puissantes stations de travail et de logiciels en réseaux destinés à aider les ingénieurs et les scientifiques à découvrir de nouvelles connaissances a entraîné la création de systèmes pour le travail intellectuel, comme les systèmes de conception assistée par ordinateur (CAO), de visualisation, de simulation et de réalité virtuelle. Les **systèmes pour le travail intellectuel (STI)** sont des systèmes spécialisés conçus pour les ingénieurs, les scientifiques et d'autres travailleurs de la connaissance chargés de découvrir et de créer de nouvelles connaissances pour l'entreprise. Nous nous penchons sur les applications de travail intellectuel à la section 11.3.

La gestion des connaissances comprend aussi un groupe diversifié de **techniques intelligentes**, comme le forage de données, les systèmes experts, les réseaux neuronaux, la logique floue, les algorithmes génétiques et les agents intelligents. Ces techniques visent différents objectifs qui vont de la découverte de connaissances (forage de données et réseaux neuronaux) à la distillation de connaissances sous la forme de règles pour un programme informatique (systèmes experts et logique floue), en passant par la découverte de solutions optimales aux problèmes (algorithmes génétiques). Nous étudions en détail ces techniques intelligentes dans la section 11.4.

11.2 LES SYSTÈMES DE GESTION DES CONNAISSANCES D'ENTREPRISE

Les entreprises doivent considérer au moins trois types de connaissances. Un premier type de connaissances se présente sous la forme de documents écrits structurés (comme des rapports et des présentations). Les décideurs ont par ailleurs besoin d'un deuxième type de connaissances, les connaissances semi-structurées, contenues dans des courriels, des messages vocaux, des échanges de clavardage, des vidéos, des images, des brochures et des documents publiés sur des babillards électroniques. Enfin, les connaissances du troisième type ne sont ni transcrites ni numérisées et n'existent que dans la tête des employés. Elles sont dites tacites et elles sont rarement consignées. Les systèmes de gestion des connaissances de l'entreprise permettent de gérer ces trois types de connaissances.

Les systèmes de gestion de contenu d'entreprise

Les entreprises doivent désormais organiser et gérer tant des actifs de connaissances structurées que semi-structurées. Les **connaissances structurées** sont des connaissances explicites contenues dans les documents formels et dans les règles formelles que les organisations établissent à partir de l'observation de leurs experts et de leurs comportements décisionnels. Or, selon les experts, au moins 80 % du contenu de l'entreprise est de type semi-structuré ou non structuré: il s'agit de l'information contenue dans les fichiers, les messages, les notes de service, les propositions, les courriels, les diagrammes, les diaporamas électroniques et même les vidéos produites en différents formats et stockées en divers endroits.

FIGURE 11-4 UN SYSTÈME DE GESTION DE CONTENU D'ENTREPRISE

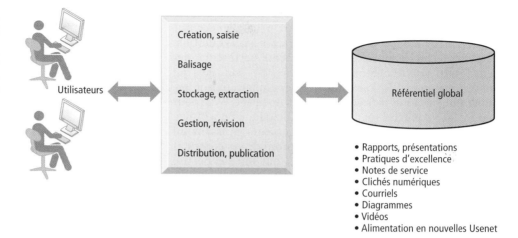

Un système de gestion de contenu d'entreprise peut classer, organiser et gérer des connaissances structurées et semi-structurées et les rendre accessibles à tout le personnel de l'entreprise.

Utilisateurs

Création, saisie

Balisage

Stockage, extraction

Gestion, révision

Distribution, publication

Référentiel global

- Rapports, présentations
- Pratiques d'excellence
- Notes de service
- Clichés numériques
- Courriels
- Diagrammes
- Vidéos
- Alimentation en nouvelles Usenet

Les **systèmes de gestion de contenu d'entreprise** aident les organisations à gérer ces deux types d'information. Ils comportent des fonctions permettant de saisir, de stocker, d'extraire, de distribuer et de préserver les connaissances pour aider les entreprises à améliorer leurs processus et leurs décisions d'affaires. Ce type de système comprend un référentiel des documents, des rapports, des présentations et des pratiques d'excellence, de même que des fonctionnalités pour rassembler et organiser les connaissances semi-structurées, comme les courriels (figure 11-4). Les systèmes de gestion de contenu des grandes entreprises permettent aussi aux utilisateurs d'accéder à des sources d'information externes – comme l'alimentation en nouvelles **Usenet** et les moteurs de recherche de nouvelles – et de communiquer par courriel, clavardage, messagerie instantanée, vidéoconférence ainsi que dans des forums. Open Text, EMC (Documentum), IBM et Oracle sont les principaux fournisseurs de logiciels de gestion de contenu d'entreprise.

Central Vermont Public Service, fournisseur d'électricité et de services écoénergétiques connexes pour près de 160 000 résidents du Vermont (É.-U.), utilise les outils de gestion de contenu d'entreprise LiveLink d'Open Text pour gérer la quantité colossale d'information qu'il doit conserver et mettre à jour. Le système organise et stocke des contenus structurés et non structurés, notamment des courriels, des feuilles de calcul, des documents produits par traitement de texte et des fichiers PDF, depuis leur création jusqu'à leur disposition ultime, à savoir leur archivage permanent ou leur destruction. Il permet à l'entreprise de se conformer aux réglementations gouvernementales en matière de gestion des dossiers et de faire un meilleur usage de l'information, sur le plan des affaires (Open Text, 2009).

Savoir créer une bonne méthode de classification, ou **taxonomie**, pour organiser l'information en catégories significatives et facilement accessibles constitue un enjeu important en matière de gestion des connaissances. Une fois les catégories créées, il faut baliser, ou classer, chaque élément

d'information afin qu'il soit facile de le retrouver par la suite. Les systèmes de gestion de contenu d'entreprise ont des fonctions de balisage, d'interfaçage avec les bases de données où sont stockés les documents ainsi que de création d'un **portail d'entreprise** pour les employés qui cherchent de l'information.

Les entreprises travaillant dans les domaines de l'édition, de la publicité, de la radiotélévision et du divertissement ont des besoins particuliers en matière de stockage et de gestion de données numériques non structurées comme les photos, les représentations graphiques et les contenus audio et vidéo. Par exemple, Coca-Cola doit conserver toutes les représentations de la marque qui ont été créées par l'un ou l'autre de ses bureaux dans le monde, pour éviter de refaire ce qui a déjà été fait ou de trop s'éloigner de l'image de marque officielle (voir le cas présenté en conclusion de ce chapitre). Les **systèmes de gestion de contenus numériques** aident les entreprises à classer, à stocker et à distribuer ces contenus numériques.

Les systèmes de réseaux de connaissances

Les **systèmes de réseaux de connaissances**, également appelés « systèmes de localisation et de gestion d'expertise », s'avèrent utiles lorsque les connaissances recherchées ne se trouvent pas dans un document numérique, mais dans la mémoire de quelques experts de l'entreprise. Ils fournissent un répertoire en ligne des experts dans des domaines de connaissances bien définis et permettent aux employés de trouver, grâce aux technologies de communication, l'expertise qu'ils recherchent dans l'entreprise. Certains vont plus loin, en systématisant les solutions élaborées par les experts puis en les intégrant à une base de connaissances qui sert de référentiel des pratiques d'excellence ou de foire aux questions, ou FAQ (figure 11-5). AskMe et Tacit Software sont les principaux fournisseurs de systèmes de réseaux de connaissances.

L'entreprise Intec Engineering Partnership, qui s'occupe de gestion de projets et compte plus de 500 employés dans le monde, offre ses services à l'industrie pétrolière et gazière mondiale. Elle utilise le système de réseau de connaissances d'AskMe. Ainsi, l'un de ses ingénieurs peut y lancer une recherche par mot clé pour trouver réponse à une question. Le système lui proposera des documents pertinents, des liens Internet ou des réponses à des questions connexes qui ont déjà été posées. En cas d'absence de résultats, il peut formuler une question plus générale dans une page Web, pour une catégorie précise (par exemple « Gazoduc » ou « Milieu sous-marin »), afin que d'autres ingénieurs puissent lui répondre. Il peut encore consulter le profil de ses confrères dans l'entreprise, pour repérer ceux qui ont l'expertise recherchée, puis poser sa question dans un courriel détaillé. Toutes les questions et leurs réponses sont automatiquement intégrées dans la base de connaissances.

Les outils de collaboration et les systèmes de gestion de l'apprentissage

Les systèmes de gestion de contenu d'entreprise les plus importants comprennent un portail et des outils de collaboration puissants. Les portails de connaissances peuvent donner accès tant à des sources d'information externes, comme l'alimentation en nouvelles Usenet et la recherche de nouvelles, qu'à des ressources internes, avec des fonctions d'envoi de courriel, de messagerie instantanée, de groupes de discussion et de vidéoconférence.

Les entreprises commencent à utiliser à l'interne les technologies du Web qui sont populaires auprès du grand public, notamment le blogue, le wiki et le partage de signets, de manière à encourager la collaboration et l'échange d'information entre les collègues et les équipes. Les blogues et les wikis permettent de saisir, de rassembler et de centraliser les connaissances. Les outils de collaboration que proposent les fournisseurs de logiciels commerciaux – pensons à Microsoft SharePoint, à Lotus Connections et à Kortex (3PM) – offrent également ces fonctions et procurent en outre un espace sécurisé en ligne pour le travail commun.

Les wikis, présentés aux chapitres 2 et 7, sont peu coûteux et faciles à mettre en place. Ils procurent un référentiel pour tous les types de données d'entreprise affichables dans un navigateur Web: documents, feuilles de calcul et diaporamas électroniques sous forme de pages électroniques. Ils peuvent aussi comprendre des courriels et des messages instantanés. Si les utilisateurs ont la possibilité de modifier le contenu apporté par d'autres, des outils permettent de suivre et d'annuler les changements. Les wikis conviennent particulièrement bien pour l'information qu'on révise fréquemment, mais qui doit toujours rester accessible au fil des changements.

La session interactive sur la gestion décrit quelques-unes des utilisations des outils du Web 2.0 en entreprise. Durant votre lecture, essayez de déterminer le problème que les entreprises évoquées devaient régler, les possibilités qu'avait

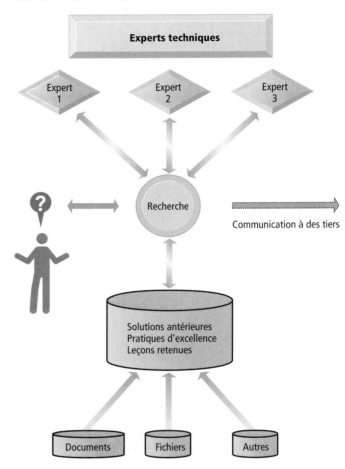

FIGURE 11-5

UN SYSTÈME DE RÉSEAU DE CONNAISSANCES

Un système de réseau de connaissances entretient une base de données des experts techniques de l'entreprise et des solutions retenues pour des problèmes connus. Il facilite la communication entre les employés à la recherche de connaissances et des experts qui les possèdent. Les solutions élaborées durant les rencontres sont ajoutées à la foire aux questions, aux pratiques d'excellence ou à d'autres documents de la base de données.

la direction et les résultats qu'a permis d'obtenir la solution choisie.

Le **partage de signets** facilite la recherche et le partage d'information en permettant aux utilisateurs de sauvegarder des signets de pages Web sur un site Web public et de leur attribuer des mots clés. Ces derniers peuvent servir à organiser et à chercher des documents. Ils peuvent aussi faire l'objet d'un partage, d'une diffusion visant à faciliter la recherche d'information. La taxonomie ainsi créée par les utilisateurs est une **socionomie**. Delicious et Digg sont deux sites populaires de partage de signets.

Supposons, par exemple, que vous faites partie d'une équipe de travail qui se documente sur l'énergie éolienne.

SESSION INTERACTIVE : LA GESTION

LA GESTION AVEC LE WEB 2.0

Les auteurs de blogues ne sont pas tous des jeunes qui détaillent leur quotidien, dénoncent les mauvais produits ou militent pour une cause. Ce sont aussi, aujourd'hui, des employés d'IBM, d'Intel, de P&G ou d'autres entreprises qui ont adopté les outils du Web 2.0. Les blogues, les wikis et le réseautage social sont en voie de devenir de formidables outils de communication et de productivité pour les entreprises. Selon la firme de consultants McKinsey & Co., le tiers environ des hauts gestionnaires consultés utilisent les outils du Web 2.0 ou envisagent de les implanter.

Les outils du Web 2.0 ont fait leur entrée dans le monde des affaires parce que les logiciels qui les font fonctionner sont généralement peu coûteux et conviviaux. Un gestionnaire qui souhaite communiquer avec son équipe au moyen d'un blogue ou documenter l'évolution d'un projet sur un wiki peut installer la technologie requise sans l'aide du service des TI et sans que ses supérieurs n'aient à s'inquiéter des coûts.

Chez Sun Microsystems, la direction a demandé aux ingénieurs de créer des pages wiki pour décrire leurs projets. Une fois la technologie apprivoisée, ces derniers ont pu facilement se servir des wikis pour produire la documentation officielle des logiciels de l'entreprise. L'utilisation des wikis s'est également étendue aux notes de réunions, à la planification de projets et aux rapports de logiciels. La quantité d'information documentée a ainsi quadruplé chez Sun.

Chez IBM, plus de 26 000 employés ont créé des blogues dans le réseau de l'entreprise, pour parler de technologie et du travail qu'ils font. Les membres des équipes de projets se servent des wikis pour stocker de l'information et se transmettre des notes de service. Le Wiki Central d'IBM gère plus de 20 000 wikis auxquels contribuent plus de 125 000 par-

ticipants. L'entreprise a créé un wiki pour aider 50 de ses experts en matière de lois, d'économie, de gouvernement et de technologies à travailler ensemble à la rédaction d'un manifeste sur la propriété intellectuelle qui sert de base à sa nouvelle politique de brevet.

Les outils du Web 2.0 sont particulièrement utiles à IBM, dont 42 % de la main-d'œuvre travaille à distance, à domicile ou dans les bureaux des clients. Brian Goodman gère, depuis le Connecticut, une équipe de développeurs de logiciels dont certains membres se trouvent dans l'État de New York et d'autres, dans le Massachusetts. Il affirme que les wikis lui donnent « un portrait unique des projets et de leur état d'avancement », sans qu'il doive, pour l'obtenir, bombarder quotidiennement les membres de son équipe de messages instantanés.

Les employés d'IBM utilisent le répertoire général BluePages pour faire du réseautage social interne. Ce répertoire qu'ils mettent à jour devient en quelque sorte un MySpace d'entreprise. Il contient des renseignements généraux sur les 400 000 employés d'IBM et fait l'objet de 6 millions de consultations par jour. Les employés gèrent la majeure partie de leur fiche personnelle et peuvent enrichir leur profil de photos et d'un curriculum vitæ.

IBM fournit des fonctions de réseautage social à d'autres entreprises, avec son logiciel Lotus Connections. Celui-ci permet aux utilisateurs de définir leur profil, de tenir un blogue, de partager des signets et de participer à des communautés de praticiens. L'Administration fédérale de l'aviation des États-Unis (FAA) utilise une composante « Activités » pour la préparation aux catastrophes. Lorsque survient une situation d'urgence, le logiciel achemine les fils RSS des blogues internes, les documents et les projets pertinents dans une

page « Activités » accessible aux employés pour consultation et discussion.

Chez Wachovia, géant des services financiers acheté par Wells Fargo, les technologies du Web 2.0 permettent de relier en un réseau mondial des bureaux comptant au total plus de 100 000 employés. L'entreprise a déployé des wikis, des blogues, une messagerie instantanée, des profils personnels et d'autres outils de collaboration combinés dans le serveur SharePoint de Microsoft. La direction juge qu'un tel environnement de collaboration est essentiel pour attirer et retenir de jeunes employés dynamiques qui trouvent naturel d'utiliser le Web 2.0 au travail. Les outils de réseautage social déployés ont réduit, avec la vidéoconférence, les frais de déplacement et permis de conserver le bagage d'expérience de travailleurs de la connaissance qui sont sur le point de prendre leur retraite.

Bien que certaines entreprises bloquent l'accès à Facebook et à d'autres sites publics de réseautage, plusieurs y ont recours dans des circonstances précises. Les recruteurs de Microsoft et de Starbucks utilisent LinkedIn pour trouver des candidats potentiels. Les employés de P&G se servent de Facebook pour rester en contact avec des collègues et partager de l'information avec ceux qui participent aux événements de la société.

Les deux plus grandes difficultés que rencontrent les entreprises recourant aux technologies du Web 2.0 consistent à convaincre leurs employés de s'en servir et à réglementer leur utilisation. Dans son code de conduite, IBM rappelle à ses employés de ne pas oublier les règles concernant le respect de la vie privée, le respect des individus et la confidentialité. Elle interdit les communications en ligne anonymes. Les entreprises qui utilisent les sites publics de réseautage social doivent se préoccuper davantage de sécurité et de conformité au règlement, car les communications se font avec des personnes extérieures. Les employés clavardant au sujet de leur travail pourraient révéler de l'information sensible.

Certaines entreprises, comme Nokia et la banque d'investissement Dresdner Kleinwort, située à Francfort, ont lancé des wikis ou des blogues en commençant par de petits groupes d'employés.

Voyant les avantages qu'apportaient ces outils, leur facilité d'utilisation et leur souplesse, les gestionnaires et employés d'autres services n'ont pas tardé à adopter la technologie à leur tour.

_____

Sources: Paul McDougall, « The "TLA Wiki" and Other Tips to Spark Enterprise 2.0 Efforts », *Information Week*, 16 juin 2008 ; Judith Lamont, « Social Networking : KM and Beyond », *KM World*, juin 2008 ; Michael Totty, « Social Studies », *The Wall Street Journal*, 18 juin 2007 ; William M. Bulkeley, « Playing Well with Others », *The Wall Street Journal*, 18 juin 2007 ; Vauhini Vara, « Wikis at Work », *The Wall Street Journal*, 18 juin 2007 ; Dan Carlin, « Corporate Wikis Go Viral », *Business Week*, 12 mars 2007.

Questions

1. Comment les technologies du Web 2.0 aident-elles les entreprises à gérer les connaissances, à coordonner le travail et à améliorer la prise de décision ?

2. Quels problèmes du domaine des affaires les blogues, les wikis et les autres outils de réseautage social contribuent-ils à résoudre ?

3. Décrivez les avantages qu'une entreprise comme Wal-Mart ou Procter & Gamble pourrait retirer en utilisant à l'interne les outils du Web 2.0.

4. À quelles grandes difficultés se heurtent les entreprises qui adoptent le Web 2.0 ? De quelles questions les gestionnaires doivent-ils se préoccuper ?

Ateliers

Rendez-vous à la page d'accueil des blogues de Sun Microsystems (blogs.sun.com) et cliquez sur l'onglet du répertoire des blogues les plus populaires (« Popular Blogs »). Choisissez un blogue, puis répondez aux questions suivantes :

1. Quel nom porte le blogue que vous avez choisi ?

2. Quelles personnes concerne-t-il ?

3. De quels sujets traite-t-il ?

4. Consultez plusieurs autres blogues du répertoire. Si vous étiez un employé de Sun, jugeriez-vous leur existence utile ? Pourquoi ? Selon vous, les billets traitant de la vie personnelle plutôt que de questions professionnelles présentent-ils quelque valeur ?

Lorsque vous trouvez des pages Web pertinentes, vous pouvez cliquer sur un bouton de mise en signet sur un site de partage de signets et créer un mot clé pour associer chacun des documents Web trouvés à l'énergie éolienne. Par la suite, en cliquant sur le bouton « mots clés » du site de partage de signets, vous accédez à la liste de tous les mots clés que vous avez créés et pouvez choisir les documents dont vous avez besoin.

Les entreprises ont besoin de moyens pour suivre et gérer l'apprentissage des employés, afin de l'intégrer à leur système de gestion des connaissances ou à d'autres systèmes. Un **système de gestion de l'apprentissage** procure des outils pour la gestion, l'organisation, le suivi et l'évaluation de divers types d'apprentissage et de formation des employés.

Les systèmes de gestion de l'apprentissage les plus récents soutiennent de nombreux types d'apprentissage, notamment les cédéroms, les vidéos téléchargeables, la formation Web, l'enseignement en direct, en classe ou en ligne et l'apprentissage en groupe dans des forums ou des séances de clavardage. Le système de gestion de l'apprentissage combine les formations données grâce à plusieurs médias, automatise la sélection et l'administration des cours, assemble et livre le contenu et mesure la qualité de l'apprentissage.

Par exemple, la société Whirlpool utilise le système de gestion de l'apprentissage CERTPOINT pour gérer les inscriptions, les horaires, les comptes rendus et le contenu des programmes de formation qu'elle offre à ses 3500 représentants. Le système lui permet d'adapter le contenu des formations aux participants, de suivre les employés ayant reçu les formations et de consigner leurs résultats. Il permet aussi de compiler des données sur le rendement des employés.

11.3 LES SYSTÈMES POUR LE TRAVAIL INTELLECTUEL

Les systèmes de connaissances d'entreprise que nous venons de décrire offrent une grande variété de fonctions que peuvent utiliser la plupart des travailleurs et des services. Cela dit, les entreprises possèdent aussi des systèmes spécialisés pour aider les travailleurs de la connaissance à créer de nouvelles connaissances et pour faire en sorte que celles-ci soient intégrées adéquatement.

Les travailleurs de la connaissance et le travail intellectuel

Les travailleurs de la connaissance, dont nous avons parlé au chapitre 1, regroupent les chercheurs, les concepteurs, les architectes, les scientifiques et les ingénieurs qui créent essentiellement des connaissances et de l'information pour l'organisation qui les emploie. Ce sont généralement des personnes qui ont un degré d'instruction élevé et qui sont membres d'organisations professionnelles. On leur demande souvent d'émettre un jugement sur divers aspects du travail. Ils jouent trois rôles clés, essentiels à l'organisation et aux gestionnaires:

- Ils tiennent l'organisation au courant des nouvelles connaissances découvertes dans le monde, dans des domaines comme la technologie, les sciences, la sociologie et les arts.
- Ils jouent le rôle de consultants internes dans leurs domaines de connaissances et informent les gestionnaires des changements qui y surviennent et des occasions à saisir.
- Ils jouent le rôle d'agents du changement qui évaluent, démarrent et soutiennent des projets visant le changement.

Les caractéristiques des systèmes pour le travail intellectuel

La plupart des travailleurs de la connaissance comptent sur les systèmes de bureau, comme le traitement de texte, la messagerie vocale, le courriel, la vidéoconférence et la planification, qui sont tous conçus pour augmenter la productivité des travailleurs. Cependant, ils ont également besoin de systèmes très spécialisés pour le travail intellectuel, dotés d'outils graphiques et analytiques puissants et de fonctions de communication et de gestion des documents.

Ces systèmes doivent être très performants, afin de pouvoir effectuer rapidement les graphiques sophistiqués ou les calculs complexes dont ont besoin les chercheurs, les concepteurs de produits et les analystes financiers. Comme ces travailleurs doivent se tenir au courant des dernières découvertes dans le monde entier, les systèmes spécialisés doivent également leur fournir un accès rapide et facile à des bases de données extérieures. Ils comportent habituellement des interfaces conviviales qui permettent aux utilisateurs d'accomplir leurs tâches sans passer trop de temps à comprendre leur fonctionnement. Les travailleurs de la connaissance demandant des salaires élevés, les entreprises n'ont pas les moyens de les payer à perdre leur temps. La figure 11-6 résume les caractéristiques des systèmes pour le travail intellectuel.

Les stations de travail destinées aux travailleurs de la connaissance sont souvent conçues et optimisées en fonction des tâches précises que ceux-ci doivent accomplir. Ainsi, les ingénieurs concepteurs ont besoin de stations de travail différentes de celles des analystes financiers. Ils doivent en effet pouvoir se servir de fonctions de graphisme suffisamment puissantes pour permettre la conception tridimensionnelle assistée par ordinateur (CAO). Les analystes financiers, eux, souhaitent plutôt pouvoir accéder à un grand nombre de bases de données externes et s'intéressent bien plus à la technologie du disque optique, car ils doivent pouvoir accéder très rapidement à des quantités importantes de données financières.

FIGURE 11-6

LES CARACTÉRISTIQUES DES SYSTÈMES POUR LE TRAVAIL INTELLECTUEL

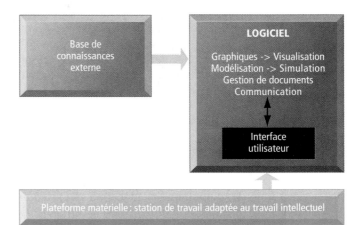

Les systèmes pour le travail intellectuel exigent, en plus d'un matériel et de logiciels spécialisés, des liens performants avec les bases de connaissances extérieures.

Quelques exemples de systèmes pour le travail intellectuel

Les principales applications relatives au travail intellectuel comprennent les systèmes de conception assistée par ordinateur (CAO), les systèmes de réalité virtuelle pour la simulation et la modélisation ainsi que les stations de travail destinées aux analystes financiers. La **conception assistée par ordinateur (CAO)** est la création et la révision automatisées de concepts à l'aide d'ordinateurs et de logiciels graphiques sophistiqués. Lorsqu'on utilise une méthode de conception physique traditionnelle, chaque modification exige la fabrication d'un modèle et d'un prototype à mettre à l'essai. Ce processus qui se répète plusieurs fois est très coûteux et laborieux. Lorsqu'on utilise la CAO, on ne construit qu'un prototype physique, vers la fin du processus de conception, car le concept peut facilement être mis à l'essai et modifié par ordinateur. Comme il fournit des spécifications de conception concernant l'outillage et le processus de fabrication, le logiciel de CAO permet également de gagner énormément de temps et d'argent. Enfin, le processus de fabrication qu'il propose pose peu de problèmes.

Par exemple, les architectes de Skidmore, Owings & Merril LLP ont recouru à un programme de conception 3-D appelé Revit pour mettre au point les données créatives et techniques de la Freedom Tower, qui s'élèvera sur le site de l'ancien World Trade Center. Le logiciel leur a permis d'enlever la couche extérieure de l'édifice et de travailler sur la forme des planchers. Les modifications au design d'origine sont immédiatement apparues dans l'ensemble du modèle, et le logiciel a recalculé automatiquement les données techniques des plans (Frangos, 2004).

Un **système de réalité virtuelle** dispose de fonctions de visualisation, de rendu d'image et de simulation qui vont bien au-delà de celles des systèmes de CAO classiques. Grâce à un logiciel graphique interactif, il crée par ordinateur des simulations qui sont si proches de la réalité que l'utilisateur a presque l'impression qu'il se trouve dans le monde réel. Souvent, selon l'application, l'utilisateur doit porter des vêtements spéciaux, un casque d'écoute et d'autres équipements. Les vêtements contiennent des détecteurs qui enregistrent les mouvements et transmettent immédiatement l'information à l'ordinateur. Par exemple, pour marcher dans une maison virtuelle, il faut porter des habits qui enregistrent le mouvement des pieds, des mains et de la tête. Pour plonger dans l'univers projeté par l'ordinateur, il faut également porter des lunettes munies d'écrans vidéo et, parfois, des dispositifs sonores et des gants d'impression.

La réalité virtuelle commence à fournir des possibilités intéressantes dans les domaines de l'éducation, des sciences et des affaires. Par exemple, les radiologistes du centre médical Beth Israel de New York peuvent désormais utiliser le système médical 3D Virtuoso, de Siemens, tant pour visualiser de minuscules vaisseaux sanguins que pour les suivre jusqu'à l'aorte. Les chirurgiens de la New York University School of Medicine peuvent quant à eux utiliser la modélisation tridimensionnelle pour cibler les tumeurs du cerveau avec plus de précision, ce qui réduit le saignement et les lésions pendant l'opération.

Les applications de réalité virtuelle conçues pour le Web reposent sur la norme appelée **langage de modélisation de réalité virtuelle** (**VRML**, *virtual reality modeling language*). Le langage VRML est un ensemble de spécifications s'appliquant à la modélisation interactive 3D sur le Web. Il peut organiser plusieurs types de supports, qu'il s'agisse de dessins animés, d'images ou de sons, pour transporter les utilisateurs dans un monde virtuel. Il est indépendant de la plateforme, s'exploite sur un ordinateur de bureau et requiert une bande passante étroite. En utilisant leur navigateur Web, les utilisateurs d'Internet peuvent ainsi télécharger depuis un serveur un monde virtuel tridimensionnel conçu au moyen du langage VRML.

Le fabricant de produits chimiques DuPont, établi à Wilmington, dans l'État du Delaware, a créé une application VRML appelée HyperPlant, qui permet aux utilisateurs d'accéder à des données tridimensionnelles sur Internet à l'aide d'un navigateur Web. Les ingénieurs peuvent se promener à l'intérieur de modèles 3D et avoir l'impression qu'ils marchent dans une usine et voient des objets à la hauteur de leurs yeux. Cette abondance de détails réduit le nombre d'erreurs qu'ils peuvent commettre durant la construction de plateformes d'exploitation pétrolière, de raffineries de pétrole et d'autres structures.

L'industrie financière, elle, utilise des **stations de travail pour les spécialistes financiers**, qui optimisent le temps des courtiers et des gestionnaires de portefeuilles et améliorent leurs connaissances. Des entreprises comme Merrill Lynch et Paine Webber ont installé dans leurs bureaux ce genre de stations de travail qui regroupent une vaste gamme de données de sources internes et externes: des données sur la gestion des contrats, des données en temps réel sur les marchés, des données historiques et des rapports de recherche. Auparavant, pour accéder à de telles données, les spécialistes de la finance passaient beaucoup de temps à les rechercher sur différents systèmes et à les réunir chaque fois qu'ils en avaient besoin. En fournissant toute l'information dans un seul emplacement, plus rapidement et avec moins d'erreurs, les stations de travail rationalisent tout le processus d'investissement, depuis la sélection des actions jusqu'à la mise à jour des dossiers des clients. Le tableau 11-2 présente un résumé des principaux types de systèmes pour le travail intellectuel.

11.4 LES TECHNIQUES INTELLIGENTES

L'intelligence artificielle et les bases de données fournissent des techniques intelligentes que les organisations peuvent utiliser pour recueillir et conserver les connaissances individuelles et collectives et pour élargir leur base de connaissances. On utilise les systèmes experts, le raisonnement par

TABLEAU 11-2 **QUELQUES EXEMPLES DE SYSTÈMES POUR LE TRAVAIL INTELLECTUEL**

SYSTÈME	FONCTION
CAO (conception assistée par ordinateur) FAO (fabrication assistée par ordinateur)	Système destiné aux ingénieurs, aux concepteurs et aux gestionnaires d'usine. Permet un contrôle serré de la conception et de la fabrication industrielles.
Système de réalité virtuelle	Système destiné aux concepteurs de médicaments, aux architectes, aux ingénieurs et aux professionnels de la santé. Fournit des simulations d'objets aussi réelles que s'il s'agissait de photos.
Station de travail pour le soutien des spécialistes financiers	Ordinateur personnel haut de gamme qui est utilisé dans le secteur financier. Permet d'analyser instantanément les cotations et simplifie la gestion des portefeuilles.

cas et la logique floue pour recueillir les connaissances tacites. On a recours aux réseaux neuronaux et au forage de données pour la **découverte de connaissances**. Ces techniques permettent de découvrir des modèles, des catégories et des comportements dans de gros ensembles de données, ce que ne peuvent faire les gestionnaires ou simplement l'expérience. On utilise les algorithmes génétiques pour trouver des solutions aux problèmes qui sont trop vastes et trop complexes pour l'être humain. Les agents intelligents peuvent, quant à eux, automatiser des tâches routinières pour aider les entreprises à chercher et à filtrer de l'information qu'elles utiliseront dans le commerce électronique, la gestion de la chaîne logistique et d'autres activités.

Le forage de données, dont nous avons parlé au chapitre 6, aide les organisations à trouver, dans de grosses bases de données, des connaissances non découvertes qui sont susceptibles de donner aux gestionnaires de nouvelles idées pour améliorer la performance de l'organisation. Il est devenu un outil important dans le processus décisionnel des gestionnaires. Nous examinons au chapitre 12 la façon dont il soutient ce processus.

Les autres techniques intelligentes que nous abordons dans cette section s'appuient sur la technologie de l'**intelligence artificielle (IA)**, qui fait appel à des systèmes informatisés (matériel et logiciel) pour tenter d'imiter le comportement humain. Ces systèmes ont la capacité d'apprendre des langages, d'accomplir des tâches physiques, d'utiliser des dispositifs de perception et d'imiter l'expertise et la prise de décision des humains. Bien qu'elles ne possèdent ni l'ampleur, ni la complexité, ni l'originalité, ni la capacité de perception globale de l'intelligence humaine, les applications d'IA jouent un rôle important dans la gestion contemporaine des connaissances.

La collecte des connaissances : les systèmes experts

Les **systèmes experts** sont une technique intelligente conçue pour recueillir des connaissances tacites dans un domaine très précis et limité de l'expertise humaine. Ils rassemblent les connaissances des employés compétents sous la forme d'un ensemble de règles stockées dans un système logiciel que les autres membres de l'organisation peuvent utiliser. Cet ensemble de règles contenu dans le système expert s'ajoute à la mémoire de l'organisation, ou à l'apprentissage qu'elle a emmagasiné.

Les systèmes experts ne possèdent pas les connaissances approfondies d'un expert humain ni sa compréhension des principes fondamentaux pouvant s'appliquer à une situation. Leur intelligence est limitée, superficielle et fragile. Ils accomplissent généralement des tâches de peu d'importance que des professionnels sont en mesure d'exécuter en quelques minutes ou quelques heures. Les problèmes que les experts humains ne peuvent résoudre durant ce laps de temps s'avèrent beaucoup trop complexes pour les systèmes experts. Cependant, en reproduisant l'expertise humaine dans des domaines limités, les systèmes experts se révèlent d'une grande utilité

pour les organisations, car ils les aident à prendre des décisions de grande qualité avec un personnel réduit. Dans le monde des affaires d'aujourd'hui, on y recourt beaucoup dans des processus décisionnels séparés et hautement structurés.

Le fonctionnement des systèmes experts

Il est nécessaire de modéliser ou de représenter la connaissance humaine de façon à ce que l'ordinateur soit en mesure de traiter les données qu'on lui fournit. Les systèmes experts modélisent la connaissance humaine comme un ensemble de règles appelé **base de connaissances**. Ils renferment de 200 à plusieurs milliers de règles, selon la complexité du problème. Ces règles sont beaucoup plus interconnectées et imbriquées les unes dans les autres que dans les programmes traditionnels (figure 11-7).

Le **moteur d'inférence** est la stratégie qui sert à faire des recherches dans la base de connaissances. On utilise couramment deux stratégies : le chaînage avant et le chaînage arrière, comme le montre la figure 11-8.

Avec le **chaînage avant**, le moteur d'inférence considère d'abord l'information entrée par l'utilisateur, puis cherche dans la base de règles pour arriver à une conclusion. La stratégie consiste à déclencher ou à exécuter l'action de la règle quand la condition est vraie. À la figure 11-8, si l'utilisateur entre le nom d'un client et l'information selon laquelle son revenu est supérieur à 100 000 $, le moteur déclenche toutes les règles de gauche à droite, en séquence. S'il indique ensuite que le client possède des biens immobiliers, le moteur passe de nouveau la base en revue et déclenche d'autres règles. Le traitement se poursuit jusqu'à ce qu'il ne reste plus de règles à déclencher.

Avec la stratégie du **chaînage arrière**, l'ordinateur effectue sa recherche dans la base de règles en commençant par une hypothèse puis en posant des questions à l'utilisateur concernant les faits sélectionnés, jusqu'à ce que l'hypothèse soit confirmée ou réfutée. Dans notre exemple, à la figure 11-8, posez cette question : « Faudrait-il ajouter le nom de cette personne à la base de données des clients potentiels ? » Commencez par la droite du diagramme puis allez vers la gauche. Vous pouvez voir qu'on ajoute le nom d'une personne à la base de données si on lui envoie un représentant, si une assurance à terme lui est accordée ou si un conseiller financier lui rend visite.

Quelques exemples de systèmes experts constituant des modèles de réussite

Les systèmes experts procurent de nombreux avantages aux entreprises. Ils leur permettent de prendre de meilleures décisions, de réduire les erreurs, les coûts et le temps consacré à la formation et d'améliorer la qualité et le service. Voici quelques exemples.

Countrywide Funding est une entreprise de souscription de prêts qui est située à Pasadena, en Californie, et qui emploie environ 400 souscripteurs travaillant dans 150 bureaux. En 1992,

FIGURE **11-7** LES RÈGLES DANS UN SYSTÈME EXPERT

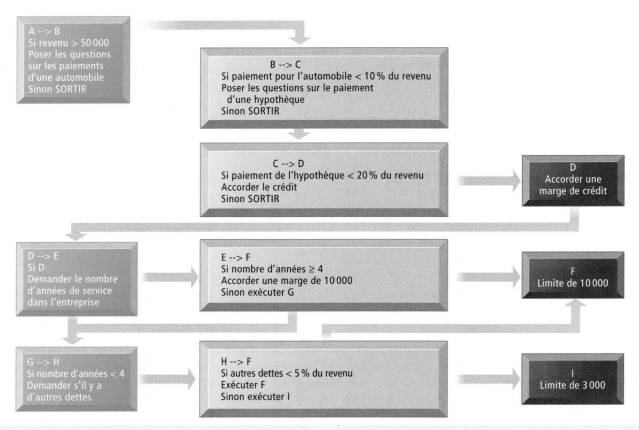

Un système expert comprend un certain nombre de règles à suivre. Les règles sont interconnectées ; le nombre de résultats est limité et connu d'avance ; plusieurs chemins mènent au même résultat ; le système peut considérer plusieurs règles en même temps. Les règles présentées ici relèvent de systèmes experts simples d'approbation de crédit.

FIGURE **11-8** LE MOTEUR D'INFÉRENCE DANS UN SYSTÈME EXPERT

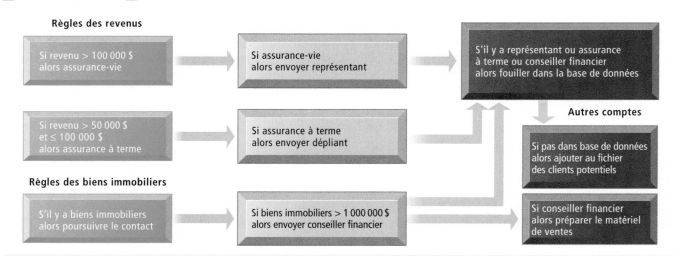

Un moteur d'inférence fonctionne en effectuant une recherche dans les règles et en activant les règles qui correspondent aux faits que l'utilisateur recueille et entre. Fondamentalement, un ensemble de règles est similaire à une série d'énoncés imbriqués du type « Si... » qu'on trouve dans un logiciel standard ; cependant, dans un système expert, l'ampleur des énoncés et le degré d'imbrication sont beaucoup plus grands.

elle a mis au point un système expert pour ordinateurs personnels permettant aux souscripteurs de prendre des décisions préliminaires quant à la solvabilité des demandeurs de prêt. Ayant connu une expansion rapide et continue, elle voulait un système qui l'aiderait à prendre des décisions cohérentes et valables. C'est dans cette perspective qu'elle a conçu CLUES, un système expert qui comporte environ 400 règles. Elle l'a mis à l'essai en lui soumettant toutes les demandes de prêt que traitaient ses souscripteurs. Elle l'a ainsi amélioré jusqu'à ce que les résultats qu'il obtenait concordent dans 95 % des cas avec les décisions auxquelles étaient parvenus les souscripteurs.

Countrywide ne se fie pas à CLUES pour rejeter des prêts, car le système expert n'est pas programmé pour traiter des cas exceptionnels, tels que celui d'un travailleur autonome ou une situation faisant intervenir des schémas financiers complexes. Un souscripteur doit réviser tous les prêts rejetés par CLUES et prendre lui-même les décisions de rejet. Le système présente toutefois des avantages. Ainsi, auparavant, un souscripteur pouvait traiter six ou sept demandes par jour. Avec CLUES, il peut en évaluer au moins 16. «Countrywide illustre l'importance du rôle des gestionnaires et du bon sens dans l'utilisation des systèmes experts. En 2007, l'entreprise a consenti des millions de prêts hypothécaires à haut risque, non à cause du système CLUES, mais parce que les gestionnaires avaient à tort assoupli les règles en matière de prêt hypothécaire» (Nash, 1993).

Con-Way Transportation a construit un système expert appelé Line-haul pour automatiser et optimiser la planification des itinéraires de nuit de ses camions de fret, pour les livraisons du lendemain. Line-haul saisit les règles que suivent les répartiteurs pour tracer les itinéraires et assigner aux conducteurs les camions et les remorques transportant 50 000 chargements de fret lourd chaque nuit vers 25 États des États-Unis et vers le Canada. Il fonctionne sur une plateforme Sun et utilise une base de données d'Oracle. Celle-ci contient les données relatives aux commandes quotidiennes des clients, aux disponibilités des conducteurs, des camions et de l'espace de remorque, de même qu'au poids acceptable selon l'espace disponible. Le système expert utilise des milliers de règles et 100 000 lignes de codes de programme écrites en C++ pour traiter les données et créer des plans d'acheminement optimaux pour 95 % des chargements de fret quotidien. Les répartiteurs de Con-Way ajustent les plans d'acheminement obtenus et transmettent les dernières spécifications d'acheminement au personnel responsable du chargement des remorques pour les livraisons nocturnes. Con-Way a récupéré en deux ans son investissement de 3 millions de dollars, en réduisant ses effectifs de camionneurs, en augmentant la quantité de marchandise par remorque et en réduisant les dommages dus aux transferts. Le système a par ailleurs allégé la tâche nocturne des répartiteurs (Pastore, 2003).

Sans avoir l'intelligence générale et vigoureuse des êtres humains, les systèmes experts peuvent offrir des avantages aux organisations si elles en saisissent bien les limites. C'est qu'ils ne peuvent résoudre que certains types de problèmes. Ainsi, théoriquement, tous les bons systèmes experts peuvent résoudre des problèmes de classification dans un domaine de connaissances précis, lorsque les possibilités sont peu nombreuses et connues d'avance. Ils sont beaucoup moins utiles pour régler les problèmes non structurés que les gestionnaires ont l'habitude de rencontrer.

L'implantation d'un système expert exige la plupart du temps des efforts de développement importants, longs et coûteux. L'embauche ou la formation de personnes expertes peut ainsi s'avérer moins coûteuse. En général, un système expert fonctionne dans un environnement en constante évolution et doit, par conséquent, changer lui aussi continuellement. Certains systèmes experts, les plus gros notamment, sont si complexes qu'en quelques années, les frais d'entretien deviennent aussi élevés que les frais de développement.

L'intelligence organisationnelle: le raisonnement par cas

Les systèmes experts reproduisent principalement la connaissance d'experts individuels. Mais les organisations ont aussi une connaissance et une expertise collectives qu'elles ont accumulées au fil des ans. Il est possible de reproduire et de stocker cette connaissance organisationnelle à l'aide du raisonnement par cas. Avec le **raisonnement par cas**, on stocke les expériences des spécialistes humains dans une base de données, sous la forme de cas. Ainsi, lorsqu'un utilisateur se heurte à un problème, il demande au système de chercher, parmi les cas stockés, ceux qui ont des caractéristiques similaires, puis de trouver celui qui correspond le plus au nouveau cas, afin d'appliquer à ce dernier les mesures qui ont permis de régler l'ancien. Les solutions valables sont annexées au nouveau cas et stockées avec lui dans la base de connaissances. Les solutions inefficaces sont également jointes à la base de données, avec les raisons de leur échec. La figure 11-9 illustre le fonctionnement du raisonnement par cas.

Les systèmes experts fonctionnent d'après un ensemble de règles du type «Si... alors... sinon» issues de l'expertise humaine. Le raisonnement par cas, lui, représente la connaissance sous la forme d'un ensemble de cas; or les utilisateurs étendent et mettent à jour continuellement cette base de connaissances. On a recours au raisonnement par cas dans les systèmes de diagnostic conçus pour la médecine ou le soutien à la clientèle. Le système propose une solution ou un diagnostic à partir du cas qui, dans sa base de données, ressemble le plus au problème soumis.

Les systèmes de logique floue

La plupart des gens ne pensent pas au moyen de règles traditionnelles du type «Si... alors» ou de chiffres précis. Les humains manquent souvent de précision lorsqu'ils catégorisent les objets, car ils appliquent des règles décisionnelles qui peuvent avoir plusieurs nuances de sens. Par exemple, un homme ou une femme peut être *fort* ou *intelligent*. Une entreprise peut être *petite*, *moyenne* ou *grande*. La température peut être *chaude*, *froide* ou *fraîche*. Ces catégories représentent une gamme de valeurs.

FIGURE **11-9**

LE FONCTIONNEMENT DU RAISONNEMENT PAR CAS

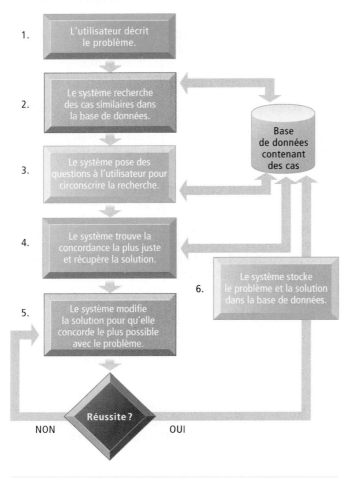

1. L'utilisateur décrit le problème.

2. Le système recherche des cas similaires dans la base de données.

3. Le système pose des questions à l'utilisateur pour circonscrire la recherche.

4. Le système trouve la concordance la plus juste et récupère la solution.

5. Le système modifie la solution pour qu'elle concorde le plus possible avec le problème.

6. Le système stocke le problème et la solution dans la base de données.

Base de données contenant des cas

Réussite ?
NON   OUI

Le raisonnement par cas représente la connaissance sous la forme d'une base de données contenant des cas anciens avec leurs solutions. Le système utilise un processus en six étapes pour trouver des solutions aux nouveaux problèmes qu'éprouvent les utilisateurs.

La **logique floue** est une technologie à base de règles qui peut représenter ce genre d'imprécisions en créant des règles utilisant des valeurs subjectives ou approximatives. Elle peut décrire avec le langage un phénomène ou un processus particulier, puis représenter cette description à l'aide d'un petit nombre de règles souples. Les organisations peuvent ainsi utiliser la logique floue pour créer des systèmes logiciels qui collectent la connaissance tacite comportant une ambiguïté linguistique.

Examinons comment la logique floue représenterait diverses températures dans une application informatique contrôlant automatiquement la température d'une pièce. Les termes (ou *fonctions d'appartenance*) sont définis de manière imprécise. Ainsi, dans la figure 11-10, la « fraîcheur » correspond à une température comprise entre 10 °C et 20 °C, alors qu'en réalité elle équivaut à une température se situant entre

15 °C et 19 °C. Notez que les termes « frais », « froid » et « normal » se chevauchent. Pour contrôler la température de la pièce à l'aide de cette logique, le programmeur doit concevoir des définitions tout aussi imprécises pour l'humidité et d'autres facteurs, comme le vent et la température extérieure. L'une des règles du système pourrait être la suivante : « S'il fait frais ou froid et s'il y a peu d'humidité, mais que le vent est fort et que dehors il fait froid, monter le chauffage et le taux d'humidité de la pièce. » L'ordinateur combinerait les lectures des fonctions d'appartenance en les pondérant. Puis, à l'aide de toutes les règles, il hausserait ou abaisserait la température et l'humidité.

La logique floue fournit des solutions aux problèmes qui requièrent une expertise difficile à représenter sous la forme de règles concises du type « Si… alors ». Au Japon, le système de métro que possède la ville de Sendai utilise des contrôles de logique floue pour faire accélérer les rames en douceur ; les passagers debout n'ont ainsi même pas besoin de se tenir. À Tokyo, Mitsubishi Heavy Industries a pu réduire de 20 % la consommation électrique de ses climatiseurs grâce à des programmes de contrôle utilisant la logique floue. Enfin, le dispositif de mise au point automatique des appareils photo n'existe que parce que la logique floue existe. Dans ces exemples, à la place des changements discontinus, la logique floue permet des changements graduels dans les entrées entraînant des changements souples dans les sorties. Cela la rend utile dans les applications d'électronique et d'ingénierie destinées aux consommateurs.

Les gestionnaires ont également découvert que la logique floue était utile à la prise de décision et au contrôle organisationnel. En utilisant un langage que les courtiers comprennent, une entreprise de Wall Street a ainsi mis au point un système qui sélectionne les sociétés qu'elle pourrait acquérir. Récemment, aux États-Unis, on a conçu un système permettant de détecter les fraudes dans les factures que soumettent les fournisseurs de soins de santé.

Les réseaux neuronaux

On utilise les réseaux neuronaux pour résoudre des problèmes complexes et difficilement compréhensibles, pour lesquels on a recueilli de grandes quantités de données. Ils trouvent des modèles et des relations dans d'énormes quantités de données trop compliquées et difficiles à analyser pour un être humain. Les **réseaux neuronaux** découvrent cette connaissance en utilisant du matériel et des logiciels qui imitent les modes de traitement du cerveau humain. Ils « apprennent » les modèles en passant au crible les grandes quantités de données, en cherchant des liens, en construisant des modèles et en corrigeant encore et encore les erreurs que ceux-ci comportent.

Un réseau neuronal comporte un grand nombre de nœuds de détection et de traitement qui interagissent continuellement les uns avec les autres. La figure 11-11 représente un type de réseau neuronal qui comprend une couche d'entrée, une couche de sortie et une couche de traitement cachée. Les êtres humains « entraînent » le réseau en l'alimentant avec

FIGURE 11-10 **LA LOGIQUE FLOUE ET LE CONTRÔLE DE LA TEMPÉRATURE**

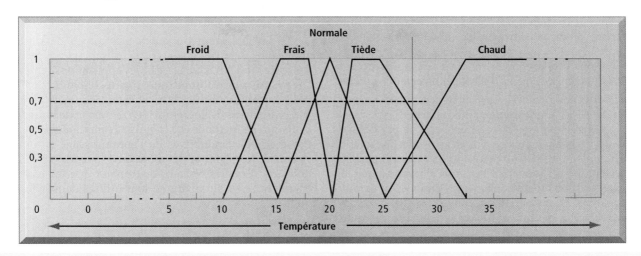

Les fonctions d'appartenance pour l'entrée appelée « température » se trouvent dans la logique du thermostat qui contrôle la température de la pièce. Elles aident à traduire des expressions linguistiques comme « frais » en nombres que l'ordinateur peut manipuler.

FIGURE 11-11 **UN SYSTÈME DE GESTION DE CONTENU D'ENTREPRISE**

Un réseau neuronal utilise les règles qu'il « apprend » au moyen de modèles de données pour construire une couche de logique cachée. Celle-ci traite les données d'entrée à partir de l'expérience du modèle. Dans cet exemple, le réseau neuronal a été entraîné à faire la distinction entre les achats par carte de crédit valides et frauduleux.

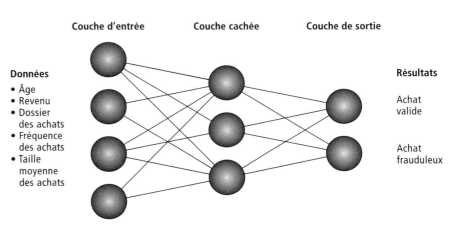

un ensemble de données d'apprentissage pour lesquelles les entrées doivent produire un ensemble de sorties ou de conclusions connues. Cela aide l'ordinateur à apprendre la bonne solution par l'exemple. Au fur et à mesure qu'il reçoit des données, l'ordinateur compare chaque cas au résultat connu. S'il y a des différences, il calcule une correction et l'applique aux nœuds situés dans la couche de traitement cachée. Il répète ces étapes jusqu'à obtenir une condition précise, par exemple des corrections inférieures à un certain nombre. Le réseau neuronal de la figure 11-11 reconnaît un achat par carte de crédit frauduleux. On peut aussi entraîner des réseaux neuronaux auto-organisateurs en les exposant à de grandes quantités de données et en leur permettant d'y découvrir des modèles et des relations.

Si les systèmes experts visent à imiter ou à modéliser la manière dont un expert humain résout des problèmes, les constructeurs de réseaux neuronaux prétendent, eux, qu'ils ne modélisent pas l'intelligence humaine. Ils ne programment pas les solutions et ne cherchent pas à résoudre des problèmes précis. Ils affirment chercher au contraire à introduire une intelligence dans le matériel, sous la forme d'une capacité généralisée d'apprentissage. Par contraste, un système expert est très précis concernant un problème donné, mais a une faible capacité d'apprentissage et peut difficilement se réentraîner.

Les applications de réseaux neuronaux dans les domaines de la médecine, des sciences et des affaires s'occupent de problèmes de classification de modèles, de prédiction, d'analyse financière, de contrôle et d'optimisation. En médecine, elles servent à repérer les patients qui présentent une maladie des artères coronariennes, à diagnostiquer ceux qui souffrent d'épilepsie et de la maladie d'Alzheimer et à reconnaître des pathologies en imagerie médicale. Dans le secteur financier, elles permettent de repérer des modèles dans de grands groupes de données, modèles qui peuvent aider les firmes de placement à prédire le rendement des capitaux propres, les taux des obligations industrielles ou les faillites d'entreprise. Un réseau neuronal aide ainsi Visa International à repérer les fraudes de cartes de crédit en surveillant toutes les transactions Visa et en recherchant les changements soudains dans les comportements d'achat des détenteurs de cartes.

Les réseaux neuronaux comprennent de nombreux aspects mystérieux. Ainsi, contrairement aux systèmes experts qui justifient généralement leurs solutions, eux ne parviennent pas toujours à expliquer pourquoi ils en arrivent à une solution particulière. De plus, ils ne peuvent pas toujours garantir que leur solution est tout à fait certaine, arriver chaque fois à la même solution à l'aide des mêmes données ni garantir que leur solution est la meilleure. Ils sont très sensibles et pourront éprouver des problèmes de performance si, durant la phase de formation, on leur enseigne trop ou trop peu de notions. Dans la plupart des applications actuelles, les réseaux neuronaux servent de conseillers aux décideurs humains, sans pouvoir se substituer à eux.

La session interactive sur la technologie décrit d'autres applications qui tirent parti de la technologie de reconnaissance de modèles. Dans ce cas, les applications reposent sur l'**apprentissage automatique**, une technologie de l'IA qui porte surtout sur les algorithmes et les techniques permettant aux ordinateurs d'« apprendre » en extrayant de l'information au moyen de méthodes de calcul et de méthodes statistiques. Les méthodes inductives de l'apprentissage automatique extraient des règles et des modèles de grands ensembles de données. Tant les réseaux neuronaux que les techniques d'apprentissage automatique sont utilisés dans le forage de données.

SESSION INTERACTIVE : LA TECHNOLOGIE

LE FORAGE DE DONNÉES OÙ QUE VOUS SOYEZ

Choisir un restaurant où emmener ses amis dîner peut parfois constituer une tâche difficile et délicate. On ne sait pas toujours où aller ni quels restaurants des gens comme nous aiment le plus. Imaginez que vous puissiez choisir votre destination sur une « carte thermodynamique » de votre iPhone : les zones les plus colorées montreraient où mangent les gens comme vous et vos amis. L'entreprise Sense Networks, fondée à New York en 2003 par Gregory Skibiski, Sandy Pentland et Tony Jebara, compte bien faire de cette vision une réalité. Elle se spécialise dans les produits de réseautage mobile géodépendants et a pour fondateurs des informaticiens diplômés de Columbia et du MIT.

L'objectif de Sense Networks est d'utiliser l'information obtenue par géolocalisation et jusqu'ici inexploitée pour créer une variété de produits de consommation et de produits d'entreprise. Les systèmes GPS connaissent un sommet de popularité, les nouveaux téléphones cellulaires sont équipés de services mobiles de géolocalisation et un nombre grandissant d'appareils électroniques courants seront équipés de fonctions de géolocalisation. Ces technologies laissent entrevoir de nombreuses possibilités, mais extraire quelque chose de significatif du volume de données qu'elles génèrent constitue un véritable casse-tête. Sense Network tente de tirer quelque chose de ces données au moyen d'algorithmes complexes et d'utiliser les résultats obtenus pour révéler des tendances économiques, déterminer les meilleurs emplacements pour des bureaux et de nouveaux magasins, proposer de meilleures façons de faire de la publicité, etc.

Le suivi de données de GPS fournit un éclairage sur les habitudes des gens et permet à Sense d'élaborer des probabilités sur leur prochaine destination. L'analyse exige cependant une énorme quantité de données étalées sur plusieurs années. Jebara affirme que ses modèles statistiques sont exacts, mais qu'ils nécessitent un gros volume de données recueillies durant une période suffisamment longue. Pour obtenir une quantité suffisante de données de géolocalisation, Sense s'est d'abord adressée aux entreprises de taxis, dont les voitures sont équipées d'un système GPS permettant de les localiser facilement, et a rassemblé des informations accessibles au grand public, comme les données météorologiques relatives aux données géographiques.

Sense poursuit deux projets visant des publics différents : Macrosense et Citysense. Macrosense est une application destinée aux entreprises, à qui elle doit offrir de l'information utile sur leurs clients, pour contribuer à la prise de décisions géodépendantes importantes. Citysense est une application destinée aux consommateurs, à qui elle doit offrir de l'information similaire pour les aider à prendre des décisions à plus petite échelle.

Macrosense utilise des algorithmes statistiques complexes pour donner un sens à d'énormes quantités de données géodépendantes et pour faire des prédictions ou des recommandations. Le logiciel pourrait permettre aux entreprises de savoir où vont leurs clients lorsqu'ils quittent leurs magasins et où vont les clients de leurs concurrents. Il pourrait leur révéler toute tendance notable dans les habitudes des gens, la distance qu'ils parcourent pour se rendre à leurs magasins ou à ceux de leurs concurrents, les « zones d'influence » d'une ville où les gens s'arrêtent ou changent de route, mais aussi les simples escales où ils ne font que passer. Il leur permettrait enfin de choisir l'emplacement d'un magasin et de trouver, dans d'autres villes, les emplacements similaires à celui-ci.

Macrosense utilise de puissants algorithmes d'apprentissage automatique qui traitent les données de localisation horodatées et des flux de métadonnées provenant de sources diverses, notamment le GPS, la détection de réseaux Wi-Fi, les réseaux de tours de téléphonie cellulaire et l'identification par radio-fréquence. Selon le site Web de Sense, ces algorithmes traitent 487 500 dimensions pour chaque emplacement d'une ville et, ce faisant, « décodent son ADN complexe entièrement ». Ces dimensions sont basées sur les déplacements des gens qui arrivent à ces emplacements et qui en partent. Après le traitement des données de localisation initiales, l'algorithme de valeur minimale intrinsèque de Macrosense synthétise les données volumineuses destinées à l'analyse.

Autre produit en développement, Citysense est un progiciel qui utilise les données de localisation pour afficher où se situent les gens sur une carte et où ils se déplacent. Ce service destiné aux particuliers est, pour Sense, plus un gadget amusant qu'un outil pour les entreprises. Citysense devrait être offert sous la forme d'une option facultative aux utilisateurs d'appareils iPhone et Black-Berry. Avec le temps, il apprendra les habitudes de l'utilisateur et lui suggérera les destinations fréquentées par des gens aux habitudes analogues. Le service ne demande pas de renseignements personnels. Il est en cours d'essai à San Francisco.

Si les produits de Sense ont du succès et procurent aux individus et aux entreprises le type d'information géodépendante annoncé, ils ont des chances de s'établir dans un marché jusqu'à maintenant inexploité. Macrosense et Citysense risquent fort d'engendrer une forte demande de la part des entreprises et des individus qui cherchent à mieux comprendre leur environnement. Mais les questions de confidentialité demeurent. En effet, les sociétés de téléphonie cellulaire ne sont pas autorisées à partager les données de localisation de leurs clients sans leur consentement. Or ces technologies peuvent les exposer à des risques sans qu'elles aient fait quoi que ce soit de répréhensible. Il reste encore à voir si les avantages de Citysense sont assez importants pour motiver les clients à céder une partie de leur vie privée et à permettre qu'on les suive à la trace.

Néanmoins, l'avenir s'annonce prometteur pour Sense. Des chercheurs et des firmes de consultants spécialisés dans les technologies prévoient une croissance explosive des services d'information géodépendants. L'entreprise Gartner, par exemple, prédit que le marché triplera en un an, passant de 485 millions en 2007 à 1,3 milliard en 2008, et qu'il pourrait atteindre 8 milliards de dollars en 2011.

Sources : Michael Fitzgerald, « Predicting Where You'll Go and What You'll Like », *The New York Time*, 22 juin 2008 ; Erick Schonfeld, « Location-Tracking Startup Sense Networks Emerge from Stealth to Answer the Question : Where is Everybody ? », TechCrunch.com, 9 juin 2008 ; « Macrosense », sensenetworks.com, consulté en juillet 2008 ; Caroline McCarthy, « Meet Sense Networks, the Latest Player in the Hot "Geo" Market », news.cnet.com, 9 juin 2008.

Questions

1. Quel intérêt les entreprises pourraient-elles voir dans le réseautage mobile géodépendant ?
2. Quels progrès technologiques favorisent l'essor de Sense Networks et le succès de ses produits ?
3. Selon vous, les risques relatifs au respect de la vie privée sont-ils importants ? Adopteriez-vous les services de Sense Networks ? Pourquoi ? Pourquoi pas ?

Ateliers

Explorez le site Web de Sense Networks (sensenetworks.com), puis répondez aux deux questions suivantes :

1. Donnez trois exemples d'entreprises qui pourraient tirer profit de cette technologie, et expliquez pourquoi.
2. Donnez trois exemples de décisions que pourraient prendre ces entreprises à la lumière de l'information obtenue grâce aux applications de Sense Networks.

Les algorithmes génétiques

Les **algorithmes génétiques** servent à trouver la solution optimale à un problème particulier grâce à l'examen d'un très grand nombre de solutions possibles pour ce problème. Ils reposent sur des techniques inspirées de la biologie évolutionniste, notamment le patrimoine, la mutation, la sélection et le croisement (recombinaison).

Un algorithme génétique fonctionne en représentant l'information comme une chaîne de 0 et de 1. Il fait une recherche dans une population de chaînes de nombres binaires produites aléatoirement pour déterminer la chaîne représentant la meilleure solution possible à un problème donné. Au fil des transformations et des combinaisons, il rejette les pires solutions et retient les meilleures pour produire des solutions encore meilleures.

Dans la figure 11-12, chaque chaîne correspond à l'une des variables du problème. Le programmeur applique un test d'adéquation, rangeant les chaînes de la population selon leur attrait comme solutions possibles. Après évaluation de l'adéquation de la population initiale, l'algorithme produit la génération suivante, constituée des chaînes qui ont passé le test d'adéquation et de la « progéniture » de paires de chaînes de la génération initiale. L'algorithme en évalue aussi l'adéquation, et le processus se poursuit jusqu'à ce qu'une solution soit trouvée.

Les algorithmes génétiques servent à résoudre des problèmes dynamiques et complexes comprenant des centaines, voire des milliers de variables ou de formules. Le problème doit avoir une gamme de solutions possibles pouvant être représentées « génétiquement » et doit permettre l'établissement de critères pour l'évaluation de l'adéquation. Les algorithmes génétiques accélèrent la détermination d'une solution parce qu'ils peuvent évaluer rapidement de nombreuses possibilités pour trouver la meilleure. Par exemple, les ingénieurs de General Electric ont utilisé les algorithmes génétiques pour obtenir la meilleure conception de turboréacteur possible, chaque changement dans ce genre de conception impliquant des modifications dans un nombre de variables pouvant aller jusqu'à 100. Le logiciel de gestion de la chaîne logistique d'i2 Technologies recourt à des algorithmes génétiques pour optimiser les modèles d'ordonnancement de la production, en incorporant des centaines de milliers de données sur les commandes des clients, la disponibilité du matériel et des ressources, les capacités de fabrication et de distribution et les dates de livraison.

Les systèmes hybrides d'intelligence artificielle

On peut regrouper et combiner les algorithmes génétiques, la logique floue, les réseaux neuronaux et les systèmes experts dans une seule application pour tirer profit de leurs meilleures caractéristiques. On obtient alors ce qu'on appelle des **systèmes hybrides d'intelligence artificielle**. Ces derniers prennent de plus en plus d'importance dans les entreprises. Au Japon, Hitachi, Mitsubishi, Ricoh, Sanyo et d'autres sociétés commencent à intégrer des systèmes hybrides dans leurs produits, notamment dans les appareils électroménagers, dans les équipements d'usine et dans le matériel de bureau. Matsushita a mis au point la machine à laver « neuro-floue », qui combine la logique floue et les réseaux neuronaux. Enfin, Nikko Securities travaille sur un système de réseaux neuronaux et de logique floue qui permettrait de prévoir les cotes des obligations convertibles.

Les agents intelligents

La technologie des agents intelligents aide les entreprises à naviguer dans de grandes quantités de données pour trouver l'information considérée comme importante et pour y réagir. Les **agents intelligents** sont des logiciels qui travaillent en arrière-plan pour exécuter des tâches précises, répétitives et prévisibles qu'exigent un utilisateur, un processus d'affaires ou une application logicielle. Ils utilisent une base de connais-

---

FIGURE 11-12 LES COMPOSANTES D'UN ALGORITHME GÉNÉTIQUE

Cet exemple illustre une population initiale de « chromosomes » représentant chacun une solution différente. L'algorithme génétique utilise un processus itératif pour affiner les solutions initiales afin que les meilleures solutions, ayant la meilleure évaluation d'adéquation, aient toutes les chances d'émerger comme la meilleure solution.

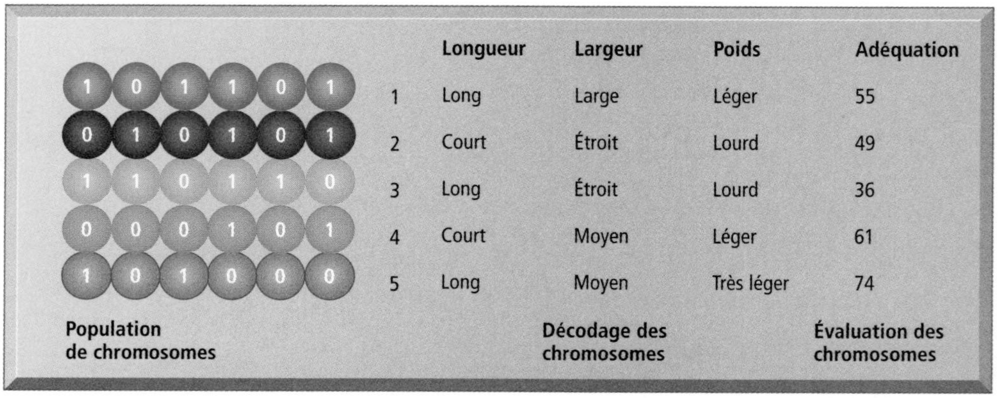

		Longueur	Largeur	Poids	Adéquation
1 0 1 1 0 1	1	Long	Large	Léger	55
0 1 0 1 0 1	2	Court	Étroit	Lourd	49
1 1 0 1 1 0	3	Long	Étroit	Lourd	36
0 0 1 0 0 1	4	Court	Moyen	Léger	61
1 0 1 0 0 0	5	Long	Moyen	Très léger	74

Population de chromosomes | | Décodage des chromosomes | | | Évaluation des chromosomes

sances intégrée ou apprise pour accomplir des tâches ou pour prendre des décisions à la place des utilisateurs : ils peuvent supprimer des pourriels, prendre des rendez-vous ou surfer sur des réseaux interconnectés pour trouver les billets d'avion les moins chers.

À l'heure actuelle, il existe de nombreuses applications d'agents intelligents dans les systèmes d'exploitation, les logiciels d'application, les systèmes de courriel, les logiciels d'informatique mobile et les outils de réseau. Par exemple, les assistants intelligents qu'on trouve dans les outils logiciels d'Office, de Microsoft, possèdent des fonctionnalités intégrées qui montrent à l'utilisateur comment accomplir différentes tâches, comme le formatage de documents ou la création de graphiques, et qui peuvent détecter si l'utilisateur a besoin d'aide.

Les entreprises s'intéressent plus particulièrement aux agents intelligents utilisés pour parcourir les réseaux, notamment Internet, à la recherche d'information. Au chapitre 7, nous décrivons comment les assistants commerciaux intelligents peuvent aider les consommateurs à trouver les produits qu'ils veulent acheter et à en comparer les prix et les caractéristiques.

Il est possible de modéliser de nombreux phénomènes complexes sous forme de systèmes d'agents autonomes suivant des règles d'interaction relativement simples. Les applications de **modélisation en mode agent** ont pour but de modéliser le comportement des consommateurs, des mar-

chés boursiers et des chaînes logistiques et de prédire la propagation d'épidémies (Samuelson et Macal, 2006).

Dans le but de réagir aux divers changements que connaissent les milieux d'affaires, l'entreprise Procter & Gamble a utilisé la modélisation en mode agent pour améliorer la coordination entre les membres de sa chaîne logistique (figure 11-13). Elle a modélisé une chaîne logistique complexe comme un groupe d'« agents » semi-autonomes représentant les composantes distinctes de la chaîne logistique, tels les camions, les installations de production, les distributeurs et les magasins de détail. Le comportement de chaque agent est programmé pour suivre des règles imitant les comportements véritables, par exemple « commander un article quand il est en rupture de stock ». Les simulations utilisant les agents permettent à l'entreprise de procéder à des analyses sur les quantités de stock, les ruptures de stock en magasin et les frais de transport.

En utilisant des modèles d'agents intelligents, Procter & Gamble s'est rendu compte qu'il est souvent préférable de faire partir les camions avant qu'ils soient chargés à bloc. Bien que les frais de transport soient plus élevés quand les camions sont partiellement chargés, la simulation a montré que les ruptures de stock en magasin seraient moins courantes. Cela réduirait en retour les pertes de ventes et compenserait largement les coûts de distribution plus élevés. Grâce à la modélisation en mode agent, Procter & Gamble a réalisé des économies annuelles de 300 millions de dollars en investissant moins de 1 % de ce montant (Anthes, 2003).

FIGURE 11-13 **LES AGENTS INTELLIGENTS DU RÉSEAU DE LA CHAÎNE LOGISTIQUE DE PROCTER & GAMBLE**

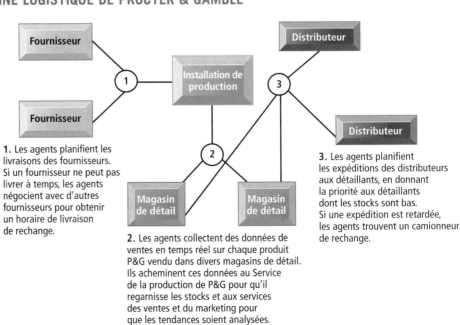

Les agents intelligents aident Procter & Gamble à raccourcir les cycles de réapprovisionnement des produits, comme des boîtes de lessive Tide.

1. Les agents planifient les livraisons des fournisseurs. Si un fournisseur ne peut pas livrer à temps, les agents négocient avec d'autres fournisseurs pour obtenir un horaire de livraison de rechange.

2. Les agents collectent des données de ventes en temps réel sur chaque produit P&G vendu dans divers magasins de détail. Ils acheminent ces données au Service de la production de P&G pour qu'il regarnisse les stocks et aux services des ventes et du marketing pour que les tendances soient analysées.

3. Les agents planifient les expéditions des distributeurs aux détaillants, en donnant la priorité aux détaillants dont les stocks sont bas. Si une expédition est retardée, les agents trouvent un camionneur de rechange.

Projets concrets en **SIG**

Décisions de gestion

1. La société U. S. Pharma a son siège social dans le New Jersey, mais compte des laboratoires de recherche en Allemagne, en France, au Royaume-Uni, en Suisse et en Australie. La recherche et le développement de nouveaux médicaments sont essentiels pour maintenir les profits, si bien que les recherches et tests de U. S. Pharma portent sur des milliers de médicaments potentiels. Les chercheurs de la société doivent être en mesure d'échanger de l'information tant avec leurs collègues qu'avec des confrères extérieurs à l'organisation et travaillant notamment pour la U. S. Food and Drug Administration, l'Organisation mondiale de la Santé et l'International Federation of Pharmaceutical Manufacturers & Associations. Ils doivent en outre avoir accès aux sites d'information sur la santé, dont celui de la U.S. National Library of Medicine, et aux sites des conférences et des revues professionnelles de l'industrie. Concevez un portail de connaissances à leur intention. Vous devez prévoir des systèmes et des bases de données internes pertinents, des sources d'information externes et des outils de communication et de collaboration internes et externes. Concevez aussi la page d'accueil de ce portail.

2. L'entreprise Sprint Nextel présente le taux d'attrition (nombre de clients cessant d'utiliser un service) le plus élevé de toute l'industrie du téléphone cellulaire, soit 2,45 %. Durant le premier trimestre de 2008, 1,1 million de clients l'ont délaissée pour un autre fournisseur. La direction veut savoir pourquoi ils sont partis et comment elle peut les convaincre de revenir. Qu'est-ce qui fait fuir les clients ? La piètre qualité du service à la clientèle ? La couverture inégale du réseau ? Le coût des forfaits offerts ? Dans quelle mesure les outils de collaboration et de communication en ligne peuvent-ils aider la direction à trouver des réponses ? Quelles décisions peut-elle prendre à partir de l'information ainsi obtenue ?

Améliorer le processus décisionnel

Utiliser des agents intelligents pour comparer des produits

Compétences en logiciels : savoir utiliser un navigateur Web et un robot magasineur
Compétences en affaires : savoir évaluer et sélectionner des produits

Ce projet vous permet d'expérimenter des robots magasineurs pour chercher des produits en ligne, trouver de l'information et déterminer le meilleur prix et les meilleurs détaillants.

Vous avez décidé d'acheter un appareil photo numérique. Choisissez un appareil que vous aimeriez acheter, par exemple le Canon PowerShot SD 950 ou l'Olympus Stylus 1200. Pour acheter au meilleur prix possible, essayez plusieurs robots magasineurs qui compareront les prix des fournisseurs pour vous. Visitez My Simon (www.mysimon.com), BizRate.com (www.bizrate.com) et Google Product Search. Comparez ces sites de magasinage selon les critères suivants : convivialité, quantité de propositions présentées, vitesse d'obtention de l'information, détail de l'information fournie sur le produit et le détaillant et sélection de prix. Quels sites utiliseriez-vous et pourquoi ? Quel appareil photo choisiriez-vous et pourquoi ? Dans quelle mesure ces sites vous ont-ils aidé à prendre une décision ?

1. Quel est le rôle, dans les affaires, de la gestion des connaissances et des programmes de gestion des connaissances ?

La gestion des connaissances est un ensemble de processus visant la création, le stockage, le transfert et l'utilisation des connaissances. La valeur d'une entreprise dépend en grande partie des capacités qu'elle a dans ce domaine. La gestion des connaissances favorise l'apprentissage en augmentant la capacité de l'organisation à apprendre de son environnement et à incorporer ses nouvelles connaissances dans ses processus d'affaires. On compte trois grands types de systèmes de gestion des connaissances : les systèmes de gestion des connaissances de l'entreprise, les systèmes pour le travail intellectuel et les techniques intelligentes.

2. Quels types de systèmes servent à la gestion des connaissances de l'entreprise, et comment procurent-ils de la valeur aux organisations ?

Les systèmes de gestion des connaissances de l'entreprise mobilisent les ressources de toute l'entreprise pour la collecte, le stockage, la diffusion et l'utilisation de contenu et de connaissances au format numérique. Les systèmes de gestion de contenu d'entreprise fournissent des bases de données et des outils pour l'organisation et le stockage de documents structurés, ainsi que des outils pour l'organisation et le stockage de connaissances semi-structurées, telles que des courriels et des contenus utilisant des médias enrichis. Les systèmes de réseau de connaissances renferment des répertoires et des outils pour la localisation, dans l'entreprise, des employés dont l'expertise particulière en fait des sources importantes de connaissances tacites. Ils comprennent souvent des outils de collaboration (notamment le wiki et le partage de signets), des portails favorisant l'accès à l'information, des outils de recherche et d'autres outils visant la classification de l'information selon une taxonomie adaptée à l'organisation. Lorsqu'ils sont bien conçus et qu'ils permettent aux employés de mieux trouver, partager et utiliser les connaissances, les systèmes de gestion des connaissances de l'entreprise procurent une valeur considérable.

3. Quels sont les principaux types de systèmes pour le travail intellectuel, et comment procurent-ils de la valeur aux entreprises ?

Les systèmes pour le travail intellectuel (STI) prennent en charge la création de nouvelles connaissances et leur intégration dans l'organisation. Ils nécessitent un accès facile à une base de données externe, un ordinateur assez puissant pour supporter un logiciel comprenant des fonctions d'analyse, de gestion de documents et de communication, des fonctions graphiques, de même qu'une interface conviviale. Les systèmes de conception assistée par ordinateur (CAO) et les systèmes de réalité virtuelle, qui créent des simulations interactives fidèles au monde réel, requièrent des fonctions graphiques et des fonctions de modélisation puissantes. Les STI destinés aux professionnels de la finance donnent accès à des bases de données externes et permettent l'analyse très rapide de grandes quantités de données financières.

4. Quels avantages l'utilisation des techniques intelligentes présente-t-elle pour la gestion des connaissances ?

Par rapport à l'intelligence humaine, l'intelligence artificielle manque de souplesse et d'ampleur ; elle est incapable de percevoir globalement. Mais elle est utile pour la collecte, la codification et l'élargissement des connaissances organisationnelles. Les systèmes experts recueillent les connaissances tacites relatives à un domaine précis de l'expertise humaine et les expriment sous forme de règles. Ils sont surtout utiles pour la résolution de problèmes de classification ou de diagnostic. Le raisonnement par cas représente les connaissances de l'organisation sous forme d'une base de données de cas pouvant constamment être enrichie et affinée.

La logique floue est une technologie logicielle qui sert à exprimer des connaissances sous forme de règles utilisant des valeurs approximatives ou subjectives. On l'utilise pour le contrôle de dispositifs et on commence à y recourir pour des applications limitées de prise de décision.

Les réseaux neuronaux se composent de matériel et de logiciels qui tentent d'imiter les processus mentaux humains. Ils sont remarquables par leur aptitude à apprendre sans nécessiter de programmation et à reconnaître des constantes que l'être humain a du mal à décrire. On les utilise en science, en médecine et en affaires, surtout pour discerner des constantes au sein d'immenses quantités de données.

Les algorithmes génétiques conçoivent des solutions pour des problèmes particuliers, à l'aide de processus inspirés de la génétique, comme la valeur d'adaptation, le croisement et la mutation. On commence à y recourir pour des problèmes touchant les systèmes d'optimisation, de conception de produits et de surveillance industrielle, qui requièrent l'analyse de nombreuses solutions ou de nombreuses variables pour la détermination de la meilleure solution.

Les agents intelligents sont des logiciels munis de bases de connaissances intégrées ou acquises qui exécutent des tâches précises, répétitives et prévisibles pour un utilisateur, un processus d'affaires ou une application logicielle. On peut les programmer pour qu'ils naviguent dans d'énormes quantités de données, trouvent de l'information utile et, dans certains cas, accomplissent des tâches en fonction de cette information, au nom de l'utilisateur.

MOTS CLÉS

QUESTIONS DE RÉVISION

1. **Quel est le rôle, dans les affaires, de la gestion des connaissances et des programmes de gestion des connaissances?**

   - Définissez la gestion de connaissances et expliquez en quoi elle procure de la valeur aux organisations.
   - Décrivez les dimensions importantes de la connaissance.
   - Expliquez la différence, d'une part, entre les données, la connaissance et le savoir, d'autre part, entre les connaissances tacites et les connaissances explicites.
   - Décrivez les étapes de la chaîne de valeur de la gestion des connaissances.

2. **Quels types de systèmes servent à la gestion des connaissances de l'entreprise, et comment procurent-ils de la valeur aux organisations?**

   - Décrivez les divers types de systèmes de gestion des connaissances de l'entreprise et expliquez comment ils procurent de la valeur aux organisations.
   - Expliquez comment les outils suivants facilitent la gestion des connaissances: les portails, les wikis, le partage de signets et les systèmes de gestion de l'apprentissage.

3. **Quels sont les principaux types de systèmes pour le travail intellectuel, et comment procurent-ils de la valeur aux entreprises?**

   - Définissez ce qu'est un système pour le travail intellectuel et décrivez-en les exigences générales.
   - Décrivez comment les systèmes suivants sont utiles au travail intellectuel: la conception assistée par ordinateur, la réalité virtuelle et les stations de travail pour les spécialistes financiers.

4. **Quels avantages l'utilisation des techniques intelligentes présente-t-elle pour la gestion des connaissances?**

   - Expliquez ce qu'est un système expert, décrivez son fonctionnement et la valeur qu'il procure à l'organisation.
   - Expliquez ce qu'est le raisonnement par cas et ce qui le distingue d'un système expert.
   - Expliquez ce qu'est un réseau neuronal, décrivez son fonctionnement et ses avantages pour l'organisation.
   - Expliquez ce que sont la logique floue, les algorithmes génétiques et les agents intelligents. Expliquez leur fonctionnement respectif et le type de problèmes pour lesquels ils sont conçus.

1. La gestion des connaissances n'est pas une technologie, mais un processus d'affaires. Commentez.

2. Décrivez diverses façons par lesquelles les systèmes de gestion des connaissances peuvent aider les entreprises en matière de ventes et de marketing ou de fabrication et de production.

TRAVAIL D'ÉQUIPE : ÉVALUER DES SYSTÈMES DE GESTION DES CONNAISSANCES

Avec quelques compagnons de classe, choisissez deux systèmes de gestion de connaissances, par exemple AskMe Enterprise et Tacit ActiveNet^md. Comparez leurs caractéristiques et leurs fonctions. Pour préparer votre analyse, consultez des articles de magazines spécialisés et les sites Web des fournisseurs de logiciels de gestion de connaissances. Dans la mesure du possible, servez-vous d'un logiciel de diaporama électronique pour présenter le fruit de vos recherches. Si vous le pouvez, utilisez Google Sites pour afficher des liens vers des pages Web, pour communiquer entre membres de l'équipe et vous répartir les tâches, pour confronter vos idées et pour travailler ensemble sur les documents du projet. Essayez d'utiliser Google Documents pour mettre au point une présentation de vos résultats destinée à la classe.

ÉTUDE DE CAS

L'innovation et la collaboration chez Coca-Cola : le goût du vrai

La société Coca-Cola occupe la première place mondiale dans la fabrication, la distribution et la commercialisation de boissons non alcoolisées, de concentrés et de sirops. Elle possède plus de 450 marques, notamment Coke, Fanta, Sprite, Minute Maid et Dasani, dont certaines proviennent d'acquisitions. Elle a son siège social à Atlanta, dans l'État de Géorgie, et des installations dans plus de 200 pays.

C'est sa marque qui explique en grande partie le succès de l'entreprise, car elle jouit d'un indice de notoriété et de confiance remarquable. On la considère souvent comme la marque représentant la plus grande valeur dans le monde. Elle occupe en outre une place unique dans la culture aux États-Unis. Elle procure à la société un avantage concurrentiel important sur le marché des boissons non alcoolisées.

Coca-Cola vend ses propres boissons ainsi que des concentrés et des sirops à ses entreprises d'embouteillage. Sa santé financière passe obligatoirement par de bons partenariats avec les embouteilleurs. Sur les 53 milliards de boissons consommées chaque jour, 1,5 milliard portent la marque de commerce Coca-Cola. En 2007, la société déclarait des revenus de 28,8 milliards de dollars, dont plus de 70 % provenaient de l'extérieur des États-Unis.

Le succès continu de Coca-Cola ne va pas de soi pour autant. De nombreuses menaces planent sur la rentabilité future de l'entreprise : les préoccupations grandissantes concernant le lien entre les boissons sucrées et l'obésité, le manque d'eau dans de multiples régions du monde, l'incapacité éventuelle à prendre de l'expansion dans les régions en voie de développement, les relations avec les partenaires embouteilleurs et les conditions économiques défavorables aux États-Unis et sur les marchés mondiaux.

Ce sont tous ces enjeux qui attendaient le nouveau chef de la direction, Muhtar Kent, lorsqu'il prit la relève de Neville Isdell en juillet 2008. Ayant étroitement collaboré avec Isdell à plusieurs projets, il semblait être l'homme de la situation pour aider l'entreprise à traverser des temps difficiles. Coca-Cola s'en est mieux sortie que beaucoup d'autres au cours de la période de ralentissement économique, mais elle a éprouvé des difficultés particulières aux États-Unis et dans le reste de l'Amérique du Nord.

Même en période de forte croissance économique, le marché des boissons non alcoolisées évolue rapidement : il dépend des modes et de la disponibilité des matières premières et s'avère difficilement contrôlable sur une longue période. Pour demeurer concurrentielle, assurer sa croissance et préserver sa position enviable sur cet imprévisible marché, Coca-Cola doit continuer de tabler sur ses marques, sa force financière, son solide réseau de distribution et sa présence à l'échelle mondiale. De plus, elle doit impérativement miser sur l'innovation et sur la collaboration avec ses clients, ses employés et ses partenaires. Cet objectif, particulièrement important pour une entreprise d'envergure internationale, requiert d'importants investissements de temps, d'énergie et de ressources.

Chez Coca-Cola, certains des changements les plus propices à l'innovation et à la collaboration ont pris la forme de nouveaux systèmes d'information. À cet égard, la révision complète de la gestion des contenus numériques constitue un exemple probant. Alors qu'elle continuait d'étendre sa présence dans le monde, la société avait une quantité grandissante de contenus numériques éparpillés et non ordonnés. Les employés perdaient énormément de temps à se débattre avec des dossiers désorganisés et à chercher dans une montagne de documents, études de marché, projections de ventes, images, vidéos et information culturelle.

La force de Coca-Cola repose sur ses images, ses messages et son sens du marketing. Or, ses équipes de ventes et de marketing des quatre coins du monde avaient du mal à accéder à ce type d'information. L'entreprise a donc utilisé le logiciel Content Manager d'IBM pour créer une iconothèque en ligne doublée d'un système d'archives numériques contenant des images, des documents et des vidéos. Tous les employés peuvent y accéder par le Web, grâce à une plateforme uniformisée.

Coca-Cola et ses embouteilleurs ont uni leurs efforts pour mettre à jour leur infrastructure et rendre leur collaboration plus efficace. En mars 2008, Coca-Cola Enterprises (CCE), la plus grande entreprise d'embouteillage de la société, annonçait son intention d'adopter les outils de collaboration de Microsoft, notamment SharePoint Online pour la collaboration entre les équipes spéciales et la gestion de contenu, LiveMeeting pour les conférences Web et Office Communications Server Online pour l'unification des communications. L'entreprise utilisait jusqu'alors des outils de collaboration non intégrés. Les produits intégrés de Microsoft ont amélioré la communication et la collaboration. Les gestionnaires peuvent désormais diffuser des vidéos en direct à tous les travailleurs de la connaissance au sein de l'entreprise. Les employés peuvent utiliser Microsoft Outlook pour inscrire au calendrier une conférence Web

ou se servir de l'outil de messagerie instantanée d'Office Communicator pour participer à une séance de clavardage et la convertir en conversation téléphonique. SharePoint fournit une plateforme pour un nouvel intranet diffusant les nouvelles de l'industrie, des contenus audio et vidéo, des blogues de la direction et des sondages auprès des employés. À terme, CCE souhaite étendre les fonctions de collaboration aux appareils mobiles qu'utilisent les 30 000 employés qui remplissent les camions et regarnissent les distributrices.

Coca-Cola a poursuivi ses efforts pour encourager l'innovation par les TI en développant le Common Innovation Framework (CIF), un système qui permet à ses employés du monde entier de chercher des concepts et de les appliquer aux 2800 boissons qu'elle commercialise. Le système combine la gestion de projets et la veille stratégique et vise le développement et la commercialisation cohérente des produits de toutes les propriétés de Coca-Cola. Il sert à créer de nouvelles boissons, à concevoir de nouveaux équipements et à imaginer des concepts d'emballage pour les produits nouveaux ou existants. L'objectif est de rendre accessibles à tous les développeurs et spécialistes en marketing de Coca-Cola les concepts de boissons et de marques qui ont contribué au succès de certains produits, afin qu'ils contribuent à la création d'autres produits.

Coke Zéro illustre bien la façon dont le système CIF favorise l'innovation et la collaboration au sein de l'entreprise. Il s'agit de l'un des derniers gros succès de l'entreprise, commercialisé comme un cola hypocalorique sans arrière-goût amer. Le système CIF a permis aux gestionnaires et au personnel de diverses régions et de divers services (finances, contentieux, marketing, recherche et développement) de prendre connaissance des pratiques qui ont permis le succès de Coke Zéro dans d'autres pays et de les appliquer à de nouveaux produits. Le Japon est considéré comme le pays le plus avant-gardiste, le pays qui sait le mieux flairer les prochaines tendances; le système CIF permet aux équipes de développement étatsuniennes et européennes de se tenir au courant

de ce qui marche au Japon et d'importer ces tendances sur leurs propres marchés.

Bien que le partenariat entre Coca-Cola et ses embouteilleurs soit un élément de réussite important, les relations n'en sont pas moins tendues à l'occasion. Coca-Cola dépend principalement d'embouteilleurs indépendants locaux, ce qui constitue un avantage pour les collectivités où ceux-ci sont établis. Elle a des investissements importants dans de nombreuses entreprises d'embouteillage et en possède même quelques-unes. Mais dans la mesure où elle n'est partenaire majoritaire que d'une fraction de ces 300 embouteilleurs partenaires, elle peut difficilement les amener tous à utiliser la même plateforme pour le partage de l'information.

Le système Project Scale vise à uniformiser les communications entre Coca-Cola et ses embouteilleurs. Un sondage auprès des plus gros embouteilleurs a révélé que 90 % d'entre eux utilisaient les mêmes pratiques commerciales et que la plupart envisageaient des mises à niveau de leurs logiciels au cours des prochaines années. Coca-Cola a donc développé le modèle pour embouteilleurs Coke One, d'après la version 6.0 de la plateforme PGI de SAP. Coke One supporte 650 processus d'affaires communs à tous les embouteilleurs, lesquels ne demandaient pas mieux que de l'implanter puisqu'ils comptaient faire des mises à niveau de leurs logiciels.

Coca-Cola espérait que le programme entraînerait une meilleure communication entre la société mère et ses embouteilleurs et qu'il permettrait, par la même occasion, de simplifier la chaîne logistique et d'améliorer les relations entre tous les partenaires. Certains grands embouteilleurs concluent leur propre entente avec d'autres fournisseurs de technologie; ce fut notamment le cas CCE, qui choisit de ne pas adopter Coke One. Mais les petits embouteilleurs virent le programme comme une propriété intellectuelle mise à leur disposition et comme l'occasion de décrocher de meilleurs contrats, de mettre en place rapidement de nouveaux processus et d'accéder à des fonctionnalités plus évoluées. Project Scale a généralement été considéré comme un succès depuis son implantation.

Les goûts changeants des consommateurs constituent un enjeu constant pour Coca-Cola, dans sa quête incessante de profit et de croissance. C'est pourquoi la société a créé iCoke.ca, un réseau social qui recrute ses membres en faisant appel à leur goût pour le sport, la musique, le divertissement et les boissons Coca-Cola. Ce site est une vitrine interactive de ses produits. Les consommateurs des boissons de marque Coca-Cola peuvent échanger des points contre des articles qui les intéressent, en plus de pouvoir entrer en contact avec d'autres consommateurs partageant leurs domaines d'intérêt.

Coca-Cola innove également en faisant connaître ses produits sur les sites de réseautage social du type de Facebook. Burn Energy Drinks, marque créée par Coca-Cola Europe, a lancé Burn Alter Ego, une application révolutionnaire qui combine les amitiés nées sur Facebook, une technologie mixant photos et avatars, et les récits de soirées. L'application permet aux utilisateurs de se créer une persona virtuelle (leur alter ego) menant une vie nocturne totalement indépendante de la leur. Plus on utilise l'avatar, plus on a d'options pour l'adapter et le personnaliser. L'application est censée rendre les amitiés existantes plus excitantes et plus aléatoires. Du même coup, les développeurs espèrent faire parler de Burn Energy Drinks.

Toutes ces initiatives pour favoriser l'innovation et la collaboration entre les employés de Coca-Cola devraient aider la société à conserver une longueur d'avance sur ses concurrents. Au cours des dernières années, cependant, l'autre géant de l'industrie, Pepsico, a gagné des parts de marché à son détriment. Comme Coca-Cola, Pepsico a élargi son champ d'action aux marchés à forte croissance que sont les boissons non gazéifiées et les boissons santé, et s'avère un redoutable prétendant au trône. D'autres sociétés plus petites, comme Cadbury Schwepps, menacent de s'attaquer à la prédominance de Coca-Cola sur le marché. L'investissement dans les outils d'innovation et de collaboration devrait donc s'avérer salutaire à la société au cours des années à venir.

Sources: Mary Hayes Weier, «Coke Exploits Collaboration Technology to Keep Brand Relevant», *Information Week*, 19 juillet 2008; Betsy McKay, «Can New CEO Put Fizz Back in Coke?», *The Wall Street Journal*, 30 juin 2008; Theresa Lagos, «Coca-Cola Enterprises Leads in Global Collaboration and Next-Generation Business Processes With Cisco Technologies», Reuters.com, 10 avril 2008; «Our Company – Innovation», www.coca-cola.com, consulté en août 2008.

QUESTIONS

1. Faites une analyse de Coca-Cola et de sa stratégie d'affaires, à l'aide du modèle de la chaîne de valeur et du modèle des forces concurrentielles.

2. Quelle place la collaboration et la gestion des connaissances occupent-elles dans la stratégie d'affaires de Coca-Cola?

3. Comment les systèmes de gestion des connaissances permettent-ils à Coca-Cola d'appliquer son modèle d'affaires et sa stratégie d'affaires?

4. Pourquoi la relation qu'entretient Coca-Cola avec ses embouteilleurs est-elle si importante? Que fait Coca-Cola pour améliorer sa capacité à collaborer avec eux?

5. Quel est le potentiel de succès de Coca-Cola pour l'avenir? Les systèmes d'information y changeront-ils quelque chose? Pourquoi?

Pour une meilleure prise de décision

 OBJECTIFS D'APPRENTISSAGE

Après avoir étudié ce chapitre, vous pourrez répondre aux questions suivantes:

1. Quels sont les différents types de décisions et comment le processus de prise de décision fonctionne-t-il?

2. Comment les systèmes d'information aident-ils les gestionnaires dans leurs activités et dans la prise de décision?

3. En quoi les systèmes d'aide à la décision (SAD) diffèrent-ils des systèmes d'information de gestion (SIG) et quel est leur intérêt pour les entreprises?

4. Comment les systèmes d'information pour dirigeants (SID) aident-ils la haute direction à prendre de meilleures décisions?

5. Comment les systèmes d'information peuvent-ils contribuer à l'efficacité des groupes de travail dans la prise de décision?

SOMMAIRE

EASTERN MOUNTAIN SPORTS TROUVE LA VOIE VERS DE MEILLEURES DÉCISIONS

Fondée en 1967 par deux alpinistes, la société Eastern Mountain Sports (EMS) est devenue l'un des plus importants détaillants d'équipements pour les activités de plein air aux États-Unis. Avec plus de 80 boutiques dans 16 États, un catalogue saisonnier et une présence croissante en ligne, EMS conçoit et distribue un large éventail de vêtements et d'accessoires pour les amoureux de la nature.

Mais jusqu'à tout récemment, les systèmes d'information servant à établir les rapports de gestion étaient lourds et dépassés. Il était très difficile pour la haute direction de se faire une idée exacte des habitudes d'achat des clients et des opérations de l'entreprise, parce que les données emmagasinées provenaient de sources disparates : systèmes de marchandisage, systèmes financiers et équipements de points de vente patrimoniaux. Les employés remplissaient la plupart des rapports à la main, ce qui signifie que les ressources humaines étaient occupées à produire de l'information plutôt qu'à l'analyser.

Après avoir évalué plusieurs produits d'intelligence artificielle de premier plan, EMS a choisi les intergiciels webFOCUS et iWay de Builders. EMS jugeait en effet que WebFOCUS était plus efficace que les autres outils comparables pour combiner des données provenant de différentes sources et présenter les résultats sous une forme conviviale. De plus, c'est une application Web facile à installer : il n'a fallu à EMS que 90 jours pour que le système soit opérationnel.

Le logiciel iWay extrait les données des points de vente de l'ancien système d'entreprise d'EMS (qui fonctionne sur un ordinateur de milieu de gamme IBM AS/400) et les charge dans un mini-entrepôt fonctionnant avec le système de gestion de bases de données SQL Server de Microsoft. WebFOCUS crée alors une série de tableaux de bord accessibles par l'entremise d'un navigateur Web et qui permettent à plus de 200 utilisateurs d'accéder aux mêmes données, tant au siège social que dans les magasins.

Les tableaux de bord offrent une vue d'ensemble des principaux indicateurs de rendement comme les ventes, les stocks et les marges de profit, mais les utilisateurs peuvent aussi accéder à une transaction particulière en mode forage pour en voir les détails. Les gestionnaires des techniques marchandes peuvent ainsi suivre la quantité des stocks et le taux de roulement des articles, et les gestionnaires du commerce électronique, surveiller d'heure en heure les ventes en ligne, les visiteurs du site et les taux de conversion. Un système à code couleur génère des alertes rouges, jaunes et vertes pour indiquer les résultats inférieurs, supérieurs ou égaux aux prévisions du plan.

EMS est en train d'ajouter des sites wiki et des blogues pour permettre aux dirigeants et aux employés de mettre leurs idées en commun et d'engager un dialogue sur certaines données clés. Par exemple, en déterminant les articles qui se vendent le mieux et les magasins qui en vendent le plus, les directeurs des ventes d'EMS ont remarqué que les semelles intérieures s'envolaient dans les boutiques d'articles spécialisés. Or, ces boutiques appliquaient des techniques de vente par paliers incluant la recommandation de chaussettes conçues spécialement pour des usages particuliers, comme la course ou la marche en montagne, en association avec une semelle intérieure spécialement adaptée à chaque client. Avec les wikis et les blogues, il a été plus facile pour les gestionnaires de discuter de cette tactique et d'en faire part au reste du réseau de vente.

À plus long terme, EMS envisage d'établir des relations plus approfondies avec ses fournisseurs. En partageant avec eux les résultats des ventes et les données d'inventaire, l'entreprise pourra se réapprovisionner plus rapidement pour répondre à la demande, et ses fournisseurs sauront quand accélérer la production.

Sources: «Eastern Mountain Sports Forges a Trail to Merchandising Visibility», www.informationbuilders.com, consulté le 8 octobre 2009; Jeffrey Neville, «X-treme Web 2.0», *Optimize Magazine*, janvier 2007; «Web 2.0's Wild Blue Yonder», *Information Week*, 8 janvier 2007.

Les tableaux de bord d'Eastern Mountain Sports illustrent bien comment les systèmes d'information peuvent améliorer la prise de décision. Les gestionnaires ne pouvaient prendre les bonnes décisions sur le réassortiment dans les magasins parce qu'ils avaient besoin de données qui étaient dispersées dans de nombreux systèmes différents et auxquelles il était difficile d'accéder. Il y avait aussi trop de rapports faits à la main et les mauvaises décisions sur le réassortiment des magasins et des entrepôts faisaient monter les coûts d'exploitation et empêchaient les magasins d'EMS de répondre rapidement aux besoins des clients.

La direction d'EMS aurait pu continuer d'utiliser son système de rapports obsolète ou installer une grosse base de données et un logiciel à l'échelle de toute l'entreprise, ce qui aurait été extrêmement coûteux et aurait pris beaucoup de temps. Elle a plutôt opté pour l'intelligence d'affaires qui lui permet d'extraire et d'analyser les données sur les ventes et les marchandises des divers systèmes existants. Et elle a choisi une des plateformes d'Information Builders parce que les outils étaient conviviaux et capables de réunir des données provenant d'un grand nombre de sources différentes.

La solution choisie permet de charger dans un mini-entrepôt les données provenant des points de vente et des systèmes existants et d'en extraire ensuite les informations sous la forme d'une série de tableaux de bord centraux visibles par tous les utilisateurs autorisés de l'entreprise. Les décideurs peuvent ainsi accéder rapidement à une vue unifiée des principaux indicateurs de rendement, comme les ventes, les stocks et les marges de profit, ou «forer» une transaction particulière pour en voir les détails. Le fait d'avoir accès à ces informations a permis aux gestionnaires d'EMS de prendre de meilleures décisions sur la façon d'augmenter les ventes, d'allouer les ressources et de faire connaître les méthodes les plus efficaces.

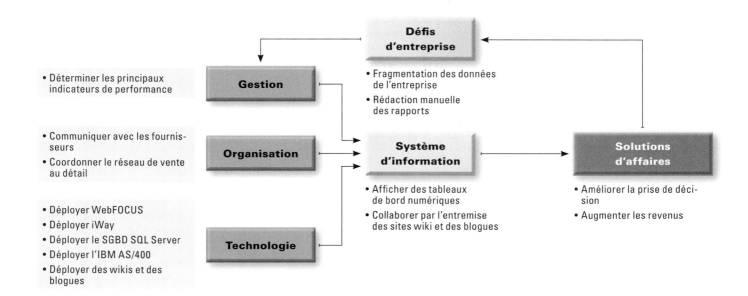

12.1 LA PRISE DE DÉCISION ET LES SYSTÈMES D'INFORMATION

Dans les entreprises, la prise de décision était jusqu'alors réservée aux dirigeants. Aujourd'hui, les systèmes d'information permettent à des employés autorisés d'avoir accès à l'information, ce qui leur permet de prendre en charge certaines de ces décisions. Mais qu'entend-on par « prendre de meilleures décisions » ? Quelle est la place qu'occupe la prise de décision dans les entreprises et autres organisations ? Examinons cette question d'un peu plus près.

La valeur d'une meilleure prise de décision pour une entreprise

Que signifie pour une entreprise « prendre de meilleures décisions » ? Comment cela se traduit-il sur le plan financier ? Le tableau 12-1 concerne une petite usine dont les revenus annuels sont de 280 millions de dollars et qui compte 140 employés. L'entreprise a déterminé un certain nombre de mesures clés pour lesquelles des investissements dans de nouveaux systèmes pourraient améliorer la prise de décision. Ce tableau fournit une estimation de la valeur annuelle (en économies ou en augmentation de revenus) associée à de meilleures prises de décision dans des secteurs particuliers de l'entreprise.

On peut constater qu'on prend des décisions à tous les échelons de l'organisation et que, parmi celles-ci, certaines sont très courantes et routinières. Bien que la valeur associée à l'amélioration d'une décision particulière puisse être limitée, l'amélioration de centaines ou de milliers de « petites » décisions finit par représenter un gain substantiel pour l'entreprise.

Les différents types de décisions

Les chapitres 1 et 2 montrent qu'il existe plusieurs paliers de décision dans une organisation. À chacun de ces paliers, les besoins en matière d'aide à la décision ainsi que les responsabilités diffèrent (figure 12-1). On distingue trois types de décisions : les décisions structurées, les décisions semi-structurées et les décisions non structurées.

Les **décisions non structurées** sont celles qui supposent que le gestionnaire émette un jugement, fasse une évaluation ou apporte un nouveau point de vue sur le problème. Chacune de ces décisions est nouvelle, importante et non routinière : il n'y a pas de réponse toute faite ou de méthode reconnue qui puisse être appliquée.

Les **décisions structurées**, en revanche, sont répétitives et routinières, et on suit des procédures déterminées pour les prendre, de façon à ne pas avoir à reprendre chaque fois tout le processus. De nombreuses décisions, appelées **décisions semi-structurées**, comportent des éléments appartenant aux deux catégories, une partie du problème seulement

---

TABLEAU 12-1 — LA VALEUR D'UNE MEILLEURE PRISE DE DÉCISION POUR UNE ENTREPRISE

EXEMPLE DE DÉCISION	Décideur	Nombre de décisions annuelles	Valeur estimée pour l'entreprise d'une seule décision améliorée	Valeur annuelle
Fournir de l'aide aux meilleurs clients	Directeur des comptes	12	100 000 $	1 200 000 $
Prévoir la demande quotidienne qu'aura à gérer le centre d'appels	Gestionnaire du centre d'appels	4	150 000 $	600 000 $
Décider chaque jour des niveaux des stocks de pièces	Gestionnaire des stocks	365	5 000 $	1 825 000 $
Trouver les offres concurrentielles des principaux fournisseurs	Cadre supérieur	1	2 000 000 $	2 000 000 $
Planifier la production pour exécuter les commandes	Directeur de la fabrication	150	10 000 $	1 500 000 $
Affecter la main-d'œuvre pour exécuter les tâches	Directeur de la production	100	4 000 $	400 000 $

FIGURE 12-1 LES BESOINS EN INFORMATION DES GROUPES DÉCISIONNELS CLÉS

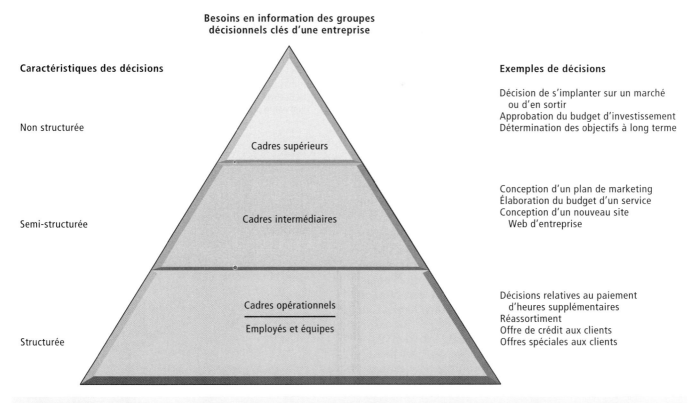

Le type de décisions qu'ont à prendre les cadres supérieurs, les cadres intermédiaires, les cadres opérationnels et les employés diffèrent, et leurs besoins en information aussi.

pouvant recevoir une réponse tranchée suivant une procédure établie. En général, les décisions structurées sont plus fréquentes aux paliers inférieurs de l'organisation, tandis que les problèmes non structurés se posent plutôt aux échelons supérieurs.

Les cadres supérieurs sont aux prises avec de nombreuses situations non structurées, comme la nécessité d'établir les objectifs de l'entreprise sur 5 ou 10 ans ou de décider sur quels nouveaux marchés s'implanter. Pour répondre à la question « Devrait-on s'implanter sur un nouveau marché ? », il faut avoir accès aux nouvelles, aux rapports gouvernementaux et aux points de vue des entreprises du secteur et disposer d'une vue d'ensemble de la performance de l'entreprise. Mais la réponse exige aussi que les cadres supérieurs usent de leur jugement et consultent les autres dirigeants.

Les décisions qu'ont à prendre les cadres intermédiaires sont plus structurées, mais elles comportent néanmoins des éléments qui ne le sont pas. Les questions auxquelles doit répondre un cadre intermédiaire sont du type : « Pourquoi le rapport sur l'exécution des commandes indique-t-il un déclin au cours des six derniers mois dans un centre de distribution de Sherbrooke ? ». Pour y répondre, il consultera un rapport du système d'entreprise ou du système de gestion de la distribution sur les activités du service des commandes et sur l'efficacité opérationnelle du centre de distribution de Sherbrooke. Il s'agit de la partie structurée de la décision. Toutefois, avant de trouver une réponse et de prendre sa décision, ce cadre intermédiaire devra poser des questions aux employés et recueillir auprès de sources externes des informations moins structurées sur les conditions économiques locales ou les tendances des ventes.

Les cadres opérationnels et les employés de la base tendent à prendre des décisions plus structurées. Par exemple, le superviseur d'une chaîne de montage devra décider si un ouvrier payé à l'heure peut être payé en heures supplémentaires. En général, si l'employé a travaillé plus de huit heures cette journée-là, le superviseur lui accordera automatiquement ce tarif pour toutes les heures faites au-delà de ces huit heures.

Un représentant des comptes commerciaux doit souvent décider d'accorder ou non à un client un crédit supplémentaire en consultant les renseignements enregistrés à ce sujet dans la base de données des clients de l'entreprise. Si le client satisfait aux critères préalablement établis par l'entreprise, le représentant pourra lui accorder un crédit pour effectuer un achat. Dans les deux cas, il s'agit de décisions très structurées, qu'on prend de façon routinière des milliers de fois par jour dans la plupart des grandes entreprises, la réponse étant pré-programmée dans leurs systèmes de paye et de comptes clients.

Les étapes de la prise de décision

La prise de décision est un processus en plusieurs étapes. Simon (1960) en a décrit quatre : l'intelligence, la conception, le choix et la mise en application (figure 12-2).

L'**intelligence** est la découverte, la définition et la compréhension des problèmes qui surviennent dans l'organisation : Où y a-t-il un problème et pourquoi ? Quelles en sont les conséquences sur l'entreprise ? La **conception** est la description et l'examen de solutions possibles à un problème. Le **choix** s'effectue entre plusieurs solutions. Enfin, la **mise en application** consiste à mettre en œuvre la solution retenue et à évaluer dans quelle mesure elle est efficace.

Que se passe-t-il si la solution qu'on a choisie ne fonctionne pas ? La figure 12-2 montre qu'on peut toujours revenir à une étape antérieure de la prise de décision et répéter le processus. Par exemple, devant un déclin des ventes, l'équipe de gestion peut décider de payer une commission plus élevée aux vendeurs pour les stimuler. Mais, si cela n'entraîne pas d'augmentation des ventes, les gestionnaires devront enquêter pour savoir si le problème provient d'une mauvaise conception des produits, d'un soutien à la clientèle inadéquat ou d'un quelconque autre problème, qui exigerait une solution différente.

Le rôle des gestionnaires et la prise de décision dans la réalité

L'idée qui sous-tend cet ouvrage, et ce chapitre en particulier, est que les systèmes d'aide à la décision permettent aux gestionnaires et aux employés de prendre de meilleures décisions, produisent des retours sur investissement au-dessus de la moyenne et confèrent donc à l'entreprise, en fin de compte, une rentabilité accrue. Les systèmes d'information ne peuvent toutefois améliorer toutes les décisions qui doivent être prises dans une entreprise. Pour bien comprendre pourquoi, examinons maintenant le rôle des gestionnaires et la façon dont se prennent réellement les décisions dans une entreprise.

Le rôle des gestionnaires

Les gestionnaires jouent un rôle clé dans les organisations. Parmi leurs responsabilités, mentionnons notamment la prise de décisions, la rédaction de rapports, la participation à des réunions et même l'organisation de fêtes d'anniversaire. On comprend mieux les fonctions et les rôles des gestionnaires en étudiant les modèles classique et contemporain de comportement des gestionnaires.

Le **modèle classique de la gestion**, qui décrit ce que font les gestionnaires, n'a presque pas été remis en question au cours des 70 ans qui ont suivi son élaboration, dans les années 1920. Pour Henri Fayol et les autres auteurs qui les ont décrites à

FIGURE 12-2

LES ÉTAPES DE LA PRISE DE DÉCISION

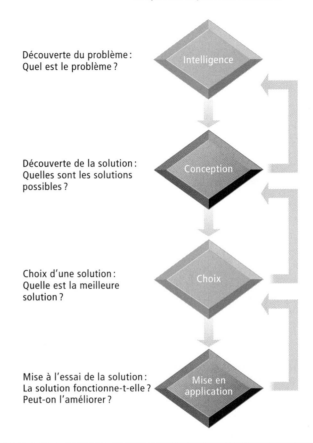

Étapes de la prise de décisions

Découverte du problème : Quel est le problème ? — Intelligence

Découverte de la solution : Quelles sont les solutions possibles ? — Conception

Choix d'une solution : Quelle est la meilleure solution ? — Choix

Mise à l'essai de la solution : La solution fonctionne-t-elle ? Peut-on l'améliorer ? — Mise en application

La prise de décision est un processus comportant quatre étapes.

l'époque, les cinq fonctions classiques de la gestion étaient la planification, l'organisation, la coordination, la décision et le contrôle. Cette description des activités de gestion a longtemps dominé la réflexion sur la gestion et elle reste populaire.

Le modèle classique donne une description formelle des fonctions de gestion, mais il ne précise pas ce que font exactement les gestionnaires lorsqu'ils planifient, décident et contrôlent le travail des autres employés. Pour savoir ce qu'il en est, il nous faut examiner les travaux des spécialistes du comportement qui ont étudié les gestionnaires dans leurs activités quotidiennes. Selon les **modèles comportementaux**, le comportement des gestionnaires serait moins systématique, plus informel, moins réfléchi, plus réactionnel et moins bien organisé que le modèle classique ne le laisse croire.

Les observateurs ont constaté que le comportement des gestionnaires présentait cinq caractéristiques très éloignées de la description classique de leurs tâches. D'abord, ils effectuent une grande quantité de travail à un rythme soutenu: selon certaines études, ils s'engageaient dans plus de 600 activités par jour, sans jamais lever le pied. Deuxièmement, leurs activités sont fragmentées: la plupart durent moins de neuf minutes et 10 % seulement, plus d'une heure. Troisièmement, ils préfèrent recevoir des renseignements précis, actuels et adaptés à chaque situation que des informations par écrit (souvent déjà dépassées). Quatrièmement, ils préfèrent les formes verbales de communication aux formes écrites, car elles sont plus souples, exigent moins d'efforts et permettent d'obtenir plus vite une réponse. Enfin, ils accordent une grande importance au maintien d'un réseau de contacts diversifié et complexe qui leur tient lieu de système d'information informel et les aide à effectuer les tâches inscrites à leur programme et à atteindre leurs objectifs à court et à long terme.

En analysant le comportement quotidien des gestionnaires, Mintzberg s'est aperçu qu'on pouvait distinguer 10 **rôles de gestion** parmi les activités qu'ils doivent accomplir dans une organisation, rôles qui se répartissent en 3 catégories:

- *Les rôles interpersonnels* Dans leurs **rôles interpersonnels**, les gestionnaires sont des figures de proue de l'organisation lorsqu'ils la représentent à l'extérieur et effectuent des tâches symboliques, comme la remise de primes à des employés. Ils ont aussi un rôle de leader lorsqu'ils essaient de motiver les employés, de les conseiller et de les soutenir. Ils jouent enfin le rôle d'intermédiaires entre les différents échelons de l'organisation, ainsi qu'entre les membres de l'équipe de direction à chaque échelon. Enfin, ils investissent du temps, accordent des faveurs et s'attendent à en recevoir en retour.

- *Les rôles informationnels* Dans leurs **rôles informationnels**, les gestionnaires agissent comme les centres nerveux de leur organisation. Ils reçoivent l'information la plus concrète et la plus récente et la transmettent à ceux qui en ont besoin. Ce sont donc des diffuseurs d'information et des porte-parole pour leur organisation.

- *Les rôles décisionnels* Les gestionnaires prennent des décisions. Dans leurs **rôles décisionnels**, ils font office d'entrepreneurs en lançant de nouveaux types d'activités, corrigent les situations problématiques dans l'organisation, répartissent les ressources entre les membres du personnel qui en ont besoin, arbitrent les conflits et servent de médiateurs entre groupes opposés.

Le tableau 12-2, fondé sur la classification de Mintzberg, permet de voir sur quels plans les systèmes d'information peuvent ou non aider les gestionnaires. Il montre que la contribution des systèmes d'information est encore faible dans certains domaines de la gestion.

La prise de décision dans la réalité

Nous voyons donc que les systèmes d'information ne sont pas utiles dans toutes les fonctions de gestion. Et même lorsqu'ils pourraient améliorer les décisions, les investissements en technologie de l'information ne donnent pas toujours des résultats positifs. Il y a à cela trois raisons essentielles: la qualité de l'information, les filtres de gestion et la culture organisationnelle (chapitre 3).

TABLEAU 12-2 LES RÔLES DE GESTION ET LES SYSTÈMES D'INFORMATION CORRESPONDANTS

RÔLES	COMPORTEMENT	SYSTÈMES DE SOUTIEN
Rôles de relations interpersonnelles		
Figure de proue		Aucun
Leader	Interpersonnel	Aucun
Intermédiaire		Systèmes de communication électronique
Rôles informationnels		
Centre nerveux		Systèmes d'information de gestion, systèmes d'information pour dirigeants
Émetteur d'information	Traitement de l'information	Systèmes de courrier et de bureautique
Porte-parole		Systèmes de bureautique et systèmes professionnels, postes de travail
Rôles décisionnels		
Entrepreneur		Aucun
Correcteur de perturbations	Prise de décision	Aucun
Allocateur de ressources		Systèmes d'aide à la décision
Négociateur		Aucun

Source: Adapté de Mintzberg, 1971.

LA QUALITÉ DE L'INFORMATION Pour prendre des décisions de qualité, il faut une information de qualité. Le tableau 12-3 indique les dimensions de la qualité de l'information qui influent sur la qualité des décisions. Si les informations fournies par les systèmes d'information ne satisfont pas à ces critères de qualité, la prise des décision en souffrira. Comme nous l'indiquons au chapitre 6, les bases de données et les fichiers des entreprises peuvent être plus ou moins inexacts ou incomplets, ce qui peut se répercuter sur la qualité de la prise de décision.

LES FILTRES DE GESTION Même si l'information dont ils disposent est exacte et à jour, il peut arriver aux gestionnaires de se tromper. Comme tout être humain, ils soumettent en effet les informations qu'ils reçoivent à une série de filtres qui leur permettent de donner un sens au monde qui les entoure. Leur attention est sélective, ils ont tendance à privilégier certains types de problèmes et de solutions et ont tout un ensemble de partis pris qui les conduisent à rejeter les informations qui ne sont pas conformes à leurs préconceptions.

Par exemple, des banques d'affaires comme Bear Stearns et Lehman Brothers ont implosé en 2008 parce qu'elles ont sous-estimé les risques de leurs investissements dans des titres adossés à des actifs complexes, dont un grand nombre étaient basés sur des prêts à haut risque. Les modèles informatiques qu'ils ont utilisés – comme d'autres institutions financières – pour gérer le risque étaient basés sur des hypothèses exagérément optimistes et sur des données beaucoup trop simplistes quant aux risques. Les gestionnaires voulaient s'assurer que le capital de leur entreprise ne soit pas entièrement immobilisé pour faire face aux défaillances éventuelles d'investissements risqués, ce qui les empêchait de l'investir pour en tirer des profits. Les concepteurs de ces systèmes de gestion du risque ont donc été encouragés à mesurer les risques d'une façon qui ne conduise pas à rejeter tous les prêts. Certains pupitres de négociation ont aussi excessivement simplifié l'information qu'ils conservaient sur les titres adossés à des actifs de façon à les faire apparaître comme de simples obligations assorties de taux de rendement plus élevés que ce que leurs composantes sous-jacentes pouvaient garantir (Hansell, 2008).

L'INERTIE ORGANISATIONNELLE Les organisations étant des « bureaucraties », le type même de leurs capacités et de leurs compétences limite la rapidité et l'efficacité de leurs décisions. Quand leur environnement change et que les entreprises doivent adopter de nouveaux modèles d'affaires pour survivre, de puissantes forces s'exercent en leur sein pour les empêcher de prendre des décisions qui exigeraient d'importants changements. Les décisions que prend une entreprise représentent souvent un compromis en vue de satisfaire les divers groupes d'intérêts qui la composent plutôt que la meilleure solution à un problème.

Des études sur la restructuration des entreprises ont démontré qu'elles ont tendance à ignorer les mauvais résultats jusqu'à ce qu'elles soient menacées d'une prise de contrôle

TABLEAU 12-3

LES DIMENSIONS DE LA QUALITÉ DE L'INFORMATION

DIMENSION	DESCRIPTION
Précision	Les données reflètent-elles la réalité ?
Intégrité	La structure des données reflète-t-elle adéquatement les relations entre les entités et les attributs ?
Cohérence	Les éléments de données sont-ils logiques et ordonnés ?
Exhaustivité	A-t-on toutes les données nécessaires ?
Validité	La valeur des données se situe-t-elle dans des plages préétablies ?
Actualité	Les données sont-elles accessibles en temps opportun ?
Accessibilité	Les données sont-elles disponibles, compréhensibles et utilisables ?

extérieure. Elles en attribuent alors systématiquement la responsabilité à des forces externes qui échappent à leur action, comme la conjoncture économique, la concurrence étrangère ou la hausse des prix, au lieu de blâmer les cadres supérieurs et les cadres intermédiaires pour leur manque de jugement (John, Lang et Netter, 1992).

12.2 LES SYSTÈMES D'AIDE À LA DÉCISION

Il existe quatre sortes de systèmes d'aide au décideur correspondant aux différents paliers de décision que nous venons de décrire. Nous présentons certains de ces systèmes au chapitre 2. Les *systèmes d'information de gestion (SIG)* fournissent aux cadres intermédiaires et opérationnels des rapports de routine et des résumés sur les données de transaction leur permettant de prendre des décisions structurées et semi-structurées. Les *systèmes d'aide à la décision (SAD)* fournissent des modèles ou des outils permettant d'analyser de grandes quantités de données pour les cadres intermédiaires qui doivent prendre des décisions semi-structurées. Les *systèmes d'information pour dirigeants (SID)* fournissent à la haute direction, qui a surtout à prendre des décisions non structurées, l'information externe (nouvelles, analyses de stocks et tendances du marché) qui lui est nécessaire, ainsi que des tableaux récapitulatifs de l'ensemble des performances de l'entreprise.

Il est aussi question, dans ce chapitre, des systèmes destinés à aider les décideurs qui travaillent en groupe. Les **systèmes d'aide à la décision de groupe (SADG)** sont des systèmes spécialisés qui fournissent aux groupes un environnement électronique dans lequel les gestionnaires et les équipes peuvent collectivement prendre des décisions sur des problèmes structurés ou semi-structurés et élaborer des solutions.

Les systèmes d'information de gestion (SIG)

Les SIG, que nous présentons au chapitre 2, aident les gestionnaires à surveiller et à contrôler les activités de l'entreprise en leur fournissant de l'information sur ses performances. En général, les SIG produisent à intervalles réguliers des rapports dont le format est prédéterminé et qui sont fondés sur un résumé des données extraites des systèmes de traitement des transactions (STT) sous-jacents de l'entreprise. Il arrive aussi qu'ils produisent des rapports qui soulignent seulement des situations extraordinaires : par exemple, lorsque le quota des ventes d'un territoire particulier tombe en dessous des prévisions ou que les employés ont excédé les limites de dépenses prévues dans le cadre du régime de soins dentaires. De nos jours, on peut accéder en ligne à ces rapports grâce à un intranet et en produire d'autres sur demande. Le tableau 12-4 donne des exemples d'applications SIG.

[**TABLEAU 12-4**]

DES EXEMPLES D'APPLICATIONS SIG

ENTREPRISE	APPLICATION SIG
California Pizza Kitchen	L'application Inventory Express « mémorise » les modèles de commande de chaque restaurant et compare la quantité d'ingrédients utilisés par plat aux portions prédéterminées par la direction. Le système repère les restaurants dont les portions sont disproportionnées et le signale au gérant pour qu'il corrige la situation.
PharMark	Un SIG extranet identifie les patients dont les habitudes de consommation de médicaments peuvent occasionner des effets secondaires graves.
Black & Veatch	Un SIG intranet suit l'évolution des coûts de construction de divers projets aux États-Unis.
Taco Bell	Le système Total Automation of Company Operations (TACO) fournit de l'information sur les coûts de nourriture et de main-d'œuvre, ainsi que sur les dépenses cumulées de la période en cours.

Les systèmes d'aide à la décision (SAD)

Alors qu'on se sert essentiellement des SIG pour traiter des problèmes structurés, on utilise plutôt les SAD pour l'analyse de problèmes non structurés. Les premiers SAD étaient des **SAD guidés par un modèle** pour effectuer des analyses d'hypothèses de type SI... ALORS... et d'autres types d'analyses. Leurs fonctionnalités d'analyse reposaient sur une théorie ou un modèle solide, combiné à une interface utilisateur appropriée, ce qui rendait le système facile à utiliser. Le SAD d'estimation des voyages et le système d'entretien d'Air Canada décrits au chapitre 2 sont des exemples de SAD guidés par un modèle.

La session interactive sur la gestion décrit un autre SAD guidé par un modèle. Dans ce cas particulier, le système n'a pas fourni les résultats prévus, tant à cause des hypothèses sous-jacentes au modèle que des efforts des utilisateurs pour le contourner. En lisant l'étude de ce cas, essayez de déterminer quel était le problème auquel la société faisait face, quelles autres solutions la direction aurait pu choisir et comment celles-ci auraient fonctionné.

Certains SAD contemporains sont guidés par les données : ils utilisent le traitement analytique en ligne (OLAP) et le forage de données pour analyser de grandes quantités de données. Les applications d'intelligence artificielle décrites au chapitre 6 en sont un exemple, de même que les tableaux croisés dynamiques que nous décrivons dans cette section. Les **SAD guidés par les données** aident à la prise de décision en permettant aux utilisateurs d'extraire des informations utiles qui se trouvaient enfouies dans des volumes considérables de données. La session interactive sur la technologie en donne un exemple.

Les composantes d'un SAD

La figure 12-3 illustre les composantes d'un SAD : base de données pour l'interrogation et l'analyse, logiciel (comprenant des modèles et des outils de forage de données et d'analyse) et interface utilisateur.

La **base de données d'un SAD** est un ensemble de données courantes ou historiques, tirées de plusieurs applications ou groupes. Il peut s'agir d'une petite base de données hébergée sur un ordinateur personnel qui contient un sous-ensemble des données d'entreprise qu'on a téléchargées et éventuellement combinées, mais il peut s'agir aussi d'un immense entrepôt de données, continuellement mis à jour par les principaux STT de l'entreprise (dont les applications d'entreprise et les données que génèrent les transactions effectuées sur son site Web). Les données de ces bases sont généralement extraites des bases de données qui servent à l'exploitation ou reproduites à partir de celles-ci, de sorte que le fait d'utiliser un SAD n'entrave pas le fonctionnement de systèmes opérationnels cruciaux.

L'interface utilisateur d'un SAD facilite l'interaction entre les utilisateurs et les outils logiciels du système. Aujourd'hui, de nombreux SAD comportent des interfaces Web permettant aux utilisateurs de profiter d'écrans graphiques, ainsi que de l'interactivité et de la facilité d'utilisation du Web.

POURQUOI TANT DE TRANSPORTEURS AÉRIENS FONT-ILS DE LA SURRÉSERVATION ?

À une époque où tout semblait plus simple et moins frénétique, on pouvait considérer la surréservation d'un vol aérien comme une bonne occasion. Les gens qui voyageaient fréquemment offraient volontiers de renoncer à leur place et de retarder leur départ en échange d'un coupon de billet gratuit.

Aujourd'hui, peu de gens sont volontaires pour céder leur place, car il y a de moins en moins de possibilités d'en trouver une autre. Les sociétés aériennes se battent pour rester en affaires et essaient d'économiser de l'argent de toutes les façons possibles. Elles planifient moins de vols et ceux-ci sont plus achalandés. Si un passager accepte un coupon pour retarder son vol, il risque d'attendre non pas quelques heures, mais plusieurs jours avant qu'une place ne soit disponible sur un autre vol. Et il arrive de plus en plus souvent qu'on change le vol d'un passager sans son consentement.

Les sociétés aériennes surréservent systématiquement les vols pour compenser les millions de cas où un voyageur ne se présente pas à l'embarquement, ce qui diminue les revenus escomptés. Le but de la surréservation n'est pas que des passagers perdent leur place, mais de se rapprocher le plus possible d'une occupation de toutes les places disponibles sur chaque vol. Les revenus perdus à cause d'un siège vide sont bien plus importants que l'indemnité versée aux passagers qui ont été déplacés. Les sociétés aériennes sont aujourd'hui plus près que jamais d'une occupation à 100 %. Le problème est que les trajets les plus populaires sont souvent pleins et que les passagers en surnombre risquent de devoir attendre plusieurs jours.

Les sociétés aériennes ne se sont pas engagées dans la surréservation sans réfléchir. Leurs analystes sont de jeunes personnes brillantes, qui ont étudié les mathématiques ou l'économie. Ces analyses utilisent la modélisation informatique pour prédire combien de passagers risquent de ne pas se présenter à l'embarquement d'un vol, et c'est sur cette base qu'ils font leurs recommandations de surréservation.

Le logiciel utilisé par US Airways, par exemple, analyse les antécédents de non-présentation pour chaque vol et en vérifie le taux pour chaque niveau de tarification. Les sièges les moins coûteux ne sont généralement pas remboursables et les passagers qui les occupent ont tendance à utiliser leur réservation. Mais il est plus fréquent que des gens d'affaires, qui voyagent à des tarifs élevés, ne se présentent pas. Le logiciel examine les tarifs de toutes les réservations sur chacun des vols en partance, ainsi que d'autres données, comme le taux de non-présentation sur les vols provenant de certaines zones géographiques. Les analystes établissent alors leurs prévisions de non-présentation pour un vol particulier en tenant compte du tarif que les passagers ont payé.

Il arrive, bien entendu, que les analystes se trompent. Et leurs efforts peuvent être entravés par un certain nombre de facteurs. Selon les billettistes, les erreurs peuvent provenir de mauvais algorithmes. Un changement dans les prévisions météorologiques peut aussi introduire des restrictions de poids supplémentaires et il arrive qu'on remplace l'avion prévu par un plus petit. Pour toutes ces raisons, il peut y avoir moins de sièges libres que prévu, alors que le nombre de réservations était déjà supérieur au nombre de places.

Malgré le soutien que la direction des sociétés aériennes accorde aux analystes, les préposés à l'embarquement se plaignent de faire les frais de la mauvaise humeur des passagers en surréservation. On sait qu'il y a des préposés qui prennent des congés maladie pour éviter d'avoir à y faire face. Certains sont allés jusqu'à créer de fausses réservations, parfois au nom des dirigeants de sociétés aériennes ou de personnages de dessins animés, comme Mickey Mouse, dans l'espoir d'empêcher les analystes de faire leur travail. Cette tactique peut leur avoir épargné un certain nombre de désagréments à court terme, mais le souvenir de leur geste risque de revenir les hanter. Le logiciel de modélisation compte les fausses réservations comme des non-présentations de passagers, ce qui conduit les analystes à augmenter encore le nombre de places en surréservation sur le vol en question la fois suivante. Thomas Trenga, vice-président à la gestion des capacités chez US Airways, parle de ce bras de fer comme d'une « spirale infernale », et US Airways décourage la pratique des fausses réservations.

Avec moins de passagers prêts à accepter des coupons, il arrive que la tension monte. Le nombre de passagers rejetés contre leur gré a crû de 23 % en 2006 par rapport à l'année précédente et a continué à augmenter. On peut toutefois considérer comme encourageant le fait que seules 676 408 des 555 millions de personnes qui ont pris l'avion en 2006 ont été obligées de prendre un autre vol, volontairement ou non.

W. Douglas Parker, président-directeur général de US Airways, dit que les sociétés aériennes devront faire des surréservations aussi longtemps qu'elles autoriseront les passagers à ne pas se présenter sans leur imposer de pénalité. US Airways, dont le taux de non-présentation oscille entre 7 et 8 %, a déclaré que la pratique de la surréservation avait contribué pour au moins un milliard de dollars à ses revenus de 11,56 milliards en 2006. Avec un profit de 304 millions de dollars seulement, l'entreprise avait absolument besoin de ce revenu supplémentaire pour survivre. Certaines sociétés, comme JetBlue, ont échappé à la controverse sur la surréservation en ne proposant que des billets non remboursables : aucune personne qui ne se présente pas à l'embarquement ne peut se faire rembourser le prix de son billet. Or les voyageurs d'affaires, qui réservent souvent les places les plus chères, tiennent à la flexibilité que leur procure le fait de pouvoir se faire rembourser leur billet, si bien que JetBlue envisage de modifier sa politique en la matière.

En principe, les sociétés aériennes tiennent leurs analystes pour responsables de leurs résultats, mais il est rare qu'on les soumette à un examen critique. Certains font un effort pour répondre aux désirs des travailleurs des aéroports en recherchant des compromis sur le taux de surréservation. Malheureusement, dès qu'ils ont acquis de l'expérience dans ce domaine, les analystes quittent souvent leur travail pour de nouveaux horizons.

Sources : Dean Foust et Justin Bachman, « You Think Flying Is Bad Now… », *Business Week*, 28 mai 2008 ; « The Unfriendly Skies », *USA Today*, 4 juin 2008 ; Jeff Bailey, « Bumped Fliers and Plan B », *New York Times*, 30 mai 2007 ; Alice LaPlante, « Travel Problems ? Blame Technology », *InformationWeek.com*, 11 juin 2007.

Questions

1. Le système d'aide à la décision utilisé par les sociétés aériennes pour la surréservation fonctionne-t-il bien ? Répondez à la question du point de vue des sociétés et de celui des clients.

2. Si les sociétés aériennes obligent trop de passagers à reporter leur vol, quelles répercussions peut-il y avoir sur elles en retour ?

3. Quels sont les intrants, les processus et les extrants de ce SAD ?

4. Quels sont les facteurs humains, organisationnels et technologiques responsables des problèmes causés par un excès de surréservation ?

5. Dans quelle mesure s'agit-il d'un problème de ressources humaines ? Expliquez votre réponse.

Ateliers

Visitez les sites Web de US Airways, de JetBlue et d'Air Canada, et tentez de répondre aux questions suivantes :

1. Quelle est la politique de compensation de chacune de ces sociétés aériennes en cas de surréservation ? (Indice : la question est généralement traitée dans le contrat de transport des passagers)

2. À votre avis, quelle société aérienne présente la meilleure politique, et en quoi cette politique est-elle supérieure ?

3. Comment chacune de ces politiques peut-elle bénéficier aux clients et en quoi profitent-elles aux sociétés aériennes ?

FIGURE 12-3

LES COMPOSANTES D'UN SYSTÈME D'AIDE À LA DÉCISION

Les principales composantes d'un SAD sont la base de données, le logiciel et l'interface utilisateur. La base de données du SAD peut être une petite base hébergée sur un ordinateur personnel, ou encore un gros entrepôt de données.

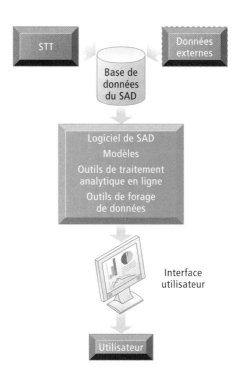

L'INTELLIGENCE D'AFFAIRES AU SERVICE DE LA RÉUSSITE DE DICK'S SPORTING GOODS

Dick's Sporting Goods est un important détaillant d'équipements et de vêtements de sport implanté surtout dans la partie est des États-Unis. L'entreprise a été fondée en 1948 par Dick Stack, qui n'avait à l'époque que 18 ans. Le commerce de M. Stack ne vendait au départ que des accessoires de pêche, mais il a progressivement étendu ses activités à tous les sports. Dans les années 1990, sous l'impulsion du fils de Dick, Ed, le détaillant a entamé une croissance rapide, en vue de devenir une chaîne d'articles de sports nationale. En 2007, il possédait plus de 300 magasins dans 34 États et engrangeait des revenus annuels de presque quatre milliards de dollars. La société, qui possède aussi Golf Galaxy, un détaillant spécialisé dans le golf, envisageait d'ouvrir 44 nouveaux magasins en 2008 et a préservé la solidité de sa position en dépit d'un contexte économiques défavorable.

La société Dick's s'est développée parce qu'elle s'attache à être un véritable détaillant d'équipements de sport en offrant, à des prix concurrentiels, une large gamme d'articles, de vêtements et de chaussures de sport de grandes marques et de grande qualité, qui améliorent les performances et augmentent le plaisir de ses clients dans leurs activités. Elle a toutefois été aux prises avec des problèmes de gestion des stocks et de réassortiment des magasins. À l'origine de ces problèmes, un logiciel de gestion des marchandises obsolète, ce qui menaçait les projets ambitieux de Dick's pour l'avenir.

Au départ, la société utilisait comme outil de base pour les rapports un système de marchandisage STS. Ce système ne correspondait pas bien à ses besoins : il pouvait compiler les chiffres des ventes d'équipements et de vêtements de sport, mais ne pouvait pas analyser si un article donné, comme une raquette de tennis Wilson n4, se vendait bien dans une région ou un magasin particuliers. Il rassemblait automatiquement les renseignements relatifs à tous les magasins et les combinait dans un seul rapport. Le processus d'extraction d'informations de la base de données était long (jusqu'à une heure) et inefficace et il ne permettait pas de répondre aux questions nécessitant une analyse complexe.

Comme il n'y avait pas d'entrepôt de données central, il était aussi impossible de dire si oui ou non un rapport était exact, et il n'y avait aucune norme pour les rapports sur les ventes ni pour les stocks de l'ensemble de l'entreprise. Celle-ci avait besoin d'une base de données unifiée que tous les employés pourraient utiliser. À l'époque, ceux-ci conservaient leurs propres analyses des ventes et des stocks dans leur service, sur leurs propres ordinateurs. On perdait parfois des rapports parce que les employés ne se souvenaient plus du nom de fichier. Ayant pris conscience du problème, Dick's a tenté d'intégrer de nouveaux outils pour mettre à jour ses processus d'entreposage et d'extraction de données. Mais les employés résistaient au changement, préférant les méthodes qu'ils utilisaient jusque-là aux nouveaux outils fournis par Cognos, un fabricant de logiciels d'intelligence d'affaires.

En 2003, Dick's a alors décidé de procéder à un remaniement complet de son système d'entreposage de données. Le système choisi comprenait un logiciel fourni par MicroStrategy et une base de données Oracle 8i possédant des capacités d'extraction adaptées et la possibilité de se transformer pour répondre à différents besoins. Cette base de données a depuis été rehaussée au niveau du modèle 10g. Le nouveau système pouvait suivre la vente des équipements et des vêtements dans chaque magasin et chaque région.

Le lancement de ce nouveau système était accompagné d'un programme de formation visant à en faciliter l'adoption par les employés, afin qu'ils ne persistent pas à utiliser les anciens systèmes auxquels ils étaient habitués. Malgré cela, l'adoption du nouveau système était lente. La société a donc offert des primes incitatives et a graduellement mis l'ancien système hors service. Mais ce n'est que lorsque ce dernier a été complètement supprimé que l'utilisation du nouveau système a réellement augmenté, pour devenir 10 fois plus fréquente. Certains des échecs des systèmes d'information précédents étaient attribués à l'absence de programmes de formation permettant d'en atténuer l'impact, et cette fois Dick's s'est assuré que ceux-ci étaient en place.

Le logiciel de MicroStrategy était un élément clé de la réorganisation des systèmes de Dick's. Ce qui le distingue de ses concurrents, c'est sa capacité à travailler avec des bases de données relationnelles par l'entremise du traitement en ligne relationnel (ROLAP). Tandis que le traitement en ligne OLAP multidimensionnel (MOLAP) utilise une base de données multidimensionnelle pour l'analyse (chapitre 6), ROLAP extrait directement les données des entrepôts, les combine de façon dynamique pour produire des analyses ponctuelles ou des outils d'aide à la décision et peut offrir un grand nombre de perspectives (ou dimensions), alors que MOLAP n'est en général efficace qu'avec 10 au maximum. Le logiciel de MicroStrategy permet ainsi aux employés de Dick's de faire des analyses détaillées pour suivre les ventes et les stocks.

Il permet aussi aux employés de Dick's de créer différents types de rapports. Par exemple, les rapports « prêts à utiliser » reprennent les caractéristiques des rapports dont les employés se servent souvent, ce qui leur évite de dépenser du temps et de l'énergie à les reconfigurer. De leur côté, les rapports en « libre service » proposent des entrées et sorties adaptées aux cas où on cherche un type d'information particulier. Et des processus qui prenaient jusque-là des heures ne demandent plus que quelques minutes grâce à l'interaction du système avec la base de données principale, qui contient plusieurs téraoctets de données.

Les résultats récents permettent de penser que l'implantation de ce logiciel a été rentable pour Dick's, puisque depuis sa mise en place les revenus de la société ont doublé et que sa marge de profit a presque atteint le double de celle de ses concurrents. À 912 millions de dollars, les ventes du premier trimestre 2008 étaient en hausse de 11 % et, bien que l'entreprise n'ait pas été épargnée par la récession économique, elle a mieux réussi que ses concurrents et pense pouvoir en profiter pour gagner des parts de marché. Et même si ses actions n'ont pas atteint la valeur qu'elle espérait dans les dernières années, son avenir semble néanmoins prometteur, et ce, en bonne partie grâce au succès de l'installation du nouveau système.

Sources: MicroStrategy, « Success Story: Dick's Sporting Goods Inc. », 2008 ; Brian P. Watson, « Business Intelligence : Will It Improve Inventory ? », www.baselinemag.com, consulté le 29 septembre 2009 ; « Dick's Sporting Goods Form 10-K Annual Report », 27 mars 2008 ; « Dick's Sporting Goods Inc., QI 2008 Earnings Call Transcript », www.seekingalpha.com, 22 mai 2008.

Questions

1. Quels problèmes la société Dick's a-t-elle éprouvés pour le suivi des données et la production de rapports ? Comment ces problèmes se sont-ils répercutés sur la prise de décision et la performance ?

2. Qu'a fait la société pour résoudre ces problèmes ?

3. Le choix du système de MicroStrategy était-il approprié ? Oui ou non ? Pourquoi ?

4. L'amélioration de la production de rapports a-t-elle résolu les problèmes de la société ? Expliquez votre réponse.

Ateliers

Explorez le site Web de MicroStrategy, puis faites les exercices suivants :

1. Décrivez les capacités du logiciel de MicroStrategy, puis énumérez celles qui pourraient le mieux aider à prendre des décisions sur le réassortiment des magasins Dick's. Expliquez comment le logiciel peut aider les employés de l'entreprise à prendre ces décisions.

2. Consultez la section sur les tableaux de bord dynamiques de MicroStrategy, puis concevez-en un pour un gestionnaire qui doit décider comment réassortir les magasins Dick's.

Le **logiciel de SAD** contient les outils logiciels qui servent à l'analyse des données. Il peut contenir divers outils de traitement analytique en ligne (OLAP), des outils de forage et un ensemble de modèles mathématiques et analytiques facilement accessibles aux utilisateurs. Un **modèle** est une représentation abstraite qui illustre les composantes ou les relations d'un phénomène. Ce peut être une représentation physique (par exemple, un modèle d'avion), mathématique (une équation) ou linguistique (la description d'une procédure de rédaction des commandes).

La modélisation statistique permet d'établir des relations, par exemple entre les ventes d'un produit et l'âge, le revenu ou d'autres facteurs caractérisant les groupes. Les modèles d'optimisation déterminent les affectations de ressources idéales pour maximiser ou réduire le plus possible une variable donnée, comme le coût ou le temps. On utilise souvent ces modèles pour déterminer l'assortiment de produits qui permettra de maximiser les profits sur un marché donné.

Les modèles de prévision servent à prévoir le chiffre des ventes. Les utilisateurs de ce type de modèles peuvent, par exemple, fournir une gamme de données historiques pour déterminer la situation à venir et les ventes qui peuvent en résulter. Le décisionnaire peut ensuite faire varier les paramètres de la situation à venir (en ajoutant, par exemple, une hausse des coûts des matériaux bruts ou l'arrivée d'un nouveau concurrent à bas prix sur le marché) pour déterminer comment ces changements de situation pourraient influer sur les ventes.

Les modèles d'**analyse de sensibilité** s'appuient sur une série d'énoncés hypothétiques de type SI… ALORS… pour déterminer l'effet du changement d'un ou de plusieurs facteurs sur les résultats. Partant d'une situation connue ou présumée, de telles simulations permettent de modifier certaines valeurs pour en évaluer les résultats et pouvoir ainsi mieux prédire ce qui se passerait si on les modifiait effectivement. Que se passe-t-il si on augmente le prix du produit de 5 % ou si on hausse le budget de publicité de 100 000 $? Que se passe-t-il si on garde le même prix et le même budget de publicité ? On utilise souvent à cette fin les tableurs d'ordinateurs de bureau, comme Excel de Microsoft (figure 12-4). Les logiciels d'analyse de sensibilité rétrograde, quant à eux, aident les décisionnaires à fixer des objectifs, par exemple

FIGURE 12-4 | L'ANALYSE DE SENSIBILITÉ

Ce tableau indique les résultats d'une analyse de sensibilité sur l'effet qu'un changement du prix de vente et du coût unitaire d'une cravate pourrait avoir sur son seuil de rentabilité. La question est: «Que devient le seuil de rentabilité si le prix de vente et le coût de fabrication unitaire augmentent ou diminuent?»

Total des coûts fixes	19 000					
Coût variable par unité	3					
Prix de vente moyen	17					
Marge sur coût variable	14					
Seuil de rentabilité	1 357			Coût variable par unité		
Ventes	1 357	2	3	4	5	6
Prix	14	1 583	1 727	1 900	2 111	2 375
	15	1 462	1 583	1 727	1 900	2 111
	16	1 357	1 462	1 583	1 727	1 900
	17	1 267	1 357	1 462	1 583	1 727
	18	1 188	1 267	1 357	1 462	1 583

pour répondre à la question: «Si je *veux* vendre un million d'unités de ce produit l'année prochaine, de combien dois-je en réduire le prix?»

L'utilisation de tableaux croisés dynamiques pour l'aide à la décision

Les gestionnaires utilisent aussi les tableurs pour connaître la structure de l'information et la comprendre. Examinons, par exemple, la valeur des transactions d'une journée pour la société Online Management Training (OMT), qui vend en ligne des vidéos et des livres de formation en gestion aux entreprises ou aux particuliers qui veulent se perfectionner. En un seul jour, l'entreprise a reçu 517 commandes; la figure 12-5 montre les 25 premières transactions enregistrées sur le site Web. (Les noms des clients et autres renseignements permettant de les identifier ont été effacés.)

On peut considérer cette liste comme une base de données contenant des enregistrements de transaction (les lignes). Les en-têtes de colonne indiquent, pour chaque client, son identité, la région où les produits ont été achetés, le mode de paiement, l'origine du paiement, le montant de l'achat, le produit acheté (formation en ligne ou livre) et l'heure (sur une échelle de 24 heures). On trouve dans cette liste un grand nombre d'informations intéressantes qui pourraient aider un gestionnaire à répondre à des questions et à prendre des décisions importantes:

- D'où viennent la plupart de nos clients? La réponse pourrait indiquer aux gestionnaires dans quelles régions investir plus d'argent ou d'efforts en marketing.
- Y a-t-il des différences dans la façon d'entrer en contact selon les régions? Peut-être que dans certaines régions, le courriel est le média le plus efficace, tandis que dans d'autres ce sont les bandeaux publicitaires sur le Web. La réponse à cette question plus complexe pourrait aider les gestionnaires à mettre en place des stratégies de marketing différenciées selon les régions.
- Où la moyenne d'achat est-elle la plus élevée? La réponse pourrait indiquer aux gestionnaires où concentrer leurs ressources de marketing et de vente, ou les amener à différencier leurs messages selon les régions.

- Quelle est la forme de paiement la plus courante? On pourrait utiliser la réponse à cette question pour axer la publicité sur les moyens de paiement préférés.
- Y a-t-il plus d'achats à certains moments de la journée? Les gens passent-ils leur commande à partir de leur lieu de travail (probablement pendant la journée) ou de leur domicile (plutôt le soir)?
- Y a-t-il des différences régionales quant à la valeur moyenne des achats? Si une région est beaucoup plus lucrative, les gestionnaires pourraient y concentrer leurs ressources en marketing et en publicité.

On remarquera que ces questions impliquent souvent plusieurs dimensions: la région et la valeur moyenne des achats; le moment de la journée et la valeur moyenne des achats; le type de paiement et la valeur moyenne des achats; la région, le moyen de contact utilisé et l'achat. Par ailleurs, certaines de ces dimensions sont catégorielles (par exemple le type de paiement, la région et le moyen de contact). Si la liste des transactions était courte, on pourrait facilement y trouver des motifs répétitifs, mais c'est impossible dans une liste de plus de 500 transactions.

Heureusement, les tableaux croisés du tableur sont des outils très efficaces pour répondre à ce genre de questions à partir de larges ensembles de données. Un **tableau croisé** est un tableau qui présente deux dimensions ou plus dans un format facile à consulter. Les tableaux croisés d'Excel (Microsoft) facilitent l'analyse des listes et des bases de données en extrayant, organisant et compilant automatiquement les éléments de celles-ci.

Prenons par exemple la première question: «D'où viennent la plupart de nos clients?» On commencera par les régions en demandant «Combien de clients proviennent de chaque région?» Pour trouver la réponse dans Excel 2007, on crée un tableau croisé en sélectionnant la ligne de données, les champs qu'on veut analyser et un emplacement sur le rapport de tableau croisé, comme le montre la figure 12-6. Ce rapport indique que la plupart des clients viennent de la région Ouest.

La façon dont les clients entrent en contact avec l'entreprise fait-elle aussi une différence (en plus de la région qu'ils

FIGURE 12-5

UN ÉCHANTILLON DE LA LISTE DES TRANSACTIONS D'ONLINE MANAGEMENT TRAINING

Cette liste montre une partie d'une commande adressée à la société Online Management Training (OMT) le 28 octobre 2008.

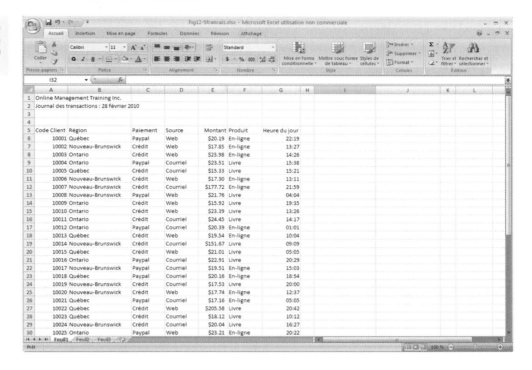

FIGURE 12-6

UN TABLEAU CROISÉ INDIQUANT LA RÉPARTITION DES CLIENTS PAR RÉGION

On a créé ce tableau croisé dans Excel 2007 pour obtenir rapidement la relation entre la région et le nombre de clients.

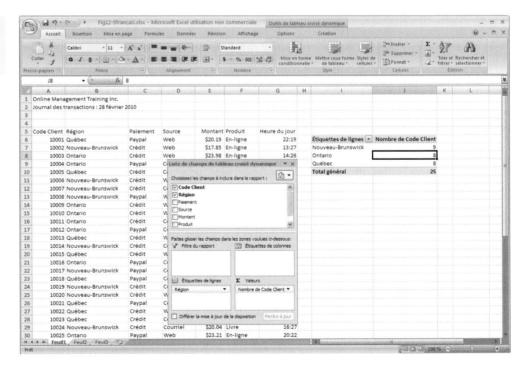

[FIGURE 12-7]

UN TABLEAU CROISÉ MONTRANT LA RÉPARTITION RÉGIONALE DES CLIENTS ET LA FAÇON DONT ILS SONT ENTRÉS EN CONTACT AVEC L'ENTREPRISE

Il apparaît dans ce tableau croisé que près de 30 % des clients ont répondu à une campagne de courriels, avec quelques variations selon les régions.

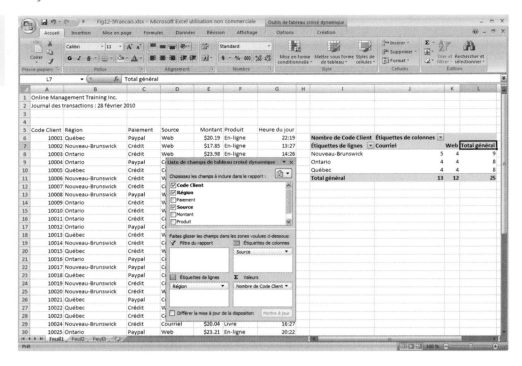

habitent) ? Il existe deux moyens de contact : les campagnes de courriels et les bandeaux publicitaires sur le Web. En quelques secondes, on obtient la réponse illustrée à la figure 12-7. Le tableau croisé montre que les bandeaux publicitaires attirent plus de clients, et cela dans toutes les régions.

La visualisation des données et les systèmes d'information géographique

On peut rendre les données provenant des systèmes d'information plus faciles à comprendre et à traiter pour les utilisateurs au moyen de graphiques, de diagrammes, de tableaux, de cartes, d'images numériques, de présentations en trois dimensions, d'animations et d'autres technologies de visualisation de données. En présentant les données de cette façon, les outils de **visualisation de données** aident les utilisateurs à déceler les motifs répétitifs et les relations dans de grandes quantités de données plus facilement que si elles étaient présentées sous la forme classique de listes. De plus, certains de ces outils sont interactifs, si bien que les utilisateurs peuvent voir graphiquement l'effet des changements qu'ils provoquent en manipulant les données.

Les **systèmes d'information géographique** forment une catégorie particulière de SAD : ils recourent à la technologie de la visualisation pour analyser les données servant à la planification et à la prise de décision et les représenter sous la forme de cartes géographiques numérisées. De tels logiciels peuvent assembler, stocker, manipuler et afficher des données comportant une référence géographique en les associant aux points, lignes ou régions d'une carte. Les systèmes d'information géographiques possèdent des capacités de modélisation qui permettent aux gestionnaires, lorsqu'ils changent des données, d'obtenir automatiquement une révision de leurs scénarios d'affaires, de façon à trouver de meilleures solutions.

Les systèmes d'aide à la décision pour le client basés sur le Web

L'expansion du commerce électronique a incité de nombreuses entreprises à concevoir, à l'intention des consommateurs, des SAD qui utilisent les ressources en information disponibles sur le Web et qui tirent parti des possibilités d'interactivité et de personnalisation, cela dans le but d'aider leurs clients à sélectionner les produits et les services. Les clients prennent en effet de plus en plus de renseignements (de diverses sources) sur les articles ou services qu'ils veulent acheter, et ce, avant même d'aller voir le produit ou de s'adresser au personnel des ventes. Par exemple, presque tous les constructeurs automobiles utilisent des systèmes d'aide à la décision qui permettent aux visiteurs de leurs sites Web de configurer la voiture qu'ils désirent. Qu'il s'agisse de clients actuels ou potentiels de l'entreprise, les **systèmes d'aide à la décision pour le client** (SADC) les assistent dans leur processus de prise de décision.

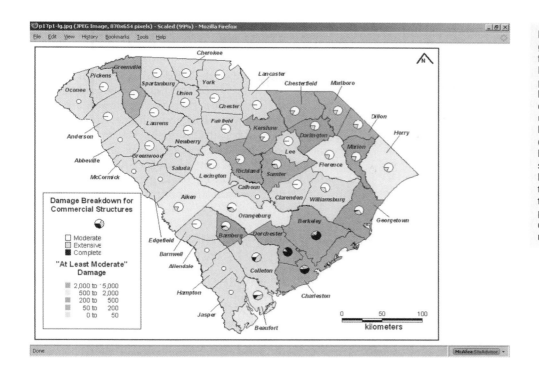

La Caroline du Sud a utilisé un programme basé sur un système d'information géographique baptisé HAZUS pour évaluer et cartographier les pertes et les dommages locaux résultant d'un tremblement de terre d'une intensité donnée à un endroit donné. HAZUS estime le degré et l'extension géographique des dommages dus au tremblement de terre dans tout l'État sur la base de données portant sur le type de bâtiments, leur utilisation et les matériaux de construction. L'État se sert du programme pour établir des plans permettant de réagir aux catastrophes naturelles et d'en atténuer les effets.

Les personnes intéressées par l'achat d'un produit ou d'un service peuvent utiliser des moteurs de recherche, des agents intelligents, des catalogues en ligne, des répertoires Web, des groupes de discussion, le courriel et toutes sortes d'autres outils pour repérer l'information dont elles ont besoin afin de prendre une décision. Des entreprises ont mis sur pied des sites Web spécialement destinés aux clients, où ils peuvent trouver en un seul lieu toutes les informations, les modèles et outils d'analyse leur permettant d'évaluer les diverses possibilités.

Les systèmes d'aide à la décision basés sur le Web sont devenus particulièrement populaires dans les services financiers, parce que de plus en plus de gens essaient de gérer eux-mêmes leurs biens et leur épargne-retraite. Par exemple, le site RiskGrades.com (du RiskMetrics Group) permet aux utilisateurs d'entrer toutes leurs actions, obligations et portefeuilles de fonds mutuels pour déterminer de combien leurs investissements pourraient décliner dans différentes situations. Ils peuvent ainsi voir comment l'addition ou la soustraction d'un investissement particulier pourrait toucher la volatilité de l'ensemble de leur portefeuille ainsi que les risques afférents.

Les systèmes d'aide à la décision de groupe (SADG)

Les SAD que nous venons de décrire conviennent principalement à la prise de décision individuelle. Mais il se fait tellement de travail en groupe dans les entreprises qu'une catégorie particulière de systèmes, appelée systèmes d'aide à la décision de groupe (SADG), a été mise au point pour aider les groupes à prendre des décisions collectivement.

Un SADG est un système informatisé interactif visant à simplifier la résolution de problèmes non structurés par un groupe de décideurs qui travaillent en équipe dans un même bureau ou à distance. Les **collecticiels** et les outils basés sur le Web qui permettent d'organiser des vidéoconférences et des réunions électroniques, que nous avons décrits précédemment dans ce texte, peuvent contribuer à certains processus de prise de décision en groupe, mais ils visent principalement à faciliter les communications, alors que les SADG fournissent des outils et des technologies spécialement conçus pour la prise de décision en groupe.

Les réunions guidées par SADG se tiennent dans des salles de conférence équipées de matériel et d'outils logiciels destinés à faciliter la prise de décision collective. Le matériel comprend un ordinateur et des équipements de réseautage, des rétroprojecteurs et des écrans. Un logiciel d'aide à la décision de groupe spécial réunit, documente, classe, révise et enregistre les idées émises au cours d'une réunion. Les SADG les plus élaborés incluent la participation d'un animateur et de personnel de soutien. L'animateur choisit les outils logiciels, puis aide à organiser la réunion et à la diriger.

Les SADG les plus sophistiqués fournissent à chaque participant un ordinateur de bureau spécialisé qu'il utilise à sa guise. Personne ne peut voir ce que font les autres sur leur ordinateur avant qu'ils soient prêts à en faire part au groupe. Les contributions sont transmises par un réseau à un ordinateur central qui emmagasine l'information générée par la réunion et la rend disponible à toutes les personnes reliées au réseau. On peut aussi projeter les données sur un grand écran dans la salle de réunion.

Le SADG permet d'augmenter la taille du groupe tout en accroissant la productivité, parce que les participants contribuent simultanément à la réunion au lieu de parler tour à tour. Il crée une atmosphère de collaboration en garantissant l'anonymat des contributions; aussi, les participants s'attachent à évaluer les idées pour elles-mêmes, sans craindre d'être attaqués personnellement ou de voir leurs idées rejetées pour des raisons personnelles. Les outils logiciels du SADG sont structurés pour organiser et évaluer les idées, ainsi que pour préserver les résultats des réunions, ce qui permet aux personnes qui n'ont pas participé à la réunion de trouver facilement l'information dont elles ont besoin par la suite. L'efficacité du SADG dépend de la nature du problème et du groupe, ainsi que de la façon dont la réunion est préparée et dirigée.

12.3 LES SYSTÈMES D'INFORMATION POUR DIRIGEANTS (SID) ET LA MÉTHODE DU TABLEAU DE BORD ÉQUILIBRÉ

Le but des *systèmes d'information pour dirigeants*, qui sont présentés au chapitre 2, est d'aider les dirigeants d'entreprise à se concentrer sur les indicateurs de performance vraiment importants parce qu'ils ont un effet sur la rentabilité globale et le succès de l'entreprise. La mise au point d'un SID comporte deux étapes. D'abord, il faut une méthodologie permettant de comprendre exactement quelles sont les informations réellement importantes pour évaluer la performance d'une entreprise donnée. Ensuite, il faut mettre au point des systèmes capables de livrer ces informations en temps opportun aux bonnes personnes.

Actuellement, la méthodologie la plus répandue pour déterminer les informations dont une entreprise a réellement besoin s'appelle la **méthode du tableau de bord équilibré** (Kaplan et Norton, 2004 et 1992). Il s'agit d'un cadre de travail permettant de rendre le plan stratégique d'une entreprise opérationnel en se concentrant sur les résultats mesurables selon quatre axes ou dimensions: les finances, les processus d'affaires, le client, puis l'apprentissage et la croissance (figure 12-8). On comprend et on mesure la performance selon chacune de ces dimensions en s'appuyant sur des **indicateurs clés de performance**, qui sont des mesures proposées par la haute direction. Par exemple, un indicateur clé de la manière dont une entreprise de vente au détail atteint ses objectifs dans la dimension « client » est le temps nécessaire en moyenne pour livrer un colis. Si l'entreprise est une banque, ce sera le temps nécessaire pour exécuter une fonction élémentaire, comme l'ouverture d'un nouveau compte.

Le tableau de bord équilibré est dit « équilibré » parce qu'il oblige les dirigeants à s'intéresser à plus que les seuls résultats financiers. Selon cette perspective, les résultats financiers sont considérés comme de l'histoire ancienne – le résultat d'actions passées – et les dirigeants devraient plutôt se concentrer sur les points qu'ils peuvent améliorer aujourd'hui, comme l'efficacité des processus d'affaires, la satisfaction des clients et la formation des employés.

Une fois le tableau de bord mis au point par les consultants et la haute direction, l'étape suivante consiste à automatiser l'envoi d'un flux d'information aux dirigeants et autres gestionnaires pour chaque indicateur clé de performance. Il y a littéralement des centaines d'entreprises de consultants et de logiciels susceptibles d'offrir ces fonctionnalités, qui sont décrites ci-dessous. Une fois le système implanté, on en parle généralement comme d'un « système d'information pour dirigeants ».

Le rôle des systèmes d'information pour dirigeants dans l'entreprise

L'utilisation des SID s'est étendue à plusieurs échelons inférieurs dans la hiérarchie, de façon que les dirigeants et leurs subordonnés aient accès aux mêmes données présentées sous la même forme. Les systèmes actuels tentent d'éviter le problème de surcharge des données en les filtrant et en les affichant graphiquement ou sous la forme de tableaux de bord. Les SID offrent un **accès en mode forage**, qui permet à l'utilisateur de passer d'un élément d'information de portée générale à des éléments sous-jacents de plus en plus détaillés. Cette fonction est très utile non seulement pour les cadres supérieurs, mais aussi pour les employés des paliers inférieurs qui ont besoin d'analyser des données. Les outils OLAP conçus pour l'analyse de grandes bases de données offrent cette fonction.

Le principal enjeu des concepteurs de systèmes d'information pour dirigeants a été de combiner des données provenant de systèmes conçus pour répondre à des besoins très différents, de manière à ce que les cadres supérieurs aient une vue d'ensemble de la performance de l'organisation. La plupart des SID reposent maintenant sur les données fournies par les applications d'entreprise existantes (planification des ressources, gestion de la chaîne d'approvisionnement et gestion de la relation client) plutôt que sur des flux et des systèmes d'information totalement nouveaux.

Bien que la méthode du tableau de bord équilibré soit centrée sur les mesures de performance internes, les dirigeants ont aussi besoin de toute une gamme de données externes, depuis les nouvelles du marché des valeurs boursières jusqu'aux informations sur leurs concurrents en passant par les tendances de leur secteur économique et même les mesures législatives envisagées. Grâce au SID, de nombreux dirigeants ont accès à des services de nouvelles, aux bases de données du marché des capitaux, à des informations économiques et à toutes les autres informations publiques dont ils ont besoin.

De nos jours, les SID comportent des outils de modélisation et d'analyse. Même s'ils n'ont qu'un minimum d'expérience à cet égard, la plupart des cadres supérieurs sont capables de les utiliser pour créer des graphiques

FIGURE 12-8 LA MÉTHODE DU TABLEAU DE BORD ÉQUILIBRÉ

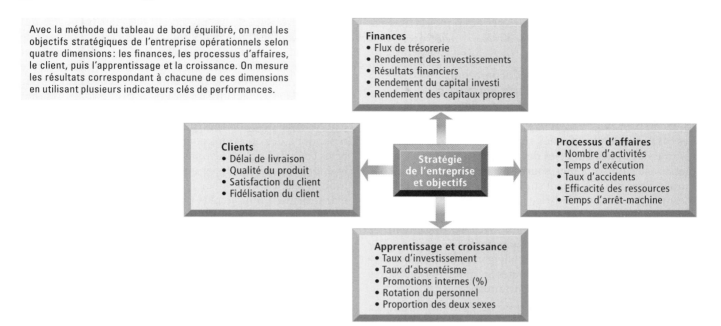

Avec la méthode du tableau de bord équilibré, on rend les objectifs stratégiques de l'entreprise opérationnels selon quatre dimensions: les finances, les processus d'affaires, le client, puis l'apprentissage et la croissance. On mesure les résultats correspondant à chacune de ces dimensions en utilisant plusieurs indicateurs clés de performances.

Finances
- Flux de trésorerie
- Rendement des investissements
- Résultats financiers
- Rendement du capital investi
- Rendement des capitaux propres

Clients
- Délai de livraison
- Qualité du produit
- Satisfaction du client
- Fidélisation du client

Stratégie de l'entreprise et objectifs

Processus d'affaires
- Nombre d'activités
- Temps d'exécution
- Taux d'accidents
- Efficacité des ressources
- Temps d'arrêt-machine

Apprentissage et croissance
- Taux d'investissement
- Taux d'absentéisme
- Promotions internes (%)
- Rotation du personnel
- Proportion des deux sexes

comparant des données dans le temps ou selon la région, le produit, la gamme de prix, et ainsi de suite. (Alors qu'avec les SAD on utilise essentiellement ces outils pour modéliser et analyser une gamme relativement restreinte de problèmes, les SID servent surtout à fournir de l'information sur l'évolution de la performance de l'organisation.)

La valeur des SID pour les entreprises

Une grande partie de l'intérêt des SID vient de leur flexibilité et de leur capacité d'analyser, de comparer et de mettre en relief des tendances. Les graphiques permettent aux utilisateurs de visualiser plus de données plus vite et plus clairement et de mieux les comprendre. Les dirigeants utilisent le SID pour surveiller les indicateurs clés de performance de toute l'entreprise et pour mesurer la performance de celle-ci en fonction des changements qui se produisent dans l'environnement externe. Le fait que les données sont toujours d'actualité et disponibles permet de discerner les mesures à prendre et de les mettre en œuvre bien plus vite qu'avant. Il est ainsi possible de résoudre les problèmes avant qu'ils n'aient causé trop de dommages et de saisir plus rapidement les occasions favorables. Ces systèmes aident par conséquent les entreprises à évoluer vers un type de stratégie consistant à voir venir les changements pour y réagir à temps.

Des SID bien conçus peuvent améliorer de façon spectaculaire l'efficacité des gestionnaires et étendre la sphère de contrôle de la haute direction. L'accès immédiat à un si grand nombre de données permet aux dirigeants de mieux surveiller les activités de leurs subordonnés. Cette capacité

de surveiller les décisions prises permet de les décentraliser et de les déléguer à un palier hiérarchique inférieur, ce que les dirigeants sont souvent prêts à faire, pour autant qu'ils puissent s'assurer que tout fonctionne adéquatement. À l'inverse, l'utilisation de SID basés sur des données provenant de l'entreprise tout entière peut accroître la centralisation de la gestion en donnant aux cadres supérieurs la possibilité de surveiller le rendement de tous leurs subordonnés et de prendre les mesures appropriées lorsque la situation évolue.

Pour illustrer les différentes manières dont les SID peuvent améliorer la prise de décision des gestionnaires, nous allons maintenant examiner les principaux types d'applications SID permettant de réunir les informations à la base de l'« intelligence d'affaires » et de surveiller la performance de l'entreprise.

National Life : un SID pour l'intelligence d'affaires

La société National Life, dont le siège social se trouve à Toronto, au Canada, vend des assurances vie, des assurances maladie et des produits d'épargne et de placement à des particuliers et à des groupes. Elle compte plus de 370 employés à Toronto et dans ses bureaux régionaux et utilise un système d'information pour dirigeants basé sur le système WebFOCUS d'Information Builders, qui permet aux cadres supérieurs d'accéder aux bases de données de l'entreprise par l'entremise d'une interface Web. Le système fournit des rapports statistiques à l'intérieur desquels ont peut accéder en mode forage aux plus récentes informations sur les ventes, qui sont organisées pour indiquer le montant des primes pour chaque vendeur. Les utilisateurs autorisés peuvent encore forer dans ces données pour voir le produit, l'agent et le client correspondant à chaque vente. Ils peuvent afficher ces données de nombreuses façons – par région, par produit et par courtier – et pour différentes périodes : mois, trimestre ou année (Information Builders, 2005).

Rohm and Haas et Pharmacia Corporation : surveiller les performances d'une entreprise au moyen de tableaux de bord numériques et du tableau de bord équilibré

Les SID sont de plus en plus souvent configurés de façon à résumer les indicateurs clés de performance pour les transmettre à la haute direction sous la forme de tableaux de bord numériques, qui présentent sur un seul écran l'ensemble des mesures cruciales pour diriger une entreprise, de la même façon que le tableau de bord d'une automobile ou le poste de pilotage d'un avion. Ces tableaux de bord présentent les indicateurs clés de performance sous forme de graphes et de tableaux accessibles à l'aide d'un navigateur Web, ce qui permet de voir sur une seule page toutes les mesures nécessaires pour prendre des décisions importantes.

Rohm and Haas, une entreprise de produits chimiques et de matériaux spéciaux dont le siège social se trouve à Philadelphie, possède 13 divisions qui fonctionnent toutes indépendamment, utilisant plus de 300 systèmes d'information disparates. Pour obtenir une vue d'ensemble de la performance de l'entreprise, elle a implanté sur le Web, à l'aide d'outils SAP, une série de tableaux de bord qui chapeautent un système d'entreprise et un entrepôt de données d'entreprise.

Pour avoir une vision d'ensemble de ses affaires, la direction a déterminé une série d'indicateurs clés de performance et les a fait afficher sur les tableaux de bord. On peut aussi distinguer les composantes d'un indicateur. Par exemple, un indicateur de marge brute peut se détailler en chiffres des ventes et en coût des marchandises vendues, celui-ci pouvant encore se décomposer en coûts de matières premières et en coûts de fabrication. Et si le gestionnaire se pose des questions sur le coût des matières premières, il peut obtenir encore plus de détails en accédant au prix de chacune d'entre elles.

Les tableaux de bord sont adaptés à plusieurs strates de la gestion. Les tableaux de bord pour dirigeants, destinés au président-directeur général, au directeur financier et aux autres cadres supérieurs, présentent des états financiers qui comprennent les principaux indicateurs clés. Le tableau de bord Pulse vise un ensemble d'utilisateurs plus étendu et n'affiche que trois indicateurs : les ventes, la marge brute normalisée et le volume des ventes. La boîte à outils pour Rapports et analyses offre un ensemble d'outils d'analyse qui permettent aux dirigeants et aux analystes des entreprises d'accéder à des données particulières nécessaires pour répondre à des questions comme : « Pourquoi les matériaux bruts coûtent-ils plus cher que prévu ? » L'Accélérateur d'analyse, qui permet d'accéder aux informations sur les clients individuels, est centré sur les analyses des ventes et de la marge brute. Enfin, le plus populaire des tableaux de bord est celui qui affiche quotidiennement l'état des ventes par rapport au plan.

Rohm and Haas affirme que les tableaux de bord ont rendu les décisions de gestion plus proactives. Les dirigeants sont maintenant capables de voir venir les problèmes avant qu'ils n'éclatent et de prendre les mesures qui s'imposent. Par exemple, même si le coût des matériaux bruts à base de produits pétrochimiques a augmenté au cours des dernières années, l'entreprise a pu maintenir une rentabilité appréciable en procédant à des changements de prix et en modifiant ses techniques de vente (Maxcer, 2007).

Pharmacia Corporation, une société pharmaceutique mondiale installée à Peapack, au New Jersey, utilise le tableau de bord équilibré d'Oracle et un entrepôt de données pour que l'organisation fonctionne de façon coordonnée. Pharmacia dépense annuellement près de deux milliards de dollars en recherche et développement et elle veut faire un usage plus efficace des fonds qu'elle alloue à la recherche. Le tableau de bord équilibré indique, par exemple, les performances des opérations cliniques de Pharmacia aux États-Unis et en Europe par rapport aux objectifs et à d'autres secteurs de l'entreprise. Pharmacia utilise ce système pour surveiller le taux d'échec des nouveaux composés, le nombre de brevets en cours d'évaluation clinique et la façon dont les fonds alloués à la recherche sont dépensés (Oracle, 2003).

Projets concrets en **SIG**

Décisions de gestion

1. Avec 1970 établissements aux États-Unis et dans près de 20 autres pays, Applebee est la plus importante chaîne de restauration rapide du monde. Son menu comprend des plats de bœuf, de poulet et de porc, des hamburgers, des pâtes et des fruits de mer. Son président-directeur général veut augmenter la rentabilité de son entreprise au moyen de menus plus raffinés, contenant plus de plats qui correspondent aux désirs des clients et pour lesquels ils seraient prêts à payer en dépit de l'augmentation des coûts de l'essence et des produits agricoles. Comment des systèmes d'information pourraient-ils aider la direction d'Applebee à implanter cette stratégie ? De quelles données l'entreprise aurait-elle besoin ? Quels genres de rapports pourraient aider la direction à prendre des décisions sur la façon d'améliorer les menus et la rentabilité ?

2. Au cours des années 1990, la société Canadien Pacifique a utilisé un modèle d'exploitation basé sur le tonnage, dans lequel les trains de marchandises ne roulaient que lorsque le trafic était suffisant pour justifier la dépense. L'objectif principal était de réduire au minimum le nombre total de trains de marchandises en service et d'en maximiser la longueur. Mais ce modèle ne se traduisait pas toujours par une utilisation efficace des équipes de travail, des locomotives et de l'équipement, et il rendait les temps de transit et les délais de livraison imprévisibles. Canadien Pacifique et les autres transporteurs ferroviaires perdaient ainsi des clients au profit de l'industrie du camionnage, qui offrait des horaires flexibles permettant de programmer les livraisons au moment qui arrangeait le client. Comment un SAD pourrait-il aider la société Canadien Pacifique et les autres transporteurs ferroviaires à concurrencer plus efficacement l'industrie du camionnage ?

Améliorer le processus décisionnel

Utiliser un SAD basé sur le Web pour planifier sa retraite

Compétences en logiciels : savoir utiliser un logiciel basé sur Internet
Compétences en affaires : savoir faire de la planification financière

Ce projet vous aidera à améliorer vos compétences en matière d'utilisation d'un SAD de planification financière basé sur Internet.

Les sites Web CNN Money et MSN Money Magazine proposent des SAD pour la planification financière et la prise de décision. Choisissez un des deux sites pour préparer votre retraite. Utilisez ce site pour déterminer combien vous devez épargner pour vous assurer un revenu suffisant lorsque vous serez à la retraite. Supposez que vous avez 50 ans et que vous envisagez de prendre votre retraite dans 16 ans. Vous avez une personne à charge et 100 000 $ d'économies. Votre revenu annuel actuel est de 85 000 $. Votre objectif est de pouvoir générer un revenu de retraite de 60 000 $.

- Utilisez le site Web que vous avez choisi pour déterminer combien d'argent vous devez économiser pour atteindre votre objectif.
- Faites une critique du site : facilité d'utilisation, clarté, valeur des conclusions. Dans quelle mesure aide-t-il les investisseurs à comprendre leurs besoins financiers et les marchés financiers ?

1. **Quels sont les différents types de décisions et comment le processus de prise de décision fonctionne-t-il?**

Dans une organisation, les gestionnaires de différents échelons hiérarchiques (cadres supérieurs, intermédiaires ou opérationnels) ont des exigences particulières en matière de prise de décision. Les décisions peuvent en effet être structurées, semi-structurées ou non structurées, les décisions structurées se prenant en général au palier opérationnel et les décisions non structurées, à caractère stratégique, à l'échelon de la haute direction. La prise de décision peut relever des employés, des cadres opérationnels, des cadres intermédiaires ou des cadres supérieurs, individuellement ou en groupe. Le processus décisionnel comprend quatre étapes: l'intelligence, la conception, le choix et l'implantation. Les systèmes d'aide à la décision ne permettent pas toujours aux cadres et aux employés de prendre de meilleures décisions, qui améliorent réellement la performance de l'entreprise, en raison des problèmes liés à la qualité de l'information, aux filtres de gestion et à l'inertie organisationnelle.

2. **Comment les systèmes d'information aident-ils les gestionnaires dans leurs activités et dans la prise de décision?**

Les modèles classiques de gestion insistaient sur les fonctions de planification, d'organisation, de coordination et de contrôle. Mais les chercheurs qui observent le comportement des dirigeants se sont aperçus que leurs activités réelles étaient extrêmement fragmentées, variées et de courte durée, et qu'ils évitaient de prendre des décisions importantes impliquant de profonds remaniements.

La technologie de l'information procure aux dirigeants de nouveaux outils pour mieux s'acquitter à la fois de leurs tâches traditionnelles et de leurs nouveaux rôles, en leur permettant d'assurer la surveillance, la planification et les prévisions avec plus de précision et plus rapidement que jamais et de réagir plus vite aux changements de leur environnement. La principale utilité des systèmes d'information a été d'aider les gestionnaires à diffuser l'information, à assurer la liaison entre les différents paliers hiérarchiques et à affecter les ressources. Cependant, ils ont moins de succès pour ce qui est de l'aide à la prise de décisions non structurées; et même quand ils sont utiles, il arrive que la prise de décision soit faussée par la mauvaise qualité de l'information, les filtres de gestion et la culture organisationnelle.

3. **En quoi les systèmes d'aide à la décision (SAD) diffèrent-ils des systèmes d'information de gestion (SIG) et quel est leur intérêt pour les entreprises?**

Les systèmes d'information de gestion (SIG) fournissent aux gestionnaires l'information sur la performance de l'entreprise dont ils ont besoin pour surveiller et gérer les activités. Cette information se présente généralement sous la forme de rapports fixes, émis sur une base régulière selon un calendrier prédéterminé et reposant sur des résumés de données extraites des systèmes de traitement des transactions de l'entreprise. Ils aident essentiellement à prendre des décisions structurées, ainsi que certaines décisions semi-structurées.

Les systèmes d'aide à la décision (SAD) combinent des données, des modèles et des outils d'analyse de pointe, ainsi qu'un logiciel convivial en un seul système puissant, capable de prendre en charge la prise de décisions semi-structurées et non structurées. Les composantes d'un SAD sont sa base de données, un logiciel de SAD et une interface utilisateur. Il existe deux types de SAD, ceux qui sont guidés par un modèle et ceux qui le sont par les données. Les SAD peuvent aider les gestionnaires à prendre des décisions sur l'établissement des prix aussi bien que sur la gestion de la chaîne logistique et de la relation client. Ils peuvent également servir à la modélisation de scénarios d'affaires concurrents. Des SAD destinés aux clients aussi bien qu'aux gestionnaires sont offerts sur le Web. Une catégorie spéciale de SAD, appelée « systèmes d'information géographique », utilise la technologie de visualisation des données pour analyser et afficher des informations au moyen de cartes numériques.

4. **Comment les systèmes d'information pour dirigeants (SID) aident-ils la haute direction à prendre de meilleures décisions?**

Les systèmes d'information pour dirigeants (SID) aident les cadres supérieurs à résoudre les problèmes non structurés d'ordre stratégique en fournissant des données provenant de sources tant internes qu'externes. Ils aident les cadres supérieurs à surveiller la performance de l'entreprise, à déceler les problèmes, à découvrir des occasions d'affaires et à prévoir les tendances. Ces systèmes peuvent filtrer les détails superflus pour fournir des vues d'ensemble, mais ils permettent aussi aux cadres supérieurs d'accéder, en mode forage, à des données détaillées si le besoin s'en fait sentir. Actuellement, la méthodologie de pointe pour déterminer les informations dont ont réellement besoin les cadres supérieurs d'une entreprise s'appelle la méthode du tableau de bord équilibré.

Les SID aident la haute direction à analyser, à comparer et à mettre en relief les tendances de façon que les gestionnaires puissent plus facilement surveiller la performance de l'organisation, ou repérer les problèmes et les occasions stratégiques. Ils sont très utiles pour l'analyse de l'environnement, car ils fournissent l'intelligence d'affaires nécessaire aux gestionnaires de l'entreprise pour détecter les menaces ou les occasions stratégiques provenant de son environnement. Les SID peuvent accroître la portée de la surveillance qu'exercent les cadres supérieurs en leur permettant de superviser le travail de plus de personnes avec moins de ressources.

5. **Comment les systèmes d'information peuvent-ils contribuer à l'efficacité des groupes de travail dans la prise de décision ?**

Les systèmes d'aide à la décision de groupe (SADG) aident les gens qui travaillent en groupe à parvenir plus efficacement à une décision. Un SADG se compose d'une salle de conférence spécialement équipée pour que les participants puissent communiquer leurs idées au moyen d'un réseau d'ordinateurs et d'outils logiciels qui aident à organiser ces idées, à réunir l'information nécessaire et à fixer des priorités tout en enregistrant la séance.

MOTS CLÉS

QUESTIONS DE RÉVISION

1. **Quels sont les différents types de décisions et comment le processus de prise de décision fonctionne-t-il ?**
   - Énumérez et décrivez les différents paliers de décision et les catégories d'employés qui sont chargées de les prendre dans une organisation. Expliquez en quoi les besoins de ces groupes peuvent être différents.
   - Quelle est la différence entre une décision non structurée, une décision semi-structurée et une décision structurée ?
   - Énumérez et décrivez les étapes de la prise de décision.

2. **Comment les systèmes d'information aident-ils les gestionnaires dans leurs activités et dans la prise de décision ?**
   - Comparez la description du comportement des gestionnaires selon le modèle classique et selon les modèles comportementaux.
   - Précisez dans quelles fonctions précises les systèmes d'information peuvent aider un gestionnaire.

3. **En quoi les systèmes d'aide à la décision (SAD) diffèrent-ils des systèmes d'information de gestion (SIG) et quel est leur intérêt pour les entreprises ?**
   - Quelle est la différence entre un SAD et un SIG ?
   - Comparez un SAD guidé par les données et un SAD guidé par un modèle. Donnez des exemples.
   - Énumérez et décrivez les trois composantes de base d'un SAD.

   - Définissez les systèmes d'information géographique et expliquez comment ils peuvent aider à la prise de décision.
   - Définissez un système d'aide à la décision pour le client et expliquez comment on peut utiliser Internet à cette fin.

4. **Comment les systèmes d'information pour dirigeants (SID) aident-ils la haute direction à prendre de meilleures décisions ?**
   - Définissez et décrivez les capacités d'un SID.
   - Expliquez comment le tableau de bord équilibré aide les dirigeants à déterminer les principaux besoins en matière d'information.
   - Expliquez comment les SID aident les dirigeants à prendre de meilleures décisions et génèrent de la valeur pour l'entreprise.

5. **Comment les systèmes d'information peuvent-ils contribuer à l'efficacité des groupes de travail dans la prise de décision ?**
   - Définissez les systèmes d'aide à la décision de groupe (SADG) et expliquez en quoi ils diffèrent des SAD.
   - Expliquez comment fonctionne un SADG et en quoi il génère de la valeur pour l'entreprise.

SUJETS DE DISCUSSION

I. En tant que gestionnaire ou utilisateur de systèmes d'information, que devriez-vous savoir pour participer à la conception et à l'utilisation d'un SAD ou d'un SID ? Pourquoi ?

2. Si les entreprises utilisaient plus largement les SAD, les SADG et les SID, les dirigeants et les employés prendraient-ils de meilleures décisions ? Oui ou non ? Pourquoi ?

TRAVAIL D'ÉQUIPE : CONCEVOIR UN SADG D'UNIVERSITÉ

Avec trois ou quatre de vos collègues, trouvez plusieurs groupes qui, dans votre université, pourraient avoir avantage à utiliser un SADG. Concevez-en un pour un de ces groupes en décrivant le matériel, le logiciel et les ressources humaines nécessaires. Dans la mesure du possible, utilisez Google Sites pour afficher des liens vers des pages Web, pour communiquer entre membres de l'équipe et vous répartir les tâches, pour confronter vos idées et pour travailler ensemble sur les documents du projet. Essayez d'utiliser Google Documents pour mettre au point une présentation de vos résultats destinée à la classe.

ÉTUDE DE CAS

Les décisions de HSBC sur les prêts et la crise des créances hypothécaires à risque : qu'est-ce qui a mal tourné ?

La semaine qui s'est terminée le 19 septembre 2008 a été la plus sombre pour Wall Street depuis le krach boursier d'octobre 1929. De très grosses banques d'investissement, comme Lehman Brothers et Merrill Lynch – qui avaient survécu à la Grande Dépression, au krach de 1987 et au traumatisme du 11 septembre 2001 –, ont basculé. Les marchés financiers du monde entier ont été près de s'effondrer. Cela a été la plus grave crise financière depuis la Grande Dépression.

Au cœur de cette crise financière se trouvaient des prêts hypothécaires douteux. Un des principaux acteurs de la crise a été HSBC Holdings, la troisième banque mondiale pour ce qui est de sa valeur sur le marché. HSBC, dont le siège social se trouve à Londres, est présente dans 86 pays et territoires. Depuis 2006, elle est devenue l'un des plus gros prêteurs hypothécaires à haut risque des États-Unis.

Les prêts hypothécaires à haut risque sont destinés aux emprunteurs peu fortunés qui présentent le plus de risques de non-remboursement, mais ce sont aussi, dans certains cas, d'excellentes occasions d'affaires pour le prêteur. Les clients à haut risque ont souvent des antécédents de crédit douteux, de faibles revenus et d'autres caractéristiques qui permettent de penser qu'ils risquent de ne pas rembourser leur prêt. En général, les prêteurs évitent de faire affaire avec ce genre de clients, mais dans un contexte de forte croissance du prix des logements, la lutte pour trouver des clients peut les pousser à assouplir leurs règles. On accorde alors beaucoup plus de prêts hypothécaires à haut risque, y compris à des personnes qui ne peuvent verser d'acompte à l'achat, et à des taux de départ très faibles, comme cela s'est passé entre 2001 et 2006 aux États-Unis.

En 2007, 12 % du marché total des prêts hypothécaires aux États-Unis (un marché de 8,4 billions de dollars U.S.) étaient formés de prêts à haut risque, contre à peine plus de 7,5 % vers la fin de 2001. Au début de février 2007, HSBC a révélé que cette technique de prêt risquée était devenue un problème de premier plan.

Comme le marché de l'immobilier a ralenti aux États-Unis en 2006, la croissance de la valeur des maisons a, elle aussi, ralenti. Avec une augmentation concomitante des taux d'intérêt, beaucoup de débiteurs de prêts à taux variables se sont trouvés dans l'incapacité de faire face à leurs remboursements. HSBC avait bien prévu une augmentation du nombre de cas d'insolvabilité et de comptes en souffrance, mais pas à un tel point.

Les prêteurs hypothécaires des États-Unis sont engagés dans des transactions très complexes qui vont au-delà de la simple relation prêteur-emprunteur. Une banque ou un courtier qui émet un prêt hypothécaire peut ne pas le garder : des grossistes en prêts hypothécaires les achètent souvent pour les revendre aussitôt à de grosses institutions financières. Le risque d'insolvabilité est alors transféré à celui qui se trouve être le dernier à posséder le compte. HSBC participait au marché hypothécaire de plusieurs façons. Une division de HSBC Mortgage Services émettait des prêts hypothécaires, souvent à haut risque,

HSBC en transférait certains à d'autres banques et gardait les autres à titre d'investissements. Ceux-ci continuaient à procurer des revenus à HSBC par l'intérêt qu'ils rapportaient, à condition que les emprunteurs fassent leurs paiements à temps. S'ils étaient en retard ou ne payaient pas, HSBC assumait les pertes.

Dans sa quête de revenus élevés, HSBC a aussi commencé à racheter des prêts à haut risque d'autres sources. En 2005 et 2006, dans les derniers temps du boom immobilier, la banque a acheté des milliards de dollars de prêts à haut risque auprès d'un grand nombre de grossistes (250), qui les avaient acquis auprès de courtiers indépendants et de banques. HSBC trouvait les taux d'intérêt de ces prêts très séduisants. Beaucoup d'entre eux étaient des prêts « gigognes » assortis d'hypothèques de second rang, c'est-à-dire des prêts permettant à l'emprunteur, s'il n'est pas en mesure de réunir le montant de l'acompte exigé à l'achat de sa maison, de se qualifier pour le prêt hypothécaire en empruntant ce montant, autrement dit d'emprunter la totalité du prix de sa maison.

HSBC affirmait avoir mis au point un processus permettant de prévoir combien des prêts qu'elle avait achetés aux grossistes risquaient de ne pas être remboursés. D'abord, la banque dirait au grossiste à quel type de prêts elle s'intéressait, d'après le revenu et le dossier de crédit des emprunteurs. Puis, après que le grossiste lui aurait proposé un lot de prêts hypothécaires, ses analystes l'évalueraient pour déterminer s'il correspondait à ses normes.

Mais peut-être à cause de l'intensité de la concurrence sur les prêts hypothécaires, HSBC a accepté des lots qui incluaient des prêts basés sur le revenu déclaré, c'est-à-dire pour lesquels l'emprunteur n'avait eu qu'à déclarer son revenu, sans fournir aucun document pour vérification. Selon Martin Eakes, président-directeur général du Center for Responsible Lending, 90 % des candidats à ces prêts déclarent des revenus plus élevés que ceux qui figuraient dans les dossiers de l'administration des impôts ; 60 % augmentent leurs revenus de 50 % ou plus et beaucoup exagèrent aussi l'importance de leur poste pour

qu'il corresponde au revenu déclaré. Ils peuvent ainsi obtenir un prêt d'un montant beaucoup plus élevé que ce qu'ils peuvent s'offrir en réalité.

De septembre 2005 à mars 2006, HSBC a acheté pour près de 4 milliards de dollars de prêts hypothécaires de second rang, portant le total de ses prêts de second rang à 10,24 milliards. Un peu plus tôt, en 2005, Bobby Mehta, le principal dirigeant de HSBC aux États-Unis, a décrit le développement du portefeuille hypothécaire de la banque comme étant discipliné. « Nous avons accordé [ces prêts] avec prudence, sur la base de nos analyses et de notre capacité à obtenir un bon rendement en échange des risques que nous prenons », déclarait-il aux investisseurs.

Le 7 février 2007, HSBC créait tout un émoi à Wall Street en annonçant qu'un pourcentage beaucoup plus élevé que prévu de ses prêts à risque étaient en souffrance. La banque devait constituer une provision de 10,6 milliards de dollars pour mauvaises créances pour faire face à la situation. Au troisième trimestre de 2006, le pourcentage de prêts de HSBC Mortgage Services qui étaient en souffrance depuis 60 jours ou plus est passé de 2,95 à 3,74 %, et la banque a annoncé qu'elle s'attendait à une augmentation similaire au quatrième trimestre. En bref, le marché des prêts hypothécaires à risque était en train de s'effondrer et les profits qu'ils avaient générés, de disparaître.

HSBC a commencé à faire des prêts aux consommateurs des États-Unis en 2003, quand la banque a acheté Household International, un prêteur hypothécaire à haut risque installé à Prospect Heights, en Illinois. Le président-directeur général d'Household, William Aldinger, ventait la capacité de son entreprise d'évaluer les risques liés au crédit grâce à des techniques de modélisation conçues par 150 docteurs d'université. Le système, appelé Worldwide Household International Revolving Lending System, ou Whirl, aidait Household à assurer les dettes des cartes de crédit et à faire fonctionner des services de recouvrement aux États-Unis, au Mexique, en Grande-Bretagne et au Moyen-Orient.

Les prêteurs qui, comme HSBC, analysent des demandes de cartes de crédit, de prêts pour l'achat d'automobiles et de prêts hypothécaires à taux fixe s'appuient sur la cote de crédit de la société Fair Isaac Corporation, de Minneapolis, appelée cote FICO. Mais la cote FICO n'avait pas encore fait ses preuves pour ce qui est de prévoir le rendement des prêts hypothécaires de deuxième rang ou à taux variable accordés à des emprunteurs à haut risque en période de décroissance du marché immobilier. Il y avait peu de données sur les emprunteurs à haut risque qui avaient versé un petit acompte (ou pas d'acompte du tout), et la cote FICO ne faisait pas bien la distinction entre les cas où les emprunteurs avaient versé un acompte sur leurs propres fonds et les cas où ils l'avaient emprunté. Les modèles ne prenaient pas non plus en compte ce qui arriverait si le prix des maisons chutait au point que le montant dû en vienne à dépasser la valeur de la maison hypothéquée. Mais HSBC utilisait quand même la cote FICO pour évaluer les demandeurs de prêts hypothécaires de second rang à haut risque et à taux variable.

En réaction à ses problèmes avec les prêts hypothécaires à haut risque, HSBC a effectué des changements à la fois dans son personnel et dans ses politiques. Elle a cessé d'émettre et d'acheter des prêts sur la base des revenus déclarés et a rehaussé la cote FICO exigée pour certains prêts. Par ailleurs, Tom Detelich, qui avait dirigé la transformation de Household en service des prêts à la consommation d'HSBC, a été nommé à la tête d'HSBC Mortgage Services.

HSBC a doublé le nombre de représentants qui appelaient les emprunteurs en difficulté pour discuter de plans de remboursement mieux adaptés à leurs besoins. Ce service fonctionne maintenant sept jours sur sept. La banque utilise aussi la technologie de l'information pour déceler à temps les clients qui présentent le plus de risques de ne pouvoir faire leurs paiements mensuels quand le taux d'intérêt attractif accordé en début de prêt devient plus élevé. Dans certains cas, l'ajustement peut accroître le paiement mensuel de 500 $. Avec autant de prêts hypothécaires accordés en 2005 et 2006, HSBC risquait de devoir faire face à une autre vague de défauts de paiement au cours des deux années suivantes (le Center for Responsible Lending prédisait que 20 % des prêts à haut risque vendus au cours de ces deux années se termineraient par une saisie).

HSBC a adopté le logiciel d'analyse d'Experian-Scorex pour aider les employés chargés du traitement des demandes de crédit à prendre leurs décisions. Ce logiciel donne aux utilisateurs la possibilité d'utiliser de façon cohérente les modèles de cotation et les procédures de segmentation des portefeuilles. Il comprend aussi des outils permettant de gérer les relations avec le client et d'améliorer les décisions de gestion du risque. Grâce à ces outils, HSBC devrait pouvoir mettre au point des stratégies adaptées à chaque demandeur individuellement et tailler le prêt sur mesure pour correspondre à ses besoins en même temps qu'aux objectifs de la banque.

Sources: Phil Mintz, « Seven Days That Shook Wall Street », *Business Week*, 19 septembre 2008; « Subprime Crisis : A Timeline », CNN Money.com, 21 septembre 2008; Roger Lowenstein, « Triple-A Failure », *New York Times Magazine*, 27 avril 2008; Robert J. Shiller, « How a Bubble Stayed Under the Radar », *New York Times*, 2 mars 2008; Carrick Mollenkamp, « In Home-Lending Push, Banks Misjudged Risk », *Wall Street journal*, 8 février 2007; Edward Chancellor et Mike Verdin, « Subprime Lenders' Miscue », *Wall Street Journal*, 9 février 2007; « Rising Subprime Defaults Hit Local HSBC Unit » www.chicagobusiness.com, 8 février 2007; « HSBC Implements ExperianScorex Decision Support Software », www.finextra.com, 15 mai 2006.

QUESTIONS

1. Avec quels problèmes la banque HSBC a-t-elle été aux prises dans ce cas ? Quels facteurs en étaient responsables, sur les plans de la gestion, de la technologie et de l'organisation ? La direction de HSBC a-t-elle bien cerné le problème ?

2. La banque HSBC disposait de systèmes d'information et d'outils d'analyse sophistiqués pour prédire les risques que présentaient les demandeurs de prêts hypothécaires. Comment a-t-elle pu se retrouver dans une telle situation ? Et si elle avait une solution depuis le début, pourquoi ne l'a-t-elle pas appliquée ?

3. Quelles sont les solutions sur lesquelles s'est appuyée HSBC pour éviter que le problème ne persiste ? Ces solutions sont-elles suffisantes pour renverser la situation en ce qui concerne les prêts hypothécaires à haut risque ? Y a-t-il des facteurs dont HSBC n'a pas tenu compte ? Lesquels ?

4. Quelles sont les conséquences éventuelles du changement d'approche de HSBC vis-à-vis des prêts à haut risque ? Comment ces changements peuvent-ils influer sur ses activités, ses clients et l'économie des États-Unis ?

5. HSBC a pris la décision de continuer à consacrer un segment de ses activités aux prêts à haut risque. Indiquez s'il s'est agi d'une décision structurée, non structurée ou semi-structurée et en quoi. Puis expliquez où, à votre avis, le processus a dérapé. Finalement, appliquez les notions de qualité de la décision, d'exactitude et d'exhaustivité à ce cas.

Le développement et la gestion des systèmes d'information

La quatrième partie de cet ouvrage porte sur la mise en place et la gestion des systèmes dans les organisations. Nous tentons de répondre notamment aux questions suivantes : Quelles sont les activités nécessaires au développement d'un nouveau système d'information ? Quelles sont les approches possibles ? Comment faut-il gérer les projets de systèmes d'information pour que les nouveaux systèmes fonctionnent de façon satisfaisante et améliorent réellement les résultats de l'entreprise ? Quels problèmes faut-il régler pour développer et pour gérer des systèmes mondiaux ?

Le développement des systèmes d'information

 OBJECTIFS D'APPRENTISSAGE

Après avoir étudié ce chapitre, vous pourrez répondre aux questions suivantes :

1. Quels changements organisationnels le développement de nouveaux systèmes entraîne-t-il ?
2. Quelles grandes activités comporte le processus de développement d'un système ?
3. Quelles méthodes utilise-t-on pour modéliser et concevoir un système ?
4. Quelles méthodes de rechange permettent de développer un système d'information ?
5. Quelles seront les nouvelles approches pour le développement d'applications, à l'ère de l'entreprise numérique ?

SOMMAIRE

PC CONNECTION TROUVE UN SYSTÈME DE TRAITEMENT MULTINIVEAU

Fondée en 1982, l'entreprise PC Connection est un revendeur direct d'ordinateurs personnels, de périphériques et de logiciels génériques. Elle offre des conseils techniques et s'appuie sur l'importance du service à la clientèle et sur des prix bas. Ce modèle s'est avéré très fructueux et reste un élément clé de ses affaires. Aujourd'hui, PC Connection fait partie, aux États-Unis, des plus grands fournisseurs de solutions en technologies de l'information. Elle figure sur la liste des 1000 plus grandes entreprises du magazine *Fortune* et offre plus de 150 000 produits provenant de plus de 1400 fournisseurs. Elle s'est développée naturellement en augmentant sa part de marché ainsi que le nombre et la complexité de ses produits. Mais elle a aussi fait des acquisitions, notamment ComTeq Federal en 1999, MoreDirect en 2002 et des actifs d'Amherst Technologies en 2005.

Le principal progiciel de gestion intégré (PGI) de PC Connection, Oracle JD Edwards, n'était pas capable de soutenir le rythme de croissance de l'entreprise. Selon Jack Ferguson, vice-président directeur et chef des services financiers, sa mise en place date du temps où le travail consistait à collecter, à préparer puis à expédier la marchandise. Au fil des ans, la société a élargi son réseau de distribution d'une douzaine de partenaires externes qui traitent les commandes de livraison directe. (Dans la livraison directe, le détaillant ne conserve pas de marchandises en magasin, mais transfère les renseignements sur les commandes et les livraisons à des distributeurs indépendants qui remettent les marchandises directement aux clients.) Or le système n'était pas conçu pour gérer un réseau de traitement à plusieurs niveaux. Il fallait déployer beaucoup d'efforts manuels pour entrer les commandes dans de multiples systèmes. Ce travail faisait augmenter les frais d'exploitation dans un commerce se caractérisant traditionnellement par de faibles marges bénéficiaires.

Pour résoudre ce problème, la direction de PC Connection a décidé de remanier le système de traitement des commandes. Le personnel responsable des systèmes d'information a examiné de nombreux progiciels d'application de commerce électronique prêts à être utilisés, mais aucun ne semblait répondre aux besoins en information de la société. PC Connection a donc confié à sa propre équipe interne de développement la conception de nouveaux programmes frontaux reposant sur les services Web de son système JD Edward. L'équipe de base, composée de trois à sept spécialistes des systèmes d'information, travaillait sous la supervision d'un bureau de gestion de projets nouvellement créé. Des spécialistes en affaires provenant de services clés, comme la gestion de produits, fournissaient les critères du nouveau système, notamment les changements à apporter aux processus d'affaires, la conception du déroulement du travail et les modifications à apporter à l'interface utilisateur.

La première série d'améliorations, qui est entrée en vigueur au début de 2008, a éliminé 90 % du travail manuel effectué sur les bons de commande. Le logiciel détermine automatiquement le moyen le plus rapide et le plus économique pour traiter une commande, soit directement à partir de l'un des entrepôts de l'entreprise,

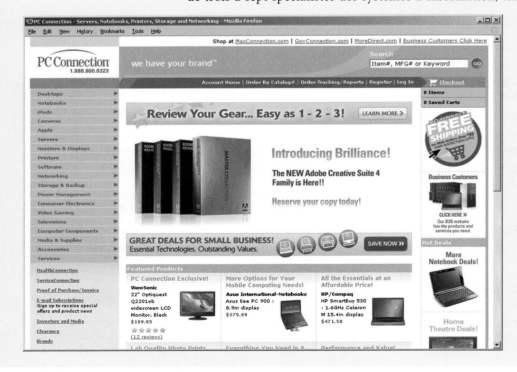

soit par l'intermédiaire de l'un des partenaires de distribution. Les services Web connectent le PGI, qui s'exécute sur un serveur IBM AS/400, aux systèmes des partenaires de distribution, de manière à effectuer une vérification des stocks en temps réel, pendant le processus d'allocation des ventes. Ils le relient aussi directement aux installations de l'entreprise situées au Connecticut, au Maryland, au Massachusetts et au Texas, ainsi qu'à un centre de distribution complet qui s'occupe de configuration personnalisée et de réparation et se trouve à Wilmington, en Ohio.

Le nouveau système amélioré a réduit le temps et les frais d'exploitation, parce que l'entreprise a pu traiter plus rapidement et plus fidèlement les commandes des clients. Grâce à lui, l'entreprise peut bien assurer sa croissance.

Sources: « PC Connection Learns to Stop, Drop, and Ship », *Information Week*, 15 septembre 2008 ; PC Connection, « PC Connection Tops Supply Chain Innovation and Retail Industry Awards ; Ranks #8 Overall on 2008 InformationWeek 500 », 17 septembre 2008 ; www.pcconnection.com, consulté le 6 novembre 2009.

L'expérience de PC Connection illustre quelques-unes des étapes nécessaires à la conception et au développement d'un nouveau système d'information. Il a fallu analyser les problèmes de l'organisation à l'égard des systèmes qu'elle possédait, évaluer les besoins en information des individus, choisir la technologie appropriée et remanier les processus d'affaires et les emplois. Les gestionnaires ont dû surveiller la mise en œuvre du système, évaluer ses avantages et ses coûts. Le nouveau système d'information représentait un processus de changement organisationnel planifié.

Le schéma d'introduction attire l'attention sur des points importants soulevés par ce cas et abordés dans ce chapitre. Le système que possédait PC Connection était incapable de gérer les besoins grandissants en information, au fur et à mesure de l'expansion et du recours à des partenaires externes. Le processus de traitement des commandes était beaucoup trop manuel et inefficace, ralentissait les opérations et coûtait cher. Les gestionnaires ont dû évaluer des solutions de rechange et des méthodes pour concevoir des systèmes. Ils ont choisi de concevoir et développer à l'interne un logiciel reposant sur les services Web et fonctionnant avec le PGI existant. Cette solution n'a pas remplacé complètement les anciens systèmes, mais elle a permis de les améliorer pour qu'ils soient en mesure de gérer automatiquement le traitement des commandes à plusieurs niveaux.

Le nouveau système amélioré de PC Connection a réduit le temps et les efforts consacrés au processus de traitement des commandes. Il a amélioré les activités et la prise de décision de l'entreprise quant à la façon de traiter une commande le plus efficacement possible. Il a fallu concevoir un nouveau processus de traitement des commandes et gérer la transition entre l'ancien processus manuel et le nouveau système.

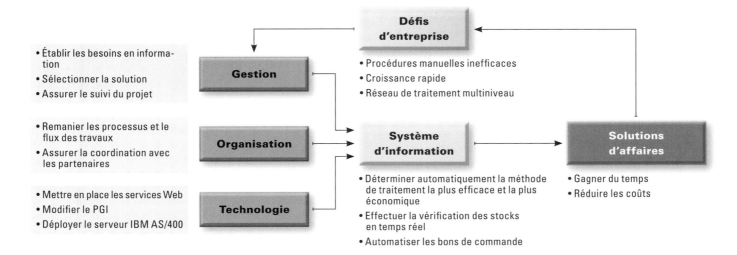

13.1 LES SYSTÈMES DANS LA PERSPECTIVE DES CHANGEMENTS ORGANISATIONNELS PLANIFIÉS

Le développement d'un nouveau système d'information constitue un type de changement organisationnel planifié. Il ne se limite pas à l'acquisition de matériels et de logiciels, mais implique aussi des changements en matière d'emplois, de compétences, de gestion et d'organisation. Lorsqu'on conçoit un nouveau système d'information, il faut repenser l'organisation dans son ensemble. Les développeurs de systèmes doivent comprendre les effets généraux qu'aura le système.

Le développement de système et les changements organisationnels

La technologie de l'information peut soutenir divers degrés de changements organisationnels, du plus limité, graduel, au plus profond, général. Quatre types de changements structurels peuvent en fait en découler : (1) l'automatisation, (2) la rationalisation, (3) la réingénierie et (4) le changement de paradigme. Comme le montre la figure 13-1, chacun d'eux comporte ses propres risques et bénéfices.

L'**automatisation** est la forme la plus courante de changement organisationnel attribuable à la technologie de l'information (TI). Les premières applications de TI ont permis aux employés d'effectuer leurs tâches plus efficacement et de manière plus rentable. En effet, parmi les premières formes d'automatisation, on compte l'informatisation du calcul des chèques de paie et des documents relatifs aux salaires, la possibilité pour les commis de banque d'accéder instantanément aux relevés de dépôts des clients et la mise en place d'un réseau national de terminaux de réservation pour les préposés des compagnies aériennes.

Forme de changement organisationnel plus profonde, la **rationalisation des procédures** vient rapidement après les premières automatisations. L'automatisation révèle en effet souvent des goulots d'étranglement dans la production et rend les procédures et les structures courantes extrêmement pesantes. La rationalisation des procédures est donc la simplification des méthodes d'exploitation courantes. Par exemple, le nouveau système de traitement des commandes de PC Connection, décrit dans l'étude de cas présentée au début du chapitre, est efficace non seulement parce qu'il utilise un logiciel de services Web assez perfectionné et moderne, mais aussi parce que les gestionnaires ont remanié les processus d'affaires, revu le déroulement du travail et les interfaces utilisateurs du logiciel de traitement. Sans cette rationalisation des procédures, le nouveau logiciel de services Web et les technologies connexes n'auraient pas été si utiles.

La **réingénierie des processus d'affaires** constitue un changement organisationnel plus important encore, supposant l'analyse des processus d'affaires, leur simplification et leur remaniement. Grâce à la technologie de l'information,

les organisations peuvent repenser et simplifier leurs processus d'affaires pour accélérer le travail et améliorer les services et la qualité des produits. La réingénierie des processus d'affaires exige une réorganisation du déroulement du travail, passant par un regroupement des étapes pour réduire les pertes et éliminer les tâches administratives répétitives. (Parfois, le nouveau processus élimine également des emplois.) La réingénierie est beaucoup plus ambitieuse que la rationalisation des procédures et impose une nouvelle vision de la façon de structurer des processus.

Pour illustrer la réingénierie des processus d'affaires, on cite souvent le cas du traitement sans facturation de Ford Motor. Avant la réingénierie, le service des comptes fournisseurs de l'entreprise employait plus de 500 personnes en Amérique du Nord. Ces employés passaient le plus clair de leur temps à concilier des bons de commande, des documents de réception et des factures. Ford a repensé son processus de traitement des comptes fournisseurs de telle sorte que lorsque l'entreprise passe une commande, le service des achats saisit le bon dans une base de données en ligne que le service des réceptions peut consulter lorsqu'il reçoit les articles. Si les

FIGURE 13-1

LE CHANGEMENT ORGANISATIONNEL COMPORTE DES RISQUES ET DES BÉNÉFICES

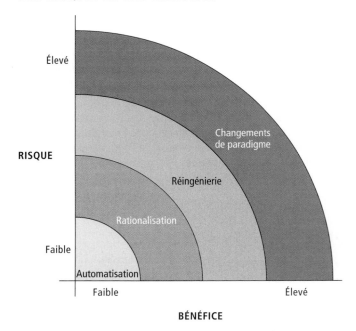

Les formes de changements organisationnels les plus courantes sont l'automatisation et la rationalisation. Ces stratégies qui visent un changement lent et graduel produisent des bénéfices relativement modestes, mais impliquent peu de risques. La réingénierie et le changement de paradigme, stratégies visant un changement plus rapide et de plus grande envergure, produisent quant à elles des bénéfices élevés, mais comportent aussi un risque d'échec important.

articles reçus correspondent à ceux qui figurent dans le bon de commande, le système émet automatiquement un chèque que le service des comptes fournisseurs fera parvenir au fournisseur concerné. Les fournisseurs n'ont donc plus à envoyer de factures et Ford a réduit de 75 % les effectifs de son service des comptes fournisseurs.

La rationalisation des procédures et la réingénierie des processus d'affaires constituent des changements structurels qui ne touchent que des secteurs précis d'une entreprise. Or, de nouveaux systèmes d'information peuvent finir par influer sur la vision générale de l'organisation, en transformant la gestion des affaires, voire la nature des affaires. Par exemple, la société de camionnage et de transport longue distance Schneider a utilisé de nouveaux systèmes d'information pour changer son modèle d'affaires. Elle a créé une nouvelle entreprise qui gère les activités de logistique pour d'autres entreprises. Ce type plus radical de changement organisationnel est un **changement de paradigme**. Il consiste à repenser la nature des affaires et la nature de l'organisation elle-même.

Le changement de paradigme et la réingénierie échouent souvent, car un changement organisationnel important est très difficile à orchestrer (chapitre 14). Pourquoi, alors, tant d'entreprises envisagent-elles un changement si radical ? Parce que les bénéfices sont considérables (figure 13-1). Dans de nombreux cas, les entreprises qui effectuent un changement de paradigme et adoptent une stratégie de réingénierie obtiennent une augmentation substantielle du rendement sur le capital investi (ou de la productivité). Nous évoquons d'ailleurs certains de ces succès (et certains échecs) tout au long de ce manuel.

La réingénierie des processus d'affaires

De nos jours, de nombreuses entreprises se concentrent sur le développement de systèmes d'information qui apporteront une amélioration à leurs processus d'affaires. Certains projets représentent des restructurations radicales, tandis que d'autres entraînent des changements plus progressifs.

Si les organisations repensent et reconfigurent leurs processus d'affaires avant d'implanter une quelconque forme de technologie de l'information, elles peuvent obtenir des rendements considérables sur le capital investi. À cet égard, l'industrie des prêts hypothécaires résidentiels des États-Unis constitue un parfait exemple.

Au départ, le traitement d'une demande d'hypothèque résidentielle prenait environ six semaines et coûtait approximativement 3000 $. Les principales banques de crédit hypothécaire, dont Wells Fargo, Bank of America et JP Morgan Chase, souhaitaient réduire ce coût à 1000 $ et écourter le délai d'obtention d'une hypothèque à une semaine environ. Ces banques de crédit hypothécaire essayèrent donc de repenser le processus de demande d'hypothèque avec ces objectifs en tête. Ce processus se divise en trois étapes : la constitution du dossier de prêt, le service du prêt et la mise

en marché secondaire. À la figure 13-2, nous illustrons la manière dont les banques de crédit hypothécaire ont utilisé la réingénierie des processus d'affaires à chacune de ces étapes.

Avant la réingénierie, la personne qui demandait un prêt hypothécaire devait remplir un formulaire imprimé. La banque entrait la demande dans son système informatique. Puis, des spécialistes pouvant venir de huit services, comme des analystes de crédit et des souscripteurs d'assurance, prenaient connaissance du dossier et l'évaluaient. En cas d'approbation, on fixait la date de signature du contrat. L'approche de travail utilisée était du type « chaîne de montage », de bureau en bureau. À elle seule, la première étape du processus portant sur la constitution du dossier de prêt pouvait prendre jusqu'à 17 jours. Ensuite, les spécialistes bancaires qui négociaient avec les experts en assurance ou en mise en dépôt légal assuraient le service du prêt, ce qui allongeait jusqu'à six semaines le processus de traitement des hypothèques.

Les principales banques ont remplacé l'approche de bureau en bureau par une approche plus rapide, fondée sur des cellules ou des équipes de travail. Désormais, les agents chargés de la constitution du dossier de prêt, travaillant sur le terrain, entrent directement la demande dans des ordinateurs portatifs. Le logiciel qu'ils utilisent vérifie que les informations saisies sont exactes et complètes. Ils transmettent ensuite la demande par téléphone aux centres de production régionaux. Au lieu de travailler séparément sur la demande, les analystes de crédit, les souscripteurs et les autres spécialistes se réunissent grâce à des moyens électroniques pour approuver l'hypothèque. Ils travaillent donc en équipe.

Après la signature du contrat, une autre équipe de spécialistes prépare le service du prêt. Le processus d'obtention d'un prêt hypothécaire ne prend plus désormais que deux jours. En outre, il est plus facile d'obtenir de l'information sur le prêt qu'auparavant, lorsque la demande pouvait transiter par huit ou neuf services. Les agents chargés de la constitution du dossier de prêt peuvent aussi se brancher au réseau de la banque pour obtenir des informations sur le coût du prêt hypothécaire ou pour vérifier l'état de la demande.

En repensant radicalement leurs processus de traitement des hypothèques, les banques de crédit hypothécaire ont réalisé d'énormes économies. Au lieu de se pencher sur un seul processus d'affaires, elles ont réexaminé toute la suite logique des processus aboutissant à l'obtention d'une hypothèque.

Pour soutenir leur nouveau mode de traitement des hypothèques, les banques ont implanté un logiciel de gestion du flux des travaux et des documents. La **gestion du flux des travaux et des documents** est un processus qui consiste à rationaliser, à simplifier les procédures d'affaires afin qu'on puisse accéder plus facilement et efficacement aux documents. Un logiciel de gestion du flux des travaux et des documents automatise des processus tels que l'acheminement des documents, l'obtention des approbations, l'ordonnancement et la production des rapports. Plusieurs personnes peuvent tra-

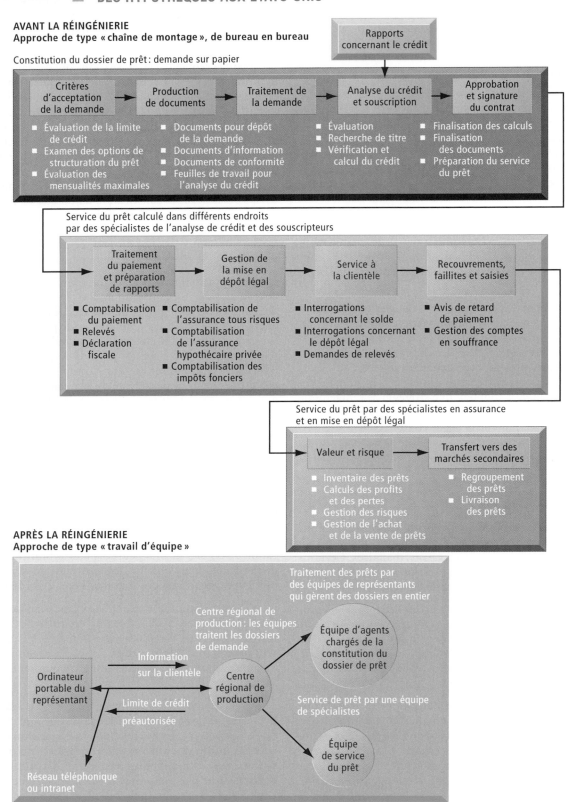

En restructurant leur système de traitement des hypothèques et leur processus de demande d'hypothèques, les banques des États-Unis ont pu réduire les coûts de traitement de 3000 $ à 1000 $ et faire passer la période d'approbation de six semaines à une semaine ou moins. Certaines banques accordent même une préautorisation hypothécaire et bloquent les taux d'intérêt le jour de la demande.

vailler simultanément sur le même document, ce qui réduit le temps d'accomplissement de la tâche. De la sorte, le travail n'est plus retardé parce qu'un dossier est ailleurs ou en cours d'acheminement. De plus, grâce à un système d'indexation bien conçu, les utilisateurs de ce type de logiciel peuvent récupérer les fichiers de plusieurs manières, selon le contenu du document.

Les étapes d'une réingénierie efficace

L'une des décisions stratégiques les plus importantes qu'une entreprise puisse prendre n'est pas de déterminer comment utiliser des ordinateurs pour améliorer ses processus d'affaires, mais plutôt quels processus d'affaires elle doit améliorer. Une entreprise utilise des centaines, voire des milliers de processus d'affaires. Alors comment décider lequel modifier et lequel tirerait le plus de bénéfices d'un système d'information? Quand elle utilise des systèmes pour renforcer des modèles ou des processus d'affaires inappropriés, l'entreprise gagne en efficacité pour faire des choses qu'elle ne devrait pas faire (Hammer, 2002). Elle devient alors vulnérable aux attaques de ses concurrents qui ont découvert le bon modèle d'affaires. Une entreprise peut aussi consacrer beaucoup de temps et d'argent à améliorer des processus d'affaires qui influent peu sur sa performance globale et son chiffre d'affaires. Il faut donc déterminer quels processus d'affaires sont essentiels et doivent faire l'objet de toute l'attention lors de l'instauration d'une nouvelle technologie d'information, puis étudier comment leur amélioration favorisera l'application de la stratégie d'entreprise.

Une compréhension des processus déjà en place et une évaluation de leur performance sont également nécessaires. Si la révision des processus vise, par exemple, à réduire le temps et les coûts liés à la mise au point de nouveaux produits ou à l'expédition des commandes, l'entreprise doit au préalable évaluer le temps et les coûts associés à ces processus. Par exemple, avant la réingénierie, Cemex, fournisseur international de ciment et de béton prêt à l'emploi, avait besoin de trois heures en moyenne pour effectuer une livraison. Après la réingénierie de ses processus, la durée moyenne de livraison n'était plus que de 20 minutes. Sans évaluation préalable de la performance, on n'aurait pas pu estimer les améliorations.

Suivre ces étapes ne garantit pas automatiquement la réussite. La majorité des projets de réingénierie n'atteignent pas leurs objectifs de performance parce que les changements organisationnels s'avèrent souvent très difficiles à gérer. La gestion du changement n'est ni simple ni intuitive. Les entreprises qui veulent procéder à une réingénierie doivent impérativement se doter d'une bonne stratégie de gestion du changement (chapitre 14).

Les processus interorganisationnels, pour la gestion de la chaîne logistique notamment, doivent non seulement être rationalisés, mais aussi coordonnés et intégrés à ceux des clients et des fournisseurs. La réingénierie nécessite alors la collaboration de nombreuses entreprises, qui doivent repenser ensemble les processus qu'elles partagent.

L'amélioration des processus: la gestion des processus d'affaires, la gestion de la qualité totale et la qualité six sigma

La réingénierie des processus d'affaires est avant tout un effort unique portant sur la détermination d'un ou de deux processus d'affaires stratégiques à changer radicalement. Elle est souvent coûteuse et perturbatrice sur le plan organisationnel. Cependant, les organisations comptent de nombreux processus d'affaires et processus de soutien qu'elles doivent constamment revoir pour rester concurrentielles. La gestion des processus d'affaires et les programmes d'amélioration de la qualité favorisent des modifications graduelles et continues.

La gestion des processus d'affaires

Les fusions d'entreprises et les acquisitions, les changements apportés aux modèles d'affaires, les nouvelles exigences de l'industrie et les attentes variables des clients posent de nombreux problèmes de processus que les organisations doivent constamment affronter. La **gestion des processus d'affaires (GPA)** permet aux organisations de gérer les changements de processus progressifs qui sont nécessaires dans de nombreux secteurs de l'entreprise à la fois. Elle fournit une méthode et des outils pour le traitement des besoins actuels de l'organisation concernant la révision et l'optimisation de ses nombreux processus d'affaires internes et des processus d'affaires qu'elle partage avec d'autres organisations. La GPA permet aussi d'améliorer continuellement et simultanément de nombreux processus d'affaires et d'utiliser les processus comme composantes de base des systèmes d'information d'entreprise.

La GPA comprend la gestion du déroulement du travail, la modélisation des processus d'affaires, la gestion de la qualité, la gestion des changements ainsi que des outils pour la refonte des processus d'affaires en un format normalisé permettant des manipulations continuelles. Les entreprises qui ont recours à la GPA utilisent des outils de cartographie des processus permettant de repérer et de documenter leurs processus, puis de créer des modèles de processus améliorés pouvant être convertis en systèmes logiciels. Ces modèles de processus peuvent nécessiter des systèmes entièrement nouveaux ou reposer sur des systèmes et des données existants. Les outils logiciels de GPA gèrent automatiquement les processus de l'entreprise, extraient des données provenant de différentes sources et bases de données et génèrent des transactions entre plusieurs systèmes interreliés.

La GPA comprend aussi la surveillance et l'analyse des processus. Les organisations doivent pouvoir vérifier si la performance des processus s'est effectivement améliorée et mesurer l'effet des changements sur les indicateurs clés de performance. Plusieurs vendeurs de logiciels commerciaux, comme IBM, Oracle-BEA Systems, Vitria et TIBCO, fournissent des produits de gestion des processus d'affaires.

Ainsi, l'American National Insurance Company, qui offre de l'assurance vie, de l'assurance maladie, de l'assurance de biens et de risques divers ainsi que des services d'investissement, a eu recours à la GPA pour rationaliser les processus de service à la clientèle dans quatre groupes d'entreprises. La GPA a permis d'établir des règles pour guider les représentants du service à la clientèle, grâce à un seul affichage des renseignements sur les clients issus de multiples systèmes. En éliminant la nécessité de jongler simultanément avec de multiples applications sur ordinateur central, elle a augmenté la capacité de travail des représentants de 192 %.

La gestion de la qualité totale et la qualité six sigma

La gestion de la qualité est un autre domaine où l'amélioration des processus s'effectue en continu. Outre la nécessité qu'elles ont d'améliorer leur efficacité, les entreprises doivent affiner leurs processus d'affaires pour accroître la qualité de leurs produits, services et activités d'exploitation. Pour ce faire, un grand nombre d'entre elles optent pour la **gestion de la qualité totale**. Selon ce principe, la qualité relève de la responsabilité de tous les membres et de tous les secteurs fonctionnels de l'organisation. Le contrôle de la qualité devient ainsi une fin en soi. On s'attend à ce que chaque employé contribue à l'amélioration globale de la qualité : l'ingénieur, en évitant les erreurs de conception ; l'ouvrier, en repérant les défauts de fabrication ; le représentant, en présentant bien le produit aux clients potentiels ; et même la secrétaire, en évitant les erreurs de frappe. La gestion de la qualité totale découle des notions de gestion de la qualité élaborées par des experts étatsuniens tels que W. Edwards Deming et Joseph Juran. Elle a toutefois été popularisée par les Japonais.

La **qualité six sigma** est un autre concept de qualité que beaucoup d'entreprises utilisent de nos jours. Elle constitue en réalité une mesure précise de la qualité, représentant 3,4 éléments défectueux sur un million de possibilités. La plupart des entreprises ne peuvent atteindre ce degré de qualité, mais elles en font un objectif et utilisent les méthodes et techniques associées au concept pour améliorer la qualité et réduire les coûts. Des études ont montré à plusieurs reprises que plus rapidement on élimine un problème dans le cycle d'affaires, moins il en coûte à l'entreprise. Ainsi, l'amélioration de la qualité permet non seulement d'améliorer les produits et les services, mais aussi de diminuer les coûts.

La contribution des systèmes d'information à l'amélioration de la qualité

La gestion de la qualité totale et la qualité six sigma se présentent comme des méthodes plus graduelles que la réingénierie des processus d'affaires. La première consiste généralement en l'implantation par étapes d'une série d'améliorations plutôt qu'en des changements brusques. La seconde utilise des outils d'analyse statistique pour déceler des défauts dans l'exécution d'un processus et procéder à des modifications mineures. Cependant, il faut parfois effectuer une réingénierie complète pour obtenir le degré de qualité recherché.

Les systèmes d'information permettent aux entreprises d'atteindre leurs objectifs de qualité en les aidant : à simplifier leurs produits ou leurs processus ; à procéder à des améliorations en fonction des demandes de leurs clients ; à diminuer la durée totale des cycles ; à améliorer la qualité et la précision de la conception et de la production ; à se conformer aux normes d'évaluation des performances.

L'étalonnage consiste à fixer des normes strictes concernant les produits, les services et les activités et à mesurer les performances de l'organisation par rapport à ces normes. Les entreprises peuvent utiliser des normes extérieures, telles celles de l'industrie, des normes établies par d'autres entreprises, des normes sévères qu'elles définissent elles-mêmes ou une combinaison quelconque de ces trois types de normes. L.L. Bean, fabricant de vêtements de plein air installé à Freeport, dans le Maine, vend exclusivement ses produits par catalogue et a utilisé des normes d'évaluation de ses performances. Cela lui a permis d'améliorer la précision de livraison des commandes au point d'atteindre 99,9 %. Son ancien système de traitement des commandes par lots n'arrivait plus à gérer le volume croissant et la variété des articles à livrer. Après avoir observé comment des entreprises allemandes et scandinaves se servaient des systèmes de traitement des commandes à la fine pointe de la technologie, L.L. Bean a soigneusement repensé son processus de traitement des commandes et ses systèmes d'information, de manière à pouvoir traiter les commandes dès leur réception pour les livrer dans les 24 heures.

13.2 UN APERÇU DU DÉVELOPPEMENT D'UN SYSTÈME

Un nouveau système d'information est le résultat d'un processus organisationnel de résolution de problèmes. L'entreprise conçoit un nouveau système d'information comme une solution à un problème ou à un ensemble de problèmes qu'elle doit affronter. Les gestionnaires et les employés peuvent s'être rendu compte que le rendement était moins élevé que prévu ou que de nouvelles possibilités leur permettraient d'obtenir de meilleurs résultats.

Le **développement de système** désigne toutes les activités de conception et de mise en œuvre d'un système d'information qui constitue une solution à un problème particulier de l'organisation ou une réponse à une occasion qui se présente. Il consiste en une sorte de processus de résolution structurée de problème qui comporte des activités distinctes : l'analyse de système, la conception de système, la programmation, l'essai, la conversion, la production et l'entretien.

La figure 13-3 illustre le processus de développement d'un système. Les activités présentées se déroulent normalement en ordre séquentiel. Cependant, il faut parfois répéter certaines d'entre elles ou les exécuter simultanément, selon la méthode choisie (section 13-4).

FIGURE 13-3

LE PROCESSUS DE DÉVELOPPEMENT D'UN SYSTÈME

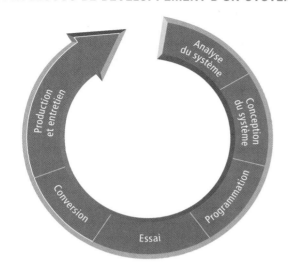

On peut diviser le développement d'un système en six activités principales.

L'analyse de système

L'**analyse de système** consiste en l'analyse du problème que l'organisation tentera de résoudre à l'aide d'un nouveau système d'information. Elle a pour étapes principales la définition du problème, la détermination de ses causes, le choix d'une solution et la détermination des besoins en information qu'il faut satisfaire. On peut également recourir à l'analyse de système pour cerner de nouvelles possibilités d'utilisation de la technologie de l'information.

L'analyste de systèmes crée une carte routière de l'organisation et des systèmes en place qui permet de déterminer les propriétaires et les utilisateurs des données. Par la suite, il examine les problèmes des systèmes existants. En scrutant les documents de travail, les dossiers et les procédés, en analysant les opérations des systèmes et en interrogeant les utilisateurs clés, il peut déterminer les problèmes que devra résoudre la solution et les objectifs qu'elle devra atteindre. Souvent, la solution requiert le développement d'un nouveau système d'information ou l'amélioration d'un système en place.

L'analyse de système comporte une **étude de faisabilité** visant à déterminer si la solution proposée est faisable ou réalisable, des points de vue financier, technique et organisationnel. L'étude de faisabilité indique si le système proposé constitue un bon investissement, si la technologie qu'il requiert est disponible et peut être utilisée par les spécialistes des systèmes d'information de l'entreprise et si l'organisation peut gérer les changements qu'il provoquera.

Normalement, au terme du processus d'analyse de système, l'organisation se voit proposer plusieurs solutions valables. La faisabilité de chacune fait l'objet d'une évaluation.

Puis un rapport décrit les coûts et les bénéfices, les avantages et les inconvénients de chaque système proposé, de chaque solution. La direction doit ensuite déterminer quelle combinaison de coûts, de bénéfices, de spécifications et de conséquences organisationnelles constitue la solution la plus souhaitable.

La détermination des besoins en information

La tâche la plus complexe de l'analyse de système consiste à déterminer les **besoins en information** auxquels la solution proposée devra répondre. Tout d'abord, l'analyse des besoins en information vise à déterminer quelles personnes ont besoin de l'information, le type d'information dont elles ont besoin, le moment et l'endroit où il faut la livrer et la méthode par laquelle il faut l'acheminer. Elle permet de définir avec précision les objectifs du nouveau système ou du système amélioré et de décrire de façon détaillée les fonctions qu'il devra assurer. En outre, elle permet de cerner les objectifs, les procédures et les processus décisionnels de l'organisation. De ce point de vue, une analyse erronée est la principale cause d'échec des systèmes et la principale raison des coûts élevés de leur développement (chapitre 14). Un système conçu en fonction d'une mauvaise analyse des besoins devra être détruit ou considérablement modifié. Notons que certaines approches permettent d'éviter ce genre de problèmes ou de les réduire au minimum (section 13.3).

La solution aux problèmes ne passe pas nécessairement par l'installation d'un nouveau système d'information, mais peut prendre la forme de modifications de la gestion, d'une formation supplémentaire ou d'un raffinement des procédures déjà en vigueur. Si le problème est lié à l'information, une analyse de système pourrait tout de même s'avérer nécessaire pour le diagnostiquer et trouver une solution appropriée.

La conception de système

Alors que l'analyse de système permet de décrire ce que devra faire un système pour répondre aux besoins en information d'une organisation, la **conception de système** montre comment le système proposé parviendra effectivement à répondre à ces besoins. Elle revient à établir le plan ou le modèle global du système d'information. Tout comme le plan d'un immeuble ou d'une maison, celui-ci contient toutes les spécifications de forme et de structure.

Un concepteur de systèmes inventorie les spécifications du système qui devront soutenir les fonctions cernées durant l'analyse. Il doit pour cela tenir compte de toutes les composantes de gestion, d'organisation et de technologie de la solution choisie. Le tableau 13-1 énumère les types de spécifications qu'il doit fournir.

Comme les maisons ou les immeubles, les systèmes d'information se déclinent en divers modèles. Ils peuvent être centralisés ou distribués, en ligne ou en lots, partiellement manuels ou fortement automatisés. Chaque modèle représente une combinaison unique de tous les facteurs techniques et organisationnels. La facilité et l'efficacité avec lesquelles

TABLEAU **13-1** LES SPÉCIFICATIONS ENTRANT DANS LA CONCEPTION D'UN SYSTÈME

SORTIE
Support
Contenu
Calendrier

ENTRÉE
Origines
Flux
Saisie des données

INTERFACE UTILISATEUR
Simplicité
Efficacité
Logique
Rétroaction
Erreurs

CONCEPTION DE LA BASE DE DONNÉES
Relations logiques entre les données
Exigences en matière de volume et de vitesse
Organisation et conception des fichiers
Caractéristiques des enregistrements

TRAITEMENT
Calculs
Modules des programmes
Rapports nécessaires
Calendrier des sorties

PROCÉDURES MANUELLES
Définition des activités
Personnes responsables
Échéances
Méthodes
Lieux

CONTRÔLES
Contrôles des entrées (caractères, limites, logique)
Contrôles du traitement (cohérence, décompte des enregistrements)
Contrôles des sorties (totaux, échantillons de sorties)
Contrôles des procédés (mots de passe, formules spéciales)

SÉCURITÉ
Contrôle des accès
Plans en cas de catastrophe
Vérification

DOCUMENTATION
Documentation pour l'exploitation
Documents sur les systèmes
Documents destinés aux utilisateurs

CONVERSION
Transfert des fichiers
Démarrage de nouvelles procédures
Sélection de la méthode d'essai
Passage vers le nouveau système

FORMATION
Sélection des techniques de formation
Conception des modules de formation
Choix des installations de formation

CHANGEMENTS ORGANISATIONNELS
Conception nouvelle des tâches
Conception des emplois
Conception des processus
Conception de la structure des bureaux et de l'organisation
Structures hiérarchiques

les systèmes d'information répondent aux exigences des utilisateurs dans les limites d'un ensemble précis de contraintes techniques, organisationnelles, financières et temporelles font la supériorité d'une conception.

Le rôle des utilisateurs finaux

Les besoins en information des utilisateurs doivent orienter la construction d'un système. Les utilisateurs doivent avoir suffisamment de pouvoir sur le processus de conception pour que le système reflète leurs priorités et leurs besoins, et pas seulement les partis pris du personnel technique. Participer à la conception améliore par ailleurs la compréhension qu'ils auront du système et favorise leur acceptation. Comme nous le verrons au chapitre 14, le manque de participation des utilisateurs à l'effort de conception constitue l'une des principales causes d'échec des systèmes. Cependant, la

nature et l'intensité de cette participation varient d'un système à l'autre. Les différents taux de participation des utilisateurs se reflètent dans les diverses méthodes de développement. Nous abordons ce sujet dans la section 13.3.

La session interactive sur les organisations illustre l'importance de la participation des utilisateurs à la conception et à l'élaboration d'une solution efficace. L'entreprise Dorfman Pacific, fabricant de chapeaux et de sacs à main, ne pouvait pas développer efficacement ses activités en raison d'un système d'entrepôt désuet et de processus manuels trop lourds. Elle a donc décidé de mettre en place un nouvel entrepôt de données sans fil qui a transformé sa façon de travailler. En lisant cette étude de cas, essayez de déterminer le problème que cette organisation devait régler, les possibilités qui s'offraient aux gestionnaires et l'efficacité de la solution retenue.

SESSION INTERACTIVE : LES ORGANISATIONS

DORFMAN PACIFIC DÉPLOIE UN NOUVEL ENTREPÔT DE DONNÉES SANS FIL

Vous n'avez peut-être jamais entendu parler de Dorfman Pacific, mais vous avez sans doute vu ses chapeaux coiffer les vedettes apparaissant dans les magazines *People* et *InStyle*. Située à Stockton, en Californie, l'entreprise fabrique et distribue des chapeaux et des sacs à main depuis plus de 85 ans. Sa philosophie se résume à suivre les tendances de la mode tout en offrant des produits de qualité, un solide service à la clientèle, la ponctualité des livraisons et des prix concurrentiels.

Par le passé, Dorfman Pacific servait le secteur familial du marché de détail. Ses processus d'entreposage reflétaient cette situation. Ils reposaient sur le papier et la connaissance tacite des installations et des clients.

Dans les années 1980 et 1990, l'entreprise a commencé à ajouter des magasins de grande surface, comme Wal-Mart et JC Penney, à sa liste de clients. Ces magasins ont rapidement représenté la moitié de son chiffre d'affaires. Plus important encore, ils avaient un appétit immense pour des milliers d'articles et de types de boîtes.

Assurer le service de détaillants comme Wal-Mart à l'aide d'un processus de traitement des commandes reposant sur le papier, dans un entrepôt de 100 000 pi², n'était pas de tout repos. En fait, c'était un moyen inefficace de faire des affaires. Durant les périodes de pointe saisonnières, Dorfman devait embaucher des travailleurs et débourser de coquettes sommes en paiement des heures supplémentaires pour satisfaire la demande. Au total, chaque année, cela représentait 250 000 $ de salaires supplémentaires. Les systèmes de la TI de l'entreprise étaient dispersés dans divers secteurs fonctionnels et intervenaient très peu dans la gestion transparente des stocks.

Dorfman Pacific a finalement augmenté son espace d'entreposage à 275 000 pi², mais l'espace seul n'était pas suffisant pour surmonter les défauts des processus d'affaires. Les cadres dirigeants se sont rendu compte que des changements majeurs étaient nécessaires pour le bon développement des activités. En 2001, Douglas Highsmith, chef de la direction, s'est engagé dans un remaniement complet de la technologie dans l'entrepôt. Il désirait éliminer les processus fondés sur le papier et les remplacer par des processus utilisant la technologie sans fil.

Dans le processus traditionnel de traitement des commandes, un travailleur d'entrepôt, appelé préparateur, recevait un bon de sortie papier du superviseur. Puis il conduisait un chariot élévateur à fourches jusqu'à la zone de l'entrepôt où il pensait trouver le casier d'entreposage du produit indiqué sur le bon. Il prenait manuellement les boîtes puis les apportait dans la zone d'emballage pour les emballer, les étiqueter et les charger dans un camion. L'entrepôt était vraiment conçu pour le prélèvement de stock seulement, sans aucune prise en compte des autres processus de traitement des commandes.

L'étiquetage manuel des casiers, difficile à lire, et le fait que les boîtes contenaient parfois plus d'un produit étaient des sources de confusion. En outre, chaque préparateur avait son parcours favori pour le prélèvement de stock. Enfin, les commandes spéciales amplifiaient l'inefficacité de ces méthodes. Le progiciel de gestion intégré (PGI) de l'entreprise n'était pas d'un grand secours, parce qu'il n'était pas bien intégré aux autres systèmes. Mark Dulle, directeur des services de la TI, reconnaissait que le prélèvement de stock par commande ne fonctionnerait pas dans une période d'expansion.

Dorfman Pacific a abordé le changement comme un projet d'affaires plutôt que comme un projet de TI. Une équipe interfonctionnelle regroupant un consultant extérieur comme directeur de projet et les directeurs de la distribution, des achats, du service à la clientèle et des ventes a travaillé à la transformation. Le service de la TI s'est chargé de choisir le matériel, d'installer le matériel et le logiciel de l'entrepôt sans fil et de nommer un administrateur pour le nouveau système de gestion de l'entrepôt.

Le but de Highsmith, le chef de la direction, était de diminuer les frais de main-d'œuvre et de trouver le moyen le plus efficace pour que le personnel réduit de l'entrepôt puisse faire le prélèvement des produits avec le plus petit taux d'erreurs possible. La réussite du projet nécessitait plusieurs étapes. Tout d'abord, l'équipe interfonctionnelle devait connaître tout ce qui concernait la façon dont s'effectuaient la réception, le réapprovisionnement, le prélèvement de stock, l'emballage et la livraison des 25 000 produits de l'entreprise. Il s'agissait de mesurer les dimensions et le poids de chaque produit, de mesurer le format de chaque casier et de chaque tablette d'entreposage et de déterminer si les produits étaient entreposés au bon endroit.

Dorfman Pacific a ensuite introduit le système des codes-barres Texas pour vérifier la faisabilité d'un système sans fil dans l'entrepôt. Le projet aurait en effet été vain si les signaux sans fil n'avaient pas bien fonctionné au milieu des murs de béton, des portes en acier et des tablettes d'entreposage en métal. L'essai a par ailleurs permis de déterminer les meilleurs points d'accès sans fil. L'entrepôt nécessitait 15 points d'accès, nombre anormalement élevé, en raison des agrandissements au cours des années, qui avaient produit une disposition irrégulière et dense.

Le chef du service de la TI, Dulle, a dirigé la réorganisation de l'infrastructure de la TI, notamment le remplacement de tous les anciens câbles et commutateurs de réseautage par la plus récente technologie de réseautage disponible. Il a également reconfiguré le PGI et installé un nouveau système de gestion de l'entrepôt, conçu par High-Jump Software, comportant des fonctionnalités sans fil et la capacité de trier les données d'entreposage et d'expédition. À ce système, reposant sur un réseau local d'entreprise sans fil, Dulle a ajouté l'équipement de codes-barres de Zebra Technologies, un logiciel intégrateur, des ordinateurs mobiles solides et d'autres ordinateurs montés sur des chariots élévateurs à fourche.

Grâce à ces composantes, le papier n'était plus nécessaire. Le nouveau PGI et le système de gestion de l'entrepôt ont recours à un logiciel pour gérer les processus de prélèvement de stock, d'emballage et d'expédition. Les préparateurs reçoivent les données sur des appareils mobiles leur indiquant quels produits ils doivent prélever, où ces produits se trouvent et où ils doivent les apporter, avec l'itinéraire le plus efficace.

Les employés de Dorfman Pacific ont dû modifier leur façon de travailler. Le nouveau système de gestion de l'entrepôt exigeait une nouvelle configuration de l'entrepôt et de nouvelles façons de faire le prélèvement de stock, l'emballage et l'expédition des produits. L'entreprise a tâché avec sérieux de faire accepter le nouveau système à ses travailleurs en les convainquant que l'entrepôt sans fil améliorerait leur vie et leur productivité.

Une fois le nouveau système d'entrepôt mis en place, les préparateurs, munis de dispositifs électroniques sans fil, étaient assurés que les casiers à codes-barres vers lesquels ils se dirigeaient ne contenaient qu'un type d'articles. Le suivi des stocks se faisait désormais sans heurts. Selon Dulle, Dorfman Pacific peut maintenant gérer deux fois plus de commandes pendant les périodes de pointe, sans compter que les frais de main-d'œuvre ont chuté de presque 30 %. À ce jour, l'entreprise a économisé 250 000 $ en éliminant le besoin de travailleurs temporaires et le paiement d'heures supplémentaires.

Sources: Thomas Wailgum, «How to Take Your Warehouse Wireless» et «Wireless – Five Steps to a Successful Wireless Rollout», *CIO Magazine*, 1er février 2007; Jim Fulcher, «Rise of User-Friendly Devices Propels Strategic Use of Wireless Technology», *Manufacturing Business Technology*, 18 février 2007; Lisa M. Kempfer, «Hats Off to Wireless», *Material Handling Management*, janvier 2007; Symbol Technologies, Inc., «Hats-Off: Dorfman Pacific Implements Symbol Enterprise Mobility Solution for Paperless Warehouse Operations», news.thomasnet.com/companystory/493954, 13 septembre 2006.

Questions

1. Comparez l'ancien et le nouveau processus de traitement des commandes de Dorfman Pacific. Pour ce faire, schématisez les deux processus.

2. Quel rôle ont joué les utilisateurs finaux dans le développement du système d'entrepôt sans fil de Dorfman Pacific? Que serait-il arrivé s'ils n'avaient pas participé au projet? Expliquez votre réponse.

3. Quels types de méthodes et d'outils de développement de systèmes l'entreprise a-t-elle utilisés pour développer son système d'entrepôt sans fil?

4. En quoi le nouveau système a-t-il changé la méthode d'exploitation de l'entreprise?

5. Quels problèmes le nouveau système a-t-il réglés? Est-ce qu'il a été une réussite?

Ateliers

Utilisez vos capacités de recherche sur le Web pour répondre aux questions suivantes:

1. Quelles sont les composantes d'un système d'entrepôt sans fil?

2. Quelles entreprises fabriquent ces composantes?

3. Quelles autres entreprises ou organisations ont mis en place des entrepôts sans fil?

4. Si vous mettiez en place un entrepôt sans fil, quels problèmes vous préoccuperaient le plus?

L'achèvement du processus de développement de système

Au cours des dernières étapes du processus de développement de système, on traduit les spécifications de la solution choisie, définies durant l'analyse et la conception, en un système d'information entièrement opérationnel. Il s'agit alors d'effectuer la programmation, l'essai, la conversion, la production et l'entretien.

La programmation

À l'étape de la **programmation**, on convertit les spécifications définies à l'étape de la conception en codes de programmation de logiciel. De nos jours, bon nombre d'organisations n'effectuent plus la programmation de leurs nouveaux systèmes. Elles préfèrent acheter à une source externe les logiciels qui répondent aux besoins d'un nouveau système, tels les progiciels d'un fournisseur de progiciels commerciaux ou les services logiciels d'un fournisseur de services d'application. Elles peuvent aussi s'adresser à des entreprises qui développent des **logiciels d'application** personnalisés pour leurs clients (section 13.3).

La mise à l'essai

Il faut ensuite procéder à une **mise à l'essai** minutieuse et complète pour s'assurer que le système produit de bons résultats. Les essais permettent de répondre à la question suivante : « Le système produira-t-il les résultats escomptés dans des conditions connues ? »

Lors de la planification d'un projet de développement de système, on sous-estime généralement le temps qu'il faut prendre pour répondre à cette question (chapitre 14). Or, les essais demandent du temps. Il faut en effet préparer adéquatement les données, étudier les résultats et apporter les corrections nécessaires. Parfois, il faut repenser certaines parties du système. Il est très risqué de passer trop rapidement à l'étape suivante.

La mise à l'essai d'un système d'information peut se diviser en trois activités : l'essai de programme, l'essai de système et l'essai d'acceptation. L'**essai de programme** consiste en la mise à l'épreuve de chaque programme du système. On a tendance à croire que le but est de s'assurer que les programmes sont exempts d'erreurs. Or, il faut bien réaliser que c'est impossible. On doit plutôt considérer l'essai de programme comme un moyen de repérer les erreurs, en essayant de faire échouer le programme de toutes les façons possibles. Une fois les erreurs décelées, il est possible de les corriger.

L'**essai de système** consiste à tester le fonctionnement du système d'information dans son ensemble. On tente ainsi de déterminer si les modules distincts peuvent fonctionner ensemble comme prévu et s'il existe des différences entre la manière dont le système fonctionne réellement et la manière dont il a été conçu. Parmi les aspects examinés, notons les durées de fonctionnement, la capacité de stockage des fichiers, la capacité de traitement des demandes en période de pointe, les fonctions de récupération et de redémarrage et les procédés manuels.

L'**essai d'acceptation** permet d'attester formellement que le système est prêt à être utilisé dans un contexte de production. Les utilisateurs et le personnel technique évaluent les essais de système, et la direction les étudie. Lorsque toutes les parties mises à contribution sont convaincues que les normes qu'elles ont établies sont respectées, le système est formellement accepté et peut être installé.

L'équipe chargée du développement du système travaille en collaboration avec les utilisateurs pour préparer un plan d'essai systématique. Un **plan d'essai** consiste en la préparation de la série d'essais que nous venons de décrire.

La figure 13-4 fournit un exemple de plan d'essai. La condition qui est mise à l'essai est un changement apporté à un enregistrement. La documentation est constituée d'une série d'écrans de plan d'essai, dans une base de données (peut-être la base de données d'un ordinateur personnel) qui est adaptée à ce type d'application.

La conversion

On appelle **conversion** le processus par lequel on passe de l'ancien système au nouveau. On peut employer quatre grandes stratégies de conversion : la stratégie parallèle, la stratégie du basculement direct, la stratégie du projet pilote et la stratégie par étapes.

FIGURE 13-4 UN ÉCHANTILLON DE PLAN D'ESSAI, CONCERNANT UNE MODIFICATION APPORTÉE À UN ENREGISTREMENT

Quand on conçoit un plan d'essai, on doit absolument inclure les différentes conditions qu'il faut tester, les exigences de chaque condition et les résultats escomptés. Le plan d'essai exige la participation des utilisateurs finaux et celle des spécialistes en systèmes d'information.

Procédure	Adresse et entretien « Série des modifications d'enregistrements »		Mise à l'essai 2		
	Préparé par :		Date :	Version :	
Réf. des essais	Condition testée	Exigences particulières	Résultats escomptés	Sortie sur	Écran suivant
2.0	Modifier les enregistrements				
2.1	Modifier un enregistrement existant	Champ clé	Interdit		
2.2	Modifier un enregistrement qui n'existe pas	Autres champs	Message « clé invalide »		
2.3	Modifier un enregistrement supprimé	L'enregistrement supprimé doit être disponible	Message « supprimé »		
2.4	Créer un deuxième enregistrement	Modifier 2.1 ci-dessus	OK si valide	Fichier de transaction	V45
2.5	Insérer un enregistrement		OK si valide	Fichier de transaction	V45
2.6	Terminer l'exécution durant le changement	Terminer 2.5	Aucun changement	Fichier de transaction	V45

Dans la **stratégie parallèle**, on fait s'exécuter en même temps l'ancien et le nouveau système pendant un certain temps, jusqu'à être certain que le nouveau fonctionne adéquatement. Il s'agit de la méthode de conversion la plus sûre : en cas de panne de traitement ou d'erreur, l'ancien système sert de système de secours. Mais elle est aussi très coûteuse. Il faut en effet prévoir du personnel ou des ressources supplémentaires pour faire fonctionner le deuxième système.

Dans la **stratégie du basculement direct**, on remplace complètement l'ancien système par le nouveau à une date déterminée. Cette méthode est très risquée et peut se révéler beaucoup plus coûteuse que l'exécution en parallèle de deux systèmes, notamment si on découvre de graves problèmes dans le nouveau système. Il n'y a pas, alors, de système de secours. Or, les coûts liés au démantèlement, aux interruptions et aux corrections peuvent être énormes.

Dans la **stratégie du projet pilote**, on introduit le nouveau système dans un secteur précis de l'organisation uniquement, par exemple dans un seul service ou une seule section. Une fois qu'on a testé la version pilote et qu'on a constaté qu'elle fonctionnait sans accrocs, on peut l'installer dans le reste de l'entreprise, en une seule fois ou par étapes.

Enfin, dans la **stratégie de conversion par étapes**, on introduit le nouveau système progressivement, par fonctions organisationnelles ou par sections. Par exemple, si on met en place un nouveau système de calcul de la paie par fonctions, on commencera par installer l'enregistrement des travailleurs payés au taux horaire et recevant un salaire hebdomadaire. Puis, six mois plus tard, on ajoutera les employés salariés et payés mensuellement. Si on introduit le nouveau système par sections organisationnelles, on effectuera d'abord la conversion au siège social de l'organisation. Ensuite, quatre mois plus tard par exemple, on procédera au changement dans les sections éloignées.

Le passage d'un ancien système à un nouveau requiert la formation des utilisateurs finaux à l'utilisation du nouveau système. À l'étape de la conversion, il faut réaliser une **documentation** détaillée qui sera utile pendant la formation, puis quotidiennement. Elle doit présenter le fonctionnement du système du point de vue technique et du point de vue des utilisateurs. Une formation insuffisante et une documentation mal préparée, en raison d'un manque de temps et de contraintes budgétaires par exemple, contribuent à l'échec du système. Cet aspect du processus de développement de système est donc capital.

La production et l'entretien

Une fois le nouveau système installé et la conversion terminée, on dit que le système est en **production**. Au cours de cette étape, les utilisateurs et les techniciens le révisent à intervalles réguliers, afin de déterminer jusqu'à quel point il répond aux critères initiaux et de décider s'il faut le revoir ou le modifier. Dans certains cas, on prépare un document formel de **vérification après implantation**. Après que le système a bien été réglé, il faut l'entretenir pendant la production pour corriger les erreurs, répondre aux exigences et améliorer l'efficacité

TABLEAU 13-2

LE DÉVELOPPEMENT DE SYSTÈME

ACTIVITÉ ESSENTIELLE	DESCRIPTION
Analyse de système	Détermination des problèmes Recherche de solutions Définition des besoins en information
Conception de système	Définition des spécifications de conception
Programmation	Conversion des spécifications de conception en codes de programmation
Mise à l'essai	Essai de programme Essai de système Essai d'acceptation
Conversion	Planification de la conversion Préparation de la documentation Formation des utilisateurs et du personnel technique
Production et entretien	Mise en exploitation du système Évaluation du système Modification du système

du traitement. L'ensemble des modifications de matériel, de logiciel, de documentation et de procédés effectuées à cette fin sur un système pendant l'étape de la production est ce qu'on appelle l'**entretien**.

On a constaté que 20 % environ du temps consacré à l'entretien sert au débogage et à la correction de problèmes de production urgents. Environ 20 % va à la modification des données, des fichiers, des rapports, du matériel et des logiciels. Enfin, 60 % de tout le travail d'entretien consiste à améliorer le système du point de vue des utilisateurs, à perfectionner la documentation et à recoder les composantes du système pour une plus grande efficacité de traitement. Soulignons qu'il est possible de réduire considérablement la quantité de ce dernier type de travail en effectuant une meilleure analyse de système et en adoptant de meilleures pratiques de conception. Le tableau 13-2 résume les diverses activités du développement de système.

La modélisation et la conception de système : les méthodes structurées et le développement orienté objet

Il existe diverses méthodes pour modéliser et concevoir un système. Les principales sont les méthodes structurées et le développement orienté objet.

Les méthodes structurées

On utilise les méthodes structurées depuis les années 1970, pour documenter, analyser et concevoir des systèmes d'information. Dans une **méthode structurée**, les techniques s'enchaînent graduellement, chaque étape découlant de la précédente. La progression suit une logique descendante, du degré d'abstraction le plus élevé au détail le plus petit, c'est-à-dire du général au particulier.

Les méthodes structurées reposent sur les processus et se concentrent avant tout sur la modélisation des processus, ou sur les actions de saisie, de stockage, de manipulation et de distribution des données au fur et à mesure de leur circulation dans le système. Elles consistent à séparer les données et les processus. Chaque fois que quelqu'un désire manipuler un ensemble de données particulier, il faut écrire une procédure de programmation distincte. Le programme envoie les données à cette procédure de programmation, qui effectue le traitement requis.

Le principal outil servant à représenter graphiquement les processus qui sous-tendent un système et la circulation de données qui les relie est le **diagramme de flux de données (DFD)**. Ce dernier offre un modèle graphique logique des flux d'information en divisant le système en modules présentant des niveaux de détail plus faciles à gérer. En outre, il précise rigoureusement les processus et les transformations qui se produisent au sein de chaque module ainsi que les interfaces qui existent entre eux.

La figure 13-5 présente un diagramme de flux de données simple qui correspond à un système permettant de s'inscrire par courrier à des cours universitaires. Les encadrés à angles arrondis représentent les processus, qui portent sur la transformation des données. L'encadré carré montre une entité externe, émettrice ou réceptrice d'information, située à l'extérieur des frontières du système. Les rectangles ouverts représentent les dépôts de données, dans lesquels le stockage se fait par des moyens manuels ou automatisés. Enfin, les flèches correspondent aux flux de données entre les processus, l'entité externe et les dépôts de données. Juste à côté figurent le nom ou le contenu des paquets de données en circulation.

Ce diagramme de flux de données montre que chaque étudiant présente une demande d'inscription dans laquelle il indique son nom, son numéro matricule et les numéros des cours qu'il souhaite suivre. Voici ce qui se passe :

- 1.0 – Le système vérifie si chaque cours choisi est toujours disponible, en consultant le fichier de cours de l'université. Le fichier fait la distinction entre les cours qui sont disponibles et ceux qui ont été annulés ou pour lesquels les effectifs sont complets. Le système évalue ensuite quels choix de l'étudiant peuvent être acceptés ou doivent être refusés.

- 2.0 – Le système inscrit l'étudiant dans les cours pour lesquels il est accepté. Il met alors à jour le fichier de cours de l'université en y inscrivant le nom de l'étudiant et son numéro matricule, puis en recalculant le nombre d'étudiants par classe. Lorsque le nombre maximal d'inscriptions est atteint, il indique que le cours correspondant est complet. Puis, le système met à jour le fichier maître des étudiants de l'université, en y versant les informations relatives au nouvel étudiant ou à un changement d'adresse.

- 3.0 – Le système envoie à chaque étudiant candidat une lettre de confirmation d'inscription dans laquelle sont indiqués les cours qu'il peut suivre et ceux qu'il ne peut pas suivre.

[FIGURE 13-5] UN DIAGRAMME DE FLUX DE DONNÉES SIMPLE, POUR UN SYSTÈME PERMETTANT DE S'INSCRIRE PAR COURRIER À DES COURS UNIVERSITAIRES

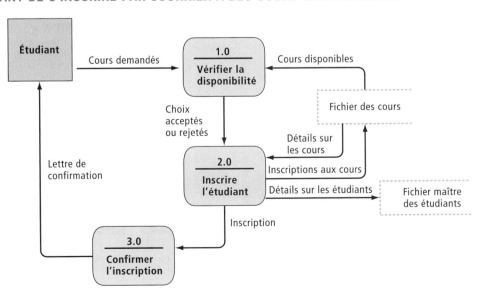

Le système comporte trois processus : la vérification de la disponibilité (1.0), l'inscription de l'étudiant (2.0) et la confirmation de l'inscription (3.0). Le nom et le contenu de chaque flux de données apparaissent à côté de chaque flèche. Dans ce système, l'entité externe est l'étudiant. On compte deux dépôts de données : le fichier maître des étudiants et le fichier des cours.

Un diagramme de flux de données peut servir à illustrer tant des processus généraux que des processus détaillés. Grâce à des diagrammes de flux de données multiniveaux, on peut subdiviser un processus complexe en niveaux successifs plus simples. Par exemple, on peut fractionner un système complet en sous-systèmes dans un diagramme de premier niveau général. Puis, on subdivise chacun de ces sous-systèmes en plus petits sous-systèmes dans un diagramme de deuxième niveau. Enfin, on divise encore les petits sous-systèmes, jusqu'au dernier niveau de détail possible.

Le dictionnaire de données est un deuxième outil utile pour la méthode structurée. Il contient des informations sur des éléments de données distincts et sur des groupes de données dans un même système (chapitre 6). Il définit le contenu des flux de données et des dépôts de données, permettant ainsi aux concepteurs de systèmes de comprendre exactement quels éléments d'information le système comporte. Les **spécifications de processus** décrivent la transformation qui se déroule au plus bas niveau d'un diagramme de flux de données. Elles expriment la logique qui sous-tend chaque processus.

Dans la méthode structurée, on modélise la conception logicielle au moyen de graphes de la structure. Le **graphe de la structure** est un diagramme descendant qui présente les différents niveaux de conception, les relations qui existent entre eux et leur place dans la structure de conception globale. L'équipe chargée de la conception doit d'abord considérer la fonction principale d'un programme ou d'un système, puis la subdiviser en sous-fonctions et décomposer ces dernières jusqu'à arriver au plus bas niveau possible. La figure 13-6 présente le graphe de la structure du premier niveau général d'un système de paie. Si les niveaux de conception sont trop nombreux pour paraître dans un seul graphe, on peut réaliser d'autres graphes plus détaillés. Un graphe de la structure peut documenter un programme, un système (ensemble de programmes) ou une partie de programme.

Le développement orienté objet

Les méthodes structurées sont utiles pour modéliser les processus, mais elles ne permettent pas une modélisation pertinente des données. De plus, elles traitent les données et les processus comme des entités logiquement séparées, alors qu'une telle distinction semble artificielle dans la réalité. Elle utilise différentes conventions de modélisation pour l'analyse (le diagramme de flux de données) et pour la conception (le graphe de la structure).

Le **développement orienté objet** tente de résoudre ces problèmes. Il prend l'**objet** comme unité de base de l'analyse et de la conception d'un système. Un objet combine des données et les processus précis qui s'appliquent à ces données. On ne peut accéder aux données encapsulées dans un objet et les modifier qu'au moyen des opérations ou méthodes associées à cet objet. Au lieu de transférer les données aux procédures, les programmes envoient un message à un objet pour qu'il effectue une opération qui lui est déjà intégrée. Le système est modélisé comme un ensemble d'objets et de relations entre ces objets. Comme la logique de traitement se trouve à l'intérieur des objets plutôt que dans des programmes logiciels distincts, les objets doivent collaborer pour faire fonctionner le système.

La modélisation orientée objet repose sur les concepts de *classe* et d'*héritage*. D'une part, les objets appartenant à une certaine classe ou catégorie générale d'objets semblables possèdent les caractéristiques de cette classe. D'autre part, les classes d'objets peuvent hériter de toute la structure et des comportements d'une classe plus générale, auxquels s'ajoutent des variables et des comportements particuliers à chacune. On crée une nouvelle classe d'objets en sélectionnant une classe existante et en précisant comment la nouvelle s'en distingue, au lieu de recommencer chaque fois à zéro.

On peut voir comment fonctionnent les concepts de classe et d'héritage à la figure 13-7, qui illustre les relations entre des classes relatives aux employés et à leur mode de

FIGURE 13-6 **LE GRAPHE DE LA STRUCTURE DU PREMIER NIVEAU GÉNÉRAL D'UN SYSTÈME DE PAIE**

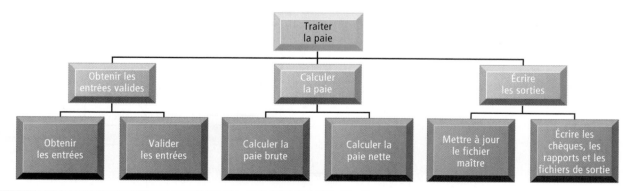

Ce graphe de la structure montre le premier niveau de conception ou le degré le plus abstrait d'un système de paie, donnant ainsi une vue d'ensemble du système.

FIGURE 13-7

LES CONCEPTS DE CLASSE ET D'HÉRITAGE

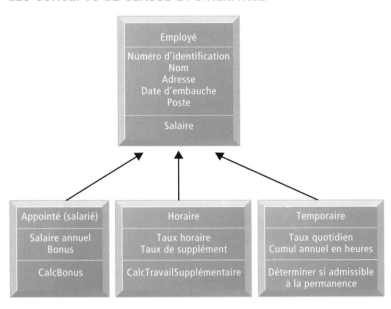

Cette figure illustre la manière dont les classes héritent des caractéristiques communes de leur superclasse.

rémunération. La classe Employé est l'ancêtre commun, ou la superclasse, des trois autres classes : Appointé (salarié), Horaire et Temporaire. Le nom de chaque classe apparaît dans la partie supérieure de l'encadré, les attributs au centre et la liste des opérations dans la partie inférieure. Les caractéristiques que tous les employés partagent (numéro d'identification, nom, adresse, date d'embauche, poste et salaire) sont stockées dans la superclasse Employé, tandis que les caractéristiques propres à un type particulier d'employés sont stockées dans chaque sous-classe. Par exemple, les taux horaires et les taux d'heures supplémentaires sont associés aux employés Horaire. Une flèche pleine partant de la sous-classe et pointant vers la superclasse représente un trajet de généralisation indiquant que les sous-classes Appointé (salarié), Horaire et Temporaire possèdent des caractéristiques communes qu'on peut généraliser dans la superclasse Employé.

Le développement orienté objet est plus itératif et plus progressif que le développement structuré traditionnel. Durant l'analyse, les développeurs de systèmes documentent les exigences fonctionnelles du système, en précisant ses propriétés les plus importantes et les tâches qu'il doit effectuer. Ils analysent les interactions entre le système et ses utilisateurs pour définir les objets, comprenant les données et les processus. L'étape de conception orientée objet vise à décrire la façon dont les objets se comporteront et dont ils interagiront entre eux. Les objets semblables sont regroupés en classes, lesquelles sont regroupées en hiérarchies. Dans les hiérarchies, chaque sous-classe hérite des attributs et des méthodes de sa superclasse.

On met en application le système d'information en convertissant la conception en code de programmation, en réutilisant les classes qui sont déjà disponibles dans une bibliothèque d'objets logiciels réutilisables et en ajoutant les nouveaux objets créés à l'étape de la conception orientée objet. On peut aussi créer une base de données orientée objet. Le système qui en résulte doit être soigneusement mis à l'essai et évalué.

Comme les objets sont réutilisables, le développement orienté objet permet de réduire le temps et les coûts d'écriture des logiciels, car les organisations peuvent réutiliser les objets logiciels déjà créés comme composantes de base d'autres applications. On peut créer de nouveaux systèmes en utilisant des objets existants, en en modifiant d'autres et en en ajoutant de nouveaux. Les structures orientées objet fournissent des applications réutilisables et semi-complètes que les organisations peuvent ensuite personnaliser selon leurs besoins.

Le génie logiciel assisté par ordinateur

Le **génie logiciel assisté par ordinateur (GLAO)**, qu'on appelle parfois tout simplement « génie logiciel », fournit des outils logiciels permettant d'automatiser les méthodes que nous venons juste de décrire, en vue de réduire la quantité de travail répétitif que doit accomplir le développeur. Les outils GLAO favorisent également la création d'une documentation claire et simplifient la coordination des efforts des uns et des autres. Les membres de l'équipe de développement peuvent en effet facilement se partager le travail en accédant aux fichiers des autres membres pour voir ou modifier ce qui a été fait. Enfin, une bonne utilisation des outils GLAO permet d'obtenir quelques avantages sur le plan de la productivité.

Les outils GLAO offrent des fonctions graphiques automatisées pour la production de tableaux et de diagrammes, des générateurs d'écrans et de rapports, des dictionnaires de données, des fonctions évoluées de présentation de rapports, des outils d'analyse et de vérification, des générateurs de codes et des générateurs de documents. En général, ils font augmenter la productivité et la qualité du travail des développeurs en accomplissant les tâches suivantes :

- imposition d'une méthode standard de développement et d'une discipline de conception ;
- amélioration de la communication entre les utilisateurs et les spécialistes ;
- organisation des composantes de conception, établissement d'un lien entre elles et accélération de l'accès à ces composantes au moyen d'un dépôt de conception ;
- automatisation des étapes d'analyse et de conception répétitives et génératrices d'erreurs ;
- automatisation de la génération de codes, de la mise à l'essai et du contrôle du déploiement.

Les outils GLAO offrent aussi des fonctions pour valider les diagrammes de conception et les spécifications. Ils gèrent ainsi la conception itérative en automatisant les révisions et les modifications et en fournissant des fonctions de prototypage. Leur référentiel d'information stocke toute l'information que déterminent les analystes au cours d'un projet. Il comprend les diagrammes de flux de données, les graphes de la structure, les diagrammes entité-relation, les définitions des données, les spécifications des processus, les formats d'écran et de rapports, les notes et commentaires et les résultats des essais.

Les outils GLAO ne donnent de bons résultats que s'ils sont utilisés dans un environnement où règne une discipline organisationnelle. Tous les membres d'un projet de développement doivent adhérer à un ensemble commun de normes et de protocoles d'identification et à une méthode de développement. Les meilleurs outils GLAO appliquent des méthodes et des normes communes qui peuvent décourager une organisation manquant de discipline.

13.3 LE DÉVELOPPEMENT DE SYSTÈME : LES MÉTHODES DE RECHANGE

Les systèmes diffèrent selon leur taille, leur complexité technique et les problèmes organisationnels qu'ils sont censés résoudre. Quelques méthodes de développement de systèmes ont été conçues à partir d'une prise en compte de ces différences. Dans cette section, nous décrivons les méthodes de rechange que sont le cycle de vie d'un système, le prototypage, les progiciels d'application, le développement par l'utilisateur final et l'impartition.

Le cycle de vie d'un système

Le **cycle de vie d'un système** est la méthode de développement de système la plus ancienne. Il s'agit d'une méthode par étapes qui vise à construire un système en en divisant le développement en étapes formelles. Les spécialistes en développement de systèmes ont diverses opinions quant à la façon de diviser le développement. Mais, en gros, les étapes correspondent à celles que nous venons de décrire.

La méthode du cycle de vie d'un système suppose une division très rigoureuse des tâches entre les utilisateurs finaux et les spécialistes des systèmes d'information. Les techniciens spécialisés, comme les analystes de systèmes et les programmeurs, sont ainsi responsables d'une grande partie du travail d'analyse, de conception et de mise en application. Les utilisateurs, quant à eux, ont pour tâche de préciser leurs besoins en information et de réviser le travail du personnel technique. La méthode du cycle de vie accorde également une grande importance aux spécifications et aux documents rédigés. Elle favorise donc la production de nombreux documents écrits.

On utilise encore de nos jours cette méthode pour le développement de gros systèmes complexes requérant une analyse des besoins rigoureuse et formelle, des spécifications prédéfinies et une surveillance étroite du processus de développement. Cependant, la méthode du cycle de vie d'un système peut s'avérer coûteuse, laborieuse et rigide. Bien que les développeurs de systèmes puissent naviguer d'une étape à l'autre, le fonctionnement « en cascade » essentiellement requiert de terminer les tâches d'une étape avant d'entamer les tâches de la prochaine. On peut répéter certaines activités, mais il faut produire des quantités énormes de documents et revoir les étapes précédentes en cas de nécessité de réviser les exigences et les spécifications. Les spécifications peuvent ainsi se figer assez tôt dans le processus de développement. La méthode du cycle de vie ne convient pas non plus à de nombreux petits systèmes de bureau, qui sont souvent moins structurés et plus personnalisés.

Le prototypage

Le **prototypage** consiste à construire un système expérimental rapidement et à moindres frais, pour une évaluation par les utilisateurs finaux. En interagissant avec un prototype, les utilisateurs peuvent se faire une meilleure idée de leurs besoins en information. Le prototype qu'ils finissent par accepter peut servir de modèle pour la création du système final.

Un **prototype** est une version de travail d'un système ou d'une partie d'un système d'information. Mais ce n'est qu'un modèle préliminaire. On l'améliore jusqu'à ce qu'il se conforme précisément aux besoins des utilisateurs. La conception finalisée, on peut le convertir en système de production final.

Le processus d'élaboration d'un modèle préliminaire qu'on essaye, met au point et réessaye porte le nom de **processus itératif** de développement de système : il permet de reprendre plusieurs fois les étapes du développement d'un système. Le prototypage est ainsi une méthode plus explicitement itérative que la méthode classique du cycle de vie. De plus, il encourage les modifications de conception. On dit que le prototypage remplace la reprise de travail non planifiée par un travail itératif planifié, chacune des versions d'un prototype reflétant avec plus de précision que la précédente les besoins des utilisateurs.

Les étapes du prototypage

La figure 13-8 présente un modèle de processus de prototypage en quatre étapes.

1. *Définition des principaux besoins des utilisateurs* Le concepteur de systèmes (habituellement un spécialiste des systèmes d'information) travaille avec les utilisateurs jusqu'à ce qu'il comprenne bien leurs principaux besoins en information.

2. *Développement du prototype initial* Le concepteur crée rapidement un prototype fonctionnel, en utilisant les outils logiciels qui accélèrent le développement de système.

FIGURE **13-8**

LE PROCESSUS DU PROTOTYPAGE

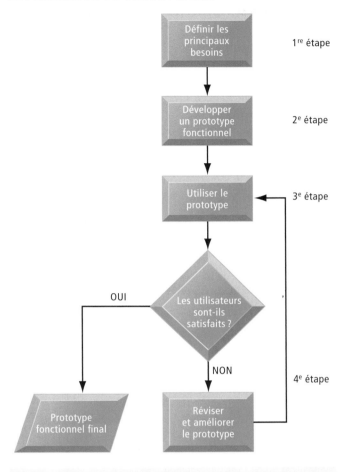

Le processus de mise au point d'un prototype peut se diviser en quatre étapes. Comme un prototype peut se construire rapidement et à peu de frais, les développeurs peuvent répéter plusieurs fois les troisième et quatrième étapes, afin de mettre au point et d'améliorer le prototype jusqu'à arriver à la version opérationnelle définitive.

3. *Utilisation du prototype* Les utilisateurs travaillent avec le prototype pour déterminer jusqu'à quel point il répond à leurs besoins et pour proposer des améliorations.

4. *Révision et amélioration du prototype* Le développeur de systèmes note tous les changements demandés par les utilisateurs et améliore le prototype en conséquence. Il faut reprendre ensuite les troisième et quatrième étapes du processus jusqu'à la satisfaction complète des utilisateurs.

Lorsque plus aucune modification n'est nécessaire, le prototype est approuvé par les utilisateurs et devient un prototype opérationnel fournissant les spécifications définitives de l'application. Parfois, le prototype constitue la version d'exploitation du système.

Les avantages et les inconvénients du prototypage

Le prototypage est surtout utile lorsque les besoins des utilisateurs ou les solutions proposées lors de la conception du système ne sont pas suffisamment clairs. Il sert souvent à la conception de l'**interface utilisateur final** d'un système d'information, c'est-à-dire la partie du système dont se servent les utilisateurs, comme l'affichage en ligne et les écrans de saisie de données, les rapports ou les pages Web. Comme il encourage la participation active des utilisateurs finaux tout au long du cycle de développement, il permet d'obtenir un système répondant aux besoins des utilisateurs.

Cependant, un prototypage trop rapide peut négliger des étapes essentielles du développement de système. Si la version définitive du prototype fonctionne suffisamment bien, la direction peut ne pas voir la nécessité de reprogrammer, de remettre à l'étude ou de documenter et de tester complètement le système pour en faire un produit fini. Certains systèmes construits hâtivement risquent de ne pas pouvoir prendre en charge de grandes quantités de données ou servir un grand nombre d'utilisateurs.

Le développement par l'utilisateur final

Les utilisateurs finaux peuvent développer certains types de systèmes d'information avec très peu d'aide, sinon aucune, de la part des spécialistes. On parle alors de **développement par l'utilisateur final**, rendu possible par une série d'outils logiciels qui constituent des langages de quatrième génération. Les **langages de quatrième génération** permettent aux utilisateurs finaux de créer des rapports ou de développer des applications logicielles avec très peu, voire aucune assistance technique. Certains d'entre eux améliorent la productivité des programmeurs professionnels.

Les langages de quatrième génération sont en général non procéduraux ou moins procéduraux que les langages de programmation traditionnels. Avec les langages procéduraux, il faut définir la séquence des étapes, ou procédures, pour indiquer à l'ordinateur ce qu'il doit faire et comment il doit le faire. Avec les langages non procéduraux, il faut seulement préciser la tâche à accomplir, sans avoir à fournir des détails sur la façon de l'accomplir.

Le tableau 13-3 présente les sept principales catégories de langages de quatrième génération : les outils logiciels pour ordinateur personnel, les langages d'interrogation, les générateurs de rapports, les langages graphiques, les générateurs d'applications, les progiciels d'applications et les langages de programmation très évolués. Leur classement est fonction de leur facilité d'utilisation pour les utilisateurs qui ne sont pas des programmeurs. Les outils logiciels pour ordinateur personnel et les langages d'interrogation sont ceux qui servent le plus aux utilisateurs finaux. Les **langages d'interrogation** sont des outils logiciels qui fournissent instantanément des réponses en ligne aux demandes d'information non prédéfinies, comme « Qui sont les représentants des ventes les plus performants ? » Ils sont souvent liés aux logiciels de gestion des données et aux systèmes de gestion des bases de données (chapitre 6).

TABLEAU 13-3   LES CATÉGORIES DE LANGAGES DE QUATRIÈME GÉNÉRATION

TYPE D'OUTIL	DESCRIPTION	EXEMPLES	
Outil logiciel pour ordinateur personnel	Applications universelles pour ordinateur personnel	WordPerfect, Microsoft Access	**Orientation vers les utilisateurs finaux**
Langage d'interrogation	Langage servant à la récupération de données stockées dans des bases de données ou des fichiers et pouvant prendre en charge les demandes d'information non prédéfinies.	SQL	
Générateur de rapports	Langage qui extrait des données stockées dans des fichiers ou des bases de données pour créer des rapports personnalisés d'une grande variété de formats, pas couramment produits par un système d'information. En général, ce type de langage donne plus de contrôle sur le formatage, l'organisation et l'affichage des données que le langage d'interrogation.	Crystal Reports	
Langage graphique	Langage qui récupère des données stockées dans des fichiers ou des bases de données et qui les affiche en format graphique. Un logiciel graphique peut aussi parfois effectuer des opérations arithmétiques ou logiques sur les données.	SAS Graph, Systat	
Générateur d'applications	Langage qui contient des modules préprogrammés capables de produire des applications entières, y compris des sites Web. Il accélère donc considérablement le processus de développement. L'utilisateur peut préciser les tâches à effectuer, et le générateur d'applications crée le code de programme approprié pour l'entrée, la validation, la mise à jour, le traitement et la sortie des rapports.	WebFOCUS, QuickBase	
Progiciel	Ensemble de programmes logiciels que vendent ou louent les fournisseurs commerciaux et qui élimine le besoin de logiciels personnalisés créés à l'interne.	Oracle PeopleSoft HCM, mySAP ERP	
Langage de programmation très évolué	Langage qui produit des codes programmes comprenant moins d'instructions que les langages traditionnels tels que le COBOL ou le FORTRAN. Il a avant tout été conçu comme un outil de productivité pour les programmeurs professionnels.	APL, Nomad2	**Orientation vers les professionnels des systèmes d'information**

Dans l'ensemble, le développement de système par les utilisateurs finaux peut se faire beaucoup plus rapidement qu'avec la méthode traditionnelle du cycle de vie d'un système. La possibilité qu'ont les utilisateurs de préciser leurs besoins d'affaires permet d'améliorer la définition des besoins et conduit souvent à une augmentation de la participation et de la satisfaction des utilisateurs à l'égard du système. Cependant, les outils de quatrième génération ne peuvent pas toujours remplacer les outils traditionnels conçus pour certaines applications d'entreprise, car ils n'arrivent pas à traiter facilement de grandes quantités de transactions ou d'applications dont les exigences de mise à jour et de logique procédurale s'avèrent importantes.

L'informatique-utilisateur comporte aussi des risques pour l'organisation, car elle se réalise à l'extérieur des mécanismes de gestion et de surveillance traditionnels des systèmes d'information. Quand les systèmes sont créés rapidement, sans le recours à une méthode de développement en bonne et due forme, la mise à l'essai et la documentation peuvent se révéler inappropriées. On peut ainsi perdre la capacité de gérer les données qui proviennent des systèmes situés à l'extérieur du service des systèmes d'information. Pour aider les organisations à tirer un profit maximal du développement des applications par l'utilisateur final, les gestionnaires doivent exercer une surveillance étroite en exigeant la justification des coûts associés à ce type de projets et en établissant des normes quant au matériel, aux logiciels et à la qualité des applications ainsi développées.

Les progiciels et l'impartition

Au chapitre 5, nous faisons remarquer que les logiciels de la plupart des systèmes actuels ne sont pas développés à l'interne, mais sont achetés à des sources externes. Les entreprises peuvent louer de tels logiciels à un fournisseur de services d'applications, acheter un progiciel à un détaillant ou faire développer une application personnalisée par une entreprise externe.

Les progiciels

Au cours des dernières décennies, on a mis au point de nombreux systèmes à partir de progiciels. De nombreuses applications sont communes à toutes les organisations, qu'il s'agisse de la paie, des comptes débiteurs, du grand livre général ou de la gestion des stocks. Pour de telles fonctions universelles, dont les processus standard ne changent guère au fil du temps, un système généralisé répond aux besoins d'un grand nombre d'organisations.

Si un progiciel satisfait à la plupart de ses besoins, l'organisation n'est plus obligée d'écrire ses propres programmes. Elle peut gagner du temps et de l'argent en utilisant des progiciels écrits, conçus et testés d'avance. Les vendeurs de progiciels effectuent la plus grande partie de l'entretien du système, fournissent du soutien technique et proposent des mises à niveau pour que le système suive les progrès techniques et commerciaux de l'entreprise.

En cas de besoins particuliers auxquels ne peut répondre le progiciel, l'organisation peut se tourner vers un progiciel comprenant des fonctions de personnalisation. La **personnalisation** est la modification d'un progiciel de façon qu'il réponde aux exigences uniques de l'organisation sans porter atteinte à son intégrité. Parfois, la personnalisation requise et la programmation supplémentaire qui en découle s'avèrent si coûteuses et si longues qu'elles réduisent à néant bon nombre des avantages qu'offrent les progiciels. C'est pour cette raison que l'entreprise PC Connection, dont nous avons parlé dans l'étude de cas du début du chapitre, a choisi de ne pas utiliser de progiciel.

Lorsqu'on développe un système au moyen d'un progiciel, on doit en plus évaluer le progiciel en faisant l'analyse de système. Les principaux critères à prendre en compte concernent les fonctions que fournit le progiciel, sa souplesse, sa convivialité, ses ressources en matériel et en logiciels, ses besoins en bases de données, son installation, l'entretien qu'il requiert, la documentation qui l'accompagne, la renommée du vendeur et le prix. Le processus d'évaluation repose souvent sur un **appel d'offres** consistant en une liste détaillée de questions soumise aux vendeurs de progiciels.

Quand elle opte pour un progiciel, l'organisation perd une partie de la maîtrise du processus de conception de système. Au lieu de personnaliser directement les spécifications de conception du système en fonction des besoins des utilisateurs, elle va plutôt devoir s'attacher à façonner les besoins des utilisateurs pour qu'ils se conforment aux caractéristiques du progiciel. Si ses besoins ne correspondent pas à la manière dont fonctionne le progiciel et si la personnalisation n'est pas possible, elle devra s'adapter et modifier ses procédures.

L'impartition

Dans le cas où elle ne veut pas utiliser ses ressources internes pour développer des systèmes d'information ou les exploiter, l'entreprise peut faire appel à une firme offrant ce type de services. Les fournisseurs de logiciels-services et de nimbo-informatique, dont il est question au chapitre 5, correspondent à une forme d'impartition. L'entreprise utilise alors le logiciel et le matériel de ce type de fournisseurs comme plate-forme technique pour ses systèmes. Comme autre forme d'impartition, l'entreprise peut aussi s'adresser à un vendeur externe pour la conception et la création d'un logiciel adapté à ses systèmes, mais qui fonctionnera sur ses propres ordinateurs. Le sous-traitant peut être une organisation locale ou étrangère.

Le marché intérieur de l'impartition doit surtout son existence au fait que les entreprises fournissant des services en impartition possèdent les compétences, les ressources et les atouts qui font défaut à leurs clients. L'installation d'un nouveau système de gestion de la chaîne logistique dans une très grande entreprise peut nécessiter l'embauche de 30 à 50 personnes possédant une expertise précise à l'égard d'un logiciel de gestion de la chaîne logistique conçu par i2 ou par un autre fournisseur. Au lieu d'embaucher de nouveaux employés permanents – dont la plupart auront besoin d'une formation approfondie dans le progiciel –, puis de les renvoyer après le développement du système, il est plus logique et souvent moins dispendieux de recourir à l'impartition pendant une période de 12 mois.

Dans le cas de l'**impartition à l'étranger**, ce sont surtout les coûts qui importent. Un programmeur expérimenté d'Inde ou de Russie gagne environ 9000 USD par an, alors qu'aux États-Unis il gagne 65 000 USD par an. Internet et la technologie des communications à bas prix ont considérablement réduit les coûts et les difficultés associées à la coordination du travail au sein d'équipes dont les membres sont disséminés dans le monde. Outre qu'elle permet de faire des économies, l'impartition donne accès aux entreprises à des ressources et à des compétences technologiques complémentaires de renommée mondiale. L'inflation salariale à l'extérieur des États-Unis a récemment contribué à éroder certains de ces avantages et donc à faire revenir certains emplois au pays.

Néanmoins, il y a de fortes chances qu'au cours de votre carrière vous travailliez avec des sous-traitants en impartition à l'étranger ou avec des équipes mondiales. Votre entreprise profitera très probablement de l'impartition si elle prend le temps d'évaluer tous les risques et de s'assurer que cette pratique convient à ses besoins particuliers. Toute société qui utilise l'impartition pour ses applications doit parfaitement comprendre le projet, notamment ses besoins, la méthode d'implantation, les avantages prévus, les éléments de coût ainsi que les paramètres d'évaluation du rendement.

De nombreuses entreprises sous-estiment les coûts liés au repérage et à l'évaluation des fournisseurs de services de technologie de l'information, à la transition vers un nouveau fournisseur, à l'amélioration des méthodes internes de développement de logiciels afin qu'elles s'harmonisent avec celles des fournisseurs de services en impartition et, enfin, à la surveillance qu'il faut effectuer pour s'assurer que les fournisseurs respectent leurs obligations contractuelles. Les entreprises doivent prévoir des ressources pour les besoins en documentation, l'envoi des appels d'offres, les frais de déplacement, la négociation des contrats et la gestion du projet. Les spécialistes affirment qu'il faut compter de 3 à 12 mois pour effectuer le transfert complet du travail à un partenaire à l'étranger et s'assurer que ce dernier comprend parfaitement l'entreprise.

L'impartition à l'étranger comporte des coûts supplémentaires pour faire face aux différences culturelles qui minent la productivité et pour régler les problèmes de ressources humaines, comme le licenciement ou le transfert d'employés locaux. Tous ces frais cachés réduisent la valeur des avantages escomptés. Les entreprises doivent se montrer particulièrement prudentes quand elles ont recours à l'impartition pour développer ou exploiter des applications qui lui donnent un quelconque avantage concurrentiel.

La figure 13-9 illustre le meilleur et le pire des scénarios concernant le coût total d'un projet d'impartition à l'étranger. Elle montre comment les coûts cachés modifient le coût total du projet. Le meilleur scénario reflète les estimations de coûts supplémentaires les plus basses, tandis que le pire scénario reflète les estimations les plus élevées. Comme vous pouvez le constater, les frais cachés gonflent le coût total de 15 à 57 %. Malgré ces coûts supplémentaires, de nombreuses entreprises tireront profit de l'impartition à l'étranger si elles gèrent bien le travail. Ainsi, même dans le pire scénario, l'entreprise économise tout de même 15 %.

La session interactive sur la gestion décrit l'entente d'impartition qu'ont conclue Chrysler LLC et Tata Consultancy Services (TCS), fournisseur mondial de technologies de l'information et de services aux entreprises établi en Inde. En lisant ce cas, essayez d'appliquer ce que nous venons de voir. Était-ce une bonne décision de la part de Chrysler de choisir l'impartition à l'étranger?

| FIGURE 13-9 | LE COÛT TOTAL DE L'IMPARTITION À L'ÉTRANGER

COÛT TOTAL DE L'IMPARTITION À L'ÉTRANGER				
Coût d'un contrat d'impartition		10 000 000 $		
Coûts cachés	Scénario le plus favorable	Coûts supplémentaires ($)	Scénario le plus défavorable	Coûts supplémentaires ($)
1. Sélection du fournisseur	0 %	20 000	2 %	200 000
2. Coûts de transition	2 %	200 000	3 %	300 000
3. Mises à pied et primes de fidélisation	3 %	300 000	5 %	500 000
4. Perte de productivité et problèmes culturels	3 %	300 000	27 %	2 700 000
5. Amélioration des processus de développement	1 %	100 000	10 %	1 000 000
6. Gestion du contrat	6 %	600 000	10 %	1 000 000
Total des coûts supplémentaires		**1 520 000**		**5 700 000**
	Contrat en cours ($)	Coûts supplémentaires ($)	Coût total ($)	Coûts supplémentaires ($)
Coût total de l'impartition (scénario le plus favorable)	10 000 000	1 520 000	11 520 000	15,2 %
Coût total de l'impartition (scénario le plus défavorable)	10 000 000	5 700 000	15 700 000	57,0 %

Sur un contrat de 10 millions de dollars pour de l'impartition à l'étranger, une entreprise dépensera 15,2 % de frais supplémentaires, même dans le scénario le plus favorable. Dans le scénario le plus défavorable, se caractérisant par une baisse spectaculaire de la productivité et par des coûts de transition et de mise à pied exceptionnellement élevés, l'entreprise peut s'attendre à payer jusqu'à 57 % de frais supplémentaires.

CHRYSLER A-T-ELLE PRIS LA BONNE DÉCISION EN MATIÈRE D'IMPARTITION ?

Le 4 avril 2008, Tata Consultancy Services (TCS), grand fournisseur mondial de services en technologies de l'information, a annoncé la signature d'un contrat d'impartition pluriannuel de plusieurs millions de dollars avec Chrysler LLC, concernant un ensemble complet de services de technologies de l'information. Était-ce une bonne chose pour Chrysler ?

TCS fait partie de la société Tata Group et est une division associée de Tata Motors, entreprise qui concurrencera Chrysler en Inde et peut-être également ailleurs dans le monde (voir l'étude de cas au début du chapitre 2). Tata Motors a récemment acquis les marques Jaguar et Land Rover de Ford Motor Company. L'industrie automobile est l'un des marchés cibles de TCS. Cette entreprise fournit des services pour le développement de produits, la fabrication, la chaîne logistique et le soutien du service à la clientèle aux principaux constructeurs et fournisseurs de véhicules automobiles en Amérique du Nord, en Europe et au Japon. Plus de 15 % de son revenu annuel de 4,3 milliards de dollars provient des services offerts aux constructeurs de véhicules automobiles.

Une version préliminaire de l'entente avait été annoncée plus tôt, en février. Tata acceptait de prendre en charge les services d'entretien et de soutien des applications de Chrysler, notamment pour les ventes, le marketing, le développement de produits, les services communs et le service après-vente.

Pour fournir ces services, TCS compte miser sur son Global Network Delivery Model (GNDM), excellent modèle collaboratif d'individus, de processus et d'infrastructure qui utilise les outils, les méthodes et les produits de TCS pour aider les clients à réduire la durée d'implantation et à obtenir des retombées commerciales. Le GNDM est considéré comme un étalonnage d'excellence dans le développement des logiciels.

TCS s'appuie sur plus de 108 000 conseillers en TI répartis dans 47 pays, dont les États-Unis.

Selon N. Chandrasekaran, directeur administratif et directeur de l'exploitation de TCS, « l'expertise et la connaissance approfondie de l'industrie automobile et de la société Chrysler, ajoutées à notre capacité de produire des résultats certains, offriront une valeur durable à Chrysler ».

Chrysler a refusé de dévoiler le montant du contrat. Les représentants officiels de Tata ont, quant à eux, indiqué qu'il pourrait valoir près de 100 millions de dollars, sans préciser de durée.

Jan Bertsch, vice-président et directeur général de Chrysler, a déclaré : « C'est vraiment la prochaine étape dans nos efforts continus… pour fonctionner plus efficacement… Nous nous attendons effectivement à réduire considérablement nos coûts, ce qui nous permettra d'assurer la croissance future de cette entreprise. » Bertsch a cependant refusé d'indiquer le montant des économies estimé.

Dennis Greathouse, troisième vice-président du local 412 du United Auto Workers (Syndicat international des travailleurs unis de l'automobile), a soutenu que les évaluateurs de coûts de Chrysler, des employés de formation technique qui examinent les enjeux de prix concurrentiels concernant les pièces, croient que leurs postes seront pris en charge par Tata. Cependant, la rémunération annuelle d'un estimateur de coûts aux États-Unis s'élève à environ 70 000 ou 80 000 $. Or, d'après ce qu'a appris Greathouse, Tata pourrait embaucher deux ou trois employés pour ce prix.

Les travailleurs de la TI de Chrysler se demandent comment des entreprises de l'extérieur pourraient être aussi efficaces que les employés qui travaillent depuis des années sur les systèmes de Chrysler. Mais Bertsch soutient que le changement améliorera les opérations de la TI de l'entreprise. Les nouveaux gestionnaires de Chrysler ont établi que l'entreprise dépensait une trop grande part de son budget de la TI à l'entretien de base des systèmes, et pas assez au réinvestissement.

Chrysler compte environ 2100 employés affectés aux systèmes d'information, dont 1000 à plein temps et le reste à forfait. Bertsch a déclaré que 200 employés environ, soit 20 % du personnel à plein temps, perdraient leur emploi en raison de la nouvelle entente d'impartition.

Au cours des dernières années, les constructeurs de véhicules automobiles de Detroit ont été frappés de plein fouet par la montée des prix de l'essence et l'effondrement du secteur de l'immobilier, qui ont miné les ventes de camionnettes et de véhicules utilitaires sport. En 2007, Chrysler a perdu 2,9 milliards de dollars en frais d'exploitation et de restructuration. Elle est devenue la même année une société privée, la société de capital de risque Cerberus Capital Management l'ayant achetée à Daimler pour quelque 7 milliards de dollars. Depuis, quatre produits ont été supprimés, des milliers d'emplois perdus et de nouveaux gestionnaires nommés.

Cerberus met un point d'honneur à ne pas poursuivre les anciennes pratiques. Chrysler a été le premier des trois géants de l'automobile de Detroit à se retirer du marché du crédit-bail lors du resserrement des conditions de crédit. Cerberus croit qu'il peut ramener l'entreprise au seuil de rentabilité en réglant les problèmes d'exploitation et en réduisant les coûts. Selon Jim McTevia, membre gestionnaire de la firme McTevia & Associates Consultants, « les possibilités pour renverser la situation de cette entreprise sont réduites, et, dans l'économie actuelle, il faut continuer de réduire petit à petit les dépenses ».

Sources : Lawrence Walsh, « Tata Will Drive Chrysler's IT », *Baseline Magazine*, 21 février 2008; Patrick Thibodeau, « Chrysler Moves More IT Work to Offshore Giant Tata », *Computerworld*, 21 février 2008; « Tata Scores again with Chrysler IT Outsourcing », *Detroit Free Press*, 4 avril 2008; « Tata Consultancy Services Wins Multi-Year Deal with Chrysler LLC », *PR Newswire*, 20 février 2008.

1. Quels enjeux de gestion, d'organisation et de technologie Chrysler devait-elle explorer pour choisir une impartition avec TCS?

2. Quels aspects Chrysler devrait-elle avoir abordés dans son contrat d'impartition avec TCS?

3. La firme Tata Consultancy Services était-elle un bon choix d'impartition pour Chrysler? Oui ou non? Pourquoi?

Explorez le site Web de Tata Consultancy Services puis répondez aux questions suivantes:

1. Quels types de services TCS offre-t-elle à ses clients?

2. Choisissez l'un des services de TCS et décrivez comment il pourrait profiter à Chrysler.

13.4 LE DÉVELOPPEMENT D'APPLICATIONS POUR L'ENTREPRISE NUMÉRIQUE

À l'ère de l'entreprise numérique, les organisations ont besoin de pouvoir ajouter, modifier et retirer des fonctions technologiques très rapidement pour saisir les occasions qui se présentent. Elles commencent à utiliser des processus de développement plus courts et plus informels qui leur permettent d'obtenir des solutions rapides. Outre qu'elles recourent à des progiciels et à des fournisseurs de services externes, elles se fient de plus en plus à des techniques à cycle rapide, comme le développement rapide d'applications (DRA), la conception d'application en collaboration (JAD), le développement agile et les composants logiciels normalisés et réutilisables qu'on peut regrouper en un ensemble complet de services pour le commerce et les affaires électroniques.

Le développement rapide d'application (DRA)

Les outils logiciels orientés objet, le logiciel réutilisable, le prototypage et les outils de quatrième génération aident les développeurs de systèmes à créer des systèmes exploitables beaucoup plus rapidement que s'ils utilisaient des méthodes et des outils logiciels traditionnels. On utilise le terme **développement rapide d'application (DRA)** pour désigner ce processus très rapide de développement de système. Le DRA fait appel à la programmation visuelle et à d'autres outils de construction d'**interfaces utilisateurs graphiques (IUG)**, au prototypage itératif des éléments clés du système, à l'automatisation de la génération de code programme ainsi qu'au travail d'équipe des utilisateurs finaux et des spécialistes des systèmes d'information. On peut souvent construire des systèmes simples au moyen de composantes déjà programmées. Le processus n'est pas nécessairement séquentiel; les étapes clés du développement peuvent se dérouler simultanément.

Parfois, on utilise la technique de **conception d'application en collaboration (JAD)** pour accélérer la définition des besoins en information et pour établir la conception initiale du système. Dans ce cas, les utilisateurs finaux et les spécialistes des systèmes d'information organisent une session interactive pour discuter de la conception du système. Bien préparées et menées, les sessions de JAD permettent d'accélérer considérablement la phase de conception, tout en favorisant la collaboration active des utilisateurs.

Le **développement agile** permet la livraison rapide de logiciels exploitables grâce au fractionnement d'un vaste projet en une série de sous-projets de taille modeste pouvant être achevés en peu de temps au moyen d'itérations et de rétroactions continues. Une équipe est assignée à chaque sous-projet et y travaille comme s'il s'agissait d'un projet à part entière, passant par les étapes de planification, d'analyse des besoins, de conception, de codification, de mise à l'essai et de documentation. L'amélioration ou l'ajout d'une nouvelle fonctionnalité se fait à l'itération suivante, alors que les développeurs clarifient les besoins. Cette méthode permet de réduire considérablement le risque global et d'adapter plus rapidement le projet aux changements. Les méthodes de développement agile privilégient la communication en personne plutôt que les documents écrits, favorisant ainsi la collaboration entre individus et les prises de décisions rapides et efficaces.

Le développement à base de composants logiciels et les services Web

Nous avons déjà décrit certains des avantages du développement orienté objet pour la construction de systèmes pouvant répondre aux changements rapides que connaissent les environnements d'affaires, notamment les applications Web. Pour accélérer davantage la création logicielle, on a assemblé des groupes d'objets afin de fournir des éléments logiciels aux fonctions courantes que sont notamment l'interface utilisateur graphique ou la commande en ligne; leur combinaison permet de créer des applications d'affaires à grande échelle. Cette méthode de développement de logiciels s'appelle le **développement à base de composants logiciels**. Grâce à elle, il est possible de construire un système en assemblant des éléments logiciels existants. Les entreprises utilisent le développement à base de composants logiciels pour leurs applications de commerce électronique : elles combinent les éléments offerts sur le marché, tels que les paniers d'achats virtuels, l'authentification de l'utilisateur, les moteurs de recherche et les catalogues, à des éléments logiciels conçus pour leurs propres exigences d'affaires.

Les services Web et l'informatique axée sur les services

Au chapitre 5, nous présentons les services Web comme des éléments logiciels à couplage lâche qui sont réutilisables et qu'on peut livrer au moyen du langage de balisage extensible (XML) et d'autres normes et protocoles ouverts. Ces derniers permettent de faire communiquer deux applications sans le recours à une programmation personnalisée pour le partage des données et des services. Outre qu'ils peuvent soutenir l'intégration interne et externe de systèmes, les services Web constituent des outils pour la création de nouvelles applications de systèmes d'information ou pour

l'amélioration des systèmes existants. Ils permettent la création d'éléments logiciels livrables par Internet et permettent l'ajout de nouvelles fonctions aux systèmes d'une organisation. Enfin, ils permettent la création de systèmes reliant les systèmes d'une organisation à ceux d'autres organisations. Comme ils utilisent un ensemble universel de normes, ils devraient s'avérer moins coûteux et moins difficiles à combiner que les éléments logiciels privés.

Les services Web peuvent accomplir seuls certaines fonctions, mais aussi s'ajouter à d'autres services Web pour des transactions complexes, comme la vérification de crédit, l'approvisionnement ou la commande de produits. En créant des éléments logiciels capables de communiquer et de partager des données avec n'importe quel système d'exploitation, n'importe quel langage de programmation ou appareil, les services Web permettent de réaliser d'importantes économies de coûts en matière de développement de système, tout en fournissant des occasions de collaboration avec d'autres entreprises.

Projets concrets en **SIG**

Décisions de gestion

Pour une somme supplémentaire, un client achetant un appareil Roebuck de Sears, telle une machine à laver, peut souscrire à un contrat de service de trois ans. Ce contrat offre la réparation et les pièces pour un appareil déterminé, auprès d'un fournisseur de service autorisé de Sears. Une personne ayant signé ce genre de contrat de service peut, en cas de besoin, téléphoner au service de la réparation et des pièces de Sears pour obtenir un rendez-vous. Le service lui fournit alors une date et une heure approximative de rendez-vous. Le technicien de réparation se présente ensuite au moment convenu et diagnostique le problème. Si le problème est causé par une pièce défectueuse, il remplace la pièce s'il l'a en sa possession ou commande une pièce de rechange auprès de Sears. Si la pièce n'est pas en stock, Sears la commande et indique au client le moment approximatif prévu pour la réception. La pièce étant livrée directement au client, ce dernier doit téléphoner à Sears lorsqu'il la reçoit pour fixer un deuxième rendez-vous avec un technicien de service, pour le remplacement.

Ce processus est très long. Deux semaines peuvent s'écouler entre le premier appel du client et la première visite de réparation ; deux autres entre la commande et la réception de la pièce requise ; enfin, une dernière entre la réception de la pièce et la deuxième visite de réparation.

- Schématisez le processus existant.
- Quelles sont les répercussions de ce processus sur l'efficacité opérationnelle de Sears et sur la relation avec le client ?
- Quels changements pourraient rendre ce processus plus efficace ? Comment les systèmes d'information pourraient-ils prendre en charge ces changements ? Schématisez le nouveau processus amélioré.

Atteindre l'excellence opérationnelle

Repenser les processus d'affaires pour l'approvisionnement sur le Web

Compétences en logiciels : savoir utiliser un logiciel de navigation sur le Web
Compétences en affaires : savoir effectuer l'approvisionnement sur le Web

Ce projet consiste à repenser la façon dont une entreprise doit se restructurer quand elle se tourne vers le Web.

Vous êtes acheteur au sein d'une entreprise et vous aimeriez utiliser le site de commerce électronique interentreprises Grainger.com (www.grainger.com). Déterminez comment vous devez procéder pour passer une commande de matériel de peinture en explorant les fonctions Catalog, Order Form et Repair Parts Order. Ne vous inscrivez pas sur le site. Décrivez toutes les étapes que vous devez suivre pour commander en ligne 30 gallons de diluant pour peinture. Illustrez, au moyen d'un diagramme, ce à quoi devrait, selon vous, ressembler le processus d'achat de votre entreprise. Indiquez également les informations qu'exige ce processus.

Dans un processus d'achat traditionnel, la personne responsable doit remplir un formulaire de commande et le faire approuver conformément aux règlements de l'entreprise. L'approbation obtenue, elle envoie au fournisseur un bon de commande comportant un seul numéro d'identification. L'acheteur peut vouloir examiner les catalogues des fournisseurs pour comparer les prix et les caractéristiques, avant de passer une commande. Il peut aussi vouloir déterminer si les articles qu'il désire acheter sont disponibles. Si son entreprise est un client connu du fournisseur, l'acheteur obtiendra un crédit pour l'achat et recevra la facture pour l'ensemble des articles achetés et expédiés après l'envoi de la commande. Sinon, il peut devoir payer d'avance la commande ou la payer par carte de crédit. De multiples formes de paiement peuvent par ailleurs s'offrir à l'acheteur. Quels changements devrait-on apporter à ce processus pour rendre possibles les achats électroniques sur le site de Grainger ?

▷ RÉSUMÉ

1. Quels changements organisationnels le développement de nouveaux systèmes entraîne-t-il ?

Le développement d'un nouveau système d'information constitue une forme de changement organisationnel planifié. Quatre types de changements sont associés à la technologie : (1) l'automatisation, (2) la rationalisation des procédés, (3) la réingénierie des processus d'affaires et (4) le changement de paradigme (changement profond comportant plus de risques et d'avantages). De nombreuses organisations se tournent vers la réingénierie des processus d'affaires pour repenser le déroulement du travail et les processus, dans l'espoir d'obtenir une productivité spectaculaire. On peut aussi utiliser les systèmes d'information pour soutenir la gestion des processus d'affaires, la gestion de la qualité totale, la qualité six sigma et d'autres initiatives visant l'amélioration progressive des processus.

2. Quelles grandes activités comporte le processus de développement d'un système ?

Les activités essentielles du développement d'un système sont l'analyse, la conception, la programmation, la mise à l'essai, la conversion, la production et l'entretien. L'analyse de système est l'étude et l'analyse des problèmes que connaît le système existant et la détermination des besoins et exigences permettant de définir une solution. La conception de système fournit les spécifications que devra avoir le nouveau système pour constituer une solution. Elle montre comment se combinent les composantes techniques et organisationnelles.

3. Quelles méthodes utilise-t-on pour modéliser et concevoir un système ?

Les deux principales méthodes utilisées pour modéliser et concevoir un système d'information sont les méthodes structurées et le développement orienté objet. Les méthodes structurées se concentrent sur la modélisation séparée des processus et des données. Le diagramme de flux de données constitue le principal outil de l'analyse structurée et le graphe de la structure est le principal outil permettant de représenter la structure de la conception logicielle. Le développement orienté objet modélise un système comme un ensemble d'objets combinant chacun des processus et des données. La modélisation orientée objet repose sur les concepts de classe et d'héritage.

4. Quelles méthodes de rechange permettent de développer un système d'information?

La méthode de construction la plus ancienne est le cycle de vie d'un système. Elle prévoit des étapes formelles devant se dérouler selon un ordre établi et aboutir à des résultats précis. Chaque étape doit avoir été approuvée formellement avant qu'on puisse passer à la suivante. La méthode du cycle de vie d'un système s'avère utile pour les projets d'envergure, nécessitant des spécifications formelles et une gestion étroite des diverses étapes du développement du système. Cependant, elle est très rigide et coûteuse.

Le prototypage se présente comme le développement rapide et peu coûteux d'un système expérimental que les utilisateurs finaux peuvent évaluer et avec lequel ils peuvent interagir. Il s'appuie sur la participation des utilisateurs finaux au développement du système et sur l'itération de la conception jusqu'à l'obtention d'une compréhension précise des spécifications requises par les utilisateurs. Notons toutefois qu'un système développé au moyen de cette méthode rapide peut ne pas avoir été complètement testé ou documenté, ou peut être techniquement inapproprié pour un environnement de production.

L'utilisation d'un progiciel allège le travail de conception, de programmation, de mise à l'essai, d'installation et d'entretien nécessaire au développement d'un système. Le progiciel s'avère utile pour une entreprise qui ne dispose pas de personnel spécialiste des systèmes d'information ou qui n'a pas les ressources financières pour créer un système personnalisé. Il peut requérir des modifications complexes pour répondre aux exigences uniques de l'organisation; les coûts de développement augmentent alors considérablement.

Le développement par l'utilisateur final est une méthode de développement dans laquelle les utilisateurs finaux travaillent seuls ou avec un minimum d'aide de la part des spécialistes des systèmes d'information. Le développement peut alors se faire rapidement et informellement, au moyen d'outils logiciels de quatrième génération. Cependant, les systèmes d'information ainsi construits ne satisfont pas nécessairement aux normes de qualité et ne peuvent être facilement contrôlés par des moyens traditionnels.

L'impartition consiste, pour une entreprise, à confier le développement ou l'exploitation de ses systèmes d'information à un fournisseur externe plutôt que d'utiliser ses ressources internes. Elle peut lui faire économiser des coûts liés au développement d'applications ou lui permettre de développer des applications sans avoir à engager du personnel spécialisé dans les systèmes d'information. Cependant, l'entreprise risque de voir ses systèmes d'information échapper à son action et de devenir trop dépendante de ses fournisseurs externes. L'impartition s'accompagne également de coûts cachés, surtout quand le travail est envoyé à l'étranger.

5. Quelles seront les nouvelles approches pour le développement d'application, à l'ère de l'entreprise numérique?

Les entreprises se tournent vers le développement rapide d'application (DRA), la conception d'application en collaboration (JAD), le développement agile et les composants logiciels réutilisables pour accélérer le processus de développement de système. Le DRA utilise un logiciel orienté objet, une programmation visuelle, le prototypage et des outils de quatrième génération pour créer très rapidement un système. Les sessions de JAD permettent d'accélérer considérablement la phase de conception tout en favorisant la collaboration active des utilisateurs. Le développement agile fractionne un vaste projet en une série de sous-projets de taille modeste pouvant être achevés en peu de temps au moyen d'itérations et de rétroactions continues. Le développement à base de composants logiciels accélère le développement d'une application en regroupant des objets en séries de composants logiciels dont la combinaison permet de créer des applications d'affaires à grande échelle. Les services Web procurent un ensemble commun de normes qui permettent aux organisations de relier leurs différents systèmes, quelle que soit leur plateforme technologique, au moyen d'une architecture standard prête à l'emploi.

MOTS CLÉS

QUESTIONS DE RÉVISION

1. Quels changements organisationnels le développement de nouveaux systèmes entraîne-t-il?

- Décrivez chacun des quatre types de changements organisationnels associés à la technologie de l'information.

- Définissez la réingénierie des processus d'affaires et expliquez en quoi elle diffère de la gestion des processus d'affaires. Décrivez les étapes d'une réingénierie efficace.

- Expliquez comment les systèmes d'information soutiennent les changements de processus qui promeuvent la qualité dans une organisation.

2. Quelles grandes activités comporte le processus de développement d'un système?

- Établissez la distinction entre l'analyse de système et la conception de système. Décrivez les activités de chacune.

- Définissez les besoins en information et expliquez pourquoi il est difficile de les déterminer correctement.

- Expliquez pourquoi l'étape de la mise à l'essai est si importante. Nommez et décrivez les trois étapes de la mise à l'essai d'un système d'information.

- Décrivez le rôle de la programmation, de la conversion, de la production et de l'entretien dans le développement d'un système.

3. Quelles méthodes utilise-t-on pour modéliser et concevoir un système?

- Comparez le développement orienté objet et les méthodes structurées traditionnelles pour la modélisation et la conception d'un système.

4. Quelles méthodes de rechange permettent de développer un système d'information?

- Définissez la méthode traditionnelle du cycle de vie d'un système. Décrivez-en chacune des étapes, ainsi que les avantages et les inconvénients pour la construction d'un système.

- Définissez le prototypage. Décrivez ses avantages et ses inconvénients. Faites la liste des étapes que le processus comporte et décrivez-les.

- Définissez le progiciel. Expliquez les avantages et les inconvénients du développement de système reposant sur un progiciel.

- Définissez le développement par l'utilisateur final et décrivez-en les avantages et les inconvénients. Nommez quelques-unes des politiques et des procédures que requiert la gestion du développement par l'utilisateur final.

- Décrivez les avantages et les inconvénients de l'utilisation de l'impartition pour le développement d'un système d'information.

5. Quelles seront les nouvelles approches pour le développement d'applications, à l'ère de l'entreprise numérique?

- Définissez le développement rapide d'application (DRA) et le développement agile. Expliquez comment ils peuvent accélérer le développement de système.

- Expliquez comment le développement à base de composants logiciels et les services Web permettent aux entreprises de développer et d'améliorer leurs systèmes d'information.

SUJETS DE DISCUSSION

1. Pourquoi la sélection d'une méthode de développement de système est-elle une décision d'affaires importante? Qui devrait participer au processus de sélection?

2. Certains prétendent que la meilleure façon de réduire les coûts de développement d'un système consiste à utiliser des progiciels ou des outils de quatrième génération. Êtes-vous d'accord? Oui ou non? Pourquoi?

TRAVAIL D'ÉQUIPE: PRÉPARER LES SPÉCIFICATIONS DE CONCEPTION D'UN SITE WEB

Formez une équipe avec trois ou quatre autres étudiants. Choisissez un système décrit dans ce manuel et utilisant le Web. Passez en revue le site Web du système choisi. Utilisez ce que vous avez appris sur ce site Web et la description que fournit ce manuel pour préparer un rapport décrivant certaines spécifications de conception du système. Dans la mesure du possible, utilisez Google Sites pour afficher des liens vers des pages Web, pour communiquer entre membres de l'équipe et vous répartir les tâches, pour confronter vos idées et pour travailler ensemble sur les documents du projet. Essayez d'utiliser Google Documents pour mettre au point une présentation de vos résultats destinée à la classe.

ÉTUDE DE CAS

La Citizens National Bank en quête d'une solution fonctionnelle

La Citizens National Bank of Texas (CNB) est une banque multiservices privée dont le siège social est situé à Waxahachie, au Texas, et dont le personnel s'élève à 200 employés. Gérée de façon indépendante depuis 1868, elle se met au service des entreprises et des particuliers du comté d'Ellis et des comtés voisins, en particulier des collectivités dont la population ne dépasse pas 25 000 habitants. Son actif total s'élève à 400 millions de dollars et augmente au taux annuel de 12 %. Depuis 1999, le nombre de succursales est passé de 4 à 15; ces succursales sont réparties dans 10 villes. La banque aimerait accroître sa part de marché d'au moins 50 % dans huit comtés du sud de la région de Dallas-Fort Worth.

Pour assurer sa croissance continue, la CNB a misé sur l'implantation d'un logiciel de gestion de la relation client. Cette stratégie ciblait les deux principaux points de contact avec les clients: le centre d'appels et le personnel des ventes. Le centre d'appels reçoit quotidiennement environ 4000 appels qui sont pris en charge par un nombre de représentants du service à la clientèle variant entre 10 et 20. Le personnel des ventes compte 16 représentants portant le titre de banquiers personnalisés. Ce sont eux qui stimulent les affaires. Leurs contacts avec les clients engendrent des demandes de crédit et des dépôts qui rapportent de l'argent à la banque.

En 2001, Mark Singleton, le directeur général, a supervisé l'adoption d'un outil de gestion de la relation client (GRC) conçu par Siebel Systems (Siebel appartient maintenant à Oracle). L'objectif principal était d'accroître les ventes en augmentant le nombre de contacts qu'établissaient les banquiers personnalisés et en en améliorant le suivi pour pouvoir en tirer profit. L'outil de GRC devait également permettre à la banque d'approuver plus rapidement les demandes de crédit et de prêt. Enfin, il devait fournir une méthode pour entreposer électroniquement les interactions entre les banquiers personnalisés et les clients.

Les enregistrements électroniques étaient importants pour deux raisons. Premièrement, avec l'ancien système reposant sur le papier, le représentant qui quittait la banque pouvait emporter les dossiers de ses échanges avec les clients et laisser ainsi la banque dépourvue d'information pour maintenir le contact avec les clients en question. Deuxièmement, le système reposant sur le papier créait beaucoup trop d'information pour que le directeur général et les directeurs des succursales puissent les traiter efficacement.

Pour Singleton, la décision d'adopter un système de GRC n'avait rien d'un « coup fracassant ». Tout en reconnaissant la valeur considérable que les systèmes automatisés offraient aux entreprises, il accordait encore plus d'importance aux interactions personnelles entre ses banquiers et leurs clients. Il craignait d'ailleurs qu'un système de GRC trop interventionniste puisse nuire aux interactions et atténuer la relation des banquiers personnalisés avec les clients. Le rendement de la méthode traditionnelle était impressionnant. Dans le cas des particuliers, le ratio des ventes additionnelles se situait entre 2 et 2,5, ce qui signifiait que le client utilisait en moyenne au moins deux des produits de la banque. Les meilleurs clients commerciaux et particuliers profitaient quant à eux de six ou sept produits.

Fort de ces excellents résultats, Singleton a insisté pour que toute mise en place d'un système de GRC permette de renforcer les connaissances qu'avaient les banquiers personnalisés de leurs clients actuels et potentiels, notamment leurs interactions antérieures avec la banque. L'outil de Siebel, dont le prix s'élevait à 150 000 $, était censé atteindre cet objectif. La banque a engagé une société d'experts-conseils locale, The Small Business Solution, pour l'installation. L'ancienne sensibilité d'affaires et le logiciel d'entreprise puissant se sont presque immédiatement révélés mal assortis. L'approche de la banque à l'égard de la quasi-totalité des fonctions de gestion, que ce soit le suivi des clients potentiels ou la production de rapports à leur sujet, était très rudimentaire. Le logiciel de Siebel possédait tout simplement trop de caractéristiques. La banque a consacré énormément de temps à déconnecter les fonctions qui entravaient la productivité.

Par exemple, Siebel avait un module complexe pour la gestion des cas de soutien aux clients. Il comprenait des fonctions de gestion détaillées des plaintes au fil des appels, avec des options pour résoudre le problème. Or, les plaintes des clients de la banque n'allaient généralement pas très loin, puisqu'un représentant du centre d'appels s'en occupait immédiatement. Dans les cas qui nécessitaient une deuxième interaction, le représentant envoyait simplement un courriel à l'employé responsable de la tâche en question.

Jim Davis, expert en matière de GRC de la firme Deloitte Consulting, a décrit la situation de la manière suivante : « Le problème avec Siebel, c'est qu'il a tout. » À la CNB, l'ampleur même de l'outil de GRC n'était pas l'unique problème. Les employés trouvaient en effet le logiciel beaucoup trop complexe. Par exemple, ils ont été étonnés d'apprendre que le système ne produisait pas automatiquement de possibilités d'affaires pour les clients, dans leurs dossiers. Ils devaient eux-mêmes attribuer aux clients les transactions possibles. En outre, les banquiers personnalisés ne pouvaient pas afficher les relations multiples entre un client et la banque sur le même écran. Les autres possibilités d'exploration étaient déroutantes et inefficaces. Comme on pouvait s'y attendre, les banquiers se sont opposés au nouveau système, ne comprenant pas pourquoi ils devaient changer leurs méthodes éprouvées simplement parce que le nouveau logiciel l'exigeait.

Selon Davis, la coupure entre les banquiers personnalisés et le nouveau système a été au centre de l'échec de l'implantation de ce dernier. Les banquiers étaient en effet les employés clés. Le système avait été conçu pour leur profiter à eux d'abord, puis à la banque. Cependant, leur rémunération reposant sur les ventes, le système Siebel ne leur donnait aucune motivation parce qu'il rendait les ventes plus difficiles à conclure.

La CNB a également connu des problèmes de compatibilité entre le format de base de données de Siebel et le format de la principale application bancaire qu'elle utilisait et qui avait été conçue par Kirchman. Le logiciel de Kirchman combinait le prénom et le nom des clients dans un seul champ, alors que l'outil de Siebel les présentait dans des champs distincts. Par conséquent, les deux systèmes éprouvaient de la difficulté à échanger correctement l'information. La banque a perdu beaucoup de temps à régler ces problèmes de compatibilité, ce qui a nui à sa capacité de servir les clients.

La CNB a passé trois ans à essayer d'implanter et de faire fonctionner le système de GRC de Siebel. En 2004, n'ayant retiré aucun bénéfice quantifiable de ses efforts, elle a finalement décidé de sauver les meubles. En plus de l'achat initial s'élevant à 150 000 $, elle avait dépensé 350 000 $ pour régler des problèmes d'intégration. Singleton a qualifié le processus « d'apprentissage coûteux (500 000 $) ».

David Furney, président et directeur général de la firme The Small Business Solution, a commencé à rechercher une autre solution de GRC pour le compte de la BNC. Il a trouvé par hasard un système de base de données produit par Intuit et hébergé en ligne : QuickBase, conçu à l'intention des petites entreprises et des groupes de travail d'entreprise. Particulièrement bien adapté au développement très rapide des applications simples de base de données, QuickBase ne requiert pas de formation approfondie pour son utilisation. Bien connue pour ses applications de gestion financière, comme Quicken et QuickBooks, l'entreprise Intuit n'avait cependant pas de réputation établie dans le domaine de la gestion de la relation client.

QuickBase comprenait des modules de bases de données, de tableurs et de gestion des ventes qui pouvaient se manipuler facilement dans le cadre des fonctions de gestion de la banque. Conçu pour l'organisation, le suivi et le partage d'information parmi les membres d'une équipe de travail, il favorisait l'évolution d'un projet en envoyant des courriels automatisés sur les fichiers mis à jour, les nouvelles assignations de tâches et le rappel des échéances. Intuit proposait également avec ce produit des applications toutes prêtes pour des besoins généraux, comme la gestion de projets, la gestion des ventes et la gestion du marketing, ainsi que pour des besoins particuliers, comme les soins de santé, la TI, le droit et l'immobilier.

Selon Furney, le système QuickBase représentait « le summum en matière de développement rapide d'applications» et «une sorte d'application à concevoir soi-même». Les employés de la CNB, notamment Singleton, pourraient personnaliser eux-mêmes le programme au lieu de devoir solliciter l'aide du fabricant ou de spécialistes de la TI. Pour apporter des changements au système de Siebel, la banque devait demander l'aide de l'entreprise. Mais comme QuickBase n'est pas programmé comme une application de gestion précise, les entreprises peuvent modifier sa structure de base de données pour l'adapter à des fonctions particulières. Le personnel de la CNB a donc pu effectuer lui-même des changements dans le système QuickBase, si bien que les frais de propriété et d'entretien ont été assez faibles.

Le système QuickBase offrait à la banque la flexibilité qui lui manquait auparavant. Comme il était accessible sur Internet, les banquiers personnalisés pouvaient l'utiliser partout où ils avaient accès à un navigateur. En plus des économies réalisées sur les frais de propriété, la banque a économisé une petite fortune avec QuickBase, puisque son tarif unique était de 249 $ par mois pour les 10 premiers utilisateurs, puis de 3 $ par mois pour chaque utilisateur supplémentaire (le coût est maintenant de 249 $ par mois, plus 15 $ par mois par groupe de cinq utilisateurs supplémentaires).

Singleton devait quand même tenir compte des banquiers personnalisés qui auraient préféré laisser la technologie de côté. Pour donner au système toutes les chances de réussir, il a donc permis à ces employés de dicter leurs activités à des adjoints administratifs qui entraient pour eux l'information dans le système QuickBase. Davis a fait remarquer que ce n'était sans doute pas la meilleure méthode, mais qu'elle était assez courante et surtout très utile si les banquiers consacraient leur temps à gagner de l'argent pour la banque au lieu de le perdre à se battre avec la technologie. En outre, la CNB a facilité la transition en échelonnant la mise en œuvre de QuickBase, qui a commencé par le centre d'appels.

La capacité de Furney d'intégrer le système à l'application bancaire de base de Kirchman a également joué un rôle central dans le succès de QuickBase à la CNB. Furney a configuré QuickBase pour que le téléchargement dans le système central de l'information sur les nouveaux comptes s'effectue chaque nuit grâce à une interface XML. Les banquiers personnalisés et les gestionnaires recevaient chaque jour un accès mis à jour à toutes les interactions et transactions, ce qui leur permettait de suivre les affaires comme jamais auparavant. Pour la première fois, la CNB était en mesure de suivre complètement les possibilités de vente et, comme le souligne Singleton, «de repérer les occasions perdues, de sorte que nous sachions où nous devions faire 10 ou 15 appels supplémentaires».

Sources: Doug Bartholomew, «A Banker's $500,000 Lesson in CRM», *Baseline Magazine*, 26 février 2007; www.cnbwax.com, consulté le 16 novembre 2009; www.quickbase.intuit.com, consulté le 16 novembre 2009; Mark Singleton, entrevue avec Colin Beasty, «Secret of My Success: Getting More for the Money», www.destinationcrm.com, mars 2006, consulté le 16 novembre 2009; «Siebel Customer Relationship Management Applications», www.oracle.com, 30 mars 2007, consulté le 16 novembre 2009.

QUESTIONS

1. Quel problème Mark Singleton essayait-il de régler initialement à la CNB?

2. Quelle analyse de rentabilité a conduit à la mise en place d'un nouveau système? Nommez quelques avantages tangibles et quelques avantages intangibles d'un nouveau système.

3. Pourquoi la mise en place de la solution de GRC de Siebel n'a-t-elle pas fonctionné à la CNB? Quels étaient les facteurs les plus importants? Comment classeriez-vous ces facteurs en fonction des problèmes d'organisation, de technologie et de gestion?

4. Le système QuickBase était-il une meilleure solution pour la CNB? Si oui, pourquoi? Quels facteurs permettent de supposer que la CNB a finalement choisi la bonne approche et le bon produit?

5. D'après cette étude de cas, quel type d'organisation profiterait, selon vous, de l'utilisation d'un outil de GRC de Siebel? Donnez un exemple et justifiez votre choix. Vous pouvez utiliser le Web pour trouver une réponse, notamment le site d'Oracle.

6. La BNC aurait-elle pu, la première fois, faire un meilleur choix de logiciel pour son système de GRC? Expliquez votre réponse.

La gestion de projets

 OBJECTIFS D'APPRENTISSAGE

Après avoir étudié ce chapitre, vous pourrez répondre aux questions suivantes :

1. Quels sont les objectifs de la gestion de projets et pourquoi la gestion de projets est-elle si importante dans le développement des systèmes d'information ?

2. Quelles méthodes servent à sélectionner et à évaluer les projets de systèmes d'information et à les harmoniser avec les objectifs de l'entreprise ?

3. Comment les entreprises peuvent-elles estimer la valeur, pour leurs affaires, des projets de systèmes d'information ?

4. Quels sont les principaux facteurs de risque des projets de systèmes d'information ?

5. Quelles sont les stratégies utiles pour la gestion des risques associés aux projets et pour l'implantation des systèmes ?

SOMMAIRE

LE REMÈDE DE MCKESSON EN MATIÈRE DE GESTION DE PROJETS

McKesson est le plus grand distributeur pharmaceutique aux États-Unis et au Canada, et un chef de file dans l'utilisation de la technologie de l'information pour améliorer l'efficacité de ses opérations, mais aussi les soins de santé. Toutefois, jusqu'à tout récemment, la division McKesson Pharmaceuticals se débattait avec des données incohérentes et fragmentées, provenant de sources multiples, qui entravaient l'efficacité opérationnelle et la prise de décision dans le traitement des commandes et la gestion des stocks. Pour obtenir une vue d'ensemble des stocks de la société, les employés de la logistique et des finances devaient extraire manuellement les données de divers systèmes informatiques décentralisés. Dans une entreprise où des produits de grande valeur rapportent une faible marge bénéficiaire, les petites pertes dues à la péremption des produits stockés ont des répercussions financières importantes.

Les gestionnaires ont décidé de remplacer les multiples dépôts de données et systèmes de production de rapports par une infrastructure commune d'intelligence d'affaires et de production de comptes rendus analytiques, grâce aux outils logiciels NetWeaver Business Intelligence de SAP. Le système centralisé héberge et organise les données cruciales de l'entreprise, auxquelles on peut accéder rapidement et qu'on peut analyser grâce à une série d'outils accessibles sur Internet, comme les feuilles de résultats, les tableaux de bord et des outils d'intelligence d'affaires efficaces. Les équipes responsables des opérations et des finances sont ainsi en mesure de repérer et de résoudre immédiatement les problèmes de stocks qui surgissent.

Le projet était très ambitieux. Il fallait extraire un volume considérable de données transactionnelles, évalué à 15 millions d'enregistrements par jour, tant des multiples systèmes existants que du nouveau système d'entreprise SAP, pour les télécharger dans l'entrepôt de données. Cultivés et exigeants, les utilisateurs du système d'entreprise avaient besoin d'une interface utilisateur offrant des outils d'analyse et de production de rapports soigneusement conçus. Les employés à l'interne des systèmes d'information de McKesson possédaient une expérience limitée pour l'implantation du logiciel d'intelligence d'affaires de SAP. De plus, McKesson Pharmaceuticals comptait plus de 30 divisions opérationnelles. Mais, chose étonnante, l'entreprise a réussi à effectuer cette importante et difficile implantation en moins de deux ans, ce qui constitue un véritable tour de force pour un projet de cette envergure. Comment y est-elle donc arrivée?

L'une des raisons évidentes du succès de McKesson réside dans son recours à de saines méthodes de gestion de projets. À l'échelon le plus élevé, la direction du projet déterminait les caractéristiques du projet et de l'opération: les solutions qui seraient apportées et le moment pour le faire, selon les besoins fonctionnels. Elle a clairement établi la portée du projet. Elle a collaboré avec les gestionnaires pour favoriser l'adoption du nouveau système, former des groupes d'utilisateurs et organiser des ateliers approfondis avec des analystes.

Bien qu'elle ait pu compter sur des ressources internes, l'équipe d'intelligence d'affaires de McKesson a fait appel à des consultants externes issus de SAP et d'autres entreprises. Des membres du personnel ont dirigé des équipes d'implantation s'occupant de processus comme les ventes, les finances, les achats, la rentabilité, la conformité et les opérations. Des architectes (ressources techniques internes) et des développeurs (consultants externes) assistaient chacune d'elles.

Les consultants possédaient des connaissances techniques particulières et une maîtrise du logiciel SAP Business Intelligence qu'ils devaient transmettre aux membres internes des équipes. Ces dernières relevaient d'un bureau de gestion de programme qui s'occupait des besoins en information, coordonnait les cycles de développement entre les divisions et faisait appliquer les normes.

Sources: Ben Worthen, «Prescription: Technology», *The Wall Street Journal*, 9 juin 2008; «McKesson», www.mysap.com, consulté le 20 octobre 2009; Michael Nadeau, «Keys to McKesson's Rapid BI Transformation», *SAP NetWeaver Magazine*, printemps 2005.

L'un des principaux enjeux que comportent les systèmes d'information consiste à faire en sorte qu'ils procureront de véritables avantages à l'entreprise. Le taux d'échec est très élevé, parce que les organisations estiment mal la valeur que de tels projets ont pour elles ou parce qu'elles ne réussissent pas à gérer le changement organisationnel qu'entraîne en leur sein l'introduction de nouvelles technologies.

La direction de McKesson Pharmaceuticals avait conscience de tout ceci quand elle a approuvé son projet. Elle a réussi à mener à bien cette entreprise ambitieuse parce qu'elle s'appuyait sur de saines méthodes de gestion de projets.

Le schéma d'introduction attire l'attention sur des points importants soulevés par ce cas et traités dans ce chapitre. McKesson Pharmaceuticals fait partie d'une industrie concurrentielle dans laquelle des produits chers rapportent une faible marge bénéficiaire. Son incapacité à gérer efficacement ses stocks entraînait des frais d'exploitation élevés et des profits réduits d'autant. L'entreprise a pu améliorer sa gestion des stocks en mettant en place un entrepôt de données unique, comprenant des outils d'analyse et d'intelligence d'affaires puissants. Malgré l'envergure et la complexité du dossier, les gestionnaires ont soigneusement établi les objectifs du projet, sa portée, les besoins ainsi que les responsabilités des équipes d'implantation. Pour assurer le succès du projet, il fallait une direction de gestion solide et une communication efficace entre les spécialistes des systèmes d'information et les utilisateurs finaux.

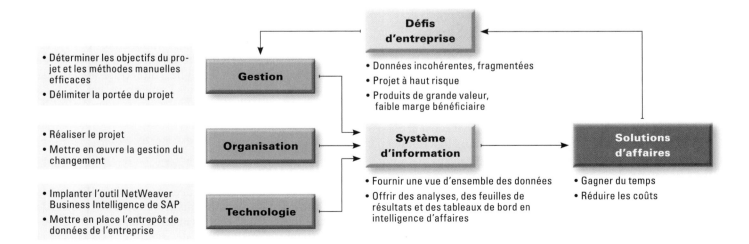

14.1 L'IMPORTANCE DE LA GESTION DE PROJETS

Un très fort pourcentage des projets de systèmes d'information sont des échecs. Dans presque toutes les entreprises, ces types de projets prennent plus de temps et demandent plus d'argent que prévu, ou alors le système, une fois implanté, ne fonctionne pas correctement. Lorsqu'un système d'information ne fonctionne pas correctement ou coûte trop cher à développer, il peut arriver que les entreprises ne tirent aucun avantage de leur investissement et le système peut se révéler incapable de résoudre les problèmes pour lesquels il a été conçu. Le développement d'un système doit être soigneusement géré et orchestré. La façon dont le projet est mené constitue sans doute le facteur qui a les répercussions les plus importantes sur le résultat. C'est pourquoi il est essentiel de posséder des connaissances en gestion de projets de systèmes d'information et d'être au courant des raisons expliquant les succès et les échecs dans ce domaine.

Les projets hors de contrôle et l'échec des systèmes

Jusqu'à quel point peut-on mal gérer un projet? En moyenne, dans le secteur privé, les gestionnaires sous-estiment de 50 % le budget et le temps nécessaires pour la livraison d'un système conforme au devis. Un très grand nombre de projets sont livrés aux clients alors que des fonctionnalités manquent (qu'on promet de fournir avec des versions ultérieures). Le Standish Group a découvert que seuls 29 % de tous les investissements en technologie se sont concrétisés dans le respect des échéanciers et du budget, ou des objectifs fonctionnels initiaux (Levinson, 2006). Entre 30 et 40 % de tous les projets logiciels « s'emballent » : non seulement ils dépassent largement le calendrier de départ et les projections budgétaires, mais ils ne fournissent pas les résultats prévus.

Comme l'illustre la figure 14-1, un projet de développement de système mal géré provoque les problèmes suivants :

- Large dépassement des prévisions de coûts;
- Dépassement imprévu des échéances;
- Performances techniques nettement inférieures à ce qui avait été prévu;
- Impossibilité d'obtenir les bénéfices prévus.

Un système résultant d'un projet qui est un échec est souvent utilisé d'une façon non prévue, lorsqu'il n'est pas carrément mis de côté. Les utilisateurs doivent souvent élaborer un système manuel parallèle pour le faire fonctionner.

Ce genre de système peut ne pas satisfaire aux besoins fondamentaux de l'entreprise ou ne pas améliorer sa performance. Il ne réussit pas à transmettre l'information assez rapidement pour qu'elle soit utile, ou l'information qu'il envoie contient les mauvaises données, ou encore le format dans lequel il la livre est incompréhensible ou inutilisable.

LES CONSÉQUENCES D'UNE MAUVAISE GESTION DE PROJET

Mauvaise gestion de projet

→ Dépassement des coûts
Dépassement des échéances
Problèmes techniques entravant la performance
Impossibilité d'obtenir les bénéfices escomptés

En l'absence d'une gestion adéquate, l'implantation d'un projet prend plus de temps et requiert souvent plus de budget que prévu. Le système d'information qui en découle risque d'être techniquement inférieur à ce qu'il aurait pu être et de ne pas être en mesure d'apporter de bénéfices à l'organisation qui l'a acheté.

Pour les utilisateurs qui ne sont pas des techniciens, interagir avec ce type de système peut être excessivement compliqué et décourager toute tentative. L'**interface utilisateur**, cette partie du système avec laquelle les utilisateurs travaillent, peut être mal conçue. Par exemple, un formulaire ou un écran en ligne peut se révéler si mal structuré que personne ne veut y entrer de données. Par ailleurs, si les procédures de recherche d'information en ligne sont trop difficiles à comprendre, les utilisateurs peuvent n'avoir aucune envie de demander de l'information. Enfin, les sorties fournies par le système peuvent être présentées dans un format trop difficile à comprendre (Speier et Morris, 2003).

Les sites Web peuvent décourager toute tentative d'exploration lorsque leurs pages sont encombrées et mal organisées, lorsqu'ils ne permettent pas de trouver facilement l'information recherchée ou lorsque le chargement et l'affichage sur l'ordinateur prennent trop de temps.

Quant aux données du système, elles peuvent être très imprécises ou incohérentes. L'information de certains champs peut se révéler erronée ou ambiguë, ou être mal divisée compte tenu de l'utilisation à laquelle elle est destinée. Enfin, l'information requise pour une fonction de gestion précise peut être inaccessible, à cause de données incomplètes.

La session interactive sur la gestion présente un exemple d'échec de projet. Kaiser Permanente, l'une des organisations de soins intégrés de santé les plus importantes des États-Unis, n'est pas parvenue à mettre sur pied son propre centre de gestion des greffes de reins. Elle a dû fermer son établissement moins de deux ans après l'ouverture, en 2004. La mauvaise gestion de l'information et des systèmes d'information a constitué un facteur d'échec majeur.

Les objectifs de la gestion de projets

Un **projet** est une série planifiée et organisée d'activités visant l'atteinte d'un objectif d'affaires précis. Les projets de systèmes d'information englobent le développement de nouveaux systèmes, l'amélioration des systèmes existants et la

SESSION INTERACTIVE :
LA GESTION

KAISER PERMANENTE SABOTE SON PROJET DE CENTRE DE GREFFES DE REINS

Kaiser Permanente est l'une des organisations de soins de santé intégrés (OSSI) les plus éminentes des États-Unis. Une OSSI fournit des soins de santé dans les hôpitaux, chez les médecins et chez d'autres fournisseurs ayant signé un contrat avec elle. Bien qu'elle soit une organisation sans but lucratif, Kaiser a généré 34,4 milliards de dollars de revenus en 2007. Comptant environ 170 000 employés et plus de 13 000 médecins, elle est au service de 8,7 millions de membres dans 9 États. Son siège social est situé à Oakland, en Californie.

Kaiser est connue pour avoir été l'une des premières organisations à adopter les dossiers médicaux électroniques et se flatte actuellement de posséder le plus grand système au monde de stockage de dossiers médicaux électroniques. Elle figure aussi sans cesse parmi les OSSI les plus appréciées par les clients. Cependant, sa tentative pour s'occuper elle-même des greffes de reins – grâce à la création, en 2004, d'un centre de greffes – s'est soldée par un désastre en matière de relations publiques et de technologie de l'information. L'organisation a obligé ses membres à transférer leurs patients dans son programme de greffes de reins sans s'être adéquatement préparée à les traiter.

En 2004, Kaiser a mis en place, dans le nord de la Californie, un programme de greffes de reins en vertu duquel les greffes seraient effectuées dans un centre de greffes lui appartenant et géré par elle. Auparavant, elle sous-traitait ces interventions à des hôpitaux de la région affiliés à des universités, comme UC San Francisco et UC Davis. Mais le jeune centre de greffes a fermé ses portes à peine deux ans après son ouverture, en raison d'une longue série d'erreurs se rapportant aux tâches administratives, à la technologie et à la planification des procédures. Pendant toute la durée de ce

projet voué à l'échec, les gens qui sont morts dans l'attente d'une greffe ont été deux fois plus nombreux que ceux qui ont reçu un greffon avec succès. Les patients reçoivent maintenant des soins dans les hôpitaux locaux, comme auparavant.

Kaiser a bien mal géré sa tentative pour créer son propre programme de greffes de reins. Elle a perdu la trace de dossiers au moment de leur transfert au nouveau centre de greffes. De plus, sur les 1500 dossiers médicaux des patients, plus de 1000 comportaient des données incomplètes ou erronées, par exemple des numéros d'assurance sociale incorrects ou des résultats de tests manquants. Malgré la longue expérience de l'organisation en matière de dossiers médicaux électroniques, les nouveaux dossiers du centre étaient principalement stockés sur papier. Kaiser ne possédait aucune liste de contrôle ni base de données complète sur les greffés. Pour de nombreux programmes de greffes, de multiples spécialistes de la TI sont nécessaires pour maintenir les bases de données complexes. L'organisation a essayé de réaliser ce genre de programme sans ressources similaires. Les employés qui se consacraient au traitement de l'information sur les futurs receveurs de greffe étaient surchargés et travaillaient de 10 à 16 heures par jour pour essayer de suivre le rythme. Kaiser a mal planifié les besoins en personnel pour ce projet.

Toutefois, ces erreurs étaient loin d'être les seules. Aucune procédure particulière n'avait été prévue pour le transfert des données des premiers patients à la United Network for Organ Sharing (UNOS), l'organisme supervisant les listes nationales d'attente de greffes. Aucun processus systématique n'avait non plus été élaboré pour le traitement et le suivi des plaintes ou de-

mandes des patients. Le personnel de Kaiser manquait de directives et de formation concernant les exigences de leurs tâches. Aucun de ses membres n'avait d'expérience en matière de programmes de greffes. Il n'y avait pas non plus de régie interne pour relever et corriger les problèmes de procédures qui sont apparus presque dès le début. L'organisation n'avait même pas essayé, semble-t-il, de définir et de déterminer les processus nécessaires à une transition progressive entre les programmes de greffes externes et son propre programme interne.

Kaiser a également omis d'accorder aux patients un crédit correspondant à l'attente entamée dans d'autres hôpitaux, allant même parfois jusqu'à reléguer en fin de liste des patients qui avaient attendu bien plus longtemps que les autres. Contrairement à d'autres entreprises, Kaiser travaille dans un domaine dans lequel une mauvaise gestion de la TI peut se traduire par des pertes de vies. Dans son cas en particulier, un grand nombre de demandeurs ayant réclamé des dommages-intérêts croient que les erreurs commises ont effectivement entraîné le décès de patients.

Au début de la transition, Kaiser a envoyé des formulaires de consentement à d'éventuels receveurs de rein, par la poste, sans toutefois indiquer précisément quoi en faire. De nombreux patients, perplexes, n'ont pas répondu. D'autres ont renvoyé les documents au mauvais service. D'autres encore ont été incapables de corriger des renseignements erronés, ce qui fait que l'UNOS n'a pu les inclure dans la liste d'attente reconstituée de Kaiser pour une greffe de rein.

En dépit de tous ces contretemps de la TI, l'aspect médical du programme de greffes s'est révélé une réussite. En effet, les 56 patients ayant reçu une greffe au cours de la première année complète d'activité du centre étaient encore vivants une année plus tard, ce qui est considéré comme une preuve manifeste de grande compétence. Malheureusement, les problèmes organisationnels n'ayant cessé de s'accumuler, Kaiser a été obligée de mettre fin au programme en 2006, d'absorber de lourdes pertes et de faire face à des frais juridiques qui s'annonçaient considérables.

Kaiser a payé une amende de 2 millions de dollars imposée par le Department of Managed Health Care (DMHC) de Californie, pour n'avoir pas respecté divers règlements de l'État et du pays dans la mise sur pied d'un programme

de greffes. Elle s'est également vue obligée de faire un don de bienfaisance de 3 millions de dollars.

De nombreuses familles dont un membre est mort dans l'attente d'une greffe de rein poursuivent Kaiser pour négligence criminelle et décès injustifié. D'autres patients, comme Bernard Burks, poursuivent eux-mêmes l'organisation pour les mêmes raisons. En mars 2008, Burks a obtenu le droit de faire entendre sa cause par un jury, devant un tribunal, au lieu de la voir soumise à l'arbitrage d'un juge ou d'un

avocat privé. Auparavant, la plupart des litiges des patients de Kaiser s'étaient réglés à huis clos, vraisemblablement pour que la réputation de l'organisation ne souffre pas trop et pour que les patients aient plus de chances de gagner leur cause. Burks a été le premier, sur plus de 100 patients composant la liste d'attente de Kaiser, à obtenir le droit d'avoir un procès devant jury.

Sources: Marie-Anne Hogarth, «Kidney Patient Beats Kaiser Arbitration Rule», *East Bay Business Times*, 21 mars 2008; Kim S. Nash, «We Really Did Screw Up», *Baseline Magazine*, mai 2007.

Questions

1. Classez et décrivez les problèmes vécus par Kaiser dans la mise en place de son centre de greffes. Quel rôle ont joué les systèmes d'information et la gestion de l'information dans ces problèmes?

2. Quels facteurs relatifs à la gestion, à l'organisation et à la technologie ont été à l'origine de ces problèmes?

3. Quelles mesures adopteriez-vous pour augmenter les chances de succès du projet?

4. L'échec du projet a-t-il causé des problèmes éthiques? Justifiez votre réponse.

Ateliers

Explorez le site Web de TeleResults, fournisseur d'avant-garde de solutions en matière de dossiers médicaux informatisés et de logiciels de greffes (www.teleresults.com). Puis répondez à la question suivante:

Comment les produits de TeleResults auraient-ils permis à Kaiser Permanente de gérer l'information concernant les greffes?

---

mise à niveau ou le remplacement de l'infrastructure de la technologie de l'information (TI) de l'entreprise.

La **gestion de projet** se rapporte à l'application de connaissances, d'outils et de techniques visant l'atteinte d'objectifs précis, dans le respect du budget et de l'échéancier établi. Parmi les activités qu'elle comporte, on trouve la planification du travail, l'évaluation des risques, l'estimation des ressources nécessaires à l'accomplissement du travail, l'organisation du travail, l'acquisition des ressources humaines et matérielles, l'assignation des tâches, la direction des activités, le contrôle de l'exécution du projet, la production de rapports sur son évolution et l'analyse des résultats. Comme dans d'autres domaines économiques, la gestion d'un projet de système d'information doit tenir compte de cinq grandes variables: la portée, le temps, les coûts, la qualité et le risque.

La **portée** correspond à la définition des tâches qui font partie d'un projet et de celles qui en sont exclues. Par exemple, pour un projet de système de traitement des commandes, elle pourrait comprendre l'ajout de modules pour l'entrée des commandes et leur transmission à la production et à la comptabilité, mais exclure toute modification des activités

connexes de comptes débiteurs, de fabrication, de distribution ou de contrôle des stocks. La gestion de projet permet d'établir toutes les tâches qui sont nécessaires à la réussite et doit permettre de s'assurer que la portée du projet ne dépasse pas ce qui était prévu initialement.

Le *temps* est la durée nécessaire à l'accomplissement d'un projet. Dans la gestion de projet, on détermine habituellement la durée requise pour les principales composantes du projet. Puis on divise chacune d'elles en activités et en tâches. On essaie d'établir la durée nécessaire à chaque tâche et on dresse un calendrier de travail.

Les *coûts* dépendent du temps: c'est la durée du projet multipliée par le coût des ressources humaines requises pour effectuer le travail. Mais les coûts d'un projet de système d'information englobent également le matériel, les logiciels et l'espace de travail. Dans la gestion de projet, on élabore un budget et on suit les dépenses courantes.

La *qualité* est un indicateur du degré selon lequel le résultat final d'un projet atteint les objectifs fixés par les gestionnaires. Pour les systèmes d'information, elle se résume généralement à l'amélioration du rendement organisationnel et de la prise de décision. La qualité tient également compte de l'exactitude et de la pertinence de l'information produite ainsi que de sa facilité d'utilisation.

Le *risque* fait référence aux problèmes qui peuvent contrecarrer un projet, soit en augmentant sa durée et ses coûts, en réduisant la qualité du résultat ou en empêchant sa réalisation complète. La section 14.4 présente les principaux facteurs de risque pour les systèmes d'information.

14.2 LA SÉLECTION DES PROJETS

Les entreprises se voient présenter une multitude de projets pour la résolution de problèmes et l'amélioration du rendement. Les idées de systèmes d'information étant beaucoup plus nombreuses que les ressources, il faut choisir les projets qui offrent le plus grand bénéfice pour les affaires. C'est bien entendu la stratégie globale des entreprises qui devrait orienter la sélection.

La structure de gestion des projets de systèmes d'information

La figure 14-2 illustre les éléments qui composent la structure de gestion des projets de systèmes d'information dans une grande entreprise. Cette structure permet de s'assurer que la priorité est accordée aux projets les plus importants.

Au sommet, on trouve le groupe de planification stratégique de l'entreprise et le comité directeur des systèmes d'information. Le premier élabore un plan stratégique, qui peut nécessiter le développement de nouveaux systèmes. Le comité directeur des systèmes d'information se compose de cadres supérieurs responsables du développement et de l'exploitation des systèmes, c'est-à-dire des chefs de service des utilisateurs finaux et des systèmes d'information. Il évalue et approuve les plans des systèmes dans toutes les divisions, s'occupe de la coordination et de l'intégration des systèmes et participe à l'occasion à la sélection de projets de systèmes d'information particuliers.

L'équipe de projet est supervisée par le groupe de gestion de projet, composé des directeurs de projets de systèmes d'information et des directeurs des utilisateurs finaux. Ces derniers supervisent plusieurs projets de systèmes d'information. Ils ont donc sous leur supervision l'équipe de projet, qui est directement chargée d'un travail précis. Elle se compose d'analystes de systèmes, de spécialistes provenant des services d'utilisateurs finaux concernés, de programmeurs d'applications et peut-être de spécialistes des bases de données. La combinaison des compétences et la taille de l'équipe dépendent de la nature du système qui constituera une solution au problème posé.

Le lien entre les projets de systèmes et le plan d'affaires

Pour déterminer les projets de systèmes d'information qui ont le plus de valeur pour elles, les entreprises doivent concevoir un **plan stratégique des systèmes d'information** qui soutienne leur plan d'affaires global et qui intègre les systèmes stratégiques dans la planification globale. Ce plan sert en quelque sorte de carte routière, car il indique et justifie la direction vers laquelle on doit s'orienter. En outre, il fournit des renseignements sur la situation actuelle de l'entreprise, la stratégie de gestion, le plan de mise en application et le budget (tableau 14-1).

Un plan stratégique des systèmes d'information contient un énoncé des objectifs de l'entreprise et précise la manière dont la technologie de l'information devrait contribuer à leur atteinte. Il montre comment un projet de système en particulier pourrait permettre d'atteindre les objectifs généraux. Il établit des échéanciers et des points de repère qui serviront à évaluer les progrès de la mise en œuvre du plan, selon le nombre d'objectifs effectivement atteints dans les délais prévus. Par ailleurs, il indique les principales décisions de gestion concernant l'acquisition du matériel, les télécommunications, la centralisation ou la décentralisation des structures décisionnelles, des données et du matériel, ainsi que les changements organisationnels nécessaires. On y décrit habituellement les changements organisationnels à apporter, notamment les besoins en matière de formation des cadres et des employés, les besoins sur le plan du recrutement et les changements qui se produiront dans l'exercice du pouvoir, dans la structure organisationnelle et dans les pratiques de gestion.

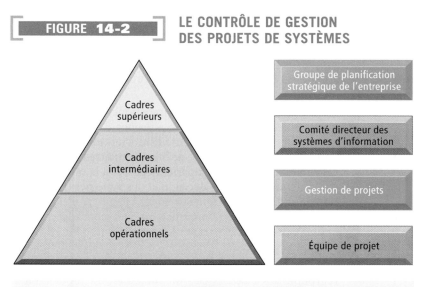

FIGURE 14-2 LE CONTRÔLE DE GESTION DES PROJETS DE SYSTÈMES

Cadres supérieurs

Cadres intermédiaires

Cadres opérationnels

Groupe de planification stratégique de l'entreprise

Comité directeur des systèmes d'information

Gestion de projets

Équipe de projet

Chaque palier de gestion est responsable d'aspects particuliers des projets de systèmes. Cette hiérarchie permet d'accorder la priorité aux projets les plus importants pour l'organisation.

TABLEAU **14-1**

LE PLAN STRATÉGIQUE DES SYSTÈMES D'INFORMATION

1. Objectif du plan
Vue d'ensemble du contenu
Organisation actuelle et future des affaires
Processus d'affaires clés
Stratégie de gestion

2. Plan d'affaires stratégique
Situation actuelle
Organisation actuelle des affaires
Changements dans l'environnement
Principaux objectifs du plan d'affaires
Plan stratégique de l'entreprise

3. Systèmes actuels
Principaux systèmes de soutien des fonctions et des processus d'affaires
Capacités de l'infrastructure actuelle
  Matériel
  Logiciels
  Bases de données
  Outils de télécommunications et Internet
Difficultés à répondre aux exigences d'affaires
Demandes futures prévues

4. Nouvelles initiatives
Nouveaux projets concernant les systèmes
  Descriptions des projets
  Logique d'affaires
  Rôle des applications dans la stratégie
Nouvelles capacités d'infrastructure requises
  Matériel
  Logiciels
  Bases de données
  Outils de télécommunications et Internet

5. Stratégie de gestion
Plans d'acquisition
Repères et dates cibles
Réorganisation de l'entreprise
Réorganisation interne
Contrôles de gestion
Principales activités de formation
Stratégie de gestion du personnel

6. Plan de mise en application
Difficultés prévues pour la mise en application
État d'avancement des travaux

7. Budgets
Besoins
Économies potentielles
Financement
Cycle d'acquisition

Pour concevoir un plan efficace, les entreprises doivent répertorier et documenter toutes leurs applications de systèmes d'information et toutes les composantes de l'infrastructure de la TI. Dans les projets visant à améliorer la prise de décision, les gestionnaires doivent essayer de déterminer les améliorations qui ajouteraient à l'entreprise la plus grande valeur possible. Ils doivent ensuite définir les paramètres qui permettent de quantifier la valeur de l'information pour ce qui est de sa pertinence et de sa précision, au regard du résultat de la décision (voir le chapitre 12 pour d'autres détails sur le sujet).

Les facteurs clés du succès

Pour élaborer un plan des systèmes d'information efficace, l'organisation doit avoir une compréhension claire de ses besoins en information à long et à court terme. Selon la méthode de l'analyse stratégique ou des facteurs clés du succès, un petit nombre de **facteurs clés du succès** établis par les cadres déterminent les besoins en information. Ils correspondent à des objectifs opérationnels dont l'atteinte assure la prospérité de l'entreprise ou de l'organisation (Rockart, 1979; Rockart et Treacy, 1982). Les facteurs clés du succès dépendent du secteur d'activité dans lequel évolue l'entreprise, de l'entreprise elle-même, de ses cadres et du vaste environnement qui est le sien. Par exemple, dans le secteur de l'automobile, ce pourrait être le style, la qualité et les coûts requis pour augmenter la part de marché et les profits. Les nouveaux systèmes d'information devraient alors cibler l'information qui aiderait l'entreprise à atteindre ces objectifs.

La principale méthode qu'on utilise pour analyser les facteurs clés du succès repose sur des entretiens individuels (trois ou quatre) avec un certain nombre de cadres supérieurs, en vue de cerner leurs objectifs et les facteurs clés du succès qui en découlent. On rassemble ensuite tous les facteurs personnels recueillis pour en avoir une vue d'ensemble à l'échelle de l'entreprise. Enfin, on élabore des systèmes qui produiront l'information correspondant à ces facteurs clés. La figure 14-3 illustre la méthode d'analyse des facteurs clés du succès.

Dans le cadre de l'analyse stratégique, on interroge uniquement les cadres supérieurs, à propos d'un petit nombre de facteurs plutôt que de toute l'information utilisée dans l'organisation. Cela permet de bien connaître les besoins en information des cadres supérieurs et sert à la mise au point des systèmes d'aide à la décision et des systèmes d'information pour dirigeants. Contrairement à l'analyse d'entreprise, cette méthode oblige l'organisation à se concentrer sur la manière dont elle doit traiter l'information.

L'analyse stratégique accuse cependant plusieurs faiblesses. Ainsi, il n'existe aucune méthode rigoureuse pour regrouper les facteurs clés du succès en un modèle clair. Ensuite, il y a souvent confusion entre les facteurs individuels et organisationnels, qui ne sont pas nécessairement les mêmes. Les facteurs qui sont cruciaux pour un cadre ne le

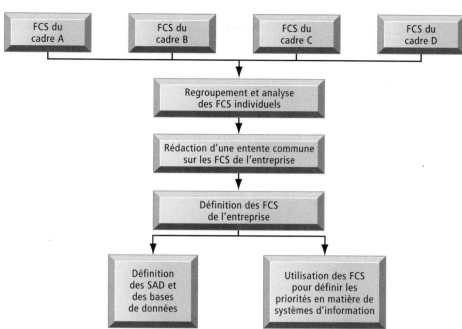

FIGURE 14-3 L'UTILISATION DES FACTEURS CLÉS DU SUCCÈS (FCS)
DANS LE DÉVELOPPEMENT DE SYSTÈMES

La méthode des facteurs clés du succès (FCS) repose sur des entretiens
avec les principaux gestionnaires de
l'entreprise. On regroupe les facteurs
cités par ces derniers pour obtenir les
facteurs clés du succès de l'entreprise
dans son ensemble. Ainsi, on peut construire des systèmes qui produisent l'information correspondant à ces facteurs.

sont pas forcément pour l'organisation. La méthode apparaît donc faussée en raison de l'importance qu'elle donne à l'opinion des cadres supérieurs. On peut néanmoins résoudre ce problème en interrogeant des salariés subalternes, pour trouver des idées de nouveaux systèmes prometteurs (Peffers et Gengler, 2003).

L'analyse de portefeuille

Lorsque l'analyse stratégique a permis d'établir les orientations générales du développement des systèmes d'information, l'analyse de portefeuille peut servir à choisir une solution parmi d'autres. L'**analyse de portefeuille** consiste en l'inventaire de tous les projets de systèmes d'information et de tous les actifs, y compris l'infrastructure, les contrats d'impartition et les permis. Le portefeuille d'investissements dans les systèmes d'information présente des risques et des avantages pour l'entreprise (figure 14-4), comme un portefeuille financier.

Tout projet de système d'information comporte des risques et des bénéfices (la section 14.4 décrit les facteurs qui font augmenter les risques). Les entreprises doivent accroître le rendement de leur portefeuille d'actifs de TI en équilibrant risque et rendement des investissements. Bien qu'il n'existe pas de profil idéal, celles qui travaillent dans les secteurs d'activité axés sur l'information (tels que celui des finances) devraient s'engager dans quelques projets à risques et à bénéfices élevés afin de rester à la fine pointe de la technologie. Les autres devraient se concentrer sur des projets dont les bénéfices sont élevés et les risques, faibles.

FIGURE 14-4

UN PORTEFEUILLE DE SYSTÈMES

Risques du projet

	Élevés	Faibles
Bénéfices potentiels pour l'entreprise Élevés	Examiner attentivement	Repérer et développer
Faibles	Éviter	Projets de routine

Les entreprises doivent examiner leur portefeuille de projets en fonction des bénéfices potentiels et des risques possibles. Elles doivent renoncer à certains types de systèmes et en créer d'autres rapidement. Il n'existe pas de combinaison idéale. Selon son secteur d'activité, chaque entreprise a un profil bien particulier.

De toute évidence, on peut commencer par se concentrer sur les systèmes qui produisent des bénéfices élevés et présentent de faibles risques, car ils sont prometteurs de rendements à court terme. Ensuite, on doit examiner les systèmes auxquels sont associés des bénéfices et des risques élevés. Par contre, on doit éviter ceux qui ne permettent d'espérer que peu de bénéfices et laissent entrevoir des risques élevés. Enfin, on doit réexaminer les systèmes pour lesquels on ne prévoit que de faibles bénéfices et de faibles risques, pour savoir s'il est possible de les concevoir autrement ou de les

CRITÈRES	PONDÉRATION	SYSTÈMES			
		PRE A (%)	PRE A (points)	PRE B (%)	PRE B (points)
1.0 Traitement des commandes					
1.1 Entrée des commandes en ligne	4	67	268	73	292
1.2 Établissement du prix en ligne	4	81	324	87	348
1.3 Vérification des stocks	4	72	288	81	324
1.4 Vérification du crédit du client	3	66	198	59	177
1.5 Facturation	4	73	292	82	328
Total pour le traitement des commandes			1 370		1 469
2.0 Gestion des stocks					
2.1 Prévision de la production	3	72	216	76	228
2.2 Planification de la production	4	79	316	81	324
2.3 Contrôle des stocks	4	68	272	80	320
2.4 Rapports	3	71	213	69	207
Total pour la gestion des stocks			1 017		1 079
3.0 Entreposage					
3.1 Réception	2	71	142	75	150
3.2 Collecte et chargement	3	77	231	82	246
3.3 Expédition	4	92	368	89	356
Total pour l'entreposage			741		752
Total global			3 128		3 300

remplacer par d'autres, mieux adaptés, qui garantiraient des bénéfices plus élevés.

Lorsqu'elle recourt à l'analyse de portefeuille, la direction d'une entreprise peut déterminer la proportion optimale de bénéfices et de risques pour ses investissements, et ainsi combiner des projets risqués aux bénéfices prometteurs avec d'autres plus sûrs, mais moins profitables. Les entreprises dont l'analyse de portefeuille s'aligne sur la stratégie d'affaires présentent souvent un bon taux de rendement de l'actif de TI, des investissements en TI conformes à leurs objectifs et une bonne coordination des divers investissements en TI (Jeffrey et Leviveld, 2004).

La méthode du pointage

Pour choisir entre diverses possibilités d'investissements, la **méthode du pointage** est particulièrement intéressante quand il faut considérer de nombreux critères. Elle consiste à attribuer une pondération aux différentes caractéristiques

d'un système, à les évaluer avec une note, puis à calculer le total. Dans l'exemple présenté dans le tableau 14-2, l'entreprise doit choisir entre deux systèmes de planification des ressources d'entreprise (PRE). La première colonne indique les critères que les décideurs utiliseront pour évaluer les systèmes. Généralement, ces critères sont le résultat de longues discussions. D'ailleurs, souvent, dans la méthode du pointage, ce n'est pas tant le pointage lui-même qui est important que la nécessité de s'entendre sur les critères d'évaluation.

La première colonne du tableau 14-2 montre que l'entreprise accorde une importance particulière aux fonctions de traitement des commandes, de gestion des stocks et d'entreposage. La deuxième donne la pondération que les décideurs attribuent aux divers critères d'évaluation. Les troisième et cinquième colonnes indiquent, en pourcentage, dans quelle mesure les deux systèmes sont parvenus à satisfaire aux exigences concernant les fonctions qui sont importantes pour les décideurs. On calcule le pointage de chaque système en multipliant le pourcentage de conformité de chaque fonction par la pondération accordée à cette fonction. Le système PRE B présente le pointage total le plus élevé.

Comme pour toutes les méthodes objectives, plusieurs facteurs subjectifs interviennent dans l'utilisation de la méthode du pointage. En effet, les experts doivent comprendre les enjeux et la technologie. Il est bien de revoir le modèle plusieurs fois, en modifiant les critères d'évaluation et la pondération, afin de déterminer dans quelle mesure les résultats varient avec des changements raisonnables. Notons que la méthode du pointage sert souvent plus à corroborer, à rationaliser et à soutenir des décisions qu'à choisir un système.

14.3 L'ÉTABLISSEMENT DE LA VALEUR DES SYSTÈMES D'INFORMATION

Même s'ils soutiennent les objectifs stratégiques de l'entreprise et satisfont les besoins en information de l'utilisateur, tous les projets de systèmes doivent être de bons investissements. La valeur des systèmes sur le plan financier relève essentiellement du rendement sur le capital investi. Est-ce qu'un investissement particulier dans un système d'information procurera assez de profits pour justifier les coûts?

Les coûts et les bénéfices des systèmes d'information

Dans le tableau 14-3, nous présentons les coûts et les bénéfices qui sont les plus couramment associés aux systèmes. On peut quantifier les **bénéfices tangibles** et leur attribuer une valeur financière. Mais on ne peut pas mesurer immédiatement les **bénéfices intangibles** que sont l'amélioration de l'efficacité du service à la clientèle ou la prise de meilleures décisions. Notons cependant que les bénéfices intangibles peuvent entraîner des gains quantifiables à long terme. Les systèmes transactionnels et les systèmes administratifs qui remplacent de la main-d'œuvre et permettent d'économiser de l'espace produisent toujours des bénéfices plus tangibles et plus faciles à mesurer que les systèmes d'information destinés à la gestion, les systèmes d'aide à la décision et les systèmes favorisant la collaboration (chapitres 2 et 11).

Le chapitre 5 traite de la notion de coût total de possession (CTP), qui sert à déterminer et à mesurer les composantes des dépenses en technologie de l'information, au-delà du coût initial d'achat et d'installation du matériel et des logiciels. Cependant, l'analyse du CTP ne fournit qu'une partie de l'information nécessaire à l'évaluation d'un investissement en technologie de l'information, parce qu'elle ne tient pas nécessairement compte des bénéfices, des catégories de coûts (comme les coûts de complexité) et des facteurs intangibles et stratégiques, que nous examinons plus loin dans cette section.

TABLEAU 14-3

LES COÛTS ET LES BÉNÉFICES LIÉS AUX SYSTÈMES D'INFORMATION

COÛTS

Matériel
Logiciels
Services
Personnel

BÉNÉFICES

Tangibles (économies)

Augmentation de la productivité
Diminution des frais d'exploitation
Réduction de la main-d'œuvre
Diminution des coûts liés à l'informatique
Diminution des coûts liés aux fournisseurs externes
Diminution des coûts liés aux employés de bureau et aux professionnels
Diminution du taux d'augmentation des dépenses
Diminution des coûts des installations

Intangibles

Amélioration de l'utilisation des actifs
Amélioration de la gestion des ressources
Amélioration de la planification organisationnelle
Assouplissement de l'organisation
Amélioration de la pertinence de l'information
Augmentation de la quantité d'information disponible
Amélioration de l'apprentissage organisationnel
Amélioration du respect des lois
Amélioration de l'attitude des employés
Amélioration de la satisfaction au travail
Amélioration des décisions
Amélioration des opérations
Augmentation de la satisfaction de la clientèle
Amélioration de l'image de l'entreprise

L'évaluation des investissements dans les systèmes d'information

Pour déterminer les bénéfices d'un projet donné, il faut calculer tous ses coûts et tous ses avantages. Bien entendu, un projet dont les coûts dépassent les bénéfices est à rejeter. Mais, même si les bénéfices dépassent les coûts, il est nécessaire de faire une analyse financière poussée pour savoir si le projet représente un bon rendement sur le capital investi. Les modèles d'**évaluation des investissements** font partie des techniques qu'on utilise pour établir la valeur à long terme des projets d'investissement. Il s'agit de processus d'analyse et de sélection de diverses propositions de dépenses en investissements.

Les méthodes d'évaluation des investissements reposent sur les flux de trésorerie (entrées et sorties d'argent), puisque les projets d'investissement produisent des flux de trésorerie. Le coût d'un investissement dans un système d'information constitue une sortie de fonds immédiate (décaissement) causée par l'achat de matériel, de logiciels et de main-d'œuvre. Dans les années suivantes, l'investissement peut entraîner des décaissements supplémentaires qui sont compensés par des entrées de fonds (encaissements) découlant de l'investissement. Les encaissements prennent la forme d'une augmentation du volume des ventes (grâce au lancement de nouveaux produits, à l'amélioration de leur qualité ou à l'accroissement du marché) ou d'une diminution des coûts de production et des frais d'exploitation. La différence entre les décaissements et les encaissements correspond à la valeur financière de l'investissement.

Une fois les flux de trésorerie établis, on peut utiliser plusieurs méthodes pour comparer différents projets et prendre des décisions d'investissements. Voici les principaux modèles d'évaluation des investissements permettant d'évaluer les projets de TI : la méthode de la période de récupération, la méthode du taux de rendement comptable sur investissement (TRCI), la méthode de la valeur actualisée nette et la méthode du taux de rendement interne (TRI).

Les modèles d'évaluation du prix des options réelles

Les résultats des projets de systèmes d'information peuvent parfois être très incertains, les flux de revenus prévus étant hypothétiques et les coûts initiaux, élevés. Supposons, par exemple, qu'une entreprise souhaite investir 20 millions de dollars dans la mise à niveau de son infrastructure de technologie de l'information (matériel, logiciels, outils de gestion des données et technologie de réseautage). Si elle disposait de cette infrastructure améliorée, l'entreprise posséderait les capacités technologiques pour réagir aux problèmes futurs et saisir les occasions d'affaires. Bien qu'elle puisse calculer le coût de cet investissement, elle ne peut établir d'avance tous les bénéfices qui y sont liés. Cependant, si elle attend quelques années en espérant se faire une meilleure idée du revenu potentiel qu'elle pourra tirer d'un tel investissement, elle laissera peut-être passer le moment opportun pour investir. Dans ce genre de cas, la direction d'une entreprise peut tirer profit des modèles d'évaluation du prix des options réelles pour mesurer la pertinence d'investir dans la technologie de l'information.

Les **modèles d'évaluation du prix des options réelles** utilisent le concept de valeur des options, emprunté à l'industrie financière. Une *option* est essentiellement le droit, mais pas l'obligation, d'agir à une date ultérieure. Par exemple, une *option d'achat* type est une option financière conférant à une personne le droit d'acheter un actif (généralement une

action transigée en Bourse) à un prix fixe (prix d'exercice), à une date déterminée ou avant.

Prenons le cas suivant. Le 8 octobre 2008, vous pouvez acheter, pour 11,30 $, le droit (une option d'achat) d'acquérir une action ordinaire de Procter & Gamble (P&G) au prix de 50 $, ce droit arrivant à échéance en janvier 2009. Si, jusque fin janvier 2009, le prix des actions de P&G n'excède pas 50 $, vous n'exercerez pas votre droit, et la valeur de votre option tombera à zéro à échéance. Toutefois, si le prix des actions ordinaires de P&G monte jusqu'à 100 $, vous pourrez acheter l'action au prix d'exercice de 50 $ et empocher des profits de 50 $, moins le coût de l'option. (Comme l'option est vendue dans un contrat pour 100 actions, le coût total sera de 100 × 11,30 $ avant les commissions, soit 1130 $, et vous obtiendriez un profit pour 100 actions de P&G achetées.) Une option d'achat d'action permet à son propriétaire de bénéficier de la hausse potentielle des actions d'une entreprise, tout en limitant le risque de perte.

Les modèles d'évaluation du prix des options réelles consistent à évaluer les projets de systèmes d'information un peu comme s'il s'agissait d'options : une dépense initiale en technologie crée le droit, mais non l'obligation, d'obtenir les bénéfices associés au développement et à l'utilisation de la technologie, avec la liberté d'annuler, de retarder, de recommencer ou d'étendre le projet. Ils donnent à la direction d'une entreprise de la flexibilité pour examiner l'investissement dans la TI ou faire un essai avec des projets pilotes ou des prototypes pour avoir une meilleure idée des risques avant d'investir dans une implantation complète. Il existe cependant des inconvénients à ces modèles. Ils tiennent avant tout à l'estimation de toutes les variables clés déterminant la valeur d'une option, notamment les flux de trésorerie provenant de l'actif et les fluctuations des coûts de l'implantation. Les modèles destinés à déterminer la valeur d'option des plateformes de la technologie de l'information sont en cours d'élaboration (Fichman, 2004 ; McGrath et Mac-Millan, 2000).

Les limites des modèles financiers

L'examen traditionnel des aspects financiers et techniques d'un système d'information met généralement de côté les dimensions sociales et organisationnelles, qui peuvent néanmoins influer sur les coûts et les bénéfices réels de l'investissement. Dans un grand nombre d'entreprises, la prise de décision en la matière ne tient pas compte des coûts associés aux changements organisationnels qu'entraîne l'implantation d'un nouveau système : coûts de formation des utilisateurs finaux, effets des courbes d'apprentissage sur la productivité, temps de supervision des changements relatifs au nouveau système. Une analyse financière traditionnelle peut aussi ne pas tenir compte de certains types de bénéfices : amélioration du bien-fondé des décisions grâce au nouveau système, amélioration de l'apprentissage ou de l'expertise des employés (Ryan, Harrison et Schkade, 2002).

14.4 LA GESTION DES RISQUES ASSOCIÉS AUX PROJETS

Au chapitre 8, nous traitons des risques associés à un système d'information et de l'évaluation de ces risques. Dans ce chapitre, nous nous concentrons sur les risques propres aux projets de systèmes d'information et sur la façon d'en assurer une gestion efficace.

Les dimensions des risques associés aux projets

Qu'on s'attarde sur leur taille, les possibilités qu'ils offrent, leur degré de complexité ou leurs composantes organisationnelles et techniques, force est de constater que les systèmes diffèrent considérablement les uns des autres. Certains projets de développement de systèmes sont plus susceptibles de se heurter aux problèmes décrits plus haut ou d'accuser des retards, car ils comportent un risque beaucoup plus élevé que d'autres. Trois dimensions principales déterminent le degré de risque d'un projet : son envergure, sa structure de même que l'expertise technique du personnel des systèmes d'information et de l'équipe de projet.

- *L'envergure du projet* Plus un projet a d'envergure, compte tenu de l'argent dépensé, du nombre de personnes chargées de l'implantation, du temps imparti et du nombre d'unités organisationnelles concernées, plus il est risqué. Les projets de systèmes de grande ampleur présentent un taux d'échec de 50 à 75 % plus élevé que les autres, car ils sont complexes et difficiles à gérer. La complexité organisationnelle de ce genre de système (Combien d'unités et de groupes l'utilisent ? Dans quelle mesure influence-t-il les processus d'affaires ?) contribue autant à la complexité du projet de système que les caractéristiques techniques, telles que le nombre de lignes de codes de programmes, la durée et le budget (Xia et Lee, 2004 ; Concours Group, 2000 ; Laudon, 1989). De plus, il existe peu de techniques fiables pour estimer le temps et les coûts liés au développement de systèmes d'information de grande envergure.

- *La structure du projet* Certains projets sont plus structurés que d'autres. Les exigences étant claires et directes, les sorties et les processus sont faciles à déterminer. Les utilisateurs savent exactement ce qu'ils veulent et ce que doit accomplir le système ; il est presque impossible qu'ils changent d'idée. Ces projets structurés comportent beaucoup moins de risques que ceux qui doivent répondre à des besoins mal définis, flous et variables. Pour ces derniers, les sorties sont difficiles à préciser, parce que les utilisateurs peuvent changer d'idée ou ne réussissent pas à s'entendre sur ce qu'ils veulent.

- *L'expertise technique* Les risques d'échec augmentent lorsque l'équipe de projet et le personnel des systèmes d'information n'ont pas une expertise technique suffisante. Si l'équipe ne connaît pas bien le matériel, le logiciel de base, le logiciel d'application ou le système de gestion de base de données proposés, le projet connaîtra très probablement des problèmes techniques ou sera long à implanter. En effet, le personnel doit alors d'abord acquérir de nouvelles compétences.

Bien que la difficulté liée à la technologie représente un risque dans les projets de systèmes d'information, les facteurs de risque sont surtout organisationnels et concernent la complexité des besoins en information, la portée du projet et les secteurs de l'organisation qui seront concernés par le nouveau système.

La gestion du changement et la notion d'implantation

L'introduction ou la modification des systèmes d'information a des répercussions importantes sur le comportement du personnel et sur l'organisation. Les changements apportés à la façon dont on définit, trouve et utilise l'information pour gérer les ressources conduisent souvent à une nouvelle répartition de l'autorité et du pouvoir. Les changements organisationnels internes suscitent de la résistance et de l'opposition et peuvent entraîner la mort d'un système par ailleurs efficace.

Un très fort pourcentage de projets de systèmes d'information échouent parce que le processus de changement organisationnel accompagnant l'édification du système n'a pas été géré de façon appropriée. Pour qu'un projet de système aboutisse et réussisse, il faut une **gestion du changement** minutieuse.

La notion d'implantation

Pour gérer efficacement les changements organisationnels accompagnant l'introduction d'un nouveau système d'information, on doit examiner le processus d'implantation. L'**implantation** regroupe toutes les activités organisationnelles visant l'adoption, la gestion et l'introduction dans les habitudes de travail de l'innovation en matière d'information. Dans le processus d'implantation, l'analyste de systèmes est un **agent de changement**. Il n'a pas pour unique rôle de concevoir des solutions techniques. Il redéfinit également les configurations, les interactions, les tâches et les rapports de force entre plusieurs groupes organisationnels. Il est le catalyseur de tout le processus de changement et doit s'assurer que les changements provoqués par un nouveau système sont acceptés par toutes les parties en cause. L'agent de changement communique avec les utilisateurs, agit comme médiateur entre des groupes aux intérêts opposés et s'assure que l'organisation s'adapte à tous les changements.

Le rôle des utilisateurs finaux

Une grande participation des utilisateurs et un fort soutien de la direction de l'entreprise contribuent généralement à l'implantation réussie d'un système. La participation des utilisateurs à la conception et à l'exploitation des systèmes d'information peut avoir plusieurs résultats positifs. Premièrement, les utilisateurs ont alors la possibilité de faire évoluer les systèmes selon leurs priorités et leurs besoins et ils s'assurent d'une mainmise sur le produit fini. Deuxièmement, ils vont probablement accepter plus facilement le système finalisé, puisqu'ils auront contribué activement au processus de changement. La prise en compte des connaissances et de l'expertise des utilisateurs dans le processus de conception permet donc d'obtenir de meilleures solutions.

La relation entre les utilisateurs et les spécialistes des systèmes d'information a toujours constitué un aspect problématique de l'implantation des systèmes d'information. C'est que les expériences, les intérêts et les priorités des uns et des autres diffèrent généralement. On parle d'**absence de dialogue fructueux entre les utilisateurs et les concepteurs**. Cette réalité conduit à des divergences en matière de loyauté envers l'organisation, de démarches de résolution de problèmes et de vocabulaire.

Les spécialistes des systèmes d'information, par exemple, adoptent souvent une démarche très technique pour la résolution des problèmes. Ils cherchent des solutions techniques élégantes et perfectionnées qui optimisent l'efficacité du matériel et des logiciels, aux dépens de la convivialité ou de l'efficacité organisationnelle. À l'inverse, les utilisateurs préfèrent des systèmes axés sur la résolution des problèmes de gestion ou sur la simplification des tâches organisationnelles. Généralement, les deux groupes ont des orientations tellement opposées qu'ils semblent parler des langues différentes.

Le tableau 14-4 illustre ces différences en exprimant les préoccupations types des utilisateurs finaux et des spécialistes techniques (concepteurs de systèmes d'information) dans le développement d'un nouveau système. Les problèmes de communication entre les utilisateurs et les concepteurs apparaissent comme l'une des principales raisons expliquant le manque d'adaptation des systèmes d'information

aux besoins et l'exclusion des utilisateurs du processus d'implantation.

Les projets de développement de systèmes sont souvent voués à l'échec lorsque les utilisateurs et les concepteurs sont vraiment incapables de communiquer et continuent de poursuivre des objectifs différents. Dans de telles conditions, les utilisateurs sont souvent tenus à l'écart. Comme ils ont du mal à comprendre ce que leur disent les concepteurs, ils en concluent qu'il est préférable de laisser le projet entre leurs mains.

Le soutien et l'engagement de la direction

Si la direction d'une entreprise soutient un projet de système d'information et l'appuie sur plusieurs plans, les utilisateurs et les concepteurs le percevront probablement plus positivement. Les deux groupes auront l'impression que leur participation au processus de développement fera l'objet d'une attention particulière et sera considérée comme prioritaire. Ils auront le sentiment qu'on reconnaîtra et récompensera le temps et les efforts qu'ils consacreront au processus. L'appui de la direction assure également l'obtention des fonds et des ressources qui garantiront le succès du projet. Enfin, de ce soutien dépend la mise en application effective des changements que nécessite l'implantation d'un nouveau système sur le plan des habitudes, des méthodes de travail et de la composition du personnel. Si un gestionnaire considère un nouveau système d'information comme une priorité, ses subordonnés auront tendance à faire de même.

Les enjeux de la gestion du changement pour la réingénierie des processus d'affaires, les applications d'entreprise et les regroupements d'entreprises

Étant donné les difficultés liées à l'innovation et à l'implantation, il n'est pas surprenant de constater un taux d'échec

TABLEAU 14-4	L'ABSENCE DE DIALOGUE FRUCTUEUX ENTRE LES UTILISATEURS ET LES CONCEPTEURS

PRÉOCCUPATIONS DES UTILISATEURS	PRÉOCCUPATIONS DES CONCEPTEURS
Le système livrera-t-il l'information dont j'ai besoin pour effectuer mon travail ?	Combien d'espace disque le fichier maître occupera-t-il ?
Avec quelle rapidité puis-je accéder aux données ?	Combien de lignes de codes de programme seront nécessaires pour cette fonction ?
Les données sont-elles faciles à récupérer ?	Comment peut-on réduire le temps de traitement de l'unité centrale quand on exécute le programme ?
Sur combien d'employés de bureau dois-je compter pour l'entrée des données dans le système ?	Quelle est la manière la plus efficace pour stocker ces données ?
Comment l'exploitation du système s'intégrera-t-elle à mon travail quotidien ?	Quel système de gestion de base de données devrait-on utiliser ?

très élevé parmi les projets de réingénierie des processus d'affaires et de systèmes d'entreprise. Ces derniers exigent généralement un changement organisationnel important – et parfois le remplacement de vieilles technologies et de systèmes patrimoniaux bien ancrés dans des processus d'affaires interreliés. Quelques études ont démontré que jusqu'à 70 % des projets de réingénierie ne donnent pas les résultats escomptés. De même, un pourcentage élevé de projets de systèmes d'entreprise n'aboutissent pas ou n'atteignent pas les objectifs des utilisateurs, et ce, même après trois ans de travail.

De nombreux projets de réingénierie et de systèmes d'entreprise ont échoué à cause de mauvaises pratiques d'implantation et de gestion du changement qui ne tenaient pas compte des préoccupations des employés. Dans la réingénierie, il est bien plus problématique pour les entreprises de faire face à l'anxiété de l'ensemble du personnel, de surmonter la résistance des gestionnaires clés, de changer les tâches et les cheminements de carrière, de modifier les pratiques d'embauche et de former les employés que d'envisager ou de concevoir de grands changements dans les processus d'affaires. Toutes les applications d'entreprise requièrent une étroite coordination des groupes fonctionnels et des changements considérables dans les processus d'affaires (chapitre 9).

Les acquisitions et les fusions d'entreprises sont aussi marquées par un taux d'échec élevé. Elles dépendent beaucoup des caractéristiques organisationnelles et des infrastructures de technologie de l'information des entreprises qui fusionnent. La combinaison des systèmes d'information de deux entreprises requiert habituellement des changements organisationnels considérables et des projets de systèmes complexes à gérer. Si elle n'est pas bien gérée, elle peut aboutir à un fouillis de systèmes patrimoniaux hérités d'entreprises regroupées qu'on aura superposés les uns aux autres. Si une intégration des systèmes n'est pas réussie, on ne peut réaliser les économies escomptées ou, pire encore, on empêche l'exécution efficace des processus d'affaires.

La gestion des facteurs de risque

On a mis au point diverses méthodes de gestion de projets, de collecte de données sur les besoins et de planification, selon les types de problèmes. On a également conçu des stratégies visant à aider les utilisateurs à bien jouer leur rôle durant la phase d'implantation et visant à favoriser la gestion du changement organisationnel. Si on ne peut gérer ou planifier facilement tous les aspects du processus d'implantation, on peut cependant augmenter les chances de réussite en prévoyant les problèmes et en appliquant des stratégies d'ajustement appropriées.

La première étape dans la gestion des risques liés à un projet consiste à connaître la nature et le degré des risques (Schmidt, Lyytinen, Keil et Cule, 2001). Ensuite, il faut utiliser les outils et les méthodes de gestion des risques qui leur correspondent (Iversen, Mathiassen et Nielsen, 2004 ; McFarlan, 1981).

La gestion de la complexité technique

Pour les projets à la technologie complexe et difficile à maîtriser par les utilisateurs, on aura avantage à recourir aux **outils d'intégration interne**. Le succès dépend alors de la bonne gestion de la complexité technique. Les directeurs de projets doivent avoir une grande expérience technique et administrative. Ils doivent pouvoir prévoir les problèmes et établir de bonnes relations de travail avec les membres d'une équipe principalement technique. Le responsable de l'équipe doit avoir une solide expérience, tant sur le plan de la technique que sur celui de la gestion de projets, et les membres de l'équipe doivent être très spécialisés. Les réunions doivent être fréquentes. Enfin, si elle ne possède pas en son sein les habiletés et l'expertise technique essentielles, l'organisation devra chercher à se les procurer à l'extérieur.

Les outils de planification et de gestion formels

On peut gérer adéquatement les projets d'envergure en se servant d'**outils de planification formels** et d'**outils de gestion formels** pour documenter et assurer le suivi de leur progression. Les deux méthodes les plus courantes sont le diagramme de Gantt et le graphique PERT. Le **diagramme de Gantt** énumère les activités du projet avec les dates de démarrage et de réalisation. Il représente visuellement la séquence et la durée des différentes tâches, ainsi que le personnel requis (figure 14-5). Pour chaque tâche, une barre horizontale indique par sa longueur la durée d'accomplissement nécessaire.

Le diagramme de Gantt précise le début et la fin des activités d'un projet, mais n'indique pas les relations de dépendance entre les tâches, les répercussions des retards, ni l'ordre d'exécution des tâches. C'est là que s'avère utile le **graphique PERT** (*Program Evaluation and Review Technique*), un outil que la marine américaine a mis au point dans les années 1950 pour gérer le programme de missiles du sous-marin *Polaris*. Le graphique PERT représente les tâches d'un projet avec leurs interrelations. Il établit la liste des activités qui composent un projet en précisant celles qui doivent être menées à terme avant le démarrage d'une autre. La figure 14-6 illustre ce type de graphique.

Le graphique PERT décrit un projet sous la forme d'un diagramme en réseau qui comprend des nœuds numérotés (des cercles ou des rectangles) correspondant aux diverses tâches. Chaque nœud numéroté présente la tâche, sa durée, sa date de début et sa date de fin. La direction des flèches précise la séquence des tâches et montre celles qui doivent être terminées avant qu'une autre puisse commencer. Dans la figure 14-6, les tâches des nœuds 2, 3 et 4 ne sont pas reliées et peuvent être entreprises simultanément, mais chacune dépend de l'accomplissement de la première. Dans les projets complexes, les graphiques PERT peuvent être difficiles à interpréter, si bien qu'on emploie souvent les deux méthodes.

Ces deux techniques de gestion de projets peuvent aider les gestionnaires à prévoir les goulots d'étranglement et à déterminer les conséquences des problèmes sur le temps de

FIGURE 14-5 UN EXEMPLE DE DIAGRAMME DE GANTT

PLAN COMBINÉ DU SIRH	Jours	Personne(s)																			

(Diagramme de Gantt — tâches avec durées en jours et personnes responsables)

SÉCURITÉ DE L'ADMINISTRATION DES DONNÉES

Tâche	Jours	Personne(s)
Analyse/établissement de la sécurité QMF	20	EF / TP
Orientation de la sécurité	2	EF / JA
Entretien des installations de sécurité QMF	35	TEMP / GL
Profils de sécurité de la saisie des données	4	EF / TEMP
Établissement des vues de la sécurité de saisie des données	12	EF / TEMP
Profils de sécurité de la saisie des données	65	EF / TEMP

DICTIONNAIRE DE DONNÉES

Tâche	Jours	Personne(s)
Sessions d'orientation	1	EF
Conception du dictionnaire de données (DD)	32	EF / WH
Interrogation sur la coordination de la production du DD	20	GL
Coordination de la production du DD	40	EF / GL
Nettoyage du dictionnaire de données	35	EF / GL
Maintien du dictionnaire de données	35	EF / GL

PRÉPARATION DE LA CONCEPTION DE LA RÉVISION DES PROCÉDURES

Tâche	Jours	Personne(s)
Flux de travaux (anciens)	10	PC / JL
Flux des données de la paie	31	JL / PC
Modèle de révision des procédures du SIRH	11	PC / JL
Gestion de l'orientation de l'interface de révision des procédures	6	PC / JL
Intégration de l'interface de révision des procédures 1	15	PC
Intégration de l'interface de révision des procédures 2	8	PC
Interfaces sur les avantages (anciennes)	5	JL
Nouveaux flux d'interfaces sur les avantages	8	JL
Stratégie de communication des avantages	3	PC / JL
Nouveau modèle de flux des travaux	15	PC / JL
Flux de saisie des données	14	WH / JL

RÉSUMÉ DES RESSOURCES

Nom		Init.	Oct.	Nov.	Déc.	Jan.	Fév.	Mars	Avr.	Mai	Juin	Juil.	Août	Sept.	Oct.	Nov.	Déc.	Jan.	Fév.	Mars
Édith Faille	5,0	EF	2	21	24	24	23	22	22	27	34	34	29	26	28	19	14			
Woody Holand	5,0	WH	5	17	20	19	12	10	14	10	2							4	3	
Charles Price	5,0	CP		5	11	20	13	9	10	7	6	8	4	4	4	4	4			
Ted Leonard	5,0	TL		12	17	17	19	17	14	12	15	16	2	1	1	1	1			
Thérèse Cox	5,0	TC	1	11	10	11	11	12	19	19	21	21	21	17	17	12	9			
Patricia Clermont	5,0	PC	7	23	30	34	27	25	15	24	25	16	11	13	17	10	3	3	2	
Jeanine Larivée	5,0	JL	1	9	16	21	19	21	21	20	17	15	14	12	14	8	5			
David Holloway	5,0	DH	4	4	5	5	5	2	7	5	4	16	2							
Diane O'Neil	5,0	DO	6	14	17	16	13	11	9	4										
Joanne Albert	5,0	JA	5	6			7	6	2	1				5	5	1				
Marie Marceau	5,0	MM	15	7	2	1	1													
Donald St-Hilaire	5,0	DS	4	4	5	4	5	1												
Temporaire	5,0	TEMP		3	4	3			4	7	9	5	3	2						
Kathie Meilleur	5,0	KM		1	5	16	20	19	22	19	20	18	20	11	2					
Anna Bordeleau	5,0	AB					9	10	16	15	11	12	19	10	7	1				
Gail Loranger	5,0	GL		3	6	5	9	10	17	18	17	10	13	10	10	7	17			
NONASSIGNÉ	0,0	X										9			236	225	230	14	13	3
Coopérant	5,0	CO		6	4				2	3	4	4	2	4	16			216	178	9
Temporaire	5,0	TEMP1										3	3	3						
TOTAL DES JOURS			50	146	176	196	193	175	194	194	188	187	140	125	357	288	283	237	196	12

Ce diagramme de Gantt montre les tâches, les jours-personnes, les initiales des personnes responsables et les dates de démarrage et d'accomplissement des tâches. Le résumé des ressources permet de connaître le nombre total de jours-personnes pour chaque mois et pour chaque personne travaillant sur le projet, et donc d'assurer une bonne gestion. Il s'agit ici d'un projet d'administration des données, de système d'information pour les ressources humaines (SIRH).

FIGURE 14-6 UN EXEMPLE DE GRAPHIQUE PERT

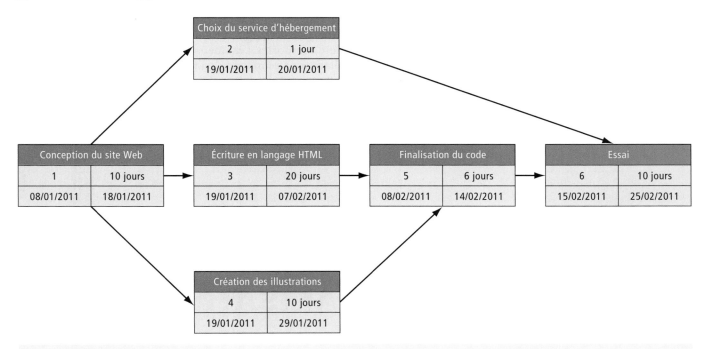

Ce graphique PERT simplifié, concernant la création d'un petit site Web, montre l'ordre d'exécution des tâches du projet et la relation d'une tâche avec les tâches précédentes et suivantes.

réalisation. Elles permettent aussi aux développeurs de systèmes de diviser un projet en petits modules plus faciles à gérer, auxquels sont associés des résultats mesurables. Les techniques standards de gestion permettent de représenter dans des graphiques la progression d'un projet et de repérer les différences éventuelles par rapport aux budgets et aux échéances prévus.

L'augmentation de la participation des utilisateurs et l'atténuation de leur résistance

Pour les projets assez peu structurés, dont de nombreuses exigences ne sont pas définies, il faut faire appel à la collaboration des utilisateurs à toutes les étapes. On doit les inciter à faire un choix parmi les nombreuses possibilités de conception et à s'y tenir. Les **outils d'intégration externe** consistent en diverses façons d'associer le travail de l'équipe d'implantation et celui des utilisateurs de tous les échelons de l'organisation. Par exemple, les utilisateurs peuvent devenir des membres actifs de l'équipe de projet, jouer des rôles de leaders et s'occuper de l'installation et de la formation. L'équipe d'implantation peut leur manifester sa réceptivité concernant leur participation en répondant rapidement à leurs questions, en tenant compte de leurs commentaires et en leur montrant son désir d'aider (Gefen et Ridings, 2002).

L'invitation à la participation aux activités d'implantation ne permet pas toujours de surmonter le problème de la résistance des utilisateurs au changement organisationnel. Les différents utilisateurs peuvent être touchés de diverses manières par le nouveau système. Certains peuvent accueillir le système à bras ouverts parce qu'ils perçoivent les changements qu'il entraîne comme positifs pour eux, alors que d'autres peuvent y résister parce qu'ils estiment qu'il nuit à leurs intérêts.

Si l'utilisation du nouveau système se fait sur une base volontaire, les employés peuvent décider de l'éviter; si elle est obligatoire, ils peuvent exprimer leur résistance par un grand nombre d'erreurs, des pannes, des démissions et même des actes de sabotage. Par conséquent, la stratégie d'implantation doit non seulement encourager la participation des utilisateurs, mais aussi faire face au problème de l'«obstruction à l'implantation» (Keen, 1981). L'**obstruction à l'implantation** est une stratégie visant à saboter l'implantation d'un système d'information ou d'une innovation dans une organisation.

Les stratégies permettant de surmonter la résistance des utilisateurs sont l'invitation à la participation au processus d'implantation (pour susciter l'engagement et obtenir une meilleure conception), l'éducation et la formation, les politiques de la direction et les mesures incitatives. On peut aussi rendre le nouveau système plus convivial en améliorant l'interface utilisateur final. Enfin, on favorise la coopération des utilisateurs en résolvant les problèmes organisationnels avant l'introduction du nouveau système.

La session interactive sur les organisations offre un exemple de projet d'envergure dans lequel interviennent plusieurs des enjeux dont nous venons de parler. Le U.S. Centers for Disease Control and Prevention (CDC) a eu de la difficulté à implanter un système national visant à informer les fournisseurs et les organismes de soins de santé des crises éventuelles en matière de santé, comme les pandémies de grippe ou les attaques bioterroristes. En lisant cette étude de cas, essayez de déterminer les risques du projet et de savoir si les stratégies appropriées ont été appliquées.

La conception au service de l'organisation

Le but d'un nouveau système étant d'améliorer la performance de l'organisation, le processus de développement doit comporter l'examen de la façon dont l'organisation changera au moment de l'installation du nouveau système, notamment des intranets, des extranets et des applications Web. Outre les changements procéduraux, il faut soigneusement planifier les transformations des postes, de la structure

SESSION INTERACTIVE : LES ORGANISATIONS

POURQUOI LE PROGRAMME BIOSENSE NE PEUT-IL PRENDRE SON ENVOL ?

Si vous regardez la télévision, lisez le journal ou naviguez sur le Web, vous avez forcément eu connaissance des nombreuses et sinistres prédictions concernant des pertes de vie à grande échelle dues aux attaques biologiques ou chimiques, ou encore à une pandémie de grippe A H1N1. D'après les modèles informatiques, de 2 à 100 millions de personnes pourraient mourir au cours d'une pandémie de grippe.

Le 3 mai 2006, le gouvernement des États-Unis a présenté un plan de mise en œuvre pour sa stratégie nationale en matière de pandémie. L'objectif de cette stratégie est d'améliorer la coordination entre, d'une part, les autorités fédérales, les autorités des États et les autorités locales et, d'autre part, le secteur privé, dans l'éventualité d'une pandémie ou d'une autre urgence sanitaire. Le plan de mise en œuvre prévoyait l'amélioration des mécanismes de surveillance clinique « en temps réel » dans les salles d'urgence et les unités de soins intensifs des hôpitaux ainsi que dans les laboratoires, afin que les différentes autorités sa-

nitaires soient informées de la présence d'une maladie à propagation rapide.

Le pivot de ce plan est le programme de communication clinique en temps réel BioSense (*BioSense Real-Time Clinical Connections Program*) élaboré par le CDC (Center for Disease Control and Prevention) des États-Unis. BioSense chapeaute les systèmes d'information des hôpitaux, recueille et analyse en continu leurs données au moment de leur production. Le logiciel personnalisé développé par le CDC surveille le trafic du réseau des installations et retient les renseignements médicaux pertinents, les diagnostics et les ordonnances. Parmi les données figurent l'âge du patient, le sexe, le code postal du lieu de résidence, le code postal de l'établissement de santé, les principaux symptômes médicaux, le début de la maladie, le diagnostic, les actes médicaux, les médicaments prescrits et les résultats de laboratoire. Le logiciel convertit ces données au format de communication HL7 (la norme de l'industrie de soins de santé), crypte les données et les trans-

met toutes les 15 minutes par l'entremise du Web, au CDC, où elles sont conservées dans un grand dépôt de données.

Le système résume et présente les résultats de manière analytique, par source, jour et syndrome pour chaque code postal, État et agglomération, à l'aide de cartes, de diagrammes et de tableaux. Les organismes de santé publique locaux et d'État de même que les hôpitaux et les fournisseurs de soins de santé qui sont inscrits peuvent accéder aux données relevant de leur juridiction grâce à une application accessible sur Internet, sur un réseau de données sécurisé. L'information provenant de Bio-Sense pourrait indiquer les premiers signes d'une pandémie ou d'une attaque biologique et alerter les hôpitaux locaux, les travailleurs de la santé et les organismes fédéraux et d'États pour qu'ils adoptent des mesures préventives.

Le processus traditionnel de surveillance en matière de santé publique est manuel et lent. Dans le cas où surviendrait une urgence, les hôpitaux, les médecins et les laboratoires enverraient des rapports par la poste ou par télécopie aux services de santé publique, lesquels téléphoneraient aux fournisseurs de soins de santé pour obtenir de plus amples renseignements. Cette lente chaîne de communication d'une personne à l'autre n'est pas bien adaptée à une urgence grave.

Le programme BioSense est devenu opérationnel en 2004, lorsqu'a commencé la collecte des données quotidiennes provenant des demandes de tests médicaux des hôpitaux du ministère de la Défense et du ministère des Vétérans des États-Unis (U.S. Defense Department and Veterans Affairs, VA) et du Laboratory Corporation of America (LabCorp). (LabCorp est l'un des plus grands fournisseurs de services de laboratoire clinique des États-Unis. Il exploite un réseau national de sites de tests et de centres de services.) Quelque 700 établissements du ministère de la Défense et 1110 établissements du ministère des Vétérans rendent compte de leurs données à BioSense. À la fin de 2005, le CDC a commencé à étendre le réseau de BioSense aux hôpitaux civils, dans les principales zones urbaines.

Cependant, en 2006 et 2007, Bio-Sense a rencontré une résistance importante de la part des administrateurs d'hôpitaux et des médecins de tout le pays. En mai 2008, 563 hôpitaux et organismes de santé de l'État seulement participaient au programme. Pour transmettre les données à BioSense, les établissements doivent normaliser leurs données sur les patients et leurs autres données médicales. Or, la plupart du temps, ils ont leur propre système de codage pour les symptômes, les mala-dies et les médicaments. Les contractants du CDC doivent donc travailler avec chacun d'eux pour traduire les codes de données dans les normes du logiciel du CDC. C'est une tâche gigantesque, compte tenu des limites des établissements en matière de ressources et de personnel de la TI.

Au sein de la communauté médicale, on se demande si le réseau Bio-Sense en vaut la peine. Selon le Dr John Rosenberg, directeur du laboratoire des maladies infectieuses (Infectious Disease Laboratory), au ministère des Services de santé de Californie, à Richmond, si une épidémie se déclare, « on le saura avant que les données arrivent. Quand les salles d'urgence se remplissent, on fait un appel téléphonique ; c'est probablement une meilleure mesure. »

Bien que la participation au programme BioSense soit volontaire, les médecins et les autorités sanitaires n'apprécient pas le système ; sans doute parce qu'il permet au gouvernement fédéral d'empiéter sur un domaine traditionnellement réservé aux organisations et aux fournisseurs de soins de santé locaux. Ils soulignent que ce sont eux, et non pas le CDC, qui ont la responsabilité d'agir pour gérer la pandémie. De plus, les hôpitaux sont réticents parce qu'ils s'inquiètent du maintien de la confidentialité et de la sécurité des renseignements sur leurs patients. Le programme BioSense permettrait au CDC d'« assister » aux soins de leurs patients en temps réel. Le CDC n'utilise pour-tant aucune donnée qui pourrait identifier des patients en particulier.

Après avoir investi environ 100 millions de dollars dans le recrutement d'hôpitaux et dans la technologie pour le programme BioSense, en 2005 et 2006, le CDC a décidé en 2007 de travailler avec les systèmes de soins de santé publique locaux et des États au lieu de leur faire concurrence. Il continuera d'utiliser BioSense dans sa version restreinte, tout en adoptant des mesures de partage de l'information avec les services de santé des États. Il ne demandera pas aux États de transférer leurs données détaillées dans un dépôt national de données, mais les incitera plutôt à assurer la liaison entre leur base de données et celle de BioSense, dans une sorte de système de biosurveillance à l'échelle nationale. La version définitive du projet de système demeure incertaine. Le CDC teste différentes stratégies pour trouver la meilleure. L'une d'elles, par exemple, porte sur la création d'un système d'alerte visant à informer les autorités de soins de santé publique régionales et des États de l'éclosion d'une pandémie, par voie électronique plutôt que par courriel ou par téléphone.

Sources : Doug Bartholomew et Chris Gonsalves, « CDC Issues Pandemic Systems Plan », *Baseline Magazine*, avril 2008 ; Doug Bartholomew, « Second Opinions », *Baseline Magazine*, mars 2006 ; Wilson P. Dizard III, « CDC Weaving National Information Web », *Government Computer News*, 3 avril 2006.

Questions

1. Décrivez les risques que comporte le projet BioSense.
2. Quels facteurs de gestion, d'organisation et de technologie expliquent pourquoi le projet a été difficile à mettre en œuvre ?
3. La nouvelle approche du CDC pour améliorer les mises en garde en cas de pandémie est-elle une solution viable ? Oui ou non ? Pourquoi ?

Ateliers

Explorez le site Web de BioSense (www.cdc.gov/biosense), puis répondez à la question suivante :

Quelles technologies de l'information sont citées dans la description de BioSense ? Pourquoi seraient-elles particulièrement utiles dans ce type d'application ?

organisationnelle, des relations de pouvoir et de l'environnement de travail.

En concevant l'interface utilisateur, il faut porter une attention particulière aux questions d'ergonomie. L'**ergonomie** est l'étude des interactions entre les utilisateurs et les machines, dans le milieu de travail. Elle se rapporte à la conception des tâches, aux questions de santé et à l'interface utilisateur des systèmes d'information. Le tableau 14-5 énumère les facteurs organisationnels à examiner pour la planification et l'implantation d'un système.

Bien que les activités d'analyse et de conception de système incluent théoriquement une étude d'impact organisationnel, on néglige souvent cet aspect. L'**étude d'impact organisationnel** montre comment le système proposé changera la structure organisationnelle, les attitudes, le processus de prise de décision et le fonctionnement général. Pour intégrer efficacement un système d'information, il faut effectuer une évaluation complète et bien documentée des effets organisationnels.

La conception sociotechnique

Une façon d'aborder les problèmes humains et organisationnels consiste à intégrer les pratiques de la **conception sociotechnique** dans les projets de systèmes d'information. Les concepteurs tâchent alors de trouver des ensembles distincts de solutions techniques et sociales de conception. Avec le plan de conception sociale, ils examinent différentes structures de groupes de travail, de répartition des tâches et de conception de tâches individuelles. Ils comparent les solutions techniques et sociales. Puis ils retiennent, pour la conception finale, la solution qui répond le mieux tant aux objectifs sociaux qu'aux objectifs techniques. La conception sociotechnique qui en résulte doit permettre de produire un système d'information associant l'efficacité technique au souci de répondre aux besoins tant organisationnels qu'humains et entraînant une plus grande satisfaction au travail ainsi qu'une meilleure productivité.

Les outils logiciels de gestion de projets

Les outils logiciels commerciaux qui automatisent de nombreux aspects de la gestion de projets en facilitent le processus. Un logiciel de gestion de projet offre généralement des fonctionnalités permettant de définir et de planifier les tâches, d'allouer des ressources, de fixer les dates de démarrage et d'accomplissement des tâches, de suivre l'évolution du projet et de modifier aisément les tâches et les ressources. De nombreux programmes automatisent la création de diagrammes de Gantt et de graphiques PERT. Certains de ces

---

TABLEAU 14-5

LES FACTEURS ORGANISATIONNELS À EXAMINER POUR LA PLANIFICATION ET L'IMPLANTATION D'UN SYSTÈME

Participation et engagement des employés

Conception des postes

Surveillance des normes et des performances

Ergonomie (notamment du matériel, de l'interface utilisateur et du cadre de travail)

Procédures de résolution des griefs des employés

Santé et sécurité

Conformité aux règles gouvernementales

---

outils sont des programmes sophistiqués conçus pour la gestion des travaux d'envergure, des groupes de travail dispersés et des fonctions de l'entreprise. Ces outils haut de gamme peuvent gérer un très grand nombre de tâches et d'activités ainsi que des relations complexes.

Office Project 2007 de Microsoft est le logiciel de gestion de projets le plus utilisé de nos jours. Fonctionnant sur ordinateur personnel, il comporte des fonctionnalités pour produire des graphiques PERT et des diagrammes de Gantt et pour prendre en charge la méthode du chemin critique, la répartition des ressources, le suivi du projet et la production de rapports. Il permet également le suivi de la façon dont les changements apportés à un aspect du projet en modifient d'autres. Project Professional 2007 offre des fonctions de gestion de projets commune lorsqu'il est utilisé avec Office Project Server 2007 de Microsoft. Project Server stocke les données du projet dans une base de données centrale SQL Server, ce qui permet aux utilisateurs autorisés d'y accéder et de les mettre à jour par l'intermédiaire d'Internet. Il est étroitement intégré à la plateforme de collaboration d'équipe Windows SharePoint Services. Ces possibilités permettent aux grandes entreprises de gérer des projets se situant dans de nombreux emplacements. Enfin, des produits tels que EasyProjects.NET et Vertabase sont également utiles aux sociétés recherchant des outils de gestion de projets accessibles sur Internet.

Projets concrets en SIG

Décisions de gestion

1. En 2001, les restaurants McDonald's ont lancé le projet « Innover pour créer », afin de mettre en place un intranet reliant le siège social aux 30 000 restaurants disséminés dans 120 pays et afin d'obtenir des rapports d'exploitation détaillés en temps réel. Par exemple, le nouveau système devait rapidement informer un gestionnaire du siège social, à Oak Brook, en Illinois, du ralentissement des ventes dans une franchise de Londres, ou d'une température de gril trop basse dans un restaurant de Rochester, au Minnesota. L'idée était de créer un progiciel de gestion intégré mondial concernant le fonctionnement de tous les restaurants McDonald's. Cependant, certains restaurants sont établis dans des pays où l'infrastructure de réseautage n'existe pas. McDonald's a donc mis fin au projet après avoir dépensé plus de 1 milliard de dollars sur plusieurs années, dont 170 millions en frais d'experts-conseils et de planification de la mise en œuvre initiale. Qu'auraient dû savoir ou faire les gestionnaires au début du projet pour éviter d'en arriver là ?

2. Caterpillar est le chef de file mondial pour la fabrication d'engins de terrassement et d'équipement agricole. Ses cadres supérieurs veulent mettre fin au soutien accordé au Système de gestion des concessionnaires, conçu pour aider leurs concessionnaires à exploiter leur entreprise. Le logiciel du système tombant en désuétude, ils veulent transférer le soutien à une version du logiciel hébergée par Accenture Consultants, pour pouvoir se concentrer sur les activités principales de l'entreprise. Caterpillar n'a jamais exigé de ses concessionnaires qu'ils utilisent le système de gestion. Mais, de fait, le système est devenu la norme pour les transactions entre les deux. Ainsi, la majorité des 50 concessionnaires de Caterpillar en Amérique du Nord et la moitié environ des concessionnaires du reste du monde utilisent une version de ce système. Avant de transférer le produit à Accenture, quels facteurs et quels problèmes Caterpillar devrait-elle examiner ? Quelles questions l'entreprise devrait-elle se poser ? Quelles questions les concessionnaires devraient-ils se poser ?

Améliorer le processus décisionnel

Utiliser les outils Internet pour acheter et financer une maison

Compétences en logiciels : savoir utiliser un logiciel accessible sur Internet

Compétences en affaires : savoir effectuer une planification financière

Ce projet vise à améliorer vos compétences dans l'utilisation d'un logiciel accessible sur Internet, pour la recherche d'une maison et le calcul du financement hypothécaire correspondant.

Vous vous êtes trouvé un emploi à Montréal, au Québec, et vous aimeriez vous acheter une maison à Longueuil. Idéalement, vous souhaitez une maison unifamiliale comportant trois chambres à coucher et une salle de bains. Vous pouvez payer entre 150 000$ et 325 000 $, somme que vous financerez avec un prêt hypothécaire à taux d'intérêt fixe échelonné sur 25 ans. Vous avez les moyens d'effectuer un versement initial représentant 20 % de la valeur de la maison. Avant d'acheter, vous désirez savoir quelles maisons sont disponibles dans votre fourchette de prix, trouver une hypothèque et déterminer le montant de vos versements mensuels. Vous voulez également savoir quelle portion de vos paiements hypothécaires totaux représente le capital et quelle portion constitue les intérêts. Utilisez des sites comme ceux de Duproprio, de Remax, de Royal-Lepage ou autres pour effectuer les tâches suivantes :

- Repérez les maisons qui, à Longueuil, se trouvent dans votre fourchette de prix. Recueillez toute l'information possible à leur sujet, notamment le nom de l'agent immobilier à joindre, l'état du bâtiment, le nombre de chambres et la commission scolaire.

- Trouvez une hypothèque qui assure 80 % du prix demandé pour les maisons. Comparez les taux d'au moins trois sites Web dans le domaine (utilisez des moteurs de recherche pour trouver ces sites).
- Après avoir choisi une hypothèque, calculez les frais de clôture de la transaction immobilière.
- Déterminez le montant de vos versements mensuels en fonction de l'hypothèque.
- Calculez la partie du versement hypothécaire mensuel correspondant au capital et la partie correspondant aux intérêts, en supposant que vous ne prévoyez pas faire de versements supplémentaires.

Quand vous aurez accompli toutes ces tâches, évaluez l'ensemble du processus. Par exemple, appréciez la convivialité des sites Web dont vous vous êtes servi et estimez votre capacité à trouver de l'information sur les maisons et les hypothèques. Évaluez également la précision des informations fournies, l'éventail de choix de maisons et d'hypothèques. Enfin, mesurez jusqu'à quel point ce processus vous aurait été utile si vous aviez véritablement été à la recherche d'une maison.

▷ R É S U M É

1. Quels sont les objectifs de la gestion de projets et pourquoi la gestion de projets est-elle si importante dans le développement des systèmes d'information?

Une bonne gestion de projets est importante parce qu'elle permet de livrer les systèmes à temps, de respecter le budget fixé et d'obtenir de véritables avantages. Les activités de la gestion de projets sont la planification des tâches, l'évaluation du risque, l'évaluation et l'acquisition des ressources nécessaires, l'organisation du travail, la direction de l'exécution et l'analyse des résultats. La gestion de projets doit tenir compte de cinq grandes variables : la portée, le temps, les coûts, la qualité et le risque.

2. Quelles méthodes servent à sélectionner et à évaluer les projets de systèmes d'information et à les harmoniser avec les objectifs de l'entreprise?

Les organisations doivent établir des plans décrivant la façon dont la technologie de l'information soutient la réalisation de leurs objectifs d'affaires et documentent toutes les applications de systèmes et toutes les composantes de l'infrastructure de la TI. Les grandes entreprises auront une structure de gestion qui accordera la priorité aux projets de systèmes les plus importants. On peut utiliser la méthode des facteurs clés du succès, l'analyse de portefeuille et la méthode du pointage pour définir et évaluer les projets de systèmes d'information.

3. Comment les entreprises peuvent-elles estimer la valeur, pour leurs affaires, des projets de systèmes d'information?

Pour déterminer si un projet de système d'information est un bon investissement, il faut calculer ses coûts et ses bénéfices. Les bénéfices tangibles sont quantifiables. Les bénéfices intangibles ne se mesurent pas immédiatement, mais peuvent procurer des gains quantifiables à moyen ou à long terme. Lorsque les bénéfices dépassent les coûts, la méthode de l'évaluation d'un investissement permet de s'assurer que le projet représente un bon rendement du capital investi. Lorsque les rendements d'un investissement dans la technologie de l'information sont incertains, on a intérêt à recourir au modèle d'évaluation du prix des options réelles, qui applique les techniques d'évaluation des options financières aux investissements dans les systèmes.

4. Quels sont les principaux facteurs de risque des projets de systèmes d'information?

Le degré de risque d'un projet de développement de système dépend (1) de l'envergure du projet, (2) de sa structure et (3) de l'expérience de la technologie. Les projets de systèmes d'information risquent davantage d'échouer si la participation des utilisateurs au processus de développement est insuffisante ou inappropriée, si le soutien de la direction fait défaut et si la gestion du processus d'implantation n'est pas adéquate. Le taux d'échec est très élevé lorsque les projets impliquent la réingénierie des processus d'affaires, concernent les applications d'entreprise et sont liés à des regroupements d'entreprises, parce qu'un changement organisationnel considérable doit alors être mis de l'avant.

5. Quelles sont les stratégies utiles pour la gestion des risques associés aux projets et pour l'implantation des systèmes?

L'implantation est le processus complet de changement organisationnel qui accompagne l'introduction d'un nouveau système d'information. Le soutien et la participation des utilisateurs, le soutien de la direction et la gestion de l'implantation sont essentiels à la réussite d'un projet de système d'information. Les mécanismes de gestion des risques associés à chaque projet de système sont également importants. On peut maîtriser les facteurs de risque en adoptant une approche contingente de gestion de projet adaptée au contexte. Le degré de risque de chaque projet détermine la combinaison appropriée d'outils d'intégration externes, d'outils d'intégration internes, d'outils de planification formels et d'outils de gestion formels

MOTS CLÉS

Absence de dialogue fructueux entre les utilisateurs et les concepteurs, p. 432
Agent de changement, p. 431
Analyse de portefeuille, p. 427
Bénéfice intangible, p. 429
Bénéfice tangible, p. 429
Conception sociotechnique, p. 438
Diagramme de Gantt, p. 433
Ergonomie, p. 438
Étude d'impact organisationnel, p. 438
Évaluation des investissements, p. 429
Facteur clé du succès, p. 426
Gestion de projet, p. 424
Gestion du changement, p. 431

Graphique PERT, p. 433
Implantation, p. 431
Interface utilisateur, p. 422
Méthode du pointage, p. 428
Modèle d'évaluation du prix des options réelles, p. 430
Obstruction à l'implantation, p. 435
Outil de gestion formel, p. 433
Outil de planification formel, p. 433
Outil d'intégration externe, p. 435
Outil d'intégration interne, p. 433
Plan stratégique des systèmes d'information, p. 425
Portée, p. 424
Projet, p. 422

QUESTIONS DE RÉVISION

1. **Quels sont les objectifs de la gestion de projets et pourquoi la gestion de projets est-elle si importante dans le développement des systèmes d'information?**
   - Décrivez les problèmes, en matière de systèmes d'information, que peut causer une mauvaise gestion de projets.
   - Définissez la gestion de projet. Énumérez et décrivez les activités qu'elle comporte et les variables abordées.

2. **Quelles méthodes servent à sélectionner et à évaluer les projets de systèmes d'information et à les harmoniser avec les objectifs de l'entreprise?**
   - Nommez et décrivez les groupes responsables de la gestion des projets de systèmes d'information.
   - Décrivez l'objectif d'un plan de systèmes d'information et énumérez les principales catégories de ce plan.
   - Expliquez comment la méthode des facteurs clés du succès, l'analyse de portefeuille et la méthode du pointage peuvent servir à sélectionner des projets de systèmes d'information.

3. **Comment les entreprises peuvent-elles estimer la valeur, pour leurs affaires, des projets de systèmes d'information?**
   - Énumérez et décrivez les principaux coûts et avantages des systèmes d'information.

   - Établissez la distinction entre les bénéfices tangibles et intangibles.
   - Expliquez comment les modèles d'évaluation des prix des options réelles peuvent aider à évaluer les investissements dans la technologie de l'information.

4. **Quels sont les principaux facteurs de risque des projets de systèmes d'information?**
   - Nommez et décrivez les principaux facteurs de risque des projets de systèmes d'information.
   - Expliquez pourquoi les développeurs de systèmes d'information doivent aborder la question de l'implantation et de la gestion du changement.
   - Expliquez pourquoi le soutien de la direction et des utilisateurs finaux est si important dans la réussite des projets de systèmes d'information.
   - Expliquez pourquoi le taux d'échec est si élevé dans les implantations qui comportent les applications d'entreprise, la réingénierie des processus d'affaires et les regroupements ou acquisitions d'entreprises.

5. **Quelles sont les stratégies utiles pour la gestion des risques associés aux projets et pour l'implantation des systèmes?**
   - Nommez et décrivez les stratégies de gestion des risques associés aux projets.

- Déterminez les considérations d'ordre organisationnel dont on doit tenir compte pour la planification et de la mise en œuvre des projets.

- Expliquez comment les outils logiciels de gestion de projets contribuent au succès de la gestion de projets.

SUJETS DE DISCUSSION

1. Quelle est l'importance de la gestion de projets dans le succès de nouveaux systèmes d'information?

2. On a dit que la plupart des systèmes échouent parce que les concepteurs ignorent les problèmes de comportement organisationnel. Pourquoi en serait-il ainsi?

TRAVAIL D'ÉQUIPE : ANALYSER DES PROBLÈMES D'IMPLANTATION

Formez une équipe avec trois ou quatre autres étudiants. Rédigez ensemble une description des problèmes d'implantation que vous pourriez rencontrer dans l'un des systèmes décrits dans les sessions interactives et l'étude de cas de la fin de ce chapitre. Analysez les étapes que vous suivriez pour résoudre ou pour prévenir ces problèmes. Dans la mesure du possible, utilisez Google Sites pour afficher des liens vers des pages Web, pour communiquer entre membres de l'équipe et vous répartir les tâches, pour confronter vos idées et pour travailler ensemble sur les documents du projet. Essayez d'utiliser Google Documents pour mettre au point une présentation de vos résultats destinée à la classe.

ÉTUDE DE CAS

Aux États-Unis, il ne faut pas compter sur le projet de collecte de données sur le terrain pour le recensement!

Le recensement est le dénombrement de la population des États-Unis qui est réalisé tous les 10 ans (recensement décennal) par le Census Bureau (Bureau du recensement) du gouvernement. Il sert à déterminer la répartition des sièges au Congrès, l'attribution de l'aide fédérale et le remaniement des frontières des districts législatifs au sein des États. Une gestion adéquate du recensement entraîne des économies de plusieurs milliards de dollars, un service au public amélioré et le renforcement de la confiance dans le gouvernement. Cependant, des rapports provenant du Government Accountability Office (GAO, bureau général des comptes publics du gouvernement) et d'autres sources laissent entendre que le recensement de 2010 représente une activité à haut risque ayant fait l'objet d'une mauvaise gestion depuis des années. Le Census Bureau a bâclé la mise en œuvre du programme Field Data Collection Automation (FDCA,

automatisation de la collecte des données sur le terrain), qui consistait à intégrer des terminaux mobiles de poche dans le processus de collecte des données du recensement.

Le recensement suit traditionnellement les étapes suivantes. Le Census Bureau trouve et recueille d'abord les adresses de tous les logements connus sur le territoire des États-Unis: c'est le dénombrement des adresses. Ensuite, il envoie des questionnaires à ces adresses. Les préposés au recensement font le suivi des personnes qui ne renvoient pas le questionnaire. Le Census Bureau essaie ensuite de recenser les individus n'habitant pas dans les logements classiques. Enfin, on rassemble et combine les données de recensement issues des résultats des questionnaires et des rencontres individuelles. On les diffuse au public sous la forme de tableaux. Jusqu'à présent, la collecte et l'enregistrement de la majorité des données ont été faits sur

support papier, ce qui nécessite une grande dépense de temps et beaucoup d'organisation.

Le programme FDCA vise à faciliter l'étape de collecte d'information auprès des répondants. Il s'agit de mettre en place des terminaux mobiles de poche qui simplifieraient la participation au recensement. Il en résulterait une réduction des coûts, une amélioration de la qualité des données et une efficacité accrue de la collecte. En 2006, le Census Bureau a signé un contrat de plusieurs milliards de dollars avec l'entreprise Harris Corporation, pour la mise en œuvre des terminaux mobiles. L'entreprise conçoit et fabrique des produits de communication, notamment de l'équipement de transmission sans fil, pour le gouvernement et d'autres clients commerciaux à travers le monde. Cependant, en 2008, les terminaux de poche étaient beaucoup trop lents et les données recueillies trop incohérentes pour une utilisation fiable lors du recensement de 2010.

Le manque de supervision est plus répandu dans les services fédéraux que dans le secteur privé, où les incitations à produire des résultats sont plus nombreuses pour les cadres. C'est pourquoi les projets fédéraux comme celui du programme FDCA peuvent souffrir d'un manque de responsabilisation. Le gouvernement fédéral n'emploie pas de gestionnaires de programmes accrédités ni de cadres hautement qualifiés pour ce type de projets et il ne l'a pas fait pour le programme FDCA. Il arrive ainsi souvent que des problèmes empoisonnent un projet et qu'ils ne soient pas rapidement corrigés, même après avoir été décelés.

Le programme FDCA a été victime d'une mauvaise communication et de médiocres méthodes d'essai. Par exemple, l'équipe responsable n'a pas établi de processus d'essai pour l'évaluation du rendement des terminaux mobiles. Elle n'a pas non plus expliqué précisément les exigences techniques du recensement à l'entreprise Harris. Or, la technologie mobile choisie en étant alors à ses débuts et Harris n'ayant pas l'expérience de projets de cette envergure, il était important que le Census Bureau fournisse ses exigences concernant le système et le calendrier de mise en œuvre, ce qu'il a omis de faire. À cause de sa complexité, la mise en place de technologies mobiles nécessite une gestion saine et une planification minutieuse. Les systèmes présentent une variété de composantes, de fournisseurs de communication, de dispositifs et d'applications qu'il faut organiser et coordonner.

Dans son témoignage devant le Congrès, en avril 2008, le directeur du Census Bureau, Steve Murdock, a déclaré que le Census Bureau n'avait pas réussi à communiquer efficacement à l'entreprise Harris la complexité des opérations de recensement et les besoins en technologie de l'information. Le contrat initial comprenait 600 spécifications pour les terminaux mobiles, mais 418 ont été ajoutées ultérieurement. L'ajout constant de spécifications a rendu la conception du produit inutilement difficile. Le Census Bureau n'a pas fait suffisamment pression sur l'entreprise

Harris pour qu'elle lui fournisse des mises à jour régulières de l'évolution du projet. Quant à cette dernière, elle n'a pas cru bon de présenter au Census Bureau une estimation initiale précise.

Les difficultés du programme FDCA ne menacent pas l'accomplissement du recensement de 2010. Il aura lieu, mais il sera beaucoup moins efficace et coûtera beaucoup plus cher que prévu, c'est-à-dire environ 3 milliards de dollars de plus sur une période de cinq ans. Le Census Bureau fera ce qu'il peut avec les terminaux mobiles qu'il a en sa possession et continuera de s'appuyer sur le support papier. Les terminaux mobiles serviront à dénombrer les adresses, mais ne pourront être utilisés pour le suivi des personnes n'ayant pas renvoyé le questionnaire. Le Census Bureau devra donc abandonner plusieurs initiatives pour assurer la couverture précise de secteurs traditionnellement négligés. Le coût initial de mise en œuvre des terminaux mobiles et des systèmes complémentaires était évalué à 3 milliards de dollars sur un total de 11,5 milliards de dollars pour tout le projet. Le coût total du recensement de 2010 avoisinera les 14,5 milliards de dollars, montant qui dépasse largement le budget initial. Les erreurs du Census Bureau retarderont la modernisation du recensement d'une autre décennie au moins. La « répétition générale » du programme FDCA devait se dérouler en 2008 et 2009 et permettre d'assurer le bon fonctionnement des terminaux mobiles en 2010. Cependant, avec les retards, elle a été moins complète que prévu.

En mars de 2006, le GAO signalait que le Census Bureau n'était pas adéquatement préparé pour assurer une gestion efficace du programme FDCA. Dans son rapport, il citait, comme facteurs potentiellement préjudiciables au projet, le manque d'exigences ou de spécifications de base validées et approuvées, l'absence de processus de gestion du risque et une supervision de gestion inefficace. L'exemple le plus frappant de l'insuffisance de la gestion du risque concerne les problèmes de performance des terminaux mobiles : rapportés à l'équipe de gestion de projet, ils n'ont pas été considérés comme un risque

potentiel futur. En 2007, le GAO indiquait que les changements apportés aux spécifications du système, effectués après coup, étaient la cause principale des retards et des dépassements de coûts. En 2008, il réitérait ses recommandations dans un rapport, soulignant l'importance et l'urgence qu'il y avait à les appliquer, afin d'être dans les temps pour le recensement de 2010, si possible.

La gestion du risque est le domaine le plus crucial dans lequel le Census Bureau n'a pas été à la hauteur. Quand, au cours de la période d'essai de 2007, les préposés au recensement ont signalé plusieurs problèmes avec les terminaux mobiles, notamment la lenteur de traitement des adresses dans les secteurs très populeux, la tendance à tomber en panne durant la transmission des données au centre de traitement et d'autres défauts connexes, le Census Bureau n'avait aucune procédure pour enregistrer leurs observations comme des risques potentiels et pour prendre les mesures nécessaires.

En outre, le Census Bureau n'a pas encore établi de méthode pour mesurer la performance des terminaux mobiles. Le contrat du programme FDCA décrit une application de « panneau de commande » permettant d'enregistrer et d'afficher facilement sur le Web le rendement des terminaux mobiles ; on y aurait accès avec un ordinateur ayant une connectivité Internet. Or, cette application n'a pas été développée. Sans possibilité de mesurer exactement le rendement des terminaux, on n'a pas pu vérifier si les appareils étaient prêts pour le recensement de 2010. La grande variation entre les spécifications de performances soumises à l'entreprise Harris dans le contrat initial et les ajouts faits ensuite témoignent également de l'absence de processus pour l'évaluation du rendement des terminaux mobiles. Enfin, dans son rapport, le GAO signalait l'absence de processus de partage des risques et suggérait des solutions appropriées aux gestionnaires du Census Bureau.

S'il était d'accord avec la majorité des recommandations du GAO, le Census Bureau rejetait souvent la responsabilité d'une portion des défaillances sur l'entreprise contractante. Par exemple, il a affirmé que Harris était responsable des risques associés aux terminaux mobiles et que son estimation initiale du contrat était erronée. Cependant, il a quand même admis avoir commis plusieurs erreurs de gestion cruciales dans le cadre du projet FDCA.

Les contribuables devront maintenant assumer le plus gros de la mauvaise gestion du projet FDCA. Quant au Census Bureau, il devra attendre une autre décennie, jusqu'au recensement de 2020, pour pouvoir réorganiser le déroulement du recensement aux États-Unis.

Sources : Jean Thilmany, «Don't Count on It», *CIO Insight*, mai 2008 ; U.S. Government Accountability Office, «Significant Problems of Critical Automation Contribute to Risks Facing 21010 Census», 5 mars 2008.

QUESTIONS

1. Quelle est l'importance du projet FDCA d'automatisation de la collecte de données pour le Census Bureau des États-Unis ? Quelles sont les répercussions sur la prise de décision et les activités opérationnelles ?

2. Évaluez les risques du projet FDCA et les principaux facteurs de risque.

3. Classez et décrivez les problèmes que le Census Bureau a rencontrés durant la mise en œuvre du nouveau système de collecte des données sans fil. Quels facteurs de gestion, d'organisation et de technologie sont à l'origine de ces problèmes ?

4. Décrivez les étapes que vous suivriez pour maîtriser le risque dans ce projet.

5. Si vous étiez responsable de la gestion de ce projet, qu'auriez-vous fait différemment pour augmenter ses chances de succès ?

La gestion des systèmes mondiaux

 O B J E C T I F S D ' A P P R E N T I S S A G E

Après avoir étudié ce chapitre, vous pourrez répondre aux questions suivantes :

1. Quels grands facteurs favorisent l'internationalisation des affaires ?

2. Quelles stratégies permettent la mondialisation des affaires ?

3. Comment les systèmes d'information soutiennent-ils les différentes stratégies mondiales ?

4. Quels problèmes les systèmes d'information mondiaux posent-ils et quelles solutions de gestion permettent de les surmonter ?

5. Quels problèmes et quelles solutions techniques doit-on considérer lorsqu'on développe des systèmes d'information internationaux ?

S O M M A I R E

SEVERSTAL CRÉE UNE INFRASTRUCTURE DE LA TI POUR LA MONDIALISATION DE L'ACIÉRAGE

Severstal (« Northern Steel ») est l'un des plus importants aciéristes de Russie. Cette entreprise a des activités en Russie principalement, mais possède des installations en Italie, au Royaume-Uni, en France et aux États-Unis. Comptant plus de 100 000 employés dans le monde et affichant un chiffre d'affaires supérieur à 15 milliards de dollars en 2007, elle est en voie de redéfinir la production de l'acier à l'échelle mondiale.

Plusieurs entreprises des États-Unis ont délaissé le marché de la production de l'acier, parce que ce secteur est très exigeant en investissements. Mais les gestionnaires de SeverStal ne s'inquiètent pas. Ils sont convaincus d'être à la barre d'un leader mondial rentable de l'industrie de l'acier et des mines.

La stratégie d'entreprise de Severstal consiste à offrir des produits à valeur ajoutée et à marge bénéficiaire élevée sur des marchés à créneaux attrayants, à travers le monde, et à maintenir les coûts au plus bas. Severstal développe actuellement une plateforme mondiale pour le partage des pratiques exemplaires et le perfectionnement des compétences. Elle souhaite accroître le recours aux pratiques d'excellence et aux meilleures technologies dans l'ensemble de ses opérations et améliorer son efficacité en rapprochant les usines de traitement des clients clés de l'industrie de l'automobile. En 2004, par exemple, Severstal North America (SNA) a acquis Rouge Industries, qui est située à Dearborn, au Michigan, et qui faisait partie de l'immense complexe de fabrication de River Rouge appartenant à Henry Ford. Cela lui a permis d'obtenir l'accès au marché étatsunien de l'acier automobile. Elle est ainsi maintenant le quatrième aciériste intégré des États-Unis.

La plupart des clients de Severstal exploitent des usines dans le monde entier et demandent la même qualité d'acier en Amérique du Nord, en Europe et en Russie. Selon Sergei Kuznetsov, chef des services financiers de SNA, la stratégie de Severstal « consiste à créer une plateforme de production mondiale qui puisse procurer un acier de qualité supérieure aux clients, quel que soit l'endroit où ils se trouvent ».

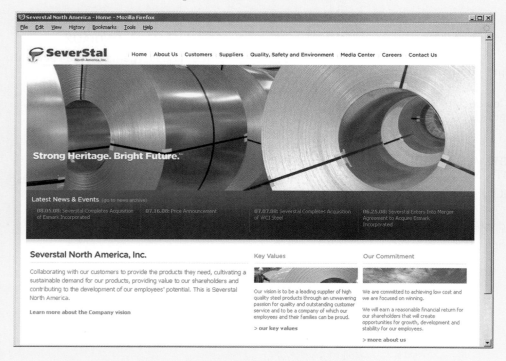

Tous ces projets exigent une infrastructure de la TI suffisamment flexible pour s'adapter à des besoins fonctionnels mondiaux variables et pour soutenir une croissance efficace. L'infrastructure de la TI de SNA consistait en un mélange de systèmes, notamment Oracle PeopleSoft Enterprise pour les aspects financiers, Indus Enterprise PAC pour les achats et l'entretien, et une variété de systèmes personnalisés. L'information ne pouvait circuler librement entre les différents secteurs fonctionnels.

Au lieu de mettre à jour les applications qu'elle possédait, SNA a choisi d'uniformiser tous ses systèmes avec Oracle E-Business Suite 12, une suite d'applications d'entreprise comprenant des modules pour les finances, les achats, la gestion des actifs, la fabrication et le traitement des commandes. L'intégration des applications d'Oracle E-Business Suite 12 favorise l'accès aux données des divers secteurs fonctionnels pour la prise de décision, augmente l'efficacité du déroulement des opérations et améliore la productivité. Au lieu d'optimiser les processus opérationnels individuels, l'entreprise peut optimiser les processus dans leur totalité. Par exemple, les processus d'approvisionnement sont intégrés au système d'achat.

Le nouveau système a également fait passer de 10 à 5 jours ou moins le temps nécessaire pour clôturer l'exercice financier. Il permet ainsi à SNA de fournir au bon moment une information de qualité à la société mère en Russie. Oracle iSupplier Portal, Oracle iProcurement et Oracle Sourcing offrent des fonctionnalités pour les devis électroniques et les applications libre-service et facilitent ainsi la communication et la collaboration avec les fournisseurs et les partenaires commerciaux. Que la croissance de SeverStal s'effectue naturellement ou au moyen d'acquisitions, les logiciels d'Oracle lui permettront d'intégrer les nouvelles unités sur la même plateforme.

Sources: David A. Kelly, «Managing in a Global Economy: ServerStal», *Profit Magazine*, février 2008; www.severstal.com/eng, consulté le 9 novembre 2009.

Les efforts de Severstal pour bâtir une infrastructure de la TI mondiale mettent en évidence quelques-uns des problèmes que les organisations doivent examiner si elles désirent fonctionner à l'échelle planétaire. Une bonne combinaison de processus opérationnels et de systèmes d'information est en effet nécessaire.

Le schéma d'introduction attire l'attention sur les points importants soulevés par ce cas et étudiés dans ce chapitre. Au sein d'une industrie compétitive et capitalistique, Severstal essaie d'augmenter ses profits en offrant des produits à des prix plus élevés sur des marchés à créneaux et en maintenant ses frais d'exploitation au plus bas. À cette fin, l'entreprise a adopté un modèle de production mondiale. Les systèmes d'information qu'elle possédait ne pouvaient prendre en charge les processus opérationnels et le flux d'information à l'échelle mondiale. Elle les a donc remplacés par une suite d'applications d'entreprise conçues par Oracle et peut donc maintenant réagir avec souplesse aux diverses possibilités se présentant à travers le monde.

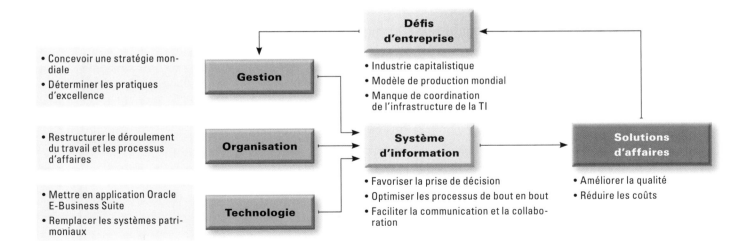

15.1 L'ESSOR DES SYSTÈMES D'INFORMATION INTERNATIONAUX

Dans les chapitres précédents, nous décrivons l'émergence d'une économie mondiale et d'un ordre mondial favorisée par des réseaux et des systèmes d'information de pointe. Le nouvel ordre mondial balaye un grand nombre d'entreprises nationales, d'industries nationales et d'économies nationales dirigées par les politiciens locaux. De nombreuses entreprises locales vont être remplacées par des entreprises connectées, en croissance rapide et transcendant les frontières. L'essor du commerce international a radicalement changé les économies nationales du monde entier.

Aujourd'hui, la production et la conception de nombreux produits électroniques haut de gamme sont réparties dans divers pays. Prenons, par exemple, le parcours qu'a suivi l'ordinateur portable de Hewlett-Packard (HP) pour arriver jusqu'au marché; il est illustré à la figure 15-1. Le concept du produit a vu le jour aux États-Unis, grâce au travail de l'équipe de conception des ordinateurs portables de HP. Le siège social de l'entreprise, situé à Houston, l'a approuvé. Puis, c'est au Canada que les processeurs graphiques ont été conçus et à Taïwan qu'ils ont été fabriqués. Taïwan et la Corée du Sud ont fourni les écrans ACL et de nombreuses puces mémoire. Le Japon a procuré le lecteur de disque dur. Des fournisseurs de Chine, du Japon, de Singapour, de Corée du Sud et des États-Unis ont fourni d'autres composants. C'est en Chine que s'est fait le montage de l'ordinateur portable. Des entrepreneurs de Taïwan ont effectué la conception technique et ont collaboré avec les fabricants chinois.

La création d'une architecture internationale de systèmes d'information

Dans ce chapitre, nous parlons des principes gouvernant la création d'une infrastructure internationale de systèmes d'information qui puisse s'adapter à une stratégie internationale. Une **architecture internationale de systèmes d'information** se compose des systèmes d'information de base dont a besoin l'organisation pour diriger son commerce à l'échelle mondiale et pour coordonner ses activités. La figure 15-2 illustre le raisonnement que nous suivons dans ce chapitre ainsi que les principales dimensions d'une architecture internationale de systèmes d'information.

Pour élaborer un système international, il faut tout d'abord bien comprendre l'environnement mondial dans lequel évolue l'entreprise. Autrement dit, il faut connaître les forces du marché, les incitatifs sur le plan des affaires qui poussent une industrie vers le marché mondial. Un **déclencheur d'activité économique** est une force de l'environnement à laquelle l'entreprise doit réagir et qui influe sur l'orientation de ses activités. De même, on doit examiner attentivement les facteurs antagonistes, ou facteurs négatifs, qui constituent *enjeux sur le plan de la gestion* et peuvent faire échouer les projets de développement à l'échelle mondiale. Ensuite, on doit élaborer une stratégie qui permettra à l'entreprise de concurrencer les autres dans cet environnement. Comment l'entreprise réagira-t-elle? Elle peut renoncer au marché mondial et se limiter à la concurrence nationale, vendre ses produits dans le monde entier à partir d'une base nationale ou encore organiser sa production et sa distribution à l'échelle mondiale. Il existe aussi plusieurs choix intermédiaires.

Une fois la stratégie établie, il faut se pencher sur la façon de structurer l'organisation pour la mettre en application.

FIGURE 15-1 **LE PARCOURS D'UN ORDINATEUR HP JUSQU'AU MARCHÉ**

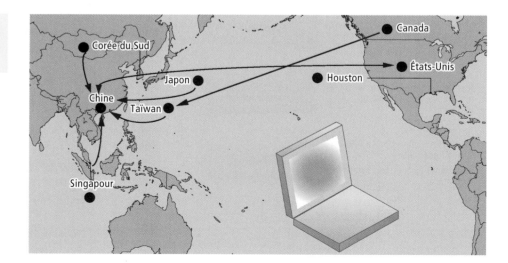

Hewlett-Packard et d'autres entreprises d'électronique assignent la distribution et la production de leurs produits à différents pays.

FIGURE 15-2

UNE ARCHITECTURE INTERNATIONALE DE SYSTÈMES D'INFORMATION

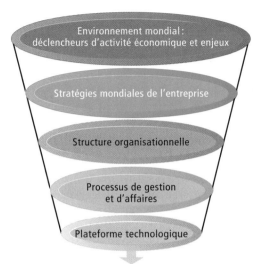

Infrastructure internationale de systèmes d'information

Les principales dimensions à considérer pour élaborer une architecture internationale de systèmes d'information sont l'environnement mondial, les stratégies mondiales de l'entreprise, la structure organisationnelle, les processus de gestion et d'affaires et la plateforme technologique.

TABLEAU 15-1

L'ENVIRONNEMENT MONDIAL : LES DÉCLENCHEURS D'ACTIVITÉ ÉCONOMIQUE ET LES ENJEUX

DÉCLENCHEURS CULTURELS GÉNÉRAUX
Technologies de communication et de transport à l'échelle mondiale
Émergence d'une culture mondiale
Émergence de normes sociales mondiales
Stabilité politique
Base de connaissances mondiale

DÉCLENCHEURS SPÉCIFIQUES
Marchés mondiaux
Production et activités d'exploitation à l'échelle mondiale
Coordination des activités à l'échelle mondiale
Main-d'œuvre disponible à l'échelle mondiale
Économies d'échelle mondiales

Comment répartir le travail dans un environnement mondial ? Où installer la production, l'administration, la comptabilité, le marketing et les ressources humaines ? Qui charger du fonctionnement des systèmes ?

Ensuite, pour la mise en application de la stratégie et pour la structuration organisationnelle, il faut tenir compte des questions de gestion. La conception des processus d'affaires constitue une étape clé. Comment déterminer et gérer les besoins des utilisateurs ? Quels changements apporter aux unités locales pour les aider à répondre aux exigences internationales ? Comment effectuer une réingénierie à l'échelle mondiale et gérer le développement des systèmes ?

La dernière question à aborder est celle de la plateforme technologique. Bien que les progrès technologiques soient un moteur menant aux marchés mondiaux, l'entreprise doit disposer d'une stratégie et d'une structure pour bien choisir la technologie.

Au terme de tout ce processus, toute cette réflexion, on est prêt à mettre sur pied une architecture internationale de systèmes d'information qui soit appropriée et en mesure de contribuer à l'atteinte des objectifs fixés. Commençons par analyser l'environnement mondial.

L'environnement mondial : les déclencheurs d'activité économique et les enjeux

Le tableau 15-1 présente les déclencheurs d'activité économique qui, dans l'environnement mondial, poussent toutes les industries vers la mondialisation.

On peut diviser les déclencheurs d'activité économique en deux catégories : les déclencheurs culturels généraux et les déclencheurs spécifiques. Les premiers sont à l'origine de la mondialisation depuis la Seconde Guerre mondiale et sont faciles à reconnaître. Les technologies de l'information, des communications et du transport ont donné naissance à un *village planétaire* dans lequel les communications à l'échelle mondiale (au moyen du téléphone, de la télévision, de la radio et du réseau d'ordinateurs) ne sont pas plus difficiles ni beaucoup plus chères que les communications entre voisins. Les coûts d'acheminement de biens et de services sur de grandes distances ont nettement diminué.

Le développement des moyens de communication à l'échelle mondiale a aussi créé un village planétaire dans un deuxième sens : la télévision, le réseau Internet et d'autres médias, comme le cinéma, ont engendré une **culture mondiale**. Ainsi, des individus aux cultures ou origines diverses ont une idée commune du bien et du mal, de ce qui est souhaitable et de ce qui est interdit, de ce qui est louable et de ce qui est à proscrire. L'effondrement du bloc communiste est venu accélérer la mondialisation de la culture, renforcer le capitalisme et le monde des affaires et réduire considérablement les conflits culturels.

Enfin, parmi les facteurs culturels, il ne faut pas oublier l'élargissement de la base de connaissances mondiale. À la fin de la Seconde Guerre mondiale, les connaissances, l'éducation, les sciences et le savoir-faire industriel étaient concentrés en Amérique du Nord, en Europe de l'Ouest et au Japon. Par euphémisme, on appelait le reste de la planète le *tiers monde*. Mais les choses ont changé. L'Amérique latine, la Chine, l'Inde, l'Asie du Sud et l'Europe de l'Est ont créé de puissants centres éducatifs, industriels et scientifiques qui ont donné lieu à une base de connaissances plus démocratique et plus large.

Ces déclencheurs culturels menant à la mondialisation engendrent des déclencheurs spécifiques touchant la plupart des secteurs d'activité. L'essor des puissantes technologies de communication et l'émergence de cultures mondiales influent sur l'établissement de *marchés mondiaux* : les consommateurs des quatre coins de la planète veulent des produits similaires, adoptés en vertu d'une culture commune. La boisson Coca-Cola, les chaussures de sport américaines (fabriquées en Corée mais dessinées à Los Angeles) et le bulletin de nouvelles de CNN se vendent maintenant en Amérique latine, en Afrique et en Asie.

Pour répondre à cette demande, les services chargés de la production et des activités d'exploitation mondiales doivent assurer une coordination étroite, en ligne, des installations de production et des sièges sociaux situés à des milliers de kilomètres les uns des autres. Chez Sealand Transportation, une importante société de transport dont le siège social se trouve à Newark (New Jersey), les gestionnaires du service de l'expédition peuvent, depuis Newark, surveiller en ligne le chargement des bateaux à Rotterdam, vérifier la stabilité et le lest et repérer précisément les colis dans les soutes des bateaux. C'est une liaison internationale par satellite qui permet toute cette surveillance.

Les nouveaux marchés mondiaux et la pression qui s'exerce pour une mondialisation de la production et des activités d'exploitation ont conduit les gestionnaires à chercher des moyens entièrement nouveaux pour coordonner tous les facteurs de production à l'échelle mondiale. On peut maintenant coordonner la production, la comptabilité, le marketing et les ventes, les ressources humaines et le développement des systèmes (donc toutes les fonctions importantes de l'entreprise) à l'échelle mondiale.

Frito Lay, par exemple, peut implanter un système d'automatisation de la force de vente aux États-Unis, puis mettre en place les mêmes techniques et technologies en Espagne. Le micromarketing, c'est-à-dire le marketing ciblant de très petites zones géographiques ou de très petits groupes sociaux, ne se limite plus aux voisins immédiats, mais s'intéresse désormais aux voisins du monde entier ! Pour la première fois dans l'histoire, cette coordination à l'échelle mondiale permet la localisation des activités économiques en fonction d'avantages comparatifs. On installe la conception, le marketing, la production et les finances là où il est le plus avantageux de mener ces activités.

Enfin, les marchés mondiaux, la production et l'administration à l'échelle mondiale permettent des économies d'échelle substantielles et durables. En effet, on peut concentrer une production répondant à une demande des consommateurs du monde entier là où elle est la plus rentable, où on peut affecter des ressources fixes à de plus longs cycles de production et planifier avec plus de précision ces cycles de production dans de plus grandes usines. On peut exploiter les facteurs de production là où ils sont le moins chers. Par conséquent, les entreprises qui s'organisent à l'échelle mondiale acquièrent un avantage stratégique solide. Tous les déclencheurs généraux et spécifiques dont nous venons de parler ont fait considérablement augmenter les échanges internationaux.

Ces tendances ne concernent pas tous les secteurs d'activité de la même façon. De toute évidence, elles se rapportent bien plus au secteur de la fabrication qu'à celui des services, encore très régional et inefficace. Cependant, le régionalisme est en train de disparaître dans les secteurs des télécommunications, des loisirs, du transport, des services financiers et de la prestation de services généraux (notamment en droit). Les entreprises qui arrivent à comprendre la mondialisation de leur secteur et à y réagir adéquatement gagneront certainement beaucoup en productivité et en stabilité.

Les enjeux

Si les possibilités de la mondialisation assurant la prospérité sont grandes, des forces fondamentales viennent aussi freiner le développement de l'économie mondiale et du commerce international. Le tableau 15-2 énumère les problèmes

---

TABLEAU 15-2

LES ENJEUX ET LES OBSTACLES À LA MONDIALISATION DES SYSTÈMES

OBSTACLES GÉNÉRAUX

Particularisme culturel Régionalisme, nationalisme, différences de langues

Attentes sociales Attentes quant aux marques de commerce et aux heures de travail

Lois Lois sur le flux de données transnational et sur le droit à la vie privée, règlements commerciaux

OBSTACLES SPÉCIFIQUES

Normes Différences dans les normes régissant l'échange de documents informatisés, le courrier électronique et les télécommunications

Fiabilité Fiabilité inégale des réseaux téléphoniques

Vitesse Variabilité des vitesses de transfert des données selon les pays ; plus rapide en Amérique du Nord que dans de nombreux autres pays

Personnel Pénurie d'experts-conseils expérimentés

les plus courants et les plus importants qui représentent des enjeux et des obstacles pour la mondialisation des systèmes.

Sur le plan culturel, l'un des principaux obstacles à la mondialisation est le **particularisme**, c'est-à-dire la tendance à porter des jugements et à agir en fonction d'opinions étroites et de caractéristiques personnelles, sur divers plans : religion, nationalisme, appartenance ethnique, régionalisme, situation géopolitique. Le particularisme va à l'encontre de la notion même de culture mondiale commune et de la pénétration, dans les marchés nationaux, de fabricants de biens et de services étrangers. Par ailleurs, les différences culturelles engendrent des différences sur le plan des attentes sociales et politiques et, en fin de compte, sur le plan des lois. Dans certains pays, comme les États-Unis, les consommateurs s'attendent à ce que les produits de marque nationale soient fabriqués chez eux et sont déçus lorsqu'ils apprennent qu'un grand nombre d'entre eux sont en réalité fabriqués à l'étranger.

Les différences de cultures sont également à l'origine de différences dans les régimes politiques. Chaque pays a ses propres lois pour régir les flux d'information, le respect de la vie privée des citoyens, l'origine des logiciels et du matériel composant les systèmes ainsi que les télécommunications par radio et par satellite. Même les heures de travail et les règles commerciales varient considérablement d'un pays à l'autre. Les différences entre les régimes juridiques compliquent le commerce mondial. Il s'agit d'un facteur dont il faut tenir compte lorsqu'on développe des systèmes internationaux.

Par exemple, les lois européennes sur le flux de données transnational et le droit à la vie privée sont très strictes. Le **flux de données transnational** se définit comme la circulation de l'information, sous quelque forme que ce soit, par-delà les frontières nationales. Certains pays européens interdisent le traitement de l'information financière à l'extérieur de leurs frontières ou la transmission de renseignements personnels à des pays étrangers. La Directive de l'Union européenne sur la protection des données, qui est entrée en vigueur en octobre 1998, limite la circulation de l'information vers les pays (comme les États-Unis) qui ne se conforment pas strictement aux lois européennes sur les renseignements personnels. Les entreprises offrant des services financiers, les agences de voyages et les établissements de soins de santé peuvent en subir les conséquences directes. Pour surmonter cet obstacle, la plupart des multinationales élaborent des systèmes d'information dans chaque pays européen. Elles évitent ainsi les incertitudes et les coûts liés à la transmission de l'information au-delà des frontières nationales.

Les différences culturelles et politiques influent beaucoup sur les processus d'affaires des organisations et sur les applications de la technologie de l'information. Il en résulte un grand nombre de barrières précises, allant de la fiabilité inégale des réseaux téléphoniques à la pénurie d'experts-conseils expérimentés.

Les lois et les traditions des divers pays ont par ailleurs donné naissance à différentes pratiques comptables qui influencent la manière dont on analyse les pertes et les bénéfices. Ainsi, les entreprises allemandes ne reconnaissent généralement pas les bénéfices d'un projet avant qu'il ne soit complètement terminé et payé. Les entreprises britanniques, au contraire, commencent à afficher des profits avant la réalisation complète d'un projet, lorsqu'elles sont raisonnablement assurées d'obtenir l'argent.

Les pratiques comptables sont étroitement liées au système juridique, à la philosophie des affaires et au code fiscal des pays. Les entreprises britanniques, nord-américaines et néerlandaises partagent une vision essentiellement anglo-saxonne des choses : elles séparent les calculs fiscaux des rapports destinés aux actionnaires, afin de ne montrer à ces derniers que l'augmentation des bénéfices. Les entreprises d'Europe continentale, quant à elles, visent moins à impressionner les investisseurs. Par leurs pratiques comptables, elles cherchent plutôt à prouver qu'elles se conforment aux règles et tentent de payer le moins d'impôts possible. En raison de ces différences dans les pratiques comptables, les grandes sociétés internationales ayant des unités dans plusieurs pays ont du mal à évaluer leur performance.

La langue demeure un obstacle de taille. Bien qu'il soit en quelque sorte devenu la langue des affaires, l'anglais s'utilise surtout aux échelons supérieurs d'une entreprise, pas aux échelons intermédiaires et inférieurs. Ainsi, pour implanter avec succès un nouveau système d'information, il faut présenter l'interface des logiciels dans la langue locale.

Les fluctuations de devises peuvent complètement bouleverser les prévisions et les projections établies. Un produit qui semblait prometteur au Mexique ou au Japon peut finir par causer des pertes en raison de la fluctuation des taux de change.

Il est important de tenir compte de tous ces enjeux et obstacles tout au long de la conception et du développement d'une architecture internationale de systèmes. Par exemple, les entreprises qui tentent de mettre en place des systèmes transnationaux de « production flexible » ont généralement tendance à sous-estimer le temps, les frais et les difficultés logistiques liées à la fabrication des produits et à la circulation de l'information entre les pays.

L'état actuel des choses

Étant donné les avantages concurrentiels présentés et l'intérêt pour les applications futures, on pourrait croire que la plupart des entreprises internationales ont su concevoir et mettre en place de merveilleuses architectures internationales de systèmes d'information. Rien n'est moins vrai. Un grand nombre d'entre elles ont hérité de systèmes internationaux disparates reposant souvent sur les notions de traitement de l'information en usage dans les années 1960 : des rapports produits par lots par les divisions étrangères indépendantes, pour le siège social, l'entrée manuelle de données d'un système patrimonial à l'autre, avec peu de contrôle et de communication. Ces entreprises devront de plus en plus affronter la concurrence de celles qui ont su se doter de vrais systèmes internationaux. Par ailleurs, certaines entreprises ayant récemment construit une plateforme technique pour une architecture internationale se heurtent à un mur, car elles n'ont pas élaboré de stratégie mondiale.

Comme on le voit, la construction d'une bonne architecture internationale comporte des difficultés importantes : planification d'un système qui corresponde bien à la stratégie mondiale de l'entreprise, structuration de l'organisation des systèmes et des unités fonctionnelles, résolution des problèmes d'implantation et choix de la plateforme technique adéquate. Examinons ces problèmes plus en détail.

15.2 L'ORGANISATION DES SYSTÈMES D'INFORMATION INTERNATIONAUX

Les entreprises qui cherchent à se positionner sur le marché mondial doivent étudier trois grandes questions liées à l'organisation : le choix d'une stratégie, l'organisation des affaires et l'organisation de la gestion des systèmes. Les deux premières étant étroitement associées, nous les abordons en même temps.

Les stratégies mondiales et l'organisation des affaires

Quatre grandes stratégies d'ensemble constituent le fondement de la structure organisationnelle des entreprises internationales. Il s'agit des stratégies de l'exportateur de produits nationaux, de la multinationale, du franchiseur et de la société transnationale. À chacune d'elles correspond une structure organisationnelle précise (tableau 15-3). Pour simplifier, nous décrivons trois types de structures : centralisée (à partir du pays d'origine), décentralisée (dans les unités étrangères locales) et coordonnée (égale participation des

diverses unités). Certaines entreprises recourent à d'autres modes de gestion : la prédominance autoritariste d'une unité, la confédération de pairs, la structure fédérale qui équilibre le pouvoir des diverses unités stratégiques, etc.

La stratégie de l'**exportateur de produits nationaux** se caractérise par une forte centralisation des activités dans le pays d'origine. Presque toutes les entreprises internationales démarrent de cette façon, puis certaines passent aux autres formes de stratégies. On implante la production, les finances et la comptabilité, les ventes et le marketing, les ressources humaines et la gestion stratégique là où on peut optimiser les ressources du pays d'origine. Les ventes internationales sont parfois dispersées au moyen de contrats d'agence ou de filiales. Même dans ce cas de figure, le marketing à l'étranger relève entièrement du siège national, qui décide des thèmes et des stratégies. Caterpillar et d'autres fabricants de matériel lourd se classent dans cette catégorie d'entreprises.

La stratégie de la **multinationale** se distingue, quant à elle, par la centralisation de la gestion financière et du contrôle au siège social et par la décentralisation de la production, des ventes et des activités de marketing dans les unités des autres pays. Les produits et services commercialisés dans les différents pays sont adaptés aux conditions du marché local. L'organisation devient une confédération internationale d'installations de production et de marketing. Un grand nombre d'entreprises financières et de fabricants tels que General Motors, Chrysler et Intel ont adopté ce type de structure.

La stratégie du **franchiseur** combine des méthodes anciennes et nouvelles. D'une part, on crée, finance et fabrique initialement le produit dans le pays d'origine. D'autre part, pour des raisons relatives au type de produit, on utilise beaucoup le personnel de l'étranger pour la fabrication ultérieure, le marketing et les ressources humaines. Les franchiseurs de produits alimentaires, comme McDonald's, Mrs. Fields Cookies et Kentucky Fried Chicken, ont cette forme de structure. McDonald's a créé un nouveau type de chaîne de restauration rapide aux États-Unis. Elle continue de rechercher dans ce pays des idées de nouveaux produits et

| TABLEAU 15-3 | LES STRATÉGIES MONDIALES ET LES STRUCTURES ORGANISATIONNELLES

Fonctions de l'entreprise	STRATÉGIES			
	Exportateur de produits nationaux	Multinationale	Franchiseur	Transnationale
Production	Centralisée	Dispersée	Coordonnée	Coordonnée
Finances et comptabilité	Centralisée	Centralisée	Centralisée	Coordonnée
Ventes et marketing	Mixte	Dispersée	Coordonnée	Coordonnée
Ressources humaines	Centralisée	Centralisée	Coordonnée	Coordonnée
Gestion stratégique	Centralisée	Centralisée	Centralisée	Coordonnée

elle y effectue également sa gestion stratégique et son financement. Néanmoins, comme les produits doivent être fabriqués localement, à cause de leur nature périssable, c'est localement qu'il faut assurer la coordination et la répartition des activités de production, de marketing et d'embauche du personnel.

Généralement, les franchisés étrangers sont des clones des unités situées dans le pays d'origine. Mais il n'est pas possible de coordonner complètement les activités de production à l'échelle mondiale, pour optimiser les facteurs de production. En effet, on ne peut pas acheter des pommes de terre et du bœuf là où ils sont le moins chers sur les marchés mondiaux ; ces produits doivent provenir d'une région assez proche de l'endroit où ils seront consommés.

Les entreprises transnationales sont des entreprises apatrides, dont la gestion est réellement mondiale et qui pourraient jouer un rôle important dans le commerce international de demain. Elles ne sont pas dirigées à partir d'un siège social national unique, mais plutôt à partir de plusieurs sièges sociaux régionaux et peut-être même à partir d'un siège social mondial. Selon la stratégie de la **société transnationale**, la gestion de presque toutes les activités à valeur ajoutée se fait dans une perspective mondiale, ne tient pas compte des frontières nationales et vise l'optimisation des sources d'approvisionnement, de la demande et de tout avantage concurrentiel à l'échelle régionale. Pour les sociétés transnationales, c'est la planète entière et non le seul pays d'origine qui sert de cadre de référence pour la gestion. On a comparé la gestion de ces entreprises à une structure fédérale. Les décisions y sont prises au sein d'un puissant noyau de gestion centralisée, mais l'autorité et le pouvoir financier sont répartis dans les divisions mondiales. Peu de sociétés sont véritablement transnationales. Citicorp, Sony, Ford et quelques autres tentent de profiter de ce genre de structure.

La technologie de l'information et les progrès qu'ont connus les télécommunications à l'échelle mondiale permettent aux entreprises internationales d'élaborer leur stratégie mondiale avec plus de souplesse. Le protectionnisme et la nécessité de servir les marchés locaux encouragent les entreprises à répartir leurs installations de production et à devenir au moins des multinationales. Parallèlement, la volonté de réaliser des économies d'échelle et de tirer profit des avantages locaux à court terme pousse les sociétés transnationales à évoluer vers une gestion mondiale et la centralisation du pouvoir et de l'autorité. On observe donc autant de tendances vers la décentralisation et la répartition que vers la centralisation et la coordination des activités à l'échelle mondiale.

Des systèmes mondiaux adaptés à la stratégie

La technologie de l'information et les progrès qu'ont connus les télécommunications à l'échelle mondiale permettent aux entreprises internationales d'élaborer leur stratégie mondiale avec plus de souplesse. La configuration, la gestion et le développement des systèmes devraient suivre la stratégie mondiale choisie. La figure 15-3 présente des combinaisons types. Par le terme *systèmes*, nous désignons ici la gamme complète des activités concernant le développement et le fonctionnement des systèmes d'information : la conception et la conformité avec le plan stratégique, le développement, l'exploitation et l'entretien. Pour simplifier, nous analysons quatre types de configurations de systèmes.

1. Les *systèmes centralisés* sont les systèmes dont la conception, le développement et l'exploitation relèvent totalement du siège social national.

2. Les *systèmes dupliqués* sont conçus et développés au siège social national, mais exploités dans les diverses unités autonomes des pays étrangers.

3. Les *systèmes décentralisés* sont des solutions conçues et produites par les unités étrangères selon leurs besoins.

4. Les *systèmes en réseau* sont conçus et exploités par toutes les unités de manière commune, intégrée et coordonnée.

Voici ce qui se dégage de la figure 15-3.

- Les exportateurs de produits nationaux tendent à se doter de systèmes très centralisés, pour lesquels seul le personnel national chargé de la conception et du développement met au point des applications utilisées à l'échelle mondiale.

- Les multinationales sont très différentes. Dans leur cas, les unités étrangères créent leurs propres systèmes en

FIGURE 15-3 LA STRATÉGIE MONDIALE ET LES CONFIGURATIONS DE SYSTÈMES

Les grands « X » indiquent les structures dominantes et les petits « x », les structures nouvelles. Par exemple, les exportateurs de produits nationaux sont généralement dotés de systèmes centralisés, mais subissent constamment des pressions locales et développent certains systèmes décentralisés dans les régions où ils sont implantés.

CONFIGURATION DE SYSTÈMES	STRATÉGIE			
	Exportateur de produits nationaux	Multinationale	Franchiseur	Société transnationale
Centralisée	X			
Dupliquée			X	
Décentralisée	x	X	x	
En réseau		x		X

fonction des besoins locaux et n'ont que peu d'applications, voire aucune, en commun avec le siège social (à l'exception des applications pour la présentation de rapports financiers et les télécommunications).

- Les franchiseurs ont la structure de systèmes la plus simple. Comme le produit qu'ils vendent, ils conçoivent et développent un seul système, habituellement au siège social, puis le reproduisent dans le monde entier. Toutes les unités, où qu'elles se situent, possèdent les mêmes applications.

- La forme la plus ambitieuse de développement de systèmes est celle de la structure transnationale : les systèmes en réseau sont conçus, développés et exploités dans un environnement mondial solide.

Les systèmes en réseau impliquent habituellement une puissante architecture de télécommunications et une stratégie commune d'élaboration d'applications et de gestion qui dépasse les frontières culturelles. Ils sont surtout utilisés par les entreprises offrant des services financiers. Dans le domaine, l'homogénéité des produits – argent et instruments financiers – semble surmonter les barrières culturelles.

La réingénierie de l'entreprise

Comment une entreprise doit-elle s'organiser pour diriger ses affaires à l'échelle internationale ? Pour mettre sur pied une entreprise mondiale et une structure de systèmes d'information qui la soutienne, il faut suivre les principes suivants :

1. Organiser les activités à valeur ajoutée en fonction d'avantages comparatifs. Par exemple, les services des ventes et du marketing doivent se trouver là où ils pourront le mieux accomplir leur tâche, au moindre coût et avec l'influence la plus grande. Tel est également le cas des services de la production, des finances, des ressources humaines et des systèmes d'information.

2. Élaborer et exploiter des unités de systèmes pour toutes les dimensions des activités de l'entreprise : région, pays et monde entier. Pour répondre aux besoins locaux, il faut *implanter des unités de systèmes d'une certaine importance*. Pour servir de vastes régions géographiques (Europe, Asie, Amérique), il faut également des *unités régionales* qui s'occupent des télécommunications ainsi que de la conception et du développement des systèmes dépassant les frontières. Enfin, des *unités transnationales de systèmes* permettent de créer des liens entre les principaux secteurs régionaux et de coordonner les activités d'élaboration et d'exploitation des télécommunications et des systèmes internationaux (Roche, 1992).

3. Établir au siège social international un seul service responsable du développement des systèmes internationaux, créer un poste de chef de l'information mondial.

Un grand nombre d'entreprises prospères ont créé des structures de systèmes en appliquant ces principes. Leur succès repose non seulement sur une organisation appropriée des activités, mais aussi sur un ingrédient clé : une équipe de gestion qui puisse comprendre les risques et les

avantages des systèmes internationaux et choisir des stratégies permettant de parer à ces risques. Examinons maintenant les questions de gestion.

15.3 LA GESTION DES SYSTÈMES MONDIAUX

Le tableau 15-4 présente la liste des principaux problèmes de gestion que pose le développement des systèmes internationaux. Il est intéressant de noter qu'il s'agit des mêmes problèmes que ceux que doivent résoudre les gestionnaires cherchant à mettre en place des systèmes nationaux. Cependant, l'environnement international les complique beaucoup.

Un scénario typique : la désorganisation à l'échelle mondiale

Examinons maintenant un scénario courant. Une multinationale traditionnelle fabriquant des produits de consommation, ayant son siège social aux États-Unis et exploitant ses activités en Europe aimerait se lancer sur les marchés asiatiques. Elle sait qu'elle doit élaborer une stratégie transnationale et une structure de systèmes d'information en soutien. Comme la plupart des multinationales, elle a réparti sa production et son marketing dans des centres régionaux et nationaux, tout en conservant son siège social mondial et sa gestion stratégique aux États-Unis. Depuis toujours, elle autorise chacune de ses filiales étrangères à concevoir et à mettre en place ses propres systèmes. Son seul système centralisé est celui qui effectue le contrôle financier et la présentation des rapports financiers. Le service centralisé chargé des systèmes aux États-Unis s'occupe uniquement des fonctions et de la production qui ont lieu dans le pays même.

Par conséquent, cette entreprise possède un véritable méli-mélo de matériel, de logiciels et de télécommunications. Les systèmes de courrier électronique de l'Europe et des États-Unis sont incompatibles. Chaque installation de production utilise un système particulier de planification

[**TABLEAU 15-4**]

LES ENJEUX DE GESTION LIÉS AU DÉVELOPPEMENT DES SYSTÈMES INTERNATIONAUX

S'entendre sur les besoins communs des utilisateurs
Apporter des changements aux processus d'affaires
Coordonner les développements des diverses applications
Coordonner les implantations des nouvelles versions des logiciels
Encourager les utilisateurs locaux à soutenir les systèmes internationaux

des ressources de fabrication (ou une version particulière, avec des variations locales) et des systèmes particuliers de marketing, de ventes et de ressources humaines. Les plateformes technologiques et les bases de données sont très différentes. Les communications entre les sites sont pauvres, étant donné les coûts élevés des télécommunications entre les pays européens. Le service centralisé chargé des systèmes au siège social des États-Unis vient d'être fortement réduit; ses membres ont été dispersés entre les divers sites du pays. On espère ainsi mieux répondre aux besoins locaux et réduire les coûts.

Que recommandez-vous aux cadres supérieurs de cette entreprise qui veulent maintenant se tourner vers une stratégie transnationale et mettre sur pied une architecture de systèmes d'information qui permettrait de fonctionner dans un environnement de systèmes internationaux très coordonnés? Pour vous rappeler les problèmes qui se posent, réexaminez le tableau 15-4. Les divisions étrangères refuseront de s'intéresser aux besoins communs des utilisateurs; elles n'ont en effet jamais pensé à autre chose qu'aux besoins de leurs propres unités. Les services chargés des systèmes aux États-Unis, dont les effectifs ont récemment été dispersés et qui ont reçu comme mandat de se concentrer sur les besoins locaux, n'accepteront pas facilement les recommandations concernant une stratégie transnationale. Il sera difficile de convaincre les gestionnaires locaux, où qu'ils soient dans le monde, de modifier leurs processus d'affaires de manière à les harmoniser avec ceux des autres unités étrangères, surtout si cela risque de nuire à la performance locale. C'est que l'entreprise les récompense lorsqu'ils atteignent les objectifs de leur propre division ou usine. Enfin, il sera difficile de coordonner les projets à l'échelle mondiale sans un réseau de télécommunications puissant, et donc tout aussi difficile d'inciter les utilisateurs locaux à accepter les nouveaux systèmes.

La stratégie mondiale des systèmes

La figure 15-4 représente les principales dimensions d'une solution. Premièrement, il n'est pas nécessaire de coordonner tous les systèmes à l'échelle internationale. Seuls les systèmes clés valent vraiment la peine d'être partagés, du point de vue des coûts et de la faisabilité. Les **systèmes clés** sont les systèmes qui soutiennent les fonctions absolument cruciales pour l'organisation. Les autres systèmes, qui ont en commun des éléments clés, ne nécessitent qu'une coordination partielle. Ils n'ont pas besoin d'être entièrement identiques de part et d'autre des frontières nationales. Pour de tels systèmes, une certaine diversité sur le plan local est non seulement acceptable, mais aussi souhaitable. Enfin, un dernier groupe de systèmes, périphérique et véritablement provincial, doit uniquement répondre aux besoins locaux.

La définition des principaux processus d'affaires

Comment reconnaît-on les systèmes clés? Il faut tout d'abord établir une courte liste des processus d'affaires qui sont cruciaux. Nous traitons le processus d'affaires au cha-

FIGURE 15-4

LES SYSTÈMES LOCAUX, RÉGIONAUX ET INTERNATIONAUX

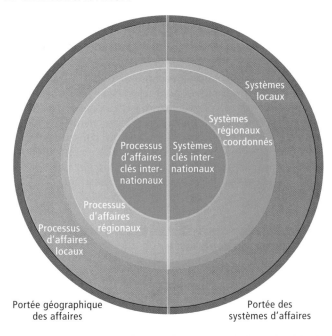

Portée géographique des affaires   Portée des systèmes d'affaires

Les coûts d'agence et les autres coûts de coordination augmentent lorsque l'entreprise passe de systèmes à caractéristiques locales à des systèmes régionaux et mondiaux. Cependant, les coûts de transaction liés à la présence sur les marchés internationaux diminuent probablement lorsque l'entreprise élabore des systèmes mondiaux. Une stratégie raisonnable consiste à réduire les coûts d'agence en n'instaurant que quelques systèmes internationaux clés essentiels pour les activités internationales et en laissant les autres systèmes aux soins des unités régionales et locales.

Source: D'après *Managing Information Technology in Multinational Corporations*, d'Edward M. Roche, © 1993. Adaptée avec la permission de Prentice Hall, Upper Saddle River (New Jersey).

pitre 2. En bref, il s'agit d'un ensemble de tâches logiquement liées, comme celles qui visent l'expédition des commandes aux clients ou la commercialisation de produits novateurs. Chaque processus d'affaires fait habituellement intervenir un grand nombre de secteurs fonctionnels qui communiquent entre eux, coordonnent leur travail et partagent l'information et les connaissances.

Pour déterminer quels sont les processus d'affaires clés, il faut effectuer une analyse des procédés. Comment prend-on les commandes, que fait-on après? Qui prépare les commandes, comment se passe l'expédition aux clients? Qu'en est-il des fournisseurs? Ont-ils accès aux systèmes de planification des ressources de production, de manière à pouvoir assurer un approvisionnement automatique? On doit ainsi être en mesure d'établir des priorités, puis de dresser la liste des 10 processus d'affaires qui sont absolument cruciaux pour l'entreprise.

Ensuite, il s'agit de déterminer les meilleurs centres (que nous appellerons «centres d'excellence») où devraient se dérouler ces processus. La commande du client est-elle la mieux exécutée au Canada? Le contrôle de la fabrication est-il meilleur en Allemagne? Les ressources humaines sont-elles mieux coordonnées en Asie? On devrait arriver à repérer, dans certains secteurs d'activité de l'entreprise, une division ou une unité qui se montre plus apte que les autres à effectuer une ou plusieurs fonctions.

Quand on arrive à bien comprendre les processus d'affaires d'une entreprise, on peut les classer par ordre d'importance. Ensuite, on peut déterminer ceux qui constitueront des applications clés – à centraliser, à concevoir et à mettre en place à l'échelle mondiale – et ceux qui constitueront des applications régionales et locales. Parallèlement, en ayant repéré les processus d'affaires cruciaux, on aura déjà fait de grands pas dans la détermination de l'objectif que doit viser l'entreprise.

La détermination des systèmes clés nécessitant une coordination centralisée

Après avoir défini les processus d'affaires clés, on commence à entrevoir des possibilités pour l'implantation de systèmes transnationaux. La deuxième étape stratégique consiste à maîtriser les systèmes clés et à en faire de véritables systèmes transnationaux. Les coûts financiers et politiques associés à la définition et à la mise en place des systèmes transnationaux sont extrêmement élevés. Par conséquent, la liste des systèmes clés doit être aussi courte que possible. Il importe de se laisser guider par l'expérience et de se montrer minimaliste. En effet, en prenant un petit groupe de systèmes absolument cruciaux, on diminue les résistances à une stratégie transnationale. Parallèlement, on peut rassurer les personnes qui s'opposent à une centralisation mondiale, sans laquelle il est impossible d'implanter des systèmes transnationaux, en leur permettant de continuer à développer des systèmes périphériques tout en insistant sur la nécessité de respecter certaines exigences concernant les plateformes technologiques.

Le choix d'une méthode: progressive, de grande envergure ou par étapes

La troisième étape consiste à choisir une méthode. Les méthodes fragmentées sont à éviter. Elles seront probablement vouées à l'échec à cause du manque de vision, de la résistance de ceux qui se sentiront désavantagés par un système transnational et de l'impossibilité de convaincre les cadres supérieurs. Il en est de même des méthodes de grande envergure qui obligent à tout faire en même temps, car elles ne permettent pas de cibler les ressources. En voulant tout faire d'un coup, on ne peut rien faire correctement. L'opposition au changement organisationnel s'accroît alors inutilement, puisque les efforts exigent des ressources considérables. Par contre, on vise la réussite quand on opte pour une méthode qui permet de mettre progressivement à niveau les applications existantes et de garder une vision claire et pré-

cise des fonctionnalités transnationales dont devra disposer l'organisation dans un délai de cinq ans. On qualifie parfois cette méthode de «stratégie du saucisson», c'est-à-dire une tranche à la fois.

Une explication claire des avantages

Quels sont les avantages, pour l'entreprise, des systèmes internationaux? L'une des pires choses, à éviter absolument, c'est de construire des systèmes internationaux dans le seul but d'en avoir. Dès le début, les cadres supérieurs du siège social et les directeurs des divisions étrangères doivent bien comprendre les avantages que ces systèmes apporteront à l'entreprise et à chacune de ses unités. Si chaque système offre des avantages particuliers, l'ensemble des systèmes à l'échelle mondiale apporte une contribution dans quatre secteurs.

Premièrement, les systèmes internationaux – véritablement intégrés, répartis et transnationaux – favorisent une gestion et une coordination de qualité supérieure. Cette contribution ne s'évalue pas en fonction de prix; les bénéfices correspondants ne pourront apparaître dans aucun modèle de choix d'investissements. Il s'agit en effet plutôt de la possibilité de changer de fournisseur en l'espace de quelques minutes, en cas de crise, de déplacer la production à la suite d'une catastrophe naturelle et d'utiliser la capacité excédentaire d'une région pour répondre à la forte demande d'une autre.

Deuxièmement, les systèmes internationaux améliorent grandement la production, les opérations, l'approvisionnement et la distribution. Imaginez une chaîne de valeur mondiale, avec des fournisseurs et un réseau de distribution mondiaux. Pour la première fois, les cadres supérieurs peuvent implanter les activités à valeur ajoutée dans les régions où il s'avère plus rentable de les effectuer.

Troisièmement, qui dit systèmes internationaux dit clients internationaux et marketing mondial. Grâce à une base de clients beaucoup plus importante, on peut amortir les coûts fixes à l'échelle mondiale. Cela permet de nouvelles économies d'échelle pour les installations de production.

Quatrièmement, grâce aux systèmes internationaux, on peut optimiser l'utilisation des fonds de l'entreprise en se reposant sur une assise financière beaucoup plus large. Autrement dit, on peut déplacer le capital excédentaire d'une région vers une autre région où le capital est insuffisant, et ce, de manière à améliorer la production. On peut ainsi mieux gérer les fonds au sein de l'entreprise et en tirer plus de profits.

Ces stratégies ne permettront pas à elles seules de créer des systèmes internationaux. Chaque entreprise doit élaborer et appliquer sa propre stratégie.

Les solutions de gestion

Nous pouvons maintenant revoir comment il faut traiter les problèmes les plus épineux que rencontrent les gestionnaires responsables de la conception et du développement des architectures internationales de systèmes d'information, problèmes qui sont énumérés au tableau 15-4.

La recherche d'une entente sur les besoins communs des utilisateurs

Quand on établit une courte liste des processus d'affaires et des systèmes clés, on entame un processus de comparaison rationnelle entre les divisions de l'entreprise, on commence à trouver un terrain commun de discussion et on arrive tout naturellement à comprendre les éléments communs (ainsi que les qualités uniques qui doivent être prises en charge localement).

L'introduction de changements dans les processus d'affaires

Un agent de changement réussira sa mission si sa légitimité et son autorité sont reconnues, s'il arrive à faire participer les utilisateurs au processus de conception, de préparation du changement. La **légitimité** traduit le degré de reconnaissance de l'autorité d'une personne, en fonction de ses compétences, de sa vision du futur et de ses autres qualités. Le choix d'une stratégie de changement viable, qui doit être progressive et fondée sur une vision de l'avenir, comme nous l'avons vu, aide à convaincre les personnes que le changement est possible et souhaitable. Enfin, une tactique clé consiste à faire participer les autres au changement, en les assurant que c'est dans l'intérêt de l'entreprise et de ses unités locales d'évoluer.

La coordination du développement des diverses applications

Le choix d'une stratégie de changement est crucial ici. Le contexte mondial est bien trop complexe pour qu'on puisse envisager une stratégie de changement de grande envergure. Il est beaucoup plus facile de coordonner les changements en avançant par petites étapes vers un objectif global. Il est préférable d'envisager un plan d'action de cinq ans plutôt que de deux ans et de réduire au strict minimum l'ensemble des systèmes transnationaux, pour réduire les coûts de coordination.

La session interactive sur la gestion décrit la façon dont la société Colgate-Palmolive a élaboré une stratégie pour la coordination des projets de systèmes d'information à l'échelle mondiale. Le logiciel SAP Resource and Portfolio Management, pour la gestion des projets et du portefeuille, a permis à Colgate-Palmolive d'adopter une perspective mondiale pour la sélection, la dotation en personnel et le suivi des projets.

La coordination de l'implantation des nouvelles versions des logiciels

Les entreprises peuvent instaurer des procédures pour faire en sorte que toutes les unités opérationnelles adoptent en même temps les nouvelles versions des logiciels, afin que tous les logiciels soient compatibles.

La recherche du soutien des utilisateurs locaux concernant les systèmes internationaux

Pour obtenir le soutien des utilisateurs, la clé est de les faire participer au processus de conception sans abandonner le contrôle du projet à des intérêts exclusivement locaux. La tactique globale pour surmonter la résistance des unités locales, dans une entreprise transnationale, est la récupération. La **récupération** consiste en l'intégration de l'opposition dans le processus de conception et de mise en application d'une solution. Elle ne va pas cependant jusqu'au renoncement au contrôle de l'orientation et de la nature du changement. S'il faut éviter autant que possible de faire appel au principe d'autorité ou de pouvoir, on peut devoir y recourir pour arriver à ce que les unités locales s'entendent au moins sur une courte liste de systèmes transnationaux et comprennent que certains types de systèmes transnationaux sont vraiment nécessaires.

Pour appliquer cette stratégie de la récupération, il existe plusieurs possibilités. L'une d'elles consiste à donner à chaque division nationale la possibilité de développer une application transnationale d'abord sur son territoire, puis partout dans le monde. Ainsi, chacun des grands services nationaux s'occupant des systèmes se voit confier une partie du développement du système transnational et chaque unité locale a le sentiment de faire partie de l'initiative transnationale. L'un des inconvénients est qu'on suppose l'égale répartition de la capacité de développer des systèmes de qualité supérieure. On suppose aussi, par exemple, qu'une équipe allemande peut réussir à mettre en œuvre des systèmes en France et en Italie. Or, ce ne sera pas toujours le cas.

Une deuxième possibilité consiste à créer des centres d'excellence transnationaux, ou encore un seul centre d'excellence. Il peut y avoir plusieurs centres autour du globe, se concentrant sur des processus d'affaires précis. Ces centres sont fortement tributaires des unités nationales, reposent sur des équipes multinationales et rendent des comptes à la direction à l'échelle mondiale. Leur mission est de déterminer les spécifications initiales des processus d'affaires, de définir les besoins en information, d'analyser l'entreprise et ses systèmes et de s'occuper entièrement de la conception et de la mise à l'essai. Toutefois, d'autres parties du globe se verront confier l'implantation et l'essai pilote. Le recrutement du personnel des centres d'excellence transnationaux auprès d'un large éventail de groupes locaux, contribue à transmettre le message que tous les groupes importants participeront à la conception et exerceront une influence.

Même avec la bonne structure organisationnelle et des choix de gestion appropriés, on peut se heurter à des problèmes de technologie. Le choix des plateformes technologiques, des réseaux, du matériel et des logiciels représente un aspect décisif dans la création d'architectures transnationales de systèmes d'information.

LE SOURIRE COLGATE-PALMOLIVE À L'ÉCHELLE PLANÉTAIRE

Colgate-Palmolive est la deuxième entreprise de biens de consommation au monde, avec des produits commercialisés dans plus de 200 pays et territoires. Elle compte 36 000 employés partout dans le monde et affiche un chiffre d'affaires annuel de 13,7 milliards de dollars. Les produits Colgate-Palmolive ont littéralement envahi la planète. Depuis les dernières années, les trois quarts des ventes se font à l'extérieur des États-Unis. Les nombreuses marques de produits buccaux, de savons et d'aliments pour animaux familiers de l'entreprise sont reconnues partout dans le monde : Colgate, Palmolive, Mennen, Softsoap, Irish Spring, Protex, Sorriso, Kolynos, Elmex, Tom's of Maine, Ajax, Axion, Fabuloso, Soupline, Suavitel, Hill's Science Diet et Hill's Prescription Diet.

Depuis 1990, le secret de la croissance soutenue et de la stabilité est attribuable à la capacité de Colgate-Palmolive à vendre ses marques à l'étranger, soit en Amérique latine, en Europe et en Asie. Pour une entreprise établie dans 200 pays, la gestion des projets de TI comporte des enjeux uniques, notamment celui de savoir qui travaille sur tel et tel projet et quelles sommes d'argent sont dépensées.

Auparavant, Colgate-Palmolive divisait le monde en régions géographiques : Amérique latine, Europe, Asie et Amérique du Nord. Chaque région planifiait ses propres projets de TI et utilisait les ressources disponibles pour installer les systèmes correspondants. Elle assurait la coordination de ses ressources en TI (capital humain et financier) au moyen de feuilles de calcul qui circulaient par courrier électronique parmi les sociétés en exploitation et les bureaux. À l'échelle mondiale, les feuilles de calcul servaient également aux planificateurs centraux situés aux États-Unis, pour la synthèse des chiffres. Autrement dit, il régnait

globalement une certaine désorganisation des systèmes, caractéristique des entreprises qui sont rapidement devenues des multinationales géantes.

Tant que les régions n'avaient pas besoin de partager les ressources ou l'information et tant que les projets étaient localisés, ce système « mosaïque » fonctionnait plus ou moins. Cependant, le personnel de la direction, aux États-Unis, n'avait aucune idée des ressources humaines assignées à tel ou tel projet et avait cédé aux régions la maîtrise des ressources en TI. Tout a changé lorsque les opérations mondiales se sont progressivement combinées et structurées. Une équipe basée aux États-Unis construisait une usine en Pologne, pendant que des équipes en Asie collaboraient avec leurs homologues européens pour le partage des systèmes de TI. Or, aucun mécanisme n'était prévu pour la coordination des opérations mondiales de TI. Les cadres dirigeants se sont donc rendu compte que l'entreprise avait besoin d'une approche mondiale coordonnée en matière de ressources en TI et que le système régional était vraiment inefficace.

Dans le but d'établir un certain contrôle sur les projets de TI à l'échelle mondiale, Colgate-Palmolive a adopté le logiciel SAP Resource and Portfolio Management (SAP RPM), qui permet la gestion des projets et du portefeuille. Ce logiciel est une application intégrée ou « composite » qui utilise les fonctions NetWeaver Business Intelligence de SAP pour rendre compte des données. Il permet de faire l'inventaire et le suivi des ressources, des compétences et des budgets associés à la planification et à la gestion de projets. Il utilise des tableaux de bord faciles à comprendre, munis de feux de circulation indiquant la situation d'un projet pour ce qui est du budget, de l'échéancier et des indicateurs

clés de performance. De plus, comme il s'agit d'une application composite, il s'intègre à SAP ERP Human Capital Management et à d'autres systèmes SAP. SAP affirme que ce logiciel de gestion des ressources et du portefeuille permet aux entreprises d'obtenir une vision « en temps réel » de leur portefeuille de projets de TI et de mieux synchroniser ces projets avec leur stratégie et leurs priorités.

Voici comment cela fonctionne. Chaque année, le grand service de la TI de Colgate-Palmolive évalue une série de projets présentés par divers groupes de la société, fixe les priorités, puis approuve ou rejette les projets. Chaque mois, le personnel de la TI à travers le monde présente des « rapports effectifs » qui décrivent l'usage réel qui a été fait du personnel de la TI et des fonds pendant le mois écoulé. Ces données sont regroupées et résumées dans un rapport circonstancié des ressources concernant l'ensemble de l'entreprise. On obtient ainsi non seulement la liste des employés disponibles pour travailler sur de nouveaux projets approuvés, dans toute l'organisation, mais aussi une vue d'ensemble des employés s'occupant des programmes d'entretien et des employés développant de nouvelles applications. L'un des objectifs, avec le logiciel SAP RPM, est de confier la plus grande part possible du travail d'entretien à des entreprises étrangères peu coûteuses et d'augmenter la quantité de travail de développement qu'ont les employés internes de la TI dans les régions proches des clients.

Les fonctions de supervision et de production de rapports du logiciel SAP RPM permettent à l'équipe de la TI de Colgate-Palmolive de mieux harmoniser ses priorités avec les objectifs de l'entreprise. La mesure du temps réel consacré aux projets de la TI a permis d'avoir une vision claire du pourcentage de temps consacré au développement et au soutien des applications. Sur une période de deux ans, le chef de l'information, Tom Green, croit avoir découvert une réserve cachée de personnel de 20 % dans l'organisation de la TI, de nombreux employés n'étant manifestement pas utilisés efficacement. L'impartition du travail d'entretien s'est accrue de 40 % ; ainsi, le personnel interne de la TI peut se concentrer sur le développement de systèmes visant à satisfaire les besoins des clients.

_____

Sources : Evan Albright, « Colgate-Palmolive Takes Control of Global IT with SAP RPM », *SAPNetWeaver Magazine*, octobre 2008 ; Thomson, « SAP xApp Resource and Portfolio Management and SAP Consulting Enable Enterprise Wide Strategic and Operational R&D Portfolio Management », SAP White Paper, sap.com, consulté le 10 novembre 2009 ; Colgate-Palmolive, Formulaire 10 K, déposé le 28 février 2008 devant la Securities and Exchange Commission pour l'exercice financier se terminant le 31 décembre 2007 ; ZDNet Australia, « Effective Management of Multiple Projects With SAP xApp Resource and Portfolio Management », 28 août 2007 ; Bloomberg News, « New Products and Demand in Emerging Markets Fatten Profits at P&G and Colgate », *The New York Times*, 31 janvier 2007.

Questions

1. Pourquoi la méthode traditionnelle consistant à allouer les ressources de la TI aux projets n'était-elle plus efficace ?

2. Pourquoi est-il important, pour la direction de l'entreprise aux États-Unis, de comprendre la répartition mondiale des ressources humaines et financières de la TI ?

3. Parmi les quatre stratégies mondiales décrites dans ce chapitre, laquelle Colgate-Palmolive applique-t-elle et comment cette stratégie a-t-elle influé sur son choix d'un système de gestion des ressources de la TI ?

4. Quels éléments de la section « Les solutions de gestion » retrouve-t-on dans cette étude de cas ? Quels éléments manquent ?

Ateliers

Explorez le site Web de Colgate-Palmolive, puis répondez aux questions suivantes :

1. Allez sur le site Web de SAP et faites une recherche sur l'application « RPM ». Lisez la description que fait SAP du produit et trouvez : (a) d'autres entreprises qui utilisent le produit ; (b) la façon dont l'application se combine (« se fixe ») à d'autres applications de SAP plus imposantes en matière de gestion des ressources.

2. Visitez Oracle.com, le site du concurrent le plus important de SAP. Trouvez les applications d'Oracle qui sont similaires à celles de SAP pour la gestion des ressources. Selon vous, quelles grandes considérations de gestion importent le plus au moment de faire un choix entre les solutions offertes par Oracle et par SAP pour les projets mondiaux ?

3. Visitez HP.com et faites une recherche sur l'« optimisation des technologies d'affaires ». Les logiciels d'optimisation des technologies d'affaires sont une série de produits permettant d'optimiser l'utilisation des ressources de la TI. Décrivez cette série d'applications et trouvez une entreprise mondiale qui l'utilise. Décrivez la stratégie mondiale de l'entreprise en question, la façon dont elle a changé au cours des dernières années et les raisons de l'adoption des logiciels HP.

15.4 LES PROBLÈMES ET LES POSSIBILITÉS TECHNOLOGIQUES DES CHAÎNES DE VALEUR MONDIALES

Une fois qu'elle a défini une stratégie mondiale pour ses modèles d'affaires et ses systèmes, l'entreprise doit choisir le matériel, les logiciels et les normes de télécommunications, ainsi que les applications des systèmes clés qui soutiendront les processus d'affaires mondiaux. Cela constitue un enjeu particulier dans un environnement international.

L'un des enjeux majeurs consiste à trouver une façon de normaliser la plateforme informatique mondiale lorsqu'il existe des différences marquées entre les unités opérationnelles situées dans les divers pays. Un autre enjeu important consiste à trouver des applications conviviales qui améliorent véritablement la productivité des équipes de travail internationales. L'acceptation universelle d'Internet a considérablement réduit les problèmes de réseautage. Cela ne garantit pas que l'information circulera sans interruption dans l'organisation mondiale, parce que toutes les unités fonctionnelles n'utilisent pas forcément les mêmes applications et que la qualité du service Internet peut varier considérablement (comme c'est le cas avec le service téléphonique). Ainsi, pour partager des documents et communiquer, les unités fonctionnelles allemandes peuvent avoir recours à un outil de collaboration libre qui est incompatible avec Lotus

Notes, l'outil dont se servent les équipes du siège social aux États-Unis. Pour surmonter ces obstacles, il faut compter sur l'intégration des systèmes et la connectivité à l'échelle mondiale.

L'intégration des plateformes informatiques et des systèmes

Dans l'élaboration d'une architecture transnationale de systèmes d'information, reposant sur la notion de systèmes clés, il faut se demander comment les nouveaux systèmes clés s'intégreront à l'ensemble des applications conçues ailleurs dans le monde par différentes divisions, par différentes personnes et pour divers types de matériel informatique. L'objectif est de construire des systèmes mondiaux, répartis et intégrés pour soutenir des processus d'affaires numériques dépassant les frontières nationales. En bref, il faut résoudre les mêmes problèmes que ceux qui se posent lors du développement de systèmes nationaux importants. Cependant, les problèmes deviennent plus complexes dans un environnement international. Imaginez le défi que représente l'intégration de systèmes fondés sur Windows, Linux et Unix, de systèmes propriétaires fonctionnant sur IBM, Sun et Hewlett-Packard, et d'autres types de matériels utilisés dans de nombreuses unités opérationnelles situées dans divers pays !

De plus, ce n'est pas parce que tous les sites utilisent le même matériel et le même système d'exploitation que l'intégration des systèmes est assurée. Une autorité centrale, dans l'entreprise, doit établir les types de données et les normes techniques auxquelles chaque site doit se conformer. Par exemple, il faut normaliser les termes comptables techniques, comme le début et la fin de l'année fiscale (revoyez, en début de chapitre, l'exposé sur les problèmes culturels auxquels se heurte la mondialisation des entreprises), mais aussi les interfaces acceptables, les vitesses de transmission, les architectures de communication et les logiciels de gestion de réseaux.

La connectivité

Pour permettre une vraie intégration, les systèmes internationaux doivent offrir la connectivité, c'est-à-dire qu'ils doivent relier les systèmes et les personnes d'une entreprise mondiale en un seul réseau, comme le font les lignes téléphoniques mais avec, en plus, la transmission des données et des images.

Pour les entreprises mondiales, Internet s'est avéré une assise extrêmement solide pour assurer la **connectivité** entre les unités dispersées. Cependant, de nombreux enjeux subsistent. Le réseau Internet public ne garantit aucun degré de service (même aux États-Unis). Ainsi, peu d'entreprises mondiales ont confiance dans sa sécurité. La plupart ont recours à des réseaux privés pour la transmission des données sensibles et à des réseaux privés virtuels (RPV) pour les communications nécessitant une sécurité moindre. Tous les pays ne peuvent pas prendre en charge ne serait-ce que les services de base d'Internet, qui exigent d'obtenir des

TABLEAU 15-5

LES PROBLÈMES DES RÉSEAUX INTERNATIONAUX

Qualité du service
Sécurité
Coûts et tarifs
Gestion du réseau
Retard dans l'installation
Piètre qualité du service international
Contraintes de la réglementation
Capacité du réseau

circuits fiables, d'assurer la coordination entre les différentes sociétés de télécommunications et les autorités régionales, d'établir la facturation dans une devise commune et de conclure des ententes standard pour le genre de services de télécommunications à fournir. Le tableau 15-5 énumère les principaux problèmes que posent les réseaux internationaux.

Une possibilité de plus en plus attrayante consiste à construire des réseaux mondiaux au moyen d'Internet et de sa technologie. Les entreprises peuvent créer des intranets mondiaux pour la communication interne et des extranets pour échanger plus rapidement de l'information avec les partenaires de leur chaîne logistique. Elles peuvent mettre en place des réseaux mondiaux en utilisant les réseaux privés virtuels (RPV) des fournisseurs de services Internet, réseaux qui offrent la plupart des fonctions d'un réseau privé en s'appuyant sur le réseau Internet public (chapitre 7). Cependant, les réseaux privés virtuels ne sont pas toujours aussi rapides et prévisibles que les réseaux privés, en particulier durant les périodes de la journée où le trafic sur Internet est très congestionné. Ils ne supportent pas non plus toujours un grand nombre d'utilisateurs éloignés.

Le coût élevé des ordinateurs personnels et les faibles revenus limitent l'accès aux services Internet dans de nombreux pays en développement (figure 15-5). L'infrastructure, quand elle existe, est souvent désuète. La capacité de bande passante est souvent déficiente et la réception incertaine, à cause de problèmes de réseau électrique notamment. Le pouvoir d'achat limité de la plupart des personnes rend l'accès aux services Internet très coûteux en monnaie nationale. En outre, de nombreux pays surveillent les transmissions. Les gouvernements de la Chine, de Singapour, de l'Iran et de l'Arabie Saoudite surveillent le trafic sur Internet et bloquent l'accès aux sites Web qu'ils considèrent comme offensants sur le plan moral ou politique.

En revanche, le taux de croissance de la population internaute augmente beaucoup plus vite en Asie, en Afrique

FIGURE 15-5

LA PÉNÉTRATION D'INTERNET SELON LES RÉGIONS DU MONDE

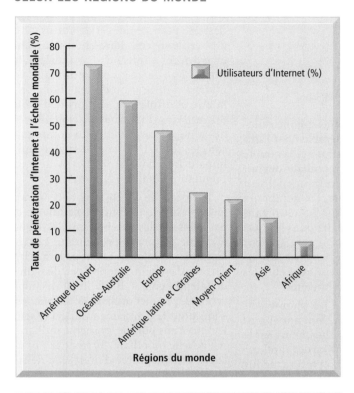

Le pourcentage de la population totale qui utilise Internet est beaucoup moins élevé dans les pays en voie de développement qu'en Amérique du Nord et en Europe.

Source : Internetworldstats.com, 2008.

et au Moyen-Orient qu'en Amérique du Nord et en Europe, où il est faible, voire nul. En 2009, la Chine, par exemple, comptait plus de 200 millions d'internautes, alors que les États-Unis en comptaient 180 millions environ. Ainsi, à l'avenir, la connectivité Internet sera beaucoup plus répandue et fiable dans les régions du monde en développement et elle jouera un rôle important dans l'intégration de ces économies à l'économie mondiale.

La session interactive sur les organisations montre que les téléphones cellulaires peuvent apporter une solution partielle à ce problème. Leur utilisation monte en flèche dans les pays en développement. Ils sont en voie de devenir un moteur du développement économique.

La localisation

Le développement des systèmes clés comporte des problèmes particuliers sur le plan des logiciels. En effet, comment les anciens systèmes communiqueront-ils avec les nouveaux ? Si on conserve les anciens systèmes dans certaines régions, ce qui est courant, on doit construire des interfaces entièrement nouvelles et les mettre à l'essai. Ces interfaces risquent d'être onéreuses et difficiles à réaliser. S'il faut créer de nouveaux logiciels, on doit les concevoir de telle sorte que les utilisateurs des différents pays et des diverses unités fonctionnelles soient capables de s'en servir malgré les habitudes qu'elles ont prises avec leurs propres procédures et définitions de données.

En plus des problèmes liés à l'intégration des nouveaux et des anciens systèmes, on devra résoudre les problèmes qui se posent sur le plan de la conception de l'interface utilisateur et des fonctionnalités des systèmes. Par exemple, pour être véritablement utiles et permettre d'améliorer la productivité de la main-d'œuvre mondiale, les interfaces de logiciels doivent être conviviales et se maîtriser rapidement. Bien qu'elles soient idéales, les interfaces graphiques exigent de l'utilisateur la connaissance d'une langue commune qui est souvent l'anglais. Lorsque les systèmes internationaux s'adressent uniquement à des travailleurs de la connaissance, l'anglais peut devenir la langue internationale. Mais lorsqu'ils doivent servir aux groupes de gestion et de bureau, il n'est plus possible d'utiliser une langue commune. Les interfaces utilisateur doivent alors s'adapter à différentes langues et même à différentes conventions. La **localisation** est l'ensemble du processus de conversion d'un logiciel visant son fonctionnement dans une deuxième langue.

Quelles sont les applications logicielles les plus importantes ? Bien que la plupart des systèmes

Cette page du site Web de Pearson Prentice Hall a été traduite en japonais. Les sites Web et les interfaces de logiciels des systèmes mondiaux doivent être traduits en plusieurs langues pour convenir aux utilisateurs des diverses régions du monde.

LE TÉLÉPHONE CELLULAIRE PEUT-IL COMBLER LA FRACTURE NUMÉRIQUE À L'ÉCHELLE MONDIALE ?

Grâce à la généralisation des téléphones cellulaires, d'Internet, des connexions Internet à haute vitesse et des autres technologies de l'information et de la communication, de plus en plus de gens profitent des avantages que chaque technologie a à offrir. Un grand nombre de ces technologies n'ont pas encore réussi à combler la « fracture numérique » qui sépare les nations développées des nations en développement. Les habitants de certains pays, comme les États-Unis, ont accès à la plupart d'entre elles, alors que beaucoup d'habitants des pays pauvres se débattent toujours avec des problèmes comme la fiabilité de l'accès à l'électricité et la pauvreté extrême.

D'après les dernières tendances en matière de conception des téléphones cellulaires et d'après les études de consommation, les téléphones cellulaires sont en position d'abolir la fracture numérique et de devenir une technologie vraiment omniprésente, qui améliorera la qualité de vie de millions de personnes et renforcera l'économie mondiale.

À l'échelle mondiale, 68 % des abonnements au téléphone mobile proviennent des pays en développement, comparativement à 20 % des abonnements aux services Internet. En raison des possibilités qu'ils offrent, comme les fonctions d'horloge, de réveil, d'appareil photo et vidéo, de stéréophonie, de télévision et peut-être même bientôt de portefeuille, étant donné la popularité grandissante des opérations bancaires mobiles, les téléphones cellulaires sont de plus en plus utiles alors même que leur prix diminue. Plus important encore, ils sont en voie de devenir le moyen le plus commode et le plus abordable pour se connecter à Internet et accomplir des tâches auparavant associées aux ordinateurs.

La possession d'un téléphone cellulaire augmente considérablement l'efficacité des communications et la qualité de vie. L'économie mondiale devrait donc en profiter proportionnellement sur une grande échelle. De nombreux économistes pensent que l'usage répandu du téléphone cellulaire dans les pays en voie de développement aura, sur leur bien-être économique, un effet résolument plus transformateur que celui des traditionnelles aides étrangères.

Les entreprises de téléphonie cellulaire, comme Nokia, font appel à ce qu'elles appellent des « chercheurs sur le comportement humain » ou des « anthropologues d'utilisateurs » pour recueillir le plus d'information utile possible sur les habitudes de consommation et la vie des acheteurs potentiels. Elles transmettent cette information aux concepteurs de téléphones cellulaires et aux architectes de la technologie. Cette nouvelle approche en matière de conception de téléphones est la « conception axée sur le facteur humain ». Elle est importante pour les entreprises de technologies de pointe qui essaient de créer des produits qui soient attrayants et faciles à utiliser, et donc qui se vendent bien.

Nokia et d'autres entreprises font face à des obstacles de taille pour commercialiser leurs téléphones auprès des segments de population les plus pauvres d'Afrique et d'Asie. Elles se heurtent notamment au manque d'électricité dans de nombreuses régions, aux revenus trop bas pour un achat de téléphone cellulaire et à l'absence de service à l'extérieur des zones urbaines. L'Inde est actuellement le chef de file dans les abonnements abordables de téléphonie cellulaire, avec 226 millions d'abonnés (19 % de sa population totale). Mais un grand nombre de pays traînent loin derrière pour ce qui est de l'utilisation du téléphone cellulaire et du pourcentage d'accès à Internet. Par exemple, le Maroc, l'un des chefs de file africains en matière d'utilisation du téléphone cellulaire et d'Internet, se glorifie d'avoir 6,1 millions d'internautes, soit 18,1 % de sa population totale. En comparaison, les États-Unis comptent 180 millions d'internautes, soit 73 % de leur population totale.

En dépit de ces chiffres, l'avenir des entreprises de téléphonie cellulaire et des habitants les plus pauvres d'Afrique et d'Asie s'annonce prometteur. Les téléphones cellulaires se propagent à un rythme d'enfer qui montre peu de signes de ralentissement. Il a fallu 20 ans pour vendre le premier milliard de téléphones, 4 ans pour le deuxième milliard et seulement 2 ans pour le troisième milliard. À l'échelle mondiale, 80 % de la population vit à la portée d'un réseau de téléphonie cellulaire, ce qui représente le double par rapport à l'an 2000.

L'Institut des ressources mondiales a publié un rapport sur la façon dont les pauvres des pays en développement dépensent leur argent. Même les familles les plus pauvres consacrent une part importante de leur petit budget aux technologies de communication, comme le téléphone cellulaire. Posséder un téléphone cellulaire constitue un avantage énorme pour des populations en constant déplacement en raison de la guerre, de la sécheresse, des catastrophes naturelles ou de la pauvreté extrême. Cela leur permet de rester joignables dans presque toutes les circonstances. Le téléphone cellulaire a également des répercussions sur la médecine dans ces pays : les patients peuvent communiquer plus facilement avec les médecins, qui, de leur côté, peuvent obtenir plus facilement de l'information sur les maladies et les affections qu'ils doivent traiter.

Outre qu'il permet de rester en contact avec les autres, le téléphone cellulaire est également utile comme outil économique. On peut affirmer qu'en posséder un augmente les profits individuels, en permettant de repérer plus facilement les possibilités d'affaires. Une étude récente dirigée par le Centre for Economic Policy Research montre par ailleurs que, pour chaque acquisition supplémentaire d'une dizaine de téléphones cellulaires, pour 100 habitants, un pays voit son produit intérieur brut (PIB) s'élever de 0,5 %.

Dans les pays en développement, on fait un usage créatif des téléphones cellulaires. Ainsi, au Bangladesh, des «téléphonistes» facturent une petite commission aux habitants de leur village pour effectuer ou recevoir des appels. Des Ougandais utilisent le temps d'antenne prépayé comme intermédiaire dans le transfert de devises. Au Ghana, Tradenet.biz permet à des habitants de plusieurs pays d'Afrique de l'Ouest d'échanger une variété de produits en ayant recours à la messagerie textuelle du téléphone cellulaire pour communiquer. Robert Jensen, professeur en économie à la Harvard University, a constaté que depuis qu'ils ont commencé à utiliser le téléphone cellulaire pour communiquer avec des acheteurs potentiels, les pêcheurs de la côte de Kerela, au sud de l'Inde, ont augmenté leurs profits de 8 % en moyenne, alors que le prix à la consommation au marché local a chuté de 4 %.

De nombreux partisans du commerce comme moteur de croissance pour les pays en développement, par opposition aux aides financières internationales ne modifiant pas les économies sous-jacentes, appuient la prolifération des téléphones cellulaires. L'accès à Internet avec le téléphone cellulaire annonce également des changements sociaux et politiques dans les pays en développement dont les gouvernements répressifs exercent un contrôle sur toutes les formes de médias.

Sources : Nicole Ferraro, « Africa's Portal to the Internet », *Information Week*, 4 février 2008 ; Sara Corbett, « Can the Cellphone Help End Global Poverty ? », *The New York Times Magazine*, 13 avril 2008 ; « Top 20 Countries-Internet Usage », Internetworldstats.com, consulté en novembre 2009.

Questions

1. Quelles stratégies appliquent les entreprises de téléphonie cellulaire pour «combler la fracture numérique» et commercialiser les téléphones auprès des populations les plus pauvres du monde ?

2. Pourquoi les économistes prévoient-ils que la généralisation de l'usage du téléphone cellulaire aura un effet sans précédent sur la croissance des pays en développement ?

3. Donnez quelques exemples de la façon dont le téléphone cellulaire pourrait améliorer la qualité de vie des habitants des pays en développement.

4. Croyez-vous que les téléphones cellulaires proliféreront en Afrique et en Asie ? Oui ou non ? Pourquoi ?

Ateliers

Explorez le site Web One Laptop Per Child (www.laptop.org), puis répondez aux questions suivantes :

1. Quelles sont les fonctionnalités de l'ordinateur portable XO ? Dans quelle mesure cet appareil est-il bien adapté aux pays en développement ?

2. Comment l'utilisation de l'ordinateur portable XO pourrait-elle réduire la fracture numérique à l'échelle mondiale ? Comparez l'impact potentiel de cet appareil à celui du téléphone cellulaire dans les pays en développement.

internationaux se concentrent sur des systèmes transactionnels de base et sur des systèmes d'information de gestion, les entreprises se tournent de plus en plus vers les systèmes de gestion de la chaîne logistique et les systèmes d'entreprise pour normaliser leurs processus d'affaires à l'échelle mondiale et pour créer des chaînes logistiques mondiales. Cependant, ces systèmes interfonctionnels ne sont pas toujours compatibles avec les différences de langues, de patrimoines culturels et de processus d'affaires entre les pays (Martinsons, 2004 ; Liang, Xue, Boulton et Byrd, 2004 ; Davison, 2002). De plus, les unités d'entreprise situées dans des pays qui ne sont pas développés sur le plan technologique peuvent éprouver des difficultés à gérer les complexités techniques des applications d'entreprise.

Les entreprises de fabrication et de distribution utilisent couramment les systèmes d'échange de documents informatisés (EDI) et les systèmes de gestion de la chaîne logistique pour se relier à leurs fournisseurs à l'échelle mondiale. Les systèmes de collaboration, le courrier électronique et les vidéoconférences sont des outils de collaboration mondiaux particulièrement importants pour les entreprises dont l'activité repose sur le savoir et les données, comme les entreprises de publicité, de recherche en médecine et d'ingénierie, ainsi que pour les firmes de graphisme et les maisons d'édition. Les outils offerts sur Internet seront de plus en plus utilisés dans ces domaines.

Projets concrets en SIG

Décisions de gestion

1. United Parcel Services (UPS) a étendu ses services de livraison de colis et de logistique à la Chine, pour servir tant les entreprises multinationales que les entreprises locales. Ses livreurs de Chine doivent utiliser ses outils et ses systèmes, comme le terminal mobile de poche, pour saisir les données de livraison des colis. UPS désire rendre accessibles WorldShip, CampusShip et d'autres services de gestion des livraisons aux clients chinois et multinationaux par l'intermédiaire du Web. Sur quelles questions liées aux systèmes internationaux la société UPS doit-elle se pencher pour fonctionner avec succès en Chine ?

2. Votre entreprise fabrique et vend des raquettes de tennis et voudrait commercialiser ses produits à l'extérieur des États-Unis. Vous êtes chargé d'élaborer une stratégie Web mondiale. Les premiers pays que vous pensez cibler sont le Brésil, la Chine, l'Allemagne, l'Italie et le Japon. À l'aide des statistiques contenues dans le CIA World Factbook, déterminez le pays que vous cibleriez en premier. Quels critères utiliseriez-vous pour élaborer votre stratégie ? Quelles autres considérations devriez-vous prendre en compte dans votre stratégie Web ? Quelles caractéristiques afficheriez-vous sur votre site Web pour attirer les acheteurs des pays ciblés ?

▷ RÉSUMÉ

1. Quels grands facteurs favorisent l'internationalisation des affaires ?

L'essor des communications et des transports à bas prix a donné naissance à une culture mondiale caractérisée par des attentes et des normes universelles. La stabilité politique et l'élargissement de la base de connaissances mondiale ont également promu l'émergence d'une culture mondiale. Ces déclencheurs généraux contribuent à la création de marchés mondiaux et d'une production, d'une coordination, d'une distribution et d'économies d'échelle mondiales.

2. Quelles stratégies permettent la mondialisation des affaires ?

On distingue quatre grandes stratégies d'entreprise pour ce qui est de la mondialisation des affaires : l'exportateur de produits nationaux, la multinationale, le franchiseur et la société transnationale. L'entreprise qui adopte la stratégie transnationale gère tous ses facteurs de production à l'échelle mondiale. Cependant, le choix d'une stratégie est fonction du type d'entreprise et du type de produits fabriqués.

3. Comment les systèmes d'information soutiennent-ils les différentes stratégies mondiales ?

Il existe un lien entre la stratégie de l'entreprise et la conception des systèmes d'information. Les sociétés trans-nationales ont besoin de configurations de systèmes en réseau et doivent accepter une grande décentralisation du développement des logiciels et de l'exploitation des systèmes. Les franchiseurs reproduisent toujours leurs systèmes d'un pays à l'autre et recourent aux contrôles financiers centralisés. Les multinationales se caractérisent par la décentralisation, donnant beaucoup de latitude à leurs unités locales et tendant à construire et à développer des réseaux. Les exportateurs de produits nationaux centralisent leurs systèmes au siège social national, mais permettent une certaine décentralisation de l'exploitation.

4. Quels problèmes les systèmes d'information mondiaux posent-ils et quelles solutions de gestion permettent de les surmonter ?

À l'échelle mondiale, la diversité culturelle, politique et linguistique accentue les différences entre les cultures organisationnelles et entre les processus d'affaires et favorise la prolifération de systèmes d'information locaux disparates qui sont difficiles à combiner. En général, l'évolution des systèmes internationaux n'a pas suivi de véritable plan. La solution consiste à définir un petit sous-ensemble de processus d'affaires clés, puis à développer des systèmes pouvant les prendre en charge. Sur le plan tactique, il faut miser sur la stratégie de la récupération lorsque les unités étrangères sont très dispersées. Il s'agit de faire participer les unités étrangères au développement et à l'exploitation des systèmes, sans pour autant renoncer au contrôle global.

5. Quels problèmes et quelles solutions techniques doit-on considérer lorsqu'on développe des systèmes d'information internationaux?

L'implantation d'un système mondial nécessite une stratégie de mise en œuvre qui tienne compte à la fois du modèle de gestion et des plateformes technologiques. Les principales questions à se poser au sujet du matériel et des télécommunications concernent l'intégration et la connectivité des systèmes. Pour l'intégration, on doit choisir entre une architecture propriétaire et une technologie de systèmes ouverts. Les réseaux mondiaux sont extrêmement difficiles à construire et à exploiter. Les entreprises peuvent construire leurs propres réseaux mondiaux ou créer des réseaux mondiaux au moyen d'Internet (intranets ou réseaux virtuels privés). Pour ce qui est des logiciels, il faut concevoir des interfaces qui soient compatibles avec les systèmes existants et choisir des applications qui puissent fonctionner avec différentes structures culturelles, linguistiques et organisationnelles.

MOTS CLÉS

Architecture internationale de systèmes d'information, p. 448

Connectivité, p. 460

Culture mondiale, p. 449

Déclencheur d'activité économique, p. 448

Exportateur de produits nationaux, p. 452

Flux de données transnational, p. 451

Franchiseur, p. 452

Légitimité, p. 458

Localisation, p. 461

Multinationale, p. 452

Particularisme, p. 451

Récupération, p. 457

Société transnationale, p. 453

Système clé, p. 455

QUESTIONS DE RÉVISION

1. Quels grands facteurs favorisent l'internationalisation des affaires?

- Énumérez et décrivez les cinq grandes dimensions à considérer pour élaborer une architecture internationale de systèmes d'information.

- Décrivez les cinq déclencheurs d'activité économique culturels généraux de la croissance de l'entreprise mondiale et les cinq déclencheurs spécifiques. Décrivez la façon dont ces facteurs sont interreliés.

- Énumérez et décrivez les principaux problèmes que pose le développement des systèmes mondiaux.

- Expliquez pourquoi certaines entreprises ne planifient pas le développement de systèmes internationaux.

2. Quelles stratégies permettent la mondialisation des affaires?

- Décrivez les quatre principales stratégies d'affaires mondiales et les structures organisationnelles correspondantes.

3. Comment les systèmes d'information soutiennent-ils les différentes stratégies mondiales?

- Décrivez les quatre configurations de systèmes qui peuvent soutenir les principales stratégies mondiales.

4. Quels problèmes les systèmes d'information mondiaux posent-ils et quelles solutions de gestion permettent de les surmonter?

- Énumérez et décrivez les principaux problèmes de gestion que pose le développement des systèmes internationaux.

- Nommez et décrivez trois principes à suivre pour la mise sur pied d'une entreprise mondiale.

- Nommez et décrivez les trois étapes d'une stratégie de gestion visant le développement des systèmes mondiaux.

- Définissez la stratégie de la récupération et expliquez comment on peut s'en servir pour créer des systèmes mondiaux.

5. Quels problèmes et quelles solutions techniques doit-on considérer lorsqu'on développe des systèmes d'information internationaux?

- Décrivez les principaux problèmes techniques liés aux systèmes mondiaux.

- Nommez quelques technologies qui peuvent aider les entreprises à développer des systèmes mondiaux.

SUJETS DE DISCUSSION

1. Si vous étiez gestionnaire dans une entreprise fonctionnant dans plusieurs pays, quels critères utiliseriez-vous pour déterminer si une application doit être conçue comme une application mondiale ou comme une application locale?

2. Décrivez diverses utilisations possibles d'Internet dans des systèmes d'information internationaux.

TRAVAIL D'ÉQUIPE: ÉTUDIER UNE TECHNOLOGIE DE L'INFORMATION PAR RAPPORT À UNE STRATÉGIE DE MONDIALISATION DES AFFAIRES

Formez une équipe avec trois ou quatre autres étudiants. Choisissez une technologie de l'information et analysez la façon dont elle pourrait soutenir une stratégie de mondialisation des affaires. Par exemple, vous pourriez choisir les télécommunications (courrier électronique, communications sans fil, réseaux privés virtuels), les systèmes d'entreprise, les logiciels de collaboration ou le Web. Vous devrez vous appuyer sur un exemple d'entreprise pour discuter de la technologie. Par exemple, vous pourriez choisir une franchise de pièces automobiles ou de vêtements, comme Express.

Quelles applications développeriez-vous à l'échelle mondiale? Quels processus d'affaires clés sélectionneriez-vous? En quoi la technologie choisie serait-elle utile? Dans la mesure du possible, utilisez Google Sites pour afficher des liens vers des pages Web, pour communiquer entre membres de l'équipe et vous répartir les tâches, pour confronter vos idées et pour travailler ensemble sur les documents du projet. Essayez d'utiliser Google Documents pour mettre au point une présentation de vos résultats destinée à la classe.

ÉTUDE DE CAS

Une stratégie mondiale sauvera-t-elle GM?

Pendant de nombreuses années, la société General Motors (GM) a été le plus grand constructeur automobile du monde. Elle a maintenant cédé sa place à Toyota. GM compte environ 284 000 employés qui fabriquent des voitures dans 35 pays. Celles-ci sont vendues sous des marques comme Buick, Cadillac, Chevrolet, Daewoo, GMC, Hummer, Pontiac, Saab et Saturn. Au cours des dernières années, l'entreprise est devenue de moins en moins rentable. En 2007, ses pertes s'élevaient à 38 milliards de dollars. Son incapacité à s'adapter rapidement aux variations du marché, aggravée par sa taille immense, constitue l'une des principales raisons de son lent déclin. Elle espère toutefois réussir à inverser la tendance grâce à une transformation de la TI amorcée il y a plusieurs années.

La taille même de GM représentait auparavant son atout le plus puissant, mais elle est devenue son plus lourd fardeau. Pendant 70 ans, l'entreprise a fonctionné selon la philosophie du chef de la direction Alfred Sloan. Elle était divisée en cinq groupes (Chevrolet, Pontiac, Oldsmobile maintenant disparu, Buick et Cadillac) fonctionnant chacun comme une entreprise semi-autonome et s'occupant donc de ses propres opérations de développement de produits, de fabrication et de commercialisation. Ce modèle de contrôle descendant et d'exécution décentralisée fut à une époque une riche source d'avantages concurrentiels qui ont permis à GM de construire des voitures à moindre coût par rapport aux concurrents.

Au fil du temps, cependant, cette politique a nui à l'entreprise. GM était incapable de mettre rapidement à jour sa sélection et ses modèles. La qualité de ses voitures était à la traîne par rapport à ses concurrents japonais et même américains. Il lui fallait plus de temps et d'argent que ses concurrents pour produire une voiture, à cause de sa lourde bureaucratie, de ses processus de production inefficaces et de ses milliers de systèmes d'information patrimoniaux périmés qui ne pouvaient communiquer entre eux. Ses ventes de voitures ont subi une forte baisse, passant de 60 % environ du marché américain de l'automobile dans les années 1970 à moins de 15 % en 2008.

Plusieurs autres problèmes ont entravé la rentabilité de GM. D'abord, pour chaque employé actif, l'entreprise comptait deux retraités et demi à qui elle offrait une rente et des avantages importants. Ces dépenses l'accablaient encore plus que ses concurrents. Ensuite, en raison de son histoire, ses usines sont principalement situées dans des régions où le coût de la vie est élevé. Ce n'est que tout récemment que les entreprises ont commencé à tirer profit de la possibilité d'installer des usines dans les régions du monde où les prix sont bas.

GM essaie de résoudre certains de ces problèmes en adoptant un modèle de gestion mondial. Elle accroît vigoureusement ses ventes en Chine, en Russie et en Amérique latine et mondialise ses processus de production. Ses unités internationales fonctionnaient auparavant de manière autonome, comme ses divisions locales. Mais, en 2006, ses gestionnaires ont lancé un ambitieux programme visant à la transformer en une entreprise mondiale aux processus de gestion normalisés. L'entreprise commence ainsi à fonctionner comme une entité mondiale. Les ingénieurs et les équipes de soutien répartis sur trois continents travaillent ensemble au développement des produits comme s'ils étaient dans la même pièce. GM peut concevoir des voitures pour le marché étatsunien à partir du Brésil et profiter des faibles coûts de main-d'œuvre et de matériel partout dans le monde. Les processus mondiaux de logistique lui permettent de construire des voitures en Corée et de les distribuer facilement au Moyen-Orient. Si la production s'essouffle dans une région, la société peut se tourner vers un autre pays.

Pour que ce modèle de gestion mondial fonctionne, GM a besoin de systèmes qui soient vraiment des systèmes mondiaux, c'est-à-dire qui soient capables de prendre en charge la conception, l'assemblage et la vente de véhicules partout dans le monde. Depuis sa nomination, en 1996, le chef de la direction Ralph Szygenda s'est attaché à normaliser les systèmes de la TI, à éliminer les rebuts, à réduire énergiquement les coûts et à amputer de milliards de dollars le budget annuel de la TI. Le nombre de systèmes d'information est ainsi passé de 7000 à 2500.

Depuis plus d'une décennie, l'entreprise dépendait d'un seul fournisseur de la TI, Electronic Data Systems (EDS), acheté en 1984 et transformé en entité indépendante en 1996. EDS s'occupait de toutes les tâches de la TI. Bien qu'elle fût propriétaire d'EDS, GM ne participait pas directement à ses systèmes d'information. Or, sa dépendance à l'égard d'un seul fournisseur de la TI a fait considérablement augmenter ses coûts et n'a permis qu'un nombre réduit d'améliorations. GM a consacré beau-

coup plus d'argent que les autres constructeurs automobiles à ses systèmes d'information.

Szygenda a décidé de reprendre le contrôle stratégique de la technologie de l'information et a commencé à faire appel à plusieurs fournisseurs: EDS, Oracle, IBM et HP. Ces partenaires se partagent 7,5 milliards de dollars de contrats. L'autre moitié des 15 milliards de dollars que GM a prévus pour la refonte de ses technologies de l'information permettra, dans les cinq prochaines années, de répondre aux besoins en nouvelles technologies.

Amener les partenaires de la TI à collaborer ne fut pas une mince affaire. Auparavant, ces entreprises ne faisaient que fabriquer des produits précis et laissaient à leurs clients le soin de combiner entre eux les nombreux produits qu'ils achetaient. Elles avaient également leurs propres différences régionales. Or, Szygenda ne voulait pas avoir affaire à « 10 produits IBM » ou « 23 Cisco ». Pour renverser la situation, il a utilisé le pouvoir d'achat de GM pour établir des contrats mondiaux avec ses fournisseurs et amener les diverses entreprises de la TI à travailler ensemble sur une série de solutions combinées et intégrées.

GM possède maintenant l'infrastructure dont elle a besoin pour le fonctionnement sans heurt de ses 160 usines mondiales: des logiciels et des processus normalisés dans chaque usine, des réseaux mis à jour, quatre centres de contrôle aux États-Unis, en Amérique latine et en Europe. Ces centres de contrôle sont conçus pour offrir à chaque usine un accès facile à l'information pertinente et pour faire en sorte que les retards de production soient rapidement comblés.

GM a supervisé les lancements mondiaux de deux applications logicielles normalisées: un système d'acheminement et de suivi des produits, qui permet de s'assurer que des véhicules donnés sont produits comme prévu; un système interne de traitement des commandes, qui relie les fournisseurs à la chaîne de montage. Le système de suivi des produits surveille à la minute près les voitures prêtes pour l'assemblage. Le système de traitement des commandes permet aux utilisateurs d'accéder à

l'information concernant tout appareil en service sur la chaîne de montage. L'infrastructure de GM comprend 500 000 dispositifs, dont 25 500 terminaux d'ordinateurs dans les usines, 3500 serveurs, 11 000 imprimantes, 373 000 robots et 14 000 commutateurs, routeurs et points d'accès de réseaux. La normalisation de toutes ces composantes constitue une tâche colossale, mais essentielle pour une entreprise de la taille de GM.

Le constructeur de véhicules automobiles doit également être très prudent dans ses choix de technologies. En effet, une fois qu'une technologie est adoptée, il est très onéreux de revenir en arrière. Par exemple, l'entreprise utilise encore Windows XP plutôt que Vista, parce que c'est le choix « classique ». De plus, elle examinera soigneusement la technologie de réseautage sans fil Bluetooth, alors que d'autres ont déjà franchi le pas. S'ils estiment qu'il est crucial pour GM de mettre à jour rapidement et efficacement sa technologie, les cadres supérieurs de l'entreprise croient néanmoins que l'abandon de cette approche prudente créerait encore plus de problèmes à la longue.

GM a expressément établi des processus pour faire face aux contretemps en matière de technologie. Huit centres d'expertise, situés dans des usines clés et employant des spécialistes d'applications particulières, s'occupent des problèmes de soutien technique aux usines. Les quatre centres de contrôle mondiaux supervisent également la résolution des problèmes de technologie et apportent leur collaboration. Des experts sont présents sur place pour intervenir à tout moment en cas de problèmes. GM possède également un système de surveillance consistant en un réseau de contrôle des changements, Change Control Network. Ce système enregistre les changements que connaît la TI dans une usine, en constate l'ampleur et les répercussions, attribue des notes pour en décrire l'importance et fait état des risques possibles.

Les résultats des mises à jour technologiques sont difficiles à évaluer, étant donné les pertes considérables que l'entreprise a essuyées au cours des derniers trimestres. Toutefois, les statistiques suggèrent un effet vraiment positif. GM consacre chaque année un milliard de dollars de moins qu'en 1996 à la technologie de l'information. En 2006 et 2007, le nombre de véhicules pour lesquels des problèmes de TI ont causé des arrêts de production a diminué de moitié environ par rapport à 2005. En 2008, c'est moins de 5 % des véhicules qui sont concernés par rapport à 2005. Les « minutes perdues » sur le réseau, c'est-à-dire les périodes pendant lesquelles les appareils étaient hors ligne ou défectueux, ont chuté de 90 % par rapport à 2005.

Ces chiffres ne paraîtront sans doute pas impressionnants dans le contexte des pertes ahurissantes de l'entreprise. Les efforts déployés pour la mise à jour des technologies de l'information ne constitueront que l'une des nombreuses améliorations que GM devra apporter pour redevenir rentable. La question demeure : Les efforts de mondialisation de GM seront-ils récompensés ? GM deviendra-t-elle une meilleure entreprise de l'automobile grâce à la technologie de l'information ?

Sources : Alex Taylor III, « Rick Wagoner Tries to Catch a Falling Knife - and Fails », CNNMoney.com, 15 juillet 2008 ; Stan Gibson, « GM Pens IT-Buying Bible », eWeek.com, 23 juillet 2006 ; David Welch, « GM Staggers Under Losses », Businessweek.com, 1er août 2008 ; Mary Hayes Weier, « GM's Factory IT Faces a Test », *Information Week*, 21 juin 2008 ; John Soat, « CIOs Uncensored : GM's CIO : IT Vendors Aren't Helping with Globalization », *Information Week*, 10 mai 2008 ; « GM's Ralph Szygenda Has the Biggest Stick in IT », CIOInsight.com, 7 avril 2006 ; Doug Bartholomew, « GM Outsourcing Overhaul, 1 Year Later », CIOInsight.com, 7 janvier 2007.

QUESTIONS

1. Analysez la société GM en utilisant les modèles des forces concurrentielles et de la chaîne de valeur.

2. Quel est le rapport entre les systèmes d'information et le modèle de gestion de GM ? entre les systèmes d'information et les problèmes rencontrés par GM ?

3. Comment les systèmes d'information ont-ils contribué à la transition de GM vers un modèle de gestion mondial ?

4. Croyez-vous que les processus mondiaux et les systèmes d'information mis à jour seront en mesure d'améliorer la performance de GM ? Expliquez votre réponse.

Chapitre 1

Belson, Ken, « Technology Lets High-End Hotels Anticipate Guests' Whims », *The New York Times*, 16 novembre 2005.

Brynjolfsson, Erik, « VII Pillars of IT Productivity », *Optimize*, mai 2005.

Brynjolfsson, Erik, et Lorin M. Hitt, « Beyond Computation : Information Technology, Organizational Transformation, and Business Performance », *Journal of Economic Perspectives*, vol. 14, n° 4, 2000.

Carr, Nicholas, « IT Doesn't Matter », *Harvard Business Review*, mai 2003.

Davern, Michael J., et Robert J. Kauffman, « Discovering Potential and Realizing Value from Information Technology Investments », *Journal of Management Information Systems*, vol. 16, n° 4, printemps 2000.

Dedrick, Jason, Vijay Gurbaxani et Kenneth L. Kraemer, « Information Technology and Economic Performance : A Critical Review of the Empirical Evidence », Center for Research on Information Technology and Organizations, Irvine, University of California, décembre 2001.

Friedman, Thomas, *The World is Flat*, New York, Farrar, Straus and Giroux, 2006.

Garretson, Rob, « IT Still Matters », *CIO Insight*, vol. 81, mai 2007.

Greenspan, Alan, « The Revolution in Information Technology », Boston College Conference on the New Economy, 6 mars 2000.

Horrigan, John, « Mobile Access to Data and Information », Pew Internet and American Life Project, mars 2008.

Hughes, Alan, et Michael S. Scott Morton, « The Transforming Power of Complementary Assets », *MIT Sloan Management Review*, vol. 47, n° 4, été 2006.

Ives, Blake, Joseph S. Valacich, Richard T. Watson et Robert W. Zmud, « What Every Business Student Needs to Know about Information Systems », *CAIS*, vol. 9, article 30, décembre 2002.

Lev, Baruch, « Intangibles : Management, Measurement, and Reporting », The Brookings Institution Press, 2001.

Marchand, Donald A., « Extracting the Business Value of IT : IT Is Usage, Not Just Deployment that Counts ! », *The Copco Institute Journal of Financial Transformation*, 2004.

Mumford, Enid, « Socio Technical Design : An Unfulfilled Promise or a Future Opportunity », dans R. Baskerville et coll. (sous la dir. de), *The Social and Organizational Perspective on Research and Practice in Information Technology*, Londres, Chapman-Hall, 2000.

Mumford, Enid, « Assisting Work Restructuring in Complex and Volatile Situations », dans J. Neuman et coll. (sous la dir. de), *Developing Organizational Consultancy*, Londres : Rutledge 1997.

Pew Internet and American Life, « Internet Activities », 2008, www.pewinternet.org, consulté le 6 octobre 2009.

Quinn, Francis J., « eBusiness Evangelist : An Interview with Erik Brynjolfsson », *Supply Chain Management Review*, mai-juin 2006.

Ross, Jeanne W., et Peter Weill, « Six IT Decisions Your IT People Shouldn't Make », *Harvard Business Review*, novembre 2002.

Teece, David, *Economic Performance and Theory of the Firm : The Selected Papers of David Teece*, Londres, Edward Elgar Publishing, 1998.

Tuomi, Ilkka, « Data Is More Than Knowledge », *Journal of Management Information Systems*, vol. 16, n° 3, hiver 1999-2000.

Verisign, « Domain Name Industry Brief », juin 2008, www.verisign.com, consulté le 6 octobre 2009.

Weill, Peter, Jeanne Ross et David Robertson, « Digitizing Down to the Core », *Optimize Magazine*, septembre 2006.

Chapitre 2

Bernoff, Josh, et Charlene Li, « Harnessing the Power of Social Applications », *MIT Sloan Management Review*, printemps 2008.

Basu, Amit, et Chip Jarnagin, « How to Tap IT's Hidden Potential », *Wall Street Journal*, 10 mars 2008.

Broadbent, Marianne, et Ellen Kitzis, *The New CIO Leader*, Boston (Mass.), Harvard Business Press, 2004.

Cash, James I. Jr., Michael J. Earl et Robert Morison, « Teaming Up to Crack Innovation and Enterprise Integration », *Harvard Business Review*, novembre 2008.

Cone, Edward, « The Accidental Strategist », *CIO Insight,* avril 2008.

Hof, Robert, « The Coming Virtual Web », *Business Week*, 16 avril 2007.

Huber, George P., « Organizational Information Systems : Determinants of Their Performance and Behavior », *Management Science,* vol. 28, n° 2, 1984.

Johnson, Bradfor, James Manyika et Lareina Yee, « The Next Revolution in Interactions », *McKinsey Quarterly*, n° 4, 2005.

Johnston, Russell, et Michael J. Vitale, « Creating Competitive Advantage with Interorganizational Information Systems », *MIS Quarterly,* vol. 12, n° 2, juin 1988.

Kalakota, Ravi, et Marcia Robinson, *e-Business 2.0 : Roadmap for Success,* Reading (Mass.), Addison-Wesley, 2001.

Lamonica, Martin, « IBM Warms to Social Networking », *ZDNet News,* 3 octobre 2006.

Lardi-Nadarajan, Kamales, « Doing Business in Virtual Worlds », *CIO Insight*, mars 2008.

Malone, Thomas M., Kevin Crowston, Jintae Lee et Brian Pentland, « Tools for Inventing Organizations : Toward a Handbook of Organizational Processes », *Management Science,* vol. 45, n° 3, mars 1999.

Nolan, Richard, et F. Warren McFarland, « Information Technology and the Board of Directors », *Harvard Business Review,* 1er octobre 2005.

Oracle Corporation, « Alcoa Implements Oracle Solution 20 % below Projected Cost, Eliminates 43 Legacy Systems », www.oracle.com, 2003, consulté le 30 octobre 2009.

Raghupathi, W. « RP », « Corporate Governance of IT : A Framework for Development », *Communications of the ACM,* vol. 50, n° 8, août 2007.

SAP, « Alcan Packaging Implements mySAP SCM to Increase Shareholder Value », www.mysap.com, consulté le 30 octobre 2009.

SAP AG, « Air Liquide », 2007.

Shirky, Clay, « Social Media Changes the Enterprise », *CIO Insight,* mai 2008.

Siebel Systems, « Saab Cars USA Increases Lead Follow-Up from 38 Percent to 50 Percent with Siebel Automotive », www.siebel.com, consulté le 15 octobre 2005.

Soat, John, « Tomorrow's CIO », *Information Week,* 16 juin 2008.

Sprague, Ralph H. Jr., et Eric D. Carlson, *Building Effective Decision Support Systems,* Englewood Cliffs (New Jersey), Prentice Hall, 1982.

Tapscott, Don, et Anthony D. Williams, « The Global Plant Floor », *Business Week,* 20 mars 2007.

Telecommunications Industry Association, « TIA's 2008 Telecommunications Market Review and Forecast », www.tia.com, 2008.

Vara, Vauhini, « Wikis at Work », *Wall Street Journal,* 18 juin 2007.

Weill, Peter, et Jeanne Ross, « A Matrixed Approach to Designing IT Governance », *MIT Sloan Management Review,* vol. 46, n° 2, hiver 2005, et *IT Governance,* Boston (Mass.), Harvard Business School Press, 2004.

Chapitre 3

Alter, S., et M. Ginzberg, « Managing Uncertainty in MIS Implementation », *Sloan Management Review,* vol. 20, n° 1, 1978, p. 23-31.

Attewell, Paul, et James Rule, « Computing and Organizations : What We Know and What We Don't Know », *Communications of the ACM,* vol. 27, n° 12, décembre 1984.

Beer, Michael, Russell A. Eisenstat et Bert Spector, « Why Change Programs Don't Produce Change », *Harvard Business Review,* novembre-décembre 1990.

Bresnahan, Timohy F., Erik Brynjolfsson et Lorin M. Hitt, « Information Technology, Workplace Organization, and the Demand for Skilled Labor », *Quarterly Journal of Economics,* vol. 117, février 2002.

Bughin, Jacques, Michael Chui et Brad Johnson, « The Next Step in Open Innovation », *McKinsey Quarterly,* juin 2008.

Cash, J.I., et Benn R. Konsynski, « IS Redraws Competitive Boundaries », *Harvard Business Review,* mars-avril 1985.

Christensen, Clayton, « The Past and Future of Competitive Advantage », *Sloan Management Review,* vol. 42, n° 2, hiver 2001.

Clemons, Eric K., « Sustaining IT Advantage : The Role of Structural Differences », *MIS Quarterly,* vol. 15, n° 3, septembre 1991.

Clemons, Eric K., « Evaluation of Strategic Investments in Information Technology », *Communications of the ACM,* janvier 1991.

Coase, Ronald H., « The Nature of the Firm » (1937), dans Louis Putterman et Randall Kroszner, *The Economic Nature of the Firm : A Reader,* Cambridge University Press, 1995.

Davenport, Thomas H., et Jeanne G. Harris, *Competing on Analytics : The New Science of Winning,* Boston, Harvard Business School Press, 2007.

Drucker, Peter, « The Coming of the New Organization », *Harvard Business Review,* janvier-février 1988.

Feeny, David, « Making Business Sense of the E-Opportunity », *Sloan Management Review,* vol. 42, n° 2, hiver 2001.

Feeny, David E., et Blake Ives, « In Search of Sustainability : Reaping Long-Term Advantage from Investments in Information Technology », *Journal of Management Information Systems,* été 1990.

Freeman, John, Glenn R. Carroll et Michael T. Hannan, « The Liability of Newness : Age Dependence in Organizational Death Rates », *American Sociological Review,* vol. 48, 1983.

Fritz, Mary Beth Watson, Sridhar Narasimhan et Hyeun-Suk Rhee, « Communication and Coordination in the Virtual Office », *Journal of Management Information Systems,* vol. 14, n° 4, printemps 1998.

Fulk, Janet, et Geraldine DeSanctis, « Electronic Communication and Changing Organizational Forms », *Organization Science,* vol. 6, n° 4, juillet-août 1995.

Gallaugher, John M., et Yu-Ming Wang, « Understanding Network Effects in Software Markets : Evidence from Web Server Pricing », *MIS Quarterly,* vol. 26, n° 4, décembre 2002.

Garretson, Rob, « IS IT Still Strategic ? », *CIO Insight,* mai 2007.

Gilbert, Clark, et Joseph L. Bower, « Disruptive Change », *Harvard Business Review,* mai 2002.

Gurbaxani, V., et S. Whang, « The Impact of Information Systems on Organizations and Markets », *Communications of the ACM,* vol. 34, n° 1, janvier 1991.

Hinds, Pamela, et Sara Kiesler, « Communication across Boundaries : Work, Structure, and Use of Communication Technologies in a Large Organization », *Organization Science,* vol. 6, n° 4, juillet-août 1995.

Hitt, Lorin M., « Information Technology and Firm Boundaries : Evidence from Panel Data », *Information Systems Research,* vol. 10, n° 2, juin 1999.

Hitt, Lorin M., et Erik Brynjolfsson, « Information Technology and Internal Firm Organization : An Exploratory Analysis », *Journal of Management Information Systems,* vol. 14, n° 2, automne 1997.

Huber, George, « Organizational Learning : The Contributing Processes and Literature », *Organization Science,* vol. 2, 1991, p. 88-115.

Huber, George, « The Nature and Design of Post-Industrial Organizations », *Management Science,* vol. 30, n° 8, août 1984.

Iansiti, Marco, et Roy Levien, « Strategy as Ecology », *Harvard Business Review,* mars 2004.

Ives, Blake, et Gabriele Piccoli, « Custom Made Apparel and Individualized Service at Lands' End », *Communications of the AIS,* vol. 11, 2003.

Iyer, Bala, et Thomas H. Davenport, « Reverse Engineering Google's Innovation Machine », *Harvard Business Review,* avril 2008.

Jensen, M.C., et W.H. Meckling, « Specific and General Knowledge and Organizational Science », dans L. Wetin et J. Wijkander (sous la dir. de), *Contract Economics,* Oxford, Basil Blackwell, 1992.

Jensen, Michael C., et William H. Meckling, « Theory of the Firm : Managerial Behavior, Agency Costs, and Ownership Structure », *Journal of Financial Economics,* vol. 3, 1976.

Kauffman, Robert J., et Yu-Ming Wang, « The Network Externalities Hypothesis and Competitive Network Growth », *Journal of Organizational Computing and Electronic Commerce,* vol. 12, n° 1, 2002.

Kettinger, William J., Varun Grover, Subashish Guhan et Albert H. Segors, « Strategic Information Systems Revisited : A Study in Sustainability and Performance », *MIS Quarterly,* vol. 18, n° 1, mars 1994.

King, J.L., V. Gurbaxani, K.L. Kraemer, F.W. McFarlan, K.S. Raman et C.S. Yap, « Institutional Factors in Information

Technology Innovation », *Information Systems Research*, vol. 5, n° 2, juin 1994.

Kling, Rob, « Social Analyses of Computing: Theoretical Perspectives in Recent Empirical Research », *Computing Survey*, vol. 12, n° 1, mars 1980.

Kolb, D.A., et A. L. Frohman, « An Organization Development Approach to Consulting », *Sloan Management Review*, vol. 12, n° 1, automne 1970.

Kraemer, Kenneth, John King, Debora Dunkle et Joe Lane, *Managing Information Systems*, Los Angeles, Jossey-Bass, 1989.

Krishnan, M.S., « Moving Beyond Alignment: IT Grabs the Baton », *Optimize Magazine*, avril 2007.

Lamb, Roberta, et Rob Kling, « Reconceptualizing Users as Social Actors in Information Systems Research », *MIS Quarterly*, vol. 27, n° 2, juin 2003.

Laudon, Kenneth, « The Promise and Potential of Enterprise Systems and Industrial Networks », document de travail, Concours Group, Copyright Kenneth C. Laudon, 1999.

Laudon, Kenneth, « A General Model of the Relationship Between Information Technology and Organizations », Center for Research on Information Systems, New York University, document de travail, National Science Foundation, 1989.

Laudon, Kenneth, *Dossier Society: Value Choices in the Design of National Information Systems*, New York, Columbia University Press, 1986.

Laudon, Kenneth, « Environmental and Institutional Models of Systems Development », *Communications of the ACM*, vol. 28, n° 7, juillet 1985.

Laudon, Kenneth C., et Kenneth L. Marr, « Information Technology and Occupational Structure », avril 1995.

Lawrence, Paul, et Jay Lorsch, *Organization and Environment*, Cambridge (Mass.), Harvard University Press, 1969.

Leavitt, Harold J., « Applying Organizational Change in Industry: Structural, Technological, and Humanistic Approaches », dans James G. March (sous la dir. de), *Handbook of Organizations*, Chicago, Rand McNally, 1965.

Leavitt, Harold J., et Thomas L. Whisler, « Management in the 1980s », *Harvard Business Review*, novembre-décembre 1958.

Luftman, Jerry, *Competing in the Information Age: Align In The Sand*, Oxford University Press, 2003

Maier, Jerry L., R. Kelly Rainer, fils, et Charles A. Snyder, « Environmental Scanning for Information Technology: An Empirical Investigation », *Journal of Management Information Systems*, vol. 14, n° 2, automne 1997.

Malone, Thomas W., JoAnne Yates et Robert I. Benjamin, « Electronic Markets and Electronic Hierarchies », *Communications of the ACM*, juin 1987.

March, James G., et Herbert A. Simon, *Organizations*, New York, Wiley, 1958.

Markus, M.L., « Power, Politics, and MIS Implementation », *Communications of the ACM*, vol. 26, n° 6, juin 1983.

McAfee, Andrew, et Erik Brynjolfsson, « Investing in the IT That Makes a Competitive Difference », *Harvard Business Review*, juillet-août 2008.

McFarlan, F. Warren, « Information Technology Changes the Way You Compete », *Harvard Business Review*, mai-juin 1984.

Mendelson, Haim, et Ravindra R. Pillai, « Clock Speed and Informational Response: Evidence from the Information Technology Industry », *Information Systems Research*, vol. 9, n° 4, décembre 1998.

Mintzberg, Henry, *The Structuring of Organizations*, Englewood Cliffs (New Jersey), Prentice Hall, 1979.

Orlikowski, Wanda J., et Daniel Robey, « Information Technology and the Structuring of Organizations », *Information Systems Research*, vol. 2, n° 2, juin 1991.

Pindyck, Robert S., et Daniel L. Rubinfeld, *Microeconomics*, 7ᵉ éd., Upper Saddle River (New Jersey), Prentice Hall, 2009.

Porter, Michael, *Competitive Advantage*, New York, Free Press, 1985.

Porter, Michael, « How Information Can Help You Compete », *Harvard Business Review*, août-septembre, 1985a.

Porter, Michael, *Competitive Strategy*, New York, Free Press, 1980.

Porter, Michael E., et Scott Stern, « Location Matters », *Sloan Management Review*, vol. 42, n° 4, été 2001.

Prahalad, C.K., et M.S.Krishnan, *The New Age of Innovation: Driving Cocreated Value Through Global Networks*, New York, McGraw Hill, 2008.

Reich, Blaize Horner, et Izak Benbasat, « Factors that Influence the Social Dimension of Alignment ween Business and Information Technology Objectives », *MIS Quarterly*, vol. 24, n° 1, mars 2000.

Robey, Daniel, et Marie-Claude Boudreau, « Accounting for the Contradictory Organizational Consequences of Information Technology: Theoretical Directions and Methodological Implications », *Information Systems Research*, vol. 10, n° 42, juin 1999.

Shapiro, Carl, et Hal R. Varian, *Information Rules*, Boston (Mass.), Harvard Business School Press, 1999.

Shpilberg, David, Steve Berez, Rudy Puryear et Sachin Shah, « Avoiding the Alignment Trap in Information Technology », *MIT Sloan Management Review*, vol. 49, n° 1, automne 2007.

Starbuck, William H., « Organizations as Action Generators », *American Sociological Review*, vol. 48, 1983.

Tushman, Michael L., et Philip Anderson, « Technological Discontinuities and Organizational Environments », *Administrative Science Quarterly*, vol. 31, septembre 1986.

Watson, Brian P., « Is Strategic Alignment Still a Priority? », *CIO Insight*, octobre 2007.

Weber, Max, *The Theory of Social and Economic Organization*, trad. par Talcott Parsons, New York, Free Press, 1947.

Williamson, Oliver E., *The Economic Institutions of Capitalism*, New York, Free Press, 1985.

Chapitre 4

Association of Computing Machinery, « ACM's Code of Ethics and Professional Conduct », *Communications of the ACM*, vol. 36, n° 12, décembre 1993.

Barrett, Larry, et Sean Gallagher, « What Sin City Can Teach Tom Ridge », *Baseline Magazine*, avril 2004.

Bennett, Colin J., « Cookies, Web Bugs, Webcams, and Cue Cats: Patterns of Surveillance on the World Wide Web », *Ethics and Information Technology*, vol. 3, n° 3, 2001.

Berdichevsky, Daniel, et Erik Neunschwander « Toward an Ethics of Persuasive Technology », *Communications of the ACM*, vol. 42, n° 5, mai 1999.

Bhattacharjee, Sudip, Ram D. Gopal et G. Lawrence Sanders, « Digital Music and Online Sharing: Software Piracy 2.0? », *Communications of the ACM*, vol. 46, n° 7, juillet 2003.

Borland, John, « The Technology That Toppled Eliot Spitzer », *Technology Review,* 19 mars 2008.

Bowen, Jonathan, « The Ethics of Safety-Critical Systems », *Communications of the ACM*, vol. 43, n° 3, avril 2000.

Brod, Craig, *Techno Stress - The Human Cost of the Computer Revolution*, Reading, Mass., Addison-Wesley, 1982.

Brown Bag Software vs. Symantec Corp., 960 F2D 1465, Ninth Circuit, 1992.

Business Software Alliance, « Fifth Annual BSA and IDC Global Software Piracy Study », mai 2008.

Carr, David F., et Sean Gallagher, « BofA's Direct-Deposit Debacle », *Baseline*, 15 mai 2002.

Chellappa, Ramnath K., et Shivendu Shivendu, « An Economic Model of Privacy : A Property Rights Approach to Regulatory Choices for Online Personalization », *Journal of Management Information Systems*, vol. 24, n° 3, hiver 2008.

Clarke, Roger, « Internet Privacy Concerns Confirm the Case for Intervention », *Communications of the ACM*, vol. 42, n° 2, février 1999.

Collins, W. Robert, Keith W. Miller, Bethany J. Spielman et Phillip Wherry, « How Good Is Good Enough ? An Ethical Analysis of Software Construction and Use », *Communications of the ACM*, vol. 37, n° 1, janvier 1994.

Day, George S., Adam J. Fein et Gregg Ruppersberger, « Shakeouts in Digital Markets », *California Management Review*, vol. 45, n° 3, hiver 2003.

Downes, Larry, « Avoiding Web Rocks and Shoals » *CIO Insight*, mai 2008.

Farmer, Dan, et Charles C. Mann, « Surveillance Nation », parties I et II, *Technology Review*, avril et mai 2003.

Foley, John, « P2P Peril », *Information Week*, 17 mars 2008.

Goodman, Joshua, Gordon V. Cormack et David Heckerman, « Spam and the Ongoing Battle for the Inbox », *Communications of the ACM*, vol. 50, n° 2, février 2007.

Gorman, Siobhan, « NSA's Domestic Spying Grows As Agency Sweeps Up Data », *Wall Street Journal*, 10 mars 2008.

Grimes, Galen A. « Compliance with the CAN-SPAM Act of 2003 », *Communications of the ACM*, vol. 50, n° 2, février 2007.

Harrington, Susan J., « The Effect of Codes of Ethics and Personal Denial of Responsibility on Computer Abuse Judgments and Intentions », *MIS Quarterly*, vol. 20, n° 2, septembre 1996.

Holmes, Allan, « The Profits in Privacy », *CIO Magazine*, 15 mars 2006.

Hsieh, J.J. Po-An, Arun Rai et Mark Keil, « Understanding Digital Inequality : Comparing Continued Use Behavioral Models of the Socio-Economically Advantaged and Disadvantaged », *MIS Quarterly*, vol. 32, n° 1, mars 2008.

Jackson, Linda A., Alexander von Eye, Gretchen Barbatsis, Frank Biocca, Hiram E. Fitzgerald et Yong Zhao, « The Impact of Internet Use on the Other Side of the Digital Divide », *Communications of the ACM*, vol. 47, n° 7, juillet 2004.

Jackson, Thomas W., Ray Dawson et Darren Wilson, « Understanding Email Interaction Increases Organizational Productivity », *Communications of the ACM*, vol. 46, n° 8, août 2003.

Kling, Rob, « When Organizations Are Perpetrators : The Conditions of Computer Abuse and Computer Crime », dans Charles Dunlop et Rob Kling (sous la dir. de), *Computerization and Controversy : Value Conflicts and Social Choices*, New York, Academic Press, 1991.

Kreie, Jennifer, et Timothy Paul Cronan, « Making Ethical Decisions », *Communications of the ACM*, vol. 43, n° 12, décembre 2000.

Laudon, Kenneth C., et Carol Guercio Traver, *E-Commerce : Business, Technology, Society*, Boston, Addison-Wesley, 2004.

Laudon, Kenneth C., *Dossier Society : Value Choices in the Design of National Information Systems*, New York, Columbia University Press, 1986.

Lee, Jintae, « An End-User Perspective on File-Sharing Systems », *Communications of the ACM*, vol. 46, n° 2, février 2003.

Lohr, Steve, « Software Group Enters Fray Over Proposed Piracy Law », *New York Times*, 19 juillet 2004.

Mann, Catherine L., « What Global Sourcing Means for U.S. I.T. Workers and for the U.S. Economy », *Communications of the ACM*, vol. 47, n° 7, juillet 2004.

Martin, David M. Jr., Richard M. Smith, Michael Brittain, Ivan Fetch et Hailin Wu, « The Privacy Practices of Web Browser Extensions », *Communications of the ACM*, vol. 44, n° 2, février 2001.

Mason, Richard O., « Applying Ethics to Information Technology Issues », *Communications of the ACM*, vol. 38, n° 12, décembre 1995.

Mason, Richard O., « Four Ethical Issues in the Information Age », *MIS Quarterly*, vol. 10, n° 1, mars 1986.

Mykytyn, Kathleen, Peter P. Mykytyn Jr. et Craig W. Slinkman, « Expert Systems : A Question of Liability », *MIS Quarterly*, vol. 14, n° 1, mars 1990.

Nissenbaum, Helen, « Computing and Accountability », *Communications of the ACM*, vol. 37, n° 1, janvier 1994.

Nord, G. Daryl, Tipton F. McCubbins et Jeretta Horn Nord, « E-Monitoring in the Workplace : Privacy, Legislation, and Surveillance Software », *Communications of the ACM*, vol. 49, n° 8, août 2006.

Okerson, Ann, « Who Owns Digital Works ? », *Scientific American*, juillet 1996.

Payton, Fay Cobb, « Rethinking the Digital Divide », *Communications of the ACM*, vol. 46, n° 6, juin 2003.

Reagle, Joseph, et Lorrie Faith Cranor, « The Platform for Privacy Preferences », *Communications of the ACM*, vol. 42, n° 2, février 1999.

Redman, Thomas C. « The Impact of Poor Data Quality on the Typical Enterprise », *Communications of the ACM*, vol. 41, n° 2, février 1998.

Rifkin, Jeremy, « Watch Out for Trickle-Down Technology », *New York Times*, 16 mars 1993.

Rigdon, Joan E. « Frequent Glitches in New Software Bug Users », *Wall Street Journal*, 18 janvier 1995.

Rotenberg, Marc, « Communications Privacy : Implications for Network Design », *Communications of the ACM*, vol. 36, n° 8, août 1993.

Samuelson, Pamela, « Computer Programs and Copyright's Fair Use Doctrine », *Communications of the ACM*, vol. 36, n° 9, septembre 1993.

Sewell, Graham, et James R. Barker, « Neither Good, nor Bad, but Dangerous : Surveillance as an Ethical Paradox », *Ethics and Information Technology*, vol. 3, n° 3, 2001.

Sipior, Janice C., « Unintended Invitation : Organizational Wi-Fi Use by External Roaming Users », *Communications of the ACM*, vol. 50, n° 8, août 2007.

Smith, H. Jeff, « The Shareholders vs. Stakeholders Debate », *MIT Sloan Management Review*, vol. 44, n° 4, été 2003.

Smith, H. Jeff, et John Hasnas, « Ethics and Information Systems : The Corporate Domain », *MIS Quarterly*, vol. 23, n° 1, mars 1999.

Smith, H. Jeff, Sandra J. Milberg et Sandra J. Burke, « Information Privacy: Measuring Individuals' Concerns about Organizational Practices », *MIS Quarterly*, vol. 20, n° 2, juin 1996.

Sophos Plc, « Security Threat Report//Q1 08 », 2008.

Steel, Emily, et Vishesh Kumar, « Targeted Ads Raise Privacy Concerns », *Wall Street Journal*, 8 juillet 2008.

Story, Louise, « To Aim Ads, Web Is Keeping Closer Eye on You », *New York Times*, 10 mars 2008.

Straub, Detmar W. Jr., et Rosann Webb Collins, « Key Information Liability Issues Facing Managers: Software Piracy, Proprietary Databases, and Individual Rights to Privacy », *MIS Quarterly*, vol. 14, n° 2, juin 1990.

Tuttle, Brad, Adrian Harrell et Paul Harrison, « Moral Hazard, Ethical Considerations, and the Decision to Implement an Information System », *Journal of Management Information Systems*, vol. 13, n° 4, printemps 1997.

Urbaczewski, Andrew et Leonard M. Jessup, « Does Electronic Monitoring of Employee Internet Usage Work? », *Communications of the ACM*, vol. 45, n° 1, janvier 2002.

U.S. Department of Health, Education, and Welfare, *Records, Computers, and the Rights of Citizens*, Cambridge, Mass., MIT Press, 1973.

U.S. Sentencing Commission, *U.S. Sentencing Commission's Sourcebook of Federal Sentencing Statistic*, 2004.

Vara, Vauhini, « New Sites Make It Easier to Spy on Your Friends », *Wall Street Journal*, juin 2008,

Weitzner, Daniel J., Harold Abelson, Tim Berners-Lee, Joan Feigenbaum, James Hendler et Gerald Jay Sussman, « Information Accountability », *Communications of the ACM*, vol. 51, n° 6, juin 2008.

Whiting, Rick, « Who's Buying and Selling Your Data? Everybody », *Information Week*, 10 juillet 2006.

Wolf, Christopher, « Dazed and Confused: Data Law Disarray », *Business Week*, 8 juin 2006.

Chapitre 5

Ante, Spencer E., Heather Green et Catherine Holahan, « The Next Small Thing », *Business Week*, 23 juillet 2007.

Babcock, Charles, « Linux No Longer the Cool New Kid on the Block. Now What? », *Information Week*, 14 avril 2008.

Babcock, Charles, « The Relentless Pace of Linux », *Information Week*, 22 octobre 2007.

Babcock, Charles, « Software Ecosystems », *Information Week*, 28 mai 2007.

Baum, David, « Moving Forward », *Oracle Magazine*, mars 2008.

Bell, Gordon, et Jim Gray, « What's Next in High-Performance Computing? », *Communications of the ACM*, vol. 45, n° 1, janvier 2002.

Bowers, Brent, « It's Easy, and Expensive, to Forget About Old Equipment », *The New York Times*, 13 mars 2008.

Bureau of Economic Analysis, National Income and Product Accounts, « Private Fixed Investment », Washington D.C., 2008.

Carr, David F., « Scaling Up or Scaling Out? », *Baseline*, janvier 2008.

Carr, Nicholas, *The Big Switch*, Norton, 2008.

Chickowski, Ericka, « How Good Are Your Service-Level Agreements? », *Baseline*, janvier 2008.

Chris Preimesberger, « Clouds in the Forecast », *eWeek*, 3 mars 2008.

Clark, Don, « PC Makers Race to Market with Low-Cost 'Netbooks' », *The Wall Street Journal*, 8 avril 2008.

Cone, Edward, « The Grid Wins », *CIO Insight*, janvier 2008.

Conklin, George, Mitch Lawrence et Mark Middleton, « Virtual Lifesaver », *Information Week*, 28 janvier 2008.

David, Julie Smith, David Schuff et Robert St. Louis, « Managing Your IT Total Cost of Ownership », *Communications of the ACM*, vol. 45, n° 1, janvier 2002.

Dempsey, Bert J., Debra Weiss, Paul Jones et Jane Greenberg, « What Is an Open Source Software Developer? », *Communications of the ACM*, vol. 45, n° 1, janvier 2001.

Dornan, Andy, « I, Network », *Information Week*, 11 février 2008.

Driscoll, Sara, « AA: Friend or Foe? », *eWeek*, 18 février 2008.

Dubney, Abhijit, et Dilip Wagle, « Delivering Software as a Service », *The McKinsey Quarterly*, juin 2007.

Eisenberg, Anne, « Do the Mash (Even If You Don't Know All the Steps) », *The New York Times*, 2 septembre 2007.

Fitzgerald, Brian, « The Transformation of Open Source Software », *MIS Quarterly*, vol. 30, n° 3, septembre 2006.

Ganek, A.G., et T.A. Corbi, « The Dawning of the Autonomic Computing Era », *IBM Systems Journal*, vol. 42, n° 1, 2003.

Gartner Research, « Worlwide PC Shipment to Grow 11 percent in 2008 », 25 mars 2008.

Gartner Research, « Worldwide Outsourcing Market to Grow 8.1 Percent in 2008 », janvier 2008.

Gerlach, James, Bruce Neumann, Edwin Moldauer, Martha Argo et Daniel Frisby, « Determining the Cost of IT Services », *Communications of the ACM*, vol. 45, n° 9, septembre 2002.

Hagel III, John, et John Seeley Brown, « Your Next IT Strategy », *Harvard Business Review*, octobre 2001.

Helft, Miguel, « Google and Salesforce Join to Fight Microsoft », *The New York Times*, 14 avril 2008.

Hoover, J. Nicholas, et Richard Martin, « Demystifying the Cloud », *Information Week*, 23 juin 2008.

Hoover, J. Nicholas, « Ahead in the Cloud: Google, Others Expand Online Services », *Information Week*, 14 avril 2008.

Hoover, J. Nicholas, « Ready to Launch? », *Information Week*, 18 février 2008.

IBM, « IBM Launches New Autonomic Offerings for Self-Managing IT Systems », Service des relations avec les medias d'IBM, 30 juin 2005.

King, John, « Centralized vs. Decentralized Computing: Organizational Considerations and Management Options », *Computing Surveys*, octobre 1984.

King, Rachael, « How Cloud Computing is Changing the World », *Business Week*, 4 août 2008.

Kontzer, Tony, « Cloud Computing: Anything as a Service », *CIO Insight*, 5 août 2008.

Kontzer, Tony, « Taming the Cloud », *CIO Insight*, mars 2008.

Kontzer, Tony, « The Forecast for Cloud Computing », *CIO Insight*, mars 2008.

Kurzweil, Ray, « Exponential Growth an Illusion?: Response to Ilkka Tuomi », KurzweilAI.net, 23 septembre 2003.

Lawton, Christopher, et Don Clark, « 'Virtualization' is Pumping Up Servers », *The Wall Street Journal*, 6 mars 2007.

Loo, Alfred W., « The Future of Peer-to-Peer Computing », *Communications of the ACM*, vol. 46, n° 9, septembre 2003.

Lyman, Peter, et Hal R. Varian, « How Much Information ? », School of Management and Systems, University of California at Berkeley, 2003.

Markoff, John, « Microsoft Reveals a Web-Based Software System », *The New York Times*, 23 avril 2008.

Markoff, John, « Intel Makes a Push into Pocket-Size Internet Devices », *The New York Times*, 2 avril 2008.

Mearian, Lucas, « A Zettabyte by 2010 : Corporate Data Grows Fiftyfold in Three Years », *Computerworld*, 6 mars 2007.

Merrill, Lynch, « The Cloud Wars : $100 + billion at stake », *Merrill Lynch Report,* 5 août 2008.

Metrics 2.0, « Worldwide PC Shipments to Reach 334 Million in 2010 », Metrics2.com, 16 juin 2006, consulté le 14 septembre 2009.

Millard, Elizabeth, « The State of Mobile Applications », *Baseline,* 20 août 2008.

Moore, Gordon, « Cramming More Components Onto Integrated Circuits », *Electronics*, vol. 38, n° 8, 19 avril 1965.

Noffsinger, W.B., Robert Niedbalski, Michael Blanks et Niall Emmart, « Legacy Object Modeling Speeds Software Integration », *Communications of the ACM*, vol. 41, n° 12, décembre 1998.

Oskin, Mark, « The Revolution Inside the Box », *Communications of the ACM*, vol. 51, n° 7, juillet 2008.

Patel, Samir, et Suneel Saigal, « When Computers Learn to Talk : A Web Services Primer », *The McKinsey Quarterly*, 2002, n° 1.

Phillips, Charles, « Stemming the Software Spending Spree », *Optimize Magazine*, avril 2002.

Rogow, Rruce, « Tracking Core Assets », *Optimize Magazine*, avril 2006.

Salkever, Alex, et Olga Kharif, « Slowly Weaving Web Services Together », *Business Week*, 24 juin 2003.

Schuff, David, et Robert St. Louis, « Centralization vs. Decentralization of Application Software », *Communications of the ACM*, vol. 44, n° 6, juin 2001.

SOA in Action, « Rapid Growth Seen For "Software as a Service" Industry », 18 novembre 2008.

Stango, Victor, « The Economics of Standards Wars », *Review of Network Economics*, vol. 3, n° 1, mars 2004.

Walsh, Lawrence, « Outsourcing : A Means of Business Enablement, » *Baseline*, mai 2008.

Watson, Richard T., Marie-Claude Boudreau, Paul T. York, Martina E. Greiner et Donald Wynn Jr, « The Business of Open Source », *Communications of the ACM*, vol. 51, n° 4, avril 2008.

Weier, Mary Hayes, « Too Much Information », *Information Week*, 9 avril 2007.

Weill, Peter, Mani Subramani et Marianne Broadbent, « Building IT Infrastructure for Strategic Agility », *Sloan Management Review*, vol. 44, n° 1, automne 2002.

Weill, Peter, et Marianne Broadbent, *Leveraging the New Infrastructure*, Cambridge (Mass.), Harvard Business School Press, 1998.

Weitzel, Tim, *Economics of Standards in Information Networks*, Springer, 2004.

Williams, Mark, « The Digital Utility », *Technology Review*, mars-avril 2008.

Zaino, Jennifer, « Client-Side Evolution », *Optimize Magazine*, vol. 81, mai 2007.

Chapitre 6

Cappiello, Cinzia, Chiara Francalanci et Barbara Pernici, « Time-Related Factors of Data Quality in Multichannel Information Systems », *Journal of Management Information Systems*, vol. 20, n° 3, hiver 2004.

Chen, Andrew N.K., Paulo B. Goes et James R. Marsden, « A Query-Driven Approach to the Design and Management of Flexible Database Systems », *Journal of Management Information Systems*, vol. 19, n° 3, hiver 2002-2003.

Eckerson, Wayne W., « Data Quality and the Bottom Line », The Data Warehousing Institute, 2002.

Fayyad, Usama, Ramasamy Ramakrishnan et Ramakrisnan Srikant, « Evolving Data Mining into Solutions for Insights », *Communications of the ACM*, vol. 45, n° 8, août 2002.

Gartner, « "Dirty Data" is a Business Problem, not an IT Problem, Says Gartner », communiqué de presse, Sydney, Australie, 2 mars 2007.

Goodhue, Dale L., Judith A. Quillard et John F. Rockart, « Managing the Data Resource : A Contingency Perspective », *MIS Quarterly*, septembre 1988.

Helft, Miguel, « Google's New Tool Is Meant for Marketers », *New York Times*, 6 août 2008.

Henschen, Doug, « The Data Warehouse Revised », *Information Week*, 26 mai 2008.

Hirji, Karim K., « Exploring Data Mining Implementation », *Communications of the ACM*, vol. 44, n° 7, juillet 2001.

Hoffer, Jeffrey A., Mary Prescott et Heikki Toppi, *Modern Database Management*, 9e éd., Upper Saddle River, Prentice-Hall (New Jersey), 2009.

Howson, Cindi, « The Road to Prevasive BI », *Information Week*, 25 février 2008.

Klau, Rick, « Data Quality and CRM », Line56.com, 4 mars 2003.

Lee, Yang W., et Diane M. Strong, « Knowing-Why about Data Processes and Data Quality », *Journal of Management Information Systems*, vol. 20, n° 3, hiver 2004.

McFadden, Fred R., Jeffrey A. Hoffer et Mary B. Prescott, *Modern Database Management*, 6e éd., Upper Saddle River, Prentice-Hall (New Jersey), 2002.

Morrison, Mike, Joline Morrison et Anthony Keys, « Integrating Web Sites and Databases », *Communications of the ACM*, vol. 45, n° 9, septembre 2002.

Pierce, Elizabeth M., « Assessing Data Quality with Control Matrices », *Communications of the ACM*, vol. 47, n° 2, février 2004.

Redman, Thomas, *Data Driven : Profiting from Your Most Important Business Asset*, Harvard Business Press, Boston, 2008.

Weier, Mary Hayes, « In Depth : Business Intelligence », *Information Week*, 14 avril 2008.

Chapitre 7

Ben Ameur, Walid, et Hervé Kerivin, « New Economical Virtual Private Networks », *Communications of the ACM*, vol. 46, n° 6, juin 2003.

Berners-Lee, Tim, James Hendler et Ora Lassila, « The Semantic Web », *Scientific American Magazine*, mai 2001.

Borland, John, « A Smarter Web », *Technology Review*, mars-avril 2007.

Brooks, Jason, « WiMax Back on the Map », *eWeek*, 7 avril 2008.

Carr, David F., « How Google Works », *Baseline Magazine*, juillet 2006.

Chopra, Sunil, et Manmohan S. Sodhi, « In Search of RFID's Sweet Spot », *Wall Street Journal*, 3 mars 2007.

Claburn, Thomas, « Google Revealed », *Information Week*, 28 août 2006.

Dekleva, Sasha, J.P. Shim, Upkar Varshney et Geoffrey Knoerzer, « Evolution and Emerging Issues in Mobile Wireless Networks », *Communications of the ACM*, vol. 50, n° 6, juin 2007.

Fish, Lynn A., et Wayne C. Forrest, « A Worldwide Look at RFID », *Supply Chain Management Review*, 1er avril 2007.

Frauenfelder, Mark, « Sir Tim Berners-Lee », *Technology Review*, octobre 2004.

Ginevan, Sean, « Will WiMax Go the Distance ? », *Information Week*, 17 mars 2008.

Greenemeier, Larry, « RFID Tags Are on the Menu », *Information Week*, 5 février 2007.

Greenstein, Howard, « Web 2.0 Meets the Enterprise », *Optimize Magazine*, mai 2006.

Hof, Robert, « You Tube Launches Video Ads », *Business Week*, 21 août 2007.

Hof, Robert, Ronald Grover, Peter Burrows et Tom Lowry, « Is Google Too Powerful ? », *Business Week*, 9 avril 2007.

Hof, Robert, « Web 2.0 Has Corporate America Spinning », *Business Week*, 5 juin 2006.

Hoover, J. Nicholas, « Enterprise 2.0 », *Information Week*, 26 février 2007.

Hoover, J. Nicholas, « 5 Things You Must Know About VoIP », *Information Week*, 3 juillet 2006.

Housel, Tom, et Eric Skopec, *Global Telecommunication Revolution : The Business Perspective*, New York, McGraw-Hill, 2001.

Jesdanun, Anick, « Researchers Explore Scrapping Internet », *Associated Press*, 13 avril 2007.

Lager, Marshall, « The Second Coming of 2.0 », *Customer Relationship Management*, juin 2008.

Mamberto, Carola, « Instant Messaging Invades the Office », *The Wall Street Journal*, 24 juillet 2007.

McGee, Marianne Kolbasuk, « Track This », *Information Week*, 11 février 2008.

National Research Council, *The Internet's Coming of Age*, Washington, D.C., National Academy Press, 2000.

Niemeyer, Alex, Minsok H. Pak et Sanjay E. Ramaswamy, « Smart Tags for Your Supply Chain », *McKinsey Quarterly*, n° 4, 2003.

Pottie, G.J., et W.J. Kaiser, « Wireless Integrated Network Sensors », *Communications of the ACM*, vol. 43, n° 5, mai 2000.

Sacco, Pietro Da, « Top Lists for 2008 », *Rewound*, vol. 10, mars 2009.

Talbot, David, « The Internet Is Broken », *Technology Review*, décembre 2005 - janvier 2006.

Trottman, Melanie, « In Search of the Cheaper Meeting », *The Wall Street Journal*, 31 mars 2008.

Varshney, Upkar, Andy Snow, Matt McGivern et Christi Howard, « Voice Over IP », *Communications of the ACM*, vol. 45, n° 1, janvier 2002.

Vascellaro, Jessica E. « Coming Soon to a Phone Near You », *The Wall Street Journal*, 31 mars 2008.

Vascellaro, Jessica E., et Amol Sharma, « Cellphones Get Wi-Fi, Adding Network Options », *The Wall Street Journal*, 27 juin 2007.

Xiao, Bo, et Izak Benbasat, « E-Commerce Product Recommendation Agents : Use, Characteristics, and Impact », *MIS Quarterly*, vol. 31, n° 1, mars 2007.

Chapitre 8

Allan, Danny, « Managing A Growing Threat : An Executive's Guide to Web Application Security », IBM Corporation, 2007.

Anti-Phishing Working Group, « Phishing Activity Trends Report for the Month of May, 2007 », mai 2007, www.antiphishing.org, consulté le 21 octobre 2009.

Austin, Robert D., et Christopher A.R. Darby, « The Myth of Secure Computing », *Harvard Business Review*, juin 2003.

Australian IT News, « US China Main Sources of Malware », *News Limited*, 23 janvier 2007.

Baker, Wade H., Loren Paul Rees et Peter S. Tippett, « Necessary Measures : Metric-Driven Information Security Risk Assessment and Decision Making », *Communications of the ACM*, vol. 50, n° 10, octobre 2007.

Banham, Russ, « Personal Data for Sale : Calculating the Cost of Security Breaches », *Wall Street Journal*, 5 juin 2007.

Bartholomew, Doug, « The Rhythm of Identity Management », *Baseline*, février 2008.

Bartholomew, Doug, « IT Controls Yield Greater Productivity-and Revenue », *CIO Insight*, 22 mars 2007.

Brandel, Mary, « Keeping Secrets in a WikiBlogTubeSpace World », *Computerworld*, 19 mars 2007.

Brenner, Susan W., « U.S. Cygbercrime Law : Defining Offenses », *Information Systems Frontiers*, vol. 6, n° 2, juin 2004.

Byers, Simon, et Dave Kormann, « 802.11b Access Point Mapping », *Communications of the ACM*, vol. 46, n° 5, mai 2003.

Cam Winget, Nancy, Russ Housley, David Wagner et Jesse Walker, « Security Flaws in 802.11b Data Link Protocols », *Communications of the ACM*, vol. 46, n° 5, mai 2003.

Carvajal, Doreen, « High-Tech Crime is an Online Bubble that Hasn't Burst », *New York Times*, 7 avril 2008.

Cavusoglu, Huseyin, Birendra Mishra, et Srinivasan Raghunathan, « A Model for Evaluating IT Security Investments », *Communications of the ACM*, vol. 47, n° 7, juillet 2004.

Claburn, Thomas, « Botnet Maestro Pleads Guilty », *Information Week*, 19 novembre 2007.

Consumer Reports, « State of the Net 2008 », septembre 2008.

D'arcy, John, et Anat Hovav, « Deterring Internal Information Systems Use », *Communications of the ACM*, vol. 50, n° 10, octobre 2007.

Delaney, Kevin J., « 'Evil Twins' and 'Pharming' », *Wall Street Journal*, 17 mai 2005.

Duvall, Mel, « Virtual Project Yields Real-World Benefits », *Baseline*, août 2007.

Epstein, Keith, « Defenseless on the Net », *Business Week*, 16 avril 2008.

Foley, John, « P2P Peril », *Information Week*, 17 mars 2008.

Fratto, Mike, « Precision Security », *Information Week*, 30 juin-7 juillet 2008.

Gaudin, Sharon, « Prosecutors : Medco 'Bomber' Would have Wreaked Havoc », Information Week, 1-8 janvier 2007.

Gaur, Nalneesh, et Bob Kiep, « Managing Mobile Menaces », *Optimize Magazine*, mai 2007.

Giordano, Scott M., « Electronic Evidence and the Law », *Information Systems Frontiers*, vol. 6, n° 2, juin 2004.

Grow, Brian, Keith Epstein et Chi-Chu Tschang, « The New E-spionage Threat » et « An Evolving Crisis », *Business Week*, 10 avril 2008.

Heng, Jared, « The War Against Malware », *CIO Asia*, février 2008.

Housley, Russ, et William Arbaugh, « Security Problems in 802.11b Networks », *Communications of the ACM*, vol. 46, n° 5, mai 2003.

Hulme, George V., « Under Attack », *Information Week*, 5 juillet 2004.

Ives, Blake, Kenneth R. Walsh et Helmut Schneider, « The Domino Effect of Password Reuse », *Communications of the ACM*, vol. 47, n° 4, avril 2004.

Jagatic, Tom, Nathaniel Johnson, Markus Jakobsson et Filippo Menczer, « Social Phishing », *Communications of the ACM*, vol. 50, n° 10, octobre 2007.

Keizer, Gregg, « Ex-Security Pro Admits Running Huge Botnet », *Computerworld*, 12 novembre 2007.

Kirk, Jeremy, « MySpace Users Struggle to Overcome Cybervandalism », *PC World*, 30 juin 2008.

Loo, Alfred, « The Myths and Truths of Wireless Security », *Communications of the ACM*, vol. 51, n° 2, février 2008.

Martin, Richard, « RIM Service Outage Leads to 'BlankBerrys' and Questions », *Information Week*, 23 avril 2007.

McDougall, Paul, « High Cost of Data Loss », *Information Week*, 20 mars 2006.

Meckbach, Greg, « MasterCard's Robust Data Centre : Priceless », *ComputerWorld* Canada, 26 mars 2008.

Mercuri, Rebecca T., « Analyzing Security Costs », *Communications of the ACM*, vol. 46, n° 6, juin 2003.

Mitchell, Dan, « It's Here : It's There ; It's Spyware », *New York Times*, 20 mai 2006.

Naraine, Ryan, et Brian Prince, « Data Breaches Cause Concern », *eWeek*, 7 avril 2008.

Naraine, Ryan, « ActiveX Under Siege », *eWeek*, 11 février 2008.

Naraine, Ryan, « Inside a Modern Malware System », *eWeek*, 7 janvier 2008.

NIST, « Software Vulnerabilities », atelier sur les outils, les techniques et les mesures de performance concernant la sécurité logicielle, novembre 2005.

Panko, Raymond R., *Corporate Computer and Network Security*, Pearson Prentice Hall, Upper Saddle River (N.J.), 2004.

Perez, Juan Carlos, « Facebook Stamps Out Malware Attack », *PC World*, 8 août 2008.

Prince, Brian, « The Growing E-Mail Security Challenge », *eWeek*, 21 avril 2008.

Ransom, Diana, « Don't Fence Me In », *Wall Street Journal*, 28 janvier 2008.

Richardson, Robert, « 2007 CSI Computer Crime and Security Survey », Computer Security Institute, 2007.

Richmond, Riva, « A New Battleground for Computer Security », *Wall Street Journal*, 6 mars 2007.

Robertson, Jordan, « Hackers : Social Networking Sites Flawed », Associated Press, 3 août 2007.

Roche, Edward M., et George Van Nostrand, *Information Systems, Computer Crime and Criminal Justice*, Barraclough Ltd, New York, 2004.

Schmidt, Howard, « Cyber Anxiety », *Optimize Magazine*, mai 2007.

Schwerha IV, Joseph J., « Cybercrime : Legal Standards Governing the Collection of Digital Evidence », *Information Systems Frontiers*, vol. 6, n° 2, juin 2004.

Secure Computing, « White Paper : In Today's Web 2.0 Environment, Proactive Security is Paramount. Are You Protected ? », 2007.

Shukla, Sudhindra, et Fiona Fui-Hoon Nah, « Web Browsing and Spyware Intrusion », *Communications of the ACM*, vol. 48, n° 8, août 2005.

Sophos Plc., « Security Threat Report//Q1 08 », 2008.

Stempel, Jonathan, « U.S. Identity Theft Losses Fall : Study », Reuters, 1er février 2007.

Straub, Detmar W., et Richard J. Welke, « Coping with Systems Risk : Security Planning Models for Management Decision Making », *MIS Quarterly*, vol. 22, n° 4, décembre 1998.

Symantec Corporation, « Symantec Internet Threat Security Report », mars 2007.

Thompson, Roger, « Why Spyware Poses Multiple Threats to Security », *Communications of the ACM*, vol. 48, n° 8, août 2005.

Vaas, Lisa, « The Rise of Badvertising », *eWeek*, 27 novembre 2007.

Volonino, Linda, Reynaldo Anzaldua et Jana Godwin, *Computer Forensics : Principles and Practices*, Prentice Hall, Upper Saddle River (N.J.), 2007.

Volonino, Linda, et Stephen R. Robinson, *Principles and Practices of Information Security*, Prentice Hall, Upper Saddle River (N.J.), 2004.

Warkentin, Merrill, Xin Luo et Gary F. Templeton, « A Framework for Spyware Assessement », *Communications of the ACM*, vol. 48, n° 8, août 2005.

Watson, Brian P., « Botnets : How they Attack and How They Can Be Defeated », *Baseline Magazine*, juin 2007.

West, Ryan, « The Psychology of Security », *Communications of the ACM*, vol. 51, n° 4, avril 2008.

Westerman, George et Richard Hunter, *IT Risk*, Harvard Business Press, Boston (Mass.), 2007.

Westerman, George, *IT Risk : Turning Business Threats into Competitive Advantage*, Harvard Business School Publishing, 2007.

White, Bobby, « A Question of Priorities », *Wall Street Journal*, 30 juillet 2007.

Wiens, Jordan, « With Security, More Is Better », *Information Week*, 10 mars 2008.

Chapitre 9

Anderson, James C., et James A. Narus, « Selectively Pursuing More of Your Customer's Business », *MIT Sloan Management Review*, vol. 44, n° 3, printemps 2003.

D'Avanzo, Robert, Hans von Lewinski et Luk N. Van Wassenhove, « The Link between Supply Chain and Financial Performance », *Supply Chain Management Review*, 1er novembre 2003.

Davenport, Thomas H., *Mission Critical : Realizing the Promise of Enterprise Systems*, Boston, Harvard Business School Press, 2000.

Davenport, Thomas H., « Putting the Enterprise into Enterprise Systems », *Harvard Business Review*, juillet-août 1998.

Day, George S., « Creating a Superior Customer-Relating Capability », *MIT Sloan Management Review*, vol. 44, n° 3, printemps 2003.

Ferrer, Jaume, Johan Karlberg et Jamie Hintlian, « Integration : The Key to Global Success », *Supply Chain Management Review*, 1er mars 2007.

Fleisch, Elgar, Hubert Oesterle et Stephen Powell, « Rapid Implementation of Enterprise Resource Planning Systems », *Journal of Organizational Computing and Electronic Commerce*, vol. 14, n° 2, 2004.

Garber, Randy, et Suman Sarkar, « Want a More Flexible Supply Chain ? », *Supply Chain Management Review*, 1er janvier 2007.

Goodhue, Dale L., Barbara H. Wixom et Hugh J. Watson, « Realizing Business Benefits through CRM : Hitting the Right Target in the Right Way », *MIS Quarterly Executive*, vol. 1, n° 2, juin 2002.

Gosain, Sanjay, Arvind Malhotra et Omar A. ElSawy, « Coordinating for Flexibility in E-Business Supply Chains », *Journal of Management Information Systems*, vol. 21, n° 3, hiver 2004-2005.

Greenbaum, Joshiua, « Is ERP Dead ? Or Has It Just Gone Underground ? », *SAP NetWeaver Magazine*, vol. 3, 2007.

Greenfield, Dave, « CRM 2.0 », *eWeek*, 16 juin 2008.

Guinipero, Larry, Robert B. Handfield et Douglas L. Johansen, « Beyond Buying », *The Wall Street Journal*, 10 mars 2008.

Handfield, Robert B., et Ernest L. Nichols, *Supply Chain Redesign : Transforming Supply Chains into Integrated Value Systems*, Financial Times Press, 2002.

Hitt, Lorin, D.J. Wu et Xiaoge Zhou, « Investment in Enterprise Resource Planning : Business Impact and Productivity Measures », *Journal of Management Information Systems*, vol. 19, n° 1, été 2002.

I2, i2.com, consulté le 15 octobre 2009.

Jaiswal, M.P., « Implementing ERP Systems », *Dataquest*, 30 juin 2003.

Kalakota, Ravi, et Marcia Robinson, *Services Blueprint : Roadmap for Execution*, Boston, Addison-Wesley, 2003.

Kalakota, Ravi, et Marcia Robinson, *E-Business 2.0*, Boston, Addison-Wesley, 2001.

Kanakamedala, Kishore, Glenn Ramsdell et Vats Srivatsan, « Getting Supply Chain Software Right », *McKinsey Quarterly*, n° 1, 2003.

Kopczak, Laura Rock, et M. Eric Johnson, « The Supply-Chain Management Effect », *MIT Sloan Management Review*, vol. 44, n° 3, printemps 2003.

Lee, Hau, « The Triple-A Supply Chain », *Harvard Business Review*, octobre 2004.

Lee, Hau, L., V. Padmanabhan et Seugin Wang, « The Bullwhip Effect in Supply Chains », *Sloan Management Review*, printemps 1997.

Liang, Huigang, Nilesh Sharaf, Quing Hu et Yajiong Xue, « Assimilation of Enterprise Systems : The Effect of Institutional Pressures and the Mediating Role of Top Management », *MIS Quarterly*, vol. 31, n° 1, mars 2007.

Malhotra, Arvind, Sanjay Gosain et Omar A. El Sawy, « Absorptive Capacity Configurations in Supply Chains : Gearing for Partner-Enabled Market Knowledge Creation », *MIS Quarterly*, vol. 29, n° 1, mars 2005.

Maylett, Tracy, et Kate Vitasek, « For Closer Collaboration, Try Education », *Supply Chain Management Review*, 1er janvier 2007.

Rai, Arun, Ravi Patnayakuni et Nainika Seth, « Firm Performance Impacts of Digitally Enabled Supply Chain Integration Capabilities », *MIS Quarterly*, vol. 30, n° 2, juin 2006.

Ranganathan, C., et Carol V. Brown, « ERP Iinvestments and the Market Value of Firms : Toward an Understanding of Influential ERP Project Variables », *Information Systems Research*, vol. 17, n° 2, juin 2006.

Robey, Daniel, Jeanne W. Ross et Marie-Claude Boudreau, « Learning to Implement Enterprise Systems : An Exploratory Study of the Dialectics of Change », *Journal of Management Information Systems*, vol. 19, n° 1, été 2002.

Schwartz, Ephraim, « Does ERP Matter-Industry Stalwarts Speak Out », *InfoWorld*, 10 avril 2007.

Scott, Judy E., et Iris Vessey, « Managing Risks in Enterprise Systems Implementations », *Communications of the ACM*, vol. 45, n° 4, avril 2002.

Sullivan, Laurie, « ERPZilla », *Information Week*, 11 juillet 2005.

Violino, Bob, « The Next-Generation ERP », *CIO Insight*, mai 2008.

Whiting, Rick, « You Look Marvelous ! », *Information Week*, 24 juillet 2006.

Zaino, Jennifer, « Valero Pumped on SOA », *Baseline*, juillet 2007.

Chapitre 10

Adomavicius, Gediminas, et Alexander Tuzhilin, « Personalization Technologies : A Process-Oriented Perspective », *Communications of the ACM*, vol. 48, n° 10, octobre 2005.

Alboher, Marci, « Blogging's a Low-Cost, High-Return Marketing Tool », *The New York Times*, 27 décembre 2007.

Associated Press, « Netflix Launches Streaming Service », *The Wall Street Journal*, 20 mai 2008.

Bakos, Yannis, « The Emerging Role of Electronic Marketplaces and the Internet », *Communications of the ACM*, vol. 41, n° 8, août 1998.

Bellman, Eric, et Tariq Engineer, « India Appears Ripe for Cellphone Ads », *The Wall Street Journal*, 10 mars 2008.

Bhargava, Hemant K., et Vidyanand Chourhary, « Economics of an Information Intermediary with Aggregation Benefits », *Information Systems Research*, vol. 15, n° 1, mars 2004.

Bo, Xiao, et Izak Benbasat, « E-Commerce Product Recommendation Agents : Use, Characteristics, and Impact », *MIS Quarterly*, vol. 31, n° 1, mars 2007.

Boulton, Clint, « Apps Provide the MySpace Touch », *eWeek*, 21 janvier 2008.

Brynjolfsson, Erik, Yu Hu et Michael D. Smith, « Consumer Surpus in the Digital Economy : Estimating the Value of Increased Product Variety at Online Booksellers », *Management Science*, vol. 49, n° 11, novembre 2003.

Christiaanse, Ellen, « Performance Benefits Through Integration Hubs », *Communications of the ACM*, vol. 48, n° 5, avril 2005.

Chua, Cecil Eng Huang, Jonathan Wareham et Daniel Robey, « The Role of Online Trading Communities in Managing Internet Auction Fraud », *MIS Quarterly*, vol. 31, n° 4, décembre 2007.

Cotteleer, Mark J., Christopher A. Cotteleer et Andrew Prochmow, « Cutting Checks : Challenges and Choices in B2B E-Payments », *Communications of the ACM*, vol. 50, n° 6, juin 2007.

Dewan, Rajiv M., Marshall L. Freimer et Jie Zhang, « Management and Valuation of Advertisement-Supported Web Sites », *Journal of Management Information Systems*, vol. 19, n° 3, hiver 2002-2003.

EMarketer, « US Retail E-commerce : Slower But Steady Growth », mai 2008.

EMarketer, « US Broadband Population », février 2008.

EMarketer, « Mobile Spending : US Non-Voice Services », septembre 2007.

Evans, Philip, et Thomas S. Wurster, *Blown to Bits : How the New Economics of Information Transforms Strategy*, Boston (Mass.), Harvard Business School Press, 2000.

Gartner, « Technology Barriers to Mobile Commerce are Coming Down », février 2008.

Helft, Miguel, « Big Money in Little Screens », *The New York Times*, 20 avril 2007.

Higgins, Michelle, « A Guide to Anywhere, Right in Your Hand », *The New York Times*, 17 juin 2007.

Junglas, Iris A., et Richard T. Watson, « Location-Based Services », *Communications of the ACM*, vol. 51, n° 3, mars 2008.

Kaplan, Steven, et Mohanbir Sawhney, « E-Hubs : the New B2B Marketplaces », *Harvard Business Review*, mai-juin 2000.

Kauffman, Robert J., et Bin Wang, « New Buyers' Arrival Under Dynamic Pricing Market Microstructure : The Case of Group-Buying Discounts on the Internet », *Journal of Management Information Systems*, vol. 18, n° 2, automne 2001.

Kharif, Olga, « Mobile TV's Weak U.S. Signal », *Business Week*, 3 mars 2008.

Kim, Jane J., « Mobile Banking Shifts into High Gear », *The Wall Street Journal*, 21 février 2007.

King, Rachael, « Tapping Wikis for Web Community-Building », *Business Week*, 12 mars 2007.

Kleinberg, Jon, « The Convergence of Social and Technological Networks », *Communications of the ACM*, vol. 51, n° 11, novembre 2008.

Kolbasuk-McGee, Marianne, « Track This », *Information Week*, 11 février 2008.

Laseter, Timothy M., Elliott Rabinovich, Kenneth K. Boyer et M. Johnny Rungtusanatham, « Critical Issues in Internet Retailing », *MIT Sloan Management Review*, vol. 48, n° 3, printemps 2007.

Laudon, Kenneth C., et Carol Guercio Traver, *E-Commerce : Business, Technology, Society*, 5e éd., Upper Saddle River (N.J.), Prentice Hall, 2009.

Lawton, Christopher, « Once Wimpy, Cellphones Got Game », *The Wall Street Journal*, 10 septembre 2008.

Lee, Hau L., et Seungin Whang, « Winning the Last Mile of E-Commerce », *Sloan Management Review*, vol. 42, n° 4, été 2001.

Magretta, Joan, « Why Business Models Matter », *Harvard Business Review*, mai 2002.

Mc Knight, D. Harrison, Vivek Choudhury et Charlea Kacmar, « Developing and Validating Trust Measures for e-Commerce : An Integrative Typology », *Information Systems Research*, vol. 13, n° 3, septembre 2002.

McKay, Lauren, « How UGC Can Benefit CRM », *CRM Magazine*, mai 2008.

Patrick, Aaron O., « Tapping into Customers' Online Chatter », *The Wall Street Journal*, 18 mai 2007.

Pavlou, Paul A., Huigang Liang et Yajiong Xue, « Understanding and Mitigating Uncertainty in Online Exchange Relationships : A Principal-Agent Perspective », *MIS Quarterly*, vol. 31, n° 1, mars 2007.

Pew Internet & American Life Project, « Internet Activities », 2008.

Rayport, Jeffrey, « Demand-Side Innovation : Where IT Meets Marketing », *Optimize Magazine*, février 2007.

« Retailers Take a Tip from MySpace », *CIO Today*, 13 février 2007.

Sartain, Julie, « Opinion : Using MySpace and Facebook as Business Tools », *Computerworld*, 23 mai 2008.

Sawhney, Mohanbir, Emanuela Prandelli et Gianmario Verona, « The Power of Innomediation », *MIT Sloan Management Review*, hiver 2003.

Schiesel, Seth, « In a Virtual Universe, the Politics Turn Real », *The New York Times*, 7 juin 2007.

Schultze, Ulrike, et Wanda J. Orlikowski, « A Practice Perspective on Technology-Mediated Network Relations : The Use of Inter-net-Based Self-Serve Technologies », *Information Systems Research*, vol. 15, n° 1, mars 2004.

Seybold, Patricia, « Customer-Controlled Innovation », *Optimize Magazine*, février 2007.

Smith, Michael D., Joseph Bailey et Erik Brynjolfsson, « Understanding Digital Markets : Review and Assessment », dans Erik Brynjolfsson et Brian Kahin (sous la dir. de), *Understanding the Digital Economy*, Cambridge (Mass.), MIT Press, 1999.

Soat, John, « What Web 2.0 Has Taught Workforce 2.0 », *Information Week*, 26 février 2007.

Story, Louise, « To Aim Ads, Web Is Keeping Closer Eye on You », *The New York Times*, 10 mars 2008.

Story, Louise, « Yes, the Screen is Tiny, but the Plans Are Big », *The New York Times*, 17 juin 2007.

Tan, Cheryl Lu-Lien, « That's So You ! Just Click Here to Buy It », *The Wall Street Journal*, 7 juin 2007.

Tedeschi, Bob, « Small Merchants Gain Large Presence on Web », *The New York Times*, 3 décembre 2007.

Tedeschi, Bob, « Want to See That Shot Again ? Download It for $3 », *The New York Times*, 7 mai 2007.

Tedeschi, Bob, « Like Shopping ? Social Networking ? Try Social Shopping », *The New York Times*, 11 septembre 2006.

Tsai, Jessica, « The Moving Target », *Customer Relationship Management*, mai 2008.

Urbaczewski, Andrew, Leonard M. Jessup et Bradley Wheeler, « Electronic Commerce Research : A Taxonomy and Synthesis », *Journal of Organizational Computing and Electronic Commerce*, vol. 12, n° 2, 2002.

Vascellaro, Jessica, « Coming Soon to a Phone Near You », *The Wall Street Journal*, 31 mars 2008.

Vascellaro, Jessica E., « Finding a Date-on the Spot », *The Wall Street Journal*, 6 juin 2007.

Vascellaro, Jessica E. et Kevin J. Delaney, « Search Engines Seek to Get Inside Your Head », *The Wall Street Journal*, 25 avril 2007.

Vauhini Vara, « 'That Looks Great on You' : Online Salespeople Get Pushy », *The Wall Street Journal*, 3 janvier 2007, Ess8 file.

Vranica, Suzanne, « P&G Boosts Social-Networking Efforts », *The Wall Street Journal*, 8 janvier 2007.

Wagner, Christian, et Ann Majchrzak, « Enabling Customer-Centricity Using Wikis and the Wiki Way », *Journal of Management Information Systems*, vol. 23, n° 3, hiver 2006-2007.

Chapitre 11

Alavi, Maryam, Timothy R. Kayworth et Dorothy E. Leidner, « An Empirical Investigation of the Influence of Organizational Culture on Knowledge Management Practices », *Journal of Management Information Systems*, vol. 22, n° 3, hiver 2006.

Alavi, Maryam, et Dorothy Leidner, « Knowledge Management and Knowledge Management Systems : Conceptual Foundations and Research Issues », *MIS Quarterly*, vol. 25, n° 1 ARTON, mars 2001.

Allen, Bradley P., « CASE-Based Reasoning : Business Applications », *Communications of the ACM*, vol. 37, n° 3, mars 1994.

Alter, Allan, « Unlocking the Power of Teams », *CIO Insight*, mars 2008.

Anthes, Gary H., « Agents Change », *Computerworld*, 27 janvier 2003.

AskMe Corporation, « Select Customers : P&G Case Study », août 2003, www.askmecorp.com/customers/default.asp.

Awad, Elias, et Hassan M. Ghaziri, *Knowledge Management*, Upper Saddle River (N.J.), Prentice Hall, 2004.

Bargeron, David, Jonathan Grudin, Anoop Gupta, Elizabeth Sanocki, Francis Li et Scott Le Tiernan, « Asynchronous Collaboration Around Multimedia Applied to On-Demand Education », *Journal of Management Information Systems*, vol. 18, n° 4, printemps 2002.

Barker, Virginia E., et Dennis E. O'Connor, « Expert Systems for Configuration at Digital : XCON and Beyond », *Communications of the ACM*, mars 1989.

Becerra-Fernandez, Irma, Avelino Gonzalez et Rajiv Sabherwal, *Knowledge Management*, Upper Saddle River (N.J.), Prentice Hall, 2004.

Bieer, Michael, Douglas Englebart, Richard Furuta, Starr Roxanne Hiltz, John Noll, Jennifer Preece, Edward A. Stohr, Murray Turoff et Bartel Van de Walle, « Toward Virtual Community Knowledge Evolution », *Journal of Management Information Systems*, vol. 18, n° 4, printemps 2002.

Birkinshaw, Julian, et Tony Sheehan, « Managing the Knowledge Life Cycle », *MIT Sloan Management Review*, vol. 44, n° 1, automne 2002.

Blair, Margaret M., et Steven Wallman, « Unseen Wealth », Brookings Institution Press, 2001.

Booth, Corey, et Shashi Buluswar, « The Return of Artificial Intelligence », *The McKinsey Quarterly*, n° 2, 2002.

Burtka, Michael, « Generic Algorithms », *The Stern Information Systems Review*, vol. 1, n° 1, printemps 1993.

Carlin, Dan, « Corporate Wikis Go Viral », *Business Week*, 12 mars 2007.

Churchland, Paul M., et Patricia Smith Churchland, « Could a Machine Think ? », *Scientific American*, janvier 1990.

Cole, R.E., « Introduction, Knowledge Management Special Issue », *California Management Review*, printemps 1998.

Cone, Edward, « The Facebook Generation Goes to Work », *CIO Insight*, octobre 2007.

Cross, Rob, Nitin Nohria et Andrew Parker, « Six Myths about Informal Networks and How to Overcome Them », *Sloan Management Review*, vol. 43, n° 3, printemps 2002.

Cross, Rob, et Lloyd Baird, « Technology is Not Enough : Improving Performance by Building Organizational Memory », *Sloan Management Review*, vol. 41, n° 3, printemps 2000.

Davenport, Thomas H., Laurence Prusak et Bruce Strong, « Putting Ideas to Work », *The Wall Street Journal*, 10 mars 2008.

Davenport, Thomas H., Robert J. Thomas et Susan Cantrell, « The Mysterious Art and Science of Knowledge-Worker Performance », *MIT Sloan Management Review*, vol. 44, n° 1, automne 2002.

Davenport, Thomas H., David W. DeLong et Michael C. Beers, « Successful Knowledge Management Projects », *Sloan Management Review*, vol. 39, n° 2, hiver 1998.

Davenport, Thomas H., et Lawrence Prusak, *Working Knowledge : How Organizations Manage What They Know*, Boston (Mass.), Harvard Business School Press, 1997.

Davis, Gordon B., « Anytime/ Anyplace Computing and the Future of Knowledge Work », *Communications of the ACM*, vol. 42, n° 12, décembre 2002.

Desouza, Kevin C., « Facilitating Tacit Knowledge Exchange », *Communications of the ACM*, vol. 46, n° 6, juin 2003.

Dhar, Vasant, et Roger Stein, *Intelligent Decision Support Methods : The Science of Knowledge Work*, Upper Saddle River (N.J.), Prentice Hall, 1997.

Dhar, Vasant, « Plausibility and Scope of Expert Systems in Management », *Journal of Management Information Systems*, été 1987.

Du, Timon C., Eldon Y. Li et An-pin Chang, « Mobile Agents in Distributed Network Management », *Communications of the ACM*, vol. 46, n° 7, juillet 2003.

Earl, Michael, « Knowledge Management Strategies : Toward a Taxonomy », *Journal of Management Information Systems*, vol. 18, n° 1, été 2001.

Earl, Michael J., et Ian A. Scott, « What Is a Chief Knowledge Officer ? », *Sloan Management Review*, vol. 40, n° 2, hiver 1999.

Easley, Robert F., Sarv Devaraj et J. Michael Crant, « Relating Collaborative Technology Use to Teamwork Quality and Performance : An Empirical Analysis », *Journal of Management Information Systems*, vol. 19, n° 4, printemps 2003.

El Najdawi, M.K. et Anthony C. Stylianou, « Expert Support Systems : Integrating AI Technologies », *Communications of the ACM*, vol. 36, n° 12, décembre 1993.

Flash, Cynthia, « Who is the CKO ? », *Knowledge Management*, mai 2001.

Frangos, Alex, « New Dimensions in Design », *The Wall Street Journal*, 7 juillet 2004.

Gelernter, David, « The Metamorphosis of Information Management », *Scientific American*, août 1989.

Goldberg, David E., « Genetic and Evolutionary Algorithms Come of Age », *Communications of the ACM*, vol. 37, n° 3, mars 1994.

Gregor, Shirley, et Izak Benbasat, « Explanations from Intelligent Systems : Theoretical Foundations and Implications for Practice », *MIS Quarterly*, vol. 23, n° 4, décembre 1999.

Griffith, Terri L., John E. Sawyer et Margaret A. Neale, « Virtualness and Knowledge in Teams : Managing the Love Triangle of Organizations, Individuals, and Information Technology », *MIS Quarterly*, vol. 27, n° 2, juin 2003.

Grover, Varun, et Thomas H. Davenport, « General Perspectives on Knowledge Management : Fostering a Research Agenda », *Journal of Management Information Systems*, vol. 18, n° 1, été 2001.

Gu, Feng, et Baruch Lev, « Intangible Assets : Measurements, Drivers, Usefulness », pages.stern.nyu.edu/~blev/intangible-assets.doc, 2001.

Hansen, Morton T., Nitin Nohria et Thomas Tierney, « What's Your Strategy for Knowledge Management ? », *Harvard Business Review*, mars-avril 1999.

Hayes-Roth, Frederick, et Neil Jacobstein, « The State of Knowledge-Based Systems », *Communications of the ACM*, vol. 37, n° 3, mars 1994.

Hinton, Gregory, « How Neural Networks Learn from Experience », *Scientific American*, septembre 1992.

Holland, John H., « Genetic Algorithms », *Scientific American*, juillet 1992.

Hoover, J. Nicholas, « Enterprise 2.0 », *Information Week*, 26 février 2007.

Housel, Tom, et Arthur A. Bell, *Measuring and Managing Knowledge*, New York, McGraw-Hill, 2001.

Jarvenpaa, Sirkka L., et D. Sandy Staples, « Exploring Perceptions of Organizational Ownership of Information and Expertise », *Journal of Management Information Systems*, vol. 18, n° 1, été 2001.

Jones, Quentin, Gilad Ravid et Sheizaf Rafaeli, «Information Overload and the Message Dynamics of Online Interaction Spaces: A Theoretical Model and Empirical Exploration», *Information Systems Research*, vol. 15, n° 2, juin 2004.

Kankanhalli, Atreyi, Frasiska Tanudidjaja, Juliana Sutanto et Bernard C.Y Tan, «The Role of IT in Successful Knowledge Management Initiatives», *Communications of the ACM*, vol. 46, n° 9, septembre 2003.

Kuo, R.J., K. Chang et S.Y. Chien, «Integration and Self-Organizing Feature Maps and Genetic-Algorithm-Based Clustering Method for Market Segmentation», *Journal of Organizational Computing and Electronic Commerce*, vol. 14, n° 1, 2004.

Lamont, Judith, «Communities of Practice Leverage Knowledge», *KMWorld*, juillet-août 2006.

Leonard-Barton, Dorothy, et Walter Swap, «Deep Smarts», *Harvard Business Review*, 1er septembre 2004.

Leonard-Barton, Dorothy, et John J. Sviokla, «Putting Expert Systems to Work», *Harvard Business Review*, mars-avril 1988.

Lev, Baruch, «Sharpening the Intangibles Edge», *Harvard Business Review*, 1er juin 2004.

Lev, Baruch, et Theodore Sougiannis, «Penetrating the Book-to-Market Black Box: The R&D Effect», *Journal of Business Finance and Accounting*, avril-mai 1999.

Maes, Patti, «Agents that Reduce Work and Information Overload», *Communications of the ACM*, vol. 38, n° 7, juillet 1994.

Maglio, Paul P., et Christopher S. Campbell, «Attentive Agents», *Communications of the ACM*, vol. 46, n° 3, mars 2003.

Marks, Peter, Peter Polak, Scott McCoy et Dennis Galletta, «Sharing Knowledge», *Communications of the ACM*, vol. 51, n° 2, février 2008.

Markus, M. Lynne, Ann Majchrzak et Less Gasser, «A Design Theory for Systems that Support Emergent Knowledge Processes», *MIS Quarterly*, vol. 26, n° 3, septembre 2002.

Markus, M. Lynne, «Toward a Theory of Knowledge Reuse: Types of Knowledge Reuse Situations and Factors in Reuse Success», *Journal of Management Information Systems*, vol. 18, n° 1, été 2001.

McCarthy, John, «Generality in Artificial Intelligence», *Communications of the ACM*, décembre 1987.

Moravec, Hans, «Robots, After All», *Communications of the ACM*, vol. 46, n° 10, octobre 2003.

Munakata, Toshinori, et Yashvant Jani, «Fuzzy Systems: An Overview», *Communications of the ACM*, vol. 37, n° 3, mars 1994.

Nash, Jim, «State of the Market, Art, Union, and Technology», *AI Expert*, janvier 1993.

Ng, William R., Peter V. Marks fils et Scott McCoy, «The Most Important Issues in Knowledge Management», *Communications of the ACM*, vol. 45, n° 9, septembre 2002.

Nidumolu, Sarma R., Mani Subramani et Alan Aldrich, «Situated Learning and the Situated Knowledge Web: Exploring the Ground Beneath Knowledge Management», *Journal of Management Information Systems*, vol. 18, n° 1, été 2001.

O'Leary, Daniel, Daniel Kuokka et Robert Plant, «Artificial Intelligence and Virtual Organizations», *Communications of the ACM*, vol. 40, n° 1, janvier 1997.

Open Text, «Central Vermont Public Service Managing Content in Accordance with Regulatory and Business Requirements with Integrated Solution from Open Text and Microsoft», www.opentext.com, 2009, consulté le 7 décembre 2009.

Orlikowski, Wanda J., «Knowing in Practice: Enacting a Collective Capability in Distributed Organizing», *Organization Science*, vol. 13, n° 3, mai-juin 2002.

Pastore, Richard, «Cruise Control», *CIO Magazine*, 1er février 2003.

Piccoli, Gabriele, Rami Ahmad et Blake Ives, «Web-Based Virtual Learning Environments: A Research Framework and a Preliminary Assessment of Effectiveness in Basic IT Skills Training», *MIS Quarterly*, vol. 25, n° 4, décembre 2001.

Ranft, Annette L., et Michael D. Lord, «Acquiring New Technologies and Capabilities: A Grounded Model of Acquisition Implementation», *Organization Science*, vol. 13, n° 4, juillet-août 2002.

Rumelhart, David E., Bernard Widrow et Michael A. Lehr, «The Basic Ideas in Neural Networks», *Communications of the ACM*, vol. 37, n° 3, mars 1994.

Sadeh, Norman, David W. Hildum et Dag Kjenstad, «Agent-Based E-Supply Chain Decision Support», *Journal of Organizational Computing and Electronic Commerce*, vol. 13, n°s 3 et 4, 2003.

Samuelson, Douglas A., et Charles M. Macal, «Agent-Based Simulation», *OR/MS Today*, août 2006.

Schultze, Ulrike, et Dorothy Leidner, «Studying Knowledge Management in Information Systems Research: Discourses and Theoretical Assumptions», *MIS Quarterly*, vol. 26, n° 3, septembre 2002.

Selker, Ted, «Coach: A Teaching Agent that Learns», *Communications of the ACM*, vol. 37, n° 7, juillet 1994.

Spangler, Scott, Jeffrey T. Kreulen et Justin Lessler, «Generating and Browsing Multiple Taxonomies over a Document Collection», *Journal of Management Information Systems*, vol. 19, n° 4, printemps 2003.

Spender, J. C., «Organizational Knowledge, Learning and Memory: Three Concepts In Search of a Theory», *Journal of Organizational Change Management*, vol. 9, 1996.

Starbuck, William H., «Learning by Knowledge-Intensive Firms», *Journal of Management Studies*, vol. 29, n° 6, novembre 1992.

Sviokla, John J., «An Examination of the Impact of Expert Systems on the Firm: The Case of XCON», *MIS Quarterly*, vol. 14, n° 5, juin 1990.

Tiwana, Amrit, «Affinity to Infinity in Peer-to-Peer Knowledge Platforms», *Communications of the ACM*, vol. 46, n° 5, mai 2003.

Trippi, Robert, et Efraim Turban, «The Impact of Parallel and Neural Computing on Managerial Decision Making», *Journal of Management Information Systems*, vol. 6, n° 3, hiver 1989-1990.

Vara, Vauhini, «Offices Co-Opt Consumer Web Tools Like "Wikis" and Social Networking», *The Wall Street Journal*, 12 septembre 2006.

Voekler, Michael, «Staying a Step Ahead of Fraud», *Intelligent Enterprise*, septembre 2006.

Wakefield, Julie, «Complexity's Business Model», *Scientific American*, janvier 2001.

Walczak, Stephen, «An Emprical Analysis of Data Requirements for Financial Forecasting with Neural Networks», *Journal of Management Information Systems*, vol. 17, n° 4, printemps 2001.

Walczak, Steven, «Gaining Competitive Advantage for Trading in Emerging Capital Markets with Neural Networks», *Journal of Management Information Systems*, vol. 16, n° 2, automne 1999.

Wang, Huaiqing, John Mylopoulos et Stephen Liao, «Intelligent Agents and Financial Risk Monitoring Systems», *Communications of the ACM*, vol. 45, n° 3, mars 2002.

Widrow, Bernard, David E. Rumelhart et Michael A. Lehr, « Neural Networks : Applications in Industry, Business, and Science », *Communications of the ACM*, vol. 37, n° 3, mars 1994.

Wong, David, Noemi Paciorek et Dana Moore, « Java-Based Mobile Agents », *Communications of the ACM*, vol. 42, n° 3, mars 1999.

Yimam-Seid, Dawit, et Alfred Kobsa, « Expert-Finding Systems for Organizations : Problem and Domain Analysis and the DEMOIR Approach », *Journal of Organizational Computing and Electronic Commerce*, vol. 13, n° 1, 2003.

Zack, Michael H., « Rethinking the Knowledge-Based Organization », *MIS Sloan Management Review*, vol. 44, n° 4, été 2003.

Zadeh, Lotfi A., « Fuzzy Logic, Neural Networks, and Soft Computing », *Communications of the ACM*, vol. 37, n° 3, mars 1994.

Zadeh, Lotfi A., « The Calculus of Fuzzy If/Then Rules », *AI Expert*, mars 1992.

Chapitre 12

Alavi, Maryam, et Erich A. Joachimsthaler, « Revisiting DSS Implementation Research. A Meta-Analysis of the Literature and Suggestions for Researchers », *MIS Quarterly*, vol. 16, n° 1, mars 1992.

Anson, Rob, et Bjorn Erik Munkvold, « Beyond Face-to-Face : A Field Study of Electronic Meetings in Different Time and Place Modes », *Journal of Organizational Computing and Electronic Commerce*, vol. 14, n° 2, 2004.

Badal, Jaclyne, « A Reality Check for the Sales Staff », *Wall Street Journal*, 16 octobre 2006.

Bannan, Karen J., « Smart Selling », *Profit Magazine*, mai 2006.

Barkhi, Reza, « The Effects of Decision Guidance and Problem Modeling on Group Decision-Making », *Journal of Management Information Systems*, vol. 18, n° 3, hiver 2001-2002.

Bazerman, Max H., et Dolly Chugh, « Decisions Without Blinders », *Harvard Business Review*, janvier 2006.

Briggs, Robert O., Gert-Jan de Vreede et Jay. F. Nunamaker, fils, « Collaboration Engineering with ThinkLets to Pursue Sustained Success with Group Support Systems », *Journal of Management Information Systems*, vol. 19, n° 4, printemps 2003.

Clark, Thomas D., fils, Mary C. Jones et Curtis P. Armstrong, « The Dynamic Structure of Management Support Systems : Theory Development, Research Focus, and Direction », *MIS Quarterly*, vol. 31, n° 3, septembre 2007.

Dennis, Alan R., Barbara H. Wixom et Robert J. Vandenberg, « Understanding Fit and Appropriation Effects in Group Support Systems Via Meta-Analysis », *MIS Quarterly*, vol. 25, n° 2, juin 2001.

Dennis, Alan R., Jay E. Aronson, William G. Henriger et Edward D. Walker III, « Structuring Time and Task in Electronic Brainstorming », *MIS Quarterly*, vol. 23, n° 1, mars 1999.

Dennis, Alan R., « Information Exchange and Use in Group Decision Making : You Can Lead a Group to Information, but You Can't Make It Think », *MIS Quarterly*, vol. 20, n° 4, décembre 1996.

Dennis, Alan R., Joey F. George, Len M. Jessup, Jay F. Nunamaker et Douglas R. Vogel. « Information Technology to Support Electronic Meetings », *MIS Quarterly*, vol. 12, n° 4, décembre 1988.

DeSanctis, Geraldine, et R. Brent Gallupe, « A Foundation for the Study of Group Decision Support Systems », *Management Science*, vol. 33, n° 5, mai 1987.

Dutta, Soumitra, Berend Wierenga et Arco Dalebout, « Designing Management Support Systems Using an Integrative Perspective », *Communications of the ACM*, vol. 40, n° 6, juin 1997.

El Sawy, Omar, « Personal Information Systems for Strategic Scanning in Turbulent Environments », *MIS Quarterly*, vol. 9, n° 1, mars 1985.

El Sherif, Hisham, et Omar A. El Sawy, « Issue-Based Decision Support Systems for the Egyptian Cabinet », *MIS Quarterly*, vol. 12, n° 4, décembre 1988.

Few, Stephen, « Dashboard Confusion », *Intelligent Enterprise*, 20 mars 2004.

Fjermestad, Jerry, « An Integrated Framework for Group Support Systems », *Journal of Organizational Computing and Electronic Commerce*, vol. 8, n° 2, 1998.

Forgionne, Guiseppe, « Management Support System Effectiveness : Further Empirical Evidence », *Journal of the Association for Information Systems*, vol. 1, mai 2000.

Gallupe, R. Brent, Geraldine DeSanctis et Gary W. Dickson, « Computer-Based Support for Group Problem-Finding : An Experimental Investigation », *MIS Quarterly*, vol. 12, n° 2, juin 1988.

George, Joey, « Organizational Decision Support Systems », *Journal of Management Information Systems*, vol. 8, n° 3, hiver 1991-1992.

Ginzberg, Michael J., W.R. Reitman et E.A. Stohr (sous la dir. de), *Decision Support Systems*, New York, North Holland Publishing, 1982.

Gorry, G. Anthony, et Michael S. Scott Morton, « A Framework for Management Information Systems », *Sloan Management Review*, vol. 13, n° 1, automne 1971.

Hansell, Saul, « How Wall Street Lied to Its Computers », *The New York Times*, 18 septembre 2008.

Hogue, Jack T., « A Framework for the Examination of Management Involvement in Decision Support Systems », *Journal of Management Information Systems*, vol. 4, n° 1, été 1987.

Houdeshel, George, et Hugh J. Watson, « The Management Information and Decision Support (MIDS) System at Lockheed, Georgia », *MIS Quarterly*, vol. 11, n° 2, mars 1987.

Information Builders, « Information Builders Underwrites New Enterprise Reporting System for National Life », www.informationbuilders.com, 2005, consulté le 10 décembre 2009.

John, Kose, Larry H.P. Lang et Jeffry M. Netter, « The Voluntary Restructuring of Large Firms in Response to Performance Decline », *The Journal of Finance*, vol. 47, n° 3, juillet 1992.

Kalakota, Ravi, Jan Stallaert et Andrew B. Whinston, « Worldwide Real-Time Decision Support Systems for Electronic Commerce Applications », *Journal of Organizational Computing and Electronic Commerce*, vol. 6, n° 1, 1996.

Kaplan, Robert S., et David P. Norton, *Strategy Maps : Converting Intangible Assets into Tangible Outcomes*, Boston, Harvard Business School Press, 2004.

Kaplan, Robert S., et David P. Norton, « The Balanced Scorecard : Measures that Drive Performance », *Harvard Business Review*, janvier-février 1992.

Keen, Peter G.W., et M.S. Scott Morton, *Decision Support Systems : An Organizational Perspective*, Reading (Mass.), Addison-Wesley, 1982.

Kwok, Ron Chi-Wai, Jian Ma et Douglas R. Vogel, « Effects of Group Support Systems and Content Facilitation on Knowledge Acquisition », *Journal of Management Information Systems*, vol. 19, n° 3, hiver 2002-2003.

Leidner, Dorothy E., et Joyce Elam, « The Impact of Executive Information Systems on Organizational Design, Intelligence, and Decision Making », *Organization Science*, vol. 6, n° 6, novembre-décembre 1995.

Leidner, Dorothy E., et Joyce Elam, « Executive Information Systems : Their Impact on Executive Decision Making », *Journal of Management Information Systems*, hiver 1993-1994.

Lilien, Gary L., Arvind Rangaswamy, Gerrit H. Van Bruggen et Katrin Starke, « DSS Effectiveness in Marketing Resource Allocation Decisions : Reality vs. Perception », *Information Systems Research*, vol. 15, n° 3, septembre 2004.

Maxcer, Chris, « Rohn and Haas : Dashboards to the Rescue », *SAP NetWeaver Magazine*, vol. 3, 2007.

Mintzberg, Henry, « Managerial Work : Analysis from Observation », *Management Science*, vol. 18, octobre 1971.

Niederman, Fred, Catherine M. Beise et Peggy M. Beranek, « Issues and Concerns about Computer-Supported Meetings : The Facilitator's Perspective », *MIS Quarterly*, vol. 20, n° 1, mars 1996.

Nunamaker, Jay, Robert O. Briggs, Daniel D. Mittleman, Douglas R. Vogel et Pierre A. Balthazard, « Lessons from a Dozen Years of Group Support Systems Research : A Discussion of Lab and Field Findings », *Journal of Management Information Systems*, vol. 13, n° 3, hiver 1997.

O'Keefe, Robert M., et Tim McEachern, « Web-based Customer Decision Support Systems », *Communications of the ACM*, vol. 41, n° 3, mars 1998.

Oracle Corporation, « Pharmacia Gains Discipline and Improves Corporate Performance Management Thanks to a Comprehensive, Strategic View of Research Operations », www.oracle.com, consulté le 31 août 2003.

Pinsonneault, Alain, Henri Barki, R. Brent Gallupe et Norberto Hoppen, « Electronic Brainstorming : The Illusion of Productivity », *Information Systems Research*, vol. 10, n° 2, juillet 1999.

Reinig, Bruce A., « Toward an Understanding of Satisfaction with the Process and Outcomes of Teamwork », *Journal of Management Information Systems*, vol. 19, n° 4, printemps 2003.

Rockart, John F., et David W. DeLong, *Executive Support Systems : The Emergence of Top Management Computer Use*, Homewood (Ill.), Dow-Jones Irwin, 1988.

Schwabe, Gerhard, « Providing for Organizational Memory in Computer-Supported Meetings », *Journal of Organizational Computing and Electronic Commerce*, vol. 9, n°s 2 et 3, 1999.

Silver, Mark S., « Decision Support Systems : Directed and Nondirected Change », *Information Systems Research*, vol. 1, n° 1, mars 1990.

Simon, H.A., *The New Science of Management Decision*, New York, Harper & Row, 1960.

Sprague, R.H., et E.D. Carlson, *Building Effective Decision Support Systems*, Englewood Cliffs (N.J.), Prentice-Hall, 1982.

Turban, Efraim, Jay E. Aronson, Ting-Peng Liang et Ramesh Sharda, *Decision Support and Business Intelligence Systems*, 8e éd., Upper Saddle River (N.J.), Prentice Hall, 2007.

Volonino, Linda, et Hugh J. Watson, « The Strategic Business Objectives Method for EIS Development », *Journal of Management Information Systems*, vol. 7, n° 3, hiver 1990-1991.

Walls, Joseph G., George R. Widmeyer et Omar A. El Sawy, « Building an Information System Design Theory for Vigilant EIS », *Information Systems Research*, vol. 3, n° 1, mars 1992.

Watson, Hugh J., R. Kelly Rainer, fils, et Chang E. Koh, « Executive Information Systems : A Framework for Development and a Survey of Current Practices », *MIS Quarterly*, vol. 15, n° 1, mars 1991.

Watson, Hugh J., Astrid Lipp, Pamela Z. Jackson, Abdelhafid Dahmani et William B. Fredenberger, « Organizational Support

for Decision Support Systems », *Journal of Management Information Systems*, vol. 5, n° 4, printemps 1989.

Yoo, Youngjin, et Maryam Alavi, « Media and Group Cohesion : Relative Influences on Social Presence, Task Participation, and Group Consensus », *MIS Quarterly*, vol. 25, n° 3, septembre 2001.

Chapitre 13

Agarwal, Ritu, Prabudda De, Atish P. Sinha et Mohan Tanniru, « On the Usability of OO Representations », *Communications of the ACM*, vol. 43, n° 10, octobre 2000.

Alavi, Maryam, R. Ryan Nelson et Ira R. Weiss, « Strategies for End-User Computing : An Integrative Framework », *Journal of Management Information Systems*, vol. 4, n° 3, hiver 1987-1988.

Alavi, Maryam, « An Assessment of the Prototyping Approach to Information System Development », *Communications of the ACM*, vol. 27, juin 1984.

Albert, Terri C., Paulo B. Goes et Alok Gupta, « GIST : A Model for Design and Management of Content and Interactivity of Customer-Centric Web Sites », *MIS Quarterly*, vol. 28, n° 2, juin 2004.

Alter, Allan E., « I.T. Outsourcing : Expect the Unexpected », *CIO Insight*, 7 mars 2007.

Arinze, Bay, et Murugan Anandarajan, « A Framework for Using OO Mapping Methods to Rapidly Configure ERP Systems », *Communications of the ACM*, vol. 46, n° 2, février 2003.

Armstrong, Deborah J., et Bill C. Hardgrove, « Understanding Mindshift Learning : The Transition to Object-Oriented Development », *MIS Quarterly*, vol. 31, n° 3, septembre 2007.

Aron, Ravi, Eric K. Clemons et Sashi Reddi, « Just Right Outsourcing : Understanding and Managing Risk », *Journal of Management Information Systems*, vol. 22, n° 1, été 2005.

Avison, David E., et Guy Fitzgerald, « Where Now for Development Methodologies ? » *Communications of the ACM*, vol. 41, n° 1, janvier 2003.

Baily, Martin N., et Diana Farrell, « Exploding the Myths of Offshoring », *The McKinsey Quarterly*, juillet 2004.

Barthelemy, Jerome, « The Hidden Costs of IT Outsourcing », *Sloan Management Review*, printemps 2001.

Barua, Anitesh, Sophie C.H. Lee et Andrew B. Whinston, « The Calculus of Reengineering », *Information Systems Research*, vol. 7, n° 4, décembre 1996.

Broadbent, Marianne, Peter Weill et Don St. Clair, « The Implications of Information Technology Infrastructure for Business Process Redesign », *MIS Quarterly*, vol. 23, n° 2, juin 1999.

Brown, Susan A., Norman L. Chervany et Bryan A. Reinicke, « What Matters When Introducing New Technology », *Communications of the ACM*, vol. 50, n° 9, septembre 2007.

Bullen, Christine, et John F. Rockart, « A Primer on Critical Success Factors », Cambridge (Mass.), Center for Information Systems Research, Sloan School of Management, 1981.

Champy, James A., *X-Engineering the Corporation : Reinventing Your Business in the Digital Age*, New York, Warner Books, 2002.

Curbera, Francisco, Rania Khalaf, Nirmal Mukhi, Stefan Tai et Sanjiva Weerawarana, « The Next Step in Web Services », *Communications of the ACM*, vol. 46, n° 10, octobre 2003.

Davenport, Thomas H., et James E. Short, « The New Industrial Engineering : Information Technology and Business Process Redesign », *Sloan Management Review*, vol. 31, n° 4, été 1990.

Davidson, Elisabeth J., «Technology Frames and Framing: A Socio-Cognitive Investigation of Requirements Determination», *MIS Quarterly*, vol. 26, n° 4, décembre 2002.

Davidson, W.H., «Beyond Engineering: The Three Phases of Business Transformation», *IBM Systems Journal*, vol. 32, n° 1, 1993.

Davis, Gordon B., «Determining Management Information Needs: A Comparison of Methods», *MIS Quarterly*, vol. 1er juin 1977.

DeMarco, Tom, *Structured Analysis and System Specification*, New York, Yourdon Press, 1978.

Den Hengst, Marielle, et Gert-Jan DeVreede, «Collaborative Business Engineering: A Decade of Lessons from the Field», *Journal of Management Information Systems*, vol. 20, n° 4, printemps 2004.

Dibbern, Jess, Jessica Winkler et Armin Heinzl, «Explaining Variations in Client Extra Costs between Software Projects Offshored to India», *MIS Quarterly*, vol. 32, n° 2, juin 2008.

Ein Dor, Philip, et Eli Segev, «Strategic Planning for Management Information Systems», *Management Science*, vol. 24, n° 15, 1978.

El Sawy, Omar A., *Redesigning Enterprise Processes for E-Business*, McGraw-Hill, 2001.

Feeny, David, Mary Lacity et Leslie P. Willcocks, «Taking the Measure of Outsourcing Providers», *MIT Sloan Management Review*, vol. 46, n° 3, printemps 2005.

Fingar, Peter, «Component-Based Frameworks for E-Commerce», *Communications of the ACM*, vol. 43, n° 10, octobre 2000.

Fischer, G., E. Giaccardi, Y. Ye, A.G. Sutcliffe et N. Mehandjiev, «Meta-Design: A Manifesto for End-User Development», *Communications of the ACM*, vol. 47, n° 9, septembre 2004.

Gane, Chris, et Trish Sarson, *Structured Systems Analysis: Tools and Techniques*, Englewood Cliffs (N.J.), Prentice Hall, 1979.

Gefen, David, et Erarn Carmel, «Is the World Really Flat? A Look at Offshoring in an Online Programming Marketplace», *MIS Quarterly*, vol. 32, n° 2, juin 2008.

Gefen, David, et Catherine M. Ridings, «Implementation Team Responsiveness and User Evaluation of Customer Relationship Management: A Quasi-Experimental Design Study of Social Exchange Theory», *Journal of Management Information Systems*, vol. 19, n° 1, été 2002.

Gemino, Andrew, et Yair Wand, «Evaluating Modeling Techniques Based on Models of Learning», *Communications of the ACM*, vol. 46, n° 10, octobre 2003.

George, Joey, Dinesh Batra, Joseph S. Valacich et Jeffrey A. Hoffer, *Object Oriented System Analysis and Design*, 2e éd., Upper Saddle River (N.J.), Prentice Hall, 2007.

Grunbacher, Paul, Michael Halling, Stefan Biffl, Hasan Kitapci et Barry W. Boehm, «Integrating Collaborative Processes and Quality Assurance Techniques: Experiences from Requirements Negotiation», *Journal of Management Information Systems*, vol. 20, n° 4, printemps 2004.

Hammer, Michael, «Process Management and the Future of Six Sigma», *Sloan Management Review*, vol. 43, n° 2, hiver 2002.

Hammer, Michael, et James Champy, *Reengineering the Corporation*, New York, HarperCollins, 1993.

Hammer, Michael, «Reengineering Work: Don't Automate, Obliterate», *Harvard Business Review*, juillet-août 1990.

Hickey, Ann M., et Alan M. Davis, «A Unified Model of Requirements Elicitation», *Journal of Management Information Systems*, vol. 20, n° 4, printemps 2004.

Hirscheim, Rudy, et Mary Lacity, «The Myths and Realities of Information Technology Insourcing», *Communications of the ACM*, vol. 43, n° 2, février 2000.

Hoffer, Jeffrey, Joey George et Joseph Valacich, *Modern Systems Analysis and Design*, 5e éd., Upper Saddle River (N.J.), Prentice Hall, 2008.

Hopkins, Jon, «Component Primer», *Communications of the ACM*, vol. 43, n° 10, octobre 2000.

Iacovou, Charalambos L., et Robbie Nakatsu, «A Risk Profile of Offshore-Outsourced Development Projects», *Communications of the ACM*, vol. 51, n° 6, juin 2008.

Irwin, Gretchen, «The Role of Similarity in the Reuse of Object-Oriented Analysis Models», *Journal of Management Information Systems*, vol. 19, n° 2, automne 2002.

Ivari, Juhani, Rudy Hirscheim et Heinz K. Klein, «A Dynamic Framework for Classifying Information Systems Development Methodologies and Approaches», *Journal of Management Information Systems*, vol. 17, n° 3, hiver 2000-2001.

Iyer, Bala, Jim Freedman, Mark Gaynor et George Wyner, «Web Services: Enabling Dynamic Business Networks», *Communications of the Association for Information Systems*, vol. 11, 2003.

Johnson, Richard A., «The Ups and Downs of Object-Oriented Systems Development», *Communications of the ACM*, vol. 43, n° 10, octobre 2000.

Keen, Peter G.W., *Shaping the Future: Business Design Through Information Technology*, Cambridge (Mass.), Harvard Business School Press, 1991.

Kendall, Kenneth E., et Julie E. Kendall, *Systems Analysis and Design*, 8e éd., Upper Saddle River (N.J.), Prentice Hall, 2008.

Kindler, Noah B., Vasantha Krishnakanthan et Ranjit Tinaikar, «Applying Lean to Application Development and Maintenance», *The McKinsey Quarterly*, mai 2007.

Krishna, S., Sundeep Sahay et Geoff Walsham, «Managing Cross-Cultural Issues in Global Software Outsourcing», *Communications of the ACM*, vol. 47, n° 4, avril 2004.

Lee, Jae Nam, Shaila M. Miranda et Yong-Mi Kim, «IT Outsourcing Strategies: Universalistic, Contingency, and Configurational Explanations of Success», *Information Systems Research*, vol. 15, n° 2, juin 2004.

Lee, Jae-Nam, Minh Q. Huynh, Ron Chi-wai Kwok et Shih-Ming Pi, «IT Outsourcing Evolution-Past Present, and Future», *Communications of the ACM*, vol. 46, n° 5, mai 2003.

Levina, Natalia, et Jeanne W. Ross, «From the Vendor's Perspective: Exploring the Value Proposition in Information Technology Outsourcing», *MIS Quarterly*, vol. 27, n° 3, septembre 2003.

Lientz, Bennett P., et E. Burton Swanson, *Software Maintenance Management*, Reading (Mass.), Addison-Wesley, 1980.

Limayem, Moez, Mohamed Khalifa et Wynne W. Chin, «Case Tools Usage and Impact on System Development Performance», *Journal of Organizational Computing and Electronic Commerce*, vol. 14, n° 3, 2004.

Martin, James, *Application Development without Programmers*, Englewood Cliffs (N.J.), Prentice Hall, 1982.

Mazzucchelli, Louis, «Structured Analysis Can Streamline Software Design», *Computerworld*, 9 décembre 1985.

Nerson, Jean-Marc, «Applying Object-Oriented Analysis and Design», *Communications of the ACM*, vol. 35, n° 9, septembre 1992.

Nidumolu, Sarma R., et Mani Subramani, «The Matrix of Control: Combining Process and Structure Approaches to Managing Software Development», *Journal of Management Information Systems*, vol. 20, n° 4, hiver 2004.

Nissen, Mark E., «Redesigning Reengineering through Measurement-Driven Inference», *MIS Quarterly*, vol. 22, n° 4, décembre 1998.

O'Donnell, Anthony, « BPM : Insuring Business Success », *Optimize Magazine,* avril 2007.

Overby, Stephanie, « The Hidden Costs of Offshore Outsourcing », *CIO Magazine,* 1er sept. 2003.

Pancake, Cherri M., « The Promise and the Cost of Object Technology : A Five-Year Forecast », *Communications of the ACM,* vol. 38, n° 10, octobre 1995.

Parsons, Jeffrey, et Yair Wand, « Using Objects for Systems Analysis », *Communications of the ACM,* vol. 40, n° 12, décembre 1997.

Phillips, James, et Dan Foody, « Building a Foundation for Web Services », *EAI Journal,* mars 2002.

Pitts, Mitzi G., et Glenn J. Browne, « Stopping Behavior of Systems Analysts During Information Requirements Elicitation », *Journal of Management Information Systems,* vol. 21, n° 1, été 2004.

Prahalad, C.K., et M.S.. Krishnan, « Synchronizing Strategy and Information Technology », *Sloan Management Review,* vol. 43, n° 4, été 2002.

Ravichandran, T., et Marcus A. Rothenberger, « Software Reuse Strategies and Component Markets », *Communications of the ACM,* vol. 46, n° 8, août 2003.

Rockart, John F., et Lauren S. Flannery, « The Management of End-User Computing », *Communications of the ACM,* vol. 26, n° 10, octobre 1983.

Rockart, John F., et Michael E. Treacy, « The CEO Goes On-Line », *Harvard Business Review,* janvier-février 1982.

Rockart, John F., « Chief Executives Define Their Own Data Needs », *Harvard Business Review,* mars-avril 1979.

Sabherwahl, Rajiv, « The Role of Trust in IS Outsourcing Development Projects », *Communications of the ACM,* vol. 42, n° 2, février 1999.

Sircar, Sumit, Sridhar P. Nerur et Radhakanta Mahapatra, « Revolution or Evolution ? A Comparison of Object-Oriented and Structured Systems Development Methods », *MIS Quarterly,* vol. 25, n° 4, décembre 2001.

Smith, Howard, et Peter Fingar, *Business Process Management : The Third Wave,* Tampa (Flor.), Meghan-Kiffer Press, 2002.

Swanson, E. Burton, et Enrique Dans, « System Life Expectancy and the Maintenance Effort : Exploring their Equilibration », *MIS Quarterly,* vol. 24, n° 2, juin 2000.

Turetken, Ozgur, David Schuff, Ramesh Sharda et Terence T. Ow, « Supporting Systems Analysis and Design Through Fisheye Views », *Communications of the ACM,* vol. 47, n° 9, septembre 2004.

Van Den Heuvel, Willem-Jan et Zakaria Maamar, « Moving Toward a Framework to Compose Intelligent Web Services », *Communications of the ACM,* vol. 46, n° 10, octobre 2003.

Venkatraman, N., « Beyond Outsourcing : Managing IT Resources as a Value Center », *Sloan Management Review,* printemps 1997.

Vessey, Iris, et Sue Conger, « Learning to Specify Information Requirements : The Relationship between Application and Methodology », *Journal of Management Information Systems,* vol. 10, n° 2, automne 1993.

Vitharana, Padmal, « Risks and Challenges of Component-Based Software Development », *Communications of the ACM,* vol. 46, n° 8, août 2003.

Watad, Mahmoud M., et Frank J. DiSanzo, « Case Study : The Synergism of Telecommuting and Office Automation », *Sloan Management Review,* vol. 41, n° 2, hiver 2000.

Wulf, Volker, et Matthias Jarke, « The Economics of End-User Development », *Communications of the ACM,* vol. 47, n° 9, septembre 2004.

Yourdon, Edward, et L.L. Constantine, *Structured Design,* New York, Yourdon Press, 1978.

Chapitre 14

Aladwani, Adel M., « An Integrated Performance Model of Information Systems Projects », *Journal of Management Information Systems,* vol. 19, n° 1, été 2002.

Alleman, James, « Real Options Real Opportunities », *Optimize Magazine,* janvier 2002.

Alter, Steven, et Michael Ginzberg, « Managing Uncertainty in MIS Implementation », *Sloan Management Review,* vol. 20, automne 1978.

Andres, Howard P., et Robert W. Zmud, « A Contingency Approach to Software Project Coordination », *Journal of Management Information Systems,* vol. 18, n° 3, hiver 2001-2002.

Armstrong, Curtis P., et V. Sambamurthy, « Information Technology Assimilation in Firms : The Influence of Senior Leadership and IT Infrastructures », *Information Systems Research,* vol. 10, n° 4, décembre 1999.

Banker, Rajiv, « Value Implications of Relative Investments in Information Technology », Department of Information Systems and Center for Digital Economy Research, University of Texas at Dallas, 23 janvier 2001.

Beath, Cynthia Mathis, et Wanda J. Orlikowski, « The Contradictory Structure of Systems Development Methodologies : Deconstructing the IS-User Relationship in Information Engineering », *Information Systems Research,* vol. 5, n° 4, décembre 1994.

Benaroch, Michel, Sandeep Shah et Mark Jeffrey, « On the Valuation of Multistage Information Technology Investments Embedding Nested Real Options », *Journal of Management Information Systems,* vol. 23, n° 1, été 2006.

Benaroch, Michel, « Managing Information Technology Investment Risk : A Real Options Perspective », *Journal of Management Information Systems,* vol. 19, n° 2, automne 2002.

Benaroch, Michel, et Robert J. Kauffman, « Justifying Electronic Banking Network Expansion Using Real Options Analysis », *MIS Quarterly,* vol. 24, n° 2, juin 2000.

Bhattacherjee, Anol, et G. Premkumar, « Understanding Changes In Belief and Attitude Toward Information Technology Usage : A Theoretical Model and Longitudinal Test », *MIS Quarterly,* vol. 28, n° 2, juin 2004.

Boer, F. Peter, « Real Options : The IT Investment Risk Buster », *Optimize Magazine,* juillet 2002.

Bostrom, R.P., et J.S. Heinen, « MIS Problems and Failures : A Socio-Technical Perspective. Part I : The Causes », *MIS Quarterly,* vol. 1, septembre 1977 ; « Part II : The Application of Socio-Technical Theory », *MIS Quarterly,* vol. 1, décembre 1977.

Bromlow, David, « Improve Your Odds of Project Success », *SAP NetWeaver Magazine,* vol. 4, 2008.

Brooks, Frederick P., « The Mythical Man-Month », *Datamation,* décembre 1974.

Brynjolfsson, Erik, et Lorin M. Hitt, « Information Technology and Organizational Design : Evidence from Micro Data », janvier 1998.

Chatterjee, Debabroto, Carl Pacini et V. Sambamurthy, « The Shareholder-Wealth and Trading Volume Effects of Information Technology Infrastructure Investments », *Journal of Management Information Systems,* vol. 19, n° 2, automne 2002.

Chatterjee, Debabroto, Rajdeep Grewal et V. Sabamurthy, « Shaping Up for E-Commerce : Institutional Enablers of the Organizational Assimilation of Web Technologies », *MIS Quarterly*, vol. 26, n° 2, juin 2002.

Clement, Andrew, et Peter Van den Besselaar, « A Retrospective Look at PD Projects », *Communications of the ACM*, vol. 36, n° 4, juin 1993.

Concours Group, « Delivering Large-Scale System Projects », 2000.

Cooper, Randolph B., « Information Technology Development Creativity : A Case Study of Attempted Radical Change », *MIS Quarterly*, vol. 24, n° 2, juin 2000.

Datz, Todd, « Portfolio Management : How to Do It Right », *CIO Magazine*, 1er mai 2003.

Davis, Fred R., « Perceived Usefulness, Ease of Use, and User Acceptance of Information Technology », *MIS Quarterly*, vol. 13, n° 3, septembre 1989.

De Meyer, Arnoud, Christoph H. Loch et Michael T. Pich, « Managing Project Uncertainty : From Variation to Chaos », *Sloan Management Review*, vol. 43, n° 2, hiver 2002.

Delone, William H., et Ephraim R. McLean, « The Delone and McLean Model of Information Systems Success : A Ten-Year Update », *Journal of Management Information Systems*, vol. 19, n° 4, printemps 2003.

Doll, William J., Xiaodung Deng, T. S. Raghunathan, Gholamreza Torkzadeh et Weidong Xia, « The Meaning and Measurement of User Satisfaction : A Multigroup Invariance Analysis of End-User Computing Satisfaction Instrument », *Journal of Management Information Systems*, vol. 21, n° 1, été 2004.

Doll, William J., « Avenues for Top Management Involvement in Successful MIS Development », *MIS Quarterly*, mars 1985.

Ein-Dor, Philip, et Eli Segev, « Organizational Context and the Success of Management Information Systems », *Management Science*, vol. 24, juin 1978.

El Sawy, Omar, et Burt Nanus, « Toward the Design of Robust Information Systems », *Journal of Management Information Systems*, vol. 5, n° 4, printemps 1989.

Fichman, Robert G., « Real Options and IT Platforms Adoption : Implications for Theory and Practice », *Information Systems Research*, vol. 15, n° 2, juin 2004.

Fichman, Robert G., « The Role of Aggregation in the Measurement of IT-Related Organizational Innovation », *MIS Quarterly*, vol. 25, n° 4, décembre 2001.

Franz, Charles, et Daniel Robey, « An Investigation of User-Led System Design : Rational and Political Perspectives », *Communications of the ACM*, vol. 27, décembre 1984.

Gefen, David, et Catherine M. Ridings, « Implementation Team Responsiveness and User Evaluation of Customer Relationship Management : A Quasi-Experimental Design Study of Social Exchange Theory », *Journal of Management Information Systems*, vol. 19, n° 1, été 2002.

Giaglis, George, « Focus Issue on Legacy Information Systems and Business Process Change : On the Integrated Design and Evaluation of Business Processes and Information Systems », *Communications of the AIS*, vol. 2, juillet 1999.

Ginzberg, Michael J., « Early Diagnosis of MIS Implementation Failure : Promising Results and Unanswered Questions », *Management Science*, vol. 27, avril 1981.

He Jun, et William R. King, « The Role of User Participation In Information Systems Development : Implications from a Meta-Analysis », *Journal of Management Information Systems*, vol. 25, n° 1, été 2008.

Hitt, Lorin, D.J. Wu et Xiaoge Zhou, « Investment in Enterprise Resource Planning : Business Impact and Productivity Measures », *Journal of Management Information Systems*, vol. 19, n° 1, été 2002.

Housel, Thomas J., Omar El Sawy, JianfangJ. Zhong et Waymond Rodgers, « Measuring the Return on e-Business Initiatives at the Process Level : The Knowledge Value-Added Approach », *ICIS*, 2001.

Hunton, James E., et Beeler, Jesse D., « Effects of User Participation in Systems Development : A Longitudinal Field Study », *MIS Quarterly*, vol. 21, n° 4, décembre 1997.

Iversen, Jakob H., Lars Mathiassen et Peter Axel Nielsen, « Managing Risk in Software Process Improvement : An Action Research Approach », *MIS Quarterly*, vol. 28, n° 3, septembre 2004.

Jeffrey, Mark, et Ingmar Leliveld, « Best Practices in IT Portfolio Management », *MIT Sloan Management Review*, vol. 45, n° 3, printemps 2004.

Jiang, James J., Gary Klein, Debbie Tesch et Hong-Gee Chen, « Closing the User and Provider Service Quality Gap », *Communications of the ACM*, vol. 46, n° 2, février 2003.

Joshi, Kailash, « A Model of Users' Perspective on Change : The Case of Information Systems Technology Implementation », *MIS Quarterly*, vol. 15, n° 2, juin 1991.

Kalin, Sari, « Making IT Portfolio Management a Reality », *CIO Magazine*, 1er juin 2006.

Keen, Peter W., « Information Systems and Organizational Change », *Communications of the ACM*, vol. 24, janvier 1981.

Keil, Mark, et Daniel Robey, « Blowing the Whistle on Troubled Software Projects », *Communications of the ACM*, vol. 44, n° 4, avril 2001.

Keil, Mark, Joan Mann et Arun Rai, « Why Software Projects Escalate : An Empirical Analysis and Test of Four Theoretical Models », *MIS Quarterly*, vol. 24, n° 4, décembre 2000.

Keil, Mark, Bernard C.Y. Tan, Kwok-Kee Wei, Timo Saarinen, Virpi Tuunainen et Arjen Waassenaar, « A Cross-Cultural Study on Escalation of Commitment Behavior in Software Projects », *MIS Quarterly*, vol. 24, n° 2, juin 2000.

Keil, Mark, et Ramiro Montealegre, « Cutting Your Losses : Extricating Your Organization When a Big Project Goes Awry », *Sloan Management Review*, vol. 41, n° 3, printemps 2000.

Keil, Mark, Paul E. Cule, Kalle Lyytinen et Roy C. Schmidt, « A Framework for Identifying Software Project Risks », *Communications of the ACM*, vol. 41, n° 11, novembre 1998.

Keil, Mark, Richard Mixon, Timo Saarinen et Virpi Tuunairen, « Understanding Runaway IT Projects », *Journal of Management Information Systems*, vol. 11, n° 3, hiver 1994-1995.

Kettinger, William J., et Choong C. Lee, « Understanding the IS-User Divide in IT Innovation », *Communications of the ACM*, vol. 45, n° 2, février 2002.

Klein, Gary, James J. Jiang et Debbie B. Tesch, « Wanted : Project Teams with a Blend of IS Professional Orientations », *Communications of the ACM*, vol. 45, n° 6, juin 2002.

Kolb, D.A., et A.L. Frohman, « An Organization Development Approach to Consulting », *Sloan Management Review*, vol. 12, automne 1970.

Laudon, Kenneth C., « CIOs Beware : Very Large Scale Systems », Center for Research on Information Systems, New York University Stern School of Business, document de travail, 1989.

Levinson, Meridith, « When Failure Is Not an Option », *CIO Magazine*, 1er juin 2006.

Liang, Huigang, Nilesh Sharaf, Qing Hu et Yajiong Xue, « Assimilation of Enterprise Systems: The Effect of Institutional Pressures and the Mediating Role of Top Management », *MIS Quarterly*, vol. 31, n° 1, mars 2007.

Lientz, Bennett P., et E. Burton Swanson, *Software Maintenance Management*, Reading (Mass.), Addison-Wesley, 1980.

Lipin, Steven, et Nikhil Deogun, « Big Mergers of 90s Prove Disappointing to Shareholders », *The Wall Street Journal*, 30 octobre 2000.

Lucas, Henry C., fils, *Implementation: The Key to Successful Information Systems*, New York, Columbia University Press, 1981.

Mahmood, Mo Adam, Laura Hall et Daniel Leonard Swanberg, « Factors Affecting Information Technology Usage: A Meta-Analysis of the Empirical Literature », *Journal of Organizational Computing and Electronic Commerce*, vol. 11, n° 2, 2 novembre 2001.

Markus, M. Lynne, et Robert I. Benjamin, « The Magic Bullet Theory of IT-Enabled Transformation », *Sloan Management Review*, hiver 1997.

Markus, M. Lynne, et Robert I. Benjamin, « Change Agentry-The Next IS Frontier », *MIS Quarterly*, vol. 20, n° 4, décembre 1996.

Markus, M. Lynne, et Mark Keil, « If We Build It, They Will Come: Designing Information Systems That People Want to Use », *Sloan Management Review*, été 1994.

Matlin, Gerald, « What Is the Value of Investment in Information Systems? », *MIS Quarterly*, vol. 13, n° 3, septembre 1989.

McFarlan, F. Warren, « Portfolio Approach to Information Systems », *Harvard Business Review*, septembre-octobre 1981.

McGrath, Rita Gunther, et Ian C. McMillan, *Assessing Technology Projects Using Real Options Reasoning*, Industrial Research Institute, 2000.

Mumford, Enid, et Mary Weir, *Computer Systems in Work Design: The ETHICS Method*, New York, John Wiley, 1979.

Nidumolu, Sarma R., et Mani Subramani, « The Matrix of Control: Combining Process and Structure Approaches to Management Software Development », *Journal of Management Information Systems*, vol. 20, n° 3, hiver 2004.

Nolan, Richard, « Managing Information Systems by Committee », *Harvard Business Review*, juillet-août 1982.

Orlikowski, Wanda J., et J. Debra Hofman, « An Improvisational Change Model for Change Management: The Case of Groupware Technologies », *Sloan Management Review*, hiver 1997.

Palmer, Jonathan W., « Web Site Usability, Design and Performance Metrics », *Information Systems Research*, vol. 13, n° 3, septembre 2002.

Peffers, Ken, et Charles E. Gengler, « How to Identify New High-Payoff Information Systems for the Organization », *Communications of the ACM*, vol. 41, n° 1, janvier 2003.

Peffers, Ken, et Timo Saarinen, « Measuring the Business Value of IT Investments: Inferences from a Study of Senior Bank Executives », *Journal of Organizational Computing and Electronic Commerce*, vol. 12, n° 1, 2002.

Quan, Jin « Jim », Quing Hu et Paul J. Hart, « Information Technology Investments and Firms' Performance-A Duopoly Perspective », *Journal of Management Information Systems*, vol. 20, n° 3, hiver 2004.

Rai, Arun, Sandra S. Lang et Robert B. Welker, « Assessing the Validity of IS Success Models: An Empirical Test and Theoretical Analysis », *Information Systems Research*, vol. 13, n° 1, mars 2002.

Rapoza, Jim, « Next-Gen Project Management », *eWeek*, 3 mars 2008.

Robey, Daniel, Jeanne W. Ross et Marie-Claude Boudreau, « Learning to Implement Enterprise Systems: An Exploratory Study of the Dialectics of Change », *Journal of Management Information Systems*, vol. 19, n° 1, été 2002.

Robey, Daniel, et M. Lynne Markus, « Rituals in Information System Design », *MIS Quarterly*, mars 1984.

Rockart, John F., et Michael E. Treacy, « The CEO Goes Online », *Harvard Business Review*, janvier-février 1982.

Rockart, John F., « Chief Executives Define Their Own Data Needs », *Harvard Business Review*, mars-avril 1979.

Ross, Jeanne W., et Cynthia M. Beath, « Beyond the Business Case: New Approaches to IT Investment », *Sloan Management Review*, vol. 43, n° 2, hiver 2002.

Ryan, Sherry D., David A. Harrison et Lawrence L. Schkade, « Information Technology Investment Decisions: When Do Cost and Benefits in the Social Subsystem Matter? », *Journal of Management Information Systems*, vol. 19, n° 2, automne 2002.

Ryan, Sherry D., et David A. Harrison, « Considering Social Subsystem Costs and Benefits in Information Technology Investment Decisions: A View from the Field on Anticipated Payoffs », *Journal of Management Information Systems*, vol. 16, n° 4, printemps 2000.

Sambamurthy, V., Anandhi Bharadwaj et Varun Grover, « Shaping Agility Through Digital Options: Reconceptualizing the Role of Information Technology in Contemporary Firms », *MIS Quarterly*, vol. 27, n° 2, juin 2003.

Santhanam, Radhika, et Edward Hartono, « Issues in Linking Information Technology Capability to Firm Performance », *MIS Quarterly*, vol. 27, n° 1, mars 2003.

Sauer, Chris, et Leslie P. Willcocks, « The Evolution of the Organizational Architect », *Sloan Management Review*, vol. 43, n° 3, printemps 2002.

Schmidt, Roy, Kalle Lyytinen, Mark Keil et Paul Cule, « Identifying Software Project Risks: An International Delphi Study », *Journal of Management Information Systems*, vol. 17, n° 4, printemps 2001.

Schneiderman, Ben, « Universal Usability », *Communications of the ACM*, vol. 43, n° 5, mai 2000.

Schwalbe, Kathy, *Information Technology Project Management*, 5/e, Course Technology, 2008.

Shank, Michael E., Andrew C. Boynton et Robert W. Zmud, « Critical Success Factor Analysis as a Methodology for MIS Planning », *MIS Quarterly*, juin 1985.

Sharma, Rajeev, et Philip Yetton, « The Contingent Effects of Training, Technical Complexity, and Task Interdependence on Successful Information System Implementation », *MIS Quarterly*, vol. 31, n° 2, juin 2007.

Siewiorek, Daniel P., « New Frontiers of Application Design », *Communications of the ACM*, vol. 45, n° 12, décembre 2002.

Smith, H. Jeff, Mark Keil et Gordon Depledge, « Keeping Mum as the Project Goes Under », *Journal of Management Information Systems*, vol. 18, n° 2, automne 2001.

Speier, Cheri, et Michael G. Morris, « The Influence of Query Interface Design on Decision-Making Performance », *MIS Quarterly*, vol. 27, n° 3, 1er septembre 2003.

Straub, Detmar W., Arun Rai et Richard Klein, « Measuring Firm Performance at the Network Level: A Nomology of the Business Impact of Digital Supply Networks », *Journal of Management Information Systems*, vol. 21, n° 1, été 2004.

Swanson, E. Burton, *Information System Implementation*, Homewood (Ill.), Richard D. Irwin, 1988.

Tallon, Paul P., Kenneth L. Kraemer et Vijay Gurbaxani, « Executives' Perceptions of the Business Value of Information Technology: A Process-Oriented Approach », *Journal of Management Information Systems*, vol. 16, n° 4, printemps 2000.

Taudes, Alfred, Markus Feurstein et Andreas Mild, « Options Analysis of Software Platform Decisions: A Case Study », *MIS Quarterly*, vol. 24, n° 2, juin 2000.

Thatcher, Matt E., et Jim R. Oliver, « The Impact of Technology Investments on a Firm's Production Efficiency, Product Quality, and Productivity », *Journal of Management Information Systems*, vol. 18, n° 2, automne 2001.

Tornatsky, Louis G., J.D. Eveland, M.G. Boylan, W.A. Hetzner, E.C. Johnson, D. Roitman et J. Schneider, *The Process of Technological Innovation: Reviewing the Literature*, Washington (D.C.), National Science Foundation, 1983.

Venkatesh, Viswanath, Michael G. Morris, Gordon B. Davis et Fred D. Davis, « User Acceptance of Information Technology: Toward a Unified View », *MIS Quarterly*, vol. 27, n° 3, septembre 2003.

Wallace, Linda, et Mark Keil, « Software Project Risks and Their Effect on Outcomes », *Communications of the ACM*, vol. 47, n° 4, avril 2004.

Wang, Eric T.G., Gary Klein et James J. Jiang, « ERP Misfit: Country of Origin and Organizational Factors », *Journal of Management Information Systems*, vol. 23, n° 1, été 2006; « Winning the IT Portfolio Battle », Projects@Work, 6 septembre 2007.

Xia, Weidong, et Gwanhoo Lee, « Grasping the Complexity of IS Development Projects », *Communications of the ACM*, vol. 47, n° 5, mai 2004.

Xue, Yajion, Huigang Liang et William R. Boulton, « Information Technology Governance in Information Technology Investment Decision Processes: The Impact of Investment Characteristics, External Environment, and Internal Context », *MIS Quarterly*, vol. 32, n° 1, mars 2008.

Yin, Robert K., « Life Histories of Innovations: How New Practices Become Routinized », *Public Administration Review*, janvier-février 1981.

Zhu, Kevin, Kenneth L. Kraemer, Sean Xu et Jason Dedrick, « Information Technology Payoff in E-Business Environments: An International Perspective on Value Creation of E-business in the Financial Services Industry », *Journal of Management Information Systems*, vol. 21, n° 1, été 2004.

Zhu, Kevin, « The Complementarity of Information Technology Infrastructure and E-Commerce Capability: A Resource-Based Assessment of Their Business Value », *Journal of Management Information Systems*, vol. 21, n° 1, été 2004.

Zhu, Kevin, et Kenneth L. Kraemer, « E-Commerce Metrics for Net-Enhanced Organizations: Assessing the Value of e-Commerce to Firm Performance in the Manufacturing Sector », *Information Systems Research*, vol. 13, n° 3, septembre 2002.

Chapitre 15

Biehl, Markus, « Success Factors for Implementing Global Information Systems », *Communications of the ACM*, vol. 50, n° 1, janvier 2007.

Burkhardt, Grey E., Seymour E. Goodman, Arun Mehta et Larry Press, « The Internet in India: Better Times Ahead? », *Communications of the ACM*, vol. 41, n° 11, novembre 1998.

Cox, Butler, *Globalization: The IT Challenge*, Sunnyvale (Calif.), Amdahl Executive Institute, 1991.

Davis, Bob, « Rise of Nationalism Frays Global Ties », *The Wall Street Journal*, 28 avril 2008.

Davison, Robert, « Cultural Complications of ERP », *Communications of the ACM*, vol. 45, n° 7, juillet 2002.

Deans, Candace P., et Michael J. Kane, *International Dimensions of Information Systems and Technology*, Boston (Mass.), PWS-Kent, 1992.

Deans, Candace P., Kirk R. Karwan, Martin D. Goslar, David A. Ricks et Brian Toyne, « Key International Issues in U.S.-Based Multinational Corporations », *Journal of Management Information Systems*, vol. 7, n° 4, printemps 1991.

Ein-Dor, Philip, Seymour E. Goodman et Peter Wolcott, « From Via Maris to Electronic Highway: The Internet in Canaan », *Communications of the ACM*, vol. 43, n° 7, juillet 2000.

Farhoomand, Ali, Virpi Kristiina Tuunainen et Lester W. Yee, « Barrier to Global Electronic Commerce: A Cross-Country Study of Hong Kong and Finland », *Journal of Organizational Computing and Electronic Commerce*, vol. 10, n° 1, 2000.

Ghislanzoni, Giancarlo, Risto Penttinen et David Turnbull, « The Multilocal Challenge: Managing Cross-Border Functions », *The McKinsey Quarterly*, mars 2008.

Ives, Blake, et Sirkka Jarvenpaa, « Applications of Global Information Technology: Key Issues for Management », *MIS Quarterly*, vol. 15, n° 1, mars 1991.

Ives, S., L. Jarvenpaa et R.O. Mason, « Global Business Drivers: Aligning Information Technology to Global Business Strategy », *IBM Systems Journal*, vol. 32, n° 1, 1993.

Jarvenpaa, Sirkka L., Thomas R. Shaw et D. Sandy Staples, « Toward Contextualized Theories of Trust: The Role of Trust in Global Virtual Teams », *Information Systems Research*, vol. 15, n° 3, septembre 2004.

Jarvenpaa, Sirkka L., Kathleen Knoll et Dorothy Leidner, « Is Anybody Out There? Antecedents of Trust in Global Virtual Teams », *Journal of Management Information Systems*, vol. 14, n° 4, printemps 1998.

King, William R., et Vikram Sethi, « An Empirical Analysis of the Organization of Transnational Information Systems », *Journal of Management Information Systems*, vol. 15, n° 4, printemps 1999.

Lai, Vincent S., et Wingyan Chung, « Managing International Data Communication », *Communications of the ACM*, vol. 45, n° 3, mars 2002.

Liang, Huigang, Yajiong Xue, William R. Boulton et Terry Anthony Byrd, « Why Western Vendors Don't Dominate China's ERP Market », *Communications of the ACM*, vol. 47, n° 7, juillet 2004.

MacFarquhar, Neil, « Tunisia's Tangled Web Is Sticking Point for Reform », *The New York Times*, 25 juin 2004.

Mann, Catherine L., « What Global Sourcing Means for U.S. IT Workers and for the U.S. Economy », *Communications of the ACM*, vol. 47, n° 7, juillet 2004.

Martinsons, Maris G., « ERP in China: One Package Two Profiles », *Communications of the ACM*, vol. 47, n° 7, juillet 2004.

Petrazzini, Ben, et Mugo Kibati, « The Internet in Developing Countries », *Communications of the ACM*, vol. 42, n° 6, juin 1999.

Quelch, John A., et Lisa R. Klein, « The Internet and International Marketing », *Sloan Management Review*, printemps 1996.

Roche, Edward M., *Managing Information Technology in Multinational Corporations*, New York, Macmillan, 1992.

Shih, Eric, Kenneth L. Kraemer et Jason Dedrick, « IT Diffusion in Developing Countries », *Communications of the ACM*, vol. 51, n° 2, février 2008.

Shore, Barry, « Enterprise Integration Across the Globally Dispersed Service Organization », *Communications of the ACM*, vol. 49, n° 6, juin 2006.

Soh, Christina, Sia Siew Kien et Joanne Tay-Yap, « Cultural Fits and Misfits : Is ERP a Universal Solution ? », *Communications of the ACM*, vol. 43, n° 3, avril 2000.

Steel, Emily, et Amol Sharma, « U.S. Web Sites Draw Traffic from Abroad but Few Ads », *The Wall Street Journal*, 10 juillet 2008.

Steinbart, Paul John, et Ravinder Nath, « Problems and Issues in the Management of International Data Networks », *MIS Quarterly*, vol. 16, n° 1, mars 1992.

Straub, Detmar W., « The Effect of Culture on IT Diffusion : E-Mail and FAX in Japan and the U.S. », *Information Systems Research*, vol. 5, n° 1, mars 1994.

Tan, Zixiang, William Foster et Seymour Goodman, « China's State-Coordinated Internet Infrastructure », *Communications of the ACM*, vol. 42, n° 6, juin 1999.

Tractinsky, Noam, et Sirkka L. Jarvenpaa, « Information Systems Design Decisions in a Global Versus Domestic Context », *MIS Quarterly*, vol. 19, n° 4, décembre 1995.

Watson, Richard T., Gigi G. Kelly, Robert D. Galliers et James C. Brancheau, « Key Issues in Information Systems Management : An International Perspective », *Journal of Management Information Systems*, vol. 13, n° 4, printemps 1997.

SOURCES DES ILLUSTRATIONS

Chapitre 1

Page 4   Glenn James/Getty Images, Inc./Allsport Photography
Page 19   David R. Frazier/Photolibrary, Inc./Alamy

Chapitre 2

Page 47   © Salesforce.com, Inc.

Chapitre 3

Page 62   © eBay.ca
Page 76   Matt Rourke/AP/CPimages.ca
Page 77   © Dell Inc.

Chapitre 4

Page 102   Diego Cervo/iStockphoto.com
Page 108   © 2009 Air Canada
Page 119   Bill Crawford/iStockphoto.com

Chapitre 5

Page 130   © 2010 Cars.com
Page 143   Mark Salter/Alamy
Page 145   Nigel Treblin/AFP/Getty images

Chapitre 6

Page 168   © 2010 Hewlett-Packard Development Company, L.P.

Chapitre 8

Page 236   J Pat Carter/AP Photo/CP Images

Chapitre 9

Page 270   Sarah-Maria Vischer/The Image Works

Chapitre 10

Page 298   © NEXON Corporation et NEXON American Inc.
Page 315   © Dessins Drummond Inc.

Chapitre 11

Page 330   © 2010 Procter & Gamble

Chapitre 12

Page 360   Spencer Platt/Getty Images

Chapitre 13

Page 388   © 2010 PC Connection, Inc.

Chapitre 14

Page 420   Aldo Murillo/iStockphoto.com

Chapitre 15

Page 446   © 2006 Severstal NA
Page 575   © 2010 Pearson Education

Absence de dialogue fructueux entre les utilisateurs et les concepteurs (*user-designer communications gap*), p. 432
Manque de communication, faisant obstacle à la résolution de problèmes, entre les utilisateurs et les spécialistes des systèmes d'information, à cause des différences sur le plan de l'expérience, des intérêts et des priorités.

Abus informatique (*computer abuse*), p. 113
Perpétration, au moyen d'un ordinateur, d'un acte qui, sans être illégal, est contraire à l'éthique.

Accès en mode forage (*drill down*), p. 376
Capacité de creuser des données depuis un niveau général jusqu'à des niveaux de plus en plus détaillés.

Accès Internet par câble (*cable Internet connection*), p. 209
Connexion à Internet au moyen de la câblodistribution numérique, pour un accès à haut débit.

Accès multiple par répartition en code — AMRC (*Code Division Multiple Access — CDMA*), p. 223
Principale norme de transmission cellulaire qui autorise l'utilisation de plusieurs fréquences, occupe la totalité du spectre et assigne au hasard une gamme de fréquences aux utilisateurs.

Accord sur les niveaux de service — ANS (*service level agreement — SLA*), p. 156
Entente officielle entre le client et son fournisseur de service qui définit les responsabilités précises du fournisseur et le niveau de service auquel le client est en droit de s'attendre.

Actif complémentaire (*complementary asset*), p. 22
Actif supplémentaire nécessaire pour retirer de la valeur d'un investissement primaire.

Activité de soutien (*support activity*), p. 81
Activité qui rend possible la réalisation des activités principales. Les activités de soutien comprennent l'infrastructure de l'organisation, les ressources humaines, la technologie et l'approvisionnement.

Activité principale (*primary activity*), p. 81
Activité qui est le plus directement liée à la production et à la distribution des produits et des services de l'entreprise.

Administration de la base de données (*database administration*), p. 188
Aspects techniques et opérationnels de la gestion des données, notamment le modèle physique et l'entretien de la base de données.

Administration des données (*data administration*), p. 186
Service de l'organisation chargé de gérer les ressources en données. Ce service est responsable de la politique en matière d'information, de la planification des données, de l'entretien du dictionnaire des données et du respect des normes de qualité.

Adresse IP (*Internet protocol — IP — address*), p. 209
Adresse constituée de quatre nombres entiers qui indique l'emplacement unique d'un ordinateur dans le réseau Internet.

Adresse URL (*uniform resource locator — URL*), p. 218
Adresse d'une ressource précise dans Internet.

Affaires électroniques (*electronic business — e-business*), p. 50
Utilisation d'Internet et d'autres technologies numériques dans tous les processus d'entreprise, notamment les processus de commerce électronique et les processus de gestion interne et de coordination avec les fournisseurs et autres partenaires commerciaux.

Agence de souscription (*syndicator*), p. 310
Entreprise qui rassemble du contenu ou des applications venant de plusieurs sources, qui les prépare pour la distribution et qui les revend à d'autres sites Web.

Agent de changement (*change agent*), p. 431
Dans le contexte de l'implantation d'un système, personne qui joue un rôle de catalyseur durant le processus de changement, pour s'assurer que l'organisation s'adapte parfaitement au nouveau système ou à l'innovation.

Agent intelligent (*intelligent agent*), p. 350
Programme logiciel qui s'appuie sur une base de connaissances intégrées ou acquises afin d'exécuter des tâches précises, répétitives et prévisibles, pour un utilisateur, un processus d'affaires ou une application logicielle.

Ajax (*Ajax*), p. 150
Technique de développement servant à la création d'applications Web interactives capables de mettre à jour l'interface de l'utilisateur sans le rechargement complet de la page de navigation.

Algorithme génétique (*genetic algorithm*), p. 350
Méthode de résolution de problèmes qui fait évoluer diverses solutions à l'aide du modèle que suivent les organismes vivants pour s'adapter à leur milieu.

Analyse de portefeuille (*portfolio analysis*), p. 427
Évaluation du portefeuille d'investissements possibles d'une entreprise en matière de systèmes d'information. Cette analyse vise la détermination des risques et des avantages, mais aussi le choix entre plusieurs systèmes d'information.

Analyse de risque (*risk assessment*), p. 250
Analyse permettant d'évaluer la fréquence à laquelle un problème peut survenir et les dommages qui peuvent en découler. On l'utilise pour déterminer les coûts et les avantages associés à un contrôle.

Analyse de sensibilité (*sensitivity analysis*), p. 371
Analyse dans laquelle on pose des questions hypothétiques de manière répétitive, pour déterminer quelles seront les conséquences du changement d'un ou de plusieurs facteurs sur les résultats définitifs.

Analyse de système (*systems analysis*), p. 395
Analyse d'un problème que l'organisation tentera de résoudre à l'aide d'un système d'information.

Analyse prévisionnelle (*predictive analysis*), p. 184
Utilisation de techniques de forage de données, de données historiques et d'hypothèses quant aux conditions futures pour prévoir l'issue des événements.

Analyste de systèmes (*systems analyst*), p. 51
Spécialiste qui traduit les problèmes et les exigences de l'entreprise en besoins et en systèmes d'information. Il joue le rôle d'agent de liaison entre le service des systèmes d'information et le reste de l'organisation.

Appel d'offres (*request for proposal — RFP*), p. 407
Liste détaillée de questions qu'une organisation soumet aux vendeurs de logiciels ou d'autres services afin de déterminer dans quelle mesure le produit du vendeur peut répondre à ses besoins particuliers.

Application composite (*mashup*), p. 151
Application logicielle qui amalgame le contenu provenant de différentes sources et des éléments interchangeables. Il s'agit alors d'un nouveau produit créé sur mesure.

Application d'entreprise (*enterprise application*), p. 44
Système qui coordonne les activités, les décisions et les connaissances de plusieurs fonctions, échelons et unités de l'organisation. Il peut s'agir d'un système d'entreprise, d'un système de gestion de la chaîne logistique ou d'un système de gestion des connaissances.

Apprentissage automatique (*machine learning*), p. 348
Technologie de l'intelligence artificielle qui porte surtout sur les algorithmes et les techniques permettant aux ordinateurs d'« apprendre » en extrayant de l'information au moyen de méthodes de calcul et de méthodes statistiques.

Apprentissage organisationnel (*organizational learning*), p. 333
Adoption de nouvelles modalités de fonctionnement et de nouveaux processus d'affaires standardisés qui reflètent l'expérience de l'organisation.

Approvisionnement (*procurement*), p. 316
Processus comprenant le repérage et le choix des sources d'approvisionnement en marchandises et en matières, la négociation avec les fournisseurs, le paiement des marchandises et la conclusion d'ententes relatives à la livraison.

Architecture axée sur le service — AAS (*service-oriented architecture*), p. 151
Architecture logicielle qu'une entreprise construit à partir d'un ensemble de programmes. Ces derniers communiquent les uns avec les autres pour exécuter les tâches qui leur sont assignées et créer une application logicielle fonctionnelle.

Architecture client-serveur multiniveau ou N-tiers (*multitiered — N-tier — client/server architecture*), p. 136
Réseau au sein duquel la charge de travail est répartie entre différents niveaux de serveurs.

Architecture internationale de systèmes d'information (*international information systems architecture*), p. 448
Ensemble des systèmes d'information de base dont a besoin l'organisation pour coordonner à l'échelle mondiale ses activités commerciales et autres.

Assistant numérique personnel — ANP (*personal digital assistant — PDA*), p. 222
Petit ordinateur de poche muni d'un stylet et qui possède des fonctions intégrées de télécommunication sans fil permettant d'effectuer des transmissions entièrement numériques.

Asymétrie de l'information (*information asymmetry*), p. 305
Situation de négociation dans laquelle l'une des parties possède plus d'information essentielle que l'autre partie, et a donc un pouvoir de négociation supérieur.

Attaque par déni de service (*denial of service attack — DoS*), p. 244
Attaque consistant à inonder un serveur de réseau ou un serveur Web de fausses communications ou requêtes de service, afin de provoquer une panne.

Attaque par déni de service distribué (*distributed denial of service attack — DDoS*), p. 244
Utilisation d'un grand nombre d'ordinateurs pour inonder un réseau à partir de nombreuses plateformes.

Attribut (*attribute*), p. 170
Élément d'information décrivant une entité particulière.

Audit de la qualité des données (*data quality audit*), p. 189
Vérification portant sur l'ensemble des fichiers ou des échantillons, et servant à établir l'exactitude et la complétude des données dans un système d'information.

Authentification (*authentication*), p. 253
Capacité, pour chacune des parties dans un échange d'information, de vérifier l'identité des autres.

Authentification biométrique (*biometric authentication*), p. 253
Méthode d'authentification des utilisateurs d'un système qui repose sur la comparaison de caractéristiques biologiques uniques de ces utilisateurs – comme les empreintes digitales, le visage et l'image rétinienne – à un profil stocké en mémoire regroupant ces caractéristiques.

Automatisation (*automation*), p. 390
Utilisation de l'ordinateur pour accélérer l'exécution des tâches.

Baladodiffusion (*podcasting*), p. 309
Mode de diffusion de contenus audio au moyen d'Internet qui permet aux utilisateurs abonnés de télécharger des fichiers audio sur leurs ordinateurs personnels ou leurs baladeurs numériques.

Bandeau publicitaire (*banner ad*), p. 309
Affichage graphique (également appelé « bannière ») à but publicitaire dans une page Web, qui donne accès au site Web de l'annonceur.

Bande passante (*bandwidth*), p. 209
Capacité d'un canal de transmission mesurée en fonction de la différence entre les fréquences les plus élevées et les fréquences les plus basses pouvant être transmises.

Base de connaissances (*knowledge base*), p. 343
Modèle de connaissances humaines qu'utilisent les systèmes experts.

Base de données (*database*), p. 170 et 172
Ensemble de données organisées de façon à servir plusieurs applications simultanément, grâce à une centralisation et à une gestion donnant à l'utilisateur l'impression que les données sont regroupées dans un seul endroit; groupe de fichiers liés.

Base de données d'un SAD (*DSS database*), p. 367
Ensemble de données actuelles ou historiques provenant d'un certain nombre d'applications ou de groupes. Il peut s'agir d'une petite base de données sur un ordinateur personnel ou d'un immense entrepôt de données.

Base de données orientée objet (*object-oriented DBMS*), p. 175
Méthode de gestion des bases de données selon laquelle les données et les procédures s'appliquant aux données sont stockées en tant qu'objets pouvant être automatiquement récupérés et partagés. Les objets peuvent être constitués de données multimédias.

Base de données répartie (*distributed database*), p. 178
Base de données située physiquement dans plusieurs emplacements: certaines parties ou copies se trouvent dans un emplacement; d'autres sont conservées ailleurs.

Bénéfice intangible (*intangible benefit*), p. 429
Avantage difficilement quantifiable, comme l'amélioration de l'efficacité du service à la clientèle et de la qualité des décisions.

Bénéfice tangible (*tangible benefit*), p. 429
Avantage qu'on peut quantifier et auquel on peut attribuer une valeur monétaire, comme une diminution des frais d'exploitation ou une augmentation des flux de trésorerie.

Besoins en information (*information requirements*), p. 395
Énoncé détaillé des besoins en information auxquels doit satisfaire un nouveau système. Cet énoncé permet de déterminer les

personnes qui ont besoin de l'information, la nature de l'information dont elles ont besoin, le moment et l'endroit où l'information doit être livrée, et le mode de transmission à utiliser.

Blogosphère *(blogosphere)*, p. 314
Ensemble des blogues ou communauté des blogueurs.

Blogue *(blog)*, p. 220
Du terme anglais *weblog*, site Web informel mais structuré sur lequel des personnes peuvent publier des témoignages ou des opinions et placer des hyperliens vers d'autres sites d'intérêt.

Bluetooth *(Bluetooth)*, p. 223
Norme qui s'applique aux réseaux personnels sans fil pouvant transmettre jusqu'à 722 kb/s sur une distance de 10 m.

Bogue *(bug)*, p. 246
Erreur ou code de programme défectueux.

Brevet *(patent)*, p. 110
Document juridique qui accorde à son propriétaire, pendant un temps déterminé, le monopole sur les idées qui sont à la base d'une nouvelle machine ou méthode. Il assure à l'inventeur qu'il pourra obtenir une rétribution pour le fruit de son travail, même si l'utilisation en est autorisée à grande échelle.

Câble à fibres optiques *(fiber-optic cable)*, p. 208
Moyen de transmission rapide, léger et durable, constitué de minces torons de fibre de verre transparent réunis pour former un câble. Les données sont transmises sous forme d'impulsions lumineuses.

Câble coaxial *(coaxial cable)*, p. 207
Support de transmission constitué de fils de cuivre dont le degré d'isolation est élevé. Ce type de câble permet de transmettre rapidement d'importants volumes de données.

Cadre intermédiaire *(middle management)*, p. 17
Personne située au milieu de la hiérarchie organisationnelle et qui est responsable de l'exécution des plans élaborés et des objectifs fixés par la direction.

Cadre opérationnel *(operational management)*, p. 17
Personne responsable du suivi des activités quotidiennes de l'organisation.

Cadre supérieur *(senior management)*, p. 17
Personne située au sommet de la hiérarchie organisationnelle et qui assume la responsabilité de décisions à long terme.

Capital organisationnel et capital de gestion *(organizational and management capital)*, p. 23
Investissements dans l'organisation et la gestion, par exemple dans de nouveaux processus opérationnels, dans le comportement de la direction, dans la culture organisationnelle ou dans la formation.

Carte à puce *(smart card)*, p. 253
Carte de plastique du format d'une carte de crédit, qui contient une puce dans laquelle est enregistrée de l'information numérique et qui peut servir à effectuer des paiements électroniques.

Carte réseau *(network interface card — NIC)*, p. 202
Carte d'extension permettant de connecter un ordinateur à un réseau.

Centre d'appels *(call center)*, p. 315
Service responsable du traitement des requêtes et des plaintes de la clientèle, par téléphone ou par d'autres voies de communication.

Certificat numérique *(digital certificate)*, p. 256
Pièce jointe à un message électronique qui atteste l'identité de l'expéditeur et fournit au destinataire les moyens d'encoder sa réponse.

Chaînage arrière *(backward chaining)*, p. 343
Méthode de recherche dans la base de règles d'un système expert qui s'apparente à une méthode de résolution de problèmes partant d'une hypothèse et visant à arriver à la confirmation ou au rejet de l'hypothèse par la recherche d'informations.

Chaînage avant *(forward chaining)*, p. 343
Stratégie de recherche dans la base de règles d'un système expert qui part de l'information entrée par l'utilisateur et qui vise à aboutir à une conclusion ou à un résultat par le déclenchement de toutes les règles possibles.

Chaîne logistique *(supply chain)*, p. 274
Réseau d'organisations et de processus d'affaires permettant l'approvisionnement en matières, la transformation de ces matières en produits intermédiaires et en produits finis, et la distribution des produits finis aux clients.

Champ *(field)*, p. 170
Regroupement de caractères en un mot, un groupe de mots ou un nombre complet, comme le nom ou l'âge d'une personne.

Champ clé *(key field)*, p. 173
Champ d'un enregistrement qui le définit de manière unique et permet ainsi de le retracer, de le mettre à jour ou de le trier.

Changement de paradigme *(paradigm shift)*, p. 391
Reconfiguration radicale de la nature des affaires et de l'organisation.

Chef de la gestion des connaissances *(chief knowledge officer — CKO)*, p. 51
Cadre supérieur responsable du programme de gestion des connaissances, au sein de l'organisation.

Chef de la protection des renseignements personnels *(chief privacy officer — CPO)*, p. 51
Cadre supérieur chargé de s'assurer que l'entreprise se conforme aux lois existantes sur la confidentialité des données.

Chef de la sécurité *(chief security officer — CSO)*, p. 51
Cadre supérieur responsable de la sécurité des systèmes d'information au sein de l'organisation, et de l'application de la politique de sécurité en matière d'information.

Chef de l'information — CI *(chief information officer — CIO)*, p. 51
Cadre supérieur responsable de la gestion de l'information au sein de l'entreprise.

Chèque électronique *(digital checking)*, p. 319
Système qui ajoute aux fonctions des comptes de chèques existants la possibilité de paiement d'achats en ligne.

Cheval de Troie *(Trojan horse)*, p. 242
Programme inoffensif en apparence qui contient cependant une fonction cachée pouvant causer des dommages.

Choix *(choice)*, p. 364
Selon Simon, troisième des quatre étapes du processus décisionnel, qui consiste à faire un choix parmi différentes solutions possibles.

Clavardage *(chat)*, p. 214
Conversation interactive, en direct, s'effectuant par l'entremise d'un réseau public.

Clé étrangère *(foreign key)*, p. 173
Dans une table de base de données, champ qui permet aux utilisateurs de retrouver de l'information connexe dans une autre table de base de données.

Clé primaire *(primary key)*, p. 173
Dans une table de base de données, identifiant unique pour toute l'information contenue dans une rangée quelconque.

Client *(client)*, p. 136
Point d'entrée de l'utilisateur dans un environnement client-serveur. Le client est habituellement un ordinateur de bureau, un poste de travail ou un ordinateur portable.

Clonage d'adresse de serveur *(pharming)*, p. 245
Attaque ou entrée dans un système par modification des caractéristiques DNS du serveur.

Collecticiel *(teamware)*, p. 365
Logiciel de collaboration adapté au travail d'équipe.

Commerce électronique *(electronic commerce)*, p. 50
Achat et vente de biens et de services par voie électronique, à l'aide d'Internet, de réseaux et d'autres technologies numériques.

Commerce électronique de détail — B2C *(business-to-consumer — B2C — electronic commerce)*, p. 310
Vente au détail, par voie électronique, de produits et de services directement au consommateur final.

Commerce électronique interconsommateurs — C2C *(consumer-to-consumer — C2C — electronic commerce)*, p. 310
Vente par voie électronique de produits ou de services entre consommateurs.

Commerce électronique interentreprises — B2B *(business-to-business — B2B — electronic commerce)*, p. 310
Vente par voie électronique de produits et de services entre entreprises.

Commerce électronique mobile ou commerce mobile *(mobile commerce ou m-commerce)*, p. 313
Utilisation d'appareils sans fil – comme les téléphones mobiles et autres appareils mobiles de poche – pour des opérations de commerce électronique de détail et interentreprises.

Communauté de praticiens *(community of practice — COP)*, p. 335
Réseau social informel de professionnels et d'employés, appartenant ou non à l'entreprise, qui ont des champs de compétences et d'intérêt communs.

Commutateur *(switch)*, p. 202
Dispositif plus perfectionné qu'un concentrateur, qui sert à relier les composantes d'un réseau, à filtrer les données et à les acheminer vers une destination précise.

Commutation de paquets *(packet switching)*, p. 204
Technologie qui permet de découper des messages numériques en fragments appelés «paquets», et de les acheminer selon le trajet le plus économique à travers les canaux de communication disponibles.

Compétence fondamentale *(core competency)*, p. 84
Activité dans laquelle une entreprise excelle et se distingue comme chef de file mondial.

Concentrateur *(hub)*, p. 202
Dispositif très simple qui relie les composantes d'un réseau et qui est destiné à transmettre des paquets de données venant d'un appareil à d'autres appareils.

Conception *(design)*, p. 364
Selon Simon, deuxième des quatre étapes du processus décisionnel, qui consiste à concevoir différentes solutions possibles pour un problème donné.

Conception assistée par ordinateur — CAO *(computer-aided design — CAD)*, p. 341
Système d'information qui automatise la création et la révision de concepts au moyen d'un logiciel graphique perfectionné.

Conception d'application en collaboration — JAD *(Joint Application Design — JAD)*, p. 410
Processus destiné à accélérer la définition des besoins en information grâce à la collaboration. Les utilisateurs finaux et les spécialistes des systèmes d'information travaillent ensemble au cours de sessions intensives de conception interactive.

Conception de système *(system design)*, p. 395
Description détaillée de la manière dont un système répondra aux besoins en information relevés par l'analyse de système.

Conception sociotechnique *(sociotechnical design)*, p. 438
Conception qui vise la production de systèmes d'information associant l'efficacité technique au souci des besoins organisationnels et humains.

Connaissance *(knowledge)*, p. 332
Concepts, expérience et intuitions qui fournissent une structure pour créer, évaluer et utiliser de l'information.

Connaissance des systèmes d'information *(information systems literacy)*, p. 16
Compréhension globale des systèmes d'information pour ce qui est de l'organisation, de la gestion et de la technologie.

Connaissance explicite *(explicit knowledge)*, p. 333
Connaissance qui a été documentée.

Connaissance informatique *(computer literacy)*, p. 16
Ensemble des connaissances relatives à la technologie de l'information, axées sur la compréhension du mode de fonctionnement des technologies informatisées.

Connaissance structurée *(structured knowledge)*, p. 336
Connaissance prenant la forme de documents et de rapports structurés.

Connaissance tacite *(tacit knowledge)*, p. 333
Ensemble des connaissances et de l'expertise des membres de l'organisation qui n'ont pas encore été documentées en bonne et due forme.

Connectivité *(connectivity)*, p. 460
Capacité des ordinateurs et des appareils informatisés de communiquer entre eux et de partager de l'information de manière intelligible, sans intervention humaine.

Consentement éclairé *(informed consent)*, p. 106
Consentement qu'on donne en toute connaissance des faits nécessaire pour prendre une décision rationnelle.

Contrôle *(control)*, p. 238
Ensemble des méthodes, des politiques et des procédures qui garantissent la protection des éléments d'actif d'une organisation, la précision et la fiabilité de ses documents comptables et la conformité de ses opérations aux normes de gestion.

Contrôle d'accès *(access control)*, p. 253
Ensemble des politiques et des procédures qu'une entreprise utilise pour empêcher les personnes non autorisées, à l'interne comme à l'externe, d'accéder à des systèmes.

Contrôle des applications *(application control)*, p. 249
Contrôle propre à chaque application informatisée et qui fait en sorte que seules les données autorisées sont traitées et qu'elles le sont avec exhaustivité et exactitude.

Contrôle général *(general control)*, p. 249
Environnement de contrôle global concernant la conception, la sécurité et l'usage des programmes informatiques ainsi que la sécurité des fichiers de données en général, dans l'ensemble de l'infrastructure organisationnelle des technologies de l'information.

Conversion *(conversion)*, p. 399
Processus de passage de l'ancien système au nouveau.

Courrier électronique *(e-mail)*, p. 214
Échange de messages entre ordinateurs.

Coût total de possession *(total cost of ownership — TCO)*, p. 158
Coût total associé à la possession de ressources informatiques, soit les coûts initiaux d'acquisition, les coûts de mise à jour matérielle et logicielle, l'entretien, l'assistance technique et la formation.

Coûts d'ajustement des prix *(menu costs)*, p. 306
Coûts liés à la modification des prix, pour le commerçant.

Coûts de recherche *(search costs)*, p. 303
Temps et argent que le client consacre au repérage du produit qui lui convient et à la détermination du meilleur prix pour ce produit.

Coûts de transaction *(transaction costs)*, p. 302
Coûts engagés par une entreprise qui achète sur le marché ce qu'elle ne peut pas produire elle-même.

Cryptage ou chiffrement *(encryption)*, p. 255
Codage et chiffrement des messages visant à empêcher qu'ils ne soient lus sans autorisation.

Cryptage à clé publique *(public key encryption)*, p. 256
Cryptage dans lequel on utilise deux clés, l'une publique ou partagée, l'autre privée.

Culture *(culture)*, p. 17
Ensemble des hypothèses fondamentales quant aux produits que l'organisation devrait offrir, à la méthode et au lieu qu'elle devrait choisir pour la fabrication, et aux acheteurs qu'elle devrait viser.

Culture mondiale *(global culture)*, p. 449
Attentes, objets de consommation et normes collectives communs à différentes cultures et à différents peuples.

Cybergouvernement *(e-government)*, p. 50
Utilisation d'Internet et des technologies connexes par les gouvernements et les organismes du secteur public, dans le but d'établir des relations avec les citoyens, les entreprises et d'autres secteurs de l'administration.

Cybervandalisme *(cybervandalism)*, p. 243
Perturbation, dégradation ou même destruction préméditée d'un site Web ou d'un système informatique.

Cycle de vie d'un système *(system life cycle)*, p. 404
Méthode traditionnelle employée pour le développement d'un système d'information. On découpe le processus de développement en plusieurs étapes structurées, selon une division du travail très rigoureuse entre les utilisateurs finaux et les spécialistes des systèmes d'information.

Décision non structurée *(unstructured decision)*, p. 362
Décision inhabituelle qui exige des gestionnaires qu'ils fassent preuve de jugement et d'intuition en ce qui concerne la définition des problèmes. Aucune procédure n'est préétablie pour cette forme de prise de décision.

Décision semi-structurée *(semistructured decision)*, p. 362
Décision pour laquelle une procédure préétablie peut fournir une réponse claire à une partie du problème.

Décision structurée *(structured decision)*, p. 362
Décision répétitive et routinière qui fait intervenir une procédure préétablie de traitement.

Déclencheur d'activité économique *(business driver)*, p. 448
Force de l'environnement à laquelle les entreprises doivent réagir et qui influe sur l'orientation de leurs activités.

Découverte de connaissances *(knowledge discovery)*, p. 343
Découverte de nouveaux modèles intéressants dans de grosses bases de données.

Délit informatique *(computer crime)*, p. 113
Perpétration d'un acte illégal au moyen d'un ordinateur ou à l'encontre d'un système informatique.

Densité de l'information *(information density)*, p. 303
Quantité totale et qualité de l'information dont disposent tous les participants d'un marché, consommateurs et commerçants.

Dépôt de données *(data mart)*, p. 180
Petit entrepôt de données contenant une portion seulement des données de l'organisation et devant servir à un secteur d'activité en particulier ou à un groupe désigné d'utilisateurs.

Désintermédiation *(disintermediation)*, p. 306
Élimination d'étapes intermédiaires dans les processus d'affaires ou de gestion, dans une chaîne de valeur.

Développement à base de composants logiciels *(component-based development)*, p. 410
Création de gros systèmes logiciels grâce à la combinaison de composants logiciels existants.

Développement agile *(agile development)*, p. 410
Livraison rapide de logiciels exploitables grâce au fractionnement d'un vaste projet en une série de sous-projets de taille modeste pouvant être achevés en peu de temps au moyen d'itérations et de rétroactions continues.

Développement de système *(system development)*, p. 394
Ensemble des activités de conception et de mise en œuvre d'un système qui constitue une solution à un problème auquel l'organisation se heurte ou une réponse à une occasion qui s'offre à elle.

Développement orienté objet *(object-oriented development)*, p. 402
Méthode de développement de système qui utilise l'objet comme élément de base, pour l'analyse et la conception. Le système est modélisé comme un ensemble d'objets et de relations entre ces objets.

Développement par l'utilisateur final *(end-user development)*, p. 405
Développement de système d'information par l'utilisateur final, ce dernier ne recevant que peu d'aide, sinon aucune, de la part des conseillers techniques.

Développement rapide d'application — DRA *(rapid application development — RAD)*, p. 410
Processus rapide de développement de système dans lequel on fait appel au prototypage, aux outils de quatrième génération et à la collaboration entre utilisateurs et spécialistes.

Diagramme de flux de données — DFD *(data flow diagram — DFD)*, p. 401
Outil principal de l'analyse structurée qui illustre graphiquement les processus composant un système et la circulation des données entre ces processus.

Diagramme de Gantt *(Gantt chart)*, p. 433
Représentation visuelle du moment où doivent être exécutées les tâches d'un projet, de la durée de ces tâches et des ressources nécessaires.

Diagramme entité-relation *(entity-relationship diagram)*, p. 178
Diagramme qui permet de documenter les bases de données en illustrant les relations qui unissent les diverses entités qu'elles contiennent.

Dictionnaire de données *(data dictionary)*, p. 175
Outil automatisé ou manuel servant au stockage et à l'organisation des définitions des éléments de données, dans une base de données.

Différenciation des produits *(product differentiation)*, p. 76
Stratégie concurrentielle visant la stimulation de la fidélité à une marque par la création de produits et de services uniques que la concurrence peut difficilement reproduire.

Digital Millennium Copyright Act *(DMCA)*, p. 110
Loi américaine qui adapte à l'ère d'Internet les lois relatives aux droits d'auteur, en rendant illégales la fabrication, la distribution et l'utilisation d'appareils servant à déjouer les protections technologiques du matériel protégé par le droit d'auteur.

Discrimination des prix *(price discrimination)*, p. 303
Fixation de prix différenciés pour un même produit – ou pour deux produits très proches – visant des clientèles distinctes.

Documentation (*documentation*), p. 400
Description du fonctionnement d'un système d'information à partir du point de vue technique ou du point de vue de l'utilisateur final.

Données (*data*), p. 14
Ensemble de faits bruts représentant des événements qui se sont produits dans les organisations ou dans leur environnement physique et qu'on n'a pas encore organisés de façon à ce qu'ils puissent être compris et utilisés.

Dorsale de réseau (*network backbone*), p. 206
Section d'un réseau qui traite le trafic important et qui constitue le circuit principal par lequel transitent les données passant d'un réseau à l'autre.

Droit à la vie privée (*privacy*), p. 104
Notion supposant que tout être humain a le droit d'exiger qu'on ne l'importune pas, qu'on ne le surveille pas et que personne – individu, organisation ou même État – ne s'immisce dans sa vie personnelle.

Droit d'auteur (*copyright*), p. 109
Droit défini par la loi qui protège les auteurs d'une propriété intellectuelle contre la reproduction pour quelque fin que ce soit, pendant un minimum de 70 ans.

Droit lié aux renseignements personnels (*information right*), p. 100
Droit des individus et des organisations en ce qui a trait à l'information qui les concerne.

Échange de documents informatisés — EDI (*electronic data interchange — EDI*), p. 315
Échange direct, entre les ordinateurs de deux organisations, de documents de transactions normalisés, par exemple des bons de commande, des directives relatives à l'expédition ou des documents de paiement.

Économie de réseau (*network economics*), p. 84
Modèle se fondant sur la notion de réseau et dans lequel l'ajout d'un membre suppose un coût marginal nul, mais peut créer des gains marginaux importants. Ce modèle est utilisé pour les systèmes stratégiques, à l'échelle des secteurs d'activité.

Écosystème d'affaires (*business ecosystem*), p. 85
Ensemble de réseaux relativement dispersés mais interdépendants de fournisseurs, de distributeurs, d'entreprises se livrant à l'impartition, d'entreprises de transport et de développeurs de technologies.

Effet coup de fouet (*bullwhip effect*), p. 276
Déformation de l'information relative à la demande d'un produit, lors de la transmission de cette information d'une entité à l'autre dans la chaîne logistique.

Élément de donnée (*data element*), p. 173
Champ d'une base de données.

Enregistrement (*record*), p. 170
Groupe de champs connexes.

Enregistreur de frappe (*keylogger*), p. 243
Logiciel espion qui enregistre chaque touche enfoncée sur le clavier d'un ordinateur. Il permet le vol de renseignements personnels ou de mots de passe, ou encore le déclenchement d'une attaque Internet.

Entité (*entity*), p. 170
Personne, lieu, objet ou événement au sujet desquels on conserve de l'information.

Entrée (*input*), p. 15
Saisie ou collecte des données brutes qui proviennent de l'organisation ou de son environnement et qui seront traitées par un système d'information.

Entrepôt de données (*data warehouse*), p. 180
Base de données pourvue d'outils de présentation de rapports et d'interrogation, qui permet de stocker les données courantes et historiques extraites de divers systèmes et de les regrouper pour la présentation de rapports et l'analyse de gestion.

Entreprise numérique (*digital firm*), p. 9
Organisation dans laquelle la plupart des processus d'affaires essentiels et des relations importantes avec les clients, les fournisseurs et les employés reposent sur l'informatique, et dont la gestion des actifs clés est assurée par des outils numériques.

Entreprise virtuelle (*virtual company*), p. 84
Entreprise qui utilise des réseaux pour relier des personnes, des actifs et des idées, en vue de créer des produits et des services et de les distribuer sans être limitée par les frontières organisationnelles traditionnelles ou un emplacement physique.

Entretien (*maintenance*), p. 400
Modifications apportées au matériel, au logiciel, à la documentation ou aux procédés d'un système en production, visant à corriger les erreurs, à se conformer aux nouvelles exigences ou à améliorer l'efficacité du traitement des données.

Ergonomie (*ergonomics*), p. 438
Étude de l'interaction entre les utilisateurs et les machines dans le milieu de travail. L'ergonomie porte autant sur la conception des tâches et les questions de santé que sur l'interface utilisateur des systèmes d'information.

Espace de marché (*marketspace*), p. 302
Place de marché qui s'étend au-delà des frontières traditionnelles et qui est affranchie des paramètres temporels et géographiques.

Essai d'acceptation (*acceptance testing*), p. 399
Processus qui mène à la certification finale établissant que le système est prêt à être utilisé dans un environnement de production.

Essai de programme (*program testing*), p. 399
Processus de mise à l'épreuve de chaque programme d'un système.

Essai de système (*system testing*), p. 399
Test de fonctionnement d'un système d'information dans son ensemble, permettant de déterminer si les modules discrets peuvent fonctionner ensemble comme prévu.

Établissement dynamique des prix (*dynamic pricing*), p. 306
Fixation du prix d'un article à l'aide d'interactions en temps réel entre les acheteurs et les vendeurs, interactions qui permettent de déterminer la valeur d'un article à tout moment.

Étalonnage (*benchmarking*), p. 82
Établissement de normes strictes relatives aux produits, aux services ou aux activités, et évaluation de la performance de l'entreprise par rapport à ces normes.

Éthique (*ethic*), p. 98
Ensemble des principes sociaux du bien et du mal que les individus, exerçant leur libre arbitre, peuvent adopter pour faire des choix qui orienteront leur comportement.

Étude de faisabilité (*feasibility study*), p. 395
Dans le cadre du processus d'analyse des systèmes, manière de déterminer s'il est possible de mettre en œuvre la solution proposée, compte tenu des ressources de l'organisation et des contraintes auxquelles elle est assujettie.

Étude d'impact organisationnel (*organizational impact analysis*), p. 438
Étude de la manière dont un système proposé influera sur la structure organisationnelle, les attitudes des employés, le processus décisionnel de l'entreprise, et les activités de cette dernière.

Évaluation des investissements (*capital budgeting*), p. 429
Processus d'analyse et de sélection de diverses propositions de dépenses en immobilisations.

Exclusion (opt-out), p. 107
Modèle de consentement éclairé qui permet à l'entreprise de faire la collecte de renseignements personnels si le consommateur n'exprime pas spécifiquement son refus.

Expertise judiciaire en informatique (computer forensics), p. 248
Collecte, examen, authentification, conservation et analyse scientifique de données stockées dans un support de stockage ou extraites d'un support de stockage, à des fins d'utilisation des données comme preuve devant un tribunal.

Exportateur de produits nationaux (domestic exporter), p. 452
Entreprise exportatrice dont la stratégie se caractérise par une forte centralisation des activités dans le pays d'origine.

Extensibilité (scalability), p. 156
Capacité d'un ordinateur, d'un produit ou d'un système de prendre de l'expansion pour servir un grand nombre d'usagers sans défaillir.

Extranet (extranet), p. 18
Réseau Internet accessible aux personnes extérieures à l'entreprise qui sont dûment autorisées.

Facteur clé du succès (critical success factor), p. 426
Objectif organisationnel facile à cerner – déterminé par le secteur d'activité, l'entreprise, les cadres et l'environnement – dont l'atteinte est censée garantir le succès de l'organisation. Il sert de repère pour la définition des besoins en information.

Fair Information Practices (FIP, «pratiques équitables de traitement de l'information »), p. 104
Ensemble de principes, établis en 1973 aux États-Unis, qui régissent la collecte et l'utilisation des renseignements personnels. Ces principes sont à la base de la plupart des lois sur le respect du droit à la vie privée.

Fenêtre publicitaire (pop-up ad), p. 309
Fenêtre de publicité qui apparaît automatiquement et reste à l'écran jusqu'à ce que l'utilisateur clique dessus.

Fichier (file), p. 170
Groupe d'enregistrements du même type.

Filtrage de groupe (collaborative filtering), p. 314
Suivi des mouvements d'un utilisateur dans un site Web et comparaison de l'information recueillie sur son comportement avec les renseignements obtenus sur d'autres clients ayant des intérêts semblables, dans le but de prédire ce qu'il souhaitera voir ensuite.

Flux de données transnational (transborder data flow), p. 451
Transmission des informations, sous quelque forme que ce soit, par-delà les frontières nationales.

Fonction de l'entreprise (business function), p. 17
Tâche spécialisée qu'effectue l'entreprise, par exemple les ventes et le marketing, la fabrication et la production, les finances, la comptabilité et la gestion des ressources humaines.

Forage de données (data mining), p. 184
Analyse d'une grande quantité de données visant à dégager des tendances et des règles utiles pour la prise de décision et la prédiction des comportements.

Forage de texte (text mining), p. 185
Technique de recherche et d'analyse qui permet la découverte de tendances et de corrélations dans des masses de données non structurées.

Forage du Web (Web mining), p. 185
Recherche sur le Web et analyse visant à découvrir des tendances et des informations utiles.

Fournisseur de gestion de services de sécurité (managed security service provider), p. 260
Entreprise qui offre des services de gestion de la sécurité à ses abonnés.

Fournisseur de services Internet — FSI (Internet service provider — ISP), p. 209
Organisation commerciale qui est connectée en permanence à Internet et qui vend des connexions temporaires à ses abonnés.

Fracture numérique (digital divide), p. 116
Grande différence d'accès aux ordinateurs et à Internet entre les groupes sociaux et les lieux géographiques.

Frais de substitution (switching costs), p. 78
Frais qu'un client ou une entreprise doit assumer en perte de temps et en ressources lors d'un changement de fournisseur ou de système pour un fournisseur ou un système concurrent.

Franchiseur (franchiser), p. 452
Entreprise qui, au départ, crée, conçoit, finance et fabrique un produit dans le pays d'origine, mais qui, pour des raisons relatives à la nature du produit, s'appuie ensuite beaucoup sur le personnel étranger pour la fabrication, le marketing et les ressources humaines.

Fraude au clic (click fraud), p. 246
Activité frauduleuse qui consiste à cliquer sur des publicités payées au clic, afin de fausser la facturation du service.

Gadget logiciel (widget), p. 152
Petit logiciel qu'on peut ajouter à une page Web ou placer sur un ordinateur de bureau et qui offre une fonctionnalité supplémentaire.

Génie logiciel assisté par ordinateur — GLAO (computer-aided software engineering — CASE), p. 403
Automatisation des étapes nécessaires à la conception de logiciels et de systèmes, permettant la diminution du nombre de tâches répétitives que doit accomplir le développeur.

Gestion de la chaîne logistique (supply chain management), p. 46
Intégration des exigences logistiques des fournisseurs, des distributeurs et des clients dans un unique processus cohérent.

Gestion de la qualité totale (total quality management — TQM), p. 394
Principe selon lequel le contrôle de la qualité est sous la responsabilité partagée de tous les membres de l'organisation.

Gestion de la relation client — GRC (customer relationship management — CRM), p. 47
Discipline commerciale et technique dans laquelle on utilise les systèmes d'information pour coordonner tous les processus touchant les interactions entre l'entreprise et ses clients dans le contexte des ventes, du marketing et du service.

Gestion de la relation employé — GRE (employee relationship management — ERM), p. 283
Logiciel qui traite des questions concernant les employés et ayant un lien étroit avec la gestion de la relation client (GRC), telles que l'établissement d'objectifs, la gestion du rendement du personnel, la rémunération fondée sur le rendement et la formation.

Gestion de la relation partenaire — GRP (partner relationship management — PRM), p. 283
Automatisation des relations de l'entreprise avec ses partenaires vendeurs faisant appel aux données relatives aux clients et aux outils d'analyse, et ce en vue d'améliorer la coordination et les ventes.

Gestion de projet (project management), p. 424
Application de connaissances, d'outils et de techniques visant l'atteinte d'objectifs précis, dans le respect du budget et de l'échéancier établi.

Gestion des connaissances (knowledge management), p. 333
Ensemble de processus élaborés dans une organisation pour la création, le regroupement, le stockage, le maintien et la diffusion des connaissances de l'entreprise.

Gestion des processus d'affaires — GPA *(business process management)*, p. 393
Méthodologie s'appliquant à la révision des processus d'affaires d'une organisation, afin qu'ils puissent servir d'éléments de base dans la constitution des systèmes d'information.

Gestion du changement *(change management)*, p. 431
Gestion des conséquences du changement organisationnel associé à une innovation, comme la mise en place d'un nouveau système d'information.

Gestion du flux des travaux et des documents *(workflow management)*, p. 391
Processus de rationalisation des méthodes grâce auquel les documents peuvent être acheminés rapidement et efficacement d'un endroit à un autre.

Gestion globale des menaces *(unified threat management — UTM)*, p. 255
Outil complet de gestion de la sécurité qui réunit de multiples dispositifs de sécurité, notamment les pare-feux, les réseaux privés virtuels, les systèmes de détection d'intrusion ainsi que les logiciels de filtrage de contenu Web et les filtres antipourriels.

Gestionnaire des systèmes d'information *(information systems manager)*, p. 51
Personne responsable du service des systèmes d'information.

Gouvernance des données *(data governance)*, p. 188
Ensemble des politiques et des processus concernant la gestion de la disponibilité, de la convivialité, de l'intégrité et de la sécurité des données de l'entreprise.

Gouvernance des TI *(IT governance)*, p. 52
Stratégie et politique d'utilisation des technologies de l'information au sein d'une organisation, qui précise les droits et les obligations en matière décisionnelle et permet ainsi de garantir que les TI s'inscrivent dans les objectifs de l'organisation.

Graphe de la structure *(structure chart)*, p. 402
Documentation du système indiquant les différents niveaux de conception, la relation qui existe entre eux et leur place dans la structure de conception. Cet organigramme peut documenter un programme, un système ou une partie de programme.

Graphique PERT *(PERT chart)*, p. 433
Diagramme en réseau représentant les tâches d'un projet et leurs interrelations.

Grappe de serveurs *(server farm)*, p. 135
Important groupe de serveurs réunis par un fournisseur commercial et mis à la disposition des abonnés pour le commerce électronique et d'autres activités exigeant l'utilisation abondante de serveurs.

GRC analytique *(analytical CRM)*, p. 286
Ensemble des applications de gestion de la relation client (GRC) permettant d'analyser les données relatives aux clients et fournissant de l'information propre à améliorer la performance de l'entreprise.

GRC opérationnelle *(operational CRM)*, p. 286
Ensemble des applications orientées vers le client, telles que les outils pour l'automatisation de la force de vente, le soutien du service à la clientèle et du centre d'appels, et l'automatisation du marketing.

Hameçonnage *(phishing)*, p. 245
Forme d'arnaque faisant appel à la création de faux sites Web ou à l'expédition de courriels semblables à ceux d'entreprises légitimes. L'objectif est d'obtenir des utilisateurs qu'ils fournissent des données personnelles confidentielles.

Hertz *(hertz)*, p. 208
Unité de mesure de la fréquence des impulsions électriques par seconde, équivalant à 1 cycle par seconde. Le mégahertz équivaut à 1 million de cycles par seconde.

HIPAA *(Health Insurance Portability and Accountability Act — HIPAA)*, p. 248
Loi américaine énumérant les règles de sécurité, de confidentialité et de gestion des dossiers de santé dans le domaine médical. Au Canada, ce domaine est couvert par la Loi sur la protection des renseignements personnels et les documents électroniques.

Identification par radiofréquence — RFID *(radio-frequency identification — RFID)*, p. 225
Technologie qui fait appel à de minuscules étiquettes munies d'une puce intégrée contenant les données sur un article et son emplacement. Elle permet la transmission de signaux radio sur de courtes distances à des lecteurs RFID spéciaux qui envoient ensuite les données à un ordinateur chargé de les traiter.

Impartition *(outsourcing)*, p. 155
Pratique qui consiste, pour une entreprise, à confier à un prestataire de services externe les activités de ses centres informatiques, de ses réseaux de télécommunication ou du développement de ses applications.

Impartition à l'étranger *(offshore outsourcing)*, p. 407
Pratique consistant, pour une entreprise, à confier les travaux de conception de ses nouveaux systèmes ou d'entretien de ses systèmes existants à des fournisseurs externes situés à l'étranger.

Impératif catégorique de Kant *(Kant's categorical imperative)*, p. 103
Principe de Kant pouvant s'énoncer ainsi : « Fais ce que tu voudrais que chacun fasse. »

Implantation *(implementation)*, p. 431
Ensembles des activités organisationnelles visant l'adoption, la gestion et l'introduction dans les habitudes de travail de l'innovation informatique.

Inclusion *(opt-in)*, p. 107
Modèle de consentement éclairé par lequel une entreprise se voit interdire la collecte de renseignements personnels si le consommateur n'indique pas clairement qu'il approuve la collecte et l'utilisation de renseignements le concernant.

Incohérence des données *(data inconsistency)*, p. 171
Présence de valeurs différentes pour le même attribut lorsqu'une même donnée est stockée à différents endroits.

Indicateur *(metric)*, p. 42
Mesure standard de la performance.

Indicateur clé de performance *(key performance indicator)*, p. 376
Mesure proposée par la haute direction pour l'évaluation de la performance de l'entreprise, sur la base de critères établis.

Information *(information)*, p. 14
Données qui se présentent sous une forme compréhensible et utile pour les êtres humains.

Informatique à haute disponibilité *(high-availability computing)*, p. 257
Ensemble des outils et technologies, notamment des ressources matérielles auxiliaires, permettant à un système de reprendre ses activités rapidement en cas de panne.

Informatique à la demande *(on-demand computing ou utility computing)*, p. 146
Service d'un centre informatique permettant à une entreprise de bénéficier d'une puissance de traitement accrue en période de pointe. L'entreprise limite son investissement à une infrastructure capable de traiter des quantités moyennes de données et paie uniquement pour la puissance de traitement supplémentaire qu'elle utilise.

Informatique autonome *(autonomic computing)*, p. 146
Ensemble des techniques utilisées pour la mise au point de systèmes capables de s'autogérer sans intervention de l'utilisateur.

Informatique axée sur la reprise *(recovery-oriented computing)*, p. 257
Système informatique conçu pour reprendre rapidement ses activités en cas de problème.

Informatique en grille *(grid computing)*, p. 145
Utilisation en réseau des ressources de plusieurs ordinateurs, pour la résolution d'un problème.

Infrastructure à clé publique *(public key infrastructure — PKI)*, p. 256
Système servant à créer des clés publiques et privées, et recourant à un organisme de certification et à des certificats numériques pour l'authentification.

Infrastructure de la technologie de l'information — TI *(information technology — IT — infrastructure)*, p. 18
Matériel informatique, logiciels, données, technologies de stockage et réseaux constituant un portefeuille commun de ressources en TI pour l'organisation.

Ingénierie sociale ou piratage psychologique *(social engineering)*, p. 246
Pratique des pirates informatiques consistant à user de tromperie pour faire révéler aux gens leur mot de passe d'accès à un système. Les pirates prétendent être des utilisateurs légitimes ou des membres de l'organisation à la recherche d'information.

Inspection approfondie des paquets — IAP *(deep packet inspection — DPI)*, p. 260
Technologie de gestion du trafic du réseau consistant en l'examen des paquets de données, leur classement selon leur priorité pour l'entreprise, puis leur envoi par ordre de priorité.

Intégrité référentielle *(referential integrity)*, p. 178
Ensemble de règles visant à garantir la cohérence des relations entre des tables de base de données couplées.

Intelligence *(intelligence)*, p. 364
Selon Simon, première des quatre étapes du processus décisionnel, qui consiste à recueillir de l'information pour déterminer les problèmes que connaît l'organisation.

Intelligence artificielle — IA *(artificial intelligence — AI)*, p. 343
Branche de l'informatique visant à construire des systèmes informatisés qui peuvent imiter le comportement humain et qui ont la capacité d'apprendre des langages, d'accomplir des tâches physiques, d'utiliser des dispositifs de perception et d'imiter l'expertise et la prise de décision des humains.

Intelligence d'affaires *(business intelligence)*, p. 182
Ensemble des applications et des technologies destinées à aider les utilisateurs à prendre de bonnes décisions stratégiques.

Interdépendance des données et des programmes *(program-data dependence)*, p. 171
Relation étroite existant entre les données stockées dans les fichiers et les programmes nécessaires à la mise à jour et à l'entretien de ces fichiers. Tout changement dans l'organisation ou dans le format des données exige une modification de l'ensemble des programmes associés au traitement de ces fichiers.

Interface utilisateur *(user interface)*, p. 422
Partie d'un système d'information avec laquelle l'utilisateur interagit avec le système. Il s'agit du matériel, de l'ensemble des commandes et des réponses visibles à l'écran qui lui sont destinées.

Interface utilisateur final *(end-user interface)*, p. 405
Partie d'un système d'information conçue pour qu'un utilisateur final puisse interagir avec le système, comme les commandes et les réponses visibles à l'écran.

Interface utilisateur graphique — IUG *(graphical user interface — GUI)*, p. 410
Dans un système d'exploitation, partie formée d'icônes graphiques avec lesquels les utilisateurs interagissent en se servant de la souris pour transmettre des commandes et faire des choix.

Internet *(Internet)*, p. 18
Réseau international utilisant des normes universelles pour relier des millions de réseaux.

Internet2 *(Internet2)*, p. 213
Réseau de recherche doté de nouveaux protocoles et de nouvelles vitesses de transmission, offrant une infrastructure en mesure de soutenir des applications Internet à large bande.

Intranet *(Intranet)*, p. 18
Réseau interne d'une organisation fondé sur la technologie et les normes d'Internet et du Web.

Java *(Java)*, p. 149
Langage de programmation conçu pour livrer uniquement les fonctions logicielles nécessaires à l'exécution d'une tâche particulière, sous forme de petits applets téléchargés sur un réseau. Ce langage convient à tout ordinateur et à tout système d'exploitation.

Jeton d'authentification *(token)*, p. 253
Dispositif matériel, semblable à une carte d'identification, qui sert à prouver l'identité d'un utilisateur particulier.

Jumeau malfaisant *(evil twin)*, p. 245
Réseau sans fil qui se présente comme légitime et vise à inciter les participants à ouvrir une session et à révéler des mots de passe ou des numéros de cartes de crédit.

Juste-à-temps *(just-in-time)*, p. 275
Système de gestion permettant de maintenir les stocks au minimum grâce à la réception des pièces ou matériaux au moment précis où on en a besoin et à l'expédition des produits finis dès leur sortie de la chaîne de montage.

Langage de balisage extensible XML *(XML — extensible markup language)*, p. 150
Langage de balisage principalement utilisé pour l'échange d'informations entre des systèmes informatiques hétérogènes et qui constitue le fondement technologique des services Web.

Langage de balisage hypertexte — HTML *(hypertext markup language — HTML)*, p. 150
Langage de balisage servant à créer des pages Web et d'autres documents hypermédias.

Langage de définition des données *(data definition)*, p. 175
Capacité qu'a le système de gestion de base de données (SGBD) de préciser la structure et le contenu de la base de données.

Langage de manipulation des données *(data manipulation language)*, p. 176
Langage associé à un système de gestion de base de données dont se servent les utilisateurs finaux et les programmeurs pour manipuler les données de la base.

Langage de modélisation de réalité virtuelle — VRML *(virtual reality modeling language — VRML)*, p. 342
Ensemble de spécifications pour la modélisation interactive 3D sur le Web.

Langage de quatrième génération *(fourth generation language)*, p. 405
Langage de programmation que les utilisateurs finaux ou les programmeurs modérément qualifiés peuvent utiliser directement pour concevoir et développer des applications plus rapidement qu'au moyen des langages de programmation traditionnels.

Langage de requête structuré — SQL *(structured query language — SQL)*, p. 176
Langage standard de manipulation de données destiné aux systèmes de gestion de bases de données relationnelles.

Langage d'interrogation *(query language)*, p. 405
Outil logiciel qui fournit sur-le-champ des réponses en ligne à des demandes d'information non prédéfinies.

Large bande *(broadband)*, p. 202
Technologie de transmission à haut débit. Cette expression désigne également un moyen de communication pouvant transmettre des données simultanément par des canaux multiples.

Légitimité *(legitimacy)*, p. 458
Reconnaissance plus ou moins grande de l'autorité d'une personne, compte tenu de ses compétences, de sa vision de l'avenir ou d'autres qualités.

Ligne d'abonné numérique — DSL *(digital subscriber line — DSL)*, p. 209
Ligne utilisant l'une des technologies qui permettent d'obtenir de hauts débits de transmission de données sur les fils traditionnellement employés pour la téléphonie.

Ligne dédiée *(dedicated line)*, p. 209
Ligne téléphonique spécialisée dont dispose en tout temps le locataire à des fins de transmission, qui sert habituellement à la transmission de données à haute vitesse pour des applications à fort volume.

Ligne T *(T line)*, p. 209
Ligne de données à haute vitesse louée par les fournisseurs de services de télécommunication. La capacité de transmission d'une ligne T1 est de 1,544 Mb/s, et celle d'une ligne T3, de 45 Mb/s.

Linux *(Linux)*, p. 143
Système d'exploitation fiable et compact dérivé d'Unix, compatible avec différentes plateformes matérielles, et gratuit ou très économique. Linux est utilisé comme solution de rechange d'Unix et de Windows de Microsoft.

Localisation *(software localization)*, p. 461
Processus de conversion ou d'adaptation locale d'un logiciel visant son fonctionnement dans une deuxième langue.

Logiciel *(computer software)*, p. 18
Ensemble des instructions préprogrammées détaillées qui commandent et coordonnent le fonctionnement des composants d'un système informatique.

Logiciel antivirus *(antivirus software)*, p. 255
Logiciel conçu pour détecter et, souvent, éliminer les virus informatiques dans un système d'information.

Logiciel d'application *(application software)*, p. 399
Ensemble de programmes informatiques conçus pour une application précise visant la réalisation de certaines tâches définies par l'utilisateur final.

Logiciel d'entreprise *(enterprise software)*, p. 273
Ensemble de modules intégrés servant à des applications comme la vente et la distribution, la comptabilité générale, la gestion des investissements, la gestion des matières, la planification de la production, l'entretien des installations et les ressources humaines. Ce logiciel permet l'utilisation des données pour une multitude de fonctions et de processus d'affaires.

Logiciel de SAD *(DSS software system)*, p. 371
Ensemble d'outils logiciels qui servent à analyser les données, comme les outils de traitement analytique en ligne, les outils de forage de données ou un ensemble de modèles mathématiques et analytiques.

Logiciel espion *(spyware)*, p. 107
Technologie facilitant la collecte d'information sur une personne ou une organisation, à son insu.

Logiciel libre *(open-source software)*, p. 149
Logiciel offrant un accès libre à son code programme, ce qui permet aux utilisateurs de le modifier pour y apporter des améliorations ou y corriger des erreurs.

Logiciel-service *(software as a service — SaaS)*, p. 153
Service de fourniture en ligne d'un accès à des logiciels, à titre de service Web.

Logique floue *(fuzzy logic)*, p. 346
Méthode utilisée pour la résolution de problèmes et basée sur des règles qui tolèrent l'imprécision ; elle fait appel à des termes non spécifiques appelés « fonctions d'appartenance ».

Loi de Moore *(Moore's law)*, p. 137
Affirmation selon laquelle le nombre de composants que peut contenir une puce double chaque année.

Loi Gramm-Leach-Bliley *(Gramm-Leach-Bliley Act)*, p. 248
Loi américaine exigeant des institutions financières qu'elles assurent la sécurité des données relatives aux clients et en protègent le caractère confidentiel. L'équivalent au Québec est la Charte des droits et libertés de la personne.

Loi Sarbanes-Oxley *(Sarbanes-Oxley Act)*, p. 248
Loi américaine adoptée en 2002 qui impose aux entreprises et à leur direction la responsabilité de protéger les investisseurs en préservant l'exactitude et l'intégrité de l'information financière qu'elles utilisent à l'interne et qu'elles communiquent à l'extérieur.
Au Canada, plusieurs lois et règlements provinciaux produisent le même effet.

Magasinage social *(social shopping)*, p. 309
Utilisation de sites Web proposant des pages créées par les utilisateurs, dans un but de partage des connaissances sur des questions d'intérêt.

Marché électronique *(digital market)*, p. 305
Place de marché créée grâce à des technologies informatiques et à des technologies de communication reliant plusieurs acheteurs et vendeurs.

Marketing par moteur de recherche — SEM *(search engine marketing — SEM)*, p. 219
Utilisation des moteurs de recherche en marketing, de telle sorte que les moteurs livrent dans leurs résultats des liens promotionnels pour lesquels des annonceurs ont payé.

Matériel informatique *(computer hardware)*, p. 18
Équipement utilisé pour l'exécution des activités d'entrée, de traitement et de sortie, dans un système d'information.

Messagerie instantanée *(instant messaging)*, p. 214
Service de clavardage offrant la possibilité à un utilisateur de créer son canal de clavardage personnel et d'être prévenu qu'un interlocuteur l'attend en ligne pour une conversation immédiate.

Messagerie unifiée *(unified communications)*, p. 217
Intégration de canaux disparates servant à la communication vocale, à la communication de données, à la messagerie instantanée, au courrier électronique et à la téléconférence. Elle permet à l'utilisateur de naviguer aisément entre ces différents modes de communication.

Méthode du pointage *(scoring model)*, p. 428
Méthode qui permet de faire rapidement un choix entre différents systèmes en les notant d'après une série de critères préétablis.

Méthode du tableau de bord équilibré (*balanced scorecard method*), p. 376
Cadre de référence servant à la mise en œuvre du plan stratégique d'une entreprise, grâce à la définition des objectifs mesurables de performance en matière de finance, de processus, de clientèle, d'apprentissage et de croissance de l'entreprise.

Méthode structurée (*structured*), p. 401
Méthode selon laquelle les techniques s'enchaînent graduellement, chaque étape découlant de la précédente.

Micro-onde (*microwave*), p. 208
Transmission sur une longue distance, depuis une station de transmission terrestre à une autre, d'un grand volume de signaux radio à haute fréquence émis dans l'atmosphère.

Micropaiement (*micropayment*), p. 319
Paiement de très petites sommes d'argent, le plus souvent inférieures à 10 $.

Microtraumatisme à répétition (*repetitive stress injury — RSI*), p. 116
Maladie professionnelle qui apparaît lorsque des groupes de muscles sont appelés à exécuter de manière répétitive des mouvements comportant souvent de forts impacts, ou encore des milliers de mouvements identiques de moindre impact.

Mini-ordinateur (*minicomputer*), p. 133
Ordinateur de taille moyenne utilisé notamment dans les systèmes des universités, des usines ou des laboratoires de recherche.

Miniportable (*netbook*), p. 145
Ordinateur portatif de très petite taille, économique et très léger, optimisé pour les communications sans fil et l'accès à Internet.

Mise à l'essai (*testing*), p. 399
Processus minutieux et rigoureux qui permet de déterminer si le système produit les résultats escomptés dans des conditions connues.

Mise en application (*implementation*), p. 364
Selon Simon, dernière des quatre étapes du processus décisionnel, qui consiste à mettre en œuvre la solution retenue et à évaluer son efficacité.

Modèle (*model*), p. 371
Représentation abstraite qui illustre les composantes ou les relations d'un phénomène.

Modèle classique de la gestion (*classical model of management*), p. 364
Description traditionnelle de la gestion qui met l'accent sur les fonctions classiques, c'est-à-dire sur la planification, l'organisation, la coordination, la prise de décision et le contrôle.

Modèle client-serveur (*client/server computing*), p. 136
Modèle informatique de répartition du traitement des données entre les clients et le serveur au sein d'un réseau : chaque tâche est assignée à la machine la plus apte à l'accomplir.

Modèle comportemental (*behavioral model*), p. 364
Description de la gestion reposant sur les observations des spécialistes de l'étude du comportement quant aux agissements des gestionnaires dans le cadre de leurs fonctions.

Modèle d'affaires (*business model*), p. 13
Représentation d'une organisation et de la manière dont elle livre un produit ou un service, illustrant la façon dont elle crée de la richesse.

Modèle de la chaîne de valeur (*value chain model*), p. 81
Modèle dans lequel on met l'accent sur les activités principales ou les activités de soutien, qui ajoutent de la valeur aux produits et services d'une entreprise et pour lesquelles les systèmes d'information contribuent à procurer un avantage concurrentiel.

Modèle des forces concurrentielles (*competitive forces model*), p. 75
Modèle servant à décrire l'interaction des influences externes, plus précisément des menaces et des possibilités, qui s'exercent sur une organisation, sur sa stratégie et sur sa capacité à rivaliser avec la concurrence.

Modèle de technologie du « pousser » (*push-based model*), p. 281
Stratégie selon laquelle la chaîne logistique est régie par des plans directeurs de production se fondant sur les meilleures prévisions ou approximations de la demande de produits. Les produits sont « poussés » vers les clients.

Modèle de technologie du « tirer » (*pull-based model*), p. 281
Stratégie selon laquelle la chaîne logistique est régie par les commandes ou les achats réels des clients. Les partenaires de la chaîne logistique produisent et livrent uniquement ce que les clients ont commandé.

Modèle d'évaluation du prix des options réelles (*real options pricing model — ROPM*), p. 430
Modèle servant à évaluer, au moyen des techniques d'évaluation des options financières, les investissements en technologie de l'information dont les rendements sont incertains.

Modèle relationnel (*relational DBMS*), p. 172
Modèle de base de données dans lequel les données sont traitées comme si elles étaient stockées dans des tables à deux dimensions. Il permet de relier des données sauvegardées dans deux tables, à condition que ces deux tables aient en commun un élément de données.

Modélisation en mode agent (*agent-based modeling*), p. 351
Modélisation de phénomènes complexes sous forme de systèmes d'agents autonomes suivant des règles d'interaction relativement simples.

Modem (*modem*), p. 206
Dispositif servant à convertir les signaux numériques en signaux analogiques pour leur transmission d'un terminal numérique (un ordinateur, par exemple) vers une ligne téléphonique, et vice versa.

Module (*module*), p. 41
Unité logique d'un programme destinée à l'exercice d'une ou de plusieurs fonctions.

Monde virtuel (*virtual world*), p. 50
Environnement simulé par ordinateur, dans lequel les utilisateurs évoluent et interagissent au moyen de représentations graphiques appelées avatars.

Moteur de recherche (*search engine*), p. 218
Logiciel qui permet de localiser sur Internet des sites ou des informations portant sur un sujet donné.

Moteur d'inférence (*inference engine*), p. 343
Partie d'un système expert qui utilise la stratégie du chaînage avant ou du chaînage arrière pour effectuer une recherche dans la base de règles.

MP3 ou MPEG3 (*MP3 ou MPEG3*), p. 110
Norme de compression des fichiers audio en vue du transfert sur Internet, essentiellement sans perte de qualité.

Multimédia (*multimedia*), p. 77
Intégration de deux ou plusieurs types de données numériques (textuelles, graphiques, sonores, vocales, vidéo, ou images animées) dans une application informatique.

Multinationale (*multinational*), p. 452
Entreprise qui centralise la gestion financière et le contrôle au siège social, tout en décentralisant ses autres fonctions.

Mystification *(spoofing)*, p. 244

Tromperie effectuée aux dépens d'un utilisateur autorisé, qui consiste à lui laisser croire qu'il est en communication avec un réseau alors qu'il est connecté à une version pirate, pour qu'il livre involontairement ses droits d'accès.

Nanotechnologie *(nanotechnology)*, p. 138

Technologie de construction de structures extrêmement petites, reposant sur la manipulation d'atomes et de molécules.

Navigateur Web *(Web browser)*, p. 150

Outil logiciel convivial permettant d'accéder au Web et à Internet.

Nettoyage des données *(data cleansing)*, p. 189

Ensemble des activités de détection et de correction des données, dans une base de données ou dans un fichier erroné, incomplet, mal formaté ou redondant.

Nimbo-informatique *(cloud computing)*, p. 137

Applications Web stockées sur des serveurs éloignés et auxquelles les utilisateurs accèdent par l'intermédiaire des «nuages» Internet, à l'aide d'un navigateur Web standard.

Nom de domaine *(domain name)*, p. 209

Nom, correspondant à un protocole numérique IP 32 bits, donné en langage courant à chaque ordinateur connecté à Internet.

Nonobvious Relationship Awareness — NORA *(NORA, «recherche de liens implicites»)*, p. 101

Nom donné à un logiciel qui peut mettre au jour des liens obscurs entre certaines personnes ou entités, grâce à l'analyse et à la combinaison d'informations provenant de nombreuses sources.

Normalisation *(normalization)*, p. 177

Processus de création de petites structures de données stables à partir de groupes de données complexes, lors de la conception d'une base de données relationnelle.

Norme technologique *(technology standard)*, p. 140

Spécification établissant la compatibilité des produits et les capacités de communication au sein d'un réseau.

Objet *(object)*, p. 402

Élément de base d'un logiciel qui associe les données et les procédures s'appliquant à ces données.

Obstruction à l'implantation *(counterimplementation)*, p. 435

Stratégie dont l'objectif et de saboter l'implantation d'un système d'information ou d'une innovation dans une organisation.

Octet *(byte)*, p. 138

Ensemble ordonné de huit bits, ou éléments binaires, utilisé pour mémoriser un chiffre ou une lettre dans un système informatique.

Ordinateur *(computer)*, p. 40

Appareil qui accepte les données comme intrants, les transforme en exécutant des instructions stockées en mémoire, et produit de l'information comme extrant, qu'il transmet à différents périphériques de sortie.

Ordinateur central *(mainframe)*, p. 133

La plus puissante catégorie d'ordinateurs, utilisés dans les entreprises pour le traitement de très grands volumes de données.

Ordinateur de milieu de gamme *(midrange computer)*, p. 173

Ordinateur de taille moyenne pouvant combler les besoins informatiques d'organisations de taille modeste ou pouvant gérer les réseaux d'autres ordinateurs.

Ordinateur Wintel *(Wintel PC)*, p. 133

Ordinateur qui utilise un microprocesseur Intel (ou un microprocesseur compatible) et le système d'exploitation Windows.

Organisation *(organization)*, p. 64

Sur le plan technique, structure sociale stable et formelle qui puise des ressources dans l'environnement et les traite pour produire des résultats. Sur le plan comportemental, ensemble de droits, de privilèges, d'obligations et de responsabilités qui s'équilibrent soigneusement au fil des conflits et de leur résolution.

Outil de gestion formel *(formal control tool)*, p. 433

Outil de gestion de projet qui permet de suivre les progrès accomplis dans l'exécution d'une tâche et de déterminer si les objectifs sont atteints.

Outil de planification formel *(formal planning tool)*, p. 433

Outil de gestion de projet qui permet de structurer et d'ordonner les tâches, en évaluant le temps, l'argent et les ressources techniques nécessaires à leur exécution.

Outil d'intégration externe *(external integration tool)*, p. 435

Outil de gestion de projet qui permet de lier le travail de l'équipe chargée de l'implantation à celui des utilisateurs de tous les échelons de l'organisation.

Outil d'intégration interne *(internal integration tool)*, p. 433

Outil de gestion de projet qui favorise la cohésion de l'équipe chargée de l'implantation.

Paire de fils torsadés *(twisted wire)*, p. 207

Support de transmission constitué de torons de fils de cuivre torsadés par paires, utilisé pour la transmission téléphonique de signaux analogiques et pour la transmission de données.

Pare-feu *(firewall)*, p. 254

Combinaison de matériel informatique et de logiciels qui est placée entre un réseau interne d'entreprise et un réseau externe afin d'empêcher les intrus d'envahir le réseau privé.

Partage de signets *(social bookmarking)*, p. 338

Possibilité qu'ont les utilisateurs de sauvegarder leurs signets de pages Web sur un site Web public et de leur attribuer des mots clés pour organiser les documents et partager l'information avec d'autres internautes.

Particularisme *(particularism)*, p. 451

Tendance à porter des jugements et à agir en fonction d'opinions étroites ou personnelles, au sujet de caractéristiques de toute nature – religion, nationalité, ethnie, régionalisme, situation géopolitique.

Personnalisation *(personalization)*, p. 303

Capacité qu'ont les commerçants d'adresser leurs messages de marketing à des personnes précises, en ciblant les destinataires selon leur nom, leurs intérêts et leurs achats précédents.

Personnalisation *(customization)*, p. 407

Dans le commerce électronique, modification d'un produit ou d'un service livré selon les préférences ou les habitudes antérieures du client. Également, modification d'un progiciel faisant en sorte qu'il réponde aux exigences uniques de l'organisation, mais sans porter atteinte à son intégrité.

Personnalisation en série *(mass customization)*, p. 77

Capacité d'offrir des produits ou des services personnalisés grâce à l'utilisation des ressources de la production en série.

Perspective sociotechnique *(sociotechnical view)*, p. 25

Perspective selon laquelle les systèmes d'information comportent à la fois des éléments techniques et des éléments sociaux. On obtient un rendement organisationnel optimal par l'utilisation conjointe des systèmes sociaux et des systèmes techniques dans la production.

Piratage Wi-Fi *(war driving)*, p. 241
Type d'écoute dans lequel les pirates informatiques sillonnent les rues pour tenter de capter le trafic de réseaux sans fil non protégés.

Pirate informatique *(hacker)*, p. 243
Individu qui obtient sans autorisation un accès à un réseau informatique, pour en tirer profit, pour commettre un méfait ou pour sa satisfaction personnelle.

Pixel invisible *(Web bug)*, p. 107
Minuscule fichier graphique inséré dans un courriel ou dans une page Web et servant à surveiller, à son insu, l'internaute qui lira le courriel ou visitera la page Web.

Place de marché électronique *(net marketplace)*, p. 316
Place de marché numérique exclusive reposant sur la technologie d'Internet et mettant en contact plusieurs acheteurs et plusieurs vendeurs.

Place de marché indépendante *(exchange)*, p. 317
Place de marché électronique principalement axée sur les transactions et mettant en communication de nombreux fournisseurs et acheteurs qui y concluent des achats ponctuels.

Plan d'essai *(test plan)*, p. 399
Plan préparé par l'équipe chargée de la conception, en collaboration avec les utilisateurs, qui comprend tous les éléments pour la préparation de la série d'essais à laquelle doit être soumis le système.

Planification de la capacité *(capacity planning)*, p. 156
Activité permettant de prévoir à quel moment le matériel informatique en place atteindra le point de saturation. Elle permet de faire en sorte que les ressources informatiques nécessaires pour accomplir les tâches de différents ordres de priorité soient en place et que l'entreprise dispose d'une puissance informatique apte à satisfaire ses besoins actuels et futurs.

Planification de la continuité des affaires *(business continuity planning)*, p. 252
Planification axée sur les moyens que l'entreprise peut employer pour restaurer ses processus d'affaires après un sinistre.

Planification de la demande *(demand planning)*, p. 277
Détermination de la quantité de produits que doit fabriquer l'entreprise pour satisfaire à la demande de sa clientèle.

Planification de la reprise après sinistre *(disaster recovery planning)*, p. 252
Planification de la restauration des services informatiques et des communications après une interruption.

Plan stratégique des systèmes d'information *(information systems plan)*, p. 425
« Carte routière » indiquant la direction que devrait prendre le développement des systèmes d'information, les motifs de cette orientation, la situation actuelle, la stratégie de gestion, le plan de mise en œuvre et le budget.

Plateforme de services *(service platform)*, p. 290
Intégration de diverses applications provenant d'une multitude de fonctions administratives, d'unités fonctionnelles ou de partenaires d'affaires. Le but est de procurer une expérience homogène aux clients, aux employés, aux gestionnaires et aux partenaires d'affaires.

Point de contact avec la clientèle *(touch point)*, p. 283
Moyen de communication entre l'entreprise et un client, tel que le téléphone, le courriel, un comptoir de service à la clientèle, la poste ou un point de vente.

Politique d'autorisation *(authorization policy)*, p. 251
Politique établissant les différents degrés d'accès aux éléments d'actif informationnel, à partir des diverses catégories d'utilisateurs au sein d'une organisation.

Politique de sécurité informatique *(security policy)*, p. 250
Série d'énoncés ayant pour but le classement des risques liés à l'information, l'établissement d'objectifs raisonnables en matière de sécurité et la détermination des moyens permettant d'atteindre ces objectifs.

Politique d'utilisation acceptable *(acceptable use policy)*, p. 251
Politique qui énumère les utilisations permises concernant les ressources et le matériel d'information de l'entreprise – notamment les ordinateurs de bureau, les ordinateurs portables, les appareils sans fil, les téléphones et Internet – et qui précise les conséquences du non-respect des règles énoncées.

Politique en matière d'information *(information policy)*, p. 186
Ensemble des règles officielles qui régissent le maintien, la distribution et l'utilisation des informations au sein d'une organisation.

Pollupostage *(spamming)*, p. 113
Forme d'abus consistant en l'expédition de milliers, voire de centaines de milliers de courriels et de messages électroniques non sollicités, dans un but de nuisance tant pour les entreprises que pour les particuliers.

Portail *(portal)*, p. 40
Interface Web servant à présenter de manière intégrée du contenu spécialisé provenant de plusieurs sources. Également, site Web fournissant un point d'entrée dans le Web.

Portail d'entreprise *(enterprise portal)*, p. 337
Interface Web qui sert de point d'entrée unique donnant accès à l'information et aux services d'une organisation et qui présente, notamment, l'information provenant de diverses applications et de divers systèmes patrimoniaux comme si elle venait d'une seule source.

Portail mobile *(wireless portal)*, p. 319
Portail offrant des contenus et des services optimisés pour les appareils mobiles, afin que les utilisateurs puissent trouver l'information qui répondra le mieux à leurs besoins.

Portée *(scope)*, p. 424
Détermination des tâches qui font partie d'un projet et de celles qui en sont exclues.

Portefeuille numérique *(digital wallet)*, p. 319
Logiciel qui enregistre l'information concernant la carte de crédit, l'argent électronique, l'identification et l'adresse du propriétaire de la carte, et qui fournit automatiquement ces données au moment où s'effectuent les transactions d'achat dans le commerce électronique.

Pourriel *(spam)*, p. 113
Courriel non sollicité à but commercial.

Pratique d'excellence *(best practice)*, p. 82
Solution ou méthode de résolution de problèmes, élaborée par une organisation particulière ou un secteur d'activité donné, qui s'avère hautement efficace.

Principe de l'utilitarisme *(utilitarian principle)*, p. 103
Principe selon lequel on doit classer les valeurs en présence par ordre de priorité et évaluer les conséquences des diverses solutions possibles.

Principe du risque minimum *(risk aversion principle)*, p. 103
Principe selon lequel on doit choisir les actes qui auront le moins d'effets nocifs possible ou dont les conséquences, en cas d'échec, entraîneront un minimum de coûts.

Principe éthique du « rien n'est gratuit » (ethical "no free lunch" rule), p. 103
Principe selon lequel, sauf affirmation contraire, tous les objets tangibles ou intangibles appartiennent à quelqu'un, et leur créateur a le droit d'être rémunéré pour son travail.

Prix d'entrée (market entry costs), p. 303
Prix que les commerçants doivent payer simplement pour introduire leurs produits sur le marché.

Processeur multicœur (multicore processor), p. 149
Circuit intégré auquel deux ou plusieurs processeurs ont été greffés pour une meilleure performance, une réduction de la consommation et le traitement simultané plus efficient de multiples tâches.

Processus d'affaires (business process), p. 9
Manière particulière dont les entreprises organisent et coordonnent leurs activités, les informations dont elles disposent et les connaissances qu'elles possèdent pour fabriquer un produit ou offrir un service.

Processus itératif (iterative), p. 404
Processus qui permet de reprendre les étapes de développement d'un système.

Production (production), p. 400
Étape succédant à l'installation d'un nouveau système et à la conversion intégrale au nouveau système. Les utilisateurs et les techniciens spécialisés évaluent alors dans quelle mesure le système atteint les objectifs fixés.

Produit numérique (digital good), p. 306
Bien qui peut être livré par l'intermédiaire d'un réseau numérique.

Profilage (profiling), p. 101
Utilisation de l'ordinateur qui vise la combinaison de données issues de sources multiples et la création de dossiers électroniques contenant des renseignements détaillés sur des personnes.

Progiciel (software package), p. 152
Ensemble de programmes pré-écrits et pré-encodés qui est disponible sur le marché et qui élimine la nécessité d'écrire des programmes pour des fonctions particulières.

Programmation (programming), p. 398
Processus qui consiste à convertir les spécifications d'un système, définies durant l'étape de la conception, en code programme.

Programme malveillant (malware), p. 242
Programme qui constitue une menace, comme les virus informatiques, les vers informatiques, les chevaux de Troie et les logiciels espions.

Programmeur (programmer), p. 51
Spécialiste technique de haut niveau qui rédige les instructions des logiciels informatiques.

Projet (project), p. 422
Série planifiée et organisée d'activités visant l'atteinte d'un objectif d'affaires précis.

Propriété intellectuelle (intellectual property), p. 109
Bien intangible acquis par des personnes ou des entreprises et protégé par des lois sur le secret commercial, les droits d'auteur et les brevets.

Protocole (protocol), p. 205
Ensemble de règles et de procédures qui régissent la transmission entre les composantes d'un réseau.

Protocole de transfert de fichiers — FTP (file transfer protocol — FTP), p. 213
Ensemble de règles et de procédures ayant trait à la récupération et au transfert de fichiers entre des ordinateurs distants.

Protocole HTTP (hypertext transfer protocol — HTTP), p. 218
Norme de communication utilisée pour le transfert de pages sur le Web, qui définit la façon dont les pages sont mises en forme et transmises entre le serveur et le client Web.

Protocole S-HTTP (secure hypertext transfer protocol — S-HTTP), p. 256
Protocole qui sert au cryptage de données circulant sur Internet, mais qui se limite aux messages individuels.

Protocole SOAP (Simple Object Access Protocol — SOAP), p. 151
Ensemble de règles qui permettent aux applications de services Web de s'échanger des données et des instructions.

Protocole SSL (secure sockets layer — SSL), p. 256
Protocole permettant aux clients et aux serveurs de gérer les activités de cryptage et de décryptage lors d'une communication, pendant une session Web sécurisée.

Protocole TCP/IP (transmission control protocol/Internet protocol — TCP/IP), p. 205
Protocole le plus utilisé pour l'établissement d'une liaison entre plusieurs types de réseaux. Il offre une méthode universellement reconnue pour la division des messages numériques en paquets, l'acheminement vers les bonnes adresses, puis la reconstitution de messages cohérents.

Prototypage (prototyping), p. 404
Processus qui permet de construire rapidement et à peu de frais un système expérimental que les utilisateurs peuvent évaluer afin de mieux définir leurs besoins en information.

Prototype (prototype), p. 404
Version préliminaire fonctionnelle d'un système d'information qu'on peut mettre à l'essai et évaluer.

Qualité six sigma (six sigma), p. 394
Mesure précise de la qualité correspondant à 3,4 éléments défectueux par million. Sert à désigner un ensemble de méthodes et de techniques visant l'amélioration de la qualité et la réduction des coûts.

Raisonnement par cas (case-based reasoning — CBR), p. 345
Technologie de l'intelligence artificielle dans laquelle on représente les connaissances sous la forme d'une base de données contenant des cas et des solutions.

Rationalisation des procédures (rationalization of procedures), p. 390
Rationalisation des méthodes standards d'exploitation visant l'élimination des goulots d'étranglement et l'amélioration de l'efficacité grâce à l'automatisation.

Récupération (cooptation), p. 457
Intégration de l'opposition dans le processus de conception et de mise en application d'une solution, sans renoncement au contrôle de l'orientation et de la nature du changement,

Redondance de données (data redundancy), p. 171
Présence de données en double dans plusieurs fichiers de données.

Règle de la pente fatale de Descartes (Descartes' rule of change), p. 103
Principe selon lequel un geste ne mérite pas d'être fait s'il ne peut être répété.

Règle d'exonération (safe harbor), p. 106
Politique privée d'autoréglementation et mécanisme de mise en application qui atteignent les objectifs des organismes de réglementation et des lois sans que le gouvernement n'ait à intervenir.

Règle d'or (golden rule), p. 103
Règle pouvant s'énoncer ainsi : « Ne pas faire aux autres ce qu'on ne voudrait pas qu'on nous fasse », qui permet de réfléchir à l'impartialité d'un processus.

Réingénierie des processus d'affaires (business process reengineering), p. 390
Reconfiguration radicale des processus d'affaires passant par le regroupement des étapes qu'ils comportent, en vue de réduire les pertes et d'éliminer les tâches répétitives qui exigent beaucoup de formalités administratives. Une réingénierie a pour but de réduire les coûts, d'améliorer la qualité et les services, et de maximiser les avantages de la technologie de l'information.

Renifleur (sniffer), p. 244
Programme d'écoute électronique qui surveille les transmissions d'information dans un réseau.

Réseau (network), p. 18
Ensemble de deux ou plusieurs ordinateurs reliés en vue du partage de données ou de ressources, telle une imprimante.

Réseau de capteurs sans fil (wireless sensor network), p. 226
Réseau d'appareils sans fil interconnectés qui possèdent des capacités de traitement et de stockage, des capteurs de radiofréquences et des antennes. Intégrés dans l'environnement physique, ces appareils permettent de recueillir des données dans de grands espaces à partir de plusieurs points de mesure.

Réseau de stockage (storage area network — SAN), p. 144
Réseau à haute vitesse qui est affecté au stockage. Il relie différentes unités de stockage, comme les matrices de disque et les magnétothèques, afin de permettre à plusieurs serveurs de les partager.

Réseau de troisième génération ou réseau 3G (third-generation or 3G Network), p. 223
Réseau cellulaire basé sur la commutation de paquets dont les vitesses varient de 144 kb/s, pour un utilisateur mobile, à 2 Mb/s, pour les utilisateurs travaillant à partir d'un poste fixe. Cette capacité est suffisante pour la transmission d'images vidéo, de graphiques et d'autres médias enrichis, en plus de la voix.

Réseau de valeur (value Web), p. 83
Ensemble d'entreprises indépendantes qui utilisent la technologie de l'information pour coordonner leurs chaînes de valeur, afin de produire collectivement un produit ou un service destiné à un marché donné.

Réseau de zombies (botnet), p. 244
Groupe d'ordinateurs transformés en zombies à l'insu de leurs propriétaires et dont les ressources peuvent ainsi être utilisées par un pirate pour des attaques anonymes par déni de service, des campagnes d'hameçonnage ou des envois massifs de pourriels.

Réseau en anneau (ring topology), p. 207
Topologie de réseau dans laquelle tous les ordinateurs sont reliés en boucle fermée, de manière que les données passent dans une seule direction d'un ordinateur à l'autre.

Réseau en bus (bus topology), p. 207
Topologie de réseau reliant plusieurs ordinateurs à l'aide d'un même circuit, tous les messages étant diffusés dans l'ensemble du réseau.

Réseau en étoile (star topology), p. 207
Topologie de réseau dans laquelle tous les ordinateurs et autres appareils sont reliés à un ordinateur hôte central, par lequel doivent passer toutes les communications.

Réseau étendu — WAN (wide area network — WAN), p. 207
Réseau de télécommunication assurant la transmission de messages sur de très grandes distances, par l'intermédiaire de câbles, de satellites et de micro-ondes.

Réseau industriel privé (private industrial network), p. 316
Réseau reposant sur le Web et reliant les systèmes de plusieurs entreprises d'un même secteur d'activité, dans un but de coordination des processus d'affaires transorganisationnels.

Réseau local — LAN (local area network — LAN), p. 206
Réseau de télécommunication qui utilise ses propres canaux spécialisés et qui transmet des messages dans une zone restreinte, habituellement un immeuble ou plusieurs immeubles proches les uns des autres.

Réseau métropolitain — MAN (metropolitan area network — MAN), p. 207
Réseau en zone urbaine englobant habituellement une ville et ses banlieues. Sa portée géographique se situe entre celle d'un réseau étendu (WAN) et celle d'un réseau local (LAN).

Réseau neuronal (neural network), p. 346
Matériel ou logiciel qui peut imiter les modes de traitement du cerveau biologique.

Réseau personnel (personal area network — PAN), p. 223
Réseau informatique servant à la communication entre appareils électroniques (dont les téléphones et les assistants numériques personnels – ANP) et mis à la disposition d'une seule personne.

Réseau poste à poste (peer-to-peer), p. 206
Architecture de réseau accordant un pouvoir égal à tous les ordinateurs du réseau, qui est utilisée principalement dans les petits réseaux.

Réseau privé (private exchange), p. 316
Autre expression pour « réseau industriel privé ».

Réseau privé virtuel — RPV (virtual private network — VPN), p. 217
Connexion Internet sécurisée entre deux points pour la transmission de données d'entreprise. Offre une solution de rechange économique au réseau privé.

Responsabilité civile (liability), p. 102
Obligation des États de droit, en vertu des lois qui les régissent, de permettre aux citoyens d'obtenir réparation en cas de préjudice causé par d'autres individus, des systèmes ou des organisations.

Responsabilité organisationnelle (accountability), p. 102
Ensemble des mécanismes permettant de déterminer à qui incombent les responsabilités liées aux décisions prises et aux mesures mises en œuvre.

Responsabilité personnelle (responsibility), p. 102
Acceptation des coûts potentiels, des devoirs et des obligations qui peuvent découler des décisions prises.

Retouche (patch), p. 247
Petit programme servant à corriger les erreurs ou les défauts que présente un logiciel sans perturber le fonctionnement de ce dernier.

Rétroaction (feedback), p. 15
Transmission des informations de sortie aux membres appropriés de l'organisation, pour les aider à évaluer l'entrée ou à la corriger.

Richesse de l'information (richness), p. 303
Mesure de la profondeur et de l'exhaustivité de l'information qu'une entreprise peut fournir au client, mais aussi qu'elle peut recueillir sur le client.

Robot magasineur (shopping bot), p. 220
Logiciel qui possède divers degrés d'intelligence intégrée et qui doit aider les usagers du commerce électronique à repérer et à évaluer les produits ou les services qu'ils pourraient vouloir acheter.

Rôle décisionnel (decisional role), p. 365
Dans la classification de Mintzberg, rôle de gestion dans lequel le gestionnaire lance des activités nouvelles, corrige les situations problématiques, répartit les ressources et arbitre les conflits.

Rôle de gestion (managerial role), p. 365
Tâche que doit accomplir un gestionnaire dans une organisation.

Rôle informationnel (*informational role*), p. 365
Dans la classification de Mintzberg, rôle de gestion en vertu duquel un cadre est en quelque sorte un centre nerveux de l'organisation, recevant et transmettant de l'information cruciale.

Rôle interpersonnel (*interpersonal role*), p. 365
Dans la classification de Mintzberg, rôle de gestion dans lequel le gestionnaire agit comme figure de proue et leader au sein de l'organisation.

Routeur (*router*), p. 202
Processeur spécial servant à acheminer des paquets de données d'un réseau à un autre.

Routine (*routine*), p. 65
Règles, procédures et pratiques précises devant aider à faire face à une situation précise.

RSS (*Really Simple Syndication — RSS*), p. 220
Format de syndication de contenu Web qui indexe le contenu des sites pour qu'il puisse être utilisé dans un autre contexte. Un agrégateur puise du contenu dans les sites Web et en alimente automatiquement les ordinateurs des abonnés.

SAD guidé par les données (*data-driven DSS*), p. 367
Système qui soutient la prise de décision en permettant aux utilisateurs d'extraire les informations utiles qui se trouvaient enfouies dans des volumes considérables de données.

SAD guidé par un modèle (*model-driven DSS*), p. 367
Système essentiellement autonome qui utilise un modèle pour effectuer des analyses d'hypothèses et d'autres types d'analyses.

Savoir (*wisdom*), p. 332
Expérience collective et individuelle d'application des connaissances à la résolution de problèmes.

Secret commercial (*trade secret*), p. 109
Œuvre ou produit intellectuel que l'entreprise utilise à des fins commerciales et qui peut être considéré comme sa possession s'il ne repose pas sur de l'information provenant du domaine public.

Sécurité (*security*), p. 238
Ensemble des politiques, procédures et mesures techniques visant à prévenir l'accès non autorisé aux systèmes d'information ainsi que l'altération, le vol et les dommages.

Serveur (*server*), p. 136
Ordinateur spécialement optimisé pour pouvoir fournir des logiciels et autres ressources à d'autres ordinateurs faisant partie du même réseau.

Serveur d'applications (*application server*), p. 136
Logiciel traitant toutes les opérations qui ont lieu entre les navigateurs des ordinateurs et les applications ou les bases de données d'une entreprise.

Serveur de base de données (*database server*), p. 185
Ordinateur d'un environnement client-serveur qui est responsable de l'exploitation d'un système de gestion de bases de données (SGBD). Il traite les requêtes structurées en langage SQL et exécute les tâches de gestion de la base de données.

Serveur lame (*blade server*), p. 143
Ordinateur qui tient en totalité sur une seule carte mince (aussi appelée «lame»), branchée dans un châssis unique, et dont la compacité permet d'économiser espace et énergie, ainsi que de réduire la complexité des connexions.

Serveur Web (*Web server*), p. 136
Logiciel qui gère les requêtes de pages Web sur l'ordinateur où elles se trouvent, pour les transmettre à l'ordinateur de l'utilisateur.

Service des systèmes d'information (*information systems department*), p. 51
Unité organisationnelle responsable du fonctionnement des systèmes d'information au sein d'une organisation.

Service d'hébergement Web (*Web hosting service*), p. 144
Service offert à des utilisateurs payants par une entreprise disposant de serveurs destinés à héberger des sites Web.

Services Web (*Web services*), p. 150
Ensemble de composantes logicielles qui sont reliées et qui échangent de l'information à l'aide d'un langage Web standardisé et de normes de communication universelles. La technologie Internet sert alors à intégrer des applications provenant de diverses sources, sans la longue opération de codification personnalisée. Ces services permettent de relier les systèmes d'organisations différentes ou les systèmes disparates d'une même organisation.

SGBD relationnel-objet (*object-relational DBMS*), p. 175
Système de gestion de base de données qui associe les fonctionnalités d'un SGBD relationnel, pour le stockage de l'information traditionnelle, et les fonctionnalités d'un SGBD orienté objet, pour le stockage des représentations graphiques et de l'information multimédia.

Signal analogique (*analog signal*), p. 206
Signal émis sous forme d'onde continue grâce à un moyen de diffusion.

Signal numérique (*digital signal*), p. 206
Forme d'onde qui transmet les données codées selon deux états discrets, les bits de valeurs 1 et 0, représentés sous la forme d'impulsions électriques tension-hors tension.

Site de réseautage social (*social networking site*), p. 309
Site qui permet la création et l'extension d'une communauté en ligne. Les utilisateurs étendent leurs réseaux de contacts personnels ou professionnels en créant des liens, grâce aux relations entre leurs entreprises respectives ou à leurs relations personnelles.

Site Web (*Web site*), p. 218
Ensemble des pages Web d'une organisation ou d'un individu.

Société clic et mortier (*click and mortar*), p. 310
Modèle d'entreprise dont le site Web est l'extension d'une entreprise traditionnelle disposant d'installations matérielles.

Société point-com (*pure-play*), p. 310
Modèle d'affaires dans lequel l'entreprise repose entièrement sur Internet.

Société transnationale (*transnational*), p. 453
Entreprise d'envergure véritablement mondiale qui n'a pas de siège social national. La gestion des activités créatrices de valeur se fait dans une perspective mondiale, sans prise en compte des frontières nationales, et elle vise l'optimisation des sources d'approvisionnement, de la demande et de tout avantage concurrentiel à l'échelle régionale.

Socionomie (*folksonomy*), p. 338
Taxonomie créée par les utilisateurs et qui permet le classement et le partage de l'information.

Sortie (*output*), p. 15
Information traitée qui est distribuée aux utilisateurs pour l'accomplissement de leurs tâches.

Spécification de processus (*process specifications*), p. 402
Spécification qui décrit la logique d'un processus se déroulant au niveau le plus bas d'un diagramme de flux de données.

Station de travail pour les spécialistes financiers *(investment workstation)*, p. 342
Puissant ordinateur de bureau à l'usage des spécialistes financiers, optimisé pour leur permettre d'accéder à d'énormes quantités de données financières et de les manipuler.

Stratégie de conversion par étapes *(phased approach strategy)*, p. 400
Mise en place d'un nouveau système par étapes, selon les fonctions ou les unités organisationnelles.

Stratégie du basculement direct *(direct cutover strategy)*, p. 400
Méthode de conversion risquée selon laquelle le nouveau système remplace complètement l'ancien lors d'une journée désignée.

Stratégie du projet pilote *(pilot study strategy)*, p. 400
Stratégie consistant à mettre en place un nouveau système dans un service précis de l'organisation, jusqu'à ce que son utilisation ait démontré son bon fonctionnement. Par la suite seulement, le passage au nouveau système s'effectue dans toute l'organisation.

Stratégie parallèle *(parallel strategy)*, p. 400
Méthode de conversion sûre et prudente selon laquelle l'ancien système et le nouveau s'exécutent en même temps, jusqu'à ce qu'on soit certain que le nouveau système fonctionne adéquatement.

Structure du secteur économique *(industry structure)*, p. 87
Nature des participants d'un secteur d'activité et de leurs pouvoirs de négociation relatifs. Cette structure découle des forces concurrentielles en présence et établit le contexte général des affaires dans le secteur et la rentabilité globale des échanges commerciaux dans le contexte.

Suivi de parcours *(clickstream tracking)*, p. 313
Suivi des données relatives aux activités des clients sur les sites Web, et stockage de ces données dans un fichier journal.

Syndrome de fatigue oculaire *(computer vision syndrome — CVS)*, p. 119
Fatigue de l'œil entraînée par un travail prolongé devant l'écran d'un ordinateur. Les symptômes incluent des maux de tête, des troubles de la vision, une sécheresse et une irritation des yeux.

Syndrome du canal carpien — SCP *(carpal tunnel syndrome — CTS)*, p. 119
Type de lésion, causant de la douleur, due aux pressions répétitives qui s'exercent sur le nerf médian passant dans la canal carpien, dans la structure osseuse du poignet.

Système à tolérance de pannes *(fault-tolerant computer system)*, p. 257
Système contenant du matériel, des logiciels et des composantes d'alimentation électrique supplémentaires qui servent de dispositifs de secours assurant la continuité du fonctionnement en cas de problème.

Système clé *(core system)*, p. 455
Système soutenant une ou des fonctions absolument cruciales pour l'organisation.

Système d'aide à la décision — SAD *(decision support system — DSS)*, p. 39
Système d'information qui sert à l'échelon de la gestion de l'organisation et qui combine des données avec des modèles analytiques complexes afin de soutenir la prise de décisions semi-structurées ou non structurées.

Système d'aide à la décision de groupe — SADG *(group decision-support system — GDSS)*, p. 367
Système informatisé interactif qui simplifie la recherche de solutions à des problèmes non structurés sur lesquels se penche un groupe de décideurs travaillant en collaboration.

Système d'aide à la décision pour le client — SADC *(customer decision support system — CDSS)*, p. 374
Système qui guide les clients actuels ou potentiels dans le processus de prise de décision.

Système de communication *(telecommunication system)*, p. 9
Ensemble des éléments matériels et logiciels dont la combinaison permet la communication de l'information d'un endroit à l'autre.

Système de détection d'intrusion *(intrusion detection system)*, p. 255
Système doté d'outils assurant la surveillance continue des points les plus vulnérables d'un réseau, de manière à repérer et à dissuader les intrus.

Système de gestion de base de données — SGBD *(database management system — DBMS)*, p. 172
Logiciel spécialisé qui permet de créer une base de données, de la gérer efficacement et d'en faciliter l'accès au moyen de programmes d'application. Ces programmes extraient les données dont les utilisateurs ont besoin sans qu'il y ait besoin de créer des définitions de données ou des fichiers distincts

Système de gestion de contenu d'entreprise *(enterprise content management system)*, p. 337
Système qui aide l'organisation à gérer les connaissances structurées et semi-structurées en lui fournissant des référentiels de documents, de rapports, de présentations et de pratiques d'excellence, et en lui donnant la capacité de rassembler et d'organiser les objets courriels ou graphiques.

Système de gestion de contenus numériques *(digital asset management system)*, p. 337
Système permettant de classer, de stocker et de distribuer des objets numériques tels que des photos, des graphiques et des fichiers vidéo et audio.

Système de gestion de la chaîne logistique — GCL *(supply chain management system)*, p. 46
Système d'information qui automatise la circulation de l'information entre une entreprise et ses fournisseurs, permettant d'optimiser la planification, la localisation des sources d'approvisionnement, la fabrication et la livraison des produits et services.

Système de gestion de l'apprentissage *(learning management system — LMS)*, p. 340
Ensemble d'outils servant à la gestion, à la livraison, au suivi et à l'évaluation des divers types d'apprentissage des employés.

Système de gestion de la relation client — GRC *(customer relationship management system — CRM)*, p. 47
Système d'information qui assure le suivi de toutes les interactions entre l'entreprise et ses clients, et qui permet d'analyser ces interactions dans le but d'optimiser les revenus, la rentabilité, la satisfaction de la clientèle et sa fidélité.

Système de gestion des autorisations *(authorization management system)*, p. 251
Système qui fournit à chaque utilisateur un accès aux seules parties d'un système ou du Web qu'il est autorisé à consulter, conformément à un ensemble de règles d'accès.

Système de gestion des connaissances — SGC *(knowledge management system — KMS)*, p. 48
Système qui soutient la création, l'appropriation, l'entreposage et la diffusion du savoir-faire et des connaissances de l'entreprise.

Système de gestion des connaissances de l'entreprise *(enterprise-wide knowledge management system)*, p. 336
Système d'entreprise à vocation générale permettant la collecte, le stockage, la distribution et l'application du contenu numérique et des connaissances.

Système de noms de domaine — DNS *(domain name system — DNS)*, p. 209
Système hiérarchique de serveurs soutenant une base de données qui permet de convertir les noms de domaine en adresses numériques IP.

Système d'entreprise *(enterprise system)*, p. 45
Système d'information intégré qui coordonne les principaux processus internes de l'organisation.

Système de paiement électronique *(electronic payment system)*, p. 76
Utilisation de technologies numériques, comme les cartes de crédit, les cartes à puce et les systèmes de paiement reposant sur Internet, pour le paiement électronique de produits et de services.

Système de paiement en ligne à valeur enregistrée *(online stored value payment system)*, p. 319
Système permettant au consommateur de faire des paiements en ligne instantanés à des commerçants ou à d'autres personnes, selon la valeur enregistrée dans un compte numérique.

Système de planification de la chaîne logistique *(supply chain planning system)*, p. 277
Système qui permet à l'entreprise de faire des prévisions quant à la demande pour un produit donné et d'élaborer des plans d'approvisionnement et de fabrication pour ce produit.

Système de positionnement GPS *(global positioning system — GPS)*, p. 73
Système de localisation par signaux satellites fonctionnant sur l'ensemble de la Terre.

Système de réalité virtuelle *(virtual reality system)*, p. 342
Logiciel et matériel graphiques interactifs qui créent des simulations donnant à l'utilisateur l'impression qu'il se trouve dans le monde réel.

Système de réseau de connaissances *(knowledge network system)*, p. 337
Répertoire en ligne permettant de trouver les experts d'une entreprise dans des domaines de connaissances bien définis.

Système de traitement des transactions — STT *(transaction processing system)*, p. 37
Système informatisé qui exécute et enregistre les transactions quotidiennes et courantes permettant la poursuite des activités de l'entreprise.

Système d'exécution de la chaîne logistique *(supply chain execution system)*, p. 277
Système qui gère le flux de produits passant par les centres de distribution et les entrepôts et permet de s'assurer que les produits sont livrés au bon endroit avec un maximum d'efficience.

Système d'exploitation *(operating system)*, p. 143
Logiciel affecté à la gestion des activités d'un ordinateur.

Système d'exploitation de réseau — SER *(network operating system — NOS)*, p. 202
Logiciel qui a pour fonction d'acheminer et de gérer les communications dans un réseau, et de coordonner ses ressources.

Système d'information *(information system)*, p. 14
Ensemble de composantes interreliées qui, combinées, recueillent l'information, la traitent, la stockent et la diffusent afin d'aider à la prise de décision, à la coordination, au contrôle, à l'analyse et à la visualisation au sein d'une organisation.

Système d'information de gestion — SIG *(management information system — MIS)*, p. 38
Système d'information qui, à l'échelon de la gestion de l'organisation, soutient les fonctions de planification, de contrôle et de prise de décision en fournissant régulièrement des résumés et des rapports d'exceptions. Étude de l'utilisation de ce genre de systèmes.

Système d'information géographique *(geographic information system — GIS)*, p. 374
Système pourvu d'un logiciel qui peut analyser et afficher des données à l'aide de cartes numérisées et qui permet d'améliorer la planification et la prise de décision.

Système d'information informatisé — SII *(computer-based information system — CBIS)*, p. 15
Système d'information qui dépend du matériel informatique et des logiciels pour le traitement et la diffusion de l'information.

Système d'information pour dirigeants — SID *(executive support system — ESS)*, p. 40
Système d'information utilisé à l'échelon stratégique d'une organisation et qui est conçu pour soutenir la prise de décisions non structurées, au moyen de graphiques et d'outils de communication perfectionnés.

Système d'information stratégique *(strategic information system)*, p. 86
Système d'information qui, quel que soit l'échelon de l'organisation, modifie les buts, les activités, les produits, les services ou les relations avec l'environnement pour favoriser l'obtention d'un avantage concurrentiel.

Système efficace de réponse au client *(efficient customer response system)*, p. 76
Système qui met le consommateur en lien direct avec les chaînes de distribution, de production et d'approvisionnement.

Système électronique de présentation de facture et de paiement *(electronic billing and payment presentation system)*, p. 319
Système électronique qui sert à payer les factures mensuelles habituelles. Il permet à l'utilisateur de consulter ses factures à l'ordinateur et de les payer en effectuant un virement de fonds à partir d'un compte bancaire ou d'un compte de carte de crédit.

Système expert *(expert system)*, p. 343
Programme informatique qui fait appel à une base de connaissances établie à partir de l'expertise humaine dans des domaines d'application bien définis.

Système hybride d'intelligence artificielle *(hybrid AI system)*, p. 350
Système issu de l'intégration de plusieurs technologies de l'intelligence artificielle en une seule application qui permet de tirer profit des meilleurs éléments de chaque technologie.

Système informatique patrimonial *(legacy system)*, p. 144
Système qui est en exploitation depuis longtemps et qu'on continue d'utiliser pour éviter des frais élevés de remplacement ou de reconfiguration.

Système interorganisations *(interorganizational system)*, p. 46
Système d'information qui automatise la circulation de l'information au-delà des frontières de l'organisation et qui relie une entreprise à ses clients, à ses distributeurs et à ses fournisseurs.

Système numérique de paiement à solde cumulé *(accumulated balance digital payment system)*, p. 319
Système permettant à l'utilisateur d'effectuer des micropaiements et des achats sur le Web en accumulant un solde débiteur sur ses comptes de carte de crédit ou de téléphone.

Système numérique de paiement par carte de crédit *(digital credit card payment system)*, p. 319
Service visant à assurer la sécurité des transactions par carte de crédit sur Internet, et protégeant les renseignements transmis par les utilisateurs, les sites des commerçants et les banques concernées.

Système pour le travail intellectuel — STI *(knowledge work system — KWS)*, p. 336
Système spécialisé conçu pour les ingénieurs, les scientifiques et d'autres travailleurs de la connaissance chargés de découvrir et de créer de nouvelles connaissances pour l'entreprise.

Tableau croisé *(pivot table)*, p. 372
Outil de tableur permettant de réorganiser et de résumer deux ou plusieurs dimensions de données sous forme de tableau.

Tableau de bord numérique *(digital dashboard)*, p. 42
Affichage sur un même écran de tous les indicateurs de performance d'une entreprise, sous la forme de graphiques et de diagrammes. Il fournit un aperçu en une page de toutes les mesures cruciales pour la prise de décisions de gestion clés.

Taux de désabonnement *(churn rate)*, p. 288
Mesure du nombre de clients qui cessent d'utiliser ou d'acheter les produits ou les services d'une entreprise, qui sert d'indicateur de la croissance ou de la diminution de la clientèle.

Taxonomie *(taxonomy)*, p. 337
Méthode de classement d'un ensemble d'objets, selon un système prédéterminé.

Technique intelligente *(intelligent technique)*, p. 336
Technique de gestion des connaissances. Les techniques intelligentes visent différents objectifs allant de la découverte de connaissances (forage de données et réseaux neuronaux) à la distillation de connaissances sous la forme de règles pour un programme informatique (systèmes experts et logique floue), en passant par la découverte de solutions optimales aux problèmes (algorithmes génétiques).

Technologie de la gestion des données *(data management technology)*, p. 18
Technologie correspondant au logiciel qui commande l'organisation des données sur des supports physiques de stockage. Ce logiciel sert à créer et à manipuler des listes, à créer des fichiers et des bases de données destinés au stockage de données, et à associer des informations pour la production de rapports.

Technologie de l'information — TI *(information technology — IT)*, p. 14
Ensemble des technologies matérielles et logicielles dont une entreprise a besoin pour atteindre ses objectifs.

Technologie des réseaux et des télécommunications *(networking and telecommunications technology)*, p. 18
Ensemble des outils matériels et logiciels qui permettent de relier divers composants matériels d'ordinateurs et qui assurent le transfert des données d'un lieu physique à un autre.

Technologie P3P — plateforme pour les préférences de confidentialité *(P3P — Platform for Privacy Preferences)*, p. 108
Norme de communication qui donne aux utilisateurs une maîtrise accrue de la collecte de renseignements personnels sur les sites Web qu'ils visitent.

Technologie perturbatrice *(disruptive technology)*, p. 67
Technologie ayant un effet perturbateur sur les secteurs d'activité et les entreprises, et entraînant la désuétude des produits, des services et des modèles d'affaires existants.

Technostress *(technostress)*, p. 119
Stress provoqué par l'usage intensif de l'ordinateur. Les symptômes en sont l'irritabilité, les marques d'hostilité envers les autres, l'impatience et l'agitation.

Téléconférence *(teleconferencing)*, p. 217
Possibilité, pour un groupe de personnes, de tenir une conférence ou de communiquer à plusieurs en utilisant simultanément un téléphone ou un logiciel de courrier électronique.

Téléphone cellulaire *(cell phone)*, p. 208
Appareil qui transmet la voix ou des données, et qui utilise des ondes radio pour communiquer avec des antennes installées à l'intérieur de territoires géographiques adjacents.

Téléphone intelligent *(smart phone)*, p. 222
Téléphone doté de fonctions texte, de fonctions vocales et d'un accès à Internet.

Téléphonie par Internet *(Internet telephony)*, p. 144
Technologie faisant appel à la commutation de paquets sur Internet pour assurer le service téléphonique.

Telnet *(Telnet)*, p. 213
Outil de réseau permettant à une personne de se connecter à un système informatique tout en travaillant sur un autre.

Témoin *(cookie)*, p. 106
Minuscule fichier qui, déposé dans le disque dur d'un ordinateur lorsqu'un utilisateur visite certains sites Web, sert à identifier l'internaute et à faire le suivi de ses visites sur le site Web.

Temps d'arrêt *(downtime)*, p. 257
Période durant laquelle un système n'est pas opérationnel.

Théorie de l'agence *(agency theory)*, p. 70
Théorie économique selon laquelle l'entreprise doit être considérée comme un réseau d'ententes contractuelles entre des individus privilégiant leurs intérêts personnels et devant être supervisés et gérés.

Théorie des coûts de transaction *(transaction cost theory)*, p. 69
Théorie économique selon laquelle les entreprises grossissent parce qu'elles sont capables de conclure des transactions à l'interne à un coût moindre que si elles traitaient avec des entreprises externes, sur les marchés.

Topologie *(topology)*, p. 207
Façon dont sont reliées les composantes d'un réseau.

Traitement *(processing)*, p. 15
Conversion, manipulation et analyse des données brutes, de façon à leur donner un sens pour les utilisateurs.

Traitement analytique en ligne — OLAP *(online analytical processing — OLAP)*, p. 183
Mode de traitement et d'analyse de gros volumes de données sous plusieurs angles.

Traitement centralisé *(centralized processing)*, p. 214
Traitement effectué par un ordinateur central de grande taille.

Traitement équitable *(due process)*, p. 102
Processus qui garantit la connaissance et la compréhension des lois et qui permet de faire appel à une instance supérieure pour s'assurer de l'application correcte de ces lois.

Traitement par lots *(batch processing)*, p. 178
Mode de collecte et de traitement des données suivant lequel les transactions sont accumulées et stockées jusqu'au moment préétabli où il est opportun ou nécessaire de les traiter par lots.

Traitement transactionnel en ligne *(online transaction processing)*, p. 257
Mode de traitement selon lequel l'ordinateur traite immédiatement les transactions entrées.

Transition stratégique *(strategic transition)*, p. 87
Mouvement d'un niveau de système sociotechnique à un autre. Une transition stratégique est souvent nécessaire lors de l'adoption d'un système stratégique nécessitant des changements dans les composantes sociales et techniques de l'organisation.

Transparence des coûts *(cost transparency)*, p. 303
Limpidité comptable grâce à laquelle les consommateurs peuvent connaître facilement les coûts qu'engage un commerçant pour offrir ses produits.

Transparence des prix *(price transparency)*, p. 303
Facilité avec laquelle les consommateurs peuvent déterminer l'éventail des prix sur un marché.

Travailleur de la connaissance *(knowledge worker)*, p. 17
Membre du personnel d'une entreprise (ingénieur, architecte) qui conçoit des produits ou des services et qui crée les connaissances nécessaires au fonctionnement de l'organisation.

Travailleur de la production ou des services *(production or service worker)*, p. 17
Membre du personnel d'une entreprise chargé de la fabrication des produits ou de la prestation des services d'une organisation.

Travailleur du traitement de données *(data worker)*, p. 17
Membre du personnel d'une entreprise (secrétaire, aide-comptable, commis) chargé du travail de bureau.

Tuple *(tuple)*, p. 173
Rangée ou enregistrement, dans une base de données relationnelle.

Unix *(Unix)*, p. 143
Système d'exploitation qui fonctionne sur tous les types d'ordinateurs, est indépendant de la machine et supporte le traitement multiutilisateur, le traitement multitâche et le réseautage. Il est utilisé sur les serveurs et les postes de travail haut de gamme.

Usenet *(Usenet)*, p. 337
Réseau de forums de discussion permettant aux utilisateurs d'échanger de l'information et des idées sur différents sujets. N'importe qui peut afficher un message sur les babillards électroniques de Usenet ou répondre à un de ses messages.

Utilisateur final *(end user)*, p. 51
Membre d'un service étranger au groupe des systèmes d'information, auquel sont destinées les applications de ces systèmes.

Valeur à vie du client *(customer lifetime value — CLTV)*, p. 288
Différence entre, d'une part, le chiffre d'affaires qu'un client donné peut générer et, d'autre part, les dépenses engagées non seulement pour acquérir et servir ce client, mais aussi pour assurer le marketing promotionnel approprié tout au long de sa vie. Cette valeur est exprimée en dollars courants.

Vente croisée *(cross-selling)*, p. 286
Vente de produits complémentaires aux clients.

Vérification après implantation *(post-implementation audit)*, p. 400
Processus d'examen structuré qui suit la mise en production d'un système et vise à déterminer dans quelle mesure le système atteint les objectifs fixés.

Vérification des systèmes d'information *(MIS audit)*, p. 252
Repérage de tous les contrôles qui s'exercent sur les systèmes d'information individuels, et évaluation de leur efficacité.

Ver informatique *(worm)*, p. 242
Programme indépendant qui se propage lui-même d'un ordinateur à l'autre pour perturber le fonctionnement d'un réseau informatique ou détruire des données et des programmes.

Virtualisation *(virtualization)*, p. 148
Présentation d'un ensemble de ressources informatiques de telle sorte qu'il soit possible d'y accéder selon des modalités qui ne sont pas limitées par une configuration matérielle ou une situation géographique.

Virus informatique *(computer virus)*, p. 242
Programme pirate qui s'attache à d'autres programmes ou à des fichiers de données pour gêner le fonctionnement du matériel et des logiciels.

Visioconférence *(videoconferencing)*, p. 10
Téléconférence dans laquelle les participants peuvent se voir réciproquement, grâce à l'utilisation d'écrans vidéo.

Visualisation de données *(data visualization)*, p. 374
Technologie présentant les données sous forme graphique, de manière à permettre aux utilisateurs de repérer les modèles et les relations qui se dégagent de grandes quantités de données.

Voix sur IP — VoIP *(voice over IP — VoIP)*, p. 214
Utilisation du protocole Internet (IP) pour la transmission de la voix sous forme numérique.

Vol d'identité *(identity theft)*, p. 244
Vol de renseignements clés de l'identité personnelle – comme les numéros de cartes de crédit ou le numéro d'assurance sociale – en vue de les utiliser pour obtenir des marchandises ou des services, ou encore de fausses lettres de créance.

Web *(World Wide Web)*, p. 18
Système comportant des normes mondialement reconnues concernant le stockage, la récupération, la mise en forme et l'affichage de l'information dans un environnement interconnecté.

Web 2.0 *(Web 2.0)*, p. 220
Service Internet interactif de deuxième génération qui permet aux utilisateurs de collaborer, de partager de l'information et de créer de nouveaux services en ligne. Il comprend les applications composites, les blogues, les RSS et les sites wiki.

Web 3.0 *(Web 3.0)*, p. 221
Vision future du Web selon laquelle toutes les informations numériques seront interconnectées et l'utilisateur disposera de capacités de recherche intelligente.

Web sémantique *(semantic Web)*, p. 221
Web évolué dans lequel des agents logiciels intelligents permettent une meilleure compréhension de l'information par la machine, une indexation automatisée de l'information et, donc, des consultations qui gagnent en sensibilité et en efficacité.

Wi-Fi *(Wi-Fi)*, p. 224
Ensemble de normes de réseautage sans fil appartenant à la famille de normes 802.11, de l'Institute of Electrical and Electronics Engineers (IEEE). Le terme est une contraction de *Wireless Fidelity*.

Wiki *(wiki)*, p. 221
Site Web collaboratif où les visiteurs peuvent participer à la rédaction du contenu en ajoutant ou en supprimant de l'information ou en modifiant l'information existante, notamment le travail des auteurs précédents.

WiMax *(WiMax)*, p. 225
Famille de normes de réseautage sans fil 802.16 de l'Institute of Electrical and Electronics Engineers (IEEE), pouvant couvrir jusqu'à 50 km et offrant un débit maximum de 75 Mbps. Le terme est une contraction de *Worldwide Interoperability for Microwave Access*.

Windows *(Windows)*, p. 136
Famille Microsoft de systèmes d'exploitation pour les serveurs de réseau et pour les ordinateurs clients.

Zone d'accès sans fil à Internet *(hotspot)*, p. 225
Lieu possédant un point d'accès public à un réseau Wi-Fi.